**Collection
Premier
Cycle**

La France du XVIᵉ siècle

1483-1598

ARLETTE JOUANNA

Professeur émérite
à l'Université de Montpellier III

*Presses
Universitaires
de France*

ISBN 2 13 047777 1
ISSN 1158-6028

Dépôt légal — 1ʳᵉ édition : 1996, juillet

Sommaire

TROISIÈME PARTIE
RENAÎTRE, RESTAURER, RÉFORMER

LE TEMPS DES GUERRES CIVILES
(1559-1598)

PREMIÈRE PARTIE
LE REJET VIOLENT DU PREMIER ESSAI
DE TOLÉRANCE CIVILE (1559-1568)

Avant-Propos

Ce manuel s'insère dans une longue lignée et doit beaucoup à ses prédécesseurs ; il n'a d'autre ambition que de présenter une synthèse commode des connaissances actuelles. Son but serait pleinement atteint s'il suscitait ou confirmait des vocations de « seiziémistes ».

Il est toujours un peu arbitraire de donner des limites chronologiques au XVI⁰ siècle. Choisir la date du début du règne de Charles VIII, 1483, permet d'inclure les États généraux de 1484, souvent évoqués dans les débats politiques sous les derniers Valois. Celle de 1598 marque la fin provisoire des guerres de Religion, avec l'Édit de Nantes, et le début d'une période à bien des égards nouvelle dans l'histoire des structures monarchiques.

Le plan, plus thématique dans la première section, est délibérément chronologique dans la deuxième : seule manière de faire sentir le poids des conjonctures dans l'évolution religieuse, politique, sociale et économique que connaît la France dans la seconde moitié du siècle.

Un point de détail doit être précisé : la question controversée du pluriel des noms propres des grands lignages a été résolue par l'observation des règles énoncées dans Le Bon Usage de Maurice Grévisse : le nom des « familles royales ou princières, illustres dans l'histoire », prend la marque du pluriel, comme par exemple « les Bourbons, les Guises, les Condés, les Montmorencys, les Stuarts, les Tudors ».

Introduction

L'espace à gouverner : l'immensité et la diversité du royaume

Le royaume de France forme au XVIe siècle un ensemble qui couvre une superficie de 450 000 à 460 000 km². De dimensions plus restreintes qu'aujourd'hui, il est pourtant, si on se réfère au temps nécessaire pour le parcourir et à l'hétérogénéité du statut des territoires qui le composent, à la fois immensément vaste et extraordinairement divers, ce qui le rend, concrètement, peu commode à gouverner pour le roi.

Les frontières

Au nord, les comtés de Flandre et d'Artois, portion de l'héritage bourguignon échu aux Habsbourgs, sont encore, au début du siècle, sous la suzeraineté des rois de France, qui en reçoivent l'hommage. Pour les habitants, cela signifie qu'ils peuvent faire appel en justice devant le Parlement de Paris. Mais le roi François Ier perd cette suzeraineté par le traité de Madrid en 1526, perte confirmée en 1529 par le traité de Cambrai. Ces comtés font partie des Pays-Bas ; à partir de 1555, ils sont entraînés plus fortement dans l'orbite espagnole : l'empereur Charles Quint les remet cette année-là à son fils Philippe, roi d'Espagne en 1556.

La ville de Calais constitue une enclave anglaise jusqu'en 1558, date à laquelle elle est conquise par le duc François de Guise.

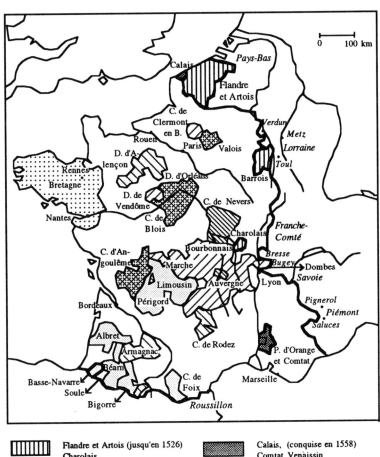

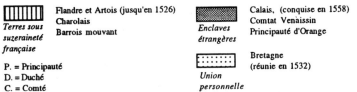

Flandre et Artois (jusqu'en 1526)
Charolais
Barrois mouvant

*Terres sous
suzeraineté
française*

P. = Principauté
D. = Duché
C. = Comté

*Enclaves
étrangères*

Calais, (conquise en 1558)
Comtat Venaissin
Principauté d'Orange

*Union
personnelle*

Bretagne
(réunie en 1532)

Carte 1 – Les grands fiefs au début du XVIᵉ siècle

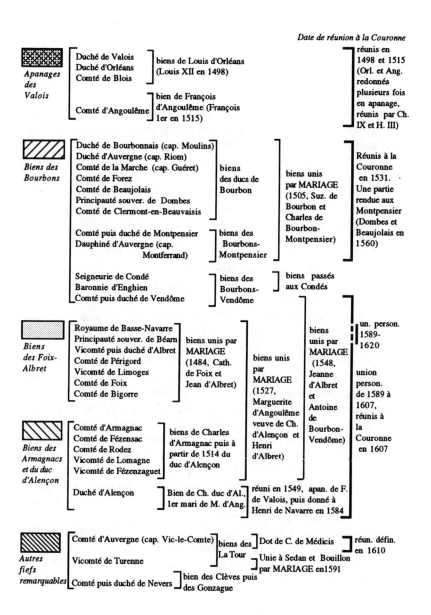

Date de réunion à la Couronne

Apanages des Valois

Duché de Valois
Duché d'Orléans
Comté de Blois
— biens de Louis d'Orléans (Louis XII en 1498)

Comté d'Angoulême
— bien de François d'Angoulême (François 1er en 1515)

réunis en 1498 et 1515 (Orl. et Ang. redonnés plusieurs fois en apanage, réunis par Ch. IX et H. III)

Biens des Bourbons

Duché de Bourbonnais (cap. Moulins)
Duché d'Auvergne (cap. Riom)
Comté de la Marche (cap. Guéret)
Comté de Forez
Comté de Beaujolais
Principauté souver. de Dombes
Comté de Clermont-en-Beauvaisis
— biens des ducs de Bourbon

Comté puis duché de Montpensier
Dauphiné d'Auvergne (cap. Montferrand)
— biens des Bourbons-Montpensier

biens unis par MARIAGE (1505, Suz. de Bourbon et Charles de Bourbon-Montpensier)

Réunis à la Couronne en 1531. Une partie rendue aux Montpensier (Dombes et Beaujolais en 1560)

Seigneurie de Condé
Baronnie d'Enghien
Comté puis duché de Vendôme
— biens des Bourbons-Vendôme

biens passés aux Condés

Biens des Foix-Albret

Royaume de Basse-Navarre
Principauté souver. de Béarn
Vicomté puis duché d'Albret
Comté de Périgord
Vicomté de Limoges
Comté de Foix
Comté de Bigorre
— biens unis par MARIAGE (1484, Cath. de Foix et Jean d'Albret)

biens unis par MARIAGE (1527, Marguerite d'Angoulême veuve de Ch. d'Alençon et Henri d'Albret)

biens unis par MARIAGE (1548, Jeanne d'Albret et Antoine de Bourbon-Vendôme)

un. person. 1589-1620

union person. de 1589 à 1607, réunis à la Couronne en 1607

Biens des Armagnacs et du duc d'Alençon

Comté d'Armagnac
Comté de Fézensac
Comté de Rodez
Vicomté de Lomagne
Vicomté de Fézenzaguet
— biens de Charles d'Armagnac puis à partir de 1514 du duc d'Alençon

Duché d'Alençon
— Bien de Ch. duc d'Al., 1er mari de M. d'Ang.

réuni en 1549, apan. de F. de Valois, puis donné à Henri de Navarre en 1584

Autres fiefs remarquables

Comté d'Auvergne (cap. Vic-le-Comte)
Vicomté de Turenne
— biens des La Tour

Dot de C. de Médicis
Unie à Sedan et Bouillon par MARIAGE en1591

réun. défin. en 1610

Comté puis duché de Nevers
— bien des Clèves puis des Gonzague

A l'est, l'Alsace et la Lorraine sont liées au Saint-Empire. Mais la partie du Barrois qui se situe sur la rive gauche de la Meuse, tout en étant possession du duc de Lorraine, relève de la suzeraineté du roi de France ; elle est appelée pour cette raison *Barrois mouvant*.

La ville de Metz et les évêchés de Toul et Verdun sont occupés en 1552 par Henri II, avec l'accord des princes luthériens allemands, occupation qui ne recevra sa sanction diplomatique définitive qu'au traité de Münster en 1648 (elle donnera naissance à la province dite des Trois-Évêchés).

La Franche-Comté, possession anciennement bourguignonne et que Louis XI avait occupée, est rendue aux Habsbourgs en 1493 par le traité de Senlis signé par Charles VIII. La présence habsbourgeoise sur le flanc est du royaume constitue une menace potentielle redoutable.

Plus au sud, la principauté souveraine de Dombes, sur la rive gauche de la Saône, est au pouvoir des ducs de Bourbon. Séquestrée en 1523 puis confisquée par François Iᵉʳ avec l'ensemble des biens du connétable Charles de Bourbon, elle est rendue en 1560 à un héritier de ce dernier, le duc de Montpensier.

Lyon est une ville quasiment frontière, situation paradoxale pour une capitale économique (et parfois politique, lorsque la cour y réside). L'un des objectifs des guerres du XVIᵉ siècle est de la rendre moins vulnérable. L'occupation du duché de Savoie, de 1536 à 1559, répond à cette préoccupation. Mais la protection de la ville n'est assurée de manière définitive qu'en 1601, lorsque la Savoie cède à la France la Bresse, le Bugey et le pays de Gex.

Enclavé dans le royaume, le *Charolais* fait partie, avec la Franche-Comté, des possessions de l'héritage bourguignon rendues en 1493 aux Habsbourgs par le traité de Senlis ; mais, à la différence de la Comté, il est resté sous suzeraineté française. Il est réintégré en principe dans le royaume en 1559 ; mais le roi d'Espagne Philippe II continue à le revendiquer. Il reviendra à la France en 1659, au traité des Pyrénées.

La vicomté de Turenne, entre le Quercy et le Limousin, est une semi-souveraineté ; elle sera rachetée par le roi en 1738.

Au sud-est, le Dauphiné est réuni à la France depuis 1349 et la Provence depuis 1481 ; le roi de France y gouverne comme Dauphin et Comte.

De 1536 à 1559, la frontière englobe, outre le duché de Savoie, une partie du Piémont. Après le traité de Cateau-Cambrésis de 1559, il ne reste à la France que quelques places fortes (une partie est rendue en 1562 ; Pignerol, Pérouse et Savillan le sont en 1574) et le marquisat de Saluces (repris par la Savoie en 1588 et définitivement abandonné par le roi en 1601).

Des enclaves étrangères subsistent le long du Rhône : le Comtat Venaissin, possession pontificale, et la principauté d'Orange, qui appartient à la maison de Châlon jusqu'en 1530 puis aux Nassau. Les habitants du Comtat sont cependant considérés comme *régnicoles*, c'est-à-dire qu'ils bénéficient des droits et privilèges des Français. On a pu dire qu'ils ont « une sorte de double nationalité » (F. Bluche, *Dictionnaire du Grand Siècle*, 1990).

Au sud, le Roussillon, qu'avait conquis Louis XI, est restitué aux rois catholiques d'Espagne par Charles VIII au traité de Barcelone (janvier 1493).

Le Béarn est une principauté souveraine, et la Navarre un royaume indépendant. Ce dernier est réduit à la Basse-Navarre depuis que Ferdinand d'Aragon a occupé en 1485 puis annexé en 1512 la partie située sur le versant espagnol. Béarn et Navarre, possessions de la maison d'Albret puis des Bourbons, sont rattachés par union personnelle au royaume de l'avènement de Henri IV (1589) jusqu'en 1620, date à laquelle ils lui sont réellement intégrés.

A l'ouest, la Bretagne est d'abord sous le régime de l'union personnelle grâce à des mariages successifs : la duchesse Anne épouse d'abord, en 1491, Charles VIII, puis, en 1499, son successeur Louis XII. La fille issue de cette dernière union, Claude, devenue duchesse de Bretagne, épouse en 1514 François d'Angoulême, futur François Ier. C'est en 1532 que se produit le rattachement définitif au royaume, consenti par l'assemblée des États de Bretagne.

La frontière, délimitation de souveraineté

La réalité de la frontière est différente de celle d'aujourd'hui. Roger Doucet et Gaston Zeller ont souligné qu'elle est au XVIe siècle une zone indistincte plutôt qu'une ligne précise. Ce jugement se vérifie tout particulièrement dans les parties limitrophes entre l'Empire et la France, à cause de l'interpénétration des juridictions diverses. Les habitants eux-mêmes ne sont pas mécontents de cette situation, qu'ils mettent à profit pour échapper aux exigences fiscales des deux côtés. « Il existait ainsi de véritables républiques indépendantes, telles que Rarécourt et Clinchamps »

(R. Doucet, *Les institutions de la France*, t. 1, p. 17). De même, entre la Bourgogne et la Franche-Comté subsistent de nombreuses terres « en surséance », c'est-à-dire dont l'attribution à tel ou tel État est encore en suspens : c'est le cas de près de 200 villages, dont Chaume et Fontaine-Française (mais, dans le domaine judiciaire, l'influence du Parlement de Dôle tend à s'étendre). En outre, les frontières ecclésiastiques des diocèses de Langres et de Besançon ne coïncident pas avec la frontière politique.

Toutefois, cette imprécision est relative, dans la mesure où elle fait l'objet de recherches savantes de la part des érudits ; elle est donc connue et, pourrait-on dire, gérée par les juristes royaux, qui y voient le prétexte plausible d'annexions futures. Elle n'empêche pas de se développer le sentiment que la frontière délimite la souveraineté et qu'elle a une valeur très précise, tant juridique que symbolique. Les déplacements des rois de France à l'intérieur de leur royaume montrent que ceux-ci en ont parfaitement conscience.

Le voyage de Charles IX autour de la France (1564-1566) offre ainsi quelques exemples concrets qu'a analysés l'historien Daniel Nordman. Un premier incident significatif se produit à Bar (dans le *Barrois mouvant*), où la cour arrive au printemps 1564 : il révèle le conflit entre souveraineté et suzeraineté. L'occasion en est le baptême du fils du duc Charles III de Lorraine, petit-fils, par sa mère, de Catherine de Médicis. Lors de l'entrée de Charles IX dans la ville, ses représentants demandent la libération des prisonniers, en signe de réjouissance. Mais c'est un acte de souverain, non de simple suzerain : aussi n'est-ce qu'après de longs pourparlers que les Lorrains se résolvent à donner satisfaction au roi : ils perçoivent très bien toute l'importance du symbole.

Arrivée à l'extrémité sud-ouest du Languedoc, la cour s'arrête à Leucate, dernière place française avant l'Espagne. Catherine de Médicis part se promener en barque sur l'étang, avec son fils Henri et quelques compagnons. Brusquement, elle se rend compte qu'elle se trouve près de la forteresse espagnole de Salses. Immédiatement, elle envoie avertir de sa présence le capitaine de la place, « affin, dit-elle dans la lettre qui relate le fait, qu'il ne print allarme de nous ». Elle sait parfaitement qu'elle est en Espagne et qu'il faut désamorcer l'incident diplomatique possible.

Le 14 juin 1565, ce sont les rituels régissant les déplacements qui suggèrent la sacralisation de la frontière, matérialisée en l'occurrence par la Bidassoa. Catherine de Médicis et Charles IX rencontrent la reine d'Espagne Élisabeth, leur fille et sœur. La reine mère franchit la

Bidassoa en bateau et accueille Élisabeth sur la rive espagnole. Le roi l'attend sur la rive française (ou, selon une variante, s'aventure en bateau jusqu'au *milieu* du petit fleuve) : un souverain ne quitte pas son territoire, sauf de façon offensive. Ces « rites de frontières » (D. Nordmann) montrent l'importance de l'enjeu de souveraineté.

La représentation cartographique du royaume

Comment les rois peuvent-ils se représenter les limites du territoire sur lequel ils règnent ? Au début du siècle n'existent que des *portulans* italiens et allemands qui indiquent le tracé des côtes, utile pour la navigation. La première description géographique du royaume date, semble-t-il, de 1525 (on n'a conservé que l'édition abrégée parue à Lyon en 1535 et la réédition complète à Toulouse en 1565) : *Projet et calcul faict par le commandement du Roy de la grandeur, longueur et largeur de son Royaume, pays, terres et seigneuries*. La même année (1525) paraît une carte du royaume, où il apparaît sous une forme à peu près carrée, faite par le mathématicien dauphinois Oronce Finé ; la *Cosmographie* de Sébastien Münster (1544) lui donne une large diffusion. Puis suivent les cartes de Jean Jolivet, géographe du roi sous François Ier et Henri II (parues en 1560 et 1570), de Pierre Hamon, secrétaire de Charles IX (1568), et de Guillaume Postel (1570). L'atlas de l'Anversois Abraham Ortelius (*Theatrum Orbis Terrarum*, 1570) contient une carte de la France, inspirée par celle de Jolivet ; puis un fascicule de l'atlas du grand cartographe Mercator (1595) lui est entièrement consacré *(Galliae Tabulae)*. En 1594 Maurice Bouguereau édite à Tours son *Théâtre françoys*, recueil de cartes du royaume. A partir du deuxième quart du siècle les rois disposent donc d'instruments, certes rudimentaires, qui leur permettent de se faire une idée approximative des dimensions de l'espace qu'ils ont à gouverner.

L'immensité du territoire

Ainsi délimité, le royaume occupe un espace qui est, concrètement, immense. On évalue les distances en « journées ». Un ouvrage permet de se faire une idée des distances-temps : c'est *La guide des chemins de France*, de Charles Estienne, médecin érudit, fils du grand imprimeur humaniste Henri Estienne. Paru en 1552, ce livre a connu un succès immédiat, attesté par ses nombreuses rééditions. Il indique les principaux itinéraires, les étapes, les difficultés des chemins et les curiosités des pays traversés ; il est fondé sur les informations fournies par les marchands, colporteurs et pèlerins. Aux indications qu'il donne on peut ajouter celles qu'on trouve dans les *Descriptions générales* (inédites) rédigées de 1567 à 1573 par le géographe ordinaire du roi Nicolas de Nicolay pour le Berry, le Bourbonnais, le Lyonnais et le Beaujolais.

Selon Charles Estienne, le royaume a 22 journées de large et 19 de long. A combien de kilomètres – ou plutôt de lieues, une lieue valant à peu près 4 km – correspond une journée ? La réponse varie selon le mode de locomotion choisi.

Les manières de voyager

Le moyen le plus simple est la marche. Voyager à pied est très répandu. Un marcheur parcourt en moyenne de 20 à 30 km par jour, soit de cinq à sept heures de marche. Colporteurs, charretiers, pèlerins, prêtres errants, étudiants, jongleurs et bateleurs, ces « marcheurs de fond » usent rapidement leurs chaussures : il leur en faut au minimum une paire tous les quinze jours.

Le mode de déplacement le plus utilisé reste cependant le cheval. C'est celui que préfère, par exemple, Montaigne, grand voyageur : « Je ne puis souffrir long temps (et les souffrois plus difficilement en jeunesse) ny coche, ny littiere, ny bateau ; et hay toute autre voiture que de cheval, et en la ville et aux champs » (*Les Essais*, liv. III, chap. VI). La distance parcourue en un jour par un cavalier est de 40 à 50 km en moyenne. Dans les régions montagneuses, le cheval est remplacé par le mulet.

Pour ceux qui préfèrent être véhiculés, le choix s'offre entre plusieurs modes de locomotion. Il y a d'abord la litière, portée par des chevaux, qu'utilise par exemple Catherine de Médicis en accompagnant Charles IX dans son périple autour du royaume. Les chars (à quatre roues) et les charrettes (à deux roues) servent surtout aux marchandises. Peu ont un avant-train mobile, d'où leur difficulté à prendre les virages. Les caisses sont attachées à des chaînes ou à des sangles. Les roues de bois sont protégées par des plaques cloutées, et depuis le milieu du siècle, par des bandages. Une amélioration s'introduit peu à peu : les roues sont mobiles autour d'un essieu fixe et non plus l'inverse.

Pour les voyageurs se répand vers le milieu du siècle le carrosse ou coche, dont l'usage s'est d'abord propagé en Italie. En 1550, à Paris, il n'en existe encore que trois. Pour leur confort on introduit la suspension : les sangles sont attachées à des ressorts posés sur le cadre. Ainsi équipés, ils sont parfois appelés les « chariots branlants ».

En char ou en coche, on parcourt de 30 à 40 km par jour. Un service public de voiture, sur certains itinéraires autour de Paris, est créé dans le dernier quart du XVIe siècle.

Les routes, reflet des progrès de l'organisation administrative et du contrôle royal de l'espace, ne sont encore au XVIe siècle que des grands chemins, mal empierrés, jalonnés de péages. Les emprunter est périlleux : les intempéries les transforment en bourbiers, les risques de brigandage les rendent peu sûres ; en temps d'épidémies de peste, les villes se ferment ; les guerres civiles de la deuxième moitié du siècle accroissent l'insécurité. La traversée des forêts est particulièrement redoutable, car au risque des voleurs s'ajoute celui des bêtes sauvages, loups et même ours dans les montagnes. Par son caractère dangereux, la forêt tient une place remarquable dans l'imaginaire populaire : c'est en son sein que, selon les contes, on rencontre le merveilleux, fées, ogres ou lutins. Il faut ajouter cependant que la forêt est aussi le milieu ami où se pratiquent la cueillette et la pêche, où l'on installe les ruches, où les bêtes vont paître, où se trouvent le bois pour les menuisiers, les charpentiers, les sabotiers, les tonneliers et le combustible pour les charbonniers et les foyers domestiques. Il n'empêche qu'avec les landes et les montagnes, les forêts sont des zones encore sauvages, mal dominées par l'homme et hostiles au voyageur.

Reste la voie d'eau, utilisée tant par les marchandises que par les hommes. On voyage sur des bateaux à voiles ou sur des *plattes*, grandes barques pontonnées mues à la rame, hâlées à la remontée par des hommes ou des chevaux tirant à partir de chemins de hâlage. La vitesse est, à la descente, de 35 à 65 km par jour (sur la paisible Loire) ou de 90 km (sur le Rhône impétueux), mais, à contre-courant, d'environ 20 km/jour (15 seulement sur le Rhône).

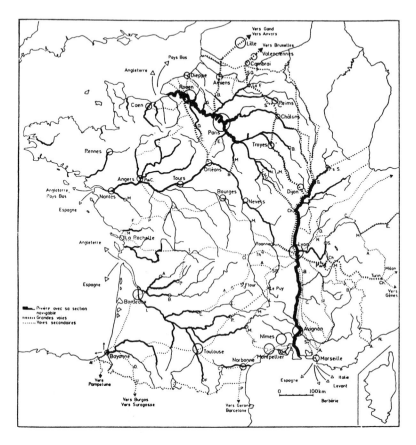

A défaut d'une exacte pondération l'épaisseur des traits souligne l'importance relative des grands itinéraires. S'observent au premier regard : les liaisons conjuguées terre et eau ; le caractère privilégié des points de transbordement en tant que sites urbains

Carte 2 – Les grands chemins marchands

D'après Richard Gascon, *La France du mouvement, in* Pierre Chaunu et Richard Gascon, *Histoire économique et sociale de la France,* Paris, PUF, 1977, t. 1, vol. 1, p. 384

Les distances-temps

Si l'on traduit tout ceci en distance-temps, il faut, depuis Paris et en voyageant à cheval, deux jours pour aller à Amiens, de huit à dix pour Lyon, de seize à vingt pour Marseille. Les vitesses sont un peu plus grandes si l'on utilise la poste (organisée dès la fin du XVe siècle), dont les chevaux sont relayés : entre Lyon et Roanne, elle permet de couvrir 90 km par jour. Les courriers transportant des lettres ou des paquets urgents peuvent aller plus vite encore : sur les routes d'Italie il leur arrive de faire de 150 à 200 km en une journée.

Imaginons la distance que l'on peut parcourir aujourd'hui en voiture – écartons l'avion, hors de toute comparaison possible – en vingt-deux jours, dimension maximale du royaume selon Estienne : on aura une idée de son immensité concrète, mesurée en distance-temps. L'historien Roland Mousnier a pu estimer qu'à l'échelle des modes de locomotion d'alors, la France est beaucoup plus vaste que l'Europe d'aujourd'hui. Paris-Lyon sur un cheval non relayé est à peu près aussi long et fatigant pour le voyageur du XVIe siècle que Paris-Moscou pour un automobiliste qui couvrirait quelque 500 km par jour...

Il faut avoir ces faits à l'esprit pour comprendre les difficultés qu'éprouve une administration royale encore embryonnaire à contrôler efficacement ces espaces immenses. En 1515, il y a seulement de 7 000 à 8 000 personnes au service de l'État, en y incluant le petit personnel des clercs et des commis. Il y a plus : dans des situations urgentes, les décisions doivent être prises sur place, quitte à les faire approuver après coup par le roi ; les communications sont trop lentes pour qu'il en soit autrement. Les autonomies urbaines et provinciales ne sont pas seulement un legs de l'histoire compliquée du royaume : elle sont aussi une nécessité de fait. La centralisation administrative dont l'historiographie a fait l'une des caractéristiques de la monarchie absolue est matériellement impossible au XVIe siècle ; il faudra longtemps encore pour qu'elle le devienne.

Le domaine royal et les grands fiefs

L'espace du royaume n'est pas seulement immense ; il est aussi composé de territoires au statut très divers.

Le domaine

Le mot *domaine* a deux sens. Il désigne d'abord toutes les terres qui appartiennent au roi, soit en pleine propriété, soit en seigneurie directe (dans ce dernier cas, il est composé des droits seigneuriaux perçus par lui) : c'est le *domaine corporel*.

Le *domaine incorporel* est constitué de droits divers, tels que les taxes liées à l'anoblissement, le droit de franc-fief (dû par les roturiers acquéreurs de fiefs), le droit d'aubaine (attribuant au roi la succession des marchands étrangers morts dans le royaume), les taxes d'amortissement et de nouvel acquêt (payées par les *gens de mainmorte*, à qui il est interdit d'aliéner leurs biens, comme les corps de métier, les congrégations religieuses et diverses autres communautés, lorsqu'ils acquièrent un immeuble), etc.

Le roi doit vivre du sien, c'est-à-dire des ressources de son domaine : telle est la maxime qui est encore très répandue au XVIᵉ siècle. Ces ressources sont dites *ordinaires*, par opposition à celles que procure l'impôt, qui devrait théoriquement ne financer que les dépenses extraordinaires, celles de la guerre par exemple. Mais, en fait, l'impôt de la taille est permanent depuis 1439 ; étant devenu habituel, il est de plus en plus perçu comme ordinaire. La limite entre revenus ordinaires et extraordinaires tend ainsi à se déplacer : les premiers englobent peu à peu les seconds dès lors que ceux-ci sont accrédités par l'usage et s'enracinent dans la coutume.

Le domaine est inaliénable. C'est un principe dont les Parlements et les Chambres des comptes assurent tant bien que mal l'exécution. L'évêque et juriste Claude de Seyssel le rappelle dans *La Grand-Monarchie de France*, publiée en 1519 : ces cours souveraines doivent approuver les aliénations du domaine, si les rois veulent y avoir recours. Elles « y procèdent si mûrement et par si grande difficulté et discussion que peu de gens se trouvent qui pourchassent telles aliénations, sachant qu'elles ne seraient ni valables ni assurées : et si pourraient être sujets à rendre ce que par vertu d'icelles ils en auroient pris » (partie I, chap. XI). De fait, le roi aliène le domaine chaque fois qu'il a besoin d'argent, mais les acheteurs sont toujours à la merci d'une révocation de ces aliénations.

Les apanages

Ce sont des biens détachés du domaine et donnés par le roi à ses fils cadets, transmissibles par primogéniture et devant retourner à la Couronne en l'absence d'héritier mâle. Les apanagistes reçoivent le droit de pourvoir à un certain nombre d'offices royaux et de bénéfices ecclésiastiques : c'est là un aspect important de leur pouvoir, car cela leur permet d'entretenir leur clientèle.

En 1494, les Valois-Orléans ont en apanage le duché de Valois, le duché d'Orléans et le comté de Blois, et les Valois-Angoulême le comté d'Angoulême. L'avènement en 1498 de Louis d'Orléans (Louis XII) et en 1515 de François d'Angoulême (François Ier) permet de réunir ces terres à la Couronne (celles du premier d'abord comme biens privés).

Une partie des biens du connétable Charles de Bourbon provient de biens apanagés, échus par dérogation à sa femme Suzanne de Bourbon (duché d'Auvergne, comté de Clermont-en-Beauvaisis) ; ils sont donc réclamés en priorité par François Ier à la mort de Suzanne. C'est un des aspects de l'affaire du connétable, en qui le roi veut atteindre un excès de puissance (voir plus bas et chap. 13).

Sont aussi des apanages, à l'origine, le duché d'Alençon, le comté puis duché de Vendôme, la seigneurie de Condé et la baronnie d'Enghien.

Au cours du XVIe siècle, des terres sont données ou redonnées en apanage :

— les duchés d'Orléans, d'Angoulême et de Bourbonnais, les comtés de Clermont-en-Beauvaisis et de la Marche pour Charles, troisième fils de François Ier ; les deux premiers duchés servent à nouveau d'apanages, celui d'Angoulême pour Charles, futur Charles IX et celui d'Orléans pour le même puis pour son frère Henri ;

— les duchés d'Anjou et d'Alençon respectivement pour Henri et François, frères de Charles IX, qui leur fait ces dons en 1566 ;

— les duchés d'Anjou, de Touraine et de Berry, rajoutés à l'apanage de François d'Alençon par l'édit de Beaulieu en 1576. Mais toutes ces terres sont finalement rattachées à la Couronne, soit par la mort de leurs détenteurs (Charles, fils de François Ier, en 1545, François d'Alençon puis d'Anjou en 1584), soit par l'avènement au trône (Charles IX en 1560 et Henri III en 1574).

14

Tableau 1 – La succession au trône de France (généalogie simplifiée)

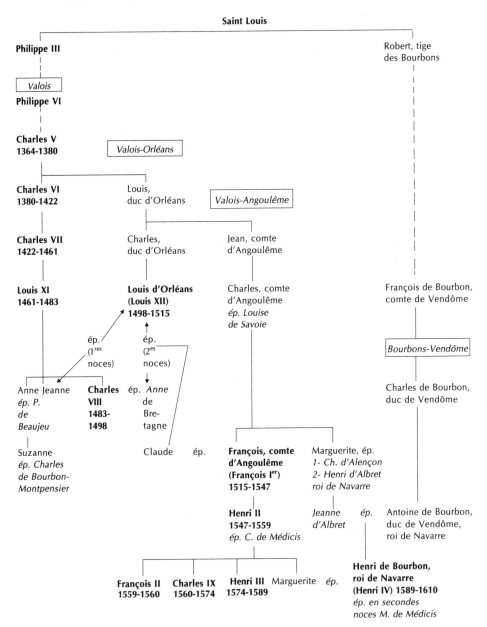

Saint Louis

Philippe III

Robert, tige
des Bourbons

Valois

Philippe VI

Charles V
1364-1380

Valois-Orléans

Charles VI
1380-1422

Louis,
duc d'Orléans

Valois-Angoulême

Charles VII
1422-1461

Charles,
duc d'Orléans

Jean, comte
d'Angoulême

Louis XI
1461-1483

**Louis d'Orléans
(Louis XII)
1498-1515**

Charles, comte
d'Angoulême
*ép. Louise
de Savoie*

François de Bourbon,
comte de Vendôme

ép.
(1ʳᵉˢ
noces)

ép.
(2ᵉˢ
noces)

Bourbons-Vendôme

Anne Jeanne
*ép. P.
de
Beaujeu*

**Charles
VIII
1483-
1498**

ép. *Anne
de
Bre-
tagne*

Charles de Bourbon,
duc de Vendôme

Suzanne
*ép. Charles
de Bourbon-
Montpensier*

Claude   ép.

**François, comte
d'Angoulême
(François Iᵉʳ)
1515-1547**

Marguerite, ép.
*1- Ch. d'Alençon
2- Henri d'Albret
roi de Navarre*

**Henri II
1547-1559**
ép. C. de Médicis

*Jeanne
d'Albret*

ép.

Antoine de Bourbon,
duc de Vendôme,
roi de Navarre

**François II
1559-1560**

**Charles IX
1560-1574**

**Henri III
1574-1589**

Marguerite   *ép.*

**Henri de Bourbon,
roi de Navarre
(Henri IV) 1589-1610**
*ép. en secondes
noces M. de Médicis*

Les grands fiefs et les ensembles territoriaux constitués par les mariages entre les lignées les plus puissantes

Le tableau qui accompagne la carte de la France en 1494 (carte 1) montre quel caractère redoutable peuvent avoir pour le roi les mariages entre les grandes lignées, dont le résultat est de concentrer sur un seul homme un énorme ensemble de domaines. Celui-ci devient alors un sujet « surpuissant » (*overmighty subject*, comme disent les historiens anglo-saxons).

Le premier de ces mariages, dans l'ordre chronologique, est celui qui unit en 1484 les maisons de Foix et d'Albret (Catherine de Foix, héritière de François Phébus, épouse Jean d'Albret).

Le second, en 1505, unit les possessions de deux branches des Bourbons, celle des Beaujeu, dont Suzanne de Bourbon est l'héritière, et celle des Montpensiers, en la personne de Charles, qui devient connétable en 1515. Ainsi se trouve constitué au cœur de la France un immense bloc territorial, dont le possesseur jouit d'une puissance inquiétante pour le roi. Le problème posé par ce sujet surpuissant est résolu de manière brutale par François Ier : sa mère Louise de Savoie revendique la succession de Suzanne de Bourbon, morte en 1521. Un procès est intenté au connétable devant le Parlement de Paris, et ses biens sont mis sous séquestre. Charles de Bourbon, ulcéré, passe au service de l'empereur Charles Quint, puis meurt en 1527 devant Rome ; ses biens, attribués à Louise de Savoie, sont réunis à la Couronne à la mort de celle-ci en 1531. Une partie sera cependant rendue aux Montpensiers, mais tardivement : en 1538, le comté de Montpensier et le Dauphiné d'Auvergne, qui sont échangés en 1560 contre la principauté de Dombes et le comté de Beaujolais.

Mais de nouveaux mariages font sans cesse resurgir la menace : en 1527, c'est la propre sœur de François Ier, Marguerite, veuve sans enfants du duc d'Alençon, qui épouse Henri d'Albret et rassemble ainsi l'héritage d'Armagnac, qui lui vient de son défunt mari, et les possessions des Foix-Albrets. En 1548, un autre mariage arrondit encore l'ensemble ainsi constitué : Jeanne d'Albret, fille de Marguerite et de Henri, épouse Antoine de Bourbon, qui apporte le duché de Vendôme. Leur fils Henri, qui reçoit en outre le duché d'Alençon en 1584, se retrouve ainsi à la tête d'un nombre impressionnant de terres, dont l'essentiel se trouve regroupé dans le sud-ouest. Appuyé sur les richesses qu'il y trouve, chef de surcroît du parti huguenot, souverain par son royaume de Navarre, Henri de Navarre est le type même du sujet surpuissant : mais le hasard qui refuse aux derniers Valois une descendance masculine l'appelle, en tant que descendant d'un fils de saint Louis, à leur succéder en 1589, et conjure ainsi le danger. Ce n'est cependant qu'en 1607 que ses domaines, jusque-là sous le régime de l'union personnelle, sont réunis à la Couronne, à l'exception de la Navarre et du Béarn, qui ne le sont qu'en 1620.

Autres fiefs remarquables

La principauté de Dombes, partie des possessions confisquées au connétable de Bourbon, est rendue en 1560, on l'a vu, au duc de Montpensier. Elle est dite « souveraine » : son possesseur a le droit de lever des impôts et de battre monnaie ; son Parlement, créé et installé à Lyon en 1523, est souverain dans son minuscule ressort.

Quant au duché de Nevers, on peut dire de lui que c'est une véritable survivance des institutions féodales. Les ducs de Nevers y ont encore, au XVIe siècle, une administration importante. En fait, l'autorité du roi s'y exerce très largement et en particulier pour la levée des impôts et des troupes.

Le royaume de France est donc constitué d'un ensemble hétérogène de territoires sur lesquels l'autorité royale ne s'exerce pas de la même façon ; il a fallu les hasards des successions – l'avènement de François Ier et celui de Henri IV ne sont dus qu'à l'absence d'héritiers mâles de leurs prédécesseurs – pour réduire en partie cette hétérogénéité. Si l'on ajoute que chaque province est fière de ses « privilèges », qui sont, au sens étymologique, des lois particulières ou privées, que plusieurs possèdent des assemblées d'États formées par les députés des trois ordres, que beaucoup de villes jouissent encore d'une autonomie relative dont elles s'enorgueillissent, on mesurera à quel point le gouvernement du royaume, dans un espace immense et long à parcourir, est une tâche malaisée. Pourtant, à la fin du XVe siècle, la monarchie a déjà derrière elle une longue tradition ; non seulement le roi de France dispose d'importantes ressources et d'agents efficaces, mais il cristallise sur sa personne des sentiments de loyauté et d'allégeance nourris par la foi religieuse et par une certaine mémoire historique commune. C'est ce ciment solide qui maintient la cohésion de l'ensemble et qui lui permettra de résister aux secousses du siècle.

ORIENTATION BIBLIOGRAPHIQUE

Jean Boutier, Alain Dewerpe, Daniel Nordman, *Un tour de France royal. Le voyage de Charles IX (1564-1566)*, Paris, Aubier, 1984, 410 p.

Numa Broc, *La géographie de la Renaissance (1420-1620)*, Paris, Com. Fr. des Tr. Hist., 1987, 258 p.

François de Dainville, *La géographie des humanistes*, Paris, 1940, rééd. Slatkine, 1969, 590 p.

Roger Doucet, *Les institutions de la France au XVIe siècle*, Paris, Picard, 1948, 2 vol.

Charles Estienne, *La guide des chemins de France*, éd. par Jean Bonnerot, Paris, Bibl. de l'Éc. des hautes ét., 1935-1936, 536 p.

Henri Lapeyre, *Les monarchies européennes au XVIe siècle*, Paris, PUF, 1967, 384 p.

Frank Lestringant, *L'atelier du cosmographe ou l'image du monde à la Renaissance*, Paris, A. Michel, 1991, 270 p.

Jean-Claude Margolin et Jean Céard (sous la dir. de), *Voyager à la Renaissance*, Paris, Maisonneuve & Larose, 1987, 678 p.

Roland Mousnier, *La France de 1492 à 1559*, Paris, Les Cours de la Sorbonne, dactyl., CDU, 1971 ; *Les institutions de la France sous la monarchie absolue*, Paris, PUF, 1974 et 1980, 2 vol.

L'homme et la route en Europe occidentale au Moyen Age et aux Temps modernes, coll. du Centre culturel de l'abbaye de Flaran, Auch, 1980, 304 p.

Gaston Zeller, *Les institutions de la France au XVIe siècle*, 1948, 2e éd., Paris, PUF, 1987, 416 p.

Le temps de la Renaissance
1483-1559

PREMIÈRE PARTIE
Les conditions de l'existence

Les historiens aiment à parler d'un « beau XVIᵉ siècle », marqué par l'euphorie démographique, la hausse des productions, l'enrichissement des campagnes et des villes. L'expression risque cependant d'induire en erreur : cette « beauté » conjoncturelle, commencée vers 1450, ne couvre qu'une partie du XVIᵉ siècle. On en fixe traditionnellement la fin vers 1560 ; en fait, les difficultés commencent à s'amonceler dès les années 1520, plus ou moins lourdement selon les provinces. Il reste que, dans la première moitié du siècle, le temps est malgré tout favorable à ceux qui entreprennent et cherchent à se hisser au-dessus de leur condition première.

1. Une population en hausse

Dans la première moitié du XVIe siècle, la population de la France augmente. Globalement, elle tend à rattraper le niveau qui était le sien au milieu du XIVe siècle, avant les catastrophes de la Peste noire et de la guerre de Cent ans. Mais cette croissance n'est pas linéaire ; elle connaît des paliers, qui correspondent à des temps de crise. En outre, elle a des effets pervers, tels que le morcellement des exploitations ou la baisse de la productivité.

Les sources qui permettent de connaître le mouvement de la population

La connaissance que l'on peut avoir du nombre d'habitants dans la France du XVIe siècle reste très partielle et incertaine, car il n'y a pas de sources qui permettent des évaluations précises. Il n'existe pas de dénombrement général pour l'ensemble du royaume, mais seulement quelques rarissimes dénombrements partiels. Encore ces derniers ne comptent-ils que des « feux », c'est-à-dire des foyers ; se pose alors le problème du coefficient à appliquer (le plus généralement retenu est légèrement inférieur à 5). Dans les listes fiscales, le feu n'est qu'une unité de compte, qui n'a parfois que des rapports lointains avec le « feu allumant », comme en Bretagne, Languedoc, Provence.

Les registres paroissiaux

Ce sont les sources les plus utiles. Malheureusement, ils sont encore très rares dans la première moitié du XVIᵉ siècle.

Les premiers ont été tenus à l'initiative des autorités ecclésiastiques. En Bretagne, le phénomène est très précoce : les évêques de Nantes, en 1406, de Saint-Brieuc, en 1421, de Dol et de Saint-Malo, en 1446, et de Rennes, en 1464, ordonnent aux curés de tenir des registres de baptêmes. Certains évêques de la France de l'Ouest, puis du Sud-Est imitent bientôt leurs collègues bretons. Ceux d'Angers, de Lisieux, de Paris, de Sées, de Chartres, de Sens, du Mans, font de même entre 1504 et 1535 ; parfois même il est prévu que les mariages et les sépultures soient ajoutés aux baptêmes. Ces prescriptions ont été partiellement suivies d'effet, puisqu'on trouve encore dans ces diocèses quelques registres datant d'avant la première décision du pouvoir civil (1539, l'ordonnance de Villers-Cotterêts). Les injonctions concernant la tenue des registres sont renouvelées par le concile de Trente, au cours de sa vingt-quatrième session, le 11 novembre 1563 : obligation est faite d'enregistrer les baptêmes et les mariages. Les préoccupations de l'autorité ecclésiastique ne sont pas démographiques, mais religieuses : il s'agit, en particulier, de savoir les noms des parrains et marraines de façon à éviter le mariage de ceux qui ont parrainé le même enfant et qui sont ainsi liés par une « parenté spirituelle » leur interdisant le mariage selon le droit canonique.

Le pouvoir royal se préoccupe à son tour de la tenue des registres paroissiaux par les curés. Quelques articles de la longue ordonnance de Villers-Cotterêts, en août 1539, ont pour objet d'obliger les curés à remplir deux registres, l'un pour les baptêmes, l'autre pour les sépultures :

> Article 50. Que des sépultures des personnes tenant bénéfices, sera faict registre en forme de preuve, pour les chapitres, collèges, monastères et cures, qui fera foi, et pour la preuve du temps de la mort, duquel temps sera faict mention esdicts registres, et pour servir de jugement des procès où il seroit question de prouver ledit temps de la mort, au moins quant à la recréance.
>
> Article 51. Aussi sera faict registre en forme de preuve des baptêmes qui contiendront le temps et l'heure de la nativité, et par l'extrait dudit registre, se pourra prouver le temps de majorité ou minorité et fera pleine foy à ceste fin.

L'article 52 prévoit que les registres devront être signés par un notaire, et le cinquante-troisième qu'ils devront être portés au greffe des tribunaux royaux des bailliages ou sénéchaussées. La préoccupation de l'ordonnance est tout étrangère au désir de mieux connaître la population dans son ensemble : il s'agit d'avoir des preuves de l'âge des personnes pour l'attribution des bénéfices ecclésiastiques, et de savoir quand ceux-ci sont vacants.

Qu'en est-il des réformés, de plus en plus nombreux dans les années 1540, et qui ne veulent pas recourir à l'Église catholique ? Ce n'est qu'en 1559, date de leur premier synode national à Paris, qu'ils entreprennent de faire tenir leurs propres registres par les pasteurs ; en 1563, une déclaration interprétative de l'édit d'Amboise, qui met fin à la première guerre de Religion, admet implicitement cette pratique. Mais ces registres sont encore tenus irrégulièrement.

L'autorité royale ne s'intéresse aux mariages que quarante ans après l'ordonnance de Villers-Cotterêts : celle de Blois (mai 1579) ordonne aux curés de les enregistrer. Cette fois le souci est d'ordre social : on est en pleine lutte contre les mariages clandestins.

Ces deux ordonnances sont en fait très mal appliquées : rares sont encore les curés qui se conforment à leurs injonctions. Il faut attendre le milieu du siècle suivant et surtout l'ordonnance de Saint-Germain en 1667 pour que les séries des registres paroissiaux puissent être utilisées de manière satisfaisante par les historiens ; pour le XVIᵉ siècle, il n'y a guère que celles des paroisses de la France de l'Ouest et de Provence qui soient assez précoces pour pouvoir, quand elles sont conservées, fournir des informations fiables.

Les sources complémentaires

En l'absence de registres paroissiaux, d'autres sources peuvent donner des indications sur le mouvement de la population. Les rôles (listes) de taille indiquent le nom des roturiers contribuables dans les pays où la taille est personnelle ; dans les provinces (surtout Languedoc et Provence) où elle est *réelle*, c'est-à-dire liée à la condition des terres, les *compoix*, sortes de matrices cadastrales, décrivent les terres roturières soumises à l'impôt en mentionnant le nom de leurs propriétaires, et permettent de connaître les défrichements.

On peut aussi utiliser les actes notariés (contrats de mariage, testaments, partages de succession), les généalogies, les livres de raison (registres familiaux) tenus parfois pendant plusieurs générations. Les mémoires, les manuels de confesseurs, les représentations figurées fournissent des informations précieuses sur les attitudes devant la vie et la mort.

L'essor de la population

Les années 1500-1560 constituent la seconde étape d'une longue phase de redressement démographique qui commence au milieu du XVe siècle, parfois un peu plus tard. La Peste noire de 1347-1352 et la guerre de Cent ans ont entraîné un recul considérable de la population : on estime généralement que le royaume de France a perdu presque la moitié de ses habitants en un siècle. La reconstruction est d'abord lente, puis s'accélère à partir de 1470. Après 1500, la hausse se poursuit avec un rythme un peu moins soutenu, mais encore allègre jusque vers 1545 ; à cette date elle se ralentit et continue de façon plus modérée. Autour de 1560, le niveau d'avant 1347 est à peu près retrouvé : soit, dans les frontières qu'a tracées le traité de Cateau-Cambrésis (1559), approximativement 18 millions de personnes, dont 2 vivent dans des villes ; la densité est de 35 à 40/km^2 en moyenne. Ce nombre fait de la France le pays le plus peuplé d'Europe au milieu du XVIe siècle. Tel est le schéma global que l'on peut proposer pour le royaume, chaque province ne s'y conformant qu'avec des modalités propres évoquées plus bas.

Les historiens se sont interrogés sur les mécanismes de cette récupération. Il y a d'abord eu les effets indirects de la grande ponction démographique qui a précédé : l'épreuve a été terrible, mais les survivants se sont retrouvés moins nombreux pour se partager les héritages et le travail ; à la campagne, ils ont pu négliger les terres les moins fertiles et se consacrer aux plus riches, avec des rendements meilleurs. Il est significatif qu'il n'y ait pas eu de grande famine entre 1470 et 1520 ; pendant cette cinquantaine d'années, la vie a été comparativement plus douce. Mieux nourris, les hommes ont davantage résisté aux maladies.

Un âge au premier mariage relativement précoce

Les conditions économiques plus favorables ont eu des conséquences sur la formation des couples. Dans sa synthèse sur l'histoire de la population française de la Renaissance à 1789, Jacques Dupâquier fait observer que, dans les régions où dominait le système de la famille conjugale − les plus nombreuses −, « pratiquement, les jeunes gens ne pouvaient se marier que s'ils disposaient d'un logement à eux et d'un gagne-pain, c'est-à-dire généralement d'une exploitation agricole ». Après les catastrophes du XIVᵉ siècle, les possesseurs de seigneuries, désireux de les repeupler, en ont donné les parties désertées en censives aux jeunes paysans candidats à un mariage-établissement. Les couples ont pu ainsi se former plus tôt, et donc avoir un peu plus d'enfants. L'âge au mariage semble bien en effet avoir été plus précoce dans la première moitié du XVIᵉ siècle que dans la seconde et surtout qu'au siècle suivant. En Ile-de-France, celui des premières épouses se situe entre 16 et 20 ans ; en Normandie et en Bretagne, il est un peu plus tardif, autour de 21 ans en moyenne ; quant aux hommes, ils convolent entre 24 et 25 ans. L'âge au premier mariage augmente ensuite peu à peu tant chez les premières que chez les seconds (respectivement 24-25 ans et 27-28 ans à la fin du XVIIᵉ siècle), en même temps qu'augmente le célibat, ce qui montre les difficultés croissantes d'établissement et traduit une sorte d'autorégulation de l'excédent des naissances.

Des familles plus nombreuses

Les familles ont donc été vraisemblablement plus prolifiques à la Renaissance que cent ans plus tard. Un mariage survenant, pour les filles, environ quatre ans plus tôt qu'au XVIIᵉ siècle, cela signifie deux naissances de plus. Même si l'on suppose une mortalité infantile et juvénile de même ampleur, faisant disparaître environ la moitié des enfants avant 20 ans, cela fait un enfant supplémentaire, soit, dans les familles qui sont dites « complètes » par les démographes, c'est-à-dire où la femme atteint 45 ans en état de mariage, entre trois et cinq enfants parvenant à l'âge adulte.

Ce nombre s'entend des ménages les plus humbles, dans lesquels les mères allaitent elles-mêmes leur progéniture, ce qui les rend le plus souvent infécondes pendant tout le temps de l'allaitement et porte ainsi l'intervalle intergénésique (entre deux naissances) à deux ans ou deux ans et demi. Dans les familles notables des villes, il n'en va pas de même : la coutume est de donner les nouveau-nés à des nourrices. Il y a eu pourtant des voix pour s'élever contre cette pratique : la plus connue est celle de Michel de L'Hôpital, alors président à la Chambre des comptes, qui, dans une épître en vers latins adressée à Jean Morel et rédigée vers 1557-1558, déplore que sa fille Madeleine aille chercher à la campagne une nourrice pour son fils qui vient de naître. Ses arguments témoignent de sa vision de la hiérarchie sociale : le lait des nourrices mercenaires, qui font, dit-il, ce métier pour l'appât du gain, risque de transmettre aux nourrissons des tendances vicieuses. « Et nous nous étonnons de voir nos fils dégénérés lorsque leurs mères, les jugeant indignes d'être allaités par elles, les confient à une servante à gages ? » Mais le fait que sa propre fille n'écoute pas son indignation révèle à quel point le recours à une nourrice est une pratique répandue chez les femmes aisées. N'allaitant pas, celles-ci peuvent se retrouver enceintes presque tous les ans. A Senlis, l'historien Bernard Guenée relève comme « normales », chez les notables, des familles de six à huit enfants parvenus à l'âge adulte (ce qui peut signifier de 12 à 16 grossesses). Certaines font mieux encore : c'est le cas de la famille Méthelet, il est vrai tellement exceptionnel qu'à la suite d'un pari sa généalogie a été établie en 1576 par devant notaire. Pierre Méthelet, riche marchand, a eu de sa femme Marie 12 enfants, dont 9 survivent et sont mariés ; ces couples ont à eux tous 68 enfants, dont 31 mariés, qui procréent à leur tour 270 enfants arrivés à l'âge adulte au milieu du XVIe siècle.

Y a-t-il eu, dans cette croissance démographique, un rôle joué par les naissances illégitimes ? Au XVIe siècle, avant l'appesantissement du contrôle ecclésiastique induit par les deux Réformes, la protestante comme la catholique, les bâtards sont plus nombreux qu'au siècle suivant ; ils sont d'ailleurs, lorsqu'ils sont reconnus par leurs pères, bien acceptés en général par la société. Mais les naissances illégitimes restent malgré tout, durant cette période, un phénomène marginal ; les études d'Alain Croix sur le pays nantais montrent que leur taux oscille entre moins de 1 % et 4,6 %, ce qui n'est pas beaucoup.

Un recul éphémère de la mortalité

Ces familles plus nombreuses ont été relativement épargnées par les crises démographiques jusque dans la décennie 1520. Une *crise* (c'est-à-dire, selon la définition précise de Jacques Dupâquier et de François Lebrun, la multiplication par deux, trois ou plus de la moyenne décennale antérieure et postérieure du nombre de décès, accompagnée le plus souvent d'une forte baisse des conceptions et des mariages) est en général rapidement compensée par l'augmentation de la nuptialité et de la natalité qui la suit ; mais elle a des répercussions durables par le phénomène de « classe creuse » qu'elle entraîne et la baisse des conceptions vingt ou trente ans plus tard. L'accalmie qui caractérise la fin du XVᵉ siècle et le début du XVIᵉ a donc certainement joué un rôle.

La mortalité, pendant ces années heureuses, a sans doute régressé. Elle reste néanmoins élevée et ne s'abaisse jamais au-dessous de 30 à 31 décès pour 1 000 habitants en un an. La mortalité en couches ou postnatale est relativement importante : *femme grosse a un pied dans la fosse*, dit un dicton breton. La forte mortalité infantile et juvénile raccourcit l'espérance de vie, ce qui ne signifie pas que tous meurent jeunes : si l'on survit aux risques de l'enfance et de l'adolescence, on a des chances de devenir un vieillard dont la « performance » est admirée.

Les médecins sont toujours bien mal armés devant la maladie. Si la lèpre a quasiment disparu dans la seconde moitié du XVᵉ siècle, il en subsiste des séquelles au début du siècle suivant : à Nîmes, il y a encore, jusqu'en 1535, une ou deux admissions par an dans la léproserie. La peste, elle, est toujours là, propagée par les piqûres de puces véhiculées par les rats ; elle se traduit par des bubons, gonflements ganglionnaires ; parfois l'ouverture secondaire d'un abcès pulmonaire provoque la toux et une contagion par voie aérienne. Sa fréquence diminue cependant ; après 1536, elle ne revient « que » tous les quinze ans en moyenne. Ce progrès tout relatif est sans doute dû à l'efficacité plus grande des mesures adoptées par les corps de ville pour lutter contre le fléau. Les rues sont débarrassées pour l'occasion de leurs détritus et de leurs eaux croupissantes. Les lieux atteints sont plus strictement isolés : on condamne les maisons des malades, où ne pénètrent plus que les médecins ou les prêtres, ou bien on enferme les pestiférés dans des baraques à l'extérieur des remparts. On fait la garde aux portes pour surveiller les entrées des hommes et des marchandises ; les vagabonds sont expulsés. Les autres mesures relèvent de la foi : processions et prières ont pour objet de supplier Dieu de mettre fin au malheur, perçu comme un châtiment des péchés humains ; des invocations sont adressées à saint Roch ou à saint Sébastien, intercesseurs spécialisés dans les cas de peste. Quant aux médecins, ils ne peuvent pas grand-chose : ils font purifier l'air des rues par des bûchers de plantes aromatiques, réconfortent les malades avec des bouillons roboratifs et appliquent des emplâtres sur leurs bubons.

Malheureusement, de nouvelles maladies apparaissent au XVIe siècle. Le typhus se manifeste pour la première fois en Europe dans la décennie 1470 : il décime en mai 1528 l'armée française assiégeant Naples. En 1557, une épidémie ravage le Poitou, La Rochelle, Angoulême et Bordeaux. Nouvelle maladie également, la syphilis apparaît à la fin du XVe siècle, peut-être venue d'Amérique ; elle est répandue en France par l'armée de Charles VIII revenant de la première expédition d'Italie. Elle devient endémique. A Paris, l'ancienne léproserie fait place en 1557 aux *Petites-Maisons*, où l'on enferme à la fois les fous et les syphilitiques.

Le rôle des migrations

Elles peuvent contribuer à augmenter la population d'une région ou d'une ville dans plusieurs cas. L'immigration de reconquête a repeuplé, après la guerre de Cent ans, les zones désertées par les guerres : ainsi s'explique en partie la reconstruction démographique du Bordelais (par l'arrivée d'immigrants du Sud-Ouest, du Massif central et du Languedoc) ou celle du bailliage de Senlis (par des hommes venus de Bretagne et des provinces bourguignonnes francophones).

Les migrations de la misère chassent les habitants des terres difficiles et pauvres vers des régions plus douces à vivre : par exemple de la montagne vers la plaine (ainsi, du Massif central vers le Languedoc ou du Quercy vers la vallée de la Dordogne).

L'afflux des ruraux vers les villes peut se produire lorsque des mauvaises récoltes entraînent la ruine des paysans les plus fragiles : ceux-ci viennent alors grossir la foule des miséreux et des travailleurs précaires dans l'espace urbain. Quelle que soit la conjoncture, des apprentis et des servantes vont régulièrement chercher du travail dans les villes ; les filles mères, engrossées dans leurs villages, viennent y accoucher et y restent, souvent incapables de subvenir à leurs besoins autrement que par la prostitution. Une partie de l'essor démographique des plus grandes villes s'explique ainsi par l'apport rural : c'est le cas, en particulier, de Lyon, qui exerce une puissante attraction non seulement sur les campagnes voisines mais aussi sur les provinces étrangères, et qui passe de 20 000 habitants environ en 1470 à 70 000 ou 80 000 au milieu du siècle ; les registres d'entrée des malades à l'Hôtel-Dieu attestent l'importance de l'immigration dans cette ville cosmopolite. De manière générale, les plus grosses villes comptent jusqu'à 30 ou 40 % d'immigrés, issus la plupart du temps des zones rurales ou montagneuses du royaume.

Quant à l'émigration, elle est peu importante. Les départs vers les mondes nouveaux récemment découverts en Amérique n'affectent qu'un petit nombre de personnes. Seul le flux des Auvergnats et des gens du Sud-Ouest allant vers l'Espagne pour y trouver du travail est appréciable. Déjà bien attesté au XVIᵉ siècle, cet exil est le plus souvent temporaire, soit court (plusieurs mois), soit long (plusieurs années) ; il n'a pas entraîné de pertes démographiques sensibles.

Les migrations effectuent donc surtout des brassages internes. Pour expliquer la hausse globale de la population après la fin de la guerre de Cent ans, c'est bien l'augmentation des naissances, liée à la relative jeunesse des conjoints lorsqu'ils convolent pour la première fois, qui semble le facteur le plus important, s'expliquant par des conditions socio-économiques favorables. Le recul temporaire de la mort pendant les décennies fastes 1470-1520 a aussi joué un rôle en en consolidant les effets.

Quelques exemples particuliers

La Bretagne

Le cas breton est bien connu, car les belles séries des registres paroissiaux ont trouvé un historien scrupuleux en la personne d'Alain Croix. En Bretagne, les années 1500-1560 s'insèrent dans une croissance presque ininterrompue qui se poursuit jusqu'à la

32

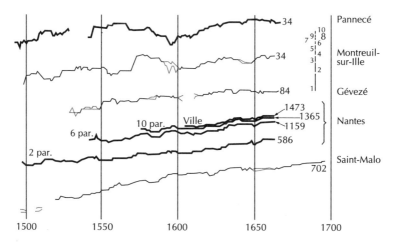

**Tableau 2 – Le mouvement
de la population bretonne
selon les courbes de baptême
(courbes de médianes mobiles sur neuf ans,
d'échelle semi-logarithmique)**

Pannecé

Montreuil-
sur-Ille

Gévezé

Nantes

Saint-Malo

702 : nombre annuel des naissances au terme de la courbe

(D'après A. Croix, *L'âge d'or de la Bretagne*, Rennes,
Éd. Ouest-France, 1993, p. 276.)

fin du XVIIe siècle. Celle-ci commence un peu plus tard qu'ailleurs, à la fin du XVe siècle, mais elle est très vigoureuse.
« Entre 1500 – date ronde bien entendu – et 1560, la population
de Pannecé [au nord-est de Nantes] augmente de 70 %, celle de
Montreuil-sur-Ille [au sud de Dol], plus lente à s'envoler,
de 100 % dans les trois premiers quarts du XVIe siècle. *Tous* les
cas connus en Haute-Bretagne confirment la tendance et l'ordre
de grandeur de la croissance démographique, à l'exception de la
ville de Saint-Malo, à la croissance encore beaucoup plus forte :
176 % entre 1500 et 1570 environ ! » (*L'âge d'or de la Bretagne*,
1993, p. 275).

Cet essor n'est cependant pas sans être freiné parfois par des
crises. Le bonheur démographique dure une quarantaine d'années :
entre 1483 et 1521, la Bretagne semble bien échapper à toute
atteinte de famine ou d'épidémie (mis à part l'alerte de 1500-1501,

qui frappe le pays nantais, toujours relativement plus fragile). 1521 marque la fin du répit : la famine qui sévit cette année-là touche aussi toute la moitié nord de la France. Suit une grave crise démographique en 1531-1532, la première du XVIᵉ siècle, où se conjuguent peste et cherté. L'épidémie revient en Haute-Bretagne en 1540, puis en 1549-1550. Le pays nantais connaît une disette frumentaire en 1545-1546. Mais ces crises, malgré leur gravité, ne compromettent pas durablement la bonne santé démographique bretonne.

La Normandie

Dans cette province, la conjoncture est moins favorable. Selon l'historien Guy Bois, si l'on applique l'indice 100 au niveau démographique atteint en 1314, la population rurale de la Normandie orientale passe de l'indice 65 vers 1500 aux environs de l'indice 75 vers 1550. Il n'y a donc pas, ici, récupération totale. Celle-ci a été freinée par des épidémies et des crises de subsistance, surtout pendant « la cruelle décennie 1520-1530 », marquée par des épidémies pesteuses. A partir de ces dates, les quotients de mortalité, qui s'étaient considérablement abaissés depuis le milieu du XVᵉ siècle, se relèvent à nouveau. La faim se réinstalle durablement, due en partie à la montée spectaculaire du prix des grains ; des ruraux affamés affluent dans les villes. Deux autres « mortalités » se font sentir en Normandie avant les guerres de Religion, en 1546 et en 1557.

L'Ile-de-France

Elle connaît une forte augmentation de sa population. Selon l'étude de Jean Jacquard, le niveau de peuplement y est très supérieur, vers 1550, à ce qu'il sera près de deux siècles plus tard, à la fin du règne de Louis XIV. La natalité est forte. Paris dépasse largement, semble-t-il, le niveau du milieu du XIVᵉ siècle, qui était de l'ordre de 200 000 habitants : la capitale en compte 300 000 environ au milieu du XVIᵉ. La famine de 1521, suivie d'une épidémie de peste, s'y fait cependant durement sentir.

La Provence et le Languedoc

Dans la première de ces provinces, le nombre des maisons triple entre 1480 et 1560 (calculs d'E. Baratier). Pour le Languedoc, Emmanuel Le Roy Ladurie parle de « joyeuse fureur démographique » : les hommes, de 1500 à 1570, se multiplient « comme des souris dans une grange ». Les informations sont ici livrées par les compoix, qui sont renouvelés fréquemment, ce qui indique à la fois l'augmentation du nombre des taillables et le défrichement de nouvelles terres. Les taux languedociens d'accroissement décennaux, selon les villages, varient entre 6,7 et 21,2 % : la moyenne serait de 11,5 %. Mais, là comme ailleurs, les années 1520 amènent leur lot de malheurs : la peste attaque violemment en 1529-1530 ; surtout, la disette, qui revient avec insistance dès 1504 (après une « belle époque du blé » qui dure depuis 1460) se fait dramatique en 1526 et 1527. A partir de ces dates, la faim s'installe pour les plus démunis, et l'errance des pauvres devient massive, si bien qu'elle constitue désormais une préoccupation constante des États de la province.

Effets bénéfiques, effets pervers

Si l'interprétation que donnent les historiens démographes de l'essor de la population dans le premier XVIe siècle en fait l'aboutissement d'une simple phase de récupération, ne comportant donc pas de véritable nouveauté, il n'en reste pas moins que les habitants du royaume ont vécu le processus comme quelque chose de neuf et de prometteur. Jean Bodin, lorsqu'il publie en 1568 la *Response aux Paradoxes de M. de Malestroict,* se réjouit de cette croissance :

> L'autre occasion de tant de biens qui nous sont venuz depuis six ou sept vingt ans, c'est le peuple infini qui s'est multiplié en ce royaume, depuis que les guerres civiles de la maison d'Orléans et de Bourgogne furent assopies : ce qui nous a fait sentir la douceur de la paix, et jouir du fruit d'icelle un long temps, et jusques aux troubles de la religion, car la guerre de l'estranger que nous avons eu depuis ce temps là n'estoit qu'une purgation de mauvaises humeurs nécessaire à tout le corps de la république. Aupara-

vant le plat pays et presque les villes estoyent désertes [...] Mais depuis cent ans on a défriché un pays infini de forests et de landes, basti plusieurs villages, peuplé les villes...

Cette renaissance des forces productives a entraîné un dynamisme conquérant. Mais elle a aussi des aspects inquiétants, car elle rend de plus en plus fragile l'équilibre entre subsistances et population. Dans une économie caractérisée par l'absence de progrès technique véritable qui permettrait un décollage de la production, le gonflement démographique porte en lui-même sa propre malédiction : les possibilités alimentaires deviennent progressivement insuffisantes à nourrir toutes les bouches.

Les pays maritimes peuvent échapper en partie à cette malédiction, à condition qu'ils sachent maintenir la vitalité de leurs échanges avec l'extérieur. C'est le cas de la Bretagne, qui développe sous ses ducs de nombreuses activités tournées vers l'exportation, tant agricoles que manufacturières ; la réunion à la Couronne n'a pas entravé ces tendances. C'est le cas, aussi, dans les grands ports, sauf si la conjoncture politique gêne leur essor, comme à Marseille dans la dernière décennie du siècle. C'est également celui d'une ville comme Narbonne, dont le dynamisme commercial s'affirme au XVIe siècle et connaît sa phase la plus brillante entre 1570 et 1590 (Gilbert Larguier, 1996).

Mais, le plus souvent, l'augmentation de la population a eu des effets pervers. Pour répondre aux nouveaux besoins, des terres sont défrichées et mises en culture : mais elles sont de plus en plus conquises sur des terroirs ingrats, ceux-là mêmes qui avaient pu être abandonnés lors du grand recul du XIVe siècle. Les rendements des cultures qui y sont installées sont faibles. Pis encore, ces défrichements réduisent les espaces dévolus à l'élevage ; celui-ci tend à reculer, diminuant l'apport en protéines dans l'alimentation et le volume des engrais disponibles. Les héritiers étant plus nombreux à se partager les terres, le lot de chacun devient plus exigu et plus insuffisant à faire vivre une famille ; et, dans les provinces où le père a le droit de faire « élection d'héritier », c'est-à-dire de transmettre l'essentiel de son bien à l'enfant de son choix, les autres enfants doivent se contenter d'une maigre portion et sont souvent obligés de rester célibataires, ou bien de quitter le pays pour tenter leur chance en ville.

En Languedoc oriental, ce sont ainsi des terre peu généreuses qui sont défrichées, comme en témoignent les descriptions des compoix : terres rocailleuses et calcaires des garrigues, zones trop pentues des versants cévenols. « Le défrichement dans ces conditions a quelque chose d'absurde et d'héroïque », écrit E. Le Roy Ladurie. L'extension des plantations d'oliviers, de mûriers, et, dans quelques zones comme celle de Sérignan, de vigne, ne suffit pas à compenser l'essoufflement de la production céréalière. Malgré la coutume successorale qui privilégie un héritier principal, les propriétés paysannes s'amenuisent, à l'exception de celles des plus aisés qui peuvent arrondir leurs possessions en rachetant les lots de leurs voisins ruinés.

En Ile-de-France, l'équilibre atteint au milieu du siècle est tout aussi fragile. Les défrichements remettent en culture jusque vers 1540 les terres qui étaient déjà travaillées au XIIIe siècle ; puis ils s'attaquent aux friches et aux broussailles, peu rentables. La capitale proche absorbe, il est vrai, une partie de l'excédent démographique ; il n'en reste pas moins que les subsistances commencent à devenir insuffisantes pour beaucoup.

L'augmentation de la population qui caractérise la première moitié du XVIe siècle est donc un phénomène aux conséquences diverses. Dans un premier temps, jusque dans la décennie 1520, elle est la réponse aux conditions économiques favorables qui ont suivi les catastrophes de la période 1350-1450. Mais l'optimisme vital qu'elle manifeste se heurte ensuite aux limites non extensibles de la production alimentaire ; la rentabilité des exploitations, après avoir augmenté, tend à reculer ; les crises qui surviennent commencent à jouer leur rôle tristement régulateur. L'équilibre est encore loin d'être détruit au milieu du siècle, et la hausse démographique, bien que ralentie, se poursuit parfois jusque vers 1580. Mais il devient de plus en plus fragile ; les guerres de Religion qui surviennent en révéleront le caractère précaire.

ORIENTATION BIBLIOGRAPHIQUE

Synthèses

Benoit Garnot, *La population française aux XVIe, XVIIe, XVIIIe siècles*, Gap, Ophrys, 1988, 126 p.
Jacques Dupâquier (sous la dir. de), *Histoire de la population française, 2 : De la Renaissance à 1789*, Paris, PUF, 1988, 602 p.

Jean-Noël Biraben, *Les hommes et la peste en France et dans les pays européens et méditerranéens*, Paris, La Haye, Mouton, 1975-1976, 2 vol.

François Lebrun, *La vie conjugale sous l'Ancien Régime*, Paris, A. Colin, 1975, rééd. 1985, 184 p.

Françoise Hildesheimer, *Fléaux et société : de la Grande Peste au choléra, XIVᵉ-XIXᵉ siècle*, Paris, Hachette, 1993, 176 p.

Exemples provinciaux

Édouard Baratier, *La démographie provençale du XIIIᵉ au XVIᵉ siècle*, Paris, SEVPEN, 1961, 256 p.

Emmanuel Le Roy Ladurie, *Les paysans de Languedoc*, Paris, SEVPEN, 1966, 2 vol.

Alain Croix, *Nantes et le pays nantais au XVIᵉ siècle, étude démographique*, Paris, SEVPEN, 1974, 356 p., et *La Bretagne aux 16ᵉ et 17ᵉ siècles. La vie, la mort, la foi*, Paris, Maloine, 1981, 2 vol.

Guy Bois, *Crise du féodalisme*, Paris, 1976, 2ᵉ éd., 1981, Pr. de la Fond. nat. des Sc. pol., 412 p.

Jean Jacquart, *La crise rurale en Ile-de-France*, Paris, A. Colin, 1974, 796 p.

Gilbert Larguier, *Le drap et le grain en Languedoc. Recherches sur Narbonne et le Narbonnais (1300-1789)*, thèse dactyl., 1992, à paraître en 1996 aux Presses Univ. de Perpignan.

2. Le roi et le royaume
sous le regard de Dieu

Les habitants du royaume de France se perçoivent d'abord comme un peuple chrétien, bénéficiant de surcroît d'une protection spéciale de Dieu. La dignité royale est quasi sacerdotale ; le clergé s'acquitte de la fonction de louange et de prière ; les actes essentiels de la vie des fidèles sont sacralisés par le recours aux sacrements que dispense l'Église.

Le Très Chrétien

Le roi et son royaume sont dits « très chrétiens » : ce qualificatif, qui est un lieu commun depuis au moins le XIIIe siècle, tend à faire du peuple de France un peuple élu, privilégié par une bénédiction divine toute particulière. A partir du XIVe siècle, les rois veulent être les seuls souverains de la chrétienté à être désignés par ce qualificatif, et les papes s'inclinent devant cette prétention ; ainsi se répand l'idée d'une sorte de surchristianisation du royaume et de son chef.

Le sacre

Le sacre confère au roi un statut qui se rapproche de celui d'un prêtre. Il a lieu dans la cathédrale de Reims. Le rituel en est rigoureusement codifié dans les *ordines*, sortes de manuels liturgiques. Il comporte trois étapes :

— Les serments. Au XVIᵉ siècle, il y en a deux. Le premier est un engagement envers l'Église : le roi promet de lui conserver ses privilèges. Puis suit le « serment du royaume », par lequel le roi s'engage envers son peuple à lui assurer la paix, la justice et la miséricorde, et enfin à « exterminer » (au sens de bannir hors du royaume) les hérétiques. Ces serments se prononcent la main posée sur un manuscrit des Évangiles. Ensuite le roi reçoit les insignes de chevalerie, les éperons dorés et l'épée (dont on croit au XVIᵉ siècle qu'il s'agit de *Joyeuse*, l'épée de Charlemagne).

— L'onction. L'archevêque oint le roi avec un mélange de saint chrême (huile mêlée de balsame, consacrée chaque année le jeudi saint, avant Pâques) et d'une parcelle du baume contenu dans la Sainte Ampoule, fiole de cristal conservée à l'abbaye Saint-Rémi de Reims et amenée pour l'occasion à la cathédrale par l'abbé. Depuis les Carolingiens, une légende veut que la Sainte Ampoule ait été apportée par une colombe lors du baptême de Clovis. Le roi est oint de ce mélange en sept endroits du corps : la tête, la poitrine, le dos, chaque épaule et chaque saignée du bras.

— Le couronnement. Après l'onction, le roi reçoit les insignes de la royauté (qui constituent, avec les éperons et l'épée, les *regalia*) : l'anneau, le sceptre, la main de justice. L'archevêque pose alors la couronne sur la tête du roi ; puis, avec les pairs, en soutenant conjointement la couronne, ils le conduisent à son trône en criant *Vivat rex in aeternum* (Vive le roi éternellement).

L'aspect religieux du sacre

L'onction fait ressembler le sacre royal à l'ordination sacerdotale, bien qu'elle ne soit pas un sacrement ; elle fait du roi un quasi-prêtre. Un signe en est le privilège qu'il partage avec les clercs de communier sous les deux espèces du pain et du vin, alors que les simples fidèles ne sont pas admis à la coupe.

Les rois ont un pouvoir de thaumaturges, c'est-à-dire de guérisseurs, dont Marc Bloch a donné l'analyse dès 1924 dans un livre fondateur. Ils guérissent les « écrouelles » : ce mot est l'appellation populaire de la scrofule, ou adénite tuberculeuse, inflammation des ganglions lymphatiques (surtout ceux du cou) provoquée par les bacilles de la tuberculose ; il désigne aussi parfois, par extension abusive, les affections dermatologiques de la face.

Le rituel de guérison est bien établi depuis le milieu du XIIIᵉ siècle. Après le sacre, les rois se rendent à Corbény (au nord de l'Aisne, sur les pentes qui descendent de Craonne), où se trouve le monastère qui conserve les reliques de Saint Marcoul, spécialisé dans la guérison des scrofuleux. Les rois prennent dans leurs mains la tête du saint, puis se mettent en oraison devant la châsse. Ils peuvent ensuite « toucher » les malades et faire sur eux le signe de la croix, tout en disant : « Le roi te touche, Dieu te guérit » (formule attestée à partir du XVIᵉ siècle, qui fait du roi le médiateur de la toute-puissance divine). Des aumônes sont ensuite distribuées aux malades. Charles VIII inaugure la coutume d'opérer les premières guérisons à Corbény même, au grand scandale des chanoines de Reims, qui y voient un affront à l'honneur de leur cathédrale. Les rois touchent de nouveau les scrofuleux lors des grandes fêtes chrétiennes, après avoir communié. Les attestations fiables manquent sur la réalité des guérisons.

Au moment du sacre de Charles VIII, en 1484, le cycle mythique de Clovis vient tout juste de s'achever. Trois légendes le composent. La plus ancienne est relative au miracle de la Sainte Ampoule évoqué plus haut. Selon la seconde, qui apparaît vers 1350, Clovis aurait reçu d'un ange (ou d'un ermite), avant la bataille de Tolbiac, un bouclier orné de trois fleurs de lys pour remplacer ses armes païennes marquées de croissants (ce symbole de l'Islam, utilisé pour signifier le paganisme, est ensuite remplacé dans les textes par des crapauds, pour une raison inconnue). L'écu miraculeux était conservé à l'abbaye de Joyenval, dans la forêt d'Yvelines. La troisième légende, apparue tardivement au milieu du XVᵉ siècle, veut que Clovis ait reçu également du ciel l'oriflamme, bannière rouge conservée à l'abbaye de Saint-Denis.

Ainsi, à la fin du XVᵉ siècle, le cumul des trois légendes produit une sorte de « particularisation du sacré », selon l'expression de Colette Beaune (*Naissance de la nation France*, 1985). L'abondance des miracles accomplis en faveur de l'ancêtre fondateur atteste le degré particulier de la bienveillance divine à l'égard de la France : il y a là un aspect de la compétition avec l'Angleterre (dont les rois font état, eux aussi, d'un pouvoir thaumaturgique et d'une Ampoule miraculeuse, reçue au XIVᵉ siècle de la Vierge). Ce cycle légendaire reflète aussi la « captation nationale du droit divin » (Jacques Krynen, *L'empire du roi*, 1993). L'origine divine du pouvoir est habituellement fondée sur des textes bibliques, et surtout sur l'épître aux Romains de saint Paul, chapitre XIII : *Non est potestas nisi a Deo*, il n'y a de pouvoir que venant de Dieu. Ces sources scripturaires valent pour tous les souverains légitimes ; mais seuls les rois de France peuvent se targuer de tant de manifestations de l'approbation de Dieu.

Quasi-prêtre, médiateur de la toute-puissance guérisseuse de Dieu, le roi doit se montrer digne de sa charge. Il a non seulement une fonction politique, mais aussi une responsabilité spirituelle : assurer à ses sujets les conditions nécessaires pour qu'ils puissent faire leur salut. S'il était méchant ou impie, le peuple, rappelle Claude de Seyssel dans *La Grand-Monarchie de France* (publiée en 1519), l'accuserait d'attirer la malédiction divine sur le royaume et lui obéirait mal. Au cas où cela se produirait, « il est loisible à un chacun prélat ou autre homme religieux bien vivant et ayant bon estime envers le peuple, le lui remontrer et l'incréper, et un simple prêcheur le reprendre et arguer publiquement et en sa barbe » (partie I, chap. IX). Bien des prédicateurs royaux n'hésitent pas à user de ce droit.

La sacralisation du sang royal : le sacre fait-il le roi ?

Au cours du XVᵉ siècle, des juristes royaux ont pris de plus en plus conscience des deux dangers que peut présenter une valorisation excessive du sacre : d'abord le risque d'une inféodation à l'Église, puisque la légitimité royale semble dépendre d'une investiture ecclésiastique ; ensuite l'existence d'une sorte d'interrègne entre la mort du roi et le sacre de son successeur. Dans le premier cas, l'indépendance de la couronne est menacée ; dans le second, c'est sa continuité. Tous ces facteurs ont conduit à minimiser la valeur du sacre.

Pour répondre au premier de ces deux périls, les juristes réaffirment constamment que le roi est indépendant, au temporel, du pape, qui ne saurait le priver de sa dignité. Sur la question de l'interrègne, la riposte apparaît dès la deuxième moitié du XIVᵉ siècle, dans le *Songe du Vergier*, manuel de gouvernement composé sans doute sur l'ordre du roi Charles V. On y voit la maxime « Le mort saisit le vif », formule jusque-là propre au droit privé, être érigée en principe de droit public pour signifier que, sitôt le roi mort, son successeur devient roi *immédiatement*. Ceci a pour conséquence que le sacre ne fait pas le roi : « Celle onction ne donne ancun pover (pouvoir) au Roy de administrer la temporalité. » Ce qui fait le roi, c'est la naissance dans une « race » (au sens de lignée) élue, c'est l'hérédité. Peu à peu se développe, à la fin du XV⁵ siècle, une véritable théologie du sang royal, sang « pur », « saint », qui porte en lui-même sa propre légitimité et qui est sacralisé par la bénédiction divine. Quelques-uns vont même jusqu'à soutenir que c'est leur sang, et non le sacre, qui permet aux rois de guérir les scrofuleux.

Cette évolution fortifie les aspects héréditaires de la transmission de la Couronne, au détriment du caractère légitimant de l'onction reçue à Reims. Les saints dynastiques sont invoqués avec prédilection : saint Clovis, saint Charlemagne, saint Louis. La valeur religieuse du sacre est mentionnée seulement pour renforcer la supériorité du « sang de France », selon l'expression alors couramment employée. Cette tendance n'a pas fait complètement disparaître, au début du XVI⁵ siècle, les idées anciennes sur le sacre ; mais elle les oriente vers la valorisation croissante du côté dynastique de la monarchie française.

L'honneur de Dieu entre les mains du clergé

Le clergé forme le premier ordre du royaume. Premier, parce que la fonction la plus haute est la prière et l'honneur rendu à Dieu. Il est fortement structuré et organisé selon une hiérarchie stricte. En France, l'Église présente des caractères spécifiques auxquels elle est très attachée.

Le gallicanisme de l'Église de France

Le clergé se veut, en majorité, indépendant sur le plan temporel à l'égard du pape, dont il ne reconnaît que la primauté spirituelle. Ce gallicanisme s'est traduit en 1438 par la *Pragmatique Sanction* de Bourges, qui instaure l'élection des évêques par les chanoines du chapitre cathédral et celle des abbés et prieurs conventuels par leurs religieux. La perception des *annates* est interdite (il s'agit de redevances payées à Rome à chaque mutation de bénéfice « consistorial », c'est-à-dire dont les provisions sont délibérées dans le consistoire des cardinaux).

Mais ce système est générateur d'abus. Les élections sont souvent tumultueuses ; la rivalité des candidats se traduit par des pressions, des corruptions, des procès, voire des rixes. Le roi, en outre, tend (et arrive le plus souvent) à imposer les candidats de son choix aux bénéfices les plus importants. Peu à peu, il est amené à chercher un accommodement avec le pape.

Le Concordat de Bologne (1516)

Pour mieux placer l'Église de France sous son contrôle temporel, François Ier signe à Bologne avec Léon X, le 18 août 1516, un Concordat. Par cet acte, les élections des évêques et des abbés sont supprimées, sauf dans quelques cas particuliers ; le roi désigne désormais qui il souhaite, et le pape accorde l'investiture canonique. Une bulle du 1er octobre 1516 donne en outre satisfaction à ce dernier en rétablissant les annates. C'est le triomphe de la version royale du gallicanisme. Le roi peut dès lors nommer des hommes sûrs et dévoués dans les évêchés et les abbayes ; il augmente ainsi considérablement la quantité de récompenses qu'il peut distribuer à ses fidèles ; enfin, il contrôle mieux l'énorme puissance temporelle de l'Église.

Ce succès royal n'est pas accepté sans difficultés en France. Il se heurte à la version parlementaire du gallicanisme : le Parlement de Paris, au début du XVIe siècle, a sur l'Église des vues intermédiaires entre celles du roi et celles du clergé ; soucieux de seconder l'autorité royale, il reste néanmoins attaché aux élections, qui assurent aux évêques une relative indépendance. Aussi refuse-t-il d'enregistrer le Concordat, et sa résistance dure près de deux ans. Lorsque finalement il capitule et l'enregistre, le 22 mars 1518, il fait figurer une protestation solennelle dans son procès-verbal secret. Mais l'Université de Paris prend le relais et se lance dans une longue grève. Après toutes ces péripéties, le Concordat est enfin appliqué ; l'Église de France devient « l'Église du roi », selon la formule de Marc Venard (*Histoire de la France religieuse*, 1988).

Les aspects du contrôle royal

Le roi assure également sa mainmise sur le clergé par la perception de taxes annuelles, appelées *décimes*, devenues plus régulières à partir des années 1530. Une décime est théoriquement égale à un dixième des revenus des bénéfices ecclésiastiques ; en fait, elle équivaut à un vingtième environ ; 57 décimes sont ainsi levées (par les soins du clergé lui-même) sous le règne de François Ier, de 1515 à 1547 (non compris cette dernière date), ce qui représente une rentrée moyenne de 600 000 livres tournois par an, selon les calculs de Philippe Hamon (*L'argent du Roi*, 1994).

L'ordre du clergé dispose de tribunaux propres, les *officialités*, qui exercent la justice sur les gens d'Église et pour les causes spirituelles. Le roi tente de restreindre leur juridiction. Des appels de leurs sentences, dits « appels comme d'abus », peuvent être interjetés auprès des Parlements. En 1539, l'ordonnance de Villers-Cotterêts limite sévèrement leurs compétences.

Dans l'ensemble, le clergé se montre un instrument docile entre les mains du roi. C'est en son sein que celui-ci trouve ses plus grands serviteurs : par exemple Georges d'Amboise, cardinal, archevêque de Rouen, légat pontifical, conseiller influent de Louis XII, et Antoine Duprat, chancelier de François Ier, devenu archevêque de Sens et cardinal.

Les archevêques et les évêques

Au sommet de la hiérarchie ecclésiastique, les archevêques et les évêques disposent d'une richesse et d'une puissance temporelle considérables. Princes de l'Église, ce sont aussi des seigneurs de ce monde, possédant domaines et titres nobiliaires. Le cas de l'archevêque de Lyon peut en fournir un exemple : primat des Gaules, il est aussi comte de Lyon, et il prête hommage au roi pour son comté. Il est haut justicier dans la ville ; à la justice sont attachées la police des métiers, la surveillance des poids et des mesures, la taxation des grains et la voirie. Les décisions prises par le corps de ville doivent être entérinées par lui. En 1506, il s'agit de François de Rohan, appartenant à l'une des plus grandes familles du royaume. Le roi a lutté contre ce pouvoir excessif; après une suspension temporaire de 1531 à 1547, la justice archiépiscopale est réunie au domaine royal en 1563. Mais, dans des villes moins importantes que Lyon, des justices épiscopales temporelles perdurent, comme à Beauvais par exemple.

L'étude de leur recrutement menée par Michel Péronnet (1977) montre que sous François Ier et Henri II, la majorité des évêques (60 %) appartient à la noblesse de race. La proportion des prélats d'origine italienne est de 20 %. Ceux qui viennent des familles les plus illustres résident à la cour ou sont envoyés en mission diplomatique à l'étranger; ce sont des lettrés raffinés, des mécènes et des conseillers dont le roi apprécie la compétence. Beaucoup n'hésitent pas à cumuler les évêchés et les abbayes, ou à en changer très souvent, au gré de tractations qui tendent à assimiler les bénéfices à de simples marchandises, sources de pouvoir et de profit.

Des « dynasties » d'évêques se forment, d'oncle à neveu, de frère à frère ou de cousin à cousin. La Touraine en fournit plusieurs. Dans la famille Briçonnet, on trouve à la première génération Robert, archevêque de Reims et son frère Guillaume Ier, évêque de Saint-Malo, puis Nîmes, puis archevêque de Reims et enfin de Narbonne; à la génération suivante, Guillaume II est évêque de Lodève puis de Meaux et son frère Denis est évêque de Saint-Malo, puis Toulon et enfin Lodève. Les Briçonnet sont alliés aux Poncher, d'où sortent trois évêques dans la première moitié du siècle, et aux Beaune, qui en produisent quatre.

Est-ce à dire que les évêques de la Renaissance délaissent complètement leurs diocèses et se montrent peu zélés à maintenir l'honneur de Dieu et la foi de leurs ouailles? Ce serait une conclusion excessive. Les historiens ont mis en évidence le cas de prélats consciencieux et pieux, remplissant scrupuleusement les devoirs de leur charge. Ainsi Antoine Grimaldi, évêque de Grasse en 1517, dont un voyageur italien loue les retraites spirituelles et les jeûnes; ou encore François d'Estaing, évêque de Rodez de 1504 à 1530, que l'Église a béatifié, et en qui Nicole Lemaître (*Le Rouergue flamboyant*, 1988) décèle un précurseur de Charles Borromée, tant les exigences qu'il manifeste envers lui-même et à l'égard de ses prêtres sont hautes. En Dauphiné, les évêques de Grenoble et les archevêques d'Embrun accomplissent leurs tâches pastorales (P. Paravy, 1993).

Les synodes diocésains sont régulièrement tenus, à peu près chaque année, et donnent lieu la plupart du temps à la publication de statuts. Des missels et des bréviaires sont imprimés ; des visites pastorales sont effectuées dans les diocèses. Bref, les « abus » du haut clergé semblent moins répandus qu'on ne l'a dit. De manière générale, il faut noter que l'absentéisme ou le cumul, entrés dans les mœurs, ne nuisent pas aux fidèles si les grands vicaires et les archidiacres qui remplacent les absents remplissent correctement leur mission.

Les chanoines

Les chapitres sont des corps ecclésiastiques attachés soit aux églises cathédrales (sièges de l'évêché), soit à des églises collégiales. Les chanoines qui les composent peuvent être des séculiers ou des réguliers ; dans ce dernier cas, ils suivent la règle d'un ordre religieux. Certains ne sont pas prêtres : ils s'en tiennent aux ordres mineurs et jouissent du revenu de leur canonicat, *la prébende*, souvent d'un montant substantiel. On distingue les « dignitaires », ayant une juridiction, et les chanoines proprement dits. Les places dans les chapitres, par l'aisance qu'elles assurent, la considération sociale et l'influence qu'elles donnent dans les villes, sont très recherchées ; la compétition dont elles font l'objet traduit moins le souci de servir Dieu que la quête d'honorabilité et de sécurité des familles, heureuses d'y caser leurs cadets ou leurs filles.

Certains chapitres sont réservés à des nobles, par exemple ceux de Saint-Victor à Marseille, de Saint-Julien à Brioude ou des chanoines-comtes de Saint-Jean à Lyon. La majorité est ouverte aux familles de notables urbains déjà socialement bien établis ou en voie d'ascension sociale. Dans le chapitre cathédral de Notre-Dame de Paris étudié par Éliane Deronne (*Rev. d'hist. mod. et cont.*, 1971), un petit groupe vient, dans la première moitié du siècle, de milieux assez modestes (boutiquiers, tapissiers, papetiers, huissiers au Parlement ou au Châtelet). Mais la plupart sont issus de familles de gros marchands ou d'officiers de justice et de finance. On trouve parmi eux le phénomène dynastique déjà noté à propos des évêques, avec les mêmes noms qui reviennent : 5 chanoines sont des Briçonnet, 5 des Poncher, 4 des Hurault, 4 des Du Bellay, 2 des Beaune. Certains cumulent avec une cure, un office de justice, une charge d'enseignement.

Les réguliers

Les moines de la Renaissance ont été la cible favorite des contes et des satires. A lire les plaisanteries joyeuses dont on les accable, ils seraient tous paillards, ivrognes et voleurs. Il ne faut pas oublier que c'est là un thème littéraire particulièrement efficace pour provoquer le rire, et donc utilisé avec prédilection ; il puise certes ses aliments dans la réalité, mais il l'enjolive allégrement : plus le trait est gros, plus il a du succès. Il faut donc s'en méfier.

Reste que le service de Dieu n'est pas toujours assuré de manière édifiante dans les monastères. Les abbayes d'hommes sont souvent sous le régime de la *commende*, c'est-à-dire qu'elles sont données à un ecclésiastique séculier, ou même à un laïc ; l'abbé commendataire ne réside pas, perçoit la mense abbatiale (le tiers des revenus) et fait administrer l'abbaye par un prieur élu par les religieux. Le roi, qui nomme les abbés comme les évêques depuis le Concordat, trouve là le moyen de récompenser des fidélités, et bien des abbayes sont données en commende à des nobles. Ainsi Pierre de Bourdeille, homme de guerre s'il en fut, reçoit-il en 1553 l'abbaye de Brantôme, dont il rend le nom illustre.

Les religieux se répartissent entre ordres monastiques et ordres mendiants. Les premiers, parmi lesquels les bénédictins et leur branche cistercienne, semblent souffrir d'une baisse du recrutement. Ce n'est pas le cas pour les seconds, franciscains (ou frères mineurs), dominicains (ou frères prêcheurs), carmes, augustins, minimes, etc., qui assurent souvent la prédication dans les églises et ont un rayonnement que jalousent les séculiers.

Les curés

Comme les moines, ils souffrent d'une piètre réputation littéraire. Il ne faut pas les confondre avec la pléthore de *prêtres habitués* qui n'ont pas charge d'âmes, qui s'attachent à une paroisse (certaines en ont plus de dix...) et y vivent, mal, de la célébration des messes pour les défunts ; oisifs et faméliques, ils ne mènent pas toujours une vie irréprochable ; parfois ils se mettent à errer sur les routes, offrant leurs services au hasard des chemins. Les curés titulaires d'une paroisse (« recteurs », « prieurs ») sont désignés soit par l'évêque, soit par des « collateurs » ecclésiastiques (chapitres, monastères) ou laïcs (seigneurs qui ont le droit de patronage d'une église). Lorsqu'ils ne résident pas (le cas se produit quand ils sont aussi chanoines ou étudiants en ville), ils font administrer leurs paroisses par des vicaires, recrutés parmi les prêtres en surnombre (et qui peuvent, du reste, s'acquitter fort bien de leur charge). Des bénéfices de cures ont permis à quelques tonsurés illustres de se livrer à la littérature : la cure de Meudon pour Rabelais, celle de Marolles-en-Brie, puis d'autres dans le Maine et en Beauvaisis pour Ronsard, le prieuré de Bardenay, près de Bordeaux, pour Joachim Du Bellay.

Dans une certaine mesure, les curés servent d'agents royaux, puisqu'ils sont chargés d'annoncer en chaire les ordonnances et autres textes émanant du roi. Mais leur charge est avant tout spirituelle. La remplissent-ils bien ? Beaucoup sont ignorants ; les séminaires n'existent pas encore ; mais certains ont étudié dans les collèges et la faculté des arts. Ils disposent pour les guider de maint opuscule : le *Manipulus curatorum* (manuel des curés) de Guy de Montrocher, le *Doctrinal aux simples gens* attribué à Gerson, et des recueils de sermons que l'imprimerie diffuse largement. Leurs mœurs laissent parfois à désirer : concubinage, bâtards, ivrognerie ne sont pas rares. Les fidèles en sont-ils aussi scandalisés qu'on l'a dit ? Rien n'est moins sûr, sauf si ces défaillances atteignent des proportions excessives. Ce qu'ils demandent d'abord à leurs curés, c'est de célébrer régulièrement la messe et d'administrer les sacrements. Les habitants de la paroisse bretonne de Campbon reconnaissent par exemple qu'un de leurs prêtres, souvent ivre et blasphémateur, est toujours le premier à dire la messe le matin. Les plus ardents, il est vrai, ont des besoins moraux et spirituels plus exigeants, que ne parviennent pas toujours à satisfaire les prédications des franciscains ou des dominicains en tournée dans la paroisse : ceux-là vont chercher leur pâture aux prêches des réformés. Mais la grande majorité, dans les villages en particulier, est vraisemblablement pleine d'indulgence pour les faiblesses d'hommes qui partagent leur vie et dont ils comprennent les tentations ; c'est d'ailleurs une indulgence à peu près comparable qui est manifestée par bien des curés devant les pratiques parfois teintées de magie de leurs ouailles.

La dîme

Les fidèles doivent contribuer à financer les frais du culte en payant la dîme, c'est-à-dire une portion fixée théoriquement à la dixième partie (en fait le taux varie beaucoup selon les lieux) des récoltes ou des troupeaux. Son produit est souvent accaparé par les « gros décimateurs », évêques, chapitres, monastères ou même grands nobles. Elle est parfois « inféodée » à des laïcs. Sa perception, la plupart du temps affermée, provoque beaucoup de mécontentements dans la première moitié du siècle ; un des effets de la propagation des idées réformées sera de provoquer un important mouvement de grève des dîmes.

Dans l'ensemble, le clergé français de la Renaissance se présente comme un corps aux effectifs pléthoriques et à l'intérieur duquel d'énormes disparités séparent le haut et le bas de la hiérarchie. Sa puissance temporelle est immense, tant par la richesse foncière accumulée au cours des siècles que par le pouvoir politique dont disposent les évêques ; mais cette puissance est relativement contrôlée par le roi. Le service de Dieu et des fidèles n'est certes pas toujours accompli de façon exemplaire, mais ses défaillances n'ont pas l'ampleur que l'historiographie leur a longtemps donnée.

Les fidèles

Ils constituent par excellence le peuple de Dieu, celui que le roi et l'Église ont pour mission de conduire sans encombres sur les rudes chemins de l'existence jusqu'à la vie éternelle.

Présence de la religion dans la vie quotidienne

Les actes principaux de l'existence sont sacralisés par le recours aux sacrements : baptême, mariage, extrême-onction. Les fidèles doivent communier au moins une fois par an, à Pâques, et à cette occasion confesser à Dieu leurs péchés devant un prêtre pour en obtenir l'absolution.

Le temps est rythmé par le calendrier chrétien. L'Avent (les quatre semaines avant Noël) et le Carême (les quarante jours avant Pâques) sont des moments de pénitence et de continence ; l'étude des mouvements des conceptions, lorsqu'on dispose des registres de baptêmes (qui ont lieu presque immédiatement après la naissance) et des comptes des boucheries montre que ces exigences sont relativement observées. Les grandes fêtes chrétiennes sont des temps forts de l'existence : Noël, Pâques, Pentecôte, Toussaint. Le son des cloches des églises ponctue la journée, appelant aux prières et aux offices et donnant une coloration particulière au temps, même si, à la ville, celui des citadins commence à se séculariser, avec les horloges civiles et les montres portatives. Les jours sont distingués par des noms de saints : « Ce n'est pas le 13 novembre que les cours de justice reprennent leurs travaux : c'est le lendemain de la fête de Monsieur saint Martin. Ce n'est pas le 9 octobre que commencent, pour les gens de métier, les courtes journées de travail, mais le jour de la Saint-Rémy. Et quant au calendrier des rustiques ? A la Saint-Mathias, s'il y a de la glace, il la casse ; à la Saint-Maurice, clair temps annonce tempête et vent ; à la Saint-Médard, s'il pleut dans le jour, elle ne cessera pendant quarante jours. »

Lucien Febvre, à qui l'on doit ces lignes dans son beau livre *Le problème de l'incroyance au XVIᵉ siècle* (1942) déduisait de cette présence du religieux qu'il était *impossible*, au XVIᵉ siècle, de n'être pas chrétien. Il ajoutait que « l'outillage mental » − notion féconde − des hommes de la Renaissance les rendait incapables de concevoir l'absence de Dieu : manque de catégories intellectuelles abstraites, de méthodes de raisonnement, sensibilité exacerbée par l'insuffisance de la protection contre les intempéries. Cette thèse, trop déterministe, trop inféodée à une conception finaliste de l'histoire, a été abandonnée ; il n'en reste pas moins que son auteur a trouvé des mots justes pour traduire la prégnance de la religion dans la vie quotidienne.

Les fidèles rencontrent encore l'Église s'ils veulent être soignés ou enseignés : elle conserve en effet un droit de regard sur l'assistance et sur l'éducation. Les hôpitaux et les écoles relèvent en principe de sa responsabilité. Il est vrai que dans la première moitié du XVIᵉ siècle se produit un fort mouvement de sécularisation dans ces domaines : ce sont de plus en plus les villes qui prennent en charge les établissements tant hospitaliers que scolaires. Mais l'Église y reste encore très présente ; les bureaux qui administrent les hôpitaux comprennent des ecclésiastiques ; ecclésiastiques aussi, très souvent, sont les fondateurs des collèges ; dans les villages, si le curé n'enseigne pas les enfants, son avis est essentiel pour la nomination d'un maître par la communauté.

Les confréries

Ces associations de fidèles sont un élément important de la sociabilité et de la piété. Marc Venard en distingue deux sortes. Il y a d'abord les confréries d'intercession, extrêmement nombreuses, placées sous le patronage d'un ou de plusieurs saints dont on espère la protection. Chaque ville en a généralement plusieurs, et elles ne sont pas absentes des villages. Deux provinces en sont particulièrement riches : la Normandie (où elles s'appellent les *charités*) et la Provence. Dans le diocèse de Rouen, il s'en fonde 502 entre 1500 et 1559. Elles sont largement ouvertes, moyennant un droit d'entrée. Les confréries de métier sont un cas particulier, mais elles acceptent aussi des membres extérieurs ; il existe également des confréries « militaires » d'archers, arbalétriers ou arquebusiers. Les femmes peuvent avoir les leurs, bien qu'elles soient admises (à des places subalternes) dans les confréries de leurs maris.

Les obligations qu'impose la participation à une confrérie de ce genre varient selon les cas. Le plus souvent, elles ne sont pas très pesantes : assister aux messes dites dans la chapelle que la confrérie a fait construire et décorer dans l'église paroissiale ; participer à des réunions et à des processions dans la ville ; accompagner le cortège funèbre des confrères défunts ; rencontrer les vivants dans de joyeux banquets annuels. Les confréries mettent leur point d'honneur à offrir à leur saint la plus belle statue, le vitrail le plus richement coloré. Outre leur but religieux, elles ont pour objet l'assistance mutuelle : un confrère frappé par la maladie, le deuil ou le manque de travail peut compter sur leurs prières et leurs dons. Leurs statuts donnent une grande place aux obsèques de leurs membres. Voici par exemple un extrait de ceux de la confrérie du village d'Auffay, dans le diocèse de Rouen, approuvés en décembre 1516 :

Item il est ordonné que quant il plaira à Dieu faire sa voulence d'aucuns des freres ou seurs de lad. confrarie, aussy tost que il sera à la cognoissance du prevost, il fera cloqueter par les carfours dud. lieu d'Aufay pour ammonester les freres et seurs qu'ils prient Dieu pour les trespassés, et il fera porter par les sergens dans la maison du trespassé le sierge, la croix, la baniere, la cloquette et le drap à mettre sur le trespassé. Lequel sierge ardra (brûlera) tant que le corps soit mis en terre. Et aussy les sergens seront subgects [veiller] le corps si on le garde la nuit, et le porter en terre, et auront pour ce faict chacun six deniers du tresor de lad. confrarie. Et avec ce le prevost fera dire deux messes basses [aux frais] de lad. confrarie, pourvu que led. trespassé ait tousjours paié sa dette le temps passé si en ait eu puissance. Et oultre ce les chappelains [...] les freres et seurs seront subgects de convoyer le corps jusques à l'église et estre ausd. messes à leur devocion (texte pub. par Marc Venard, *Les confréries en France au* XVIe *siècle et dans la première moitié du* XVIIe *siècle*, *Société, culture, vie religieuse aux XVIe et XVIIe siècles*, Paris, Presses de Paris-Sorbonne, 1995, p. 58-59).

La deuxième catégorie est celle des confréries de dévotion, beaucoup plus axées sur les exercices de piété et d'ascèse. C'est le cas des *Pénitents*, qui se répandent à la fin du XVe siècle en Provence à partir de Gênes puis de la colonie florentine d'Avignon. Ils se revêtent d'une cagoule (bleue, blanche, grise ou noire) dans les processions qu'ils organisent à travers la ville : ils s'imposent des mortifications, en particulier la flagellation (d'où le nom populaire de « Battus » qui leur est souvent donné).

Ni les autorités ecclésiastiques ni les civiles ne voient l'ensemble des confréries d'un très bon œil. Elles forment des groupes de sociabilité que l'on soupçonne volontiers d'une indépendance excessive, et tant le roi que les évêques cherchent à les contrôler. L'ordonnance de Villers-Cotterêts supprime les confréries de métier (mesure qui n'est, il est vrai, que rarement appliquée). Mais la vitalité des confréries est telle que cette méfiance ne les empêche pas de continuer à prospérer au moins jusqu'au début des guerres civiles. Elles sont pour leurs membres une sorte de grande famille qui leur apporte la chaleur de la solidarité et le réconfort spirituel de la protection d'un saint.

Les formes de la piété

Le rôle de la peur dans les pratiques dévotionnelles a été souligné par Jean Delumeau (*La peur en Occident*, 1978 ; *Le péché et la peur*,

1983). Peur de l'enfer : les retables, les sculptures, les sermons, les livres de piété le dépeignent comme un lieu de tortures épouvantables et de souffrances indicibles. Peur de mourir subitement : il faut avoir le temps de préparer son âme par le repentir et de recevoir les sacrements. Peur d'être excommunié : cette grave sentence est abondamment distribuée, pour des motifs qui paraissent aujourd'hui disproportionnés, comme le non-paiement des dettes. Peur de voir les nouveau-nés mourir sans être baptisés ou du moins ondoyés par la sage-femme : on les croit voués alors aux *limbes*, ce lieu indistinct qui n'est ni le paradis, ni le purgatoire, ni l'enfer ; souvent les parents désolés apportent leurs bébés mort-nés dans des « sanctuaires à répit », qui apparaissent au début du XVᵉ siècle, chapelles placées sous la protection de saint Claude, saint Gervais, sainte Christine ou encore de la Vierge, dans l'espoir qu'un miracle les rappellera un moment à la vie, juste le temps de leur administrer le sacrement.

Mais, comme l'a montré aussi Jean Delumeau (*Rassurer et protéger*, 1989), la religion apporte également la consolation, antidote de la peur. Face à leurs angoisses et au sentiment de leur péché, les fidèles ne sont pas démunis. L'Église leur répète qu'ils bénéficient des mérites de la passion du Christ, mort sur la croix pour le salut de toute l'humanité. Seraient-ils accablés par le poids de leur indignité, la Vierge et les saints sont là, intercesseurs puissants capables de fléchir la colère de Dieu. La Vierge Marie est souvent représentée étendant son grand manteau sur tous les pécheurs, qui se sentent ainsi en sécurité. Les testateurs invoquent toute « la cour célestiale de Paradis » pour se rassurer à l'approche de la mort. Jamais ne manquent les recours possibles à tel ou tel saint, spécialisé dans tel ou tel malheur : saint Christophe contre la mort subite, saint Sébastien ou saint Roch contre la peste. La *Légende dorée* de Jacques de Voragine, écrite vers le milieu du XIIIᵉ siècle, a rendu familières les vies de ces saints, proches des hommes et écoutés de Dieu ; le nombre de leurs statues dans les églises campagnardes atteste la force de la confiance paysanne en leurs pouvoirs. Cette religion de l'intercession n'est pas sans soulever la réprobation des clercs réformateurs de la fin du XVᵉ siècle et du siècle suivant, et les réformés la rejettent vigoureusement comme entachée de relents d'idolâtrie. Mais cette condamnation est impuissante à la faire disparaître, tant les fidèles ont besoin de ses consolations.

La chaîne de l'intercession

Un vitrail de Beauvais, portant la date de 1516 et aujourd'hui détruit, montrait les étapes de l'ascension de la prière vers le ciel. On y voyait, en bas, un chanoine agenouillé s'adresser à son patron, saint Laurent :

> «Saint Laurent, patron d'icy prie
> Pour moi, pécheur, sainte Marie. »

Saint Laurent se tournait vers la Vierge :

> «Pour cetuy-ci, Reine de la sus (là-haut),
> Veuille prier ton fils Jésus. »

La Vierge montrait son sein à son fils en croix :

> «Mon fils qu'allaita ma mamelle,
> Pour ce pauvre pécheur (je) t'appelle. »

Le Christ crucifié regardait le Père :

> «Mon Père, ayez compassion
> De ce pécheur par ma passion. »

Et le Père, désarmé, répondait :

> «Par tant de motifs animé,
> Me plaît d'avoir pour lui pitié. »

(In Émile Mâle, *L'art religieux de la fin du Moyen Age en France*, 1905, éd. de 1949, Paris, A. Colin, p. 160-163.)

Rassurante aussi est la présence, auprès de chaque personne, d'un ange gardien : cette croyance s'officialise à la fin du XVᵉ siècle. Rassurante encore est la solidarité collective devant la mort : chaque mourant sait qu'il pourra bénéficier des prières de ses proches pour son âme, et des messes qu'il fonde par son testament, neuf, puis trente, puis quarante jours après son décès, et enfin au « bout de l'an ». Ses legs aux pauvres lui font espérer qu'il aura une place particulière dans leurs prières. C'est donc finalement un sentiment de sécurité que font naître chez la plupart des chrétiens leurs pratiques dévotionnelles. Sentiment de sécurité que dénoncent âprement les premiers réformateurs, car ils y voient une fausse assurance, une certitude trompeuse qui endort les âmes dans une mortelle hébétude. Mais l'immense majorité y trouve réconfort et apaisement.

Du haut en bas de la hiérarchie, du roi au plus humble des fidèles, tous les habitants du royaume se sentent placés sous le regard de Dieu. La cohésion de tout le corps est nourrie par ce sentiment d'être une portion de chrétienté, favorisée par la protection spéciale de la Providence. Il existe en outre une intime liaison entre l'honneur de Dieu et l'honneur du prince : la majesté du second reflète celle du premier, et la révérence qu'on lui porte a un sens religieux. La Renaissance à certes impulsé un mouvement qui tend à dissocier l'ordre temporel et l'ordre spirituel, mais ils restent, pour beaucoup encore, profondément mêlés.

ORIENTATION BIBLIOGRAPHIQUE

Sur le sacre et le pouvoir thaumaturgique

Marc Bloch, *Les rois thaumaturges*, 1924, rééd. 1983, Paris, Gallimard, 542 p.
Richard Jackson, *Vivat Rex. Histoire des sacres et couronnements en France*, trad. par Monique Arav, Paris, Ophrys, 1984, 238 p.
Le sacre des rois, Paris, Les Belles Lettres, 1985, 360 p.

Ouvrages sur l'Église et la vie religieuse

Augustin Fliche et Victor Martin, *Histoire de l'Église*, t. XV : *L'Église de la Renaissance (1449-1517)*, par R. Aubenas et R. Richard, Paris, Bloud & Gay, 1951, 396 p.
H. Tüchle, J. Lebrun et C. A. Boumann, *Réforme et Contre-Réforme, Nouvelle Histoire de l'Église*, t. III, Paris, Seuil, 1968, 622 p.
Jean Delumeau, *Le catholicisme de Luther à Voltaire*, Paris, PUF, 1979, rééd. 1992, 374 p.
Jean Delumeau (sous la dir. de), *Histoire vécue du peuple chrétien*, Toulouse, Privat, 1979, 2 vol.
G. Deregnaucourt et D. Poton, *La vie religieuse en France aux XVI*, *XVII*, *XVIII* *siècles*, Gap, Ophrys, 1994, 310 p.
François Lebrun (sous la dir. de), *Histoire des catholiques en France*, Paris, Hachette, 1985, 584 p.
Jacques Le Goff et René Rémond (dir.), *Histoire de la France religieuse*, t. II (sous la dir. de F. Lebrun) : *Du christianisme flamboyant à l'aube des Lumières, XIV*-*XVIII* *siècles*, Paris, Seuil, 1988, 574 p.
Nicole Lemaître, *Le Rouergue flamboyant. Le clergé et les fidèles du diocèse de Rodez, 1417-1563*, Paris, Le Cerf, 1988, 652 p.
Hervé Martin, *Le métier de prédicateur à la fin du Moyen Age (1350-1520)*, Paris, Le Cerf, 1988, 600 p.
Jean-Marie Mayeur, Charles Piétri, André Vauchez et Marc Venard (dir.), *Histoire du christianisme des origines à nos jours*, Paris, Desclée, t. 7 et 8 (sous la dir. de M. Venard) : *De la réforme à la Réformation (1450-1530)*, 1994, 926 p. ; *Le temps des confessions (1530-1620/1630)*, 1992, 1 236 p.
Pierrette Paravy, *De la chrétienté romaine à la Réforme en Dauphiné*, Rome, Éc. fr. de Rome, 1993, 2 vol.
Michel Péronnet, *Les évêques de l'ancienne France*, Lille III, 1977, 2 vol.
Jean de Viguerie, *Le catholicisme des Français dans l'ancienne France*, Paris, Nouv. Éd. lat., 1988, 330 p.

3. Hiérarchie et noblesse

Les historiens se réfèrent parfois à l'opposition entre « dominants » et « dominés » pour décrire la hiérarchie sociale, ce qui évoque une société fondée sur la force et l'exploitation des inférieurs par les supérieurs. Cette classification correspond en partie à la réalité. Mais les hommes du XVIe siècle refusent de reconnaître le rôle de l'injustice et de l'oppression dans la stratification sociale, sauf quand la gravité des crises fait éclater au grand jour la violence des antagonismes. Ils préfèrent la croire fondée sur l'honneur, lui-même indissociable de la « vertu » ; ils la voient reliée par de mystérieuses correspondances à l'ordre de tout l'univers. Ces conceptions ne se trouvent pas seulement dans les ouvrages des doctes ; elles inspirent également l'attribution des épithètes d'honneur, l'ordonnance des cérémonies publiques, la codification des tenues vestimentaires et jusqu'aux stratégies d'ascension sociale ; elles reflètent les valeurs collectives et orientent les comportements. Il faut tenir compte de ce discours de la société sur elle-même si l'on veut comprendre la nature de la hiérarchie et la place qu'y tient la noblesse.

Les fondements idéologiques de la hiérarchie

C'est au cours de la première moitié du XVIe siècle que se met en place la société de la France des Temps modernes, caractérisée par l'attention apportée aux rangs et aux symboles de la distinction. Dans les années 1960 et 1970 a eu lieu un grand débat historiographique ; s'agit-il d'une société de classes, ou d'ordres, ou encore de corps ? La première hypothèse est aujourd'hui à peu près abandonnée ; par ailleurs, on a cessé de vouloir absolument donner une étiquette à ce type de société. Mais on reconnaît l'importance de la façon dont chacun se situe et place les autres dans l'échelle sociale. Au XVIe siècle, c'est surtout d'après la « qualité », critère interne prévalant sur les critères externes de la richesse et même de la fonction.

Les principes de classement

La vieille classification tripartite par la fonction, provenant, selon les théories de Georges Dumézil, de la mythologie primitive des peuples indo-européens, est cependant encore couramment invoquée au XVIe siècle. Aux États généraux de 1484, Philippe de Poitiers, député de la noblesse, la rappelle ainsi : « Par cette division il est donné au clergé de prier pour les autres, de conseiller, de prêcher ; à la noblesse, de les protéger par les armes ; au tiers état de nourrir et d'entretenir les nobles et les gens d'Église, au moyen des impôts et de l'agriculture. » Ce classement se retrouve en particulier dans la répartition en trois groupes des députés aux assemblées d'États, généraux ou provinciaux. Certains auteurs l'aménagent, en s'inspirant des six catégories proposées par Aristote. C'est ainsi que Guillaume de La Perrière distingue « six manières de gens, lesquelz sont Prestres, Magistrats, Nobles, Bourgeois, Artisans et Laboureurs » (*Le Miroir Politicque,* Lyon, 1555). D'autres proposent une répartition en quatre groupes, introduisant la Justice aux côtés du clergé, de la noblesse et de la paysannerie (ce sont les quatre états dont Rabelais, dans le *Quart Livre,* en 1548-1552, peuple l'île des Papimanes).

Mais ce type de hiérarchisation est englobé dans un *classement par la qualité,* qui aboutit à une opposition binaire : noblesse/roture. « En France, écrit le juriste Jean Bacquet, il y a deux sortes de personnes : les uns sont Nobles, les autres sont Roturiers et non nobles. Et soubs ces deux espèces sont comprins tous les habitans du Royaume : soient gens d'Église, gens de justice, gens faisans profession des armes, tresoriers, receveurs, marchans, laboureurs et autres » (*Quatriesme traicté des droits du domaine,* 1582). Le principe de la qualité détermine donc un classement qui se superpose à celui des professions et le transcende ; on passe ainsi du *faire* à l'*être*. La noblesse, ici, n'est plus une fonction, mais une excellence humaine, ou une « vertu ». Chaque « manière de gens » est censée représenter un degré différent de perfection humaine, plus ou moins élevé, et se classe selon l'estime que ce degré suscite.

Les critères réalistes de classement, fondés sur la richesse et le pouvoir, ne sont plus invoqués aussi souvent qu'avant. Aux XIIe et XIIIe siècles, dans les « bonnes villes » étudiées par Bernard Chevalier (Paris, 1982), on parlait volontiers des « gros » ou des « gras », des « riches hommes » ou encore des « puissants ». Ce type de désignation perdure encore dans une ville essentiellement marchande comme Lyon, où l'historien Richard Gascon relève des expressions comme « les opulents », « ceux qui ont de quoi », « du vaillant », « du bien au soleil ». Mais, ailleurs, d'autres appellations s'imposent peu à peu : les « notables », mot apparu à la fin du XIVe siècle, qui insiste sur la notoriété et la respectabilité ; les « gens de bien », dont la fortune est censée récompenser la qualité morale ; les « apparents », que leur ostentation et leur assurance désignent à l'attention et à l'admiration collectives. Tous ces qualificatifs se réfèrent à une hiérarchie d'honneur. Et si Claude de Seyssel parle encore, dans *La Grand-Monarchie de France* (1519) de « peuple gras » et de « peuple menu », c'est que ce Savoyard, qui a étudié à Turin, a encore dans l'esprit les modèles italiens médiévaux.

Les épithètes d'honneur

Dès qu'une famille est parvenue à se tirer de la misère ou de la précarité et prétend à la notabilité, ses membres se parent d'épithètes d'honneur et d'avant-noms, qui sont autant de signes indiquant leur caractère honorable ; ils prennent soin de les faire enregistrer par les curés et les notaires dès qu'ils ont affaire à eux. La première catégorie au-dessus des gens sans qualité est celle de *l'honnêteté* : on fait précéder son nom de l'épithète « honnête homme » ou « honnête personne » lorsqu'on est, en ville, procureur, sergent, petit marchand (à Senlis ou à Tours par exemple). Au-dessus vient *l'honorabilité* : les « honorables hommes » ou « honorables personnes » sont des marchands aisés (qui prennent en outre l'avant-nom « sire »), des avocats et des officiers de justice et de finance (qui ont droit à l'avant-nom « maître » une fois obtenue la licence ès arts). Dans le bailliage de Senlis, les officiers supérieurs, baillis, lieutenants de bailli, procureurs du roi, receveurs ordinaires, rajoutent le qualificatif « sage », ce qui donne le pompeux « honorable homme et sage maître » (Bernard Guenée, *Tribunaux et gens de justice dans le bailliage de Senlis à la fin du Moyen Age*, 1963). Les campagnes sont assez vite atteintes par cette soif de distinctions : les « honnêtes personnes » apparaissent dès la fin de la première décennie du siècle en Ile-de-France, peut-être plus tôt dans le Cambrésis ; les « honorables personnes », titre dont se parent les riches fermiers, au début des années 1520. Ces épithètes d'honneur peuvent cependant varier selon les lieux : au Puy, par exemple, les bourgeois de la ville se font désigner comme « sages et discrètes personnes ». A Avignon, selon Marc Venard (*Réforme protestante, Réforme catholique dans la province d'Avignon*, 1993), les notaires ne refusent à personne le qualificatif de « discret homme », fût-ce aux travailleurs de terre...

Avec l'épithète « noble homme », on arrive à la frontière ambiguë entre la noblesse et la roture. Cette appellation est tellement convoitée qu'elle finit par être usurpée et ne plus désigner, à partir de 1560 environ, qu'un roturier parvenu à suffisamment d'aisance pour commencer à adopter un genre de vie nobiliaire ; après cette date, elle ne signifie l'appartenance à la noblesse qu'en Normandie. La simple qualification de « noble », placée devant le nom, garde sa valeur jusqu'à la fin de l'Ancien Régime dans certains lieux : « dans les provinces de Flandres, Hainaut, Artois, Franche-Comté, Lyonnois, Bresse, Bugey, Dauphiné, Provence, Languedoc et Roussillon, et dans l'étendue des Parlements de Toulouse, Bordeaux et Pau », selon l'énumération fournie par Louis-Nicolas-Hyacinthe Chérin, le dernier des généalogistes des Ordres du roi, auteur en 1788 d'un *Abrégé chronologique d'Édits (...) concernant le fait de la noblesse*.

Le titre que la législation royale retient comme désignant proprement la qualité de noblesse est celui d'écuyer. Un écuyer peut se parer de l'avant-nom « Monsieur ». S'il s'élève dans la hiérarchie nobiliaire, il accède au groupe des chevaliers, avec « Messire » comme avant-nom ; il peut alors bénéficier de l'appellation de « haut et puissant seigneur ». Les princes sont appelés « Monseigneurs » et dits « illustres et excellents ». Les femmes portent des épithètes d'honneur et des avant-noms analogues : « honnêtes » ou « honorables » lorsque leurs maris le sont, « damoiselles » s'ils sont écuyers, dames s'ils sont chevaliers.

« Vivre noblement », ou la « vertu » de noblesse

Il n'est pas de lieu commun plus répandu à la Renaissance que celui-ci : la noblesse, c'est la vertu. La répétition de cette formule a deux objectifs. Le premier est moralisateur : il s'agit de rappeler aux nobles que leur naissance ne les dispense pas d'être de bons chrétiens, scrupuleux observateurs des commandements de l'Église, mais qu'au contraire elle les y oblige davantage. Le second se réfère à des valeurs sociales : il signifie que la noblesse est avant tout une manière d'être et de se comporter.

La « vertu » noble

Des ouvrages, analogues aux « miroirs des Princes » qui indiquent aux rois quelles vertus ils doivent avoir, répertorient à l'intention des nobles les modèles qu'il leur faut suivre : par exemple le *Bréviaire des Nobles*, d'Alain Chartier, œuvre du deuxième quart du XVᵉ siècle mais que les pages apprennent encore par cœur cent ans plus tard, ou encore le *Jardin des Nobles*, manuscrit rédigé très probablement de 1472 à 1477 par l'un des conseillers de Louis XI, Yvon du Fou, chambellan du roi, grand veneur de France et gouverneur d'Angoumois.

Parmi les vertus énumérées, quatre reviennent avec insistance, outre les qualités générales de piété chrétienne et de fidélité au roi : la magnanimité, la libéralité, la loyauté et la courtoisie.

La magnanimité, ou la grandeur et la force de l'âme, est censée se manifester essentiellement sur les champs de bataille par la vaillance et la prouesse. Le courage au combat est une qualité très fortement valorisée ; l'idéal guerrier de la Renaissance s'alimente aux sources médiévales de l'esprit chevaleresque, illustré en particulier par l'*Arbre des batailles*, d'Honoré Bovet, ouvrage écrit à la fin du XIVᵉ siècle. L'épée portée par les nobles est le symbole de cette vocation des armes. Mais il ne faut pas en déduire que la noblesse coïncide avec l'exercice de la fonction militaire : l'épée indique une vertu et non un métier. Au XVIᵉ siècle, en effet, très peu de nobles accomplissent un service effectif dans les armées : leur pourcentage oscille selon les provinces entre 6 et 30 % ; encore se réduit-il à 5 % si l'on ne compte que ceux qui ont vraiment fait de la guerre une profession. La plupart du temps, les nobles qui servent militairement passent quelques années de leur vie à combattre, puis reviennent chez eux et se consacrent à la gestion de leurs domaines.

La libéralité est également une qualité qui manifeste l'excellence humaine nobiliaire. Elle consiste d'abord à donner sans compter. Lorsque François Ier était captif à Madrid, rapporte Brantôme dans les *Rodomontades espagnoles*, « pour son passe temps, (il) avoit quelque fois accoustumé jetter, semer devant les soldatz de sa garde force escus au soleil, avec si grand mespris de sa fortune presente qu'il ne s'en soucioit »... Manière de rétablir sa grandeur humiliée, si efficace que le vieux soldat espagnol qui rapporte la chose au narrateur s'en souvient encore cinquante ans après. La libéralité se traduit aussi, de manière plus générale, par la capacité à récompenser des fidèles et des clients, selon une logique du don et du contre-don.

La loyauté est une autre vertu cardinale assignée aux nobles, au point que les traiter de menteurs est une insulte qui ne peut se laver que dans le sang. Le « démenti » (c'est-à-dire la riposte « tu as menti » opposée à l'auteur d'un propos injurieux) surclasse toujours la première offense et appelle un duel.

La courtoisie caractérise les manières, qui doivent être douces et aimables en temps de paix, et surtout marquées par l'aisance et la grâce. Un livre venu d'Italie a contribué à faire de ces qualités des attributs indispensables aux nobles : *Le Courtisan*, de Balthasar Castiglione (1528), traduit en 1537 par Jacques Colin.

> Je veux que le Courtisan, outre la noblesse, soit fortuné en ce qui concerne les dons naturels, et ait par nature non seulement l'esprit et une belle forme de corps et de visage, mais aussi une certaine grâce, et, comme on dit, un air qui de prime abord le rende agréable et aimé de tous ceux qui le voient. Et cela doit être comme un ornement qui harmonisera et accompagnera tous ses actes, et assurera à première vue qu'un tel homme est digne du commerce et de la faveur de chaque grand seigneur (*Le livre du courtisan*, d'après une seconde traduction, celle de Gabriel Chappuis en 1580, publ. par Alain Pons, Paris, Flammarion, 1987, p. 39).

Ce nouveau « miroir des nobles » présente un archétype séduisant pour les gentilshommes fréquentant la cour ; ceux-ci cultivent l'aisance de leurs gestes par la pratique assidue de la danse, dans laquelle ils sont aussi experts que des professionnels. Mais, au

XVIᵉ siècle, tous ne se laissent pas convaincre par ces valeurs venues d'Italie, jugées trop efféminées à leur goût.

Depuis le siècle précédent est apparu également un autre modèle d'excellence humaine, celui du service civil du roi accompli par les hommes de robe, exigeant la prudence, la compétence et la culture. Il commence à concurrencer le type guerrier, opposant ainsi la robe à l'épée.

Toutes ces vertus composent un portrait idéalisé auquel les nobles sont censés se conformer. La forte valorisation de ce modèle humain traduit la vigueur des attentes collectives au sujet de la noblesse ; la virulence des diatribes antinobiliaires qui surviennent dans les temps de troubles n'est pas sans exprimer l'ampleur d'une déception, provoquée par les écarts entre la réalité et l'idéal.

La dérogeance

Les qualités nobles sont incompatibles avec l'exercice d'un certain nombre d'activités, jugées viles et asservissantes. La législation royale insiste très tôt sur la nécessité de ne pas déroger, sous peine de revenir temporairement ou définitivement à la roture. Des juristes l'explicitent : en 1549 paraît à Paris un gros traité en latin, intitulé *Commentarii de Nobilitate et jure Primigeniorum (Commentaires sur la noblesse et sur le droit des aînés)*, d'André Tiraqueau, qui contient de longs chapitres sur la perte de la condition noble.

La culture de la terre ne fait pas déroger un noble, à condition que cette terre lui appartienne ; il peut en consommer les fruits ou les vendre. En principe, il ne doit pas mettre lui-même la main à la charrue (mais, s'il est pauvre, il arrive que cela se produise) ; en revanche, il lui est permis de planter et de greffer des arbres. Il ne peut pas affermer les terres d'autrui (sauf s'il s'agit de celles des princes du sang), ni des dîmes ; mais, en Bretagne, des nobles pauvres prennent parfois une ferme voisine de leur propriété. Affermer les revenus du roi ne fait pas déroger, car c'est assimilé à un service honorable.

Le travail manuel des artisans est par excellence une activité dérogeante. Les arts « mécaniques » sont réputés pénibles, salissants, abrutissants, pratiqués pour le gain ; ils étoufferaient donc la vertu de noblesse. Seule exception : la verrerie. L'art du verre ne fait pas déroger, parce que c'est une opération subtile, et que le verre est une substance belle et précieuse. Les nobles peuvent aussi exploiter les mines de leurs terres et être maîtres de forges, car c'est un travail de commandement. On retrouve ici l'opposition entre le corps et l'esprit, le gain et l'honneur, le travail grossier et l'art produisant un objet rare.

L'art des médecins ne fait pas déroger. Celui des avocats non plus, depuis un arrêt du Conseil de 1544. Mais celui des chirurgiens, qui œuvrent de leurs mains, le fait ; celui des procureurs et des notaires aussi (sauf en Bretagne).

Le commerce en détail fait déroger. Il est censé être mesquin et conduire inévitablement au mensonge et à la tromperie, incompatibles avec la loyauté exigée des nobles. Il en va différemment du commerce en gros, dont les horizons sont plus larges. En 1462, un édit le permet aux nobles. Au XVIᵉ siècle, dans les ports et en particulier à Marseille, beaucoup de nobles font du grand commerce. A Troyes, la coutume les autorise à vivre « noblement ou marchandement ». L'édit de 1495, qui accorde la noblesse aux « conseillers » de l'échevinage lyonnais, précise : « jaçoit qu'ils fussent d'estat et négociation de marchandise ». Mais le Parlement retarde jusqu'en 1545 la vérification de cet édit, qui est suivie d'une autre en 1575 où est désapprouvée la clause sur la marchandise. L'activité marchande tend en effet à se dévaloriser au cours du XVIᵉ siècle. En 1540, l'édit d'Aumale interdit le commerce aux nobles. Le tiers état estime en outre que la noblesse empiète sur ses propres privilèges en commerçant : lorsque, en 1560, le cahier des nobles de Touraine demande qu'il soit permis aux gentilshommes appauvris de commercer, celui du tiers de la même province exige que cela leur soit interdit. L'article 109 de l'ordonnance d'Orléans de 1561 tranche en faveur de ce dernier. En 1566 les gentilshommes commerçants de Marseille font confirmer par Charles IX le privilège, dont ils jouissent à l'instar des nobles des villes italiennes, de se livrer à la marchandise ; malgré cela, ils cessent progressivement de se dire marchands.

Combien de générations ou « degrés » de dérogeance faut-il pour que la noblesse soit définitivement perdue ? On distingue la noblesse commençante de la noblesse ancienne. Dans le premier cas (anobli par lettre, premier détenteur d'un office coutumièrement estimé comme anoblissant), les bénéfices de l'anoblissement sont immédiatement effacés. Dans le second, une ou deux générations de dérogeance ne suffisent pas à anéantir la noblesse : celle-ci est censée inscrite dans le sang. Les dérogeants sont alors dépouillés des privilèges nobiliaires, en particulier fiscaux, mais leur qualité n'est pas détruite ; elle est « en suspens ». En mai 1601, la cour des aides de Paris estimera que le troisième degré peut être relevé de la dérogeance des deux précédents. Mais si la troisième génération déroge aussi, il est difficile à la quatrième de retrouver la qualité noble. En Bretagne, toutefois, le cas est différent : la dérogeance, si longue soit-elle, ne fait pas perdre la noblesse ; tant qu'elle dure, la noblesse est considérée comme « dormante », ou « étourdie » ; elle se « réveille » dès que cesse l'activité dérogeante.

Lorsqu'un homme issu de noble race cesse de déroger, il peut retrouver sa qualité à condition d'obtenir du roi des *lettres de réhabilitation* ou de *relief*, qui sont adressées au Parlement et à la Chambre des comptes pour vérification. C'est la *restitutio natalium*. Beaucoup, au XVIᵉ siècle, s'arrangent pour obtenir frauduleusement ce genre de lettres, ce qui équivaut à un anoblissement déguisé, avec l'avantage de faire croire à une noblesse ancienne. En Bretagne, en revanche, un noble qui cesse de déroger est dispensé de ces lettres ; il doit simplement déclarer devant la juridiction royale la plus proche qu'il « réveille » sa noblesse et entend ne plus être soumis aux impôts roturiers.

« La vie noble fait finalement le noble »

André Tiraqueau se demande si la pauvreté fait perdre la noblesse. Sa réponse, complexe, est plutôt négative ; la « vertu », attachée au sang, ne saurait être effacée par des revers de fortune. Et pourtant il ajoute : « J'avoue cependant que la noblesse est un objet de mépris et de moquerie si elle est conjointe avec la pauvreté [...] Et assurément la noblesse sans richesse est tout à fait manchote et mutilée. » Là est bien le problème : les vertus nobiliaires, comme le respect des règles de la dérogeance, peuvent difficilement s'exercer dans le dénuement. Concrètement, elles se manifestent sur les champs de bataille, où il faut avoir un équipement guerrier, ou dans le manoir familial, par un mode de vie qui requiert de l'aisance. Dans son *Quatrième traité* déjà cité, Jean Bacquet définit ainsi l'expression « vivre noblement » : « Suivre les armes, aller aux guerres, mesmes avoir eu charge de compaignees, avoir esté Capitaines, Lieutenans, Enseignes, Guidons, hommes d'armes, hanter les Gentils-hommes, porter habits de Gentils-hommes, leurs femmes porter habits de Damoiselles, et faire autres actes de nobles, sans avoir esté assis à la taille. » La vie noble est un luxe, le luxe de ceux qui n'ont pas à lutter pour gagner leur vie et qui peuvent s'adonner aux activités considérées comme valorisantes, la guerre, la chasse, le jeu, la culture du corps et souvent celle de l'esprit. A la fin du siècle, un moraliste, David Rivault de Fleurance, résume ainsi l'importance du genre de vie : « la vie noble faict finalement le noble » (*Les Estats, esquels il est discouru du Prince, du Noble et du tiers Estat, conformément à nostre temps,* 1596).

La race, le sang et l'honneur

Le rôle du genre de vie et de la « vertu » ne doit pourtant pas faire conclure que l'hérédité ne joue aucun rôle. Le même David Rivault est très explicite à ce sujet : « Le Noble donc naist du noble [...] La pureté et le bon tempérament corporel passe du père au fils, aussi bien que les mauvaises affections. Ainsi le fils du père vertueux prend du moins un corps pur et propre à la vertu. »

La notion de race

Le mot « race » signifie généralement le lignage, c'est-à-dire l'ensemble des parents issus d'une souche commune. Il apparaît en France dans les années 1480 ; il vient sans doute du latin *ratio* (catégorie, espèce), par l'intermédiaire de l'italien *rassa*. Il se répand surtout à partir de 1530, concurrençant les termes employés alors : lignage, lignée, maison, sang, parage. Cette étymologie suggère que chaque lignage constitue une « espèce » d'hommes caractérisée par des traits physiques et moraux héréditaires. La naissance dans une race noble est censée donner une prédisposition à la « vertu », inscrite dans le sang.

Cette prédisposition doit cependant être cultivée par l'éducation pour donner pleinement ses fruits : la croyance à l'hérédité coexiste, sauf chez les plus imbus de la supériorité naturelle des nobles, avec le sentiment de la nécessité d'un effort familial et personnel pour cultiver les aptitudes innées (et donc avec la conviction qu'il est possible

de dégénérer si cet effort manque). C'est à cette condition que se per-
pétue l'âme d'une race, sa personnalité héréditaire.

La notion de race fonde celle de l'ancienneté de la noblesse. Des
lettres patentes de 1484 citées dans le *Traité de la noblesse* de Gilles-
André de La Roque (1678) prescrivent à chaque noble « de faire description de sa généalogie et de sa race, jusqu'à quatre degrés et plus
avant tant qu'il pourrait monter et s'étendre ». Des lettres patentes
du 5 mai 1583, toujours citées par La Roque, de même que le premier
des articles présentés par Henri III à l'assemblée des notables de
Saint-Germain-en-Laye (novembre 1583) mentionnent aussi quatre
degrés. Ces définitions justifient les deux sens qu'a pris l'expression
noblesse de race : au sens étroit, elle signifie la qualité de celui qui peut
prouver trois degrés nobles au-dessus de lui en ligne paternelle, lui-
même formant le quatrième degré (et qui, donc, peut avoir un tri-
saïeul roturier) ; au sens large, elle désigne une noblesse qui peut
« monter et s'étendre » jusqu'à une origine immémoriale, sans principe connu. Un *gentilhomme* est en principe un noble de race, au moins
au sens étroit, ceux qui n'ont pas encore la race n'étant que *nobles* ;
mais l'usage, en fait, est beaucoup moins strict.

La notion d'honneur

D'autres éléments sont censés intervenir pour consolider la qualité : l'émulation, l'exemple des ancêtres, le sentiment d'avoir à soutenir la réputation du lignage, les « mille petits aiguillons d'honneur » qui poussent un noble à se conformer au modèle proposé,
dont le caractère est moralement contraignant.

Le mot honneur est riche de divers sens au XVIe siècle ; cette
polysémie peut être ordonnée en quatre catégories principales.

Les sens du mot honneur

1 / « Vertu » 〖 Modèle de comportement attribué à chaque position sociale par
        l'attente collective
       〗 Conformité à ce modèle

2 / Estime et réputation produites chez autrui par le spectacle de la « vertu »

3 / Honneurs : concrétisation sociale de l'estime collective : titres, préséances, dignités, symboles divers de prééminence

4 / Distance sociale créée par les honneurs, prestige, rang dans la hiérarchie

---

La « vertu » que l'on attend de chacun est l'aptitude à se conformer aux règles de comportement fixées par l'attente collective, elle-même fondée sur des valeurs. Si ces règles sont les commandements de Dieu et de l'Église, on parle de l'honneur du chrétien. Si ce sont les normes édictées par un groupe ou par l'ensemble de la société, il peut s'agir de la morale professionnelle : c'est l'honneur du tailleur de bien couper les habits, du soldat de bien se battre, du chantre de bien chanter, du magistrat de bien juger, rappelle David Rivault de Fleurance. Pour les femmes, c'est la chasteté ou la fidélité conjugale. La forte valorisation du conformisme contribue à la stabilité de l'ordre social.

Le cas de la noblesse est particulier : elle dit en effet « faire profession d'honneur ». D'une part, elle trouve sa spécificité dans l'exactitude exigeante de sa conformité à un code de conduite, et, de l'autre, ce code compose un modèle d'excellence humaine. Son comportement doit donc être doublement honorable, puisque, en s'acquittant bien de son rôle social, elle donne l'exemple des qualités les plus estimées.

Les nobles se trouvant ainsi placés sous le regard de tous sentent plus particulièrement le poids contraignant des prescriptions de l'honneur. Celui-ci, répètent-ils dans leurs lettres et leurs mémoires, est un « devoir », une « obligation », à laquelle il faut « satisfaire », ne pas « faillir » ; il faut l'avoir sans cesse « devant les yeux ». Cette contrainte n'a pas été diminuée par l'apparition du nouveau modèle promu par les gens de robe ; elle a même été aggravée pour les nobles traditionnels, car ceux-ci ont voulu exagérer leur différence pour montrer leur supériorité. Ils ont multiplié les règles du « point d'honneur », qui codifient le duel et prescrivent de *se ressentir* du moindre manquement pour prouver la vaillance, la futilité du prétexte faisant d'autant mieux ressortir la qualité suprême : l'élégance et la désinvolture devant la mort. Ce comportement, si peu chrétien, a suscité il est vrai de fortes critiques, même chez les nobles.

L'idée d'hérédité des qualités a été quelque peu occultée au début du siècle, parce que les humanistes ont préféré insister sur l'absolue nécessité de la bonne éducation. Mais elle s'affirme avec force autour des années 1550. On en trouve de nombreux exemples dans les œuvres des poètes de la Pléiade, en particulier Ronsard et Du Bellay. Ce dernier, dans l'*Ample Discours au Roy sur le faict des quatre Estats du royaume de France*, poème rédigé vers 1559 ou 1560

d'après un original latin du chancelier Michel de L'Hôpital, supplie le roi de veiller à la pureté de sa noblesse :

> Et ne permettra point que d'un sang moins hardy
> Le sang plus généreux devienne abastardy.
> Car si des bons chevaux et des bons chiens de chasse
> Nous sommes si soingneux de conserver la race,
> Combien plus doit un Roy soigneusement pourvoir
> A la race, qui est son principal pouvoir ?

Ainsi s'établissent des analogies entre les races humaines et les
races animales ou végétales, entre l'ordre humain et l'ordre naturel.
Il faut ajouter cependant que ces justifications de l'inégalité terrestre s'accompagnent toujours de l'affirmation de la radicale égalité de tous les hommes devant Dieu.

La hiérarchie sociale ainsi conçue est censée placer les meilleurs
au sommet, exposés au regard et à l'admiration de tous. Elle a un
sens, et ce sens est moral et didactique. « Contenir chacun en son
ordre plus par la puissance de vertu, de laquelle on est orné, que
par la force violante » (Louis Le Caron, *Les Dialogues*, 1556) : tel est
l'idéal qui modèle les images de la société.

ORIENTATION BIBLIOGRAPHIQUE

François Billacois, *Le duel dans la société française des XVIᵉ-XVIIᵉ siècles*, Paris, EHESS, 1986, 540 p.

André Devyver, *Le sang épuré. Les préjugés de race chez les gentilshommes français (1560-1720)*, Bruxelles, 1973, Presses de l'Université, 608 p.

Arlette Jouanna, Recherches sur la notion d'honneur au XVIᵉ siècle, *Rev. d'hist. mod. et cont.*, 1968, p. 597-623 ; *L'idée de race en France au XVIᵉ siècle et au début du XVIIᵉ*, Paris, Lille III, 1976, rééd. Montpellier, Univ. Paul-Valéry, 1981 2 vol., et *Ordre social. Mythes et hiérarchies dans la France du XVIᵉ siècle*, Paris, Hachette, 1977, 252 p.

Roland Mousnier, *Les hiérarchies sociales de 1450 à nos jours*, Paris, PUF, 1969, 196 p.

Kristen B. Neuschel, *Word of Honor. Interpreting Noble Culture in Sixteenth-Century France*, Ithaca et Londres, Cornell Univ. Press, 1986, 224 p.

Ellery Schalk, *From Valor to Pedigree. Ideas of Nobility in France in the Sixteenth and Seventeenth Century*, Princeton, Univ. Press, 1986, 242 p. Trad. franç. : *L'épée et le sang. Une histoire du concept de noblesse (vers 1500- vers 1650)*, Paris, Champ Vallon, 1996, 192 p.

Gaston Zeller, Une notion de caractère historico-social : la dérogeance, *Cahiers internat. de sociologie*, 1957, p. 40-74.

4. La diversité des groupes nobiliaires

La noblesse forme un ordre, le deuxième du royaume selon la hiérarchie des trois fonctions fondamentales. Au début du siècle, de 30 à 40 000 familles en font partie, avec une répartition inégale dans le royaume (Bretagne et Normandie ont une forte densité nobiliaire). La valorisation de l'honneur inspire à ses membres des valeurs communes, en particulier le souci de la grandeur et de la réputation lignagères. Mais, au-delà de cette unité, les disparités sont flagrantes : l'ancienneté de la race, l'éclat des dignités, le montant de la fortune et l'ampleur des réseaux de clients ou d'amis introduisent d'énormes différences.

Les grands lignages du royaume

Au sommet de la hiérarchie nobiliaire, un groupe se détache avec netteté : celui des grands lignages qui, par le nombre de leurs possessions terriennes, la nature de leurs charges et l'ampleur de leurs relations tant à l'intérieur qu'à l'extérieur des frontières, ont un horizon national voire international. Dans la première moitié du XVIe siècle, ils sont une vingtaine environ.

Les princes du sang

Cette expression désigne théoriquement l'ensemble des descendants mâles d'Hugues Capet (en réalité, seulement ceux de Saint Louis), nés de mariage légitime, et donc aptes à succéder à la couronne. Elle est encore, dans la première moitié du siècle, concurrencée par d'autres formules : « ceux du lignage de France », ou « du sang de France » (qui existent depuis le XIVe siècle) ; elle ne s'impose définitivement que vers 1560. Le mot « sang » signifie à la fois le lignage royal et le liquide qui coule dans les veines de ses membres et leur donne vocation à la souveraineté.

Les proches parents des rois régnants sont les *Valois*. Leur fils aîné est le Dauphin. Le premier de leurs frères, s'ils en ont, est appelé « Monsieur » ; sous François II (1559-1560), l'appellation est conférée à son frère Charles, et elle sera portée ensuite successivement par ses deux autres frères Henri et François.

Les Bourbons descendent de Robert, fils de Saint Louis ; ils succéderont aux Valois en 1589 à l'avènement d'Henri IV. La branche des *Bourbons-Beaujeu* s'éteint en 1521 avec la mort de Suzanne, seule héritière. Restent les *Bourbons-Montpensier* dont fait partie le mari de celle-ci, Charles III de Bourbon-Montpensier, le puissant connétable passé au service de l'empereur en 1523 et mort devant Rome en 1527, et les *Bourbons-Vendôme*, dont sont issus Antoine de Bourbon (1518-1562), roi de Navarre par son mariage avec Jeanne d'Albret, et son frère Louis, prince de Condé. Antoine est un seigneur puissant à qui son mariage a apporté des terres considérables (voir tableau p. 3), et qui est en outre gouverneur de Picardie de 1538 à 1555 puis de Guyenne de 1555 à 1562 ; mais la fortune de Louis de Condé (1530-1569), né le douzième de sa famille, est relativement médiocre.

Les princes « étrangers »

On appelle ainsi les membres des grands lignages dont l'origine est étrangère, même s'ils sont naturalisés en France. Le plus remarquable de ces lignages est celui des *Guises*. Les fondements de leur fortune ont été jetés par Claude de Lorraine (1496-1550), naturalisé en 1506, duc et pair de Guise en 1527 : il n'est, au départ,

Tableau 3 – Les Bourbons

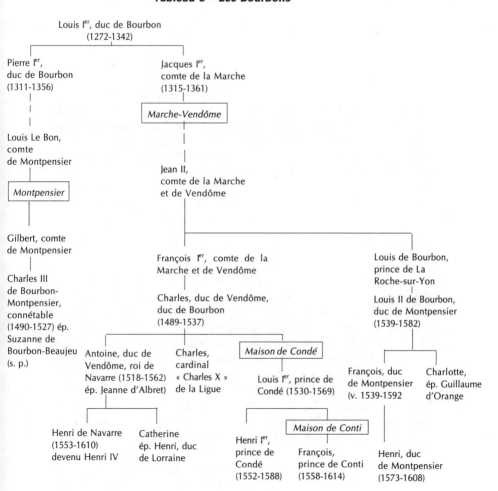

qu'un cadet des ducs de Lorraine, maison régnante il est vrai, mais dont l'éclat aurait été insuffisant pour assurer sa position à la cour de France sans la faveur de Louis XII, puis de Louise de Savoie et enfin de François Ier. Il reçoit le gouvernement de Champagne (de 1524 à 1543), puis celui de Bourgogne (de 1543 à 1550). Ses fils font tous une carrière remarquable : l'aîné, François, grand chef de guerre, est renommé pour sa vaillance ; la balafre qu'il porte au visage en est le signe. Son habileté tactique se manifeste lors de la conquête de Calais en 1558 ; sa popularité est immense parmi les soldats. Son frère Charles, cardinal de Lorraine et archevêque de Reims, réputé pour son savoir et pour son faste, se comporte sous Henri II comme un véritable ministre des affaires ecclésiastiques. Les autres frères sont Claude, duc d'Aumale, tige de la maison du même nom, Louis, cardinal de Guise, François, grand prieur et général des galères, et enfin René, marquis d'Elbeuf, tige de la maison de ce nom. A eux six, les fils de Claude ont une puissance impressionnante tant dans l'Église que dans l'armée. Leur richesse foncière est importante surtout en Champagne, autour de la baronnie de Joinville (érigée en principauté en 1552) et de son charmant château qu'a chanté Rémi Belleau, mais elle s'étend en Normandie, Picardie, Maine et Bourgogne. Les Lorrains consolident leur position en contractant des alliances avec le sang de France : Claude de Guise épouse une Bourbon-Vendôme, Antoinette, et son frère, le duc Antoine, une Bourbon-Montpensier, Renée ; à la seconde génération, François de Guise se marie avec la petite-fille de Louis XII, Anne d'Este, et sa sœur Marie épouse le roi d'Écosse, Jacques V Stuart : la fille issue de ce dernier mariage, Marie Stuart, épouse en 1558 le dauphin François, futur François II.

Les *Clèves* sont un autre grand lignage d'origine étrangère et naturalisé en France. François Ier de Clèves (1516-1562) est comte puis duc (en 1539) de Nevers ; il hérite de sa mère Marie d'Albret d'immenses territoires en Champagne. Appartiennent aussi à cette catégorie les *Luxembourgs*, issus d'une branche cadette des ducs de Limbourg, et eux aussi grands propriétaires en Champagne. Les *Rohans*, eux, sont des Bretons, qui se prétendent issus de Conan Mériadec, premier roi mythique de Bretagne. Les *La Marck*, princes souverains de Sedan et ducs de Bouillon, sont de grands seigneurs ambitieux et belliqueux. Les *Gonzagues*, autre prestigieux lignage venu de Mantoue, s'installent en France sous François Ier ; par son mariage en 1565 avec l'héritière des Clèves, Louis de Gonzague devient duc de Nevers.

Tableau 4 – *La maison de Lorraine et les Guises*

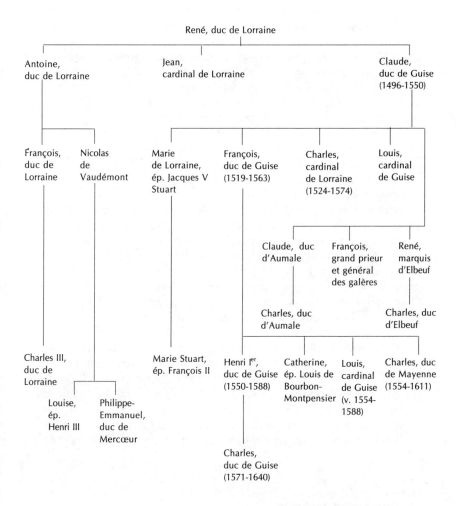

Les grands lignages

Le plus puissant est celui des *Montmorencys*. Leur noblesse est attestée depuis la fin du Xe siècle, mais ils se prétendent volontiers plus anciens que la première race des rois de France. Anne de Montmorency (1493-1567) a joui d'une grande faveur (malgré deux disgrâces temporaires) sous François Ier et Henri II. Connétable de France, il a la responsabilité de l'armée ; duc et pair en 1551, il est en outre gouverneur de Languedoc de 1526 à 1542 et de 1547 à 1563. Sa légendaire avidité à augmenter ses possessions terriennes a été couronnée de succès : au milieu du siècle, les Montmorencys ont des terres en Ile-de-France (où se trouve le berceau familial), dans les pays de l'Oise, le Vexin français, la Picardie, la Normandie, la Champagne, l'Angoumois et la Bretagne ; Anne possède sept châteaux (dont Chantilly et Écouen) et quatre hôtels parisiens. Ses quatre fils (François, gouverneur de Paris et de l'Ile-de-France de 1556 à 1579 et maréchal de France en 1560, Henri de Damville, gouverneur de Languedoc à partir de 1563, Charles, seigneur de Méru et Guillaume, seigneur de Thoré) et ses trois neveux (les frères Châtillons, Gaspard de Coligny, amiral de France, le cardinal Odet, et Charles d'Andelot, colonel général de l'infanterie) manifestent la vitalité du lignage. Des alliances les lient avec la noblesse des Pays-Bas : le comte de Hornes et le baron de Montigny sont des Montmorencys.

Très puissants également sont les *La Trémoïlle* (prononcer Trémouille), dont les possessions sont regroupées, à la mort de François en 1542, en Poitou, Saintonge, Anjou et Touraine, autour de la vicomté poitevine de Thouars (érigée en duché en 1563), de la principauté de Talmont et de l'île de Ré (d'où les La Trémoïlle ne dédaignent pas de lancer de fructueuses opérations de course). On peut mentionner encore les *Albrets*, à l'immense richesse territoriale (voir tableau p. 3), les *La Rochefoucauld*, ainsi que les *Gouffiers* et les *Chabots*.

Dignités et fortunes

Ces lignages concentrent pouvoir, prestige et richesse. Ils monopolisent les duchés-pairies et les grands offices de la Couronne (connétable, grand maître, amiral ou maréchal de France...) ; leurs

Tableau 5 – La maison de Montmorency

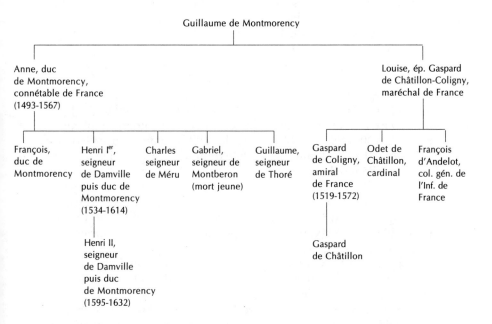

Guillaume de Montmorency

Anne, duc de Montmorency, connétable de France (1493-1567)

Louise, ép. Gaspard de Châtillon-Coligny, maréchal de France

François, duc de Montmorency

Henri Ier, seigneur de Damville puis duc de Montmorency (1534-1614)

Charles seigneur de Méru

Gabriel, seigneur de Montberon (mort jeune)

Guillaume, seigneur de Thoré

Gaspard de Coligny, amiral de France (1519-1572)

Odet de Châtillon, cardinal

François d'Andelot, col. gén. de l'Inf. de France

Henri II, seigneur de Damville puis duc de Montmorency (1595-1632)

Gaspard de Châtillon

membres sont gouverneurs dans les douze grands gouvernements. Leurs revenus sont immenses. A la fin du règne de Henri II, c'est le cardinal Charles de Lorraine qui l'emporte avec la somme énorme de 300 000 livres par an. A titre de comparaison, le gain journalier d'un ouvrier dans le bâtiment est alors de 10 sous, soit une demi-livre. Anne de Montmorency dispose d'environ 180 000 livres par an. Les Albrets, eux, arrivent en 1557-1558 à 151 247 livres avec leurs seules ressources foncières. Les autres sont moins bien lotis, mais c'est tout relatif. Le groupe des grands gouverneurs étudié en 1978 par Robert Harding peut donner des dots à ses filles d'un montant moyen de 100 000 livres (avant 1560).

Ces revenus font la part belle aux rentes foncières, mais le rôle des salaires et des dons venant de la Couronne est souvent important. Henri d'Albret reçoit du roi en 1546 36 375 livres de gages et pensions. Les salaires moyens versés aux grands gouverneurs sont de 16 020 livres en 1523 et de 18 750 livres en 1557, sans compter ceux de leurs autres charges. A cela s'ajoutent des profits divers, tels que les dons accordés par les assemblées d'états dans leurs provinces.

Dans l'ensemble, les revenus des grands lignages se sont élevés plus rapidement que les prix (celui du blé monte d'ailleurs moins vite en province qu'à Paris et surtout moins que celui des autres produits). Les études de James Russell Major sur les Albrets, de William Weary sur les La Trémoïlle, de Mark Greengrass sur les Montmorencys vont toutes dans le même sens. Les revenus de la principauté de Béarn passent de l'indice 100 en 1530-1531 à l'indice 299 en 1564-1565 alors que celui du blé à Paris passe de 100 à 260 (selon la mercuriale publiée par Micheline Baulant et Jean Meuvret en 1960), et ceux du blé et du vin à Toulouse respectivement de 100 à 207 et 141 (d'après les chiffres donnés par Georges Frêche en 1967). Transcrits en kilogrammes d'argent, les revenus des La Trémoïlle passent de 220 en 1500 à 600 dans les années 1530. Ceux d'Anne de Montmorency sont multipliés au moins par neuf entre 1521 et 1561. Cette résistance à l'inflation s'explique en partie par le fait que les baux des terres sont à court terme (de trois à six ans), ce qui permet aux grands propriétaires de les réévaluer.

Certes, ces fortunes sont vulnérables, car sujettes à de grandes dépenses et à l'endettement (pour les dots, le train de vie ou le service du roi). Les difficultés financières des Clèves-Nevers, malgré leurs ressources immenses, en sont l'exemple. Mais, en ce cas, la monarchie est toujours là pour combler les déficits et empêcher la ruine de ces grandes familles sur lesquelles elle s'appuie.

Les clientèles

Les grands nobles ont autour d'eux des clientèles, c'est-à-dire des groupes de dépendants liés à eux par des liens de réciprocité librement choisis et moralement contraignants. Les clients sont désignés par les mots « serviteurs » ou même « amis », ou encore, depuis le milieu du siècle, « créatures ».

La relation de clientèle est verticale : elle unit un inférieur et un supérieur. Elle est réciproque : le plus élevé offre sa protection, qui se manifeste par le don d'emplois ou d'argent, l'intercession auprès du roi pour l'obtention de charges publiques, d'honneurs ou de pensions, l'aide dans des procès, le parrainage des enfants, etc. ; l'inférieur offre son service dans les fonctions obtenues grâce à son patron ou dans sa « suite » s'il faut paraître à ses côtés pour un appui armé ou honorifique. Elle n'est ni codifiée ni gagée sur une terre, ce qui la distingue de la relation vassalique (mais il peut y avoir des recoupements avec elle). Elle s'exprime dans un langage fortement affectif : les mots « amour », « passion », « désespoir » sont fréquents dans les échanges épistolaires. Si ce langage repose sur des sentiments réellement ressentis, l'inférieur se perçoit plutôt comme un *fidèle*, engagé totalement au service de son maître ; si au contraire il n'est que pure rhétorique, ce qui arrive quand plusieurs patrons sont servis à la fois par un inférieur, celui-ci se comporte comme un *client*. Le nombre de clients et de fidèles mesure le « crédit » d'un grand noble dans une province ; et le prestige de ce dernier rejaillit sur ses dépendants.

Les clientèles des grands nobles ont plusieurs aspects. Leurs *maisons*, c'est-à-dire l'ensemble des personnes qui sont à leur service particulier (pages, gentilshommes pensionnés ou salariés comme écuyers, chambellans, maîtres d'hôtel, etc., ou gens de robe peuplant leurs conseils), composent leur *clientèle domestique*. Les compagnies d'ordonnance (cavalerie lourde) ou les régiments d'infanterie que le roi leur donne commission de lever forment leur *clientèle militaire* ; à bien des égards, on peut considérer que compagnies et régiments sont des clientèles privées payées par le roi. Les détenteurs d'offices publics pourvus par l'intermédiaire des grands, que ces derniers aient par aliénation le droit de nommer dans leurs provinces − ce qui est fréquent, en particulier, dans les apanages −, ou qu'ils aient reçu du roi à titre de don quelques-uns de ces offices à distribuer à des personnes de leur choix, ou encore qu'ils les aient fait obtenir aux bénéficiaires par la puissance de leur crédit en cour, constituent une clientèle que Robert Harding propose d'appeler *politique*. S'y ajoutent tous ceux qui se vouent spontanément au service d'un maître par fidélité ou par intérêt. Ces clientèles confèrent une puissance redoutable aux grands.

La noblesse des provinces

Une grande variété se rencontre au sein de la noblesse provinciale. Une ordonnance de Henri II en 1557 sur le *ban et arrière-ban* (convocation des possesseurs de fiefs pour le service armé du roi) permet de distinguer des catégories de revenu selon le service à fournir ; si on l'éclaire par les autres indices dont on dispose, on peut proposer, pour les années 1550, les seuils de fortune suivants : 100, 1 000 et 10 000 livres de revenu annuel. Au-dessous du premier se situerait la noblesse « pauvre » (mais le concept de « pauvreté » est ici relatif aux exigences du statut nobiliaire), et au-dessous du second et du troisième respectivement la petite et la moyenne noblesse ; au-dessus de 10 000 livres se place la haute noblesse des provinces, mais qui a parfois des revenus bien supérieurs. Ce classement est insuffisant, car fondé sur des critères économiques, mais il fournit un ordre de grandeur.

La haute et la moyenne noblesse

Au sommet, des lignages prestigieux apparaissent comme les « chefs naturels » de la noblesse ; ils ont de vastes possessions foncières et leurs membres sont souvent gouverneurs de villes, gentilshommes ordinaires de la chambre du roi, détenteurs du collier de l'ordre de Saint-Michel, évêques ou archevêques. Leurs châteaux sont des centres de la vie nobiliaire dans chaque province. En Picardie, par exemple, on en compte une dizaine ; les Lannoy, seigneurs de Morvilliers, qui possèdent de nombreuses terres au sud d'Amiens autour de leur château de Folleville, les Humières, les Hangest, seigneurs de Genlis, les Ongnies, comtes de Chaulnes, sont parmi les familles les plus respectées. En Normandie, ce sont les Matignon, Bricqueville, Longaulnay, Escageul, Montfriat, Pierrepont ; en Beauce, les Brichanteau, Allonville, Prunelé : ce dernier lignage, vers 1530, est constitué de quatre branches possédant au moins 14 seigneuries, dont celle de Machelainville qui a un domaine de 216 ha. Les Gontaut-Biron en Périgord, les Ébrard de Saint-Sulpice en Quercy, les La Tour d'Auvergne et leur vicomté de Turenne au sud du Limousin offrent d'autres exemples de ces lignages riches et puissants.

Au-dessous se place la gentilhommerie moyenne. Lorsque Blaise de Monluc, gentilhomme du Gers qui s'est illustré par l'épée et la plume, commence sa carrière, au début du siècle, sa famille se situe aux marges inférieures de cette catégorie : « Je suis venu au monde, raconte-t-il dans ses *Commentaires*, fils d'un gentilhomme de qui le père avoit vendu tout le bien qu'il possédoit, hormis huit cents ou mille livres de rente. » En Bretagne, leur poids social se mesure aux signes de prééminence qu'ils ont laissés dans les églises et les chapelles, mausolées abritant les armoiries du défunt et des familles alliées comme celui que Troïlus de Montdragon fait édifier dans l'église de Beuzit-Saint-Conogan près de Landerneau, ou verrières proclamant la gloire du lignage comme celle de l'église de Loctudy, que les L'Honoré ornent en 1540 de leurs armes commentées par cette fière formule : « Jean L'Honoré de qui la race / Sort d'une tige bien éminant »... (Christiane Prigent, *Pouvoir ducal... en Basse-Bretagne*, 1992). Un certain nombre ne se contente pas de la gestion de ses domaines et cherche à s'employer soit dans l'armée, comme Monluc, soit dans l'Église, soit enfin dans la robe, comme le fait un autre gentilhomme lettré, Noël du Fail, qui, après avoir combattu dans les guerres d'Italie, devient conseiller au Présidial de Rennes en 1553 puis au Parlement de cette ville en 1571. Le cas de Pierre Terrail, seigneur de Bayard, issu d'une bonne noblesse dauphinoise, représente une aventure singulière : après sa mort, survenue en 1524 au terme de longs services dans les armées du roi, sa vie est racontée d'abord en 1525 par le médecin lyonnais Symphorien Champier puis en 1527 par son secrétaire sous le pseudonyme de « Loyal Serviteur » ; ces récits transforment leur héros en modèle de noblesse, en miroir de chevalerie « sans peur et sans reproche », unissant en une synthèse idéale la piété chrétienne et la vaillance guerrière.

La petite noblesse rurale

Au-dessous encore, la petite noblesse comprend des gentilshommes qui vivent simplement du revenu de leurs terres. Le sire de Gouberville est bien connu des historiens parce qu'il a tenu un journal quotidiennement de 1549 à 1562. La noblesse de sa famille a été reconnue lors d'une *Recherche* en 1463, mais ses préoccupations sont surtout celles d'un seigneur campagnard. Il a deux seigneuries dans le Cotentin : celle du Mesnil au Val, à quelques kilomètres de Cherbourg, et celle de Gouberville, près de Barfleur. La première couvre environ 52 ha, et la seconde une dizaine ; s'y ajoute une troisième seigneurie héritée de son oncle en 1560, celle de Russy, près de Bayeux. Les domaines de Gouberville et de Russy sont loués à des fermiers, mais Gilles de Gouberville exploite lui-même en faire-valoir direct celui du Mesnil. Il s'aide pour cela de ses domestiques, embauche des journaliers pour les moissons et les fauchaisons et bénéficie aussi de l'appoint fourni par les corvées paysannes. Il se borne à surveiller de près ; mais, quand il s'agit de ses vergers, il taille et greffe les arbres, car c'est un travail noble. Le produit de ses terres, la vente de ses bêtes et d'une partie de la laine de ses moutons lui fournissent un revenu qui tourne autour de 200 livres annuelles, à quoi il faut ajouter ses gages de lieutenant des Eaux et Forêts. C'est bien suffisant pour couvrir ses dépenses, qui se montent, selon l'estimation publiée par Emmanuel Le Roy Ladurie, à 180 livres 16 sous en moyenne par an : 51 livres 5 sous pour les vêtements, 15 sous pour les fruits et le sucre, 19 livres 13 sous pour la viande et le gibier, 1 livre 12 sous pour le poisson, 1 livre 2 sous pour les épices et le sel, 16 sous pour le pain et la bière des moissonneurs, 3 livres 2 sous pour les chandelles, 29 livres 18 sous pour les procès, 28 livres 12 sous pour les voyages, et 44 livres 1 sou pour les salaires des serviteurs et journaliers (préface au commentaire du *Journal* par l'abbé Tollemer, 1972). Le superflu est fourni par la chasse et l'autourserie (chasse à l'autour), qui lui permettent de garnir sa table de viandes variées dont il régale ses hôtes.

Gilles de Gouberville n'a, semble-t-il, pas de justice (en effet, le droit de justice, en principe attaché à la seigneurie, peut en être séparé et vendu ; il existe aussi des cas intermédiaires, comme les « sieuries » du Vannetais dont l'historien Jean Gallet a montré qu'elles ne possèdent pas de justice). Mais son statut seigneurial lui donne un grand prestige. Avant le début de la messe dominicale, le curé l'envoie chercher par un messager, et l'office ne commence pas avant qu'il ne soit installé sur le banc qui lui est réservé. Les paysans viennent spontanément à lui pour lui demander de trancher les différends qui surgissent entre eux, pour soigner leurs maladies ou pour être le parrain de leurs enfants ; il participe à leurs veillées, à leurs fêtes et à leurs jeux. Lorsqu'on parcourt son journal, on a le sentiment d'une connivence entre lui et les paysans : ils ont en commun le même amour pour les choses de la terre, le même goût aussi pour les contes merveilleux ou facétieux. Un jour de pluie, il lit à ses domestiques *Amadis de Gaule*, roman de chevalerie fort prisé des gentilshommes de son temps et qui figure dans sa bibliothèque aux côtés d'un livre de droit, d'un Almanach et des *Centuries* de Nostradamus.

Le nombre respectif des diverses strates nobiliaires varie selon les provinces. Pour la fin du XVᵉ siècle et les évêchés de Dol et de Saint-Malo, l'historien Michel Nassiet donne les pourcentages suivants : 3 % (noblesse riche), 16,8 % (noblesse moyenne), 49 % (petite noblesse) et le reste pour la noblesse pauvre ; à cette date les seuils se situent assez bas : 600, 80 et 12 « livres-monnaie » bretonnes (1 livre bretonne égale 1 livre 2 sous tournois).

La noblesse provinciale résiste bien, elle aussi, à l'inflation. En Bretagne, en Poitou, dans le Sud-Ouest, en Beauce, la rente foncière, qui provient de la mise en fermage ou en métayage des domaines, suit ou dépasse la hausse des prix (mais, en Languedoc, elle s'élève plus lentement). Lorsque c'est la rente seigneuriale (droits seigneuriaux) qui fournit la plus grande partie des revenus nobiliaires, elle ne perd son pouvoir d'achat que si elle est composée surtout d'un cens en espèces resté stable ; si elle est en nature, elle bénéficie de l'inflation. Quant à l'exploitation en faire-valoir direct, elle en profite également.

Les réseaux d'amitié

La sociabilité de la noblesse des provinces s'ordonne en réseaux d'amitié. La relation d'amitié ressemble au lien de clientèle en ce qu'elle est aussi fondée sur la réciprocité et qu'elle s'exprime dans un langage affectif ; mais elle s'en différencie parce qu'elle unit des personnes d'un statut analogue, surtout les parents et les voisins vivant au pays. Elle est donc horizontale et non verticale. Elle est alimentée par des échanges de services : invitations et hospitalité, aide pour la conclusion d'un mariage ou pour le gain d'un procès, transmission de nouvelles, recommandation auprès d'un tiers pour une place, envoi de cadeaux, et parfois même participation armée à une expédition contre un adversaire. Les mots « obligation » et « se revancher » (d'un service rendu) reviennent souvent dans les lettres envoyées. Ainsi sont créés des liens entre les gentilshommes qui savent pouvoir compter les uns sur les autres ; plus un noble dispose d'un grand nombre d'amis, plus il est assuré de pouvoir faire face à l'imprévu ; ce nombre dépend lui-même de la qualité des services qu'il est en mesure de rendre.

L'obligation et le crédit

Une lettre de reconnaissance de dette et d'engagement à rendre un service :
« Monsieur, J'ai entendu [...] la courtoisie qu'il vous a pleu faire à Monsieur de Girossens mon oncle, en sa délivrance, qui m'est une obligation bien grande que je recognois vous avoir, dont je vous remercie humblement : vous asseurant que l'occasion me seroit très-agréable de vous pouvoir tesmoigner par quelque bon service de quelle affection je la ressens, et le feray de très bon cœur quand elle se présentera » (lettre du duc d'Épernon au duc de Montmorency, gouverneur de Languedoc, 26 septembre 1586, publiée dans *Recueil de mémoires et instructions servans à l'histoire de France*, éd. par Joseph Bouillerot, Paris, 1626, p. 98).

Un gentilhomme est dit avoir du *crédit* lorsqu'il a un grand nombre d'obligés, c'est-à-dire de débiteurs. Un deuxième aspect du *crédit* est lié au nombre de clients, c'est-à-dire de dépendants.

Les *réseaux d'amitié* sont faits de l'entrelacs des liens de *débit* et de *crédit* (dans le premier aspect).

Les anoblis : la prescription, les lettres du roi ou les offices

La noblesse n'a jamais été un ordre fermé ni une caste ; c'est particulièrement vrai à la Renaissance, où la mobilité sociale ascendante est relativement importante.

L'anoblissement par prescription

Il s'agit d'un auto-anoblissement coutumier consistant à se faire accepter comme noble par l'entourage en « vivant noblement ». Dans la première moitié du siècle, la noblesse est encore tout autant un genre de vie pratiqué de génération en génération par un lignage qu'un statut juridique octroyé ou autorisé par le pouvoir royal. Il faut souligner en effet qu'il n'existe pas de critère précis permettant de définir strictement la limite où finit la roture et où commence la noblesse. Le second ordre jouit certes de privilèges, mais aucun ne lui est absolument réservé. Les nobles sont exempts de taille, mais seulement en *pays de taille personnelle* (dans lesquels l'exemption se fonde sur la condition des personnes) ; dans les *pays de taille réelle* (situés surtout dans la France du Sud), c'est la condition des terres qui compte, et les nobles paient pour leurs terres roturières. Par ailleurs, les « bourgeois » des principales villes sont souvent dispensés de la taille. Bien des privilèges théoriquement nobiliaires peuvent être accordés à des roturiers (ou usurpés par eux). Les privilèges judiciaires sont le jugement en première instance par les baillis et sénéchaux, et, en matière criminelle, par le Parlement de Paris ; en cas de condamnation à mort, l'exécution se fait par décapitation. Le « partage noble » ou droit d'aînesse en pays de droit coutumier et pour les biens nobles est propre à tout le monde dans les coutumes basques ; et l'élection d'un héritier principal dans les pays du Sud-Est s'en rapproche beaucoup. Le privilège de la chasse est ouvert dans certaines provinces aux roturiers. D'autres signes ont une valeur symbolique et sont souvent usurpés : l'épée et les vêtements de soie, que des ordonnances assignent aux gentilshommes, ou encore les armoiries timbrées (c'est-à-dire surmontées d'un *timbre*, heaume ou couronne), réservées en principe aux nobles par François Ier en 1535 puis par de nombreux arrêts du Parlement et édits royaux. Seul, peut-être, le non-paiement du *droit de franc-fief* (que doivent les roturiers lorsqu'ils deviennent propriétaires d'un fief) permet de tracer une limite précise : mais il est des nobles sans fief.

En l'absence de critères juridiques précis, l'importance du genre de vie et de la réputation fait qu'il suffit bien souvent de *vivre noblement* pour jeter les bases d'un anoblissement insensible de son lignage. Il y faut de l'aisance, du prestige et de la persévérance. L'achat d'un fief favorise le processus, d'autant plus que, jusqu'à l'ordonnance de Blois de 1579, la possession d'un fief pendant trois générations est coutumièrement anoblissante (anoblissement *par la tierce foi*). En Normandie, détenir un fief pendant quarante ans est suffisant pour être anobli, possibilité qui n'est supprimée qu'en 1569. Il faut aussi pouvoir se faire rayer du rôle des tailles personnelles et éventuellement de celui du franc-fief. Le tour est joué lorsqu'il n'existe plus aucun témoin vivant qui puisse se souvenir de l'origine roturière de la lignée : en effet, dans la première moitié du siècle, la preuve de noblesse fondée sur l'attestation de plusieurs témoins est encore admise (sauf à la cour des aides de Paris, qui déjà ne s'en contente plus et exige des actes originaux prouvant la qualité et la filiation). Pour cet anoblissement coutumier par prescription, il faut en principe trois générations (le temps que meurent les plus anciens témoins) ; mais des circonstances favorables peuvent réduire cette durée à deux ou même une génération.

Ce processus a l'avantage de permettre la prétention d'avoir une noblesse immémoriale.

Le nombre de ces anoblis furtifs est élevé dans la première moitié du siècle. En Beauce et en Provence, il représente respectivement 30 % et 28 % de l'ensemble des anoblis. Le Narbonnais étudié par Gilbert Larguier dans sa thèse en 1992 est un cas extrême, puisque ce type d'anoblis forme la quasi-totalité de la noblesse du XVIe siècle. Ils contribuent à accroître l'effectif nobiliaire dans des proportions notables (sauf en Bretagne où Michel Nassiet constate une décrue dès 1500). Ces anoblis se fondent sur la reconnaissance sociale et ont donc toutes les chances de s'intégrer sans trop de mal dans le second ordre.

Les lettres de noblesse

Le roi ne peut se satisfaire d'un anoblissement coutumier qui se déroule totalement en dehors de son contrôle, pour plusieurs raisons. D'une part, il ne peut tolérer l'évasion fiscale des plus riches contribuables (dans les pays de taille personnelle du moins) sans autorisation aucune de sa part. De l'autre, il proclame depuis longtemps être le seul dispensateur de noblesse, par l'intermédiaire des juristes qui défendent ses prérogatives. Ceux-ci répètent souvent la définition de l'Italien Barthole : *Nobilitas est qualitas per principem illata, qua quis supra honestos plebeios acceptus ostenditur* (La noblesse est une qualité conférée par le prince, par laquelle il est signifié que quelqu'un est placé au-dessus des honnêtes plébéiens). Cela revient à vouloir transformer la noblesse en statut, que seul le roi est apte à délivrer, et à minimiser l'importance de l'estime sociale et de la notoriété. Il s'agit, en bref, de substituer à la sécrétion « naturelle » de la noblesse un processus de distribution réglementée du « label » nobiliaire. Ce « label », autrement dit la qualification qui signale le noble (celle d'*écuyer* en l'occurrence), n'est précisé explicitement qu'en 1579 par l'ordonnance de Blois. La concurrence entre l'anoblissement par prescription ou par lettres révèle le conflit des deux conceptions de la noblesse.

Dans la première moitié du siècle, c'est l'anoblissement par lettres qui est encore perdant ; il est moins prisé que le premier, car il date l'entrée dans le second ordre et ôte définitivement l'espoir de faire passer sa noblesse pour immémoriale. Entre 1420 et 1560, le roi délivre en moyenne six lettres par an dans le ressort de la Chambre des comptes de Paris. Quelques-unes sont gratuites (mais il faut payer des droits d'enregistrement à la Chambre des comptes et au Parlement) ; la plupart sont achetées (787 livres en moyenne sous François Ier). Il est cependant des provinces où les lettres de noblesse sont répandues, parce que le contrôle du pouvoir s'y manifeste très tôt par des Recherches de noblesse destinées à débusquer les faux nobles. En Bretagne et en Normandie, celles-ci commencent dès la fin du XVe siècle. Aussi n'est-il pas étonnant de rencontrer un pourcentage de 60 % de lettres en Normandie, contre 22 % pour la prescription.

Les offices

La volonté royale et la coutume confèrent à certains offices un pouvoir anoblissant. Il y a d'abord ceux de certains corps de ville, qui donnent une noblesse à la première génération ou *degré*, sous certaines conditions de durée d'exercice, noblesse dite « de cloche ». Les villes ainsi privilégiées sont, dans la première moitié du siècle : Angers (depuis 1475), Angoulême (1507), Bourges (1474), La Rochelle (1373), Lyon (1495), Niort (1461), Poitiers (1372), Saint-Jean-d'Angély (1481), Toulouse (1420) et Tours (1462).

Les charges de notaires et secrétaires du roi procurent depuis 1485 le privilège, confirmé en 1549, de la noblesse au premier degré, aux conditions, peu à peu précisées, de vingt ans d'exercice ou mort en charge. Cette voie a été raillée plus tard sous le nom de « savonnette à vilain ».

Les offices des cours souveraines de justice ou de finance, telles que les Parlements, les cours des aides et les Chambres des comptes, ceux des maîtres des Requêtes de l'Hôtel du roi, ceux enfin des bureaux des Finances des trésoriers de France (qui se mettent en place au cours du siècle) ont une situation particulière dans le processus anoblissant. L'accès qu'ils donnent à la noblesse n'est pas encore reconnu par la loi, mais seulement par la coutume, dans la mesure où la fonction qui leur est attachée est une délégation de la puissance souveraine du roi et participe de sa dignité. C'est l'argumentation, en particulier, des conseillers au Parlement de Paris, qui disent faire partie du « corps du roi ». La valorisation d'un nouveau modèle nobiliaire, exaltant les vertus de prudence et de culture juridique, commence en outre à concurrencer le modèle guerrier. Ces idées, fondées sur la dignité et sur l'approbation tacite du roi, reçoivent déjà une sanction coutumière. Par ailleurs, les parlementaires parisiens tentent de les enraciner dans la jurisprudence par des arrêts demeurés célèbres, qui accordent le partage noble à des enfants de conseillers décédés (F. Bluche et P. Durye, 1962) : le premier date de 1547 et les autres de 1573 et 1595. Mais « l'usage du royaume » accrédite plutôt la notion d'un anoblissement *graduel* par ces offices, qui requiert deux *degrés* : l'aïeul et le père doivent avoir été successivement revêtus de la dignité, sans déroger, pendant une durée qui sera finalement estimée à vingt ans, pour que la noblesse commencée du second se transforme en noblesse parfaite. Cette conception, soutenue, comme l'a montré Robert Descimon, à la fois par la cour des aides et par le Conseil, finira par triompher avec l'édit sur les tailles de mars 1600, qui donne au processus une existence légale et non plus coutumière. Mais, dans la première moitié du siècle, celui-ci n'est qu'en gestation, et on ne peut pas parler de noblesse de robe, expression encore inconnue. D'ailleurs, il est des conseillers pour acheter des lettres de noblesse, désireux qu'ils sont d'assurer une qualité que leur office ne leur donne pas officiellement : la lente disparition de ce comportement sera un des signes du progrès de l'anoblissement par les hautes charges de robe.

Il existe aussi un anoblissement coutumier par charges militaires. Les lieutenants des légions de gens de pied ont la noblesse au premier degré de 1534 à 1558. Les archers, gardes du corps, gentilshommes de la maison du roi, gendarmes et chevau-légers de la garde du roi, les hommes d'armes et les archers des compagnies d'ordonnance, les capitaines, lieutenants et enseignes des gens de pied ont une noblesse graduelle, qui deviendra légale à partir de l'édit sur les tailles de mars 1600 jusqu'en 1634, date à laquelle un édit ferme cette voie.

Il y a donc bien des chemins pour devenir noble. « La facilité y est telle, écrit Claude de Seyssel au début du règne de François Ier, que l'on voit tous les jours aucuns de l'État populaire monter par degrés jusques à celui de Noblesse. » A la fin du siècle, alors que la monarchie aura réussi quelque peu à ralentir le processus, l'historien et théoricien de la société Louis Turquet de Mayerne évoquera le temps « que chacun se fourroit de soi-même au rang des nobles. Le Bourgeois riche se retirant aux champs sur son bien, et y vivant de son revenu, devenoit demi-gentilhomme, et ses enfants l'estoient du tout » (*La Monarchie aristodémocratique*, publiée en 1611). La Renaissance est une période favorable aux ascensions sociales, qui renouvellent considérablement le second ordre.

ORIENTATION BIBLIOGRAPHIQUE

Jean-Richard Bloch, *L'anoblissement en France du temps de François Ier*, Paris, Alcan 1934, 216 p.

François Bluche et Pierre Durye, L'anoblissement par charges avant 1789, *Les Cahiers nobles*, 1962.

L'anoblissement en France, XVe-XVIIIe siècles, Pr. de l'Univ. de Bordeaux III, 1985, 160 p.

Laurent Bourquin, *Noblesse seconde et pouvoir en Champagne*, Paris, Publ. de la Sorb., 1994, 334 p.

Pierre Charbonnier, *Une autre France. La seigneurie rurale en Basse-Auvergne du XIVe siècle au XVIe siècle*, Clermont-Ferrand, 1980, 2 vol.

Jean-Marie Constant, *Nobles et paysans en Beauce aux XVIe et XVIIe siècles*, Lille III, 1981, 598 p. ; *Les Guise*, Paris, Hachette, 1984, 266 p. ; *La vie quotidienne de la noblesse française aux XVIe-XVIIe siècles*, Paris, Hachette, 318 p.

Robert Descimon, La haute noblesse parlementaire parisienne : la production d'une aristocratie d'État aux XVIe et XVIIe siècles, *in* Ph. Contamine (éd.), *L'État et les aristocraties, XIIe-XVIIe siècle*, Paris, Pr. de l'Éc. norm. sup., 1989, 357-384.

Madeleine Foisil, *Le sire de Gouberville*, Paris, Aubier, 1981, 288 p.

Jean Gallet, *La seigneurie bretonne, 1450-1680. L'exemple du Vannetais*, Paris, Publ. de la Sorbonne, 1983, 648 p. ; *Seigneurs et paysans bretons du Moyen Age à la Révolution*, Ouest-France, 1992, 256 p.

Mark Greengrass, Property and Politics in Sixteenth-Century France : the landed Fortune of Conotable Anne de Montmorency, *French History*, t. 2, 1982, p. 371-398.

Robert R. Harding, *Anatomy of a Power Elite. The Provincial Governors of Early Modern France*, New Haven, Yale Univ. Press, 1978, 310 p.

Georges Huppert, *Bourgeois et gentilshommes. La réussite sociale en France au XVIe siècle*, Paris, Flammarion, 1972, 300 p.

Sharon Kettering, *Patrons, Brokers and Clients in XVIIth-Century France*, Oxford Univ. Press, 1986, 322 p.

Jean-Pierre Labatut, *Les ducs et pairs de France au XVIIe siècle*, Paris, PUF, 1972, 456 p. ; *Les noblesses européennes de la fin du XVe siècle à la fin du XVIIIe siècle*, Paris, PUF, 1978, 184 p.

James Russell Major, *From Renaissance Monarchy to Absolute Monarchy : French Kings, Nobles and Estates*, The Johns Hopkins Univ. Press, 1994, 444 p.

Michel Nassiet, *Noblesse et pauvreté. La petite noblesse en Bretagne, XVe-XVIIIe siècle*, Rennes, 526 p.

Abbé A. Tollemer, *Un sire de Gouberville, gentilhomme campagnard*, préface d'Emmanuel Le Roy Ladurie, Paris-La Haye, Mouton, 1972, L-842 p.

William Weary, La maison de La Trémoïlle pendant la Renaissance : une seigneurie agrandie, *La France à la fin du XVe siècle*, Bernard Chevalier éd., Paris, CNRS, 1985, p. 187-212.

James Wood, *The Nobility of the Election of Bayeux, 1463-1666*, Princeton, Univ. Press, 1980, 220 p.

5. Les transformations lentes de la paysannerie

Une énorme majorité des habitants du royaume vit à la campagne : au milieu du siècle, 16 millions environ, soit de l'ordre de 90 % de la population. La presque totalité de ces ruraux est composée de paysans, dont la situation varie considérablement selon leurs activités, leurs ressources, les redevances qui pèsent sur eux et les coutumes des provinces où ils vivent. Le dynamisme démographique et culturel de la Renaissance entraîne quelques changements dans un monde dont l'évolution d'ensemble reste lente.

La propriété paysanne

Dans la première moitié du XVIᵉ siècle se précisent deux mouvements : d'une part la dépossession des paysans au profit des élites urbaines, de l'autre le morcellement de leurs propriétés. Ces processus sont sensibles vers 1550 autour de Paris : dans le Hurepoix, un sondage effectué par Jean Jacquard montre que les paysans n'ont plus qu'un tiers du sol à la veille des guerres de Religion, et que les neuf dixièmes des familles rurales ont moins de 2,5 ha. Si l'on exclut de ce calcul les forêts (qui appartiennent aux nobles, au clergé et au roi), la proportion de la propriété paysanne s'élève à 56 %. Mais l'aliénation est beaucoup moins avancée, semble-t-il, autour des autres grandes villes, et n'est encore que marginale lorsque l'influence de ces dernières est lointaine.

Les structures de propriété

La propriété paysanne est le plus souvent grevée par le paiement de droits seigneuriaux, sauf si elle est tenue en alleu.

Les trois sortes de propriétés
d'après le *Quatriesme Traicté des Droicts du Domaine* de Jean Bacquet
(1582, f° 3 v° et s.)

«En France, il y a trois sortes d'héritages : les uns sont féodaux, les autres sont censiers ou roturiers : et les autres sont alaudiaux. »

1 / Fiefs : «toutes possessions, terres, maisons et droicts immobiliers pour raison desquels on est tenu faire foy et hommage » (à un seigneur féodal, en tant que vassal).

2 / Censives : «toutes possessions, terres, maisons et droicts immobiliers pour raison desquels on est tenu chacun an de payer censive, rente, bourdelage ou autre redevance annuelle au seigneur duquel ils sont tenus, en recognoissance de seigneurie directe ».

Les droits seigneuriaux que paient les censitaires consistent «en deniers, grain, volaille, ou autre redevance annuelle ».

3 / Alleux (ou «Francs-Alleux ») : «toutes terres, possessions et droicts immobiliers pour raison desquels n'est deu aucune prestation de foy, d'hommage, censive, rente ne redevance, ou debvoir quelconque ».

Il y a deux espèces de francs-alleux :
— les francs-alleux nobles, «desquels y a justice, censive ou fief mouvant » (il s'agit alors de seigneuries qui ne dépendent d'aucun seigneur féodal) ;
— les francs-alleux roturiers, «desquels n'y a aucun fief mouvant, justice ny censive ».

Les propriétés des paysans sont généralement des censives ou des francs-alleux roturiers. Seuls les alleux sont possédés en pleine propriété, car ils ne sont soumis à aucun droit, pas même de mutation, ce qui un privilège considérable, puisque les fiefs en supportent *(quint et requint)* de même que les censives *(lods et ventes)* : la monarchie du XVIIᵉ siècle, au nom de la théorie de sa *directe universelle*, tentera de le supprimer. Cette catégorie est présente surtout dans les pays de droit écrit (le Midi essentiellement), où prévaut l'adage : «nul seigneur sans titre » (c'est au seigneur de prouver ses droits) ; dans les pays de droit coutumier, où la seigneurie est très répandue, c'est l'inverse («nulle terre sans seigneur »). La propriété des censitaires est cependant quasi entière ; ils peuvent la transmettre à leur gré à leurs héritiers ou la vendre. Les exceptions à cet état de choses sont rares : il s'agit des tenures *en mainmorte*, que leurs détenteurs ne peuvent léguer qu'aux descendants qui vivent et travaillent avec eux (on les trouve surtout dans une zone médiane qui va de la Marche à la Bourgogne) et du *domaine congéable* de Bretagne, qui permet le congédiement du tenancier à l'issue du bail de neuf ans, à condition d'indemniser les améliorations apportées pendant ce temps aux « édifices et superfices ».

Les coutumes d'héritage

Les historiens du droit et de la famille ont montré à quel point il existe une corrélation entre les modes de transmission des biens et les structures familiales et même la conception de l'ordre social. La France se partage en gros en trois zones (avec des exceptions qui compliquent le tableau). Dans la plupart des provinces méridionales, et en particulier en Languedoc, Provence et Dauphiné, le père a le droit de faire « élection d'héritier », c'est-à-dire de choisir un héritier universel à qui il transmet les deux tiers de son bien (ou la moitié si les enfants sont plus de quatre) par le système du *préciput* ; les autres se partagent le reste (ils reçoivent leur *légitime*). Les filles dotées sont exclues de la succession. L'héritier privilégié est le plus souvent l'aîné, mais pas toujours. Le cas du pays basque (Soule, Basse-Navarre et Labourd) est particulier, puisque y prévaut le droit d'aînesse absolue, que l'aîné soit un garçon ou une fille.

A l'opposé de ce système, on trouve dans les provinces de l'Ouest (Normandie, Bretagne, Anjou) un régime égalitaire de partage strict entre les héritiers. Lors de la succession, les filles mariées qui ont reçu une dot sont obligées de la rapporter, et si celle-ci excède leur quote-part, l'excédent est reversé : c'est le « rapport obligatoire ».

Entre ces deux systèmes existent des coutumes « à option » de type mixte, plus proches cependant du modèle égalitaire que de l'élection d'héritier. Les enfants dotés peuvent choisir entre la dot ou le partage au moment de la succession. On rencontre ces coutumes en particulier dans l'Ile-de-France et l'Orléanais, à partir desquels elles se diffusent.

Les conditions de vie des jeunes couples dépendent du système d'héritage. Dans le premier cas, le fils privilégié peut être institué héritier universel quand il se marie, mais il n'héritera qu'à la mort du père ; en attendant, lui et sa femme vivent sous le même toit que les parents, « à même pot et feu », formant ainsi une « famille-souche » autoritaire (mais des « clauses d'insupport » prévoient le cas de mésentente entre les générations). Les cadets, défavorisés, sont souvent obligés de partir pour chercher fortune ou bien sont contraints au célibat et restent dans « la maison du père », selon l'expression d'Alain Collomp (1983). Dans les coutumes plus égalitaires, c'est la famille nucléaire qui l'emporte ; les jeunes paysans se séparent des parents lorsqu'ils se marient ; mais ils doivent faire face à l'émiettement progressif des terres.

Il semble que la pression démographique de la première moitié du siècle ait consolidé le modèle inégalitaire dans le Sud-Est et au contraire favorisé l'extension du régime d'option à tendance égalitaire dans la France du Nord. Elle provoque ainsi deux « réponses » différentes, qui sont corrélatives de deux conceptions de l'ordre social : d'un côté, pouvoir du père, continuité de la « maison » où habitent les générations successives (l'*oustal*), mariage conçu comme une alliance entre des lignées qui sont en compétition pour le prestige ; de l'autre, valorisation du rôle de la communauté et des solidarités horizontales de voisinage et de classe d'âge.

Les hiérarchies paysannes

Vers 1550, les distances sociales se sont largement creusées. Les études existantes permettent de proposer l'ordre de grandeur suivant : au sommet, 1 % de gros fermiers, bien placés pour être emportés par la spirale de l'enrichissement ; au-dessous une minorité de paysans aisés (10 % en Hurepoix, davantage ailleurs), qui possèdent suffisamment de terres pour pouvoir en vivre (soit plus de 5 ha dans les terroirs riches et plus de 22 ha dans les garrigues languedociennes) ; enfin la masse formée, d'une part, de ceux à qui l'exiguïté de leurs parcelles ne permet pas de subsister et qui doivent donc avoir des ressources complémentaires, et, de l'autre, de ceux qui ne possèdent pas de terre et n'ont que leurs bras à louer.

La formation d'une oligarchie

Le mouvement de reconquête des sols et de récupération démographique favorise l'ascension d'un petit groupe de marchands-laboureurs dont la richesse vient moins de leurs terres personnelles que des grosses fermes qu'ils tiennent à bail. Dans les campagnes parisiennes, ils ont été étudiés par Jean-Marc Moriceau (1994). Ce sont à la fois des paysans, des marchands et des entrepreneurs. Ils sont parfois propriétaires eux-mêmes d'exploitations assez vastes : plus de 15 ha dans le Hurepoix décrit par Jean Jacquard (1974). Mais leur puissance vient surtout du fait qu'ils sont capables de prendre à bail de vastes réserves seigneuriales appartenant à des nobles ou à des ecclésiastiques. Parfois, un seul bail leur suffit pour exploiter de 50 à 100 ha ou plus ; parfois ils cumulent plusieurs baux. La conjonction du caractère modéré de la hausse de la rente foncière et du relatif piétinement des salaires explique leur profit. Dans le Languedoc étudié par Emmanuel Le Roy Ladurie, le montant des baux est même relativement stable, ce qui permet à des entrepreneurs comme Guillaume Masenx, fermier de la commanderie Saint-Pierre de Gaillac, de s'enrichir allégrement et d'en profiter pour pratiquer l'usure.

Disposant d'excédents de grains et de fourrage, ils les vendent. Ils possèdent un train d'attelage et un matériel agricole qu'ils peuvent louer à leurs voisins ; leurs chevaux leur permettent d'organiser des charrois. Ils emploient les autres paysans, leur prêtent des outils et de la semence. Très souvent, ils sont aussi receveurs des droits seigneuriaux et de la dîme ; ils apparaissent ainsi comme les intermédiaires naturels entre les villageois et les seigneurs. Leur position leur facilite l'accès au pouvoir politique : non seulement ils sont syndics de la communauté et marguilliers dans la paroisse, mais ils occupent fréquemment des offices seigneuriaux, notaires, procureurs ou juges.

Ces personnages essentiels du monde rural se signalent par la richesse de leur intérieur (lits à piliers tournés, vaisselle d'étain, crucifix, statues de saints...). Leur capital mobilier se monte à 1 500 livres environ dans le Hurepoix. Ils ont des réserves, tant en écus qu'en grains. Ils jouissent d'un prestige qui leur vaut d'être appelés « honorables hommes » et leur permet de revendiquer un caveau familial à l'intérieur de l'église, loin de la promiscuité du cimetière. Des « dynasties » sont déjà établies au milieu du siècle, comme les Hersant, les Angouillan et les Chachouin du sud de Paris. Ceux de leurs fils qui ne leur succèdent pas dans leurs baux s'élèvent par la marchandise ou les offices royaux.

Cette oligarchie rurale renforce sa cohésion par des intermariages et par une solidarité marchande et financière. Mais, dans la première moitié du siècle, marquée par la mobilité sociale, elle n'est pas encore fermée. En témoigne l'exemple de Michel Gillot, analysé par Jean Jacquart : simple manouvrier en 1528, il est déjà petit fermier en 1535 et propriétaire en 1541. En 1543, il s'intitule « honnête personne » ; puis, devenu fermier d'une partie du domaine de Savigny, riche et considéré, il accède vers 1550 à la catégorie des « honorables hommes ». Une génération lui a suffi pour se hisser au sommet de la hiérarchie paysanne.

La paysannerie moyenne

Au-dessous des riches fermiers se situent des laboureurs qui possèdent assez de terres pour en vivre. Ils ont un matériel d'exploitation bien fourni, un cheptel assez abondant, de la volaille, des réserves de lard, de graisse, de foin et de grain. Leur condition est très variée : leur capital mobilier va de 200 à 600 livres en moyenne. Les plus riches afferment de petits domaines et développent des tendances à l'intermariage. Ils se trouvent à la croisée des chemins : « de mauvaises affaires, de la négligence, des partages répétés par le jeu des décès, et ils retombaient dans la masse misérable, venant rejoindre manouvriers et artisans. De la chance, de solides principes d'économie, un bail avantageux, et ils pouvaient accéder aux échelons supérieurs du monde rural » (Jean Jacquard).

Les métayers, qui partagent les récoltes avec les propriétaires, ont une condition très variable selon les lieux. Dans la France du Sud, leur sort n'est pas trop dur : la semence et la dîme sont prélevées avant le partage, et celui-ci ne porte pas toutes les récoltes. Mais, en Gâtine poitevine, ils ont du mal à faire face : le partage est strict, depuis les grains et les foins jusqu'aux fagots, et ils doivent fournir les semences sur leur propre part (Louis Merle, 1958).

La masse des précaires

Beaucoup n'ont pas assez de terres pour en vivre. Dans le Hurepoix, 68,5 % des laboureurs possèdent même moins d'un hectare. Mais ces tout petits propriétaires arrivent à s'en sortir lorsque la conjoncture n'est pas trop mauvaise, ce qui est encore le cas assez souvent jusqu'en 1560. Ils ont un maigre bétail, un jardin, un pauvre mobilier ; ils peuvent trouver des ressources supplémentaires dans le tissage en drap ou en toile pour le compte de quelque marchand citadin, ou même en louant leur travail. Parmi eux, ceux qui sont vignerons, présents dans presque tout le royaume, vivent en général aux limites de la pauvreté, mais se signalent par la fierté de leur savoir-faire, par leur esprit d'indépendance et par un accès plus précoce à l'alphabétisation.

Tout en bas, les manouvriers ou brassiers tirent l'essentiel de leurs ressources de la location de leurs bras (mais ils possèdent parfois un lopin de terre). Dans la première moitié du siècle, ils ne forment pas encore la majorité des paysans : tout au plus le tiers. Ils ne sont pas non plus prolétarisés ni marginalisés dans le village. Ils commencent, certes, à être victimes du décalage entre la hausse des prix et celle des salaires : ce décalage est particulièrement sensible en Languedoc. Mais les plus énergiques arrivent encore à survivre.

Il y a enfin au village des artisans ruraux, charrons, tailleurs, forgerons, la plupart du temps minuscules propriétaires vivant pauvrement. Dans l'ensemble, l'univers villageois, dont l'effectif est gonflé l'été par les saisonniers, n'est pas encore déchiré, au milieu du siècle, par les clivages profonds que finiront par provoquer la hausse démographique et la guerre.

Les cadres de la vie des paysans

Les trois cadres traditionnels – seigneurie, paroisse, communauté – structurent puissamment la vie des villageois.

La seigneurie

La seigneurie est beaucoup plus légère dans la France du Midi, où les alleux sont nombreux. Dans la France du Nord, la densité seigneuriale est très variée. Le poids des droits seigneuriaux est lui aussi très variable ; il est plus sensible dans les provinces fortement « seigneurialisées » comme la Bretagne ou la Bourgogne. Le cens, lorsqu'il est perçu en espèces, est fixe et donc dévalorisé par l'inflation. Les droits en nature (appelés *champarts, terrages, agriers, tasques,* etc., selon les provinces) sont plus lourds ; au nord de Paris, le champart est un prélèvement à la onzième gerbe, un peu plus important que la moyenne (levée à la douzième gerbe). Les corvées, travail dû gratuitement au seigneur, ne représentent en général que quelques jours dans l'année.

Structure générale de la seigneurie
(qui peut être tenue soit en fief, soit en franc-alleu noble)

A – *Seigneurie foncière*

1 / Domaine proche (ou « réserve »), exploité par le seigneur en faire-valoir direct ou loué à des fermiers ou à des métayers (et fournissant alors une rente foncière).

2 / Directe (propriété dite *éminente*) : censives ou autres formes de tenures (en mainmorte, à domaine congéable, etc.). Les censitaires doivent une rente seigneuriale en espèces (comme l'est souvent le cens) ou en nature (par ex. le champart) et des corvées.

B – *Seigneurie publique* (qui peut être séparée)

Ban (droit d'ordonner et de contraindre, comportant le contrôle des marchés, la voirie, le maintien de l'ordre) et *justice* (haute, moyenne ou basse selon la compétence).

Lorsqu'elle comporte le droit de ban et celui de rendre la justice, la seigneurie encadre fortement les activités quotidiennes.

Les rapports des paysans avec le seigneur sont très variables. Lorsqu'il s'agit de grands nobles, les détenteurs de seigneuries sont souvent absents : tout dépend alors de la qualité des intendants qui gèrent leurs intérêts. Mais les petits gentilshommes vivent au milieu de leurs censitaires, et leur existence n'est souvent pas très différente de celle des riches fermiers. Seuls les en distinguent quelques signes de supériorité sociale : les armes accrochées au mur ou au manteau de la cheminée, les chiens de chasse qui couchent sous le banc dans la grande salle, les manoirs pourvus d'un étage, d'un colombier et d'une tour qui abrite un escalier à vis. Leur pouvoir est bien accepté s'ils remplissent auprès des villageois leur fonction de protection. Les justices seigneuriales, bien que le seigneur y soit parfois juge et partie, sont proches des justiciables et peu coûteuses ; pour les causes importantes, l'appel à la justice royale est de règle, et les *fourches patibulaires* (le gibet), placées à l'entrée du domaine comme signe du droit théorique que possède un haut-justicier de condamner à mort, fonctionnent surtout comme un symbole de prééminence. Certains seigneurs sont assez influents pour entraîner avec eux leurs paysans lorsqu'ils se convertissent à la Réforme, en particulier dans le Velay, le Gévaudan, le Quercy et le Périgord. Les cas d'affrontements violents sont rares. Il y a certes des émeutes anti-seigneuriales dans le Sud-Ouest au début des années 1560, mais les querelles religieuses en compliquent le sens. En revanche, les procès intentés par les communautés d'habitants aux seigneurs sont nombreux, surtout dans le Midi, pour la propriété des communaux, la perception des droits seigneuriaux ou les exemptions fiscales. En Comminges par exemple (étudié par René Souriac en 1978), ces procès sont dirigés contre les seigneurs qui, lors des *Recherches* organisées par la monarchie pour vérifier le statut des terres (1539-1548 et 1548-1553) veulent faire passer leurs terres roturières pour nobles et échapper ainsi à l'impôt. Mais ces luttes ne visent pas le régime seigneurial.

La paroisse

Le mot désigne à la fois la communauté des fidèles et le territoire sur lequel celle-ci est implantée. Elle est, tout d'abord, le cœur de la vie religieuse, autour du curé, de l'église et du cimetière. Ses biens matériels sont la propriété de la *fabrique*, entité juridique administrée par des *marguilliers* choisis parmi les villageois notables. La paroisse est aussi une unité administrative, puisque les curés transmettent les avis officiels et sont chargés en 1539 d'enregistrer les baptêmes et les décès. Elle offre, enfin, un espace de sociabilité : d'une part parce l'on se réunit dans l'église pour toute espèce d'affaires, fêtes, procès, ventes ou marchés ; de l'autre, parce qu'elle est le cadre de la formation d'équipes sportives qui rivalisent avec celles des paroisses voisines. C'est ainsi que le sire de Gouberville décrit dans son *Journal* de mémorables parties de *choule* (au cours desquelles il faut courir à la poursuite d'une balle), opposant les paroisses entre elles et mêlant joyeusement seigneurs, prêtres et paysans.

La communauté d'habitants

Dans la France du Nord, elle se confond avec la paroisse, si bien que les marguillers s'occupent souvent à la fois des frais du culte et de l'impôt. Dans le Sud, elle s'en distingue plus nettement et se caractérise par de fortes traditions d'autonomie. Les chefs de famille, parmi lesquels figurent parfois les veuves, se réunissent dans une maison commune ou sur le parvis de l'église et élisent un conseil (les *consuls* dans le Midi) ou des procureurs-syndics. Leur rôle est important : faire respecter les contraintes collectives de l'assolement et du pâturage des bêtes ; veiller à l'ordre public ; nommer les gardes messiers (sortes de gardes champêtres), les bergers, les maîtres d'école ; gérer les communaux, terres dont la propriété est collective, tenues en alleu ou en censive concédée par le seigneur ; organiser la perception et la répartition de la taille. En cas de problème important, toute l'assemblée est convoquée, présidée parfois par les officiers seigneuriaux, et donne son avis. La communauté-paroisse est un puissant facteur d'intégration de la société paysanne.

Les limites de la croissance agricole

La cohésion des villages est cependant menacée à terme. Le drame de l'agriculture du XVIᵉ siècle est la stagnation de la productivité, que ne compense pas le relatif essor des cultures spéculatives. La hausse de la production, due surtout aux défrichements, se heurte vite à un plafond indépassable.

La stabilité des rendements dans la très longue durée

L'absence de progrès décisifs dans les techniques agricoles empêche les rendements d'augmenter sensiblement. Dans les pays de grande culture céréalière, ils peuvent atteindre un maximum de six à huit grains récoltés pour un semé ; dans les terres plus médiocres, ils sont de quatre à cinq pour un. Michel Morineau a montré qu'entre la fin du XVᵉ siècle et le début du XIXᵉ, la productivité n'arrive pas à dépasser les taux de 15 hl/ha dans le nord de la France et de 10 hl/ha dans le sud.

Les instruments aratoires sont la charrue, adaptée aux terres lourdes et riches (surtout dans le nord) ou l'araire, plus efficace dans les sols caillouteux et superficiels qui se rencontrent fréquemment dans la France du Midi. Pas d'amélioration notable du matériel de culture ; pas de sélection des semences ; pas d'engrais autre que la fumure sommaire assurée par le pâturage des bêtes sur les jachères (encore l'élevage est-il en recul dans la première moitié du siècle, sauf très localement autour des grandes villes). Pourtant, la littérature agronomique commence à connaître un succès certain, signe de l'intérêt des propriétaires pour la culture : en 1554, le médecin humaniste Charles Estienne publie un *Praedium Rusticum*, que son gendre Jean Liébault traduit et augmente en 1564 sous le titre *L'Agriculture et Maison rustique*.

La hausse irrégulière et fragile de la production

Dans ces conditions, l'augmentation de la production ne peut être qu'une récupération. Elle suit un rythme variable selon les provinces : elle démarre plus précocement en Limagne, Forez, Languedoc et Provence (dès 1420-1430), et plus tardivement ailleurs ; puis elle est coupée brutalement un peu partout par un « coup de hache » (E. Le Roy Ladurie) dû aux crises agraires et parfois aux épizooties de 1520-1530. Elle reprend ensuite pour plafonner vers 1550-1560. La production céréalière peut être estimée à cette date, d'après les calculs effectués à partir du montant des dîmes, à quelque 60 millions de quintaux. Cette hausse, il faut le souligner, n'est pas assez rapide pour satisfaire celle de la demande urbaine, ce qui entraîne dès 1500 une forte hausse du prix des grains, qui se répercute de façon plus modérée sur les prix des autres produits.

Il existe cependant une agriculture plus dynamique, qui travaille pour le marché : celle de l'olivier, de la vigne, du mûrier et du pastel. Dans le Midi méditerranéen, l'olivier progresse notablement entre 1500 et 1570. La viticulture connaît un essor sur la côte atlantique et autour des villes, de Paris en particulier ; dans la région de Nantes, elle bénéficie d'une prospérité remarquable au milieu du siècle ; autour de Bordeaux, l'expansion est un peu moins brillante. Les plantations de mûriers dans le Comtat et les Cévennes nîmoises annoncent la reprise d'une petite sériciculture. Dans le Lauragais, au sud et sud-est de Toulouse, la culture du pastel, cette plante tinctoriale qui sert à teindre en bleu, profite de l'essor des industries textiles espagnole, flamande et anglaise et de la bonne organisation des marchands toulousains et bordelais.

Les jardins comtado-languedociens, relayés en partie par ceux de Touraine et des campagnes parisiennes, s'enrichissent à la Renaissance de savoureuses nouveautés. Des espèces viennent d'Afrique ou d'Asie par l'intermédiaire de l'Italie : artichauts, melons, laitues romaines, choux-fleurs (encore rares), aubergines (au début pour un usage médicinal), en attendant les courges, les fenouils, les salsifis, le céleri et le persil ; d'Amérique vont bientôt arriver le haricot, le maïs, la *cartoufle* ou truffe blanche (la pomme de terre) et la tomate. C'est aussi dans les jardins qu'on commence à cultiver la luzerne, dans le Comtat et les Alpes provençales. Plantes de jardin également et sources d'enrichissement, le chanvre et le lin permettent de filer et tisser à domicile.

Mais tous ces secteurs de prospérité restent minoritaires et sont impuissants à entraîner la production globale dans une spirale de hausse.

L'impression d'ensemble est donc que la société paysanne, au milieu du XVI⁰ siècle, connaît encore un certain équilibre, entre le nombre des hommes et les ressources alimentaires d'une part, et entre les groupes sociaux du village de l'autre. Mais cet équilibre est terriblement fragile. Il est menacé par le morcellement des parcelles, la hausse de la population, la stagnation des rendements, l'inflation. Que la guerre s'en mêle, et c'est la catastrophe pour beaucoup. Or la gravité des divisions religieuses la laisse redouter.

ORIENTATION BIBLIOGRAPHIQUE

Gabriel Audisio, *Des paysans, XV⁰-XIX⁰ siècles*, Paris, A. Colin, 1994, 368 p.

Jacques Bottin, *Seigneurs et paysans dans l'ouest du Pays de Caux (1540-1650)*, Paris, Le Sycomore, 1983.

André Burguière (sous la dir. de), *Histoire de la famille*, t. 3, Paris, A. Colin, 1986, 560 p.

Jean-Pierre Gutton, *La sociabilité villageoise dans l'ancienne France*, Paris, Hachette, 294 p.

Jean Jacquart, *La crise rurale en Ile-de-France*, Paris, A. Colin, 1974, 796 p.

Emmanuel Le Roy Ladurie, *Les paysans de Languedoc*, Paris, 1966, 2 vol., rééd. Flammarion, 1988 ; (sous la dir. de), *L'âge classique des paysans, 1340-1789*, t. 2 de l'*Histoire de la France rurale* sous la dir. de G. Duby, Paris, Seuil, 1975, 624 p. ; et J. Goy (sous la dir. de), *Les fluctuations du produit de la dîme*, Paris-La Haye, Mouton, 1972, 398 p. ; et M. Morineau, *Paysannerie et croissance*, t. 1, vol. 2 de l'*Histoire économique et sociale de la France*, sous la dir. de F. Braudel et E. Labrousse, Paris, PUF, 1977, 1 036 p.

Louis Merle, *La métairie et l'évolution agraire de la Gâtine poitevine de la fin du Moyen Age à la Révolution*, Paris, EHESS, 1959, 252 p.

Jean-Marc Moriceau, *Les fermiers de l'Ile-de-France, XVe-XVIIe siècle*, Paris, Fayard, 1994, 1 070 p.

Paul Raveau, *L'agriculture et les classes paysannes. Les transformations de la propriété dans le haut Poitou au XVIe siècle*, Paris, M. Rivière, 1926, 302 p.

René Souriac, *Le comté de Comminges au milieu du XVIe siècle*, Toulouse, Éd. du CNRS, 1978, 334 p.

Jean Yver, *Égalité entre héritiers et exclusion des enfants dotés. Essai de géographie coutumière*, Paris, 1966.

Anne Zink, *L'héritier dans la maison*, Paris, EHESS, 1993, 542 p.

6. L'essor urbain et l'élan économique

Beaucoup plus que les campagnes, les villes sont le lieu du mouvement : des hommes, des marchandises, des idées. A la Renaissance, elles sont portées par une évolution économique et politique favorable, qui entraîne l'ascension d'élites à la fois complémentaires et rivales : les marchands et les officiers.

La croissance spectaculaire des villes du royaume

Qu'est-ce qu'une ville au XVIᵉ siècle ? La réponse n'est évidente ni pour les contemporains, ni pour les historiens d'aujourd'hui. Les premiers la définissent par les remparts qui l'entourent et les privilèges qui la protègent. Les seconds mettent l'accent sur les fonctions (administratives, commerciales, manufacturières, culturelles) et le nombre d'habitants (au moins 600 feux, comme l'a proposé Richard Gascon dans l'*Histoire économique et sociale de la France* ; mais ce seuil doit sans doute être abaissé pour les provinces méridionales ou la Bourgogne du Nord). Ces incertitudes ne permettent que des hypothèses sur le taux d'urbanisation : de l'ordre de 10 % environ vers 1550.

La hausse de la population urbaine

De la fin du XVe siècle au milieu du siècle suivant, la population des villes s'accroît dans des proportions qui vont de 10 à 100 % ou plus. Dans le peloton de tête, on trouve les six plus grandes villes : Paris (qui passe de 180 000 à 300 000 environ), Lyon (de 40 000 à 70 ou 80 000), Rouen (de 30 000 – ? – à 60 000), Bordeaux (de 20 000 à 50 000), Toulouse (de 20 000 à 40 000) et Marseille (de 10 000 à 30 000). Puis viennent les villes moyennes, dont la population atteint de 10 000 à 25 000 habitants au milieu du siècle : centres administratifs, commerciaux et manufacturiers comme Amiens, Angers, Montpellier, Nantes, Orléans, Reims, Rennes, Tours, Troyes. Enfin, les villes plus modestes connaissent un essor démographique d'une ampleur comparable, selon un taux moyen annuel qui va de 0,5 à 1,5 %. Saint-Malo se signale par une croissance peu commune (de 3 000 à 9 000 habitants).

Le réseau urbain est ordonné hiérarchiquement dans les provinces où la prééminence d'une métropole s'affirme avec vigueur ; il est plus désorganisé en Bretagne ou dans le Massif central, où la pénétration urbaine est plus faible.

L'expansion n'est cependant pas linéaire : elle est entrecoupée de crises dues aux disettes et aux épidémies. Celles de 1521, 1524 et 1556 ont touché un grand nombre de villes. L'élan plafonne vers 1550-1570. La croissance urbaine est due en partie aux causes démographiques analysées dans le chapitre 1 : excédent naturel et solde migratoire positif. Mais elle est aussi l'effet, d'une part, de l'essor économique et, de l'autre, des progrès de la puissance royale.

L'élargissement de l'espace maritime

L'économie française bénéficie dans la première moitié du siècle des possibilités nouvelles offertes au commerce d'outre-mer.

La façade méditerranéenne est élargie par la réunion de la Provence en 1481. L'ensablement de Montpellier-Lattes et d'Aigues-Mortes est compensé par l'essor de Marseille. Un arsenal des galères est installé dans ce port. Les marchands marseillais, outre leurs liaisons avec la Catalogne, le Languedoc, la Corse et les côtes italiennes, développent leurs relations avec le Levant, où ils vont chercher les épices. Ils sont favorisés par la politique d'entente avec l'Empire ottoman menée par François Ier : en 1528 sont renouvelés les privilèges qu'avaient accordés les Mamelouks d'Égypte ; en 1536 sont conclus des accords informels, les « capitulations », avec le sultan. En 1553 est créée la Compagnie du Corail, qui va chercher ce dernier sur les côtes africaines, le travaille et l'échange à Alexandrie contre des épices. Les Marseillais étendent leurs comptoirs ou en créent de nouveaux à Alexandrie, au Caire, à Beyrouth et à Tripoli. Leur rôle reste cependant secondaire par rapport à celui des Italiens.

La façade occidentale est également élargie par l'association de plus en plus étroite de la Bretagne aux destinées du royaume, dès avant sa réunion en 1532. Saint-Malo est un centre actif de pêcheurs et de pirates ; le port de Nantes sert de relais entre les provinces basques espagnoles et les Pays-Bas, et de débouché aux produits de la vallée de la Loire. Plus au sud, La Rochelle exporte du vin et des toiles ; Bordeaux bénéficie de l'essor de la vigne et de celui du pastel toulousain. Au nord, le port de Rouen a un horizon international et abrite d'importantes colonies de marchands étrangers ; il sert d'étape dans la liaison Lyon-Anvers. En 1517 est fondé un nouveau port, Le Havre, augmenté à partir de 1541 d'un vaste quartier construit selon l'idéal urbain de la Renaissance.

L'élan des villes atlantiques est cependant freiné par le retard pris par la France en matière d'expansion coloniale. Les grandes découvertes sont le fait des Portugais (Barthélémy Diaz passe en 1487 le cap de Bonne-Espérance, Vasco de Gama arrive à Calicut en 1498) et des Espagnols (premier voyage de Christophe Colomb en 1492). Lorsque le pape Alexandre VI, par la bulle *Inter Coetera* de mai 1493, réserve aux Espagnols les terres à découvrir au-delà d'une ligne située à 100 lieues à l'ouest des Açores et du cap Vert, et qu'en juin 1494 le traité de Tordesillas entre l'Espagne et le Portugal repousse cette ligne à 370 lieues (les Portugais y gagnent leurs « droits » sur le Brésil), les Français sont beaucoup trop occupés par l'expédition italienne pour y prêter grande attention.

Il y a certes des entreprises privées, qui sont le fait de pêcheurs, de commerçants et de pirates, les mêmes hommes pratiquant souvent les trois activités à la fois. Les pirates sont parfois autorisés par le roi, qui, en leur délivrant des « lettres de marque », en fait des corsaires avoués par lui. A Dieppe, l'un de ces hommes hardis, Jean Ango, devenu lieutenant de l'amiral de Normandie, se fait armateur et fonde des sociétés en commandite (des particuliers mettent en commun des capitaux et partagent les bénéfices ou les pertes). Il arme des navires en direction de Terre-Neuve, où, depuis au moins 1504 (et peut-être bien plus tôt), des pêcheurs vont chercher des morues et des fourrures. Il arme aussi vers le Brésil, où il brave la concurrence portugaise pour ramener du « bois brésil », servant pour la teinture (en rouge) des étoffes. En 1529, il fait aussi une tentative malheureuse vers les îles de la Sonde.

C'est François Ier qui inaugure une politique plus ambitieuse. Mais les efforts français ne débouchent pas sur des installations durables. Le roi patronne l'expédition de 1524 des frères Verrazano (Giovanni, le plus connu, et Girolamo), sur des navires armés par Ango, pour trouver un « passage du Nord » à travers l'Amérique vers la Chine, symétrique du « passage du Sud » récemment découvert par Magellan (1519-1522). Les explorateurs n'y réussissent pas (bien qu'ils aient cru reconnaître le Pacifique dans les baies de Pimlico et d'Albemarle, au sud de la ville actuelle de Norfolk), mais ils explorent l'embouchure de l'Hudson et remontent le long du littoral américain jusqu'aux îles du Cap Breton, au sud de Terre-Neuve. Trois autres voyages (vers le Brésil) sont patronnés par l'amiral Chabot ; Giovanni Verrazano est tué au cours du second (1528).

La recherche du passage du Nord est reprise par Jacques Cartier, un malouin qui va se lancer dans l'expérience d'un établissement fixe, une « nouvelle France ». En 1534, il arrive à l'embouchure du Saint-Laurent, sur la péninsule de Gaspé, et prend possession du pays au nom du roi. L'année suivante, il remonte le Saint-Laurent jusqu'à une éminence qu'il baptise Mont Royal (futur Montréal). François Ier encourage une troisième expédition en 1541. Mais la petite colonie créée par Cartier se heurte cette fois à l'hostilité des Indiens et aux rigueurs du climat ; des renforts amenés par un gentilhomme, le seigneur de Roberval, ne suffisent pas, et les Français doivent être rapatriés en 1543.

Sous Henri II a lieu une tentative éphémère. Villegagnon, gentilhomme de Provins, lié à Coligny, attiré par la Réforme mais resté catholique, fonde de 1555 à 1560 un établissement au Brésil, vite anéanti par les Portugais. Malgré ce qu'écrit plus tard le pasteur Jean de Léry, qui fait partie de l'expédition, l'expérience n'a pas pour but de créer un refuge pour les réformés persécutés. Ce sera l'objectif, plus tard, de Jean Ribault en Floride (1562-1565). La France n'a pas réussi à avoir un empire colonial : c'est un handicap pour son économie.

L'élan commercial, bancaire et manufacturier

La manufacture française alimente les échanges par des produits variés. L'essentiel consiste en textiles : draps de Normandie, Picardie, Champagne, Berry, Poitou, Languedoc ; toiles de lin et de chanvre de Bretagne, Bresse, Lyonnais, Beaujolais, Forez et Champagne. Cette production est parfois déjà de type dispersé ; elle est alors rassemblée par des marchands qui peuvent procurer la matière première et contrôlent la finition. Elle fournit des tissus de qualité moyenne, à l'exception des draps de Rouen ou de Paris, plus luxueux, mais qui ne sauraient rivaliser avec ceux de l'Italie. L'art de la soie, implanté à Tours en 1470 et à Lyon en 1536, ne met sur le marché que des taffetas et des velours unis, qui ne valent pas les somptueuses étoffes italiennes ; quant à la petite soierie du Comtat et des Cévennes, qui reprend très modestement dans la première moitié du XVIe siècle, elle est médiocre. Le deuxième secteur important est celui des mines et de la métallurgie, cette dernière stimulée par la diffusion progressive du haut fourneau à partir de la Wallonie et des bords du Rhin, depuis la fin du XVe siècle. Les forges sont disséminées dans tout le royaume, mais des grandes régions métallurgiques émergent : le groupe Normandie, Perche, Maine ; les confins de la Bourgogne et de la Champagne ; le Nivernais ; le Poitou et le Périgord ; surtout le Dauphiné et le Forez, qui profitent du débouché lyonnais. Les produits fabriqués sont les coutres et les pointes de soc pour les charrues, les bandages des roues, les poteries de fer, les clous et les épingles, et, bien entendu, les armes (mais, là encore, celles-ci ne valent pas celles de l'étranger). Enfin, la France fabrique du papier (particulièrement en Auvergne et en Champagne) et des livres, surtout à Paris et Lyon. Elle n'a donc à vendre, sauf exceptions, que des produits de qualité courante et de petit prix. Elle fournit aussi des denrées alimentaires : céréales (dans les années excédentaires) venant de Bretagne, Aunis et Languedoc ; vins de Bordeaux, de Basse-Loire, d'Aunis-Saintonge et de Beaune ; sel de l'Atlantique et de la Méditerranée. Il faut citer encore l'huile et le savon de Marseille, et le pastel du Lauragais, expédié en Angleterre, aux Pays-Bas et en Espagne.

Les importations portent au contraire surtout sur des objets ou des matières de luxe. Des villes italiennes viennent la soie et les soieries, l'alun de Tolfa (qui sert à fixer la teinture des étoffes et à préparer les peaux), ainsi que les épices (soit matières tinctoriales comme la graine de paradis, la cochenille, le safran, la noix de galles, soit substances médicinales telles que la casse, le séné, le macis, soit condiments comme le poivre, la girofle, le gingembre, la muscade, à quoi il faut ajouter le sucre). Des Pays-Bas arrivent les toiles fines de Hollande, les draps de luxe, les tapisseries ; d'Allemagne les toiles, les métaux non ferreux ; d'Angleterre les tissus appelés carisés, le plomb et l'étain ; d'Espagne et du Portugal l'alun, la laine, les draps et les soieries. La balance commerciale est positive avec l'Angleterre, l'Allemagne, les pays ibériques ; elle est en équilibre avec les Pays-Bas ; mais elle est en déficit avec l'Italie et le Levant. Surtout, la nature des exportations (denrées agricoles, matières premières, objets fabriqués de qualité moyenne) et celle des importations (marchandises de luxe) définissent une économie certes prospère, mais dominée par les intérêts des marchands étrangers. L'historien de Lyon, Richard Gascon, a tenté d'expliquer le « retard français » ; poids de la fiscalité, rentabilité et prestige plus grands de l'investissement dans la terre ou les offices : bien des éléments contribuent à limiter le dynamisme des marchands du royaume.

Il en résulte qu'en France très peu de villes ont un horizon vraiment international et une activité bancaire capable de soutenir l'activité économique. Un test est leur accès à la lettre de change.

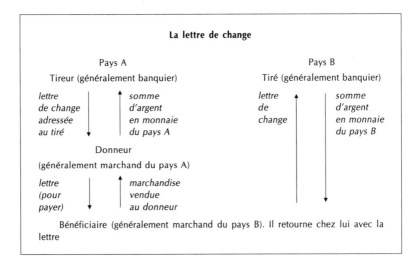

La lettre de change

Pays A

Tireur (généralement banquier)

lettre de change adressée au tiré   *somme d'argent en monnaie du pays A*

Pays B

Tiré (généralement banquier)

lettre de change   *somme d'argent en monnaie du pays B*

Donneur
(généralement marchand du pays A)

lettre (pour payer)   *marchandise vendue au donneur*

Bénéficiaire (généralement marchand du pays B). Il retourne chez lui avec la lettre

Dans cette série d'échanges, c'est la lettre qui voyage et non les espèces. Le tireur et le tiré sont des marchands-banquiers liés par des relations d'affaires ; le tiré compense sa créance sur le tireur lors d'opérations de sens contraire. La lettre permet en outre le change et le crédit, puisque les paiements s'effectuent dans la place du pays B à une date ultérieure, mentionnée dans le document ; le change dissimule en général un intérêt (bien qu'interdit par l'Église catholique).

Pour que le processus puisse se dérouler, il faut que les villes possèdent des maisons bancaires, capables de faire « commerce d'argent » et reliées entre elles. En France, la plupart de celles-ci sont à Lyon, et elles sont pratiquement toutes étrangères (italiennes surtout – lucquoises, florentines, milanaises, gênoises –, et, dans une moindre proportion, allemandes). Les foires lyonnaises, qui prospèrent de façon décisive sous Louis XI avec les privilèges accordés en 1464, permettent de capter le grand mouvement d'échange entre la Méditerranée et les pays nordiques et de le faire passer par l'axe Rhône-Saône. Depuis 1494, date de leur restauration (après la tentative de transfert à Bourges et Troyes demandée par les États généraux de 1484 pour secouer l'emprise étrangère), ces foires, chacune de quinze jours, se tiennent quatre fois par an : aux Rois, à Pâques, en Août.et à la Toussaint. Leurs privilèges sont importants : franchise des marchandises à l'entrée et à la sortie ; immunité des marchands et exemption du droit d'aubaine ; jugement des conflits par le tribunal de la Conservation des Privilèges des Foires. La foire des paiements s'ouvre dans les jours qui suivent la foire proprement dite, en trois phases : 1 / présentation des lettres aux marchands-banquiers, qui les acceptent ou les refusent (en ce dernier cas la lettre est « sous protêt ») ; 2 / fixation du cours des changes ; 3 / paiement, qui peut se faire par simple compensation de lettres, sans manipulation d'espèces. Lyon occupe une place fondamentale ; mais son activité est surtout de redistribution des produits étrangers dans le royaume et de transit entre Nord et Méditerranée. L'essor du port de Marseille a certes été stimulé par les foires lyonnaises, mais il en a été plus dépendant des marchands-banquiers italiens.

Les autres villes qui possèdent des maisons bancaires sont Paris, Rouen, et, plus modestement, Bordeaux, Nantes, Marseille, Angers, Toulouse. Mais ces maisons ne sont guère que les dépendances des banques de Lyon.

Majoritairement écartés de la lettre de change, les marchands

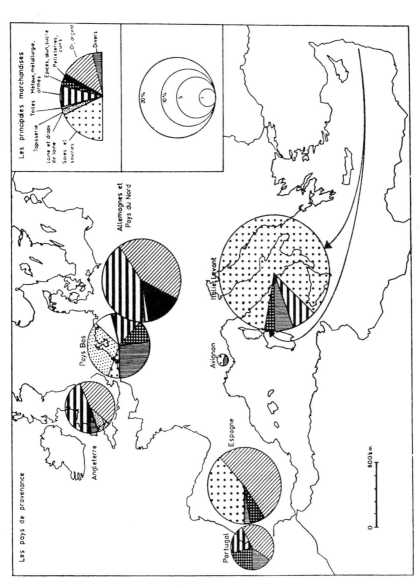

Carte 3 — Les importations françaises au milieu du XVIᵉ siècle

D'après Richard Gascon, *Histoire économique et sociale de la France*,
Paris, PUF, 1977, t. 1, vol. 1, p. 268

non lyonnais se contentent de l'*obligation,* qui est « une reconnaissance de dette comportant l'engagement de payer à telle ou telle date telle ou telle somme » (R. Gascon). Ils n'utilisent pas, sauf quelques-uns à l'extrême fin du siècle, la comptabilité en partie double (avec deux colonnes pour chaque client, l'une de débit et l'autre de crédit), pourtant connue depuis longtemps par les Italiens.

Les villes relais de la puissance royale

L'activité manufacturière et marchande n'est pas seule à favoriser l'essor urbain. La croissance étatique développe la fonction administrative des villes.

La hiérarchie des cours de justice et de finance (qui ont à la fois un rôle judiciaire et administratif) détermine une typologie urbaine. Les petites villes abritent des justices royales subalternes, les *prévôtés* ou les *châtellenies* (*vicomtés* en Normandie, *vigueries* ou *baylies* dans le Midi). Au-dessus, on trouve les villes de *bailliages* (nom utilisé surtout dans le Nord) et de *sénéchaussées* (dans le Sud essentiellement), tribunaux au nombre de 90 environ ; une soixantaine de ces villes reçoit en 1552 des *présidiaux*. Elles sont souvent aussi des sièges d'*élections*, qui s'occupent de la répartition et du contentieux de la taille, et de *greniers à sel* (dans les pays de grande gabelle), à la fois dépôts publics et juridictions. Les *recettes générales* créées à partir de 1542, auxquelles sont affectés en 1552 les *Trésoriers de France* pour la répartition de l'impôt, le Domaine et la voirie, sont installées à Aix, Amiens, Bordeaux, Bourges, Caen, Châlons, Dijon, Grenoble, Issoire (vite remplacée par Riom), Limoges, Lyon, Montpellier, Orléans, Paris, Poitiers, Rouen, Toulouse, Tours. En haut se situent les villes de cours souveraines. Les plus prestigieuses ont un *Parlement* : Paris, Bordeaux, Dijon, Grenoble, Toulouse, Rouen (1499), Aix (1501), Rennes (celui qui est créé en 1554 y est transféré en 1561) ; le petit Parlement de Dombes est établi en 1523 à Lyon. La dignité des cours de finance est légèrement inférieure ; il y a des *Chambres des comptes* à Aix, Blois, Dijon, Grenoble, Nantes, Paris, Montpellier (en 1523) et Rouen (en 1543) ; des *Cours des aides* à Paris, Montpellier, Rouen et Montferrand (en 1557) ; une *Cour des monnaies* à Paris. Les *évêchés* et *archevêchés,* depuis le Concordat de Bologne, sont aussi des relais de la puissance royale.

La fonction de capitale politique de Paris croît surtout dans le deuxième quart du siècle, lorsque le roi réside moins souvent dans les châteaux de la Loire. Le développement de la Cour y attire les courtisans, qui y font construire des hôtels fastueux. La diversité de ses quartiers témoigne de la variété de ses fonctions. Le cœur judiciaire et religieux est la *Cité*, où se situent le Parlement, la cathédrale Notre-Dame et l'Hôtel-Dieu. Le centre des affaires et de l'artisanat se trouve dans la *Ville*, sur la rive droite, mais également le Louvre, résidence royale, et l'Hôtel de Ville, place de Grève, où siègent le Prévôt des Marchands et les échevins. L'*Université* et ses collèges animent la rive gauche.

Les sociétés urbaines

Les élites

La noblesse est rarement citadine, sauf en Provence et dans le Comtat, influencés par les habitudes italiennes. Les villes les plus importantes, Paris en particulier, possèdent certes des hôtels aristocratiques, mais les grands nobles n'y habitent qu'une partie de l'année, l'hiver surtout, passant le reste du temps sur leurs terres (ou à la guerre). Les gentilshommes de moindre volée résident « aux champs ». Dans le deuxième livre des *Recherches de la France* (1565), Étienne Pasquier souligne le fait : « Comme si ce fussent choses incompatibles d'estre Noble et faire sa resséance en ville [...] mesmement s'il advient que nous appelions quelqu'un Gentilhomme de ville, c'est par forme de risée et moquerie. »

Les grands marchands sont souvent bien installés au sommet de la hiérarchie urbaine. Les plus prestigieux sont les marchands-banquiers, qui font à la fois commerce de marchandises et d'argent. A Lyon, on l'a vu, la plupart appartiennent à la colonie italienne. Les Bonvisi de Lucques, par exemple, frappent les Lyonnais par leur magnificence. Claude de Rubys, dans son *Histoire de Lyon* parue en 1604, se fait lyrique quand il évoque leur faste princier : « Ils ont despuis cent ou six vingts ans en ça continuellement tenu maison fort honorable à Lyon. Nous y avons de nostre temps veu ce magnifique Seigneur Vincent Bonvisi, homme généreux, et qui vrayement ressentoit sa grandeur et sa noblesse : splendide, libéral : qui tenoit tousjours maison ouverte où tous les Princes, grands Seigneurs, et Gentils-hommes de toutes parts y estoient receuz et bien venuz. » Certains de ces Italiens obtiennent des lettres de naturalité, comme les Ruccelaï, les Gadagne, qui ont un magnifique hôtel lyonnais, ou les Salviati.

Au-dessous viennent des marchands moins fastueux, mais fort aisés. Leur activité est précisée par un qualificatif : drapiers, épiciers, libraires, orfèvres. Certains sont aussi fabricants, comme ceux des libraires qui sont en même temps imprimeurs et ont leurs propres presses, ou les marchands de draps de soie qui possèdent leurs métiers et leurs ateliers. Parmi les marchands de draps de laine commence à se répandre le type du « marchand-fabricant », qui fournit la matière première et fait travailler à domicile. A Paris, l'oligarchie est constituée par les *Six-Corps*, jurandes marchandes des drapiers, épiciers, merciers, pelletiers, bonnetiers et orfèvres. A Toulouse, les plus grands marchands pasteliers ont un genre de vie magnifique : Jean Bernuy reçoit François Ier dans son hôtel aux arcades surbaissées et aux voûtes à caissons dans le goût de la Renaissance ; Pierre Assézat se fait construire dans la ville un véritable palais ; Pierre Cheverry édifie à Saint-Michel-de-Lanès, près de Carcassonne, un vaste château aux façades ornées de colonnades. Ils font partie de la petite minorité de marchands français qui se servent de la lettre de change ; on peut citer aussi le marchand drapier toulousain Dominique de Laran, le banquier rouennais Charles de Saldaigne, le marchand marseillais de savons et huiles Nicolas du Renel.

Les riches « bourgeois » font partie de l'élite urbaine. Le mot *bourgeois* a plusieurs sens au XVIe siècle, et on ne peut l'utiliser sans l'expliciter. De manière très générale, il désigne l'habitant d'une ville, le citadin, par opposition au rural. Plus précisément, il se réfère à un état juridique : un bourgeois est celui qui a obtenu le *droit de bourgeoisie*, comportant des privilèges et des devoirs particuliers, et requérant plusieurs conditions de résidence et de richesse variant selon les villes ; à Bordeaux, par exemple, il faut résider depuis au moins cinq ans et posséder une maison d'une certaine valeur. En ce sens, un noble peut être un « bourgeois ». Enfin, un troisième emploi indique un marchand retiré des affaires et vivant de son revenu ; cette dernière catégorie peut être rattachée à l'oligarchie du commerce.

Au-dessous, des marchands actifs fréquentent les foires provinciales : Bordeaux, Beaucaire, Pézenas et Montagnac en Languedoc,

Caen et Guibray en Normandie, Amiens en Picardie, Fontenay-le-Comte en Poitou, Saint-Germain à Paris. Plus modestes sont ceux qui animent les marchés ruraux. En bas de la hiérarchie se situent les petits boutiquiers et les « regrattiers » (détaillant toute espèce de marchandise, surtout le sel, le charbon, les grains ou les légumes).

Comparativement à l'élite marchande, celle des officiers du roi est plus récente. Ils peuplent les cours de justice et de finance qui ont été mentionnées plus haut. Leurs charges (les *offices*) sont une délégation du pouvoir royal, et la croissance de celui-ci les rend plus puissants (voir chap. 12). La diffusion de la vénalité et de l'hérédité des offices, l'accès à la noblesse des plus éminents d'entre eux, accentuent leur fierté de corps. Au début du siècle, des familles d'officiers tourangeaux, les Beaune, les Briçonnet, les Poncher, jouent un rôle éminent au cœur de l'État ; ils incarnent un nouveau modèle de service du roi.

Ceux qu'on pourrait appeler des « hommes à talent » (bien que l'expression soit postérieure) constituent une catégorie intermédiaire. En font partie les docteurs de l'Université, qui y enseignent, si conscients de leur dignité qu'ils revendiquent la qualité de nobles (mais cette prétention, à la différence des officiers, n'aboutira pas ; ils n'obtiennent, pour certains d'entre eux, que des privilèges nobiliaires personnels). Les professeurs de médecine ajoutent à leur enseignement le soin des malades, et y trouvent matière à un rapide enrichissement. Enfin les avocats inscrits au barreau d'une cour (qui, à la différence des *avocats du roi*, ne sont pas des officiers) sont des hommes cultivés, détenteurs au moins d'une licence en droit et avides d'acquérir des offices.

Toutes ces élites sont diverses et divisées ; leur dynamisme ascensionnel, assez souvent tendu vers la possession terrienne et l'anoblissement, ne suffit pas à en faire une « bourgeoisie » unique aux valeurs consciemment distinctes. Le mythe d'un antagonisme naturel entre une « bourgeoisie » nécessairement « montante » et une noblesse inévitablement « déclinante » est un cliché simpliste.

La rivalité des marchands et des officiers pour le pouvoir urbain

Les institutions urbaines sont d'une grande variété. Il y a d'abord le *corps de ville* élu. Il comprend un noyau exécutif, d'un effectif variant de 2 à 12 (jusqu'à 18 exceptionnellement comme à Reims), composé du maire, qui porte le nom de *maieur* à Dijon et Amiens et de *Prévôt des Marchands* à Paris, et de conseillers, les *échevins*. Dans les villes du Midi, ce noyau est formé de *consuls* (mais, à Bordeaux, ce sont les *jurats*, et à Toulouse, les *capitouls*). Certaines de ces charges anoblissent (voir au chap. 4). Autour de cet ensemble, un Conseil, de 12, 16, 24 ou 32 membres selon les cas, complète le corps de ville. Les chefs de famille peuvent être convoqués en cas de problème grave, soit en formation étroite – il s'agit alors uniquement des notables – soit en Assemblée générale. Les modes d'élection sont complexes et diffèrent d'une ville à l'autre ; dans le Midi, elles se font par *échelles*, regroupements d'habitants selon leurs métiers, qui élisent chacun un consul. L'élection est le plus souvent confiée à un corps électoral restreint ; parfois même il s'agit purement de cooptation.

Les autonomies urbaines, précisées dans des *chartes de privilèges* octroyées soit par le roi soit par des seigneurs (et alors confirmées par l'autorité royale lors de l'union à la Couronne) ne sont pas encore un vain mot au XVIe siècle ; c'est pourquoi le pouvoir urbain est un enjeu politique essentiel autour duquel s'affrontent les élites, et surtout les gens de loi et les marchands. A Lyon, dès les années 1500, ces derniers s'en emparent au détriment des premiers, qui ne le retrouvent qu'à la fin du siècle. A Montpellier, c'est un changement de sens contraire qui se produit : dans un consulat occupé par les marchands, les avocats gagnent en 1519 le droit d'accès à la charge de premier consul ; en 1547, un maître à la Chambre des comptes est élu au premier rang. Ailleurs, les marchands dominent souvent les corps de ville ; mais les officiers, appuyés par le roi, rognent peu à peu leurs prérogatives judiciaires.

Le monde des artisans et celui de la pauvreté

Une bonne part du petit peuple urbain est composé par les artisans, dont le prestige et la richesse sont extrêmement variables. Les métiers se répartissent en trois catégories : les *métiers libres*, pour lesquels aucune condition d'exercice du travail n'est imposée ; les *métiers jurés* ou *jurandes*, qui sont organisés par des lettres patentes royales définissant l'activité, l'apprentissage et l'accès à la maîtrise ; les *métiers réglés*, qui reçoivent leurs règlements des corps de ville, et qui sont très répandus dans les provinces septentrionales ou dans celles du Midi. Les deux dernières catégories forment l'ensemble des *métiers statués*, pourvus de statuts. Les métiers libres, encore très nombreux, sont souvent de petites entreprises familiales. La structure des métiers statués est hiérarchisée. En bas se trouvent les apprentis, placés dans un atelier en vertu d'un contrat enregistré devant notaire pour apprendre à travailler. Au-dessus, les compagnons sont des ouvriers, embauchés par les maîtres, souvent pour un an renouvelable. S'ils sont admis à présenter un *chef-d'œuvre*, destiné à montrer leur habileté, les compagnons peuvent accéder à la maîtrise ; mais il arrive de plus en plus que seuls les fils et les gendres de maîtres soient autorisés à le faire ; en outre, l'épreuve exige des frais qu'il faut être assez riche pour envisager. Dans les villes textiles, une importante main-d'œuvre féminine est payée moins cher que la masculine. Les femmes ont aussi des métiers propres : brodeuses, couturières, hôtesses d'auberge, sages-femmes. La tendance est à l'augmentation des métiers statués ; l'édit de décembre 1581 tente d'étendre les jurandes à tout le royaume.

Les confréries réunissent généralement maîtres et artisans. Mais, dans certains métiers comme ceux des imprimeurs ou des tisserands, les compagnons se regroupent en sociétés fermées, compagnonnages appelés à se répandre sous le nom de *devoirs*. La hausse des prix provoque la dégradation de la vie des ouvriers, car les salaires réels ne suivent pas. Ceux qui ont des charges familiales trop lourdes ou qui tombent malades peuvent alors rejoindre la masse des pauvres.

Une partie de la population urbaine est constituée par les domestiques, souvent célibataires, dont la condition de vie varie d'une maison à l'autre. Les villes abritent également bon nombre de travailleurs de terre, qui partent chaque matin travailler leurs maigres lopins ou les jardins des riches. Les petits métiers des rues, porteurs d'eau, marchandes de bouquets, etc., donnent aux villes une animation pittoresque. Mais la marge est étroite entre l'existence précaire qu'ils permettent et la pauvreté. Celle-ci est de plus en plus présente dans les masses urbaines trop brutalement gonflées par l'immigration et fragilisées par la hausse des prix. Son inquiétante progression contribue à aggraver les fêlures de la concorde sociale analysées dans le chapitre suivant.

Villes et culture

Les lieux du savoir

C'est dans les villes que sont dispensées les connaissances dont sont friands bien des hommes de la Renaissance. L'enseignement connaît un profond renouvellement. Le fait marquant à cet égard est la diffusion du *modus parisiensis* (style parisien) dans les nouveaux collèges, c'est-à-dire la répartition des élèves en groupes de niveaux ou *classes* (la première mention de cette innovation semble dater des statuts du collège parisien de Montaigu, en 1509), la définition d'un emploi du temps précis et la direction de l'établissement par un principal. Le prestige de la rhétorique, valorisée par les humanistes, tend à l'emporter sur celui de la logique, autrefois élément essentiel de l'éducation scolastique. Les villes mettent leur point d'honneur à fonder un collège, ce qu'elles font petit à petit, selon leurs ressources. C'est en effet une entreprise coûteuse : le système des classes multiplie le nombre des régents à payer, et les locaux doivent être plus vastes. Il y faut la conjonction des dons d'un généreux fondateur, du financement par le corps de ville et des souscriptions des parents séduits par cette forme nouvelle. Les collèges deviennent vite des enjeux dans les luttes religieuses ; la monarchie et l'Église sont amenées à les contrôler de plus près. Dès avant les guerres de Religion apparaissent les premiers collèges des Jésuites : celui de Billom est fondé en 1556 par l'évêque de Clermont-Ferrand. Le plus célèbre, celui de Clermont à Paris, ouvre en 1564.

Les universités assurent un grande renommée aux villes qui en possèdent : Aix, Angers, Bordeaux, Bourges, Caen, Cahors, Montpellier, Nantes, Orléans, Paris, Poitiers, Reims (université fondée en 1548), Toulouse et Valence.

Les imprimeries contribuent à donner un éclat culturel aux cités qui les abritent. Elles sont plus nombreuses dans la moitié nord de la France ; les plus actives sont celles de Lyon, Paris, Troyes, Rouen et Poitiers, illustrées par des familles célèbres telles que les Bade, les Vascosan, les Gryphe ou les Estienne.

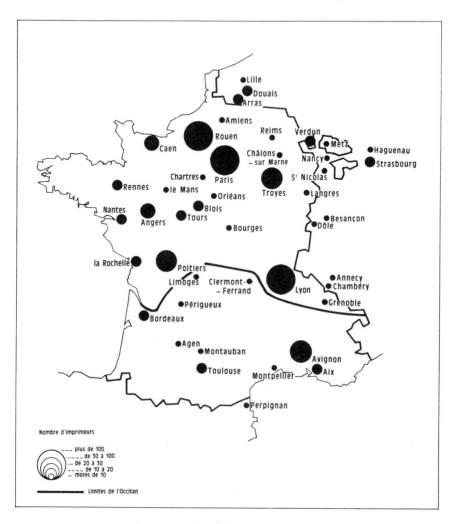

Carte 4 – Les imprimeurs en France au XVIe siècle

D'après Janine Garrisson, *Protestants du Midi, 1559-1598,*
Toulouse, Privat, 1980, p. 38

Les distances culturelles et sociales

Les villes ont une culture collective propre, qui se manifeste par des traditions théâtrales (mystères et moralités), des concours de poésie (Puys de Palinods à Rouen, Jeux Floraux à Toulouse), ou des joyeusetés carnavalesques imaginées par les jeunes regroupés en « abbayes de jeunesse ». Elles abritent aussi des cercles lettrés qui réunissent des amis en des discussions savantes. Celui des Bellièvre à Lyon, d'André Tiraqueau à Fontenay-le-Comte (fréquenté par Rabelais) ou des dames des Roches à Poitiers contribuent à l'éclat de la vie intellectuelle. Ils sont fréquentés surtout par des gens de loi, qui y manifestent leur goût pour l'érudition et l'histoire, caractéristiques de la culture propre aux robins. Peu à peu, ceux-ci prennent conscience de la supériorité de leur savoir.

La géographie urbaine commence à refléter la distance que les élites veulent prendre à l'égard des masses. La ségrégation entre quartiers riches et pauvres est encore peu sensible dans les grandes villes, comme Paris, où la séparation se fait plutôt entre les étages ; mais elle existe dans les villes plus petites comme Le Puy où les maisons n'ont qu'un niveau. Pourtant à Lyon s'oppose déjà la rive droite de la Saône, patricienne, et la rive gauche plus populaire. A Rouen, les riches occupent les rues principales et les pauvres les impasses.

Villes et plat-pays

Les rapports entre les villes et la campagne environnante sont à la fois de dépendance et de domination, de condescendance et de fascination. Les citadins ont besoin des paysans pour leur approvisionnement. Pour les plus grandes agglomérations, le problème est vital : les corps de ville surveillent les marchés et les prix, contrôlent les boulangers et tentent d'engranger des réserves dans les halles aux blés. La ville fournit des emplois aux ruraux déracinés, les protège dans ses remparts en cas de guerre, mais aussi les rejette lors des épidémies.

Le prestige et la rentabilité des possessions terriennes amènent de plus en plus les citadins à acheter des domaines hors les murs. La terre est la source la plus sûre de la considération, et le chemin de l'ascension sociale passe par la campagne, surtout dans le cas de ceux qui cherchent à s'anoblir sans lettres ni offices. Le cas de Raoul Bretel de Grémonville, analysé par Roland Mousnier, offre un exemple caractéristique de ces anoblis par prescription. Issu d'une modeste famille de petits laboureurs et marchands campagnards, il s'installe au Havre et s'enrichit par le commerce. Il se pare bientôt de l'avant-nom « honorable homme ». L'étape suivante passe par l'acquisition d'une seigneurie, celle de Grémonville. Il quitte alors la ville, témoin de son ascension trop récente, s'installe sur ses terres et vit noblement. Il se fait appeler Bretel de Grémonville, puis tout simplement M. de Grémonville. En 1552, lorsqu'il marie son fils, le notaire lui accorde sans difficulté le titre d'écuyer. Autant dire qu'il s'est anobli lui-même, en une génération, ce qui est rare.

Les villes sont le lieu des enrichissements rapides, mais la consécration de la réussite passe par la campagne et la domination seigneuriale des hommes. C'est là un des aspects du « retard français ». En abandonnant le commerce pour la terre, les marchands ne « trahissent » pas : ils obéissent à un calcul avisé.

ORIENTATION BIBLIOGRAPHIQUE

Jean-Pierre Babelon, *Paris au XVI͏ᵉ siècle (Nouvelle histoire de Paris)*, Paris, 1987, 626 p.

Fr. Bayard et Ph. Guignet, *L'économie française aux XVI͏ᵉ-XVIII͏ᵉ siècles*, Gap, Ophrys, 1991, 264 p.

Marie-Madeleine Compère, *Du collège au lycée (1500-1850)*, Paris, Julliard (Archives), 1985, 286 p.

R. Chartier, M.-M. Compère, D. Julia, *L'éducation en France du XVI͏ᵉ au XVIII͏ᵉ siècle*, Paris, SEDES, 1976, 306 p.

Pierre Chaunu et Ernest Labrousse (sous la dir. de), *Histoire économique et sociale de la France*, Paris, PUF, 1977 : Richard Gascon, *La France du mouvement : les commerces et les villes*, t. 1, vol. 1, p. 231-479 ; Michel Morineau, *La conjoncture ou les cernes de la croissance*, t. 1, vol. 2, p. 869-999.

Benoît Garnot, *Les villes en France aux XVI͏ᵉ, XVII͏ᵉ, XVIII͏ᵉ siècles*, Gap, Ophrys, 1989, 134 p.

Pierre Jeannin, *Les marchands au XVI͏ᵉ siècle*, Paris, Seuil, 1957, 192 p.

François Lebrun, Jean Quéniart et Marc Venard, *De Gutenberg aux Lumières*, t. 3 de l'*Histoire générale de l'enseignement et de l'éducation en France*, Paris, Nouv. Lib. de France, 1981, 670 p.

E. Le Roy Ladurie (sous la dir. de), *La ville classique*, in *Histoire de la France urbaine*, Paris, PUF, 1981.

P. Masson, M. Vergé-Franceschi (éd.), *La France et la mer au siècle des découvertes*, Paris, Tallandier, 1993, 392 p.

Abel Poitrineau, *Ils travaillaient la France*, Paris, A. Colin, 1992, 280 p.

Bernard Rivet, *Une ville au XVIe siècle : Le Puy en Velay*, Le Puy, Les Cahiers de la Haute-Loire, 1988, 456 p.

Jacques Verger, *Histoire des Universités de France*, Paris, PUF (« Que sais-je ? »), rééd. 1994, 128 p.

Voir en outre toutes les histoires des villes publiées par les éditions Privat à Toulouse ou Édisud à Aix.

7. Les fêlures de la concorde sociale

Selon le vieil idéal de la *concordia ordinum*, la concorde des ordres, l'harmonie résulte nécessairement de la complémentarité des divers états qui composent la société. Mais, sous la pression de la hausse démographique, de l'inflation et du relatif alourdissement étatique, des tensions font apparaître crûment le décalage entre idéal et réalité. Elles sont particulièrement graves à Lyon, où l'activité textile et l'imprimerie concentrent une masse de salariés.

La grande Rebeyne (avril 1529)

Lyon connaît des crises frumentaires dès le début du siècle, en 1501 et en 1504-1505. Mais celle du printemps 1529 est beaucoup plus sévère : elle provoque une violente sédition. Dans un récit publié après les événements, le médecin Symphorien Champier, dont la maison a été pillée, parle de « rebeyne », c'est-à-dire de rébellion, pour lui péché majeur contre un ordre voulu par Dieu.

Une émeute de la faim

La récolte de 1528 est mauvaise ; le prix du bichet de blé double entre octobre 1528 et avril 1529 (il passe de 13 à 24 sous). Des placards (affiches) apparaissent alors sur les murs de Lyon : ils dénoncent les accapareurs et appellent la justice populaire à se substituer au consulat lyonnais et aux tribunaux royaux, accusés de pactiser. Ils convoquent « toute la commune », c'est-à-dire l'assemblée de tous les chefs de famille, le dimanche 25 avril à midi au couvent des Cordeliers. Ils sont signés : « le Povre ».

Au jour dit, une foule de 1 000 à 1 200 personnes se réunit, fait sonner le tocsin, et commence à chercher du blé chez les accapareurs présumés. Plusieurs maisons sont mises à sac, dont celles de Champier, des plus gros marchands et du secrétaire du consulat. Le grenier de la ville est pillé. La quête des grains se poursuit le lundi 26 ; le mardi 27, les émeutiers vont se servir dans les réserves d'une abbaye située sur l'île Barbe. Les notables, qui se sont réfugiés dans le cloître Saint-Jean sur la rive droite de la Saône, en profitent alors pour se ressaisir, convoquent la milice des métiers et font procéder à une énergique répression. Onze émeutiers seront pendus.

Ce soulèvement, étudié successivement par Henri Hauser (dans la *Revue historique*, 1896), par Richard Gascon (*Grand commerce et vie urbaine*, 1971) et par René Fédou (dans les *Cahiers d'histoire*, 1973), fait apparaître le rôle déterminant de la conjoncture frumentaire. Les personnes poursuivies sont de pauvres gens, des compagnons boulangers, charpentiers, teinturiers, des « gagne-denier » (payés à la tâche), des « povres ménagers, serviteurs, femmes et enfants » de quinze à vingt ans. Les confréries ont probablement servi d'encadrement. H. Hauser, en partie sur la foi du témoignage de Champier (qui signale le bris de statues de saints chez lui et y voit la preuve d'une participation des « hérétiques »), a voulu mettre en relation la rebeyne et les débuts de la diffusion de la Réforme. En fait, les aspects religieux, s'ils existent, n'ont eu qu'un rôle secondaire ; il s'agit plutôt d'une classique émeute des grains.

La place du pain dans les dépenses des humbles

Le déroulement de la grande Rebeyne met en évidence les conséquences dramatiques qu'ont les oscillations du prix des grains sur la vie du menu peuple. Richard Gascon a calculé qu'un manœuvre du bâtiment, rétribué à la journée, gagne, dans les premières années du siècle, un peu plus de 3 sous par jour (salaire inférieur d'un quart à celui d'un compagnon). Il ne travaille guère que deux cent soixante à deux soixante-cinq jours dans l'année, à cause du grand nombre de fêtes et de jours chômés. S'il a quatre bouches à nourrir et un seul salaire, il consacre de 50 à 60 % de son gain aux dépenses pour le blé, en année « normale », et de 70 à 80 % à la subsistance en général. Le reste sert à payer le logement (une seule pièce sur cour ou à l'étage, meublée de façon rudimentaire

Tableau 6 – La dégradation de la condition populaire

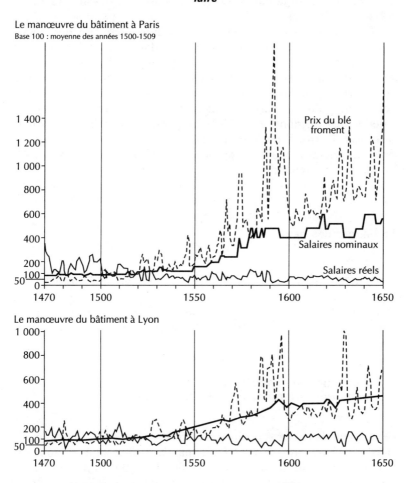

Le manœuvre du bâtiment à Paris
Base 100 : moyenne des années 1500-1509

Prix du blé froment

Salaires nominaux

Salaires réels

Le manœuvre du bâtiment à Lyon

D'après Richard Gascon, *Histoire économique et sociale de la France,*
Paris, PUF, t. 1, vol. 1, p. 245

par quelques chalits, coffres et escabeaux), à l'habillement (de toile et de drap grossier), au chauffage et à l'éclairage. Que le prix du grain vienne brusquement à monter, et le « seuil de pauvreté » (c'est-à-dire « la limite à partir de laquelle les ressources quotidiennes ne suffisent plus à assurer la subsistance ») est franchi, souvent de manière irréversible. Or le pouvoir d'achat du salaire des manœuvres, estimé en grains, tombe, dans les années 1529-1532, autour de l'indice 50, alors que, dans les années précédentes, il avait dépassé 100 (la base 100 étant la moyenne des années 1500-1509 : voir tableau 6).

La rebeyne lyonnaise révèle la condition précaire des immigrants ruraux venus chercher du travail dans la grande ville, mal intégrés dans les structures urbaines et prompts à accuser les riches. Elle manifeste aussi d'autres tensions : en particulier celle qui oppose les marchands et les artisans. Ces derniers, qui se sentent écartés du pouvoir consulaire, ne mettent en branle les milices des « pennonages », dont, avec les boutiquiers, ils constituent l'armature, que le troisième jour, quand ils commencent à avoir peur pour eux-mêmes : avant, ils se sont plutôt réjouis de voir malmener l'oligarchie marchande.

Le danger des pauvres

Les deux années qui suivent n'apportent pas d'améliorations ; au contraire, la moisson de 1530 est médiocre ; la peste survient en avril et revient l'année d'après ; pour comble de malheur se produit au printemps 1531 une hausse des prix du grain extrêmement brutale.

Un phénomène inquiétant : la multiplication des mendiants valides

La grande cherté du printemps 1531 est l'une des plus dramatiques que Lyon ait connue. Le 2 mai, le bichet vaut 34 sous ; le 7 mai, il en vaut 40. Il montera à 60 ! De 7 000 à 8 000 pauvres envahissent les rues ; certains viennent de loin, depuis la Bourgogne. Parmi eux, des enfants crient leur faim jusque dans les églises pendant la messe, causant à la fois «crèvecœur et scandalle». Un prêtre, Jean de Vauzelles, et le prieur des dominicains, Nicolas Morin, s'affrontent sur les remèdes à apporter à la situation ; mais tous deux trouvent les mêmes paroles émouvantes pour décrire ce qu'ils ont vu. Des gens squelettiques, comme jaillis de tombeaux, crient : «Je meurs de faim, je meurs de faim», et meurent effectivement dans la rue. Les notables et le Consulat organisent alors des distributions de vivres, première ébauche de l'Aumône générale ; les affamés se jettent trop goulûment sur la nourriture, ce qui les tue, phénomène bien connu des temps de famine. «Cela m'a fendu le cœur, écrit Nicolas Morin ; jamais je ne l'oublierai.»

Devant cet afflux, devant le spectacle paradoxal d'hommes capables de travailler mais qui n'arrivent pas à gagner leur vie, les solutions habituelles de la charité chrétienne ne suffisent plus. La juxtaposition de toutes ces détresses est explosive : risque d'émeute, risque de contagion pesteuse. Dès mai, le clergé lui-même le reconnaît : il demande au consulat de prendre des mesures.

La fondation de l'Aumône générale (1534)

En mai 1531, les conseillers de Lyon ont entrepris d'organiser la distribution gratuite de pain aux miséreux. Plus de 250 000 livres de pain ont ainsi été réparties entre plus de 5 000 pauvres de mai à juillet.

Cette première initiative urbaine est rendue permanente en 1534, à l'instigation de Jean Broquin, un marchand lyonnais. Une administration est créée, aux mains de l'oligarchie marchande, composée de huit recteurs élus et de deux trésoriers. Les recettes sont fournies par les dons des particuliers. La première tâche de l'Aumône est l'assistance ; elle a son moulin et sa boulangerie, et elle distribue du pain à tous les pauvres en temps de disette et, en temps ordinaire, seulement aux invalides, aux malades, aux veuves et aux orphelins. Le deuxième devoir est de procurer du travail : les enfants sont placés en apprentissage chez les marchands-drapiers ou comme domestiques dans les foyers des notables ; quant aux adultes, on les emploie à curer les fossés ou à nettoyer les rues. Mais la chose n'est pas facile ; bien des mendiants valides renâclent devant ces travaux forcés, et il n'est pas rare qu'il faille les enchaîner pour les contraindre, voire les emprisonner en cas de rébellion. Inévitablement, la police en vient à être associée à l'assistance. Alléchés par ces distributions, les pauvres accourent de tous côtés à Lyon, qui ne peut faire face : on affecte donc à l'Aumône des *bedeaux*, familièrement appelés « chasse-coquins », chargés d'expulser les indésirables. On comprend l'ambivalence des sentiments des secourus devant ces aspects coercitifs. Le jour de l'enterrement de Jean Broquin, un « pauvre homme », Uranique Moreau, est surpris en train de murmurer « que les pauvres se pouvaient bien réjouir car leur ennemy était mort ».

Une « charité organisée, sélective, collective, permanente et laïque »

C'est en ces termes que R. Gascon définit l'expérience lyonnaise. Elle est à replacer dans un vaste mouvement européen dont Jean-Pierre Gutton a analysé les caractères (1974). Dès 1505, une commission de huit « bourgeois » est chargée de l'administration temporelle de l'Hôtel-Dieu de Paris, affirmant ainsi les responsabilités laïques dans le secours des pauvres. Les exemples d'assistance organisée entièrement sous le contrôle des villes apparaissent d'abord dans le monde allemand et aux Pays-Bas (Nuremberg, 1522 ; Strasbourg, 1523 ; Ypres, 1525 ; Lille, 1527). En France, Lyon est pionnière ; cependant, dès les années 1525-1530 sont créés des « bureaux des pauvres » pour recenser les démunis, centraliser les ressources et faire des distributions régulières. Il y en a en particulier à Dijon, Troyes, Amiens, Poitiers, Rouen. A Paris commence à naître en 1530 ce qui deviendra en 1544 le Grand Bureau des Pauvres. Dans ces villes s'affirme la trilogie assistance – travail (souvent obligatoire) – police. L'autorité royale seconde ces efforts : sous François Ier se multiplient les textes contre le vagabondage et la mendicité.

L'évolution du regard sur le pauvre

Au Moyen Age se rencontraient deux attitudes à l'égard des pauvres. D'une part ils étaient vus comme des membres souffrants du Christ, incarnant l'idéal de dépouillement et d'ascèse proposé à tout chrétien ; ils étaient donc des intercesseurs privilégiés, dont les prières étaient nécessairement écoutées de Dieu. Mais il y avait aussi une autre conception, plus récente semble-t-il, apparue dans les villes où la misère s'accumulait : la pauvreté était alors perçue comme une occasion de perdition plutôt que de sanctification et les pauvres étaient considérés comme des êtres potentiellement dangereux.

La deuxième de ces traditions médiévales l'emporte avec les humanistes, pour qui la pauvreté est dégradante et rabaisse l'homme au niveau des animaux. C'est le mérite de l'humaniste espagnol Juan Luis Vivès d'avoir clairement exposé ces idées, dans son célèbre *De Subventione Pauperum (De l'assistance aux pauvres)* paru à Bruges en mars 1526. Il y affirme que l'assistance doit être prise en main par les magistrats des villes, dont le devoir est de faire disparaître la pauvreté et de procurer de l'occupation à tous. On y trouve exaltée la valeur éminente du travail : non seulement il garde l'âme du péché, mais il est essentiel à la dignité humaine. Il s'agit donc à la fois d'ordre public, d'hygiène et de réforme morale. Les mendiants qui cherchent à se dérober à l'obligation de travailler en simulant des plaies et des maladies sont vilipendés : ainsi se répand la distinction entre les « vrais » pauvres et les « faux », les « bons » et les « mauvais ». Les deux Réformes, la catholique et la protestante, ont été globalement d'accord sur cette politique d'assistance, malgré des différences dans l'application : à Lyon, le pasteur Pierre Viret a approuvé l'Aumône générale.

Mais cette orientation a tout de même suscité un large débat. Beaucoup se sont scandalisés de la conséquence entraînée par la nouvelle utopie urbaine d'éradication de la pauvreté : on leur interdit désormais l'aumône individuelle, qui entraverait le plan collectif. Aujourd'hui, cette forme d'assistance a provoqué une autre polémique. Les élites urbaines ont été soupçonnées par certains historiens d'avoir simplement voulu se procurer de la main-d'œuvre à bon marché tout en étouffant les risques d'émeute : ce serait le prélude au « grand renfermement » (selon la formule discutable de Michel Foucault). Mais réduire les mobiles des notables à ces aspects est sous-estimer le sentiment de responsabilité qu'ils éprouvent à l'égard de l'éducation et du salut des pauvres. Ils veulent aussi redonner sa beauté à la cité défigurée par la misère et restaurer l'harmonie blessée. « Poussés par l'amour et la peur, les Lyonnais tentèrent de faire de leur ville en pleine expansion un lieu où les étrangers pourraient vivre et seraient comme des frères » (Natalie Zemon Davis, 1979).

Ouvriers en colère

Les deux capitales de l'imprimerie, Lyon et Paris, ont été le théâtre d'autres tensions, qui opposent maîtres et compagnons en de longs conflits.

Les conditions de travail dans l'imprimerie

Les imprimeurs ont besoin de grosses mises de fonds. Il leur faut des presses coûteuses, des caractères, du matériel de reliure, un vaste local, une main-d'œuvre nombreuse et instruite. L'atelier d'un gros imprimeur compte de cinq à six presses, et celui d'un imprimeur moyen trois environ. Il faut cinq ou six ouvriers par presse : les *compositeurs* se chargent de former les mots et les lignes avec les caractères mobiles et de composer les pages dans la *forme* ; les compagnons imprimeurs manœuvrent la presse. Il y a donc beaucoup d'ouvriers dans chaque atelier, très conscients de leur valeur et capables d'apprécier les merveilles qui sortent de leurs mains.

Or les compagnons s'estiment mal payés. Leur salaire, à la fois en espèces et en nature, perd comme les autres de son pouvoir d'achat sous l'effet de l'inflation. Les maîtres sont eux-mêmes pris à la gorge par les marchands qui ont avancé les capitaux, et qui attendent une rentabilité de l'opération. Un conflit éclate et dure de 1539 à 1572, avec deux crises majeures, les grèves de 1539 et de 1570. L'édit de Gaillon de 1571 est très sévère pour les ouvriers, et provoque un appel de ces derniers devant le Parlement de Paris. Les deux parties produisent alors des plaidoyers pour exposer leurs doléances. Dans celui que les maîtres rédigent, ils dépeignent ainsi leur situation :

> Aussi les maîtres imprimeurs sont-ils toujours en très grande crainte de voir l'un de leurs compagnons s'en aller, car ils doivent rendre une forme entière de treize ou quinze cents feuilles par jour aux marchands qui ont financé l'édition d'ouvrages de dix et vingt mille livres. S'ils ne remplissent pas leurs engagements, les marchands sont en droit d'exiger d'eux des intérêts, toujours élevés, on s'en doute, car parfois pour un long labeur, ils ont engagé sept ou huit mille livres qui dorment tant que le livre est achevé (texte cité ainsi que ceux qui suivent par Anne Denieul-Cormier, *La France de la Renaissance*, Paris, Arthaud, 1962).

Mais les compagnons ressentent durement l'aggravation de leur condition et mettent au point des méthodes efficaces.

Le combat des compagnons

Ils se regroupent en compagnonnages ; à Lyon, leur association porte le nom de compagnie des *Griffarins* (selon Natalie Z. Davis, le mot dérive de *golfarin*, « glouton », injure que les maîtres lancent aux compagnons lorsqu'ils réclament une amélioration de leur nourriture). Ils entreprennent des grèves, déclenchées par le mot « tric ». Voici comment les maîtres décrivent le processus :

> Il arrivait presque tous les jours que l'un des compagnons dise « tric » et quitte l'imprimerie. Sur-le-champ, après ce beau mot de « tric » proféré, tous les autres, fussent-ils trente ou quarante, suivaient l'auteur de la débauche, et s'en allaient tous en un fond de taverne. L'imprimerie du misérable maître ainsi abandonnée, le notable marchand, qui peut-être avait déjà avancé sept ou huit mille livres, ne cessait de lui réclamer une forme parfaite par jour : c'était son droit le plus strict. Il ne reste donc d'autre issue au malheureux imprimeur que de s'en aller indignement et de façon préjudiciable à son autorité magistrale, supplier les serviteurs d'abandonner la taverne et de régler l'addition.

Les ouvriers interdisent en outre aux maîtres d'employer des apprentis à la place des compagnons défaillants, ou d'aller chercher de la main-d'œuvre dans d'autres villes. Et si des compagnons ou des apprentis bravent ces consignes, ils les stigmatisent du nom de *forfants* et n'hésitent pas à les agresser violemment.

Conscience sociale et sensibilité religieuse

Les *Remontrances* produites vers 1572 par les compagnons révèlent un certain sens de l'antagonisme entre travail et capital :

> Les libraires et maîtres imprimeurs – notamment de la ville de Lyon – ont toujours mis tout en œuvre, ouvertement et en sous-main, pour opprimer et vilement asservir les Compagnons, qui sont néanmoins membres nécessaires du plus grand et meilleur ouvrage de l'Imprimerie [...] Oublient-ils qu'ils leur ont acquis et leur acquièrent journellement de grandes et honorables richesses au prix de leur sueur, de leur zèle admirable, et même de leur sang ? [...] Les libraires, bien au contraire, avec un grand repos de corps et d'esprit, se font aisément des fortunes, doublent ou triplent leur argent au bout de l'année, en vendant la feuille imprimée trois ou quatre deniers et même plus.

Mais il faut se garder de l'anachronisme ; ces *Remontrances* manifestent aussi la nostalgie d'un unité perdue : « Les maîtres et Compagnons ne sont ou ne doivent faire qu'un corps ensemble, étant
comme d'une famille et fraternité. »

Beaucoup de compagnons sont passés à la Réforme. Mais leur
turbulence a été peu appréciée par les pasteurs. En 1551, ils participent bruyamment à Lyon à des processions, en chantant à tue-
tête des psaumes. Claude Baduel, qui y séjourne alors, s'en émeut
et écrit à Calvin :

> C'est un spectacle honteux, indigne du nom et de l'esprit du Christ, notre
> Dieu, que des hommes sans piété et uniquement adonnés au plaisir chan-
> tent ses saintes louanges, d'une bouche accoutumée au blasphème. Tu
> connais la vie et les façons d'agir des ouvriers typographes, combien ils
> sont dissolus, audacieux, prompts au mal, perdus de mœurs. Je n'en ai
> jamais vu un dans nos assemblées. J'ai même engagé nos amis, qui crai-
> gnent Dieu, à s'en méfier et à s'en éloigner, ce qu'ils ont fait. Mais les
> autres, continuant leurs chants en public, ont irrité les chanoines et ému le
> magistrat qui jusqu'alors avait permis de chanter les chants. Il a pris peur
> et fait défendre, par édit royal, de chanter les psaumes [...] Mais les typo-
> graphes et d'autres ouvriers audacieux n'ont pas tenu compte de l'édit ; ils
> ont continué à chanter avec une recrudescence de passion »... (texte publié
> par Jacqueline Boucher, *Lyon et la vie lyonnaise au XVI* siècle, Éd. lyonnaises
> d'Art et d'Hist., 1992).

Au sein de l'église réformée de Lyon, les compagnons imprimeurs, gens d'humeur indépendante, se sont vite sentis mal à l'aise ;
ils ne goûtent que médiocrement la surveillance morale exercée par
le consistoire sur les fidèles. Peu à peu, ils retournent dans le sein de
l'Église catholique, qui est, à cette date, en retard sur la Réforme
protestante dans sa volonté de contrôle des mœurs : ce reflux est
presque achevé en 1572 (N. Z. Davis). L'édit du 10 septembre 1572 met fin au conflit en fixant les salaires et les devoirs
des uns et des autres.

Les troubles provoqués par l'alourdissement fiscal

Sous les règnes de François Ier et de Henri II, mais surtout à
partir des années 1540, les mécontentements causés par de nouveaux impôts ont parfois fait éclater des antagonismes latents.

Les résistances aux innovations fiscales

Jusqu'en 1542, les manifestations de colère restent rares. P. Hamon (*L'argent du roi*, 1994) en a relevé quelques-unes : à Bordeaux en 1516 à propos des fermes de l'impôt ; en 1522 en Bourgogne et en Guyenne à cause d'un nouveau droit sur le vin. La révolte de Sarlat, durant l'hiver 1526-1527, est plus grave : il y aurait eu 3 à 4 000 révoltés. L'origine fiscale du mouvement n'est pas sûre ; en revanche, les séditieux en veulent à la noblesse et à la justice. En 1538-1542, les Bourguignons manifestent contre la réforme du domaine royal.

Les révoltes contre la gabelle (1542-1548)

Les mouvements les plus importants sont déclenchés par la tentative de la monarchie d'unifier le système de la gabelle, impôt sur le sel. Le roi perçoit un droit sur la vente de celui qui est produit dans le royaume, selon des modalités d'une extraordinaire variété. Pour comprendre les révoltes qui soulèvent les provinces du Sud-Ouest, il faut savoir que celles-ci, depuis le Poitou jusqu'à la frontière espagnole, jouissent d'une situation privilégiée. Elles produisent du « sel noir » de médiocre qualité (par opposition au « sel blanc » de Languedoc) dans les marais salants du Poitou, des îles atlantiques, d'Aunis et de Saintonge. Elles n'ont pas de *greniers à sel*, ces dépôts publics où des officiers royaux exercent leur contrôle et prélèvent la taxe ; un simple droit (un quart ou un cinquième du prix) est perçu à la vente.

La perception de la gabelle étant, par ses incohérences et ses diversités, très difficile à assurer, François Ier tente de l'unifier à partir de 1540, en particulier par l'édit d'avril 1542. Cela signifie l'établissement de greniers dans les provinces qui en étaient dépourvues. La colère de celles-ci se manifeste par un premier soulèvement en 1542 à Marennes et La Rochelle, vite réprimé. Le roi fait preuve de mansuétude : venu recevoir le 31 décembre 1542 la soumission de ces villes, il leur accorde son pardon et reçoit leurs représentants à sa table. Mais les émeutes recommencent en 1544 ; le mécontentement couve et éclate de façon sporadique, en 1545 et 1547, en Périgord et en Saintonge.

C'est en 1548 que se produit la grande révolte contre le nouveau système de la gabelle. Elle touche Bordeaux, l'Angoumois et la Saintonge, avec des échos en Normandie. Les villes de Saintes, Cognac, Libourne et Bordeaux tombent aux mains des émeutiers. Des notables sont mis à mort, et le lieutenant général en Guyenne, Tristan de Monneins, est massacré par la foule. Les insurgés exposent leurs doléances dans des textes adressés au roi.

Les victimes sont surtout des *gabeleurs* vrais ou supposés : commis aux recettes fiscales, marchands intéressés à la levée de la gabelle, gentilshommes accusés d'avoir donné asile aux officiers de l'impôt. Point donc ici de colère sociale proprement dite. C'est contre l'innovation fiscale que se dressent les révoltés, animés par le rêve d'une monarchie sans impôts.

Mais des tensions d'une autre nature sont révélées par le mouvement. Malgré les sympathies actives des notables urbains de Saintes, Cognac ou Bordeaux pour le mouvement, on perçoit, dans les « sommations » que les foules paysannes adressent aux villes pour que celles-ci leur ouvrent leurs portes, une opposition entre citadins et ruraux (Yves-Marie Bercé, 1974). Les villes closes ont souvent des privilèges fiscaux qui les mettent à l'abri des gabeleurs ; bien plus, c'est sous la protection de leurs remparts que ceux-ci viennent se placer. Tout ceci se lit, par exemple, dans cette sommation aux habitants de Blaye :

> On vous somme par le hault Dieu tout puissant et du commun populaire, que incontinent ces présentes verrez, ayez à ouvrir les portes de ladicte ville [...] Et que tout ce que dessus n'y ait faulte, à peine premièrement d'estre déclaré rebelle et de saccager vos personnes à l'avenir et perdre vos chasteaux, maysons, meubles, métairies et aultres biens qu'auriez sur les champs. Et ainsi est l'advis du commun populaire (texte publié par Y. M. Bercé, *Croquants et nu-pieds*, Julliard, 1974).

Pour le roi, le meurtre d'un lieutenant général, représentant son autorité dans la province, exige un châtiment exemplaire. Le connétable de Montmorency, envoyé à la tête de plusieurs milliers d'hommes, exerce une répression impitoyable. Les privilèges de Bordeaux sont supprimés. Mais Henri II, une fois l'ordre revenu, opte pour l'apaisement. Bordeaux récupère ses privilèges, et les provinces du Sud-Ouest retrouvent leur statut antérieur moyennant le versement de sommes importantes ; leur statut à l'égard de la gabelle est désormais dit « de pays rédimés » (rachetés). La révolte a été rentable.

Les fêlures de la concorde révélées par les troubles qui viennent d'être résumés ont des causes économiques et sociales spécifiques. Cependant, elles ont parfois contribué à aviver, chez quelques-uns de ceux qui les ont vécues, le sentiment d'une rupture angoissante de l'ordre, due au péché des hommes et à la colère divine. A ce titre, elles ont pu nourrir l'inquiétude spirituelle du temps.

ORIENTATION BIBLIOGRAPHIQUE

Yves-Marie Bercé, *Croquants et nu-pieds*, Paris, Julliard, 1974, 240 p.

Natalie Zemon Davis, *Les cultures du peuple. Rituels, savoirs et résistances au XVIe siècle*, Paris, Aubier, 1979, 444 p.

Richard Gascon, *Grand commerce et vie urbaine. Lyon et ses marchands*, Paris, Mouton, 1971, 2 vol.

S. C. Gigon, *La révolte de la gabelle en Guyenne*, Paris, 1906.

Jean-Pierre Gutton, *La société et les pauvres. L'exemple de la généralité de Lyon, 1534-1789*, Paris, Les Belles Lettres, 1971, 504 p. ; *La société et les pauvres en Europe (XVIe-XVIIIe siècles)*, Paris, PUF, 1974, 208 p.

Henri Hauser, Histoire d'une grève, les imprimeurs lyonnais de 1539 à 1542 et Une grève d'imprimeurs parisiens au XVIe siècle, 1599-1542, *Rev. internat. de sociologie*, II, 1894 et III, 1895.

DEUXIÈME PARTIE
La construction monarchique

Au cours de la Renaissance, les institutions de la monarchie française se précisent peu à peu ; mais l'éventail des orientations possibles reste très ouvert. On ne peut pas encore parler de monarchie absolue, ni d'*absolutisme* (qui est d'ailleurs un mot forgé à la fin des années de la Révolution, répondant à une création historiographique datant de ce temps), ni de *proto-absolutisme*, qui suppose une sorte de déterminisme de l'histoire. La monarchie demeure de nature consultative. Mais les contemporains ont cru déceler une tendance à l'affirmation croissante de la « puissance absolue » du roi, certains pour s'en réjouir, d'autres pour s'en inquiéter.

8. Les structures collégiales et consultatives du pouvoir sous Charles VIII et Louis XII (1483-1515)

Le roi Charles VIII succède à l'âge de 13 ans à son père Louis XI, mort le 30 août 1483. Après quinze ans de règne, il meurt accidentellement le 7 avril 1498, sans enfant; la couronne revient à son oncle par alliance Louis, de la branche des Valois-Orléans. Louis XII fait annuler son premier mariage avec Jeanne, fille de Louis XI, et épouse la femme de son prédécesseur, Anne de Bretagne, de manière à conserver le duché breton; il règne jusqu'au 1ᵉʳ janvier 1515. Ces deux souverains ont laissé la réputation de « bons rois »; le second a même été proclamé « Père du peuple » par l'assemblée de notables de 1506. Sans doute y a-t-il là l'effet de l'allégement des impôts après les exigences fiscales de Louis XI; sans doute aussi l'aventure des guerres d'Italie a-t-elle été vécue (après les réticences initiales) comme une pourvoyeuse d'occasions d'ascension sociale bénéfiques pour les ambitieux, d'autant plus qu'elle exportait, au moins temporairement, les combats hors de France. Mais a joué aussi, probablement, le fait que les institutions de dialogue, Conseil, compagnies souveraines et assemblées représentatives, ont globalement bien rempli leur rôle.

Le Roi en son Conseil

La première de ces institutions de dialogue est le Conseil du roi, dans lequel le souverain prend l'avis de ses conseillers avant de décider.

Un « roi collectif »

« Le Conseil d'avant 1515 est un "roi collectif", réuni en présence et sous la direction du souverain. Il s'occupe de tout... » C'est en ces termes qu'Emmanuel Le Roy Ladurie résume dans *L'État royal* (1987) l'apport de la thèse de Mikhaël Harsgor sur le Conseil du roi sous Charles VIII et Louis XII (1972). Pour ce dernier, le personnel du Conseil « présente les caractères d'une oligarchie politique [...], petit groupe d'individus exerçant la réalité du pouvoir suprême ».

Le Conseil est encore un corps unique dont la compétence est universelle, depuis l'organisation d'une entrée royale jusqu'à l'exercice de la justice en passant par les affaires de finances, la diplomatie, ou l'examen des doléances des sujets. Son nom se modifie parfois en fonction des affaires abordées : il peut être dit « des finances » lorsqu'il traite de ces matières (« Messieurs des Finances », généraux et trésoriers, peuvent alors y assister), mais c'est toujours le même organisme. Il peut aussi siéger comme un tribunal pour juger les procès.

Il arrive que le roi, pour les affaires les plus importantes, ne réunisse qu'un petit nombre de conseillers ; l'appellation de *Conseil étroit* est alors quelquefois utilisée pour décrire ces réunions restreintes ; mais cette pratique ne donne pas encore naissance à un organisme distinct.

En un seul domaine, celui de la justice, une section se détache et acquiert une existence autonome. Une partie du Conseil, dès le règne de Charles VII, est spécialisée dans certains procès ; elle est organisée par les ordonnances de 1497 et 1498 sous la forme d'un « collège » appelé le *Grand Conseil,* dont les conseillers reçoivent une autorité égale à celle des officiers du Parlement. Ce corps judiciaire, au statut intermédiaire entre section du Conseil et Cour souveraine, ambulatoire jusqu'au règne de Henri III, s'occupe d'affaires très diverses et en particulier du contentieux des bénéfices ecclésiastiques ; peu à peu, les rois lui confient les causes « évoquées », c'est-à-dire les procès qu'ils arrachent (*évoquent,* du latin *evocare,* appeler à soi, faire venir) aux tribunaux royaux qui devraient normalement les connaître, mais dont les juges pourraient être trop indépendants ou partiaux. Aussi les Parlements ont-ils farouchement protesté contre cette dépossession.

La responsabilité respective des conseillers et du roi dans l'élaboration des décisions est difficile à apprécier. Le rôle du Conseil est en principe consultatif ; le roi recueille les avis, puis tranche souverainement. Il existe des cas où celui-ci prend une décision opposée à celle de ses conseillers : ainsi Charles VIII entreprend l'expédition de Naples contre l'opinion de son entourage. Mais, habituellement, il semble bien que le roi se contente d'entériner l'opinion majoritaire des conseillers. L'autorité est exercée par « le Roi en son Conseil ».

Un Conseil relativement « représentatif »

Les membres du Conseil le sont en vertu de la volonté royale. Ils forment un groupe de 30 à 60 personnes selon les années, parmi lesquelles le roi appelle celles que leur dignité et leur compétence qualifient pour l'affaire envisagée. Il y a d'abord les princes du sang, qui, au moins depuis le milieu du XVe siècle, prétendent être les conseillers naturels du roi. Il y a ensuite des membres des grands lignages, comme les Albrets, les Crèvecœurs, les Rocheforts, les Clèves, les Estoutevilles, les Montmorencys, les Rohans (en la personne du maréchal de Gié, disgracié cependant après 1504 à la suite d'un procès pour « trahison »), et des nobles de moindre volée, dont certains de grand talent intellectuel, comme le mémorialiste Philippe de Commynes ou le bourguignon Philippe Pot, célèbre pour le discours prononcé aux États généraux de 1484. L'Église est bien représentée ; le cardinal Georges d'Amboise, habile diplomate et fastueux mécène, constructeur du splendide château de Gaillon sur les bords de la Seine, est le principal conseiller de Louis XII jusqu'à sa mort en 1510. Guillaume Briçonnet, d'une famille de marchands chaussetiers de Tours, évêque de Saint-Malo, puis archevêque de Reims et enfin cardinal, premier ministre *de facto* sous Charles VIII, est l'un des membres de l'élite tourangelle qui accède alors aux premiers rangs du pouvoir. Issus comme ce dernier de la roture, les parvenus ne sont pas rares : ainsi Adam Fumée, médecin originaire lui aussi de la région de Tours, et surtout le grand Florimond Robertet Ier, venu du Forez, secrétaire des finances réputé pour sa compétence, sa connaissance des langues et son intelligence souple et subtile, constructeur raffiné de l'hôtel d'Alluye à Blois et du château de Bury dans la forêt de Blois.

Aux États généraux réunis à Tours en 1484, une minorité active des députés avait souhaité que le Conseil soit, au moins partiellement, élu par l'assemblée des trois ordres et constitue donc, dans une certaine mesure, une représentation du royaume. Cette revendication n'a pas abouti ; mais on peut considérer que le Conseil de Charles VIII et de Louis XII comporte des membres émanant de toutes les couches supérieures de la société globale et possède ainsi un certain caractère « représentatif » des forces actives du pays.

L'office du roi

Les réticences à l'égard du pouvoir d'un seul

Le fonctionnement du Conseil témoigne de la diffusion de l'idée selon laquelle un homme seul, fût-il roi, ne saurait faire des choix raisonnables ; les décisions collectives de « bons et notables personnages » semblent nécessairement meilleures. Claude de Seyssel, ce Savoyard passé au service de la France, conseiller au Parlement de Toulouse, diplomate et ecclésiastique (il est évêque de Marseille), exprime ces vues dans son ouvrage écrit en 1515 et publié en 1519 sous le titre de *Grand-Monarchie de France* : « Car il n'est possible qu'un seul homme, ni encores un petit nombre de gens, quelque accomplis qu'ils soient, puissent entendre et manier tous les affaires d'une si grosse monarchie. » Aussi le Conseil doit-il être assez étoffé. En outre, l'individu royal peut être sujet à des pulsions ; le Conseil est là pour l'empêcher de faire « aucune chose par volonté désordonnée ni soudaine » (sect. II, chap. IV). Une maxime résume tout ceci : le roi doit gouverner par grand conseil. Certes, il est des légistes pour critiquer l'exercice collégial du pouvoir ; ainsi François Hallé, avocat du roi et membre du Conseil de Charles VIII, écrit : « Il n'est pas possible d'avoir en la Monarchie per (pair) et compagnon. » Mais une opinion répandue veut que, comme l'écrit Seyssel, la puissance *absolue* (déliée, sans liens) du roi soit freinée et contenue.

**Les trois « freins et restrentifs de la puissance absolue des rois »
selon Claude de Seyssel**

« Et pour parler desdicts freins par lesquels la puissance absolue des rois de France est réglée, j'en trouve trois principaux ; le premier est la Religion ; le second, la Justice ; et le tiers, la Police. [...]

« Quant au premier, il est chose certaine que le peuple de France a toujours été et est encores, entre tous les autres peuples et nations, dévot et religieux [...] Or, vivant le Roi selon la Loi et Religion chrétienne, ne peut faire choses tyranniques [...]

« Le second est la Justice : laquelle, sans point de difficulté est plus autorisée en France qu'en nul autre pays du monde que l'on sache, mesmement à cause des Parlements qui ont esté institués principalement pour ceste cause et à cette fin de réfréner la puissance absolue dont voudraient user les Rois [...]

« Le tiers frein est la Police : c'est à savoir de plusieurs Ordonnances qui ont été faites par les Rois mêmes, et après confirmées et approuvées de temps en temps, lesquelles tendent à la conservation du royaume en universel et particulier. »

(La Monarchie de France, éd. Jacques Poujol, 1961, sect. I, chap. VIII, IX, X et XI.)

Roi et Couronne

Que Charles VIII et Louis XII aient été des rois modérés n'est pas un signe d'indifférence ou d'apathie. Leur personnalité n'est certes pas éclatante, encore qu'il ne faille sous-estimer ni leur intelligence ni leur volonté. Mais ils sont vraisemblablement sensibles à la conception traditionnelle qui fait de leur fonction un *office* au service de la *Couronne,* et qui dissocie la personne et la *dignitas*. Pour Charles VIII, il s'agit du vif sentiment du caractère religieux de sa mission ; en témoigne le texte de cette prière qu'il adresse à Dieu au début de son règne (et peut-être rédigée par lui) :

Sire Dieu, vous m'avez fait régner qui suis vostre serviteur au lieu de mes pères. Je suis enfant et petit en science et ne congnois pas bien la manière comme je me dois conduyre a ung si grand regime. Car mon peuple est en si grande multitude que a pene peut estre nombré ne compté. Doncques, sire, vous donnerez a vostre serviteur cueur prompt, docile et enclin à croyre et ensuyvre bon conseil, affin qu'il puisse bien juger et gouverner vostre peuple et discerner entre le bien et le mal (cité par Yvonne Labande-Mailfert, *Charles VIII et son milieu,* 1975, p. 53).

Quant à Louis XII, il se considère comme le premier des *grands Officiers de la Couronne.* Cette expression désigne les plus hauts dignitaires de l'État : il s'agit, selon la liste établie plus tard, en 1582, du chancelier, chef de la justice, du connétable, chef des armées de terre, des maréchaux, de l'amiral, chef des armées de mer, du Grand Maître de la Maison du roi et du Grand Chambellan, qui a la charge de la Chambre royale. Or Louis XII écrit un jour au Grand Maître : « Vous estes aussi bien officier de la Couronne comme je suis » (cité par G. Zeller, *Les institutions*, 1948, p. 71). Ce mot ne saurait surprendre de la part de celui qui a participé, contre la « tyrannie » d'Anne et Pierre de Beaujeu, sœur et beau-frère de Charles VIII et pourvus de la réalité du pouvoir au début du règne, à la *Guerre folle* (1485-juillet 1488), soulèvement nobiliaire dont les mobiles affichés sont, comme ceux de la *Guerre du Bien public* contre Louis XI (1465), le refus de l'exercice solitaire (ou par deux personnes) du pouvoir.

Les cours souveraines et les « formes ordinaires de la justice »

Les cours sont constituées par des *compagnies* d'officiers du roi, détentrices d'un pouvoir par délégation royale et spécialisées soit dans la justice, soit dans les finances. Leur mode de recrutement sera présenté dans le chapitre 11. Elles sont dites *souveraines* parce qu'elles jugent en dernier ressort.

Les Parlements entre justice et conseil

A l'avènement de Charles VIII, il y a cinq Parlements (Paris, Toulouse, Grenoble, Bordeaux, Dijon). Louis XII en crée deux nouveaux, ceux de Rouen en 1499 et d'Aix en 1501. Ce sont des tribunaux : ils jugent en appel les affaires issues des juridictions inférieures, et en première instance certaines causes particulières (parfois celles des nobles au criminel et celles des personnes qui ont le privilège dit de *committimus*). Des délégations temporaires de ces cours, appelées *Grands Jours* et convoquées par le roi en dehors de leur siège normal, rendent une justice rapide dans les lieux où se sont produits des désordres ou que l'autorité royale atteint mal. Les pairs sont membres de droit du Parlement de Paris ; ils y siègent lorsqu'il est constitué en *Cour des pairs*.

Les Parlements ont aussi d'autres attributions. Ils ont une compétence administrative : ils surveillent les agents royaux, les universités et toute la « police » (voirie, hygiène, approvisionnements, métiers, assistance). Ils rendent des *arrêts de règlement* qui s'imposent aux justices inférieures. Surtout, ils ont un rôle d'*enregistrement*, c'est-à-dire de conservation dans des *registres* des ordonnances et édits royaux ; ils sont coutumièrement autorisés à formuler des critiques sur ces textes, sous forme de *remontrances* au roi. Pour celui-ci, ces remontrances n'ont qu'une valeur d'avis dont il est libre de ne pas tenir compte ; au contraire, pour les membres des Parlements et en particulier de celui de Paris, qui prennent au sérieux leur nom de *conseillers*, elles représentent une contribution indispensable à l'élaboration de la loi. Non qu'ils nient que la décision souveraine ne revienne au roi ; mais ils font valoir que celle-ci ne sera obéie que si elle est librement « vérifiée » par eux. Leur consentement est, disent-ils, le « nœud de l'obéissance » des sujets : ils exercent en effet à leur place le devoir d'examen des lois royales, sans lequel l'obéissance ne serait plus libre et raisonnée, mais aveugle ; ils sont juges de la conformité de ces lois avec les traditions légales et coutumières du royaume, dont ils se veulent les gardiens. Le Parlement de Paris se compare volontiers à l'ancien Sénat de Rome.

A cause de ces fonctions réelles ou revendiquées, et parce qu'il émane de la primitive *Curia Regis*, le Parlement de Paris se pose en rival du Conseil du roi ; de fait, la démarcation qui sépare les activités des deux institutions est encore floue. Comme le Conseil, le Parlement de Paris se veut un roi collectif, dans le sens où il pense incarner la Majesté royale et où il croit devoir défendre celle-ci contre les égarements éventuels du roi-individu. Il est une partie du Corps du roi, *pars corporis regis*, distinct de son corps individuel. Il s'en dit encore le trône : « Est ladite Cour le vray siège et throne du roy [...] dont il est le premier et le chef, *ad instar* du Sénat de Rome, qui estoit constitué de cent hommes, dont l'Empereur estoit l'un et le chef » (remontrances de juillet 1489). Le *Lit de Justice* en est la matérialisation, au sens à la fois symbolique et matériel (le *lit* est le siège pourvu d'un dais, de draperies et de coussins ornés de fleurs de lys sur lequel le roi se tient en majesté quand il vient au Parlement).

Sarah Hanley (*Le lit de justice des rois de France*, 1983, trad. franç. en 1991), soutient qu'il n'y a pas au Moyen Age de *Lit de justice*, au sens de Séance que le roi tient devant le Parlement pour affirmer son monopole législatif ; l'expression, née vers le milieu du XIVe siècle, ne désignerait que le siège royal proprement dit, sauf sous la plume de quelques greffiers. Le premier Lit de justice daterait de 1527. Avant, il n'y aurait que des *Séances royales.* Sur cette théorie, voir les observations de M. Holt (The King in Parliament : the Problem of the Lit de Justice in XVIth-Century France, *The Historical Journal,* 1988, p. 507-523, et celles d'E. Brown et R. Famiglietti *(The Lit de Justice : Semantics, Ceremonial and the Parlement of Paris, 1300-1600),* Sigmaringen, 1994.

Sous Charles VIII et Louis XII ont lieu quelques heurts entre les rois et le Parlement de Paris. Celui-ci s'oppose par exemple à la demande de subvention à la ville de Paris pour financer la première guerre d'Italie. En 1501, il refuse d'enregistrer le don viager du Maine à l'ancien roi Frédéric de Naples. Cependant ces crises ne doivent pas dissimuler la collaboration habituelle qui est de règle sous ces règnes entre le roi et ses Parlements.

Les cours de finances

La Chambre des comptes de Paris, détachée aussi de la *Curia Regis,* vérifie les comptes des officiers comptables et juge les litiges les concernant. Elle est en outre chargée d'administrer le Domaine : elle doit enregistrer les lettres qui l'aliènent par dons, ventes ou concessions d'apanages (ce qui l'oppose au roi si elle juge que ces aliénations sont injustifiées). De façon générale, elle a à connaître des dons royaux, qu'elle peut refuser si elle les juge excessifs. Comme le Parlement, elle estime devoir protéger le Roi-Majesté contre le roi-individu, ce qui motive ses remontrances fréquentes. Elle se déclare « médiatrice entre le peuple et le roi ». Il y a aussi des Chambres des comptes à Aix, à Blois, à Dijon, à Grenoble (celle-ci unie au Parlement jusqu'en 1628) et à Nantes.

La Cour des aides de Paris n'est pas, elle, émanée de la *Curia Regis.* Deux autres cours existent, à Montpellier et à Rouen. Elles enregistrent les édits concernant les impôts (taille, gabelle, aides) et les actes qui modifient le rendement fiscal comme les lettres d'anoblissement ; elles jugent les procès relatifs à la répartition, la levée et la perception.

La Cour des monnaies, rattachée à la Chambre des comptes jusqu'en 1552, n'est érigée en cour souveraine qu'à cette date. Elle enregistre les ordonnances concernant les monnaies, vérifie le travail des ateliers de fabrication, juge les faux-monnayeurs et le contentieux des monnaies.

Enfin, la Cour du Trésor est un organisme menacé de dépérissement : chargée de l'administration et de la juridiction des ressources issues du Domaine, elle fait double emploi avec le collège des Trésoriers de France. En 1544, elle est unie au corps de ceux de la généralité de Paris et n'est plus indépendante.

Les cours souveraines, par l'imbrication de leurs fonctions administratives et judiciaires, mais surtout parce qu'elle font passer les décisions royales par le filtre (elles disent *l'alambic*) de la délibération de leurs compagnies, pensent être les gardiennes du royaume. Cent ans plus tard, en 1605, le président de Harlay rappelle cet idéal à Henri IV : « Les édits sont envoyés au Parlement, non seulement pour la vérification, mais pour en délibérer selon les formes ordinaires de la justice. » Ces *formes ordinaires* sont censées garantir à la fois la force de l'autorité royale et les libertés des sujets.

Messieurs des Finances

L'expression *Messieurs des Finances* sert couramment à désigner le groupe des grands officiers qui a la haute main sur l'administration financière.

Des collèges de techniciens

Le collège des *Trésoriers de France* gère les *finances ordinaires*, recettes provenant du Domaine (comme les rentes foncières, les ventes de bois, les droits seigneuriaux). Ils sont quatre, affectés aux quatre généralités des anciennes provinces (celles qui ont été rattachées depuis Charles VII ont des recettes particulières) : Languedoïl, Languedoc, Normandie, et outre-Seine-et-Yonne.

Le collège des quatre *Généraux des Finances* administre les *finances extraordinaires*, c'est-à-dire les recettes provenant des impôts créés aux XIVe et XVe siècles : la gabelle (sur le sel), les aides (sur les boissons, le poisson de mer frais ou salé, le bétail à pied fourché et le bois), la taille (impôt direct), les traites et impositions foraines (droits de douane). On les appelle « extraordinaires », malgré leur caractère devenu habituel et coutumier, parce qu'elles dérogent au principe selon lequel le roi « doit vivre du sien ».

Les généraux et les trésoriers sont des administrateurs et des ordonnateurs. Ils prescrivent le mouvement des fonds sans les manier eux-mêmes ; mais ils contrôlent les comptables qui le font : les *receveurs ordinaires ou particuliers*, les quatre *receveurs généraux* qui rassemblent les recettes extraordinaires et le *Changeur du Trésor* qui fait de même pour les ordinaires.

L'embryon d'une technocratie patrimoniale

Ces techniciens financiers se réunissent régulièrement en un conseil informel, dans lequel Roger Doucet a vu une sorte de « ministère collectif » qui « étudiait les opérations financières d'ordre général, prescrivait les mesures urgentes, en cas de besoins imprévus, empruntait pour le compte du roi, chacun des membres engageant s'il le fallait son crédit personnel, ou accordant des avances, comme s'il eût été banquier du Trésor » (*Les institutions*, t. 1, p. 287). Surtout, ce « conseil » établit l'*État général des finances*, sorte de budget prévisionnel où les dépenses sont évaluées et assignées à des recettes précises ; les comptables peuvent engager les dépenses ainsi affectées sans formalité.

Les trésoriers et les généraux sont sous la tutelle du Conseil du roi ; celui des membres de ce dernier qui est le moins ignorant des complexités financières sert plus particulièrement de tuteur. Messieurs des Finances sont d'ailleurs souvent appelés au Conseil quand il siège pour les questions de leur compétence, et même dans d'autres cas. Mais il arrive cependant que celui-ci soit bel et bien court-circuité. Un exemple datant du début du règne de François Ier (1516) et relevé par Philippe Hamon dans sa thèse (1994) montre le roi prenant des décisions en tête-à-tête avec les « gens de (ses) finances » (p. 338).

On a donc ici l'embryon de ce qu'on peut appeler une technocratie, malgré l'anachronisme du terme ; contrôler les circuits d'argent est un aspect essentiel du pouvoir, et ce contrôle requiert une compétence difficile à maîtriser. Le talent des techniciens qui y parviennent est redouté car mystérieux. En outre, ils sont en relation avec les puissants marchands-banquiers italiens.

Ces spécialistes se recrutent dans un petit groupe de familles unies par les intermariages : les Beaune, les Briçonnet, les Hurault, les Bohier, les Lallemand. Parmi eux, Pierre Briçonnet, général de Languedoc puis de Languedoïl, jouit d'une puissance considérable.

Cette sorte d'appropriation familiale et patrimoniale de la compétence technique commence aussi à caractériser les milieux parlementaires, auxquels les gens de finance sont d'ailleurs étroitement liés. Mais, dans le cas de ces derniers, la chose apparaît plus dangereuse, parce que leur pouvoir semble de nature occulte et échappe à un contrôle « politique ». Il reviendra à François Ier de les mettre à une place plus strictement subordonnée au Conseil.

Les Assemblées « représentatives »

Ces assemblées, États généraux et provinciaux, assemblées de notables, sont par excellence des lieux de dialogue entre le roi et les sujets. La représentation qu'elles assurent est qualitative et non quantitative. Leurs membres, issus des catégories supérieures, sont censés former la *sanior pars* du royaume, la partie la plus « saine », celle qui, par sa position sociale, sa richesse et sa compétence, semble la plus apte à exprimer au roi les vœux des sujets et à se faire écouter de lui ; ce sont plutôt des mandataires ou des procureurs.

Les États généraux de Tours (1484)

Les États généraux sont la réunion des délégués des trois ordres. Ils ont été convoqués pendant la minorité de Charles VIII, du 15 janvier au 14 mars 1484. L'idée en a été lancée par Louis d'Orléans (futur Louis XII), puis reprise par Anne et Pierre de Beaujeu, qui exercent la réalité du pouvoir au nom du jeune roi. Les séances ont été décrites dans le *Journal* de Jean Masselin, official de l'archevêché de Rouen et député du clergé. Ces États se signalent par trois innovations : l'élection devient le mode de recrutement pour tous les représentants, ceux des deux premiers ordres comme ceux du troisième ; celui-ci est désigné par l'expression *tiers état*, englobant le plat pays comme les villes ; enfin, les bailliages et les sénéchaussées servent de circonscriptions électorales.

A part la question du conseil évoquée plus haut, ces États sont remarquables surtout pour deux raisons. La première est qu'ils ont réussi à obtenir une diminution notable de la taille : de 4 millions elle est passée à 1 million et demi, soit un rabais de 62,5 % ! La seconde est le retentissement qu'a eu le discours de Philippe Pot, député de la noblesse de Bourgogne. Il a affirmé la souveraineté populaire :

> La royauté est une dignité et non une hérédité [...] Comme l'histoire le raconte, et comme je l'ai appris de mes pères, dans l'origine le peuple souverain *(domini rerum populi)* créa les rois par son suffrage [...] N'avez vous pas lu souvent que l'État *(rempublicam)* est la chose du peuple ?

Vieille doctrine que celle du peuple souverain, mais ici formulée avec éclat. En fait, Philippe Pot est un fidèle des Beaujeu, qui inspirent son action contre les princes, parmi lesquels se trouve Louis d'Orléans : ceux-ci en effet réclament la régence pour eux, et les Beaujeu leur opposent la volonté populaire (qui leur laissera effectivement « la garde » du roi). Les États ont choisi « le loyalisme plutôt que la résistance » (Jacques Krynen, *L'empire du roi*, 1993).

Conseils élargis et assemblées de notables

Charles VIII et Louis XII ne réunissent pas à nouveau les États généraux. Ils préfèrent consulter leurs sujets grâce à des assemblées plus réduites et moins coûteuses. Entrent dans cette catégorie les Conseils « élargis », c'est-à-dire augmentés de membres extérieurs éminents, tel celui qui préside à la promulgation de la grande ordonnance sur le fait de justice de mars 1499.

Les assemblées de notables (mais cette appellation date de la fin du siècle) sont des réunions restreintes de personnes désignées la plupart du temps par le roi. En 1506, par exemple, Louis XII veut se dégager de la promesse, faite à Ferdinand d'Aragon pour obtenir la paix à Naples, de marier sa fille Claude à Charles de Gand, petit-fils de Ferdinand et futur Charles Quint ; un tel mariage ferait en effet tomber la Bretagne, dont Claude est duchesse, dans l'orbite habsbourgeoise. Pour reprendre sa parole sans perdre la face, il veut se prévaloir de la volonté de ses sujets. Feignant de céder à une pression populaire sans doute soigneusement orchestrée, il convoque à Tours, du 10 au 21 mai 1506, des envoyés d'une vingtaine de villes du royaume. Ici l'élection est bien le mode de désignation des participants ; mais le caractère partiel de la représentation ne permet pas de qualifier l'assemblée d'États généraux, bien que des relations contemporaines et même Louis XII l'aient fait, sans doute pour en magnifier l'importance. Les députés supplient le roi de donner sa fille à « Monsieur François » (d'Angoulême, futur François Ier), « qui est tout françois » ; c'est à cette occasion qu'ils lui décernent le titre de « père du peuple ». Après approbation de la requête par un Conseil formé des princes du sang, des officiers de la Couronne et de membres du Parlement, Claude et François sont fiancés.

Les États provinciaux

Beaucoup de provinces ont des États réunissant des délégués des trois ordres ; le nombre de ces derniers et leur mode de recrutement sont très variables. Les grandes provinces périphériques en sont pourvues : Bretagne, Bourgogne, Dauphiné, Provence, Languedoc, ainsi que les pays pyrénéens, Comminges, Foix, Bigorre, Béarn, Nébouzan, Quatre Vallées, Soule, Basse-Navarre et Labourd. Les États de Guyenne ont une existence épisodique jusqu'à leur renouveau sous Henri II. Ces provinces sont des « pays d'États ». Mais il peut y avoir des États dans des « pays d'élections » : la collecte de l'impôt se fait alors par les *élus*, officiers royaux. Ce système mixte existe en Normandie, mais aussi en Boulonnais, Auvergne, Bourbonnais, Forez, Lyonnais, Mâconnais (qui est l'un des « pays adjacents » de la Bourgogne), Orléanais, Touraine, Berry, Maine, Anjou, Poitou, Angoumois, Saintonge, Périgord, Limousin, vicomté de Turenne et Marche. Dans la sénéchaussée de Bordeaux, des élus sont introduits par François Ier. La coexistence des élus et des États condamne ces derniers à terme ; ils disparaîtront peu à peu au cours du XVIIe siècle (sauf ceux du Mâconnais).

Durant la Renaissance, les États sont actifs. Ils sont convoqués par le roi ; leur fonction principale est de voter l'impôt, conformément à l'idée traditionnelle selon laquelle le souverain ne peut lever de taxes sans le consentement de ses sujets. Celui-ci, il est vrai, n'est plus demandé à l'ensemble du royaume pour la taille, depuis qu'elle est devenue permanente au XVe siècle. Mais, dans les États provinciaux, le vote des crues de taille et des taxes extraordinaires, considérées comme des « dons gratuits », donne lieu à des marchandages serrés. Pour gagner leur collaboration, le roi confirme les privilèges provinciaux dont ils sont les défenseurs. Les États votent aussi des impôts pour leurs propres besoins. Ils ont souvent le contrôle de la répartition ; en Languedoc, par exemple, l'impôt est réparti entre les *diocèses* civils, puis, dans chacune de ces circonscriptions, entre les communautés par des assemblées appelées *assiettes*, présidées par l'évêque et composées en général d'un noble et de députés des villes. Les États revendiquent la perception, sauf dans les provinces où le roi a réussi à installer des élus ; dans celles-ci, le consentement des trois ordres est quelque peu illusoire. Ils produisent des cahiers de doléances. Ils ont un grand rôle dans la rédaction des coutumes provinciales qui a lieu au cours du siècle. Les États s'occupent aussi de la « police », encouragent l'assistance et l'enseignement, et ont des fonctions économiques (travaux publics, commerce et manufacture).

Outre ces assemblées, il existe des États particuliers aux attributions plus limitées, dépendant des États principaux de la province (ces derniers sont souvent appelés pour cela « généraux »). En Languedoc, ce sont ceux du Velay, Vivarais, Gévaudan, Albigeois et Castrais. En Bourgogne, ceux des « pays adjacents », Charolais (après sa réunion), Mâconnais, comté d'Auxonne et Auxerrois. En Guyenne, ceux du Bordelais, Armagnac, Condomois, Rivière-Verdun ; ceux du Périgord, Quercy, Rouergue, et Agenais sont quasi indépendants.

Il existe aussi des États plus restreints de bailliage ou de sénéchaussée (ou de viguerie en Provence), dont certains se réunissent régulièrement et d'autres épisodiquement. Ces assemblées consentent leurs impôts et les répartissent ; mais leur rôle essentiel a été la rédaction des coutumes. François Ier leur demande en 1529 de ratifier les traités de Madrid et de Cambrai.

Enfin, il y a des assemblées propres à un ordre. A côté du cas particulier des synodes et conciles du clergé, on trouve des réunions de la noblesse et surtout du Tiers (par exemple, en Dauphiné, « l'assemblée des dix villes ») ; en Provence, l'assemblée des communautés, qui se développe au cours du siècle, avec cependant des procureurs de la noblesse et du clergé).

Les États provinciaux ont souvent (ou créent au cours de la période) des structures permanentes qui les représentent dans l'intervalle des sessions, sous la forme d'officiers nommés par eux (syndics ou procureurs, trésoriers, greffiers, secrétaires) ; il y a parfois une commission qui est un « abrégé » des États comme en Dauphiné, Provence, Bretagne, Bourgogne, Périgord, Béarn.

Au début du XVIᵉ siècle, il y existe donc toute une série d'institutions qui offrent une « représentation » (selon les idées du temps) aux sujets. Elles assurent un lien réel entre eux et leur souverain et donnent au régime français le caractère d'une monarchie consultative.

ORIENTATION BIBLIOGRAPHIQUE

Pour l'ensemble, il convient de se reporter aux manuels sur les institutions de Roger Doucet, Gaston Zeller et Roland Mousnier cités après l'Introduction. Pour des aspects plus particuliers :

Michel Antoine, L'administration centrale des finances en France du XVIᵉ au XVIIIᵉ siècle, in *Le dur métier de Roi*, Paris, PUF, 1986, p. 31-60.

Philippe Hamon, *L'argent du roi*, Paris, Com. pour l'Hist. écon. et financ. de la France, 1994, 610 p.

Sarah Hanley, *Le lit de justice des rois de France* (1983), trad. franç. de 1991, Paris, Aubier, 468 p.

Mikhaël Harsgor, *Recherches sur le personnel du Conseil du roi sous Charles VIII et Louis XII*, Lille III, thèse dactyl. soutenue en 1972, 1980, 4 vol.

Yvonne Labande-Mailfert, *Charles VIII et son milieu*, Paris, Klincksieck, 1975, 616 p.

James Russell Major, *Representative Institutions in Renaissance France*, Madison, Wis., 1960, et *From Renaissance Monarchy to Absolute Monarchy : French Kings, Nobles and Estates*, Baltimore and London, Johns Hopkins Univ. Press, 1994, 444 p.

Bernard Quilliet, *Louis XII*, Paris, Fayard, 1986, 518 p.

9. Le nouveau style monarchique
de François Ier (1515-1547)

« Ce gros garçon gastera tout. » C'est en ces termes peu flatteurs que Louis XII aurait exprimé ses appréhensions au sujet de François d'Angoulême. Il est possible qu'il ait craint pour le devenir de la monarchie. La fin de sa vie le suggère. On a beaucoup ironisé sur elle : devenu veuf d'Anne de Bretagne, sa seconde femme (il a fait rompre son premier mariage avec Jeanne de France, fille contre-faite de Louis XI), Louis XII s'est remarié le 9 octobre 1514 avec la sœur de Henri VIII d'Angleterre, Mary Tudor, jeune beauté blonde auprès de laquelle il a accompli si assidûment son devoir conjugal que son organisme prématurément vieilli (il a alors 52 ans) a fini de s'épuiser. Sensualité d'arrière-saison peut-être, mais surtout effort ultime et désespéré pour obtenir enfin une pro-géniture mâle. François aura tremblé jusqu'au bout... Mais Louis XII meurt le 1er janvier 1515 ; à la branche des Valois-Orléans succède celle des Valois-Angoulême. C'est aussi l'avène-ment d'un nouveau style monarchique.

Un roi qui entend être obéi

François Ier a 20 ans lorsqu'il arrive au pouvoir. Élevé « entre deux femmes prosternées » (l'expression est de Michelet pour dési-gner sa mère Louise de Savoie et sa sœur Marguerite d'Angou-lême), le jeune souverain est sûr de lui, énergique, ambitieux et jaloux de son autorité. La guerre en Italie va immédiatement lui permettre de combler son désir de gloire : il remporte la prestigieuse victoire de Marignan (septembre 1515). A l'intérieur du royaume, il fait clairement comprendre qu'il veut être le seul maître.

L'affaire de l'enregistrement du Concordat de Bologne

Très tôt, l'occasion s'offre au roi de manifester sa volonté. Au cours de la Séance royale tenue au Parlement le 13 mars 1515, le premier président ose se plaindre de la pratique des évocations. François Ier lui fait répondre par le chancelier Duprat : « N'entend pas ledit seigneur qu'on lui bride tant sa puissance que en aucun cas il n'en puisse bailler » (texte cité par Roger Doucet, dans son ouvrage essentiel sur les relations du roi et du Parlement, 1921, t. 1, p. 55). Le ton est donné : François Ier tolère mal les « brides ».

Le chancelier Antoine Duprat lui apporte une aide précieuse. C'est un homme dont l'ascension sociale est météorique. Né à Issoire en 1463, descendant de marchands et de notaires, il commence sa carrière comme avocat puis lieutenant général au tribunal du bailliage de Montferrand. Après un bref passage comme avocat du roi au Parlement de Toulouse, le voilà à Paris : en 1503 maître des Requêtes, en 1505 conseiller au Parlement de Paris, en 1507 l'un des présidents de ce Parlement, en 1508 premier président. Le 7 janvier 1515, soit une semaine après l'avènement de François Ier, celui-ci le fait chancelier de France. A ce beau parcours laïque il ajoute une carrière ecclésiastique. Il entre dans les ordres à la mort de sa femme ; il se fait nommer par le roi abbé de Saint-Benoît-sur-Loire (malgré l'opposition des moines) puis archevêque de Sens (malgré le refus des chanoines) ; en 1527, il obtient le cardinalat, puis devient légat pontifical en 1530. Petit robin devenu prince de l'Église et grand serviteur de l'État, c'est un fidèle de François Ier ; il lui apporte l'appui d'une ferme théorie de l'obéissance. « Nous devons obéissance au roi, et n'est à nous de récalcitrer à ses commandements. » Le roi n'a pas à rendre compte de ses actes, ni le sujet à examiner s'ils sont justes ou non. Sinon, « faudroit dire que ce royaume ne seroit monarchie, ains (mais) aristocratie » (Doucet, I, 49).

L'affrontement se produit au sujet de l'enregistrement du

Concordat de Bologne, signé avec Léon X en 1516, qui remplace la Pragmatique Sanction de Bourges (1438). Le Concordat supprime les élections des évêques, des abbés et des prieurs conventuels et en attribue la nomination au roi, le pape accordant l'investiture canonique. Or le Parlement de Paris, par souci gallican de l'indépendance de l'Église de France, tient aux élections. Il refuse donc d'enregistrer le Concordat. Sa résistance dure deux ans. Dans une Séance royale du 5 février 1517, le roi essaie d'imposer sa volonté, sans succès. On le sent déconcerté par cette longue opposition, incertain aussi de l'attitude à adopter. Et puis, brusquement, sa colère éclate : le 28 janvier 1518, devant deux conseillers délégués par le Parlement qu'il a consenti à recevoir, « se coléra aigrement, disant qu'il n'y auroit que un roy en France... et que ce qui avoit esté faict en Italie ne seroit deffaict en France, et garderoit bien qu'il n'y auroit en France un Sénat comme à Venise » (Doucet, 1, 116). Le nom redouté est lâché : Venise, république oligarchique, symbole pour le roi du pouvoir collégial.

Le Parlement finit par capituler, et enregistre le Concordat le 22 mars 1518. Mais il le fait en indiquant que c'est par la volonté expresse du roi ; en outre, il inclut dans son procès-verbal secret une protestation solennelle, par laquelle il s'engage à continuer d'observer la Pragmatique Sanction... L'Université prend alors le relais et se lance dans de longues grèves, sans pourtant de résultat concret. Le Concordat finit par être appliqué.

La reprise en main du royaume après la crise de Pavie (1525-1527)

Après cet affrontement, le roi et le Parlement retrouvent tant bien que mal les voies ordinaires de la collaboration. Mais une nouvelle crise grave offre bientôt l'occasion à François Iᵉʳ de réaffirmer sa volonté d'être obéi.

Le 24 février 1525, le roi charge héroïquement à Pavie, à la tête de ses gendarmes, et se retrouve prisonnier des Espagnols. « De toutes choses ne m'est demeuré que l'honneur et la vie sauve », écrit-il à sa mère. Transféré à Madrid et détenu dans de dures conditions, il finit par signer le 14 janvier 1526 un traité par lequel il cède la Bourgogne et Tournai à Charles Quint, mais qu'il est résolu à ne pas respecter. Il est libéré contre l'envoi de ses deux fils aînés, François et Henri, en otages. Le 17 mars, il passe la Bidassoa et rentre dans son royaume.

Pendant sa captivité, c'est sa mère Louise de Savoie qui exerce la régence depuis Lyon où elle s'est installée avec une partie du Conseil, élargi pour l'occasion. A Paris, le Parlement se charge de la défense de la capitale et de la frontière du Nord. Il se fait aider par une commission d'une centaine de membres, bientôt réduite à une vingtaine, réunissant des officiers royaux et des représentants de la ville, de l'Université et du clergé ; parce qu'elle siège dans une pièce du Palais de la Cité aux murs tendus de vert, on l'appelle *l'Assemblée de la Salle Verte*. Elle tient 35 séances jusqu'au 21 juillet 1525. En fait, les mesures essentielles sont prises surtout par le Parlement : mise en état des remparts de la capitale, approvisionnement, entretien des pauvres, création d'une taxe, maintien de l'ordre. C'est pour la défense de la Picardie que la Cour se risque à des mesures qui sortent de sa compétence : création de commissaires des guerres, réquisition de blé et utilisation des deniers royaux pour payer la défense de Montreuil. La régente ratifie, non sans rappeler tout de même que la tâche du Parlement est la justice.

Enhardis par les circonstances, les conseillers entreprennent une démarche lourde de conséquences : du 23 mars au 10 avril, ils rédigent des remontrances, non pas sur une ordonnance qu'ils auraient à enregistrer, *mais sur l'ensemble de la politique royale*. Ils s'élèvent contre le Concordat et contre la protection que François Ier accorde à des hommes comme Louis de Berquin, Guillaume Briçonnet et le groupe de Meaux (voir chap. 17 et 18). Ils dénoncent les désordres des finances et la vénalité des offices. François Ier est indirectement accusé de violer l'ordre ordinaire du royaume.

C'est au cours de l'été 1527 que le roi réaffirme son autorité humiliée par la captivité et par les audaces du Parlement. Il tient le 24 juillet un *Lit de justice*, le premier selon Sarah Hanley (1991), c'est-à-dire une assemblée de toute la Cour dans la Grand Chambre, présidée par le roi et destinée à manifester le *monopole législatif* royal ; pour l'historienne américaine, l'expression *Séance royale* est désormais réservée aux réunions dans lesquelles le souverain intervient au Parlement comme *juge* suprême. La distinction clairement établie à partir de son règne entre les deux types de séances servirait à François Ier à mettre en évidence la nécessaire séparation entre le législatif et le judiciaire.

Ce jour-là, le président Charles Guillart prononce devant le roi un discours resté célèbre :

> Nous ne voulons disputer de votre puissance. Ce seroit espèce de sacrilège, et savons bien que vous estes parsus (au-dessus) les lois, et que les lois ou ordonnances ne vous peuvent contraindre [...] mais entendons dire que vous ne debvez pas vouloir tout ce que vous povez, ains (mais) seullement ce qui est en raison bon et equitable [...] Ordonner les choses de puissance absolue et non positive est comme les faire sans raison... (Doucet, t. 2, p. 252).

Ce discours est très éclairant sur la doctrine parlementaire du pouvoir. Il reconnaît au roi une puissance absolue, non « liée » *(ab soluta)* par les lois ; mais il demande au roi de soumettre cette puissance absolue à la *raison*, c'est-à-dire, comme le montrent d'autres discours ou écrits parlementaires, à une sorte de bon sens naturel inspiré par Dieu mais qui ne peut s'exprimer que par un consensus collectif, et qui est concrétisé par le droit positif (les lois existantes) du royaume. C'est le refus des décisions d'un seul.

Ulcéré, François Ier rédige avec son Conseil étroit, l'après-midi même du 24, un règlement qu'il vient imposer au Parlement le 26. Le roi lui défend de s'entremettre « en quelque façon que ce soit du fait de l'Estat ny d'autre chose que de la justice ». Les remontrances sont autorisées, mais comme le droit de la Cour de demander des modifications aux ordonnances est dénié, elles perdent toute efficacité. C'est séparer nettement la justice et le Conseil.

Les jours suivants, le roi parachève cette reprise en main : le 27 juillet, il fait rendre un jugement par le Parlement contre le connétable de Bourbon, convaincu de félonie ; le 12 août, il fait exécuter le baron de Semblançay, accusé de malversations (voir chap. 10 et 13). Tout ceci ne veut pas dire que désormais François Ier ne consulte plus ses sujets ; il le fait par exemple dès décembre 1527 en réunissant une assemblée au Parlement (la nature des membres convoqués montre qu'il s'agit d'une assemblée de notables) destinée à légitimer la rupture du traité de Madrid et à obtenir le consentement nécessaire à la levée de la rançon exigée par Charles Quint ; il consulte également les Bourguignons, qui (soumis il est vrai à de fortes pressions des agents royaux) déclarent leur volonté de rester unis au royaume. Mais le roi a réussi l'opération pédagogique de l'été 1527 : montrer qu'il est le seul maître du royaume.

Les inflexions de l'image royale

Parallèlement à cette pratique autoritaire du pouvoir se produi-sent des changements significatifs dans l'image du roi, celle que présentent les tableaux, les peintures murales, les tapisseries, les sculptures, les statues, les gravures, les ornements des arcs de triomphe élevés lors de l'entrée dans quelque bonne ville. Ces modifications traduisent une conception nouvelle de l'autorité monarchique. Pour la première partie du règne, elles ont été remarquablement analysées par Anne-Marie Lecoq (*François Ier imaginaire*, 1987) ; ce qui suit résume ses conclusions.

L'altération insensible de l'image du roi Très Chrétien

L'image royale est traditionnellement interprétée selon deux registres : chrétien et profane. La représentation chrétienne du roi perdure sous François Ier. Il est comparé au Bon Pasteur qui veille sur ses brebis. Cette assimilation au Christ se renforce du thème de la souffrance et du sacrifice, qui se développe parallèlement à celui de la croisade à laquelle sont comparées les expéditions italiennes. Comme le Christ, le roi est « porte-croix » ; comme lui aussi, il est « porte-feu ». L'idée du feu est suggérée par la salamandre, choisie dès 1504 comme animal emblématique, avec cette devise *Nutrisco et extingo* : je me nourris (du bon feu) et j'éteins (le mauvais). On croyait en effet que la salamandre pouvait traverser les flammes sans dommage. Le feu, symbole de la charité, est rapproché du soleil lors d'une fête parisienne le 22 décembre 1518 : ce soir-là, on voit, suspendus à un plafond tendu de bleu pour figurer le ciel, d'une part une salamandre de métal crachant le feu, constellation nouvelle illuminant la nuit, et de l'autre, dans le même axe, un soleil placé au-dessus du roi et éclairant le jour. Le symbolisme solaire a été appliqué au Christ dès les premiers temps de l'ère chré-tienne ; il a été utilisé aussi pour les rois hellénistiques et les empe-reurs romains. Il y a dans cette richesse référentielle matière à un subtil infléchissement du sens religieux du symbole.

A travers la figure du Christ souffrant et lumière du monde, c'est la sacralité du roi oint lors de son sacre, entretenant un rapport particulier avec Dieu, qui est mise en évidence. Mais, dans la conception traditionnelle, c'est la *dignité* royale, la fonction, qui en est la bénéficiaire ; le roi-individu n'est que l'humble porteur de cette sacralité qui le dépasse. Or voilà que sous François Ier celle-ci investit la *personne* royale elle-même, comme si c'était elle qui avait des liens directs et mystérieux avec Dieu. Le fait est censé se manifester par de multiples *signes*. N'est-il pas devenu roi le premier jour de l'an, du mois et de la semaine, lui le premier du nom ? N'a-t-il pas été sacré un 25 janvier, jour anniversaire d'un accident de cheval dont il est « miraculeusement » sorti vivant, et jour de la fête de la conversion de saint Paul ? N'est-il pas le premier qui porte le nom même de son peuple ? L'amour profond qui lie les trois membres de la famille royale, François, sa mère Louise et sa sœur Marguerite – la reine Claude de France est exclue de ce « triangle parfait » exalté par les panégyristes – n'est-il pas la figure de l'union mystique des trois personnes de la Trinité ? Cette personnalisation du sacré prend même une connotation quasi magique ; le renouveau de la philosophie néo-platonicienne et la mode des spéculations astrologiques et kabbalistiques conduisent à affirmer des liens secrets du roi avec le cosmos ou encore avec « l'âme du monde ».

L'héritier de la puissance romaine

Là encore, les nouveautés apparues sous François Ier se greffent sur une longue tradition, postulant le transfert aux Francs, sous Charlemagne, à la fois de la souveraineté impériale et de la culture antique *(translatio imperii* et *translatio studii),* faisant ainsi des rois de France les héritiers des Césars. Mais ces références à l'Antiquité étaient christianisées, métamorphosées par la reconnaissance de la seule royauté du Christ. Le contact avec l'Italie donne aux Français l'occasion de découvrir une vision plus païenne du pouvoir terrestre. Charles VIII voit à Pise, en 1495, un arc de triomphe surmonté de sa statue équestre : c'est-à-dire un monument public élevé à la gloire d'un homme et non plus de celle de Dieu. Louis XII, confronté aux mêmes innovations italiennes, résiste à la tentation :

A Milan, en 1509, Louis XII, vainqueur des Vénitiens, était passé sous des arcs de triomphe et avait été invité à s'asseoir sur un trône placé dans un char doré, en compagnie de la Victoire (qui l'aurait sans doute couronné), de la

Gloire et de la Félicité. Il avait refusé en disant qu'il fallait rendre grâces à Dieu seul de ses succès militaires. Selon un récit italien, il aurait aussi déclaré avec mépris que ce char était une plaisanterie, *cosa da gioco.* Jean Marot en profita pour mettre en parallèle l'attitude de Louis XII et celle de Godefroy de Bouillon entrant à Jérusalem en toute humilité, à l'imitation du Christ. Un peu plus tard, à Lyon, le roi devait refuser également une entrée triomphale avec arc et trophée, pour épargner les finances de la ville et « voullant ensuyvir (suivre) [son] digne surnom de trèscristien » et « donner l'onneur à Dieu de si hault fait sans [s']en vouloir attribuer nulle gloire ne louange » (A.-M. Lecoq, p. 488-489).

Francois Ier n'a pas ces scrupules. Les médailles de 1515 le montrent en *imperator* revêtu d'une cuirasse. En août 1517, lors de l'entrée à Rouen, il peut voir, dressée à l'initiative de Georges II d'Amboise (neveu du grand conseiller de Louis XII) une gigantesque statue équestre à son effigie, premier exemple de ce type en France. Un peu avant, il a découvert, encadrant un échafaud où une salamandre triomphe de l'ours bernois et du taureau d'Uri – allusion à la victoire de Marignan sur les Suisses – deux personnages animés, l'un figurant Atlas, l'autre Hercule : ils symbolisent le roi, nouveau géant capable à lui seul de soutenir le monde et de triompher de toutes les difficultés. La comparaison avec Hercule est reprise ensuite, soit de manière classique avec le héros grec, soit avec l'*Hercule gaulois*, figure mythique que des humanistes exhument des écrits de Lucien (dont les *Œuvres complètes* sont publiées en France en 1496). Dans *Héraklès*, Lucien prétend avoir vu en Gaule Hercule âgé, vêtu d'une peau de lion, armé d'une massue et d'un arc, et traînant ses partisans par des chaînes d'or et d'ambre attachées à sa langue et à son oreille. Les humanistes, dont Érasme et Budé, y voient le symbole de l'éloquence (les chaînes d'or) alliée à la force, et les panégyristes des rois de France s'emparent du mythe. François Ier, en outre, se voit accorder des titres ronflants : « Dictateur des Roys », « plus que César et auguste archiroy des Françoys ». Rien d'étonnant, dans ces conditions, à ce que le roi ait cru pouvoir, en 1519, postuler à l'élection impériale.

Les artisans de l'héroïsation royale

Ces inflexions de l'image du roi ne sont pas vraiment imposées par la volonté de François Ier, sauf exceptions (par exemple, le goût qu'il manifeste pour le thème herculien). Il s'est plutôt laissé porter par son entourage : par sa mère, dévorée d'amour et d'ambition pour celui qu'elle appelle « mon Roy, mon Seigneur, mon César et mon

Filz » ; par des polygraphes dévoués, Jean Thénaud, cordelier angou-
moisin, protégé de Louise de Savoie, et François Demoulins, chanoine de Poitiers, précepteur du jeune François et devenu Grand
Aumônier de France. Ce dernier est particulièrement intéressant :
c'est un critique sévère de l'Église et de ses « abus ». « Il a été auprès
de Louise de Savoie et de ses enfants le représentant avancé de tout ce
courant religieux qui cherchait à resserrer le dialogue entre le fidèle
et son Dieu, par-dessus la tête, si l'on peut dire, du clergé [...]
Demoulins a cherché à faire de l'héritier puis du titulaire du trône un
adepte du libre tête-à-tête avec la divinité. Ainsi la liberté religieuse
du dévôt devait-elle venir compléter la liberté politique du prince –
puisque l'orgueil national voulait que le roi de France tînt sa couronne non pas du pape de Rome, comme l'empereur, mais directement de Dieu » (A.-M. Lecoq, p. 488).

Les manifestations de l'héroïsation royale utilisent des supports
– peintures, sculptures, médailles, enluminures, poèmes, écrits
divers – qui n'ont pas connu une diffusion assez systématique pour
qu'on puisse parler de « propagande ». Lorsqu'elles sont publiques,
comme dans les entrées royales, elles portent plutôt la marque des
attentes des villes qui les ont patronnées ; celles-ci présentent au roi
le modèle auquel elles souhaitent qu'il ressemble. Il s'agit donc de
la matérialisation d'un rêve humaniste propagé par les cercles lettrés et les artistes ; celui-ci transfère sur la personne royale l'idéali-
sation dont sa dignité était auparavant la seule bénéficiaire. Mais le
roi qui se laisse séduire par ces courants d'idées risque de se croire
d'une autre étoffe que le commun des mortels.

L'apport des théoriciens

Cette évolution de l'image monarchique rejoint la réflexion des
juristes qui ont patiemment rassemblé, depuis les XIIIe et XIVe siècles,
un ensemble d'arguments favorables à la toute-puissance du prince.

Les catalogues de droits régaliens

Dans leur lutte contre la féodalité, les juristes ont été amenés à
dresser des listes de droits qui appartiennent au roi ; ils appellent
ceux-ci les *regalia* (droits régaliens), ou encore les *privilèges* du roi, ou

les *jura regia* (droits royaux). A la fin du Moyen Age, ces listes leur servent d'instruments de travail. Le nombre des droits recensés varie selon les auteurs. Sous François Ier paraît l'ouvrage intitulé *Insignia peculiaria christianissimi Francorum regni numero viginti* (20 marques particulières du très chrétien royaume de France), de Jean Ferrault, procureur du roi au pays du Maine, rédigé à la fin du règne de Louis XII et dont l'édition de 1520 est peut-être la première. Il répertorie 20 prérogatives hétéroclites, dont beaucoup concernent l'indépendance du roi de France au temporel et le caractère sans appel de la juridiction royale ; la vingtième concerne la loi salique. L'accroissement de la liste témoigne de l'extension de ces prérogatives : le juriste Barthélemy de Chasseneux, dans le *Catalogus Gloriae Mundi (Catalogue de la gloire du monde)*, en 1529, en dénombre 208 ! Charles de Grassaille, conseiller au présidial de Toulouse, revient à vingt dans son *Regalium Franciae Libri duo (Deux Livres des droits régaliens de France)*, paru en 1538 ; mais le vingtième en synthétise plusieurs (y compris le privilège royal d'avoir deux anges gardiens au lieu d'un...).

Ces catalogues un peu surprenants apportent leur pierre à la construction monarchique, dans la mesure où les droits énumérés sont dits « de souveraineté ». Ils contribuent ainsi à préciser cette notion. Celle-ci est d'ailleurs relativement claire à la fin du XVe siècle. En témoigne cette réponse d'un avocat du roi, en 1481, au duc de Bourbon, accusé d'usurper des prérogatives régaliennes : « En ce royaume il n'y a que ung roy, une corone et une souveraineté. »

L'arsenal des arguments utilisés pour exalter la puissance royale

— *Formules du droit divin tirées de la Bible :*
   « Par moi (Dieu) règnent les rois » *(Per me reges regnant)* : Proverbes, VIII, 15.
   « Tout pouvoir vient de Dieu » *(Non est potestas nisi à Deo)* : Épître aux Romains de saint Paul, XIII, 1.

— *Formules tirées du droit romain (ou inspirées par lui) :*
   « Le prince est délié des lois » *(Princeps legibus solutus est)* : Digeste, I, 3, 31. Maxime invoquée dans les milieux royaux dès le XIVe siècle.
   « Ce que veut le prince a force de loi » *(Quod principi placuit legis habet vigorem)* : Digeste, I, 4, 1.
   « Tout est censé appartenir au prince » *(Omnia principis esse intelligantur)* : constitution de Justinien, C. 7, 37, 3. Les juristes, à partir du XIVe siècle, en tirent l'idée que le roi a le *dominium* (la propriété) sur les biens de ses sujets.
   « Le roi est empereur en son royaume » *(Rex est imperator in regno suo)* : formule apparue sous cette forme au début du XIVe siècle, pour affirmer que le roi a l'*imperium* sur ses sujets. Elle assimile le roi au *princeps* romain. Il peut donc user du droit romain ; la rébellion contre lui est passible de la *lex Julia* de lèse-majesté ; il est la loi vivante *(lex animata)* ; il peut révoquer les lois existantes.

— *Formules tirées du droit canon de l'Église :*
Le pape a «pleine puissance», «plénitude de puissance» *(plenitudo potestatis)* : expression introduite par Innocent III à la fin du XIIe siècle. Elle sert à affirmer la supériorité du pape sur les conciles. Les juristes royaux s'en emparent.

«Le roi ne reconnaît aucun supérieur au temporel» *(Rex superiorem in temporalibus non recognoscat)* : c'est une incidente de la décrétale *Per Venerabilem* (1202), qui sert à affirmer l'indépendance royale à l'égard du pape.

— *La théorie de l'urgente nécessité :*
Elle est couramment admise dès le XIIIe siècle : elle justifie les dérogations aux règles communes en cas de guerre ou autres exigences de l'*utilité publique.*

— *La «certaine science» et le «propre mouvement» du roi :*
La *certa scientia* ou encore le *motu proprio* sont des clausules utilisées par la Chancellerie dès le XIVe siècle, liées à l'*auctoritas,* pour signifier que le roi tire de lui-même la «science» qui le dispense de rendre compte de ses dérogations.

(Tableau établi d'après *L'empire du roi,* de Jacques Krynen, 1993.)

Les juristes et la personnalisation du pouvoir sous François Ier

Comme le montre le tableau ci-dessus, il existe en France depuis au moins le XIVe siècle un répertoire d'arguments en faveur de la toute-puissance du roi. Mais, à la fin du Moyen Age, il était surtout utilisé comme une arme de combat contre l'empereur, la puissance temporelle du pape et les seigneurs féodaux. Bien maîtrisé par un petit nombre de serviteurs du roi, il n'empêchait pas la diffusion de ce «dogme populaire» (J. Krynen) qu'était la nécessité du consentement des sujets, ou de la soumission, dans les circonstances ordinaires, du roi à «la loi», c'est-à-dire aux traditions coutumières et aux lois existantes (l'expression *lois fondamentales,* qui date des années 1570, n'existait pas encore). En outre, l'ambiguïté de l'utilisation des mots «roi» ou «prince» était souvent présente. Derrière l'individu royal se profilait la Majesté, la dignité de sa fonction. Or c'est à celle-ci plutôt qu'au roi-individu que les légistes royaux attribuaient la «pleine puissance». S'ils employaient la formule *princeps legibus solutus est,* ils n'osaient pas encore, semble-t-il, affirmer ouvertement que le souverain lui-même disposait d'un «pouvoir absolu» (J. Krynen, p. 394). La grandeur de la fonction ne masquait pas encore l'humble humanité de la personne ; l'autoritarisme de Louis XI n'a pas modifié vraiment cette perspective.

Dans la première moitié du XVIe siècle, les choses commencent à changer, bien que les idées traditionnelles résistent. On n'hésite plus à dire que l'individu royal possède une puissance absolue. Sous François Iᵉʳ, les serviteurs du roi, comme les chanceliers Duprat et Poyet, exigent une obéissance totale des sujets.

Les juristes humanistes ont contribué à la personnalisation du pouvoir. Le plus grand est Guillaume Budé, maître des Requêtes, qui jouit d'un prestige inégalé dans l'Europe savante pour sa science philologique et sa compétence d'helléniste, de juriste et d'historien. Comme Érasme auprès de Charles Quint, il rêve d'être le conseiller privilégié de François Iᵉʳ. Comme Érasme encore, il se laisse emporter par l'illusion qu'un prince bien conseillé – et quel meilleur guide qu'un humaniste ? – sera nécessairement un « prince-philosophe », à l'image de l'idéal proposé par Platon. A cet égard, le couple humaniste/roi-philosophe n'est pas sans préfigurer celui que formeront le philosophe et le roi « éclairé » du XVIIIᵉ siècle (avec un malentendu de même nature au départ). C'est dans cette perspective qu'il faut comprendre les idées de Budé sur le pouvoir et sur le rapport du roi et de la loi. Dans *L'institution du Prince*, livre offert en 1519 à François Iᵉʳ (mais publié en 1547), il affirme :

> et ne sont point [les princes] subjectz aux loix et aux ordonnances de leur royaume comme les autres se bon ne leur semble, car il est à présumer qu'ils sont si parfaictz en prudence et noblesse et équité qu'il ne leur fault point de reigle et forme escripte pour les astreindre par craincte et par nécessité d'obéissance comme il faut aux autres (éd. C. Bontems, PUF, 1966).

Et Budé d'ajouter la formule chère aux parlementaires selon laquelle le roi ne peut vouloir que ce qui est juste et raisonnable. Cette *présomption* de perfection accordée au roi-individu (bien conseillé), ce refus explicite de « reigle et forme escripte » – nous dirions aujourd'hui de constitution –, cette confiance entière requise des sujets manifestent bien le choix humaniste : se fier à la capacité d'autolimitation du roi plutôt qu'à des institutions ou à des lois.

Les premiers indices d'une influence de Machiavel

Les deux œuvres politiques majeures de l'humaniste florentin Machiavel sont *Le Prince* (1513), dans lequel il étudie le pouvoir d'un seul, et les *Discours sur la première Décade de Tite-Live* (entre 1512 et 1519), où il exalte au contraire le régime républicain. Elles sont publiées pour la première fois en 1531 et 1532 et les premières traductions françaises datent de 1544 *(Discours)* et de 1553 *(Le Prince)*. A la fin du règne de François Ier, Jacques de Vintimille entreprend, sur les instances de l'un des favoris du roi, Jacques de Rambouillet, une traduction du *Prince*, restée manuscrite et dédiée à Anne de Montmorency (G. Procacci, 1995). L'originalité de Machiavel est de proposer une finalité profane aux États et non plus religieuse : durer ; il analyse d'un point de vue séculier les recettes et les techniques que doivent utiliser les hommes politiques pour parvenir à ce but. C'est un bouleversement majeur des perspectives habituelles. Il ne fait pas encore scandale, mais il soulève l'intérêt des milieux de cour.

Une pratique autoritaire, des images et un arsenal théorique exaltant la personne plus que la dignité royale : la convergence de ces trois caractères imprime bien au règne de François Ier un nouveau style, privilégiant l'intériorisation – et non l'institutionnalisation – des freins à la puissance absolue. Ces tendances ne rencontrent, à ce moment-là, que des résistances réduites ; celles-ci ne seront plus explicitement formulées que sous le règne suivant.

ORIENTATION BIBLIOGRAPHIQUE

Jean Barbey, *Être roi*, Paris, Fayard, 1992, 574 p.

Robert Descimon, La royauté française entre féodalité et sacerdoce. Roi seigneur ou roi-magistrat ?, *Revue de synthèse*, 1991, p. 455-473.

Roger Doucet, *Étude sur le gouvernement de François Ier dans ses rapports avec le Parlement de Paris*, Paris, H. Champion, 1921-1926, 2 vol.

Sarah Hanley, *Le lit de justice des rois de France* (1983), trad. franç. de 1991, Paris, Aubier, 468 p.

Jean Jacquart, *François Ier*, Paris, Fayard, 1981, rééd. *ibid.*, 1994, 458 p.

Jacques Krynen, *L'empire du roi*, Paris, Gallimard, 1993, 556 p.

Anne-Marie Lecoq, *François Ier imaginaire*, Paris, Macula, 1987, 566 p.

Jacques Poujol, *L'évolution et l'influence de l'idée absolutiste en France de 1498 à 1559*, thèse dactyl. de Paris-Sorbonne, 1955, 384 p.

Giulano Procacci, *Machiavelli nella cultura europea dell'età moderna*, Roma, Laterza, 1995, 494 p.

10. La conjoncture de guerre :
l'aventure italienne

En 1494 s'ouvre une période belliqueuse pour la France, celle des guerres dites d'Italie, qui s'achèvent en 1559 par le traité de Cateau-Cambrésis. C'est l'inauguration d'une politique expansionniste, cause indirecte d'un renforcement des structures étatiques. Mais, sous Charles VIII et Louis XII, la guerre garde encore des aspects traditionnels : quasi-croisade pour le premier, récupération d'un héritage pour le second. A partir de François Iᵉʳ, d'autres mobiles s'ajoutent : il s'agit, d'une part, de la quête de la gloire, considérée comme indispensable au prestige monarchique, et, de l'autre, du souci de défendre la place de la France dans le nouvel équilibre européen. Ces deux préoccupations sont caractéristiques des guerres des « Temps modernes », menées par les jeunes États territoriaux soucieux d'affirmer leur puissance neuve.

Les premières guerres d'Italie (1494-1516)

Les ambitions conquérantes des rois de France visent deux territoires en Italie : d'abord le royaume de Naples, aux mains d'une dynastie aragonaise, ensuite le duché de Milan, possédé par les Sforza. C'est jeter les fondements d'une politique méditerranéenne d'envergure, dont les enjeux économiques sont évidents, et que les marchands lyonnais et marseillais regardent d'un œil favorable. Mais c'est aussi s'attaquer à des pays dont l'importance stratégique est essentielle. Le premier occupe une position clé en Méditerranée sur la route du commerce avec le Levant. Le second est une zone de passage qui devient vitale pour les Habsbourgs dès lors qu'ils reçoivent l'héritage espagnol (en la personne de Philippe le Beau puis de son fils Charles, ce dernier élu empereur en 1519). L'agression française lèse trop d'intérêts pour être laissée sans riposte.

Charles VIII entre conquête et croisade

Le 29 août 1494, Charles VIII et son armée quittent Grenoble en direction de l'Italie, via le mont Genèvre. Le roi part prendre possession de ce qu'il appelle *son* royaume de Naples. Celui-ci a en effet été légué à son père Louis XI en même temps que la Provence par le neveu de René d'Anjou, Charles du Maine, mort en 1481. C'est un legs imaginaire, puisque la dynastie angevine a définitivement perdu Naples en 1442 ; mais Charles VIII a fait faire des recherches dans les archives pour étayer ses droits et le pape en a reconnu le bien-fondé.

Le legs comprend aussi le « royaume de Jérusalem ». Héritage encore plus imaginaire, puisque les Mamelouks y sont installés (jusqu'en 1517) ; mais les droits en avaient été achetés en 1277 par le fondateur de la première maison d'Anjou. Charles VIII y voit un signe. Des prophéties prédisent qu'un prince français nommé Charles délivrera Jérusalem des infidèles. La Providence semble envoyer un autre signe en la personne de Djem, frère et rival malheureux du sultan Bajazet, retenu de plus ou moins bon gré en France. Enfin, il y a le modèle qu'offre Ferdinand d'Aragon, qui vient, avec Isabelle la Catholique, de vaincre en 1492 le royaume musulman de Grenade. L'heure semble à la croisade. Le saint ermite calabrais François de Paule, fondateur de l'ordre des Minimes, conseiller écouté du roi, l'engage à lutter contre les Turcs. Ces derniers sont de plus en plus inquiétants : après avoir pris Constantinople en 1453 et envahi la péninsule des Balkans, ils font des incursions en Italie (à Otrante en 1480-1482, à Ancône en 1490). La conquête de Naples sera un « saint passage », étape sur le chemin de Jérusalem ; les étendards royaux de soie blanche porteront l'inscription : *Voluntas Dei. Missus a Deo* (Volonté de Dieu. Envoyé par Dieu).

Charles VIII n'est pas le prince médiocre que l'on a souvent dépeint. S'il ne paie pas de mine (il est laid et petit), il ne manque ni de ténacité, ni d'intelligence. Il est vrai que la préparation diplomatique de l'entreprise pèche par trop d'optimisme. Le roi achète la neutralité de l'empereur Maximilien en renonçant à la Franche-Comté par le traité de Senlis en mai 1493 (ce devait être la dot de

Marguerite d'Autriche, dont les fiançailles avec Charles VIII ont été rompues ; Maximilien l'a du reste déjà récupérée). Puis il se concilie Ferdinand d'Aragon en lui abandonnant le Roussillon conquis par Louis XI, par le traité de Barcelone en janvier 1494. Ces deux souverains empochent, mais se retourneront vite contre la France. Seule l'Angleterre, bien pourvue d'écus par le traité d'Étaples en 1492, sera fidèle à la neutralité promise. La préparation militaire et financière, en revanche, est remarquable. Le roi de France dispose d'une armée de 30 000 hommes environ, d'une artillerie redoutable dont une partie, formée de *faucons* montés sur deux roues et traînés par un ou deux chevaux, est d'une grande légèreté, et d'une flotte de près de cent navires. Le 25 janvier 1494, le roi de Naples, Ferrant d'Aragon, meurt, invite supplémentaire.

Le « voyage » italien est presque une promenade militaire. Dès le 22 février 1495, l'armée française entre dans Naples ; les murailles du château Neuf et de celui de l'Œuf ne résistent pas longtemps sous l'artillerie française, dont les boulets de bronze et de cuivre révèlent leur supériorité : les badauds napolitains se postent sur une pente et regardent, ébahis, les canons tirer ensemble cent coups à l'heure. Le vieux système des remparts médiévaux est d'une totale vulnérabilité face à l'artillerie. Le successeur de Ferrant, Alphonse, s'est enfui. Sur le chemin jusqu'à Naples, peu de difficultés ont été rencontrées. L'affaire la plus importante s'est produite en septembre 1494, à Rapallo, près de Gênes, où se trouvaient des troupes napolitaines ; la flotte française est arrivée et ses hommes ont pris terre sous la protection de l'artillerie navale, premier exemple connu d'un tel débarquement (Y. Labande-Mailfert, 1975, p. 280).

La supériorité militaire n'explique pas tout. Bien des Italiens ont appelé Charles VIII à venir les délivrer, et le roi est accueilli presque partout en libérateur. A Milan, le duc Ludovic Sforza dit *le More* est son allié, et profite du passage des Français et de la mort de son neveu Jean-Galéas pour se proclamer duc. A Florence, l'arrivée des Français, que l'ardent moine Savonarole avait prédite à grand renfort d'images apocalyptiques (si saisissantes que le jeune Michel-Ange, à Florence à ce moment-là, s'est enfui épouvanté), est l'occasion pour les Florentins de renverser le pouvoir des Médicis. Charles VIII peut lire, sur des écussons apposés dans la ville, les mots « conservateur et restaurateur de nostre liberté ». Le jour même de son entrée, le roi visite un illustre agonisant :

il veille, en compagnie de Savonarole qui le tient pour un nouveau Cyrus, aux derniers instants de Pic de la Mirandole. Scène puissante : la monarchie prémoderne, l'initiale réforme religieuse et l'humanisme encyclopédique se donnent rendez-vous dans cette chambre mortuaire (E. Le Roy Ladurie, *L'État royal*, 1987, p. 107).

A Pise, c'est du joug de Florence que les habitants se libèrent. A Rome, les Français ont le soutien des cardinaux hostiles au pape Alexandre VI Borgia ; le moindre n'est pas le cardinal Julien della Rovere, le futur Jules II. Charles VIII résiste cependant aux invitations à déposer Alexandre VI. A Naples, les barons napolitains, dont beaucoup s'étaient auparavant réfugiés à la cour de France, se réjouissent de la chute de la domination aragonaise.

La première entrée de Charles VIII à Naples, le dimanche 22 février, est volontairement humble : monté sur un petit mulet, chaussé d'éperons de bois en signe de paix, sans couronne, il a au poing un autour blanc, symbole de la croisade, que lui a donné André Paléologue, héritier des empereurs de Constantinople (G. Le Thiec, 1994). Le 12 mai, il en fait une autre, solennelle. Il tient une pomme d'or sans croix et un lourd manteau de drap d'or. Certains s'inquiètent et croient y voir des insignes impériaux. Mais l'inquiétude n'a pas attendu le 12 mai pour se manifester : le 31 mars s'est nouée une ligue défensive entre Venise, Ludovic Sforza (qui abandonne ainsi l'alliance française), le pape, l'empereur et les rois catholiques. C'est le premier exemple de ces ligues qui se font et se défont au cours des guerres d'Italie, et dont les membres, changeant aisément de camp, paraîtraient d'une déconcertante versatilité si l'on ne se souvenait qu'un principe les guide : s'unir contre quiconque acquiert trop de puissance et menace l'équilibre italien. Cette notion d'*équilibre*, fondamentale, servira de modèle pour l'Europe. Venise, elle, joue son propre jeu : elle ne peut trop mécontenter les Turcs, dont la protection lui est indispensable pour ses comptoirs au Levant, et dont les blés lui sont nécessaires.

Dans le royaume de Naples, les barons commencent à se lasser des Français. L'insuffisance de la flotte et la mort de Djem obligent à reporter le projet de croisade. La situation devient difficile dans ce cul-de-sac qu'est la botte italienne, et les soldats français se mettent à avoir la nostalgie du pays. Il faut rentrer. La retraite est marquée par le célèbre épisode de Fornoue (6 juillet 1495), au cours duquel la *furia francese* bouscule la coalition adverse au débouché septentrional de l'Apennin. Les garnisons laissées dans le royaume de Naples se font peu à peu chasser par le capitaine espagnol Gonzalve de Cordoue *(el gran Capitan)*, et la dernière place tombe en 1497. Le rêve est fini.

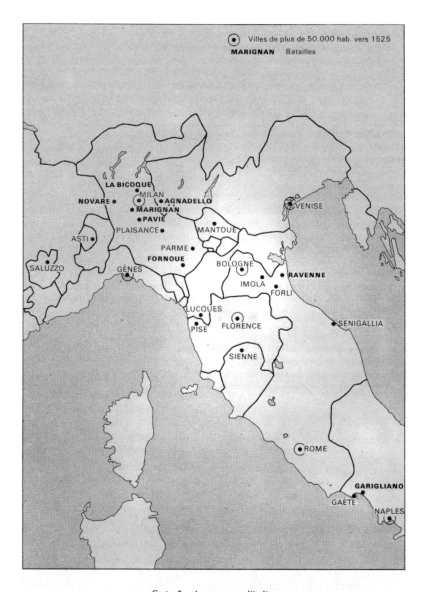

Carte 5 – Les guerres d'Italie

D'après Jean Delumeau, *L'Italie de Botticelli à Bonaparte,*
Paris, A. Colin, 1974, p. 48

La conquête du Milanais par Louis XII

Avec la branche des Valois-Orléans, ce sont les prétentions sur le duché de Milan qui sont mises en avant. La grand-mère paternelle de Louis XII était Valentine Visconti, appartenant à la dynastie évincée par les Sforza. Le roi possède encore le comté d'Asti, aux portes du marquisat de Montferrat, lui-même voisin du Milanais. L'expédition est précédée par l'habituelle préparation diplomatique : l'Angleterre, les Cantons suisses, Venise, et le pape Borgia (qui échange le duché de Valentinois pour son fils César contre l'annulation du mariage de Louis XII avec Jeanne de France). Le roi entre sans grandes difficultés à Milan le 2 septembre 1499. Ludovic Sforza est livré le 10 avril 1500 aux Français par ses propres mercenaires suisses, furieux de ne pas avoir reçu leur solde.

Mais le roi veut plus : il souhaite reconquérir Naples. Mal lui en prend : les Espagnols font donner les troupes de Gonzalve de Cordoue qui remporte une victoire à Cérignoles (28 avril 1503). Le 29 décembre, les Français franchissent le Garigliano en direction du nord ; ils sont talonnés de près par le Grand Capitaine ; Pierre du Terrail, seigneur de Bayard, s'acquiert une renommée de bravoure en se postant sur le pont pour retarder la progression des ennemis. En février 1504, la trêve de Blois pourrait contenter tout le monde : le royaume de Naples aux Espagnols, le Milanais aux Français. Louis XII doit promettre sa fille Claude au fils de Maximilien, Charles de Gand, futur Charles Quint, mais il se tire de ce mauvais pas en convoquant l'assemblée des notables de Blois et en s'abritant derrière son avis : Claude épousera François d'Angoulême.

Jules II orchestre l'expulsion des Barbares français

Le terrible cardinal della Rovere devient pape, et en même temps antifrançais, sous le nom de Jules II en 1503. Michelet en a fait un portrait fameux :

> Jules II, dur et violent Génois, variable comme le vent de Gênes, occupait toute l'attention par ses brusques fureurs, ses prouesses militaires. On riait

d'un père des fidèles qui ne prêchait que mort, sang et ruines, dont les bénédictions étaient des canonnades. C'était un homme âgé et qui semblait octogénaire, très ridé, très courbé, avare, mais pour les besoins de la guerre (cité par H. Lapeyre, *Les monarchies européennes*, Paris, PUF, 1967, p. 123).

Son mot d'ordre est célèbre : *fuori i barbari.* Il faut y voir moins un patriotisme pan-italien – ce serait anachronique – que le souci de l'équilibre traditionnel des pays d'Italie, joint cependant au désir d'expansion de son État.

Il manœuvre habilement : dans un premier temps, il se sert des Barbares honnis. Il suggère à l'empereur Maximilien de former une ligue tournée contre Venise, à laquelle il veut reprendre Ravenne, Rimini et Faenza. C'est la Ligue de Cambrai de 1508, dont le prétexte officiel est la lutte contre les Turcs. Florence y adhère. Le roi de France s'y laisse entraîner et pousse le zèle jusqu'à faire tout le travail : ses troupes battent les Vénitiens à Agnadel (mai 1509). Le pape annexe les villes convoitées et lève l'excommunication qu'il a lancée contre Venise ; il ne lui reste plus qu'à se retourner contre les complaisants « Barbares ».

Il suscite alors une « sainte ligue », cette fois antifrançaise, avec Venise, l'Aragon, les cantons suisses et peu après l'Angleterre. La lutte se fait théologique : furieux, Louis XII provoque la réunion en novembre 1511 d'un concile à Pise, non autorisé par le pape et prêt à le déposer. Mais Jules II convoque au printemps 1512 un contre-concile, celui de Latran V, dont la France finit par admettre la légitimité et qui s'attaque à l'épineuse réforme de l'Église.

Louis XII collectionne alors les échecs. Il a bien un stratège de génie, en la personne du jeune Gaston de Foix, dont la guerre de mouvement étonne l'ennemi ; mais, après avoir remporté la brillante victoire de Ravenne sur les troupes espagnoles et pontificales le 11 avril 1512, celui-ci est tué à 22 ans le soir de la bataille en voulant poursuivre les fuyards. Les Suisses écrasent les Français à Novare (6 juin 1513) et vont jusqu'à narguer Dijon ; le Milanais est perdu. Au sud, les Aragonais conquièrent en 1512 la Haute-Navarre. Au nord, les Anglais alliés aux Impériaux sont vainqueurs à Guinegatte, près de Saint-Omer, en août 1513.

Mais Jules II meurt au début de 1513 ; Louis XII se concilie Léon X en renonçant à son petit concile, qui s'est replié à Lyon, et amadoue Henri VIII en épousant sa sœur Marie. Une fois encore, les gains italiens sont abandonnés.

La revanche de François Ier et la reconquête du Milanais

François Ier, arrière-petit-fils de Valentine Visconti, ne peut rester sur cet échec. En outre, le champ de bataille italien le fascine, car il est pourvoyeur de gloire. Fort de l'alliance vénitienne, François Ier surgit en août 1515 en Lombardie avec une armée de 40 000 hommes en passant par le difficile col de Larche, alors que les Suisses surveillent les passages habituels, le Mont-Cenis et le mont Genèvre. La bataille contre ces rudes fantassins commence près de Marignan dans l'après-midi du 13 septembre 1515. L'artillerie du grand-maître Galiot de Genouilhac fait des ravages dans leurs rangs. La nuit fait cesser les combats, mais non la vigilance : « Toute la nuit demeurâmes le cul sur la selle, la lance au poing, l'armet à la tête », écrit le roi à sa mère. La lutte reprend le lendemain. Vers 8 heures du matin, les cris *Saint Marc ! Saint Marc !* retentissent ; c'est le contingent des alliés vénitiens, conduit par Barthélemy d'Alviano, qui arrive. Les avis sont partagés sur le caractère décisif ou non de leur rôle. A 11 heures, les Suisses abandonnent. Il y a beaucoup de morts, dont un certain nombre, difficile à préciser, de Français. Le biographe de Bayard, le « loyal serviteur », raconte que le roi aurait demandé au « chevalier sans peur et sans reproche » de l'adouber chevalier sur le champ de bataille. Clément Janequin compose la martiale chanson de la victoire :

> Sonnez, trompettes et clarons,
> Pour réjouir les compagnons...
> Bruyez bombardes et canons,
> Tonnez bruyez gros courteaulx et faucons...
> Ils sont confuz ! ils sont perduz !
> Prenez courage ! Après prenez,
> Suivez, frappez, tuez !

Le Milanais est reconquis, et une série de victoires diplomatiques suit. Le 13 août 1516, le traité de Noyon avec le jeune Charles d'Espagne, qui vient de succéder à Ferdinand d'Aragon, reprend les clauses de la trêve de 1504 : le Milanais à la France, le royaume de Naples à l'Espagne. Le 29 novembre 1516 est signée avec les Suisses la « paix perpétuelle » de Fribourg : le roi de France recrutera désormais des mercenaires chez eux, et ils n'en fourniront pas à ses adversaires. Enfin, les 11-14 décembre 1516, c'est la signature du Concordat avec Léon X. Pourtant, la paix est menacée par l'ascension habsbourgeoise.

La lutte contre l'hégémonie des Habsbourgs

L'élection impériale de 1519

En janvier 1519 meurt l'empereur Maximilien. Le Saint-Empire romain germanique est un immense conglomérat de quelque 350 principautés, seigneuries et villes, s'étendant de la Poméranie à l'Italie septentrionale et de la Lorraine à l'Autriche et à la Bohême. L'empereur est élu par sept électeurs : trois ecclésiastiques (les archevêques de Mayence, Trèves et Cologne) et quatre laïcs (le roi de Bohême, le prince-électeur de Saxe, le margrave de Brandebourg et le comte palatin du Rhin). Depuis 1438, c'est un Habsbourg.

Mais Charles, petit-fils de Maximilien, a déjà une puissance redoutable. Il cumule quatre vastes héritages ; que sera-ce s'il devient en outre empereur ? Pour François Ier, il n'y a qu'une solution : se présenter lui-même à l'élection.

Tableau 7 – Les héritages de Charles Quint

Les possessions de Charles d'Espagne encerclent la France ; s'il est élu, la menace sera encore plus grande. Chaque candidat prodigue de grosses sommes d'argent aux Électeurs. Charles, bien soutenu par les banquiers allemands Welser et Fugger, l'emporte : il est élu le 28 juin 1519 et devient l'empereur Charles Quint. Il est désormais tout-puissant pour essayer de récupérer la Bourgogne et même faire valoir ses prétentions sur la Provence et le Dauphiné.

Le conflit est inévitable. Chaque adversaire essaie de gagner l'alliance anglaise : François Ier y échoue, après avoir vainement tenté d'éblouir Henri VIII au camp du Drap d'or en juin 1520, entre Guines et Ardres ; un mois après, Charles Quint, qui rencontre le roi d'Angleterre à Gravelines, y réussit.

Les six guerres du duel Valois-Habsbourg

Première guerre : 1521-1526

1521	La France met à profit la révolte des *Comunidades* de Castille (1520-1521) pour essayer de reprendre la Haute-Navarre.
	Au nord-est, Bayard défend Mézières assiégée par les impériaux.
	Le Milanais est envahi par eux et le duc François II Sforza installé.
1522	Les Français essaient de reconquérir le Milanais. Ils sont battus le 27 avril à La Bicoque.
1523	Le connétable de Bourbon passe au service de Charles Quint.
	Incursion anglaise en Picardie.
1524	Bayard est tué au cours d'une retraite, arquebusé dans le dos.
	Le connétable de Bourbon envahit la Provence.
24 février 1525	Désastre de Pavie. François Ier est prisonnier.
13 janvier 1526	Traité de Madrid : abandon de la Bourgogne et de la suzeraineté sur la Flandre et l'Artois, réintégration du connétable dans ses biens.

Deuxième guerre : 1527-1529

22 mai 1526	Formation par François Ier de la Ligue de Cognac avec le pape Clément VII, Venise, plusieurs princes italiens.
	Les États de Bourgogne refusent la cession de leur province.
Mai 1527	Le connétable de Bourbon meurt sous les murs de Rome assiégée.
	Les lansquenets de l'armée impériale qu'il commandait, furieux de n'être pas payés, saccagent Rome.
Été 1527	Le maréchal de Lautrec reconquiert en partie le Milanais.
Printemps 1528	Lautrec reconquiert partiellement le royaume de Naples.
Été 1528	La flotte gênoise d'Andrea Doria abandonne le camp français et lève le blocus maritime de Naples. L'armée de Lautrec qui assiège la ville est anéantie avec son chef par une épidémie.
3 août 1529	Traité de Cambrai, dit « Paix des Dames » (Louise de Savoie et Marguerite d'Autriche) : François Ier garde la Bourgogne et doit payer 2 millions d'écus d'or pour sa rançon.
Juillet 1530	François Ier épouse en secondes noces Éléonore, sœur de Charles Quint.

Troisième guerre : 1536-1538

Octobre 1535	Mort du duc de Milan François Sforza. François Ier revendique le duché pour son fils.
Janvier-février 1536	François Ier occupe la Bresse, le Bugey, la Savoie et le nord du Piémont.
13 avril 1536	Charles Quint, au retour de Tunis, dénonce à Rome devant le pape Paul III la déloyauté de François Ier et appelle ce dernier en combat singulier.
Juin 1536	L'armée de Charles Quint envahit la Provence. Au nord, les impériaux envahissent la Picardie.
18 juin 1538	Trêve de Nice, à l'instigation de Paul III.
14-16 juillet 1538	François Ier et Charles Quint se rencontrent à Aigues-Mortes.
Novembre 1538 - janvier 1539	L'empereur passe par la France pour châtier Gand.

Quatrième guerre : 1542-1546

Octobre 1540	Charles Quint donne l'investiture du Milanais à son fils Philippe.
Juillet 1542	François Ier ouvre les hostilités. Prétexte : assassinat de deux de ses envoyés, Rincon et Fregoso, par les impériaux.
Juillet 1544	Victoire de Cérisoles, en Piémont, par le comte d'Enghien.
Été 1544	Invasion de la Champagne par Charles Quint. Henri VIII assiège Boulogne.
15 septembre 1544	Paix de Crépy-en-Laonnois avec l'empereur. Charles, dernier fils de François Ier, aura le Milanais (mais il meurt peu après). La guerre continue avec les Anglais, qui prennent Boulogne.
7 juin 1546	Paix signée à Ardres avec Henri VIII, qui s'engage à rendre Boulogne (restitué contre argent en 1550).

Cinquième guerre : 1552-1556

Avril 1552	Henri II conquiert Metz, Toul et Verdun. A Parme, Octave Farnèse appelle l'appui de la France.
Juillet 1552	Sienne se place sous la protection française.
Octobre 1552	Siège de Metz par Charles Quint. François de Guise défend la place ; les impériaux se retirent en janvier, décimés par le typhus.
1553	La Corse se soulève contre les Gênois et se rallie à la France.
17 avril 1555	Monluc capitule dans Sienne assiégée après une défense héroïque.
Octobre 1555 - janvier 1556	Charles Quint cède les Pays-Bas à son fils Philippe puis l'Espagne et ses possessions d'Italie et d'Amérique.
6 février 1556	Trêve de Vaucelles. La France garde la Corse, la Savoie, le Piémont.
Septembre 1556	Ferdinand, frère de Charles Quint, roi de Hongrie depuis 1526, reçoit les biens héréditaires des Habsbourgs et la perspective de l'Empire.

Sixième guerre : 1557-1559

Septembre 1556	Le duc d'Albe envahit les États du pape, qui a signé un accord avec la France pour chasser les Espagnols de Naples.
Début 1557	Henri II envoie un secours au pape. Le duc de Guise, à la tête des forces françaises, attaque le royaume de Naples.
10 août 1557	Désastre de Saint-Quentin : l'armée commandée par le connétable Anne de Montmorency, envoyée pour secourir la ville assiégée par le duc de Savoie, est écrasée.
6 janvier 1558	Prise de Calais par François de Guise, qui prend aussi Thionville.
Juillet 1558	Défaite française de Gravelines.
2-3 avril 1559	Traité de Cateau-Cambrésis. La France renonce à Naples et Milan, rend la Corse, la Savoie, le Piémont, garde le marquisat de Saluces et 5 villes dont Turin et Pignerol. Elle conserve Metz, Toul, Verdun, Calais.

Les principaux aspects de l'affrontement

Les guerres qui se déroulent à partir de 1521 présentent des caractères nouveaux. Il y a d'abord l'ampleur terrible du choc provoqué dans la conscience des chrétiens et dans les espérances humanistes par la brutalité du sac de Rome en mai 1527. Pendant huit jours, les lansquenets luthériens de l'armée impériale font régner l'horreur dans la ville : les églises et les palais sont pillés, les prêtres rançonnés et torturés, les religieuses violées, certaines peintures couvertes de graffiti. Le pape Clément VII, enfermé dans le château Saint-Ange, assiste impuissant au désastre. La vengeance de Dieu semble s'être abattue sur l'orgueilleuse capitale. L'élan de la Renaissance italienne est atteint.

Un autre caractère est le déplacement du champ de bataille de l'Italie vers la France, en particulier à partir de la guerre de 1536-1538. Au nord et à l'est, deux provinces ont particulièrement souffert : la Picardie et la Champagne. A la fin des guerres, de larges zones picardes sont dévastées. En Champagne, Vitry est incendiée et devra être reconstruite avec un plan neuf (en damier) ; Saint-Dizier, Château-Thierry, Épernay subissent des destructions importantes ; les récoltes du plat pays sont périodiquement anéanties. Au sud, la Provence a été envahie deux fois, en 1524 et 1536 : la deuxième, Montmorency ravage systématiquement la campagne pour que l'empereur ne trouve pas à s'approvisionner. Le coût de la guerre n'est plus, comme avant, supporté par l'étranger.

Autre caractère important : le développement du système des alliances de revers, au besoin avec les « infidèles ». Les Turcs se révèlent ainsi des alliés utiles, que Louise de Savoie commence à rechercher pendant la captivité de son fils. Ils menacent l'empereur en remportant la victoire de Mohacs en Hongrie en 1526 et en mettant le siège devant Vienne en 1529. François Ier envoie régulièrement des émissaires au sultan, qui concluent avec lui des accords informels, commerciaux et peut-être militaires en 1536 (les *capitulations*). En 1543, la flotte ottomane participe au siège de Nice puis hiverne à Toulon, ainsi un temps turquifiée ; en 1553, elle aide à la conquête de la Corse. Les Écossais, depuis 1542 sous la régence de Marie de Lorraine, sœur des Guises, jouent le même rôle contre les Anglais. Quant aux princes luthériens allemands, ce sont plutôt pour l'empereur des ennemis de l'intérieur. Les frères Guillaume et Jean du Bellay sont envoyés auprès des membres de la Ligue de Smalkalde, constituée en 1531, et signent en mai 1532 un accord avec eux. La conquête de Metz, Toul et Verdun en 1552 (le « voyage d'Allemagne ») est faite avec leur autorisation, et Henri II se pare du titre de « défenseur de la liberté germanique ».

Enfin, il faut noter l'interférence croissante des problèmes religieux. L'attention de Charles Quint est de plus en plus accaparée par les progrès de la Réforme ; malgré l'écrasement de la Ligue de Smalkalde à Mühlberg le 24 avril 1547, il doit accepter d'abord un compromis, l'*Intérim* de 1548, qui autorise la communion sous les deux espèces du pain et du vin et le mariage des prêtres, puis la paix d'Augsbourg en septembre 1555, qui prévoit implicitement en Allemagne le principe *cujus regio, ejus religio* (la religion du prince doit être celle de ses sujets). En France, le roi veut aussi lutter contre les réformés. La paix de 1559 est conclue non seulement parce que Henri II et Philippe II ne peuvent plus financer la guerre, mais aussi parce qu'ils souhaitent avoir les mains libres pour vaincre l'hérésie. Ainsi sont abandonnées d'un trait de plume la plupart des conquêtes italiennes, à la colère de bien des gentilshommes français, dont Monluc.

« L'art de la guerre »

C'est le titre d'un ouvrage de Machiavel, paru en 1521 et traduit en français en 1546, qui évoque les progrès militaires du début du siècle.

La cavalerie

Les troupes fournies par *le ban et l'arrière-ban* rassemblent en principe les possesseurs de fiefs pour un service limité à trois mois dans le royaume ou à quarante jours au-dehors. Mais les exemptions sont nombreuses ; les roturiers et parfois les nobles peuvent payer une taxe au lieu de servir en personne ou fournir un remplaçant. Il y a dans la première moitié du siècle une dizaine de levées générales et autour de 80 levées limitées à une province. Elles se font plus rares ensuite ; leur utilité militaire est relativement faible.

La cavalerie lourde ou *gendarmerie* est formée par les *compagnies d'ordonnance,* créées par Charles VII. On en compte l'effectif en *hommes d'armes* (la vieille unité de la *lance* est définitivement abandonnée en 1534, bien que le mot continue à être employé). Chaque compagnie comprend de 30 à 100 hommes d'armes, pourvus de l'armure complète à casque fermé et armés de la grande lance et de l'épée. Leur efficacité est dans leur puissance de choc : lance en avant, au galop de leurs énormes chevaux caparaçonnés de fer, ils peuvent facilement enfoncer les lignes ennemies. Mais malheur à eux s'ils tombent. Une fois à terre, il leur est presque impossible de se relever, écrasés qu'ils sont sous le poids de leur armure (François Iᵉʳ, cet athlète, est l'un des rares à pouvoir le faire) ; ils sont alors la proie des couteliers, qui glissent leurs couteaux dans les joints de leur cuirasse, ou des arquebusiers qui y insèrent le canon de leur arme.

A leurs côtés combattent des *archers* à cheval, à l'armure plus légère, qui ont remplacé l'arc par une petite lance et une épée. Sous Henri II les uns et les autres ont souvent des pistolets. L'ordonnance de 1534 consacre un état de choses existant en fixant le nombre des archers à une fois et demie (au lieu de deux) celui des hommes d'armes : une compagnie de cent hommes d'armes comprend donc 250 combattants. L'homme d'armes est suivi aussi de non-combattants : un page, qui apprend le métier de la guerre, et un ou deux serviteurs pour le soin des chevaux. Les couteliers semblent avoir disparu dans les années 1530.

L'encadrement est formé par le capitaine de la compagnie, toujours un membre de la haute ou moyenne noblesse, le lieutenant qui commande en son absence (fréquente lorsqu'il s'agit d'un grand), un enseigne, un guidon, un maréchal des logis et un fourrier. Le capitaine reçoit des lettres d'office ; mais sa charge n'est ni vénale ni héréditaire (H. Michaud, 1977). Il recrute sa compagnie parmi ses réseaux provinciaux de parents, voisins, amis et clients ; les combattants, presque tous nobles, portent sa livrée. Il peut ainsi récompenser des fidélités personnelles ou s'en acquérir. Le caractère public est assuré par le paiement sur les deniers royaux : il se fait à la suite de *montres* (revues) trimestrielles sous la surveillance de *commissaires* et de *contrôleurs* ordinaires des guerres, par un *trésorier*. La comptabilité est centralisée par deux *trésoriers de l'Ordinaire des guerres*, qui affectent au paiement de la gendarmerie les recettes de la taille et après 1549 du taillon.

L'importance relative de la cavalerie lourde, de plus en plus inadaptée aux conditions nouvelles, diminue (l'effectif reste de 6 000 hommes environ pour une armée qui passe de 30 000 hommes en 1494 à 50 000 en 1558).

La cavalerie légère des *chevau-légers* manœuvre avec plus de facilité. Les capitaines de ces compagnies reçoivent des commissions du roi. Il y a parmi elles des corps spécialisés. Les *arquebusiers à cheval* sont très utilisés dès la fin du règne de François Ier, mais il en existe déjà un corps en 1494-1495 (l'*arquebuse* est alors une invention toute récente), celui du fameux capitaine lorrain Domjulien, dont les cavaliers terrorisent les ennemis, le visage noir de poudre, au cri de *Diavolo ! Diavolo !* Sous Henri II apparaissent les *pistoliers* allemands à cheval, parfois appelés *reîtres*, nom qui restera par la suite.

L'infanterie

Elle prend une importance croissante. Les francs-archers, créés en 1448 (chaque paroisse devant fournir un homme, roturier mais exempté de taille), peu utiles, sont supprimés en 1535. L'année précédente, en 1534, François Ier crée une infanterie sur le modèle romain : sept *légions* de 6 000 hommes chacune sont fournies par les principales provinces. Le recrutement se fait par volontariat. Les cadres (colonels, capitaines, lieutenants) sont le plus souvent des gentilshommes ; les soldats forment une réserve, assemblée pour deux « montres » par an ou à l'occasion de combats. En fait, ces troupes, efficaces au début, finissent par servir surtout de garnisons ou de forces d'appoint ; malgré une réorganisation en 1558, elles disparaissent au début des guerres de Religion.

La solution la plus couramment adoptée est celle de bandes de gens de pied, formées de professionnels : soit des volontaires ou *aventuriers* français (Dauphinois, Provençaux, Normands et surtout Picards et Gascons) soit des mercenaires étrangers (Suisses, Allemands, Écossais, Italiens, Corses). Comme elles sont recrutées en principe seulement en cas de conflit, contrairement à la gendarmerie permanente, elles dépendent (de même que les chevau-légers) d'un puis deux commis de l'*Extraordinaire des guerres*, auxquels se rattachent les *commissaires* et *contrôleurs* qui s'occupent du paiement. Mais dès le règne de Henri II on distingue les « vieilles bandes », qui sont devenues pratiquement permanentes (et alors rattachées à l'Ordinaire), des « nouvelles bandes » levées pour les besoins d'une campagne spécifique. Chaque bande ou compagnie peut compter de 200 à 500 hommes, 1 000 exceptionnellement. Les Suisses ou les *lansquenets* allemands sont répartis en *enseignes*, elles-mêmes regroupées en *régiments*. Ce type de regroupement n'apparaît pour les Français qu'en 1560, sur le modèle des *tercios* espagnols, à l'instigation du duc de Guise.

Le recrutement des mercenaires français se fait par commission, souvent adressée aux gouverneurs qui transmettent à des capitaines. Ceux-ci sont la plupart du temps d'origine roturière ; l'infanterie est pour eux un formidable moyen d'ascension sociale. Au-dessous d'eux, un lieutenant, un enseigne, deux sergents, cinq caporaux, quinze lanspessades, un fourrier. Les « montres » sont mensuelles. L'approvisionnement est contrôlé par des *commissaires aux vivres*, qui s'entendent avec les corps de ville ou des *marchands munitionnaires*. Les armes sont la pique ou la hallebarde, et l'arquebuse ; à la fin des guerres, la proportion des arquebusiers par rapport aux piquiers passe du quart au tiers. La formation du *carré suisse* sert de modèle : les arquebusiers devant les piquiers (ou, ensuite, autour d'eux). Les allemands sont recrutés par l'intermédiaire de véritables « entrepreneurs de guerre », qui louent leur armée au plus offrant.

Le commandement général des Français est confié à des *colonels* de gens de pied sous le règne de François Ier. Sous Henri II existent deux colonels généraux, l'un pour l'infanterie « delà les monts », l'autre avec le titre de *colonel général de l'infanterie de France*. La charge est réduite à une seule en 1569 et devient en 1584 un office de la Couronne. Sous les colonels se trouvent des *mestres de camp*.

Artillerie et fortifications

Les guerres d'Italie ont accru l'importance des sièges et démontré la puissance de l'artillerie. Les hautes courtines crénelées et les grosses tours médiévales révèlent leur fragilité à l'épreuve des canons. Les ingénieurs italiens trouvent la riposte : ils inventent le *bastion*, qui permet de multiplier les angles de tir, et le *profil remparé*, avec des remparts bas, à la maçonnerie peu épaisse, protégés au-delà du fossé par un remblai de terre, le *glacis*, où viennent s'enfouir les boulets. L'architecte Sanmicheli de Vérone imagine des bastions à *orillons* (aux flancs rentrants) en 1527. En 1536, les Français adoptent le système des bastions pour la fortification de Turin. Après 1540, le nouveau style se répand lentement ; il est utilisé en particulier pour la reconstruction de Vitry-le-François en 1545. L'art du siège devient plus difficile ; le rôle des *pionniers*, qui creusent les tranchées d'approche, et des *pétardiers*, qui posent des mines au pied des remparts, prend de l'importance. La guerre change de visage : elle est de moins en moins affaire de prouesse individuelle ; le calcul mathématique et la stratégie jouent un rôle croissant.

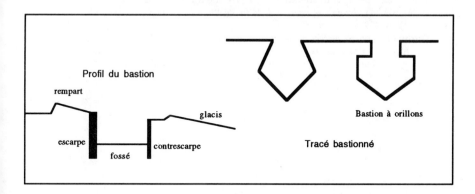

Le traité de Cateau-Cambrésis consacre un nouvel équilibre européen, sanctionné par un double mariage : la fille et la sœur de Henri II, Élisabeth et Marguerite, épousent respectivement le roi d'Espagne et le duc de Savoie. La frontière du Nord est précisée et consolidée. La menace habsbourgeoise est provisoirement écartée.

Les retombées culturelles sont, par ailleurs, immenses. Enfin, l'administration des commissaires, trésoriers et contrôleurs des guerres s'est étoffée ; l'Italie a servi de laboratoire pour les institutions monarchiques. L'épuisement financier est ainsi pallié par un renforcement du pouvoir de l'État.

ORIENTATION BIBLIOGRAPHIQUE

Michel Antoine, Institutions françaises en Italie sous le règne de Henri II, *Mél. de l'Éc. fr. de Rome*, 1982, p. 760-818.

Jean-Pierre Bois, *Les guerres en Europe, 1494-1792*, Paris, Belin, 1993, 320 p.

André Chastel, *Le sac de Rome : du premier maniérisme à l'art de la Contre-Réforme*, Paris, Gallimard, 1984, 376 p.

Ivan Cloulas, *Charles VIII et le mirage italien*, Paris, A. Michel, 1986, 278 p.

Philippe Contamine, Naissance de l'infanterie française (milieu XVe - milieu XVIe siècle), *Avènement d'Henri IV. Quatrième centenaire. Colloque I - Coutras 1987*, Pau, J. et D. éd., 1988, p. 63-88.

André Corvisier (sous la dir. de), *Dictionnaire d'art et d'histoire militaires*, Paris, PUF, 1988, 896 p. ; *Histoire militaire de la France*, t. 1 : *Des origines à 1715*, dir. Philippe Contamine, PUF, 1991, 648 p.

Guy Le Thiec, « *Et il y aura un seul troupeau* ». *L'imaginaire de la confrontation entre Chrétiens et Turcs dans l'art figuratif en France et en Italie, de 1453 aux années 1620*, thèse dactyl., 1994, Univ. de Montpellier III, à paraître.

Georges Livet, *L'équilibre européen de la fin du XVe à la fin du XVIIIe siècle*, Paris, PUF, 1976, 232 p.

Ferdinand Lot, *Recherches sur les effectifs des armées françaises des guerres d'Italie*, Paris, SEVPEN, 1962, 288 p.

Hélène Michaud, Les institutions militaires des guerres d'Italie aux guerres de Religion, *Revue historique*, 258 (1977), p. 29-43.

11. L'affermissement de l'appareil d'État sous François Ier et Henri II (1515-1559)

La conjoncture guerrière entraîne deux conséquences : d'une part l'exigence d'efficacité est accrue : il faut que les décisions royales soient prises avec rapidité et exécutées sans délai ; de l'autre, l'argent tend à manquer : les recettes doivent augmenter et l'administration financière doit être perfectionnée. François Ier et Henri II ont eu l'énergie et l'habileté de mettre à profit les guerres dans lesquelles ils ont lancé la France pour affermir et renforcer l'appareil d'État. La construction monarchique apparaît ainsi comme étant à la fois le produit des circonstances et l'effet d'une volonté politique, non de « centralisation » comme on le dit parfois, mais plutôt d'amélioration de l'action des agents du roi et de contrôle de leurs initiatives.

L'évolution du Conseil du roi

Le Conseil conserve une compétence universelle. Les noms qui le désignent sont encore variables ; celui qui finira par s'imposer à la fin du siècle est *Conseil d'État*. Quand il siège en séances consacrées à tel ou tel domaine, préfigurations de sections spécialisées, il prend des noms particuliers (Conseil étroit ou des affaires, Conseil des parties, Conseil des finances) ; mais c'est toujours le même organisme unique.

Le Conseil étroit, laboratoire de la puissance absolue

La section étroite du Conseil s'impose lentement. Elle est composée d'un petit nombre de conseillers choisis, que le roi appelle pour leur compétence : leur présence dépend de la *volonté royale*, exprimée par un acte spécial (un *brevet*). Pour comprendre la portée de ce recrutement, il faut se souvenir qu'il y a, dans le Conseil large, deux sortes de conseillers : ceux qui y figurent en vertu de leur *naissance* et/ou de leur *dignité* (les princes du sang, qui se considèrent comme les « conseillers-nés » du roi, les autres pairs, les grands officiers de la couronne, en particulier le chancelier, le connétable, l'amiral et le grand maître, les membres des grands lignages) et ceux que leur expérience et leur savoir désignent au choix du roi. Tous ces membres sont dits *conseillers d'État* (le titre de *conseiller du roi* est porté par beaucoup d'autres, comme les conseillers des cours souveraines). Dans la longue durée, le roi tendra à privilégier le premier des trois critères de présence (choix royal, naissance et dignité) : sans s'empêcher de *choisir* un prince du sang ou un duc et pair, il fera peu à peu en sorte que la qualité n'assure plus une présence *automatique* au Conseil.

Sous François Ier et Henri II, l'évolution est loin d'être achevée. Mais ces rois, pour échapper aux Conseils trop larges, systématisent, comme l'avait fait parfois Louis XI, le recours à un petit groupe de conseillers intimes jouissant de leur faveur (donc dépendants), et ils prennent avec eux les décisions les plus importantes. L'effectif de ce groupe varie entre deux et dix personnes. Ce *Conseil étroit*, ou encore *Conseil des affaires*, est appelé aussi quelquefois *Conseil secret* : en effet, écrit Roger Doucet (*Les institutions*, t. 1, p. 142), il « n'avait pas de procédure régulière : on ne rédigeait point de procès-verbaux de ses délibérations, qui étaient purement consultatives et ne comportaient aucune résolution formelle. C'était là, toutefois, que se préparaient les décisions essentielles de la politique royale ». Ce conseil se distingue donc du Conseil d'État large. Au début du règne de Charles IX, un ambassadeur vénitien, Michel Suriano, qui le croit créé par François Ier, y voit l'instrument du pouvoir absolu :

> Le Conseil des affaires, où se délibère ce qui touche l'État en général, est composé de bien peu de personnes, qui sont dans l'intimité du roi. Quelquefois, c'est un seul homme qui est tout le conseil, comme le connétable

du temps du roi Henri, et le cardinal de Lorraine, du temps du roi François [II]. Ce conseil est nouveau ; il a été fondé par François Ier, qui n'aimait pas à avoir beaucoup de conseillers, et qui fut le premier à prendre sur les affaires de l'État de grandes décisions de son chef [...] C'était dans le Conseil privé [nom donné ici au Conseil du roi au sens large] qu'on discutait auparavant les points les plus importants du gouvernement de l'État, maintenant ce Conseil ne connaît que des choses ordinaires qui doivent être réglées par les constitutions du royaume, ou bien celles dont le roi n'aime pas à s'occuper. Ainsi, dans le Conseil des affaires, le roi exerce son pouvoir absolu ; dans le Conseil privé, il exerce son pouvoir ordinaire (*Relations des ambassadeurs vénitiens sur les affaires de France*, éd. par N. Tommaseo, Paris, 1838, t. 1, p. 513-515).

Suriano oppose ainsi deux sortes de pouvoirs, selon une vieille distinction établie au XIIIe siècle par le théologien Hostiensis : le *pouvoir ordinaire* se conforme aux lois (« constitutions ») du royaume ; le *pouvoir absolu* s'en dispense.

Les autres sections du Conseil

Le Conseil du roi au sens large est moins nombreux au début du règne de François Ier que sous Louis XII, mais il s'étoffe ensuite peu à peu. Ses effectifs sont difficiles à chiffrer avec précision ; il y a une quarantaine de membres environ à la fin du règne de Henri II. Le roi n'y assiste plus régulièrement.

De manière générale, il s'occupe de justice administrative, de finances et de « police ». En outre, à partir des années 1530, malgré le détachement du Grand Conseil en 1497-1498, il recommence à fonctionner comme tribunal pour les requêtes et affaires judiciaires présentées au roi par des particuliers ; les séances consacrées aux procès civils prennent alors le nom de *Conseil des parties* ou parfois *Conseil privé* (parce que la justice y est rendue entre « parties privées »). Les requêtes y sont rapportées par les *Maîtres des Requêtes de l'Hôtel du roi*, qui sont 16 en 1553, 29 en 1558 (M. Etchechoury, 1991). Ce sont des officiers de justice, composant par ailleurs le tribunal des requêtes de l'Hôtel ; ils rapportent aussi devant le Grand Conseil et peuvent siéger au Parlement de Paris. Dans la deuxième moitié du XVIe siècle, ces séances sous forme de tribunal se détacheront plus nettement pour former un Conseil séparé du corps principal, ce dernier étant de plus en plus appelé le Conseil d'État. Les maîtres des requêtes se sentiront alors lésés d'être cantonnés dans cette section.

De la même façon, il existe des séances spécialement vouées aux affaires financières, et qui peuvent porter le nom de *Conseil des finances*. Leur rôle est accru après les réformes de 1523-1524, car le Conseil informel des généraux des finances et des trésoriers de France s'efface. Les affaires y sont rapportées par les *intendants des finances* (créés au nombre de trois en 1552), qui ne sont pas des officiers comme les maîtres des requêtes, mais des commissaires, au pouvoir croissant. Le Conseil des finances formera peu à peu, dans la deuxième moitié du siècle, une section mieux individualisée.

La genèse d'un système quasi ministériel

L'ascension des secrétaires d'État, qui préfigurent les ministres, inaugure un système plus efficace que celui des grands officiers de la couronne.

Les grands officiers de la couronne : de hauts dignitaires

Leur liste n'est fixée que par Henri III, en 1582. Le premier dans la hiérarchie établie alors est le *Connétable*. C'est le chef des armées. Il a une juridiction exercée par le tribunal de la *Connétablie* (que dirige un Prévôt), ou déléguée aux prévôts des Maréchaux. Il juge aussi les questions d'honneur avec l'aide des *Maréchaux de France*, ses « collaborateurs et coadjuteurs », également grands officiers de la couronne. C'est toujours un grand noble, et sa dignité lui donne un vaste pouvoir. La charge est vacante de 1488 à 1515, de 1523 à 1538 et de 1567 à 1593. Le duc Charles de Bourbon l'occupe de 1515 à 1523, Anne de Montmorency de 1538 à 1567 et le fils de ce dernier, Henri, à partir de 1593.

Le *chancelier* est le chef de la justice ; mais il a aussi des responsabilités financières importantes. Il préside le Conseil en l'absence du roi ; les actes législatifs sont élaborés sous sa direction et rédigés par la *grande Chancellerie*, qu'il préside en tant que garde des Sceaux. C'est toujours un juriste, un homme de robe. Il est inamovible. Cependant, lorsqu'il encourt la disgrâce du souverain ou est trop âgé, les sceaux peuvent lui être retirés et confiés à quelqu'un d'autre. En 1551, Henri II crée un office séparé de garde des Sceaux, donné à Jean Bertrand pour soulager le vieux chancelier Olivier.

Chanceliers	Gardes des Sceaux (lorsqu'ils sont distincts des Chanceliers)
Guillaume de Rochefort, 1483-1492	Adam Fumée, 1492-1494
	Jean de Ganay, 1494-1495
	Jean Fléard, 1495
Robert Briçonnet, 1495-1497	
Guy de Rochefort, 1497-1507	
Jean de Ganay, 1507-1512	Étienne Poncher, 1512-1515
Antoine Duprat, 1515-1535	M. de Longuejoue, octobre-
Antoine Du Bourg, 1535-1538	novembre 1538
Guillaume Poyet, 1538-1545	Fr. Ier de Montholon, 1542-1543
	Fr. Errault, 1543-1544
	Fr. Olivier, 1544 (?)-1545
François Olivier, 1545-1560	Jean Bertrand, 1551-1559
Michel de L'Hospital, 1560-1573	Jean de Morvillier, 1568-1571
	René de Birague, 1571-1573

L'*amiral de France* a tout pouvoir sur la navigation, le commerce maritime, la pêche, la défense des côtes. Il est le chef des armées navales. Sa juridiction est exercée par les tribunaux d'*Amirauté*. Le titulaire le plus célèbre sous Henri II et durant les premières guerres de Religion est Gaspard de Coligny.

Le *grand maître de France* a la haute main sur la Maison du roi. Il nomme (avec l'accord du roi) à tous les emplois de celle-ci, ce qui lui permet de satisfaire une large clientèle. C'est l'un des premiers personnages de l'État ; son poste est très convoité. Sous François Ier et Henri II, Anne de Montmorency est à la fois connétable et grand maître. Ensuite, la fonction passe à François de Guise.

Le *grand chambellan* a autorité sur les services de la Chambre. C'est François de Guise qui a le titre lorsque son rival Montmorency est grand maître.

Ces officiers de la couronne ont des offices non vénaux, pourvus par le roi. Ce sont de très grands personnages, dont la dignité compte tout autant que la compétence. Mais le souverain a besoin de spécialistes plus efficaces et plus dociles : des secrétaires, bientôt nommés secrétaires d'État, vont jouer ce rôle.

Les secrétaires d'État : des quasi-ministres

Auprès de la grande chancellerie et des chancelleries secondaires des cours souveraines, des *notaires et secrétaires du roi* rédigent les actes. Ils ont depuis 1485 le privilège de la noblesse au premier degré. Ce sont des officiers.

Parmi eux, des secrétaires des finances signent les actes financiers. Certains jouissent particulièrement de la confiance du roi : ils se spécialisent dans l'expédition des actes les plus importants, les « dépêches d'État ». Le premier de ces secrétaires à avoir exercé une influence considérable est Florimond Robertet, mort en 1527. Il est l'ancêtre d'une « dynastie » qui comptera encore deux secrétaires d'État. Deux autres, Guillaume Bochetel et son gendre Claude Ier de L'Aubespine, illustrent par leur talent leurs familles, hissées grâce à eux aux premiers rangs de l'État. Très vite, ils sont chargés de missions diplomatiques.

C'est par des lettres patentes du 1er avril 1547 que Henri II officialise le rôle de ces secrétaires, appelés alors *secrétaires des commandements et des finances*. Le nom de *secrétaires d'État* apparaît en 1558 (H. Michaud, 1967, p. 134). Ces lettres en désignent quatre : Bochetel, L'Aubespine, Cosme Clausse et Jean du Thier. Ils reçoivent chacun la charge d'un quartier du royaume et des pays étrangers adjacents. Leur charge est un office non vénal (mais transmissible), non une commission (*ibid.*, p. 152).

L'apparition des secrétaires d'État est inséparable d'une autre innovation : un nouveau mode de validation, celui de la signature, concurrence le régime du sceau. De ce dernier relèvent les *lettres patentes* (c'est-à-dire ouvertes, les plus solennelles étant les ordonnances et les édits), les *lettres closes* et les *lettres missives* (celles-ci ont un formulaire plus simple que celles-là, mais toutes servent au roi à donner des ordres à ses agents à l'intérieur ou à l'extérieur du royaume) : ces actes doivent être contresignés par un secrétaire d'État, mais il faut qu'ils soient revêtus du sceau (le *grand sceau de cire verte* pour les ordonnances et édits, le *sceau du secret* pour les let-

Les secrétaires d'État de 1547 à 1588			
1547 Guillaume Bochetel mort en 1558	Cosme Clausse mort en 1558	Jean du Thier mort en 1560	Claude de L'Aubespine I mort en 1567
1558 Jacques Bourdin mort en 1567	Florimond Robertet seigneur de Fresne mort en 1567		
1560		Florimond Robertet seigneur d'Alluye mort en 1569	
1567 Claude de L'Aubespine II mort en 1570	Simon Fizes baron de Sauve mort en 1576		Nicolas de Neufville seigneur de Villeroy renvoyé le 8 septembre 1588, réinstallé en 1594, mort en 1617
1569		Pierre Brûlart renvoyé la 8 septembre 1588, mort en 1608	
1570 Claude Pinart renvoyé le 8 septembre 1588, mort en 1605			

Tableau établi par Nicola-Mary Sutherland (1962, appendice 1)

tres missives et closes). Or, à côté de ces actes sont expédiés, avec le simple seing du roi et le contreseing d'un secrétaire d'État, des actes de forme nouvelle, les « ordonnances et règlements sans adresse ni sceau », utilisés dans le domaine de l'armée et de la sûreté publique, et les brevets, pour certaines nominations et grâces. Dans ces secteurs sensibles l'autorité du roi peut ainsi s'exercer avec des formalités allégées.

Les secrétaires d'État, qui sont tous liés par des liens matrimoniaux, sont au cœur du pouvoir. Ils en ont conscience, et manifestent un haut sentiment de leurs responsabilités : ils se sentent au service de la *Res Publica*, la chose publique. Les écrivains et les artistes qu'ils protègent célèbrent la grandeur de leur tâche : ainsi du Bellay loue, dans la préface de ses *Jeux rustiques* (1558), Jean du Thier, « dont la diligence, le sçavoir et la prudence, l'expérience et la foy d'un ordinaire exercice travaillent pour le service de la France et de son Roy ». Ces qualités composent l'idéal auquel s'identifient ces grands serviteurs de l'État.

L'accroissement des recettes et les réformes financières

Les recettes de la monarchie

1. *L'impôt.* L'impôt direct est la *taille*, devenue permanente depuis Charles VII. Elle est *personnelle* (en gros, dans la moitié nord) ou *réelle* (au sud), selon qu'elle est fondée sur la condition des personnes ou sur celle des terres. Après le fort rabais obtenu par les États de 1484 (à 1 million et demi de livres), Charles VIII l'augmente jusqu'à 2,1 millions en 1498. Louis XII, le « Père du peuple », commence par la diminuer, mais elle remonte à la fin du règne pour financer la guerre : 2 millions en 1512, 2,8 millions en 1513, 3,3 millions en 1514. Sous François Ier, elle est d'abord de 2,4 millions en 1515 ; puis elle atteint un sommet en 1524 avec 5,7 millions pour retomber à 4,4 millions en moyenne de 1542 à 1547. Ce quasi-doublement est compensé, il est vrai, par celui des prix. La hausse est plus forte sous Henri II, qui multiplie les *crues* (augmentations) : parvenue à un haut palier de 5,92 millions entre 1551 et 1556, elle s'élève brutalement à 6,63 et 6,75 millions en 1557 et 1558, avec une retombée à 5,84 millions en 1559. En 1549 est introduit le *taillon* pour payer la gendarmerie, qui produit 720 000 livres en 1551 et croît ensuite très vite.

Des taxes spécifiques, destinées à solder des troupes, frappent les villes : en 1522 pour 1 000 hommes, en 1538 pour 20 000, en 1543 pour 50 000. En 1555, ce genre de taxe est réparti sur les villages comme sur les cités.

Le clergé n'est pas épargné : il paie des *décimes* (théoriquement égales à un dixième des revenus des bénéfices, équivalant en fait à un vingtième environ), dont la périodicité devient régulière à partir des années 1530 ; 57 sont perçues sous le seul règne de François Ier (dont 22 en 1542-1546), qui fournissent une somme globale de près de 20 millions de livres.

Les ressources issues du domaine augmentent, mais les récupé-

rations effectuées par le roi sont compromises par de nouvelles aliénations.

Parmi les impôts indirects, la *gabelle* porte sur le sel. La diversité
des systèmes de perception (que François Ier a essayé en vain d'har-
moniser par les édits de 1540-1544) explique la relative faiblesse de
son rendement. Elle produit moins de 400 000 livres en 1515 et
700 000 environ en 1547.

Les provinces et la gabelle

1 / *Pays de grande gabelle* (généralités de Normandie, d'outre-Seine-et-Yonne,
Picardie et la plus grande partie de celle de Languedoïl) : le sel y est vendu dans des
greniers, où des officiers royaux, les *grenetiers*, sont à la fois administrateurs, juges et
comptables. Le prix comprend l'impôt royal.

2 / *Pays de petite gabelle* (Languedoc, Rouergue, Lyonnais, Beaujolais, Forez,
Mâconnais, Dauphiné, Provence) : les greniers sont regroupés près des côtes ; le
droit de gabelle y est acquitté. Ailleurs le commerce est libre.

3 / *Pays dits rédimés après 1553* (provinces du Sud-Ouest et Basse-Auvergne) :
pas de greniers (droits perçus à la vente) ; puis, en 1549 et 1553, après la révolte
de 1548, la gabelle est rachetée contre paiement d'une somme.

4 / *Pays à régime spécial* : Bourgogne (la gabelle est perçue dans des greniers
mais concédée par les États), Basse-Normandie (régime du *quart-bouillon*), Bretagne,
Boulonnais (provinces franches), Haute-Auvergne (franchise de fait).

Les *aides* (sur les marchandises et boissons) et les autres taxes
indirectes progressent avec l'inflation. Sous François Ier elles passent de 1,2 million à 2,15 millions.

Tous impôts réunis, le prélèvement total passe de
5 165 000 livres en 1523 (91,86 t d'argent) à 13 540 000 livres à la
fin du règne de Henri II (209 t). La hausse des prix limite cet
alourdissement, mais moins sous Henri II, où elle marque un
palier, que sous François Ier. Le plus dur pour les contribuables
est la brutalité des poussées ascendantes (en 1521-1525, 1542-
1546, et 1557-1558). En outre, la perception donne lieu à des
abus, surtout celle qui est affermée : c'est le cas pour une grande
partie des revenus domaniaux, pour les aides et les traites, et, à
partir du règne de Henri II, pour les gabelles (les fermiers des
gabelles sont encore de petits personnages, avant le *grand parti du
sel* qui affermera toutes les grandes gabelles sous Henri III). Ces
ressources fiscales, en tout cas, sont bien insuffisantes en conjoncture de guerre.

2. *L'emprunt.* Il apporte une indispensable bouffée d'oxygène pour les dépenses urgentes, militaires en particulier. Les créanciers les plus sollicités sont les marchands-banquiers italiens, surtout ceux de Lyon ; mais on trouve aussi des Allemands, comme Jean Cléberger, surnommé « le bon Allemand », ou les Welser. Les intérêts sont élevés (16 % ou plus). Sous Henri II le système d'emprunts fonctionne de manière plus régulière ; les banquiers lyonnais se regroupent en associations. En 1555, ils signent un contrat global, le *Grand Parti*, qui prévoit le remboursement du capital avec les intérêts. Mais le roi, pressé par la guerre, continue à emprunter. Après le désastre de Saint-Quentin, en 1557, c'est une quasi-banqueroute. Le roi surseoit à ses remboursements ; les créanciers mettront vingt ans à obtenir une liquidation acceptable.

La monarchie innove en faisant aussi appel au crédit des particuliers, par l'intermédiaire du corps de ville parisien : François Ier crée en septembre 1522 les *rentes sur l'Hôtel de Ville*. Il passe contrat avec l'échevinage : celui-ci propose à ceux qui veulent les acheter des rentes au denier 12 (8,33 %, soit moins que les taux des marchands-banquiers), gagées sur des revenus monarchiques ; l'argent ainsi amassé est destiné au trésor royal. Ainsi est mis en place un système de crédit public à long terme, qui présente en outre l'avantage de créer une catégorie de rentiers intéressés au bon fonctionnement du prélèvement fiscal. Mais Henri II multiplie les émissions de rentes, sans que celles-ci soient toujours payées régulièrement ; les déceptions des rentiers croissent. Ils auront encore plus de sujets d'être mécontents pendant la seconde moitié du siècle. Néanmoins, l'institution survivra aux guerres de Religion.

Enfin, il faut ajouter à ces moyens de se procurer des fonds toute une série d'expédients, depuis les aliénations du domaine jusqu'aux emprunts forcés sur les « bien aisés » des villes, en passant par la vente de nouveaux offices et celle de lettres d'anoblissement. Malgré tout cela, les coffres royaux sont toujours trop peu remplis. Reste à puiser dans ceux des propres financiers du roi : c'est l'un des buts des nombreuses commissions d'enquête dont la création accompagne le plus souvent les réformes de l'administration fiscale.

Les réformes de l'administration financière

Au début du siècle, l'ensemble des gens de finances forme un groupe de puissantes familles issues pour beaucoup de la Touraine, étroitement unies par des liens matrimoniaux, et dont on trouve aussi des membres au Parlement de Paris ou dans les plus prestigieux bénéfices ecclésiastiques. Ils sont très riches. On aura une idée de la fabuleuse fortune des plus prospères en évoquant des châteaux comme Chenonceaux, bâti par Thomas Bohier, général de Normandie, Azay-le-Rideau, construit par Gilles Berthelot, président de la Chambre des comptes de Paris, ou Villandry, édifié par Jean Breton, général de Blois.

Parmi eux, les huit généraux et trésoriers de France constituent, on l'a vu, une sorte de technocratie ; leurs réunions en conseil informel exercent une influence croissante sur le gouvernement. Les réformes visent essentiellement à rétablir la supériorité du Conseil du roi.

En 1523 (en deux étapes : 18 mars et 28 décembre) est créé un *trésorier de l'Épargne* dont la caisse, le *trésor de l'Épargne*, centralise toutes les recettes royales (mais ce « centre » est encore itinérant, les coffres suivant les déplacements du roi ; ce n'est qu'en 1532 que ceux-ci sont établis au Louvre). Les généraux des Finances et les trésoriers de France lui sont subordonnés. C'est Philibert Babou, seigneur de La Bourdaisière, qui est pourvu de l'office de Trésorier. La carrière de cet homme illustre bien les possibilités d'ascension sociale qui s'offrent aux ambitieux de la première moitié du siècle : fils et petit-fils de modestes notaires berruyers, il doit en partie son élévation (outre ses talents) au fait qu'un de ses cousins a épousé la fille d'une nourrice de Charles VIII, qui a conservé de l'influence sur ce dernier. On peut ajouter que sa femme et ses filles ont su plaire à François Ier... Les chemins de la faveur sont multiples. Tôt « décrassé » de sa roture par l'achat d'une charge de notaire et secrétaire du roi, il finit ses jours comme conseiller d'État.

En juin 1524 est créé un deuxième office : celui de *trésorier des Finances extraordinaires et parties casuelles*. Un nouveau partage est établi entre les recettes royales : d'une part celles qui sont irrégulières et imprévues (« casuelles »), affectées à la nouvelle caisse ; de l'autre, les régulières, envoyées au trésor de l'Épargne. Les impôts sont inclus dans cette dernière catégorie : autant dire qu'à partir de ce moment ils sont considérés comme *ordinaires*. Il y a donc désormais deux caisses centrales. Mais peu à peu celle des parties casuelles est réduite à ne recueillir que les fonds provenant de la vente des offices : l'évolution est achevée au moment de l'ordonnance de 1542, dont l'un des effets est de subordonner le Trésorier des parties casuelles à celui de l'Épargne.

Ces améliorations, cependant, n'éliminent pas un défaut structurel du système : le mélange des fonds publics et privés. Les officiers de finances sont très souvent obligés d'utiliser leurs propres deniers pour financer des dépenses publiques ; par ailleurs, ils sont aussi, à titre privé, créanciers du roi. Cet imbroglio ne peut que faire naître la suspicion : le roi finit par avoir le sentiment que ses financiers le volent. Comment ne pas être conforté dans cette conviction par le spectacle de leur train de vie fastueux ? Des commissions d'enquête sont créées en 1523 et 1524, pour examiner leurs comptes et leur faire restituer les sommes censées avoir été détournées. L'un d'eux va payer plus cher que les autres : Jacques de Beaune, seigneur de Semblançay.

Fils d'un riche marchand de Tours, il a fait carrière grâce à la protection d'Anne de Bretagne puis de Louise de Savoie. En 1515, il est général de Languedoïl. De 1518 à 1523, il a les pouvoirs d'une sorte de surintendant des finances *de facto*, et exerce une influence considérable ; il atteint ainsi un fort degré de « visibilité politique » (Philippe Hamon, 1994). Le roi est son débiteur pour des sommes énormes. Les revers militaires de 1522 (défaite de la Bicoque) le mettent en difficulté. Il est accusé de malversations (sans que, semble-t-il, ces accusations soient réellement fondées). Une commission est créée sur ses comptes en 1524, puis une autre en novembre 1526, qui cette fois conclut à sa culpabilité, et, le 12 août 1527, le vieil homme (il a autour de 80 ans) est conduit au gibet de Montfaucon par le lieutenant criminel Gilles Maillart. Exécution impopulaire, décrite par Clément Marot dans une épigramme célèbre :

> Lorsque Maillart, juge d'enfer, menoit
> A Montfaulcon Semblançay l'âme rendre,
> A vostre advis, lequel des deux tenoit
> Meilleur maintien ? Pour le vous faire entendre
> Maillart sembloit homme que mort va prendre,
> Et Semblançay fut si ferme viellart,
> Que l'on cuidoit (croyait), pour vray, qu'il menast pendre
> A Montfaulcon le lieutenant Maillart.

D'autres commissions sont créées ensuite. La principale est celle de la *Tour carrée*, qui fonctionne de 1527 à 1537. Elle diffère des précédentes en ce qu'elle n'est pas une simple commission d'enquête, mais un tribunal doté de pouvoirs de juridiction criminelle. En tout, 118 grands officiers de finances sont poursuivis sous le règne de François Iᵉʳ. Il y a une deuxième pendaison en septembre 1535, celle de Jean Poncher, général de Languedoc. Les confiscations rapportent au roi des sommes importantes. « Service de seigneur n'est pas héritaige, ni grâce éternelle », note mélancoliquement, à propos de Semblançay, l'avocat Nicolas Versoris, auteur d'un « livre de raison » riche en informations.

L'édit de Cognac de décembre 1542 crée de nouvelles circonscriptions. Les quatre anciennes généralités sont remplacées par 16 *recettes générales* (nombre bientôt porté à 17 puis 18), continuant parfois à être appelées généralités. Le changeur du trésor, vestige de la vieille distinction des finances extraordinaires et ordinaires (il appartenait à cette dernière catégorie), est supprimé.

Enfin, la grande réforme de janvier 1552, sous Henri II, parachève l'ensemble. Généraux et trésoriers (la séparation de leurs fonctions reflétait elle aussi la distinction qui vient d'être évoquée) sont fondus en un seul corps, celui des « trésoriers généraux sur le fait des finances », bientôt appelés *trésoriers de France*. Mais ceux-ci n'ont pas grand-chose à voir avec les anciens. Ils ne sont plus au centre politique ; ils doivent désormais résider dans chacune des recettes générales. Ce sont des officiers provinciaux, qui seront constitués en collèges en 1577 (les *bureaux des Finances*). Ils s'y occupent du domaine royal et de la voirie, et surtout de la répartition de l'impôt direct entre les circonscriptions subordonnées, les *élections* (dans les pays où elles existent, dits « d'élections »). Ils se placent donc au-dessus des *élus*, qui, eux, répartissent la taille dans chaque élection entre les paroisses. Dans ces dernières, des *asséeurs* et des *collecteurs*, nommés par les communautés, « l'assoient » et la perçoivent. Les sommes rassemblées arrivent dans les caisses des receveurs particuliers, puis celles des receveurs généraux, et enfin au trésor de l'Épargne. Il faut noter cependant que le rêve du roi d'avoir près de lui toutes les recettes du royaume et de centraliser tous les décaissements pour mieux les contrôler est irréalisable concrètement, compte tenu de la lenteur et de la difficulté des transports d'espèces. Les dépenses locales restent le plus souvent effectuées par les officiers locaux ; seul le surplus (le *revenant bon*) est acheminé vers le trésor royal. En outre, la pratique des *assignations* reste vivace : pour rembourser ses créanciers, le roi les « assigne » sur tel ou tel de ses revenus, dans telle ou telle caisse, à charge pour eux de recouvrer leur créance auprès du receveur désigné.

Il y a depuis 1527 deux contrôleurs adjoints au trésorier de l'Épargne. En 1547, Henri II augmente leurs pouvoirs, avec le titre de *contrôleurs généraux*. En 1556, la charge est fondue en une seule,

202

Carte 2 - Gouvernements (en 1559), Parlements, Archevêchés

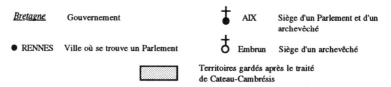

Bretagne	Gouvernement	✝ AIX	Siège d'un Parlement et d'un archevêché
● RENNES	Ville où se trouve un Parlement	♀ Embrun	Siège d'un archevêché
		Territoires gardés après le traité de Cateau-Cambrésis	

Carte 6 – Gouvernements (en 1559), Parlements, Archevêchés

puis supprimée en août 1559. On voit aussi apparaître le titre de *surintendant des Finances* (mais il ne signifie pas encore une position prééminente) : il est porté en 1550 pour les parties « hors du royaume » par le banquier florentin Albisse del Bene (ou d'Elbène) et plus tard, pour négocier les prêts à Lyon, par l'évêque d'Orléans Jean de Morvillier.

Le mobile de toutes ces réformes a été surtout le désir d'accélérer les rentrées d'argent et de mieux les connaître ; à cet égard la conjoncture de guerre a joué un rôle déterminant. Mais une volonté politique existe, comme l'a montré P. Hamon : celle de rendre au Conseil la maîtrise du fait financier. Le trésorier de l'Épargne n'est qu'un caissier, non un ordonnateur. C'est la fin du pouvoir de l'élite financière tourangelle, qui coïncide d'ailleurs avec l'abandon des bords de Loire comme résidence royale ordinaire. Quant aux poursuites contre les financiers, elles visent bien sûr à se procurer des ressources complémentaires ; elles répondent aussi à une logique « pédagogique » des disgrâces, comme celles qui ont frappé le connétable de Bourbon (1523-1527), l'amiral Chabot (1541), le connétable Anne de Montmorency (1541) ou le chancelier Poyet (1542-1545). François Ier rappelle ainsi que tout pouvoir est fragile en dehors du sien.

Les gouverneurs et les origines des intendants

Outre les secrétaires d'État, deux autres sortes d'agents se caractérisent par leur efficacité : les gouverneurs et les commissaires de leurs conseils.

Les gouverneurs

Ces grands personnages (princes du sang ou membres de la haute noblesse) représentent le roi dans les gouvernements : leur titre entier est *gouverneur et lieutenant général*, c'est-à-dire, littéralement, qu'ils tiennent le lieu du souverain. Leur fonction est encore très générale. Si besoin est, ils doivent utiliser la force armée pour faire exécuter les ordres du roi. Ils peuvent entrer dans les cours souveraines et doivent leur prêter main-forte. En matière financière, ils gèrent les fonds des caisses militaires, à l'égard desquelles ils sont des sortes d'ordonnateurs secondaires (Michel Antoine, 1982).

Leur charge est de nature ambiguë : elle n'est ni un office (elle n'est pas créée ou conférée par édit), ni une commission (elle n'est pas pourvue par lettre de commission). C'est un état donné par le roi, qui peut révoquer le titulaire. Lorsque celui-ci est absent, ou simplement lorsqu'il a besoin d'un auxiliaire, le roi nomme un *gouverneur en l'absence*, ou un *lieutenant général*.

Au milieu du XVIe siècle, il y a douze grands gouvernements : Paris et Ile-de-France, Bourgogne, Normandie, Guyenne, Bretagne, Champagne-Brie, Languedoc, Picardie, Dauphiné, Provence, Lyonnais-Auvergne, Orléanais-Berry-Poitou. Leur nombre augmente ensuite au gré des démembrements opérés par les rois pour gratifier leurs favoris.

Genèse de l'institution des intendants

Les gouverneurs doivent avoir près d'eux, comme le roi qu'ils représentent, un conseil, composé de gentilshommes mais aussi de gens de robe ; ces derniers sont en effet indispensables pour les difficiles questions de droit et de finance. Les membres de ces conseils sont souvent des fidèles et des clients, car le roi en laisse la plupart du temps le choix à la discrétion des gouverneurs ; mais il arrive que ceux-ci lui demandent eux-mêmes de leur envoyer des spécialistes compétents. Ces derniers sont pourvus de *lettres patentes de commission*, où figure expressément le verbe *commettre*, précisant en général la nature et parfois la durée de la mission. Certains vaquent au fait de la justice, d'autres (auprès des commandants d'armée) à celui des finances. Les premiers apparaissent pour les zones nouvellement annexées : en 1552 dans le conseil du gouverneur de Metz, en 1553 dans celui du gouverneur de Corse (avec le titre de superintendant des finances, auquel est adjoint en 1556 Pierre Panisse, commis à « l'intendance de la justice »), en 1555 en Piémont, en 1557 pour le pays siennois et en 1558 pour Calais. En 1560, François II, pour faire face aux désordres, adjoint pour un temps des hommes de robe à tous les gouverneurs. Les guerres de Religion amèneront la multiplication de ce genre de commissions. Les commissaires, en effet, ont une efficacité plus grande parce qu'ils ne sont pas liés par les processus délibératifs, ces « formes ordinaires de la justice ».

Michel Antoine propose avec des arguments convaincants de voir dans ces premiers commissaires de Henri II les « vrais commencements » des intendants des provinces et des intendants d'armée. Il rejette ainsi la théorie ancienne qui voulait que les ancêtres des intendants fussent les maîtres des requêtes quand ils partent *en chevauchée* (en tournée) dans le royaume. Ces chevauchées font en effet partie des attributions ordinaires de ces officiers, qui reçoivent pour cela non une lettre de commission extraordinaire, mais une simple lettre de cachet.

L'œuvre législative de François Ier et Henri II

Les ordonnances et édits

Ils sont nombreux ; on ne citera ici que les deux principaux. L'ordonnance la plus importante est celle de *Villers-Cotterêts*, due au chancelier Poyet.

Principaux aspects de l'ordonnance de Villers-Cotterêts (1539)

1 / Le français doit être employé à la place du latin dans les documents officiels.
2 / Les registres de baptême et de décès doivent être tenus par les curés.
3 / La procédure criminelle est plus expéditive mais prive l'accusé de garanties.
4 / Les confréries de métier sont supprimées.

(D'après Robert J. Knecht, *Renaissance Warrior and Patron*, Cambridge, 1994.)

L'ordonnance comporte 192 articles. Certains ont été mal appliqués (comme celui sur les confréries). Celui sur les registres paroissiaux est resté lettre morte dans beaucoup de paroisses (voir chap. 1).

En 1536, *l'édit de Crémieu* fixe la compétence des baillis et sénéchaux, leur attribue les causes des nobles et la présidence des assemblées d'habitants.

La rédaction des coutumes

Les pays de droit coutumier (en gros la moitié nord de la France) suivent encore au début du siècle des coutumes orales, contrairement aux pays de droit écrit, où le droit romain fait autorité. La rédaction des coutumes a été prescrite par l'ordonnance de Montilz-les-Tours (1454) ; mais, à la fin du règne de Louis XI, elle est très peu avancée. La procédure est fixée plus clairement sous Charles VIII, et la rédaction progresse notablement de Louis XII à Henri II. Les sujets sont consultés : les assemblées de bailliage ou de sénéchaussée sont réunies et donnent leur avis aux commissaires royaux sur chaque article des coutumes. En cas de désaccord, le Parlement joue le rôle d'arbitre. Une fois rédigée, chaque coutume reçoit la sanction royale qui lui donne un caractère de loi irrévocable. Mais, à partir du milieu du siècle, les juristes du roi commencent à penser qu'il faut profiter de l'occasion pour introduire un peu d'ordre − et donc quelques changements autoritaires − dans la diversité des règles coutumières. Ils se mettent à parler de *réformation* des coutumes. Ainsi la coutume de Paris, rédigée en 1510, sera « réformée » à partir de 1580, sous l'influence des *Commentaires* du juriste Charles Dumoulin publiés en 1539 et 1554 (1re et 2e parties). La grande entreprise de rédaction ne sera à peu près terminée qu'à la fin du siècle.

Les progrès incontestables de l'autorité royale sous François Ier et Henri II ne doivent pas dissimuler deux aspects essentiels. D'abord la persistance ou parfois le renforcement des structures collégiales et consultatives ainsi que des autonomies et privilèges locaux. Ensuite l'absence probable de plan concerté de la part du roi et de ses juristes pour établir une sorte de « centralisation étatique » : il s'agit surtout d'augmenter les recettes royales, et les mesures ont été prises sous l'aiguillon de la conjoncture de guerre. Reste que le style autoritaire de François Ier a pu faire craindre une altération des structures traditionnelles.

ORIENTATION BIBLIOGRAPHIQUE

Il faut une fois de plus renvoyer aux manuels de Roger Doucet et Gaston Zeller (voir l'Introduction).

Michel Antoine, Genèse de l'institution des intendants, *Journal des savants*, 1982, p. 283-317.

Bernard Barbiche, De la commission à l'office de la Couronne : les gardes des Sceaux de France..., *Bibl. de l'Éc. des Chartes*, 1993, p. 359-390.

Philippe Hamon, *L'argent du roi*, Paris, Com. pour l'Hist. écon. et financ. de la France, 1994, 610 p.

Hélène Michaud, *La grande chancellerie et les écritures royales au XVIe siècle*, Paris, PUF, 1967, 420 p.

Roland Mousnier, *Le Conseil du roi de Louis XII à la Révolution*, Paris, PUF, 1970, et *Les institutions de la France sous la monarchie absolue*, Paris, PUF, 1974-1980, 2 vol.

Nicola M. Sutherland, *The French Secretaries of State*, Londres, Athlone Press, 1962, 344 p.

Martin Wolfe, *The Fiscal System of Renaissance France*, New Haven-Londres, 1972, 386 p.

12. Les officiers du roi et la patrimonialité d'une partie de la puissance publique

Un des aspects du renforcement de l'appareil d'État est l'accroissement numérique des agents royaux. En 1515, rappelons-le, selon les calculs de G. Dupont-Ferrier, R. Mousnier et P. Chaunu, il y a de 7 000 à 8 000 personnes au service de l'État, y compris les clercs et les commis, soit une pour 2 000 habitants environ. Ce nombre triple au moins avant 1559 (ce qui est encore loin, cependant, de la densité atteinte au début du règne personnel de Louis XIV, lorsque la monarchie devient absolue : 1 personne pour 250 habitants).

Mais une partie de la puissance publique est déléguée par le roi sous la forme d'*offices*, qui deviennent vénaux et transmissibles aux héritiers, de sorte qu'ils tendent à faire partie du patrimoine des familles qui les achètent. Il y a là le germe d'une relative dépossession du roi (ou, si l'on préfère, la condition de l'indépendance des juges : ce sera, au XVIIIᵉ siècle, l'opinion de Montesquieu dans *L'Esprit des Lois*). C'est l'une des ambivalences de la croissance monarchique.

La vénalité et l'hérédité des offices

Définition de l'office royal

C'est une charge publique, « érigée en titre et qualité d'office par un édit vérifié et enregistré par les cours souveraines compétentes » (M. Antoine, 1982, p. 286). Il est conféré « soit par l'édit de création, soit, lorsque celui-ci manque, par les "lettres de provision", établies en chancellerie, scellées en audience du sceau, par le chancelier, et données au bénéficiaire » (R. Mousnier, 1971, p. 8).

L'officier est inamovible : une déclaration de 1467 prescrit qu'un office ne peut revenir au roi que par mort, résignation ou forfaiture du titulaire. Il est rémunéré par des gages, complétés par des sommes prélevées sur les usagers pour certains actes de sa fonction, appelées *épices* pour les gens de justice, *taxations* pour les gens de finances. Ces épices sont tarifées, mais souvent augmentées par les cadeaux que les justiciables apportent aux juges dont ils veulent se concilier les bonnes grâces.

L'office s'oppose à la *commission*, fonction extraordinaire, temporaire, révocable à la volonté du roi, et conférée par lettres de commission.

Il existe aussi des officiers seigneuriaux, créés par les seigneurs : par exemple, pour le droit de justice exercé par ces derniers, des procureurs, des greffiers, des sergents. Les corps de ville ont également, pour aider le personnel élu, des officiers (procureurs-syndics, receveurs, greffiers, etc.).

Les offices royaux confèrent à ceux qui en sont revêtus un peu de la majesté du roi ; ils leur donnent une dignité et un rang dans la société. Pour cette raison, ils sont ardemment convoités par tous ceux qui rêvent d'ascension sociale. La diffusion de la vénalité et de l'hérédité a modifié les conditions d'accès.

La vénalité

Dès le XIIe ou XIIIe siècle, le roi se met à vendre des offices : d'abord des offices de finances, en commençant par les plus petits, puis des offices de justice ; l'évolution est largement achevée pour la première catégorie à la fin du Moyen Age. Pour la deuxième, la vénalité achève de se généraliser au cours du premier tiers du XVIe siècle ; mais elle se pratique encore de manière dissimulée, tant la mise en vente de la justice royale paraît honteuse ; elle est théoriquement interdite, et l'argent reçu est présenté comme un prêt remboursable. On demande même aux officiers un serment par lequel ils affirment n'avoir rien payé pour acheter leur charge ; mais le roi soulage de plus en plus la conscience de ses officiers en les dispensant de ce serment dont la fausseté est évidente. Il faudra cependant attendre la fin du siècle pour que l'exigence de serment tombe complètement en désuétude, tant la renonciation à l'idéal d'une justice non vénale met du temps à être ouvertement admise.

Le produit de la vente des offices est considéré comme une recette *casuelle*. Le juriste Charles Loyseau, dans son *Traité des offices* (1609), est à l'origine de la légende d'un « Bureau des parties casuelles » qui aurait été créé en 1522 spécialement pour recueillir les bénéfices de la vénalité. Il s'agit en fait du *trésor de l'Épargne* dans sa première version, né le 18 mars 1523 (c'est-à-dire 1522 dans « l'ancien style », selon lequel l'année commence à Pâques). Mais il ne centralise pas que les sommes issues de la vente des offices ; il reçoit aussi les emprunts et les taxes extraordinaires. Après une étape provisoire (28 décembre 1523) qui rassemble dans ce Trésor toutes les finances, est créée en juin 1524 la *Caisse des finances extraordinaires et parties casuelles*, destinée à recevoir la trilogie emprunts – taxes extraordinaires – produit de la vente des offices (alors que le trésor de l'Épargne garde les recettes régulières). Ce n'est que peu à peu que cette caisse se spécialise dans la seule collecte de la dernière catégorie de la trilogie, à savoir les ressources provenant des offices : évolution achevée en 1542, date à laquelle le Trésorier des parties casuelles est subordonné à celui de l'Épargne (R. Doucet, 1948, t. 1, p. 411, n. 3 ; P. Hamon, 1994, p. 257-263).

A côté de la vénalité publique se développent les transactions entre particuliers ; les formes les plus courantes en sont les résignations et les survivances, à la faveur desquelles peut s'installer l'hérédité.

Résignations et survivances

Il y a *résignation* en faveur de quelqu'un *(resignatio in favorem)* lorsque l'officier se démet et désigne son successeur, le roi n'intervenant que pour donner des lettres de provision, moyennant le paiement d'une taxe qui est une sorte de droit de mutation. Ces résignations peuvent être vendues ; elles peuvent aussi faire partie d'un héritage destiné à un fils ou à un autre membre de la famille. Encore faut-il avoir le temps d'accomplir les formalités nécessaires. Une épidémie de peste, une mort subite, et voilà la charge de l'officier défunt qui revient au roi : c'est autant de perdu pour les héritiers. Le roi perçoit bien où est son avantage, et l'accroît encore :

dans les années 1530 est généralisée la fameuse *clause* dite *des quarante jours*, qui n'a pas été, semble-t-il, créée par un édit, mais qui apparaît pour les offices du Parlement à partir de juin 1534. Une résignation ne devient valable que quarante jours après l'apposition du sceau sur les lettres de provision. Or, « quarante jours après les provisions faisaient deux ou trois mois après la résignation, à cause du temps qu'il fallait pour aller à la cour à la suite du conseil, afin de faire agréer la résignation et sceller les provisions » (R. Mousnier, 1971, p. 45). Comme il est humain d'attendre le plus longtemps possible avant de résigner, l'office a d'autant plus de chances de tomber dans l'escarcelle du roi. On voit ses conseillers guetter avec avidité les maladies survenant aux officiers. A l'automne 1536, année noire à cause de l'invasion de la Provence par les troupes de Charles Quint, le cardinal de Tournon, qui a au Conseil la responsabilité des affaires financières, apprend avec un espoir non dissimulé que Jean Breton, seigneur de Villandry, pourvu de beaux offices (il est secrétaire des Finances, général de Blois, contrôleur des guerres) ne se sent pas bien :

> A ce que j'entendz des médecins, le pouvre Villandry est bien fort malade avec une fiebvre qui luy augmente tous les jours et il afoiblit. J'en suys très marry mais, s'il en mésavenoyt, il a des estatz qui se pourroient vendre de quoy on boucheroy ung grand trou. [Malheureusement pour les caisses royales, Breton se rétablit...] (P. Hamon, *L'argent du roi*, 1994, p. 108).

Heureusement pour les officiers imprévoyants ou trop attachés aux honneurs de ce monde, il existe une solution astucieuse : la *survivance*. Déjà fréquente sous Charles VIII, elle se multiplie ensuite, soit donnée par le roi, soit, le plus souvent, vendue par lui. L'officier obtient des *lettres de survivance* pour le destinataire de son choix. Il peut alors paisiblement conserver son office jusqu'à son dernier souffle de vie, après quoi son successeur entre en fonctions sans avoir besoin de nouvelles provisions. Il n'est plus question de clause des quarante jours : les lettres de survivance en dispensent. Tout serait pour le mieux pour les officiers, à condition de payer (4 000 écus d'or en 1537 pour la survivance du premier président en la Chambre des comptes Nicolaï en faveur de son gendre), si le roi, de temps en temps, ne révoquait toutes les survivances. Il le fait en 1521, 1541, 1557, 1559 : chaque fois qu'il a besoin de remplir ses coffres. En effet, ces révocations sont surtout prétexte à renégocier les survivances contre un nouveau versement. Bref, l'insécurité est le lot des officiers et de leurs familles. L'édit de juin 1568, qui préfigure celui qui instaurera en 1604 la Paulette, leur apportera un peu de tranquillité : il leur accordera *à tous globalement* le bénéfice de la survivance moyennant paiement d'un tiers de la valeur de l'office, le *tiers denier.* Mais, par la déclaration de juillet de la même année, le roi prend la précaution de restreindre la faculté de payer le tiers denier à ceux qui prouveront qu'ils sont en bonne santé...

Les formalités de la réception et de l'installation

Le développement de la vénalité ne doit pas faire croire qu'il suffit d'être riche pour devenir officier. Si un candidat arrive à acheter un office et à obtenir des lettres de provision, il lui reste à être « reçu » et « installé » dans la compagnie ou le corps dont il fera partie. Pour cela, deux formalités sont à remplir. Il y a d'abord une enquête sur « la vie et les mœurs » de l'impétrant. Elle sert souvent de prétexte pour écarter ceux dont la naissance est jugée insuffisante : c'est par cette voie que les fils de marchands, dans la deuxième moitié du siècle, tendront à être éloignés des cours souveraines. C'est aussi l'arme qui sera utilisée à ce moment-là contre les réformés, par l'exigence de catholicité. La deuxième étape est l'examen, car la compétence est encore au XVIe siècle une condition indispensable.

> Parmi les membres de la cour (de Parlement), aucun parent, ami ou allié du récipiendaire ne devait y assister. Une loi tirée au sort avait été désignée au récipiendaire trois jours à l'avance ; il l'avait préparée. Le jour de l'examen, il devait commencer par haranguer la cour en latin : c'était l'épreuve de culture générale. Ensuite, il était interrogé sur la loi qu'il avait préparée. C'était l'épreuve de culture juridique ; enfin, « ... à la fortuite ouverture des livres... », un recueil d'ordonnances, par exemple, devait être apporté ouvert au hasard successivement en trois endroits, et le candidat devait sur-le-champ improviser l'explication du passage : c'était l'épreuve pratique qui devait être sévère. Pour être conseiller au présidial, le récipiendaire devait la subir sur le droit romain, le droit canon, le droit coutumier, les ordonnances royales. Si le candidat ne s'était montré suffisant, la cour pouvait lui donner un délai pour se préparer à un second examen ; elle pouvait aussi lui donner une épreuve plus pratique, donc plus facile, examiner le sac des papiers concernant une affaire et en faire rapport à la cour (R. Mousnier, *La vénalité des offices*, 1971, p. 115).

Ce n'est qu'une fois ces formalités accomplies que le candidat est « reçu » et admis à prononcer les deux serments, celui de n'avoir rien payé et celui de bien servir le souverain. Le roi perçoit un

« droit de serment » qu'on appelle le *marc d'or*, qui existe sous Louis XI, disparaît ensuite, semble-t-il, et sera recréé en 1578 par Henri III. Le récipiendaire visite alors en robe ses futurs collègues, puis il est « installé » en séance solennelle. Ces procédures donnent un aspect de cooptation au recrutement des officiers ; elles montrent la vitalité de l'esprit de corps, que n'efface pas la pratique de la vénalité.

Les résignations et les survivances facilitent l'appropriation des charges par des familles qui les considèrent comme un élément de leur patrimoine et comme un investissement dont la rentabilité se mesure à la fois en gains matériels et en dignité. Des « dynasties » d'officiers se créent parfois : les Nicolaï à la Chambre des comptes, les Lefèvre d'Ormesson, Harlay, Mesmes, Séguier, de Thou au Parlement de Paris. « Chez les receveurs des aides, quinze familles accaparent quinze recettes sur cent, pendant plusieurs générations comme les Blancdraps à Avranches, les Vavasseur à Évreux » (R. Mousnier, 1971, p. 29). Une tendance à l'hérédité s'affirme, plus tôt dans certaines cours, plus tard dans d'autres.

La multiplication des officiers

L'augmentation du personnel des cours existantes

L'accroissement du nombre des membres des cours de justice et de finance est surtout la conséquence du désir royal de se procurer de l'argent par la création d'offices nouveaux. Quelques exemples donneront une idée du phénomène.

Au début du XVIᵉ siècle, le Parlement de Paris comprend 5 chambres. Il y a d'abord la *Grand Chambre*, la plus prestigieuse, avec 5 *présidents à mortier* (le mortier est une coiffure de velours noir bordée d'un galon d'or) un *premier président* (son mortier a 2 galons d'or) qui est le chef de la Cour, et 34 conseillers, les uns clercs, les autres laïcs. On trouve ensuite 2 *Chambres des enquêtes*, avec 2 présidents et environ 15 conseillers chacune. La *Chambre des requêtes* a 1 président et 5 conseillers. Enfin, la *Chambre de la Tournelle*, rendue distincte en 1515 et préposée à la juridiction criminelle, est composée par une délégation de membres de la Grand Chambre. L'effectif est complété par 8 Maîtres des requêtes, qui font en principe corps avec la cour, et par 12 pairs, qui constituent le Parlement en cour des pairs lorsqu'ils viennent siéger dans des circonstances particulières. Ces nombres, donnés par R. Doucet, forment un total de 100 membres, auquel le Parlement tient beaucoup, car il achève la ressemblance qu'il veut avoir avec le Sénat de l'ancienne Rome. S'y ajoutent les *gens du roi*, qui représentent ses intérêts (1 procureur général et 2 avocats du roi) et des auxiliaires, greffiers, notaires et huissiers.

Les créations privent le Parlement de l'aspect chiffré de sa référence à l'idéal antique. En 1522 naît une troisième Chambre des enquêtes, pourvue de 20 conseillers ; en 1543, c'est une quatrième qui apparaît. En 1544 sont créés 1 président et 3 conseillers aux Requêtes, puis 2 présidents et 12 conseillers à la Grand Chambre. Henri II met sur pied de 1547 à 1550 l'éphémère *Chambre ardente*, spécialisée dans les procès d'hérésie. Enfin, il invente en 1554 le système ingénieux du *Parlement semestre*, double du premier, chacun fonctionnant pendant un semestre de l'année. La fournée d'offices vendus alimente la caisse des parties casuelles, mais le désordre introduit dans le suivi des affaires est tel que le Parlement semestre est supprimé en 1558 ; cependant la plupart des nouveaux officiers reste en place.

La tendance est aussi à la hausse des effectifs dans les autres cours souveraines parisiennes, Chambre des comptes, cour des Aides, cour des Monnaies et Grand Conseil. Quant aux Parlements de province, ils croissent également : celui de Bordeaux compte 29 officiers à l'avènement de François Ier, 66 à sa mort ; celui de Toulouse en a 24 en 1515, 83 en 1559. Les recettes générales créées en 1542 font apparaître de nouveaux offices de finances.

Le personnel des cours subalternes augmente peut-être un peu moins, dans la mesure où les offices créés sont parfois des transformations de charges qui existaient déjà. Mais il s'étoffe tout de même. Pour la justice, les cours des *bailliages et sénéchaussées* comportent, outre le bailli ou le sénéchal (encore assez souvent un noble), un lieutenant civil et un lieutenant criminel, des conseillers, un procureur général et un avocat du roi, un receveur ordinaire et de nombreux officiers inférieurs. Dans les juridictions de première instance, *prévôtés* et *châtellenies*, *baylies* et *vigueries* du Midi, *vicomtés* de Normandie, l'effectif croît aussi. Pour les finances, même phénomène. Dans les *élections*, où s'effectue la répartition de l'impôt et se juge le contentieux fiscal, les élus, au nombre de deux à cinq, sont entourés par des lieutenants, devenus officiers royaux en 1543, un receveur et divers auxiliaires ; ils sont dotés d'un président en 1578. Le personnel des *greniers à sel*, pour la gabelle, composé d'un grenetier, d'un lieutenant, d'un contrôleur et de mesureurs du sel, s'augmente d'autres officiers, receveurs, procureur du roi, greffier, porteurs de sel.

La création de cours nouvelles

Des cours souveraines sont créées. Trois Parlements apparaissent : en 1499 celui de Rouen, en 1501 celui d'Aix, et en 1554 celui de Bretagne, établi définitivement à Rennes en 1561 ; il y en a désormais 8 (les 5 premiers étant Paris, Toulouse, Grenoble, Bordeaux, Dijon). Il y a aussi le petit Parlement de la principauté de Dombes installé à Lyon en 1523. Deux Chambres des comptes (Montpellier en 1523, Rouen en 1543 – mais cette dernière disparaît ensuite pour être recréée en 1580) s'ajoutent aux 6 existantes (Aix, Blois, Dijon, Grenoble, Nantes, Paris). Une cour des Aides est fondée à Montferrand en 1557, augmentant celles de Paris, Rouen et Montpellier.

La création en janvier 1552 (nouv. style) de 61 *présidiaux*, pourvus chacun d'une dizaine d'officiers, fournit au roi une multitude de charges à vendre. Ces tribunaux s'insèrent dans la hiérarchie judiciaire entre les bailliages ou sénéchaussées et les Parlements. Mais ils n'ont pas une existence séparée : « C'étaient certains bailliages et certaines sénéchaussées qui devaient se transformer en présidiaux par l'adjonction de nouveaux officiers, jusqu'au nombre prévu. Ce tribunal possédait alors une double compétence, agissant tantôt comme bailliage et tantôt comme présidial » (R. Doucet, 1948, t. 1, p. 266). Les présidiaux jugent en dernier ressort les affaires dont le montant est inférieur à 250 livres, restreignant ainsi le nombre des appels qui remontent jusqu'aux Parlements. Ces derniers se sentent dépossédés et protestent ; les conseillers des nouvelles cours ont du mal à trouver leur place. L'insatisfaction qu'ils en ressentent a peut-être une part dans leur conversion fréquente à la Réforme.

Un quatrième État ?

Les contemporains ont conscience de l'accroissement numérique des officiers ; certains y voient même la cause de l'augmentation des procès, qui serait provoquée par l'avidité des juges, et s'inquiètent de ce « quatrième État ».

Les assemblées de notables de 1527 et 1558

Ces assemblées semblent donner raison à ceux qui pensent que les officiers forment un nouvel ordre dans la société, se superposant aux trois anciens. La première, qui dure du 16 au 20 décembre 1527, a pour but de légitimer la rupture du traité de Madrid de 1526, mais aussi de consentir à la levée de la rançon de François Ier, qui doit permettre de libérer ses deux fils, otages à la place de leur père. Or les participants se divisent en quatre groupes pour délibérer (clergé, noblesse, ville de Paris et Parlements) ; chacun d'eux élit un porte-parole différent lors de la séance finale du 20 décembre.

L'assemblée convoquée aux lendemains du désastre de Saint-Quentin (1557) et qui se tient à Paris du 5 au 14 janvier 1558 a parfois été qualifiée d'États généraux par les contemporains, suivis en cela par quelques historiens ; mais l'élection n'a joué un rôle que dans la désignation des députés des corps de ville. Les autres membres sont, pour le clergé, des archevêques et des évêques, et, pour la noblesse, des baillis et des sénéchaux ; leur sont adjoints les premiers présidents de tous les parlements. Dès le premier jour, et donc beaucoup plus clairement qu'en 1527, les parlementaires siègent à part. L'assemblée a pour but de remédier à la détresse financière du royaume. Heureusement pour le roi, la joie causée par la prise de Calais (8 janvier) pousse l'assemblée à consentir une levée de 3 millions d'écus d'or, plus un emprunt de 3 millions encore sur les « aisés » du royaume. Des doléances sont rédigées. Mais la répartition des membres en quatre groupes n'a pas été appréciée par tous. Trente ans plus tard, le juriste Guy Coquille, hostile à cette innovation, la raille :

> Aucuns ont estimé que les officiers de justice devroient faire un ordre, parce que la justice est un des principaux moyens pour maintenir une domination ; de fait au temps du Roy Henri II, en une tenuë imaginaire d'Estats après la bataille de Saint Quentin l'an 1557, on y fit comparoir les Deputez de la justice pour un quatriesme Estat. Ce qui ne fut a autre occasion que pour augmenter d'un quart l'aide en deniers que le Roy demandoit à son peuple (*Discours des Estats de France*, 1588, t. 1, p. 339 des *Œuvres* publiées en 1665).

Montaigne, dans un passage célèbre du chapitre 23 du premier livre des *Essais* (1580), s'indigne de la vénalité des offices de juges, et estime qu'elle fait naître « un quatriesme estat de gens maniants les procès, pour le joindre aux trois anciens de l'Église, de la Noblesse et du Peuple ».

Fierté de robe et conquête de la noblesse

Ces textes traduisent la conscience d'un bouleversement de la tripartition traditionnelle, dû à l'apparition d'un nouveau type de fonction : le service du roi non plus par la prière ou par l'épée, mais par le savoir. Le symbole en est la *robe,* portée par les gens de justice depuis le chancelier jusqu'au simple procureur (noire le plus souvent, rouge dans les occasions solennelles pour le Parlement), vêtement quasi sacerdotal qui suggère la prudence, la modération, le contrôle de soi, le sérieux, le goût de l'étude. Ces qualités offrent un frappant contraste avec celles qui sont requises des gentilshommes. Peu à peu les *robins* en viennent à considérer qu'elles valent bien ces dernières, et méritent autant sinon plus de considération sociale. Certains commencent à revendiquer ouvertement une place spécifique dans la hiérarchie. Dans son *Catalogus gloriae mundi (Catalogue de la gloire du monde),* paru en 1529 et trois fois réédité, Barthélemy de Chasseneux, conseiller au Parlement de Dijon en 1525, puis à celui de Paris en 1531 et enfin président au Parlement d'Aix en 1532, place, après la noblesse titrée des pairs, ducs, comtes et barons mais *avant* les simples gentilshommes, l'ordre de la Justice tout entier. Dans la deuxième moitié du siècle, des juristes parlent clairement de deux noblesses : ainsi Louis Le Caron, lieutenant général du bailliage de Clermont-en-Beauvaisis, affirme dans le premier livre de ses *Pandectes ou Digestes du droit françois* (1587) qu'il y a « deux espèces de Nobles », « à sçavoir les Nobles d'armes, et les Nobles de Loix, comme estans ces deux choses les deux colomnes des Républiques » (p. 162).

La noblesse donnée par les offices des cours souveraines, Parlements, cours des Aides, Chambres des comptes, Grand Conseil, ceux des maîtres des Requêtes de l'Hôtel du roi, ceux enfin des bureaux de Finances des trésoriers de France n'est encore que coutumière au XVIe siècle ; elle ne sera reconnue officiellement que par l'édit sur les tailles de 1600. Les conseillers au Parlement de Paris revendiquent une noblesse sénatoriale et entière au nom de la *dignité,* car ils font partie du « corps du roi ». Ils prennent, on l'a vu, des arrêts qui accordent le partage noble à des enfants de conseillers décédés : le premier date de 1547 et les autres de 1573 et 1595. Mais c'est plutôt la notion d'anoblissement *graduel* (en deux *degrés* ou générations) qui se répand, attachant la noblesse à la race plus qu'à la dignité : l'aïeul et le père doivent avoir été successivement revêtus de l'office, sans déroger, pendant une durée qui sera finalement fixée à vingt ans, pour que la noblesse personnelle du second devienne une noblesse parfaite. Seuls les membres du Parlement et de la Chambre des comptes de Grenoble jouissent au XVIe siècle d'une noblesse coutumière au premier degré, et ceux du Parlement de Dombes à partir de 1571. On peut mentionner aussi les charges de notaires et secrétaires du roi (les « savonnettes à vilain ») ; mais la noblesse au premier degré qu'elles donnent par privilège royal octroyé en 1485, aux conditions peu à peu précisées de vingt ans d'exercice ou mort en fonction, est une *noblesse de chancellerie*, distincte de celle de robe. La doctrine de l'anoblissement graduel répond à une logique de reproduction sociale qui diffère profondément de celle de la *dignitas* ; elle est soutenue à la fois par la cour des Aides et par le Conseil (R. Descimon, 1994). Elle finira par triompher avec l'édit de 1600.

L'expression *noblesse de robe* n'apparaîtra qu'en 1602, semble-t-il. Son sens sera tout de suite ambigu ; les historiens n'y ont pas toujours pris assez garde. Le mot *robe* a deux connotations distinctes. C'est d'une part un *métier* que des gentilshommes de type traditionnel peuvent embrasser, s'ils ont la formation requise et s'ils sont assez riches pour acheter un office. Au Parlement de Rouen, 17 % des conseillers sont fils de nobles ruraux, dont deux tiers représentent au moins la quatrième génération de noblesse de leur lignée (J. Dewald, 1980, p. 78). En Bretagne, sur les 21 conseillers au Parlement pourvus dès 1554 et 1555, il y en a 15 dont la noblesse remonte au moins au XVe siècle (Fr. Saulnier, *Le Parlement de Bretagne*, 1902). Par ailleurs, des descendants d'anoblis de robe peuvent choisir des métiers d'épée. Ces faits justifient deux possibilités : ou bien on utilise l'expression « noblesse de robe » pour désigner les familles qui doivent leur anoblissement à un office, quel que soit leur devenir ensuite ; ou bien on entend par là l'ensemble de ceux qui, à un moment donné, ont un office *et* sont nobles, quelle que soit l'origine ou l'ancienneté de leur noblesse, qu'ils soient cadets ou aînés, et que leurs ascendants aient eu des offices ou non. Enfin, une troisième possibilité existe, car le mot *robe* a un autre sens : il suggère aussi un *modèle humain*, un idéal social de compétence et de prudence. Si l'on veut privilégier cet aspect, on réservera le label « noblesse de robe » aux seules familles dont les aînés se succèdent régulièrement dans les grands offices, ce choix révélant une fidélité délibérée à l'idéal robin. Cette dernière solution est à vrai dire la plus satisfaisante, la prégnance des valeurs de robe introduisant une véritable cohésion entre les membres de l'ensemble ainsi formé.

Unité et diversité du monde de la robe

C'est leur formation et la nature de leur culture qui confèrent une certaine parenté intellectuelle à tous les gens de robe, nobles ou non, officiers ou non. Tous ont fait des études, plus ou moins poussées. Les procureurs (dont la charge est érigée en office en 1572) se sont généralement arrêtés à la Faculté des arts (la licence ès arts s'obtient en moyenne vers 18 ans), et se sont ensuite formés comme clercs chez un procureur installé. Les avocats ont toujours, à partir de 1520-1530, une licence en droit, conquise entre 23 et 25 ans. Ils s'inscrivent au barreau d'une cour et ont une clientèle privée. Leur fonction n'a jamais été transformée en office : seuls les avocats du roi et les avocats au Conseil sont des officiers. Les conseillers des cours souveraines peuvent avoir en outre un doctorat en droit, parfois *in utroque* (les deux droits, civil et canon). Cette formation est coûteuse : il a fallu, par exemple, au père de Nicolas Romé, entré au Parlement de Rouen en 1568, débourser 140 livres par an de 1548 à 1557 pour l'éducation de son fils jusqu'à la licence ès arts, passée à Paris, puis 230 livres par an (pendant dix ans !) pour ses études de droit dans les universités de Poitiers, Orléans, Toulouse et Bourges (J. Dewald, 1980, p. 133).

Cette éducation leur donne le goût des débats savants : en témoignent les cénacles érudits qu'ils animent, celui de Lyon autour des Bellièvre, que fréquente le grand poète Maurice Scève, celui de Fontenay-le-Comte dans le jardin du juriste André Tiraqueau, où Rabelais aime à venir. Elle leur inspire aussi l'amour de l'histoire et parfois le sens de la relativité des institutions humaines.

La diversité provient de la richesse et des comportements sociaux. Au milieu du siècle, les différences sont déjà grandes entre les procureurs et les notaires, les avocats, les officiers de finances, les parlementaires des cours provinciales, les conseillers des cours souveraines parisiennes, et tout en haut, les présidents et les gens du roi à Paris. Dans son étude sur le Parlement de Rouen, Jonathan Dewald propose les ordres de grandeur suivants, vers 1560 : une fortune moyenne de 15-20 000 livres pour les avocats, 50-60 000 livres pour les conseillers rouennais, 100-120 000 livres pour les conseillers parisiens (p. 113-161). Les distances s'accroissent encore ensuite (à la fin du siècle, écart de 1 à 5 entre la première et la deuxième de ces catégories). Les avocats se sentent souvent insatisfaits, tandis qu'une minorité des plus grands officiers de robe commence à adopter le mode de vie ostentatoire de la haute noblesse.

L'inflation du nombre des officiers, l'érection en titre d'office de fonctions de plus en plus diverses et disparates, les différences de dignité, de richesse et de genre de vie entre les détenteurs de ces charges, tous ces facteurs expliquent qu'il ne s'est finalement pas formé de « quatrième État » cohérent et représenté comme tel dans les États généraux. La multiplication des offices vénaux a cependant des conséquences importantes pour l'État et la société : elle rend l'autorité royale plus présente auprès des sujets, mais renforce l'indépendance des cours provinciales ; elle brouille aussi le contenu de la notion de noblesse, en juxtaposant à l'ancien un nouveau modèle d'excellence humaine.

ORIENTATION BIBLIOGRAPHIQUE

Les manuels de R. Doucet, G. Zeller, R. Mousnier (voir l'orientation bibliographique de l'Introduction).

Michel Antoine, Genèse de l'institution des intendants, *Journal des savants*, 1982, p. 283-317.

Robert Descimon, La haute noblesse parisienne : la production d'une aristocratie d'État aux XVIe et XVIIe siècles, *in* Ph. Contamine (sous la dir. de), *L'État et les aristocraties, XIIe-XVIIe siècle*, Paris, Pr. de l'ENS, 1989, p. 357-386 ; L'invention de la noblesse de robe, *Les Parlements de Province*, actes du coll. de Toulouse de novembre 1994, à paraître ; en attendant un ouvrage annoncé sur la vénalité des offices.

Jonathan Dewald, *The Formation of a Provincial Nobility. The Magistrates of the Parlement of Rouen, 1499-1610*, Princeton Univ. Press, 1980, 402 p.

Maïté Etchechoury, *Les Maîtres des requêtes sous les derniers Valois (1553-1589)*, Paris, Champion, Genève, Droz, 1991, 318 p.

René Fédou, *Les hommes de loi lyonnais à la fin du Moyen Age*, Paris, Les Belles Lettres, 1964, 526 p.

Bernard Guenée, *Tribunaux et gens de justice dans le bailliage de Senlis à la fin du Moyen Age (vers 1380 - vers 1550)*, Paris, Les Belles Lettres, 1963, 588 p.

Philippe Hamon, *L'argent du roi*, Paris, Com. pour l'Hist. écon. et financ. de la France, 1994, 610 p.

Roland Mousnier, *La vénalité des offices sous Henri IV et Louis XIII*, éd. rev., Paris, PUF, 1971, 724 p.

Bernard Quillet, *Les corps d'officiers de la Prévôté et Vicomté de Paris et de l'Ile-de-France de la fin de la guerre de Cent ans au début des guerres de Religion*, thèse dactyl., Paris-Sorbonne, 1977, 4 vol.

Denis Richet, Élite et noblesse : la formation des grands serviteurs de l'État, in *De la Réforme à la Révolution : études sur la France moderne*, Paris, Aubier, 1991, 584 p.

13. La noblesse et l'affirmation du pouvoir royal

Au cours de la première moitié du siècle, les relations entre le roi et les nobles, après les rébellions dont le dernier écho est la *Guerre folle*, parviennent à une sorte d'équilibre, fondé à la fois sur l'intérêt mutuel et sur le partage de valeurs communes. Le style autoritaire de François Ier ne les perturbe pas vraiment, malgré l'indignation suscitée chez certains par le traitement infligé au connétable de Bourbon. Ce n'est que sous Henri II qu'un mécontentement diffus, attisé partiellement par les divisions religieuses, se fait jour.

Le pacte tacite entre le roi et les nobles

Croire qu'il existe un antagonisme naturel entre le roi et les nobles serait se tromper lourdement. Ils ont tout intérêt à coopérer : le roi parce qu'il ne peut gouverner s'il ne gagne l'allégeance des puissants lignages provinciaux ; ces derniers parce que le monarque est un grand pourvoyeur des emplois et des honneurs dont ils ont besoin. Encore faut-il que des règles tacites soient respectées de part et d'autre. Sauf exceptions remarquables, elles l'ont été sous François Ier, un peu moins sous Henri II.

Le besoin qu'a le roi des grands lignages

La monarchie ne dispose pas d'un nombre suffisant d'agents ni d'une force armée assez importante pour faire exécuter ses volontés en l'absence d'une adhésion des grands nobles du royaume. Possédant de vastes domaines, jouissant d'un prestige considérable, ceux-ci ont un atout qui les rend irremplaçables aux yeux du roi : leur *crédit*, qui se traduit concrètement par le nombre de parents, d'amis, de fidèles et de clients qu'ils sont capables de mobiliser. Le roi a besoin d'eux pour tenir les provinces. Il les attache à son service en leur donnant des charges de gouverneurs et de lieutenants généraux, qui font d'eux ses représentants. Dans la première moitié du siècle, les rois de Navarre, Henri d'Albret puis Antoine de Bourbon, sont gouverneurs de Guyenne depuis 1528 ; les Montmorencys ou leur parent Coligny sont en Ile-de-France depuis 1538, et Anne de Montmorency est en Languedoc depuis 1526 (sauf de 1541 à 1547) ; les Lorraines ont la Champagne de 1524 à 1543 puis la Bourgogne depuis cette dernière date ; les Albons de Saint-André ont le Lyonnais depuis 1539.

Le prestige d'un gouverneur, Jacques d'Albon de Saint-André

« Lorsqu'il était las de la cour, le maréchal [qui avait succédé en 1550 à son père Jean dans le gouvernement du Lyonnais] se retirait à Saint-André en Roannais. Chef-lieu de nombreux domaines qui s'échelonnaient de Roanne à Moulins, c'était son pays d'origine et le centre de son gouvernement [...] Le maréchal avait de nombreux parents dans les provinces environnantes : les d'Albon, alliés et cousins, remplissaient et illustraient le Lyonnais ; Marguerite, sœur du maréchal, par son mariage avec Arthaut d'Apchon, avait rendu encore plus nombreuse et plus compacte cette grande famille provinciale. Arthaut d'Apchon, possesseur d'immenses domaines en Auvergne et en Forez, résidait ordinairement à Montrond ; quant aux d'Albon de Saint-Forgeux, ils tenaient la majeure partie du Beaujolais [...] Le faste, les larges dépenses du maréchal entretenaient du reste autour de lui une foule de gentilshommes qui formaient sa suite. Accompagné d'ordinaire "mieux que prince et seigneur de la court", on voyait se presser dans sa maison des jeunes gens de haute naissance, dont l'auteur des *Capitaines françois* [Brantôme] nous a laissé la longue liste : MM. de Sault, de Montsallès, de La Châtre, d'Avaret, de Lenoncourt, de Pardaillan, de Boisgaumont, de Saint-Brice, des Ormeaux, de Juvignat, de Dussat, de Fère, de Villeguier, du Bourg, et une infinité d'autres. »

(Lucien Romier, *Jacques d'Albon de Saint-André*, Paris, 1909, p. 188-192.)

Sans le crédit des gouverneurs, le recrutement des compagnies d'ordonnance aurait du mal à se faire. Le roi a constamment besoin de leur connaissance des hommes et du pays, et des dévouements qu'ils savent susciter.

Il utilise aussi leur fortune et leur crédit, au sens financier, cette fois, du terme. La difficulté à se procurer des espèces rapidement et à les acheminer dans le lieu voulu est telle qu'il est obligé de demander aux grands nobles qui le servent dans les ambassades ou les expéditions guerrières de lui avancer les fonds nécessaires. Il les rembourse plus tard, soit en pensions, soit en dons d'argent, soit en assignations sur telle ou telle recette royale. D'ailleurs, il leur rend des services analogues lorsque c'est à eux d'avoir un besoin urgent d'argent frais (dot d'une fille, équipement d'un fils) : ils sont ainsi ce qu'Emmanuel Le Roy Ladurie a plaisamment appelé les « dépanneurs-dépannés » de la monarchie.

Ce que les gentilshommes attendent du roi

Si le roi a besoin des nobles et en particulier des plus grands d'entre eux, ceux-ci sont dans la même situation à son égard. Les progrès de l'administration monarchique ont fait du monarque le maître d'un grand nombre d'emplois et d'honneurs : c'est pourquoi la noblesse est partie prenante dans le processus d'augmentation de ce fabuleux gisement, à condition de pouvoir y avoir accès de manière régulière et fermement arbitrée par le roi.

Le souverain propose des places prestigieuses dans sa *Maison* (militaire, avec les deux compagnies des Cent gentilshommes de l'Hôtel, celle des archers de la garde, celle de la prévôté de l'Hôtel, et celle de la cornette du roi en temps de guerre ; civile, avec en particulier le grand chambellan et les charges très recherchées de gentilshommes de la Chambre, et, pour le service de bouche, le grand panetier et le grand échanson, aidés par des valets tranchants devenus plus tard gentilshommes servants). Il embauche, par la médiation des capitaines, dans les compagnies d'ordonnance. Il nomme aux gouvernements et aux lieutenances générales ; il a aussi un très grand nombre de gouvernements de villes, places ou châteaux à pourvoir, le plus souvent par le moyen des gouverneurs de provinces. Il nomme aux évêchés, aux archevêchés et aux abbayes depuis le Concordat de Bologne (et même avant). Il vend ou parfois donne des offices : bien des gentilshommes s'en procurent d'une façon ou d'une autre, soit pour eux, soit pour les revendre ou les donner à leurs clients. Car si les plus grands nobles veulent avoir accès au stock croissant des « bienfaits du roi », c'est aussi pour pouvoir ensuite les redistribuer à leurs clientèles ; ils jouent alors le rôle d'intermédiaires, de courtiers (*brokers*, écrivent les historiens anglo-saxons) entre les simples gentilshommes et le souverain, source des emplois.

Le roi est aussi pourvoyeur d'honneur : honneur issu d'une dignité ou de l'appartenance à l'*Ordre royal de Saint-Michel*, créé par Louis XI et encore prestigieux dans la première moitié du siècle ; mais aussi honneur conquis à la pointe de l'épée, le seul véritable selon les gentilshommes. Or qui mieux que le roi peut offrir une belle et bonne guerre à sa noblesse ? Il faut lire dans Brantôme les éloges donnés à Charles VIII, parce que c'est lui qui a entrepris les guerres d'Italie. Les gentilshommes y trouvent l'occasion d'illustrer leur nom par des prouesses, et d'être ainsi récompensés par des charges. L'aventure de Blaise de Monluc, qu'il a racontée, tel César, dans ses *Commentaires*, en est le symbole : petit noble du Gers, né d'un père à demi ruiné, il tend tous ses efforts vers un but : se faire remarquer du roi par sa bravoure. Ce qui ne va pas sans mal : la concurrence est rude, les risques sont énormes (Monluc finit sa vie couvert de cicatrices et le nez arraché), les coups bas des rivaux sont fréquents, et la chance n'est pas toujours au rendez-vous : mais enfin Monluc est parvenu à « faire connaître son nom », à conquérir la « belle robe blanche », comme il le dit, de l'honneur, à obtenir à la charge de lieutenant général à Sienne puis en Guyenne et, pour finir, de maréchal de France. La *guerre guerroyable*, c'est-à-dire régie par des règles tacites acceptées par les adversaires, est aussi l'occasion de s'enrichir : si l'on capture un riche ennemi, il peut rapporter une bonne rançon.

Enfin, la noblesse attend du roi la garantie de l'ordre social. Sa législation veille sur les mariages et protège l'autorité paternelle. C'est à la demande d'Anne de Montmorency, mécontent de l'engagement clandestin de son fils aîné François envers une fille de la famille de Piennes, alors qu'il veut lui faire épouser Diane de France, fille bâtarde légitimée du roi, que l'édit de 1557 (n.s.) est promulgué : il autorise les parents à déshériter leurs enfants (de moins de 30 ans pour les garçons ou de 25 pour les filles) qui se marient sans leur aveu. Il sera parachevé par les ordonnances de 1579 et de 1639, qui assimilent les mariages clandestins au crime de « rapt », puni de mort. Il s'agit, outre le but particulier à l'origine de la décision de 1557, d'éviter les mésalliances (surtout les unions entre un homme de statut inférieur et une femme de condition plus élevée − *l'hypergamie masculine* −, car l'inverse − *l'hypergamie féminine* − est souvent pratiqué par les nobles ruinés désireux de refaire leur fortune). Le roi multiplie en outre les ordonnances destinées à rendre *visible*, par des différences de vêtements et de symboles, la position élevée de la noblesse : ordonnances somptuaires prohibant le port de l'or et de la soie à tout autre qu'aux gentilshommes ; interdiction, souvent réitérée à partir de 1535, aux roturiers de timbrer leurs armoiries (c'est-à-dire de les surmonter d'un ornement héraldique, heaume ou couronne). La répétition de ces mesures témoigne tout autant de la ténacité de la volonté royale que de la difficulté à les faire exécuter.

Le partage de valeurs communes

François Ier et dans une moindre mesure Henri II ont été des rois-chevaliers. Qualifier de « folie » la charge héroïque du premier devant Pavie en 1525 ou le tournoi fatal au cours duquel le second perd la vie en 1559, c'est oublier ce qu'est la joyeuse excitation du combat jointe à l'irrésistible appel de l'honneur pour les gentilshommes. François Ier aime à se dire le premier d'entre eux ; et on sait qu'à Pavie, il se console en pensant qu'il n'a pas failli à l'honneur. A la cour, les nobles et le roi communient dans les mêmes plaisirs violents destinés à montrer leur force physique, leur adresse et leur bravoure : les tournois, les pas d'armes, les combats à la barrière. Parfois ces jeux sont de véritables simulacres de guerre : on construit une ville de bois, on y met des canons, des défenseurs, et des assaillants partent à l'assaut ; il arrive qu'il y ait des morts. La chasse est un autre passe-temps qui ressemble à un combat. L'humaniste Guillaume Budé écrit à l'intention de François Ier un *Traité de Vénerie*, où il vante ses qualités sportives et son habileté de cavalier, fort admirées par les courtisans. Henri II n'est pas inégal à son père en ce domaine.

Une assurance contre la déloyauté éventuelle des grands : l'entretien d'une clientèle royale dans la gentilhommerie moyenne

Le besoin qu'a le roi de la coopération des grands n'est pas sans risques pour lui. Les laisser, en particulier, seuls maîtres de la redistribution des emplois et des honneurs dans les provinces serait leur conférer un pouvoir redoutable. Aussi François Ier et Henri II veillent-ils avec soin à maintenir des relations directes avec la noblesse provinciale moyenne, de manière à lui permettre d'échapper à la dépendance exclusive d'un grand. Ils le font en accordant à ses membres le collier de l'Ordre de Saint-Michel, ou des charges de la Maison du roi (par exemple celles de gentils-hommes de la Chambre, qui permettent d'entrer dans la familia-rité royale), ou des gouvernements de places ou de villes, ou les trois à la fois. Ces dons peuvent s'adresser soit à des gentils-hommes n'appartenant à aucune clientèle, soit à des nobles déjà insérés dans le réseau d'un grand mais tout heureux de profiter directement d'un bienfait du roi. Ce système est bien développé dans une province frontière comme la Champagne ; Laurent Bourquin (1994), à la suite de Jean-Marie Constant (1989), a appelé la clientèle royale ainsi formée *noblesse seconde*, expression ambiguë dont il faut se rappeler qu'elle a un sens autant poli-tique que social.

L'absence de révoltes nobiliaires dans la première moitié du siècle

De 1488, date de l'échec de la *Guerre folle*, à 1560, année de la conjuration d'Amboise, s'étend une longue période pendant laquelle les nobles ne se soulèvent pas. Il est significatif que le connétable de Bourbon, mécontent de François Ier et passé au ser-vice de Charles Quint, n'ait pas su ou pu provoquer une rébellion nobiliaire. C'est un signe de l'accord global du roi et de la noblesse.

La Guerre folle (1485-1488), écho tardif de la Ligue du Bien public

Cette guerre, qualifiée de « folle » *(insanum bellum)* par l'historien italien contemporain Paul Émile dans son *De rebus gestis Francorum*, est provoquée par la révolte d'une partie des grands nobles au lendemain des États généraux de 1484, qui ne les satisfont pas. Ils se groupent autour de Louis d'Orléans, oncle par alliance du roi, de François, comte de Dunois et de Longueville, fils du bâtard d'Orléans, et de François, duc de Bretagne. Ils reprochent à Anne, fille aînée de Louis XI, et à Pierre de Beaujeu son mari, qui gouvernent au nom du jeune roi Charles VIII et perpétuent la politique du roi précédent, de monopoliser le pouvoir à leur détriment. Une ligue est formée à la mi-décembre 1486 ; elle lance à Maximilien d'Autriche un appel à l'aide. Elle est écrasée à Saint-Aubin-du-Cormier, le 28 juillet 1488, et le duc d'Orléans est emprisonné. Il est libéré en juin 1491 par Charles VIII, qui révèle son sens politique en lui pardonnant.

Les révoltés ont publié des manifestes pour justifier leur action. Les thèmes sont analogues à ceux de la Ligue du Bien Public formée en 1464 contre Louis XI, battue en 1465, et à laquelle participait déjà le duc François II. Il s'agit de défendre les traditions du royaume contre le « mauvais gouvernement ». Louis XI avait fait régner l'insécurité parmi les grands lignages ; nul n'était assuré de rester dans sa bonne grâce et de ne pas encourir sa terrible vindicte. C'est ce sentiment d'insécurité qui a poussé les princes à réclamer un contrôle collectif du pouvoir, tout en se faisant les porte-parole des mécontentements suscités par la pression fiscale, les désordres des soldats et de la justice. Cette atmosphère de peur et de suspicion a semblé revenir avec la monopolisation du pouvoir par les Beaujeu, ce qui explique la renaissance de la Ligue des princes. En fait, le gouvernement des Beaujeu n'a eu que de lointaines ressemblances avec celui de Louis XI ; les princes ont été assez vite rassurés. La libération de Louis d'Orléans par Charles VIII scelle leur réconciliation avec le roi.

L'affaire Bourbon

Elle révèle une autre sorte de tension. Le 7 septembre 1523, réfugié dans sa forteresse de Chantelle, le connétable Charles de Bourbon

retire son allégeance à François Ier ; dans la nuit du 8 au 9, il s'enfuit ;
arrivé à Saint-Claude, en terre impériale, il fait savoir qu'il se met au
service de l'empereur, alors en guerre contre la France. Il combat
désormais dans les troupes de ce dernier. En 1524, il est à la tête de
l'armée qui envahit la Provence ; en mai 1527, il mène celle qui
assiège Rome. C'est en donnant l'assaut qu'il est tué.

Il faut éviter tout anachronisme en analysant l'aventure du
connétable. Il vaut mieux ne pas employer le mot « trahison » : ce
serait, d'une part, postuler un sentiment national encore embryonnaire au sein de la haute noblesse, et, de l'autre, négliger que, du
point de vue féodal, Charles de Bourbon n'est pas seulement vassal de
François Ier ; il l'est aussi, pour la principauté de Dombes, de Charles
Quint. Lésé par l'un de ses suzerains, il se tourne vers l'autre.

Il a de solides raisons d'être mécontent. Son mariage avec
Suzanne de Bourbon, en 1505, lui a apporté un vaste ensemble de
domaines situés au cœur de la France (voir la carte 1 de l'Introduction). Parmi eux, certains sont patrimoniaux (le Forez, le Beaujolais, la Dombes) ; d'autres devraient en principe retourner à la couronne en l'absence de descendants mâles. Parmi ces derniers, le
statut des biens apanagés (le duché d'Auvergne et le comté de Clermont-en-Beauvaisis) est un véritable casse-tête juridique : ils ont été
transmis à Suzanne de Bourbon par dérogation accordée en 1488
et renouvelée en 1498, contre la règle qui prévaut d'ordinaire en
matière d'apanage. Suzanne meurt le 28 avril 1521, sans enfants.
Immédiatement, Louise de Savoie, comme plus proche parente,
demande les biens patrimoniaux, et François Ier réclame ceux qui
doivent revenir à la couronne.

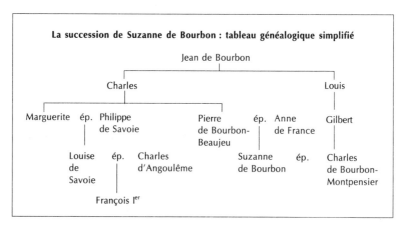

La succession de Suzanne de Bourbon : tableau généalogique simplifié

Deux procès sont intentés devant le Parlement de Paris, l'un par Louise de Savoie, l'autre par le roi. Mais, le 7 octobre 1522, François Ier accepte l'hommage de sa mère pour les duchés de Bourbonnais et d'Auvergne, les comtés de Clermont, Forez, Beaujolais et Marche, les vicomtés de Carlat et de Murat. C'est lui reconnaître la presque totalité de l'héritage, avant même que le Parlement n'ait tranché. Comment, dans ces conditions, le connétable peut-il faire confiance aux juges royaux ? C'est d'autant plus difficile que depuis 1516 il se sent tenu en suspicion par le roi. A la fin d'août 1523, le Parlement ordonne vraisemblablement la séquestration de ses biens ; l'arrêt n'a pas été retrouvé, mais il est attesté par plusieurs sources (R. Doucet, 1921-1926, p. 244).

L'appel à l'étranger est traditionnel dans les révoltes des grands. Dès l'été 1522, Charles de Bourbon est entré en contact avec l'empereur et aussi avec le roi d'Angleterre. En juillet 1523, il signe un traité avec Charles Quint : les lansquenets impériaux envahiront le Languedoc ; un rôle est prévu pour Henri VIII, qui doit pénétrer en Normandie. Les deux souverains doivent fournir des subsides. Cependant, ce recours à l'ennemi est sans doute, dans l'esprit du connétable, utilisé comme un moyen de pression pour faire plier François Ier. De nombreux témoignages montrent qu'il s'y résigne à contrecœur, et en mesurant les risques. Le but poursuivi lui semblera un moment atteint lors de la signature du traité de Madrid, qui le réintègre dans ses biens. Malheureusement pour Charles de Bourbon, le traité est caduc dès la libération du roi.

De son côté, François Ier a de bonnes raisons d'agir ainsi. Le connétable est un sujet trop indépendant. Dans ses domaines, il lève des troupes, a ses propres officiers de justice et de finance, possède de nombreuses forteresses ; son château de Moulins est le théâtre d'une cour particulièrement brillante. Le danger potentiel qu'il représente est brusquement actualisé par son veuvage : et s'il se remariait hors de France ? Lorsqu'on sait à quel point le mariage pour les grands lignages est une véritable alliance stratégique entre deux puissances, on mesure le risque et on comprend les angoisses royales. Les agents impériaux lui proposent une sœur de l'empereur. Cette perspective prête quelque vraisemblance aux rumeurs qui prétendent que Louise de Savoie aurait songé à l'épouser : moyen élégant de résoudre le problème. Toujours est-il que le roi a peur. Selon l'ambassadeur anglais en Espagne, il aurait fait irruption un soir à la table du connétable en le sommant de s'expliquer sur ses éventuelles intentions de mariage (R. J. Knecht, *Renaissance Warrior*, 1994, p. 206).

L'échec de Charles de Bourbon à sauver ses biens est révélateur. Il a été vraisemblablement en liaison avec les courants parlementaires hostiles à la « tyrannie » (Denis Crouzet, 1993) ; mais il n'a pas cherché, apparemment, à s'en prévaloir pour mettre en avant une cause générale. La noblesse, mis à part quelques fidèles assez peu nombreux, ne l'a pas suivi ; les habitants de ses domaines ne se sont pas révoltés. Les subsides et les lansquenets impériaux n'ont pas été à la hauteur de ses espoirs ; l'aide anglaise s'est bornée à une invasion en Picardie, qui a certes fait une belle peur aux Parisiens, mais qui a tourné court faute de véritable coordination. Le destin du connétable est demeuré une tragédie individuelle. Mais beaucoup de nobles l'ont vu comme une victime du roi et l'ont approuvé. Il a été célébré par une chanson flamande, très populaire en France :

> Que dictes-vous en France de Monsieur de Bourbon
> Que l'on tient en souffrance à tort et sans raison.
> Est-ce pour le salaire qu'il vous a bien servi ? [...]
> Car son père et son frère en sont morts vaillamment,
> Soustenant la querelle et party des François :
> Pour toute récompense, a perdu Bourbonnoys (citée par R. Doucet, I, p. 316).

La cour et l'arbitrage entre les factions

La cour, lieu de la faveur, du pouvoir et de l'ostentation

C'est au sein de la cour que se consolide le pacte entre les nobles et le roi. Ensemble des personnes qui sont au service de ce dernier, elle compte environ 1 000 personnes sous Charles VIII, et de 10 à 12 000 sous François Ier ; mais dans les maisons royales, les fonctions se font souvent par « quartier », ce qui implique un renouvellement trimestriel et la présence d'un quart seulement du personnel. La cour est itinérante, au gré des humeurs du roi, de ses appétits de chasseur ou de ses projets diplomatiques. Elle séjourne longtemps dans les châteaux de la Loire, avant de revenir à la fin des années 1520 à Fontainebleau, Saint-Germain, ou le Louvre.

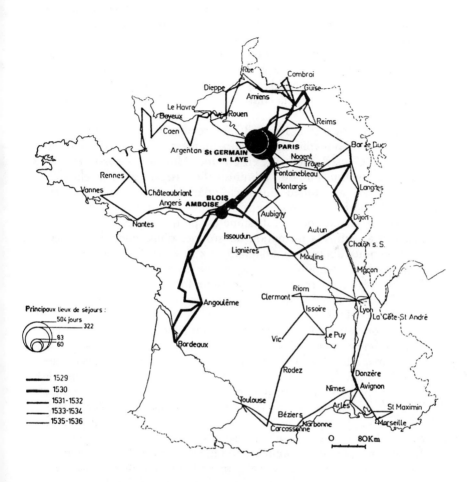

Carte 7 – Les voyages de François Ier

D'après Pierre Charnu, *Histoire économique et sociale de la France,*
Paris, PUF, 1977, t. 1, vol. 1, p. 74

Les longs voyages sont fréquents. La carte des déplacements de François Ier (carte 7) montre que seul le Sud-Ouest n'a pas été visité par lui.

La croissance spectaculaire de l'effectif des courtisans s'explique en partie par l'augmentation et la concentration dans la main du roi des emplois et des honneurs. Il est désormais important pour les grands d'être présents à la cour pour avoir accès à la faveur du souverain.

Lieu où se capte la bienveillance royale, la cour est aussi celui où s'exerce le pouvoir, de plusieurs manières possibles. La participation au Conseil, bien sûr, en est une. Mais il y a aussi l'enrôlement des techniciens de l'administration royale dans la clientèle des grands : au milieu du siècle, par exemple, les secrétaires d'État Robertet (du Fresne et d'Alluye) sont attachés aux Guises, tandis que Claude de L'Aubespine est plutôt lié aux Montmorencys. Il y a, enfin, la formation de groupes d'influence, les *factions*, constructions fluctuantes adaptées aux besoins d'une action politique précise, composées d'amis, de clients et d'alliés temporaires. Les maîtresses du roi jouent dans leur formation un rôle important (la duchesse d'Étampes sous François Ier, Diane de Poitiers sous Henri II).

La cour est également un théâtre où les courtisans se donnent en spectacle à eux-mêmes. Le rôle des symboles sociaux et des rangs en est magnifié. L'évolution vers une codification plus stricte que l'on appellera l'étiquette ne fait encore que commencer ; mais elle est déjà perceptible sous Henri II. En permettant aux gentilshommes de *faire voir qui ils sont*, par la magnificence de leurs vêtements, l'ampleur de leurs suites, la place qu'ils obtiennent près du roi, la cour satisfait leur secret désir. Ils acceptent pour cela de policer quelque peu leurs mœurs, selon la volonté royale de faire de la cour un lieu de culture et d'élégance ; l'idéal en est esquissé dans l'ouvrage célèbre de Balthasar Castiglione, *Le Courtisan* (1528), traduit en 1537 par Jacques Colin.

L'arbitrage royal

Le rôle du roi est d'arbitrer les conflits entre les lignages et de leur distribuer l'honneur équitablement : c'est un aspect de sa *justice distributive* (à chacun selon sa qualité). Les grands attendent de cet arbitrage qu'il soit ferme, afin de ne pas laisser croître un homme ou une famille au détriment des autres. Leur mécontentement naît lorsqu'un *favori* monopolise les bienfaits du roi et ne laisse rien pour les autres, ou bien lorsque le roi est incapable de maintenir l'équilibre, ce qui réduit la compétition pour la faveur à une lutte sauvage et incertaine. On ne saurait trop souligner que les nobles ont besoin d'un arbitre à la fois fort et incontesté : c'est de la faiblesse ou de l'arbitraire du roi que naît l'insécurité, ce qui fait resurgir la question du contrôle collectif du pouvoir.

Pendant une grande partie de son règne, François Ier répond à peu près à ces attentes. Les favoris (comme Anne de Montmorency) le sont sans excès ; les disgrâces, quoique rudes, ne sont pas injustifiées. Les choses se gâtent ensuite.

L'affaiblissement du contrôle du roi à partir des années 1540

A la fin du règne de François Ier, les témoins s'accordent à dire que le roi vieillissant maîtrise moins bien les luttes entre les factions. L'avènement de Henri II n'arrange rien. L'un des premiers épisodes de son règne, le duel entre Jarnac et La Châtaigneraye (10 juillet 1547), le démontre avec évidence.

Peu importe ici la cause de ce duel (l'honneur calomnié de la belle-mère de Jarnac), ou la façon, parfaitement régulière d'ailleurs, dont celui-ci réussit son fameux *coup* (il parvient à trancher le jarret de son adversaire). L'essentiel, du point de vue politique, est que derrière le vainqueur se trouvent Mme d'Étampes, Navarre, Montmorency et Châtillon (la « vieille cour » héritée du règne précédent), tandis que derrière La Châtaigneraye figurent le roi, Diane de Poitiers et les Guises. Henri II autorise le duel dès avant son sacre. Il est sûr que son ami La Châtaigneraye, plus vigoureux et plus expérimenté, l'emportera : ce sera une sorte d'investiture sanglante donnée à la faction qu'il soutient. Mais le combat dément son attente. Il est alors frappé d'une sorte d'hébétude. Laissons la parole à François Billacois et à sa pertinente analyse (1986, p. 90) :

> Les procès-verbaux rapportent que (Jarnac) alla trois fois au pied de l'estrade supplier le roi de lui restituer son honneur et de mettre fin au duel. Henri II resta longtemps muet et comme prostré, cependant que La Châ-

taigneraye perdait du sang en abondance. Finalement, il «jetta le baston, mais trop tard» (Brantôme, *Discours sur les duels*, p. 262). En n'osant pas intervenir dans ce combat, Henri II se déclare en quelque sorte incompétent en tant que juge de camp. Il abdique une partie de ses prérogatives essentielles, celle de justicier [...] Henri ne sut être le roi et n'osa être partisan.

La démission de Henri II dans ce duel et son hésitation fatale à arrêter le combat à temps annoncent son manque de fermeté à arbitrer entre les factions, celles des Montmorencys et des Guises. Désormais leurs luttes se déroulent avec une âpreté croissante, et le roi se révèle incapable d'empêcher le conflit de se durcir jusqu'à entraîner des haines inexpiables. Les effets de cette incapacité s'aggravent très vite de ceux des divisions religieuses, qui accentuent l'intensité des affrontements. Il y a là le germe d'un profond discrédit de l'arbitrage royal aux yeux de la noblesse.

ORIENTATION BIBLIOGRAPHIQUE

François Billacois, *Le duel dans la société française des XVIe-XVIIe siècles*, Paris, EHESS, 1986, 540 p.

Laurent Bourquin, *Noblesse seconde et pouvoir en Champagne*, Paris, Publ. de la Sorb., 1994, 334 p.

Marie-Th. Caron, *Noblesse et pouvoir royal en France, XIIIe-XVIe siècle*, Paris, A. Colin, 1994, 350 p.

Denis Crouzet, Le connétable de Bourbon entre trahison et conjuration, *Complots et conjurations dans l'Europe moderne*, colloque 1993, Éc. fr. de Rome, actes à paraître (Y. M. Bercé et E. Fasano Guarini (éd.)).

Jean-Marie Constant, Un groupe sociopolitique [...] : la noblesse seconde, *in* Ph. Contamine (éd.), *L'État et les aristocraties*, Paris, Pr. de l'Éc. norm. sup., 1989, p. 279-304.

Roger Doucet, *Étude sur le gouvernement de François Ier dans ses rapports avec le Parlement de Paris*, Paris, H. Champion, 1921-1926, 2 vol.

A. Lebey, *Le connétable de Bourbon*, Paris, 1904.

Jean-François Solnon, *La cour de France*, Paris, Fayard, 1987, 650 p.

14. La résurgence des débats sur la puissance absolue sous le règne de Henri II (1547-1559)

Sous François Ier, ce sont les arguments en faveur d'un pouvoir royal fort qui ont connu la diffusion la plus grande. Sans disparaître, la méfiance à l'égard de la puissance absolue s'en est trouvée occultée. Elle resurgit cependant sous le règne de Henri II, ou du moins s'exprime avec plus de liberté dans les cercles cultivés. Il faut prendre conscience de l'importance de cette résurgence pour comprendre la gravité de la crise monarchique qui s'ouvrira en 1559 par la mort du roi.

Qu'est-ce que la puissance absolue ?

Dans la première moitié du XVIe siècle, les théoriciens s'en font une idée assez claire, et ils la considèrent comme potentiellement dangereuse.

De Dieu au roi : la transposition de la puissance absolue dans le domaine politique

L'historien Jacques Krynen (*L'Empire du roi*, 1993, p. 394) a montré qu'au Moyen Age, malgré la vigueur des courants de pensée « absolutistes », aucun juriste ne proclame expressément

que le souverain dispose d'un pouvoir absolu. « C'est qu'au
Moyen Age la *potestas absoluta* signifie la confusion de la puissance
et du droit. Dieu seul la possède. Chez le prince, en revanche, le
pouvoir doit être réglé par le droit. Sa *potestas* est *ordinata*, ou bien
ordinaria [...] Appliqué au pouvoir civil, le terme de *potestas absoluta* équivaudrait [...] à la reconnaissance d'une complète identification de la royauté à la divinité. Un monarque qui l'utiliserait
susciterait l'effroi. »

Une première étape est franchie cependant dès le XIIIe siècle,
lorsque des théologiens commencent à attribuer au pape, et non
plus seulement à Dieu, la puissance absolue. Les légistes royaux
s'inspirent en partie de ce précédent pour affirmer que le roi est
délié des lois *(legibus solutus)* ; mais ce n'est qu'à la Renaissance,
semble-t-il, qu'ils osent passer à l'étape suivante, et dire ouvertement qu'il dispose d'une puissance absolue.

Lorsque Claude de Seyssel écrit *La Monarchie de France*, en 1515,
ce pas a manifestement déjà été fait. Les trois « freins » de la religion, de la justice et de la police (voir chap. 8) servent selon lui à
« restreindre », « régler », « refréner » la puissance absolue du roi :

> Et m'est assez d'avoir déclaré lesdits trois freins et restrictifs de la puis-
> sance absolue des rois, laquelle n'en est pour ce moindre, mais d'autant
> plus digne qu'elle est mieux réglée. Et si elle était plus ample et absolue, en
> serait pire et plus imparfaite : tout ainsi que la puissance de Dieu n'est
> point jugée moindre pour autant qu'il ne peut pécher ni mal faire ; ains en
> est d'autant plus parfaite. Et sont les rois beaucoup plus à louer et priser
> de ce qu'ils veulent en si grande autorité et puissance être sujets à leurs
> propres lois et vivre selon icelles, que s'ils pouvaient à leur volonté user de
> puissance absolue : et si fait cette leur bonté et tolérance que leur autorité
> monarchique, étant réglée par les moyens que dessus, participe aucune-
> ment de l'aristocratie qui la rend plus accomplie et assouvie et encores
> plus ferme et plus perdurable (éd. J. Poujol, 1961, p. 120).

La puissance absolue est le pouvoir du roi de tout faire, sans
tenir compte des lois existantes (parmi lesquelles sont inclus les privilèges ou « lois particulières » des corps, communautés, ordres et
provinces) et sans prendre le temps de consulter les sujets. Selon
L'institution du prince de Guillaume Budé, elle fait ressembler le pouvoir du roi de France à celui des anciens dictateurs romains (éd.
par Claude Bontems, 1965, f. 82 r°).

Mais, selon la plupart des théoriciens, une telle puissance doit
être réservée pour les temps extraordinaires de péril manifeste du
royaume.

Les deux puissances du roi

Pour Claude de Seyssel, la puissance du roi est une. Elle a simplement deux modes de fonctionnement : employée sans freins, elle est « totalement absolue » ; utilisée selon la « raison », elle est « refrénée et réduite à civilité, et par ainsi est réputée juste, tolérable et aristocratique » (p. 115 et 143). D'autres théoriciens, pour mieux différencier ces deux modes, en font deux types de puissance ; ils s'inspirent des définitions appliquées au XIIIᵉ siècle par le théologien Hostiensis au pouvoir pontifical : une puissance ordinaire pour les temps ordinaires, une puissance absolue pour les temps extraordinaires. C'est l'avis du juriste Barthélemy de Chasseneux, beaucoup plus favorable cependant que Seyssel à un pouvoir fort ; il écrit que le roi a une puissance « double », et il ajoute : « selon sa puissance absolue il peut abolir tout le droit » (*Consilia*, éd. de Lyon, 1588, p. 186). Quant à l'ambassadeur vénitien Michel Suriano, il estime, on l'a vu (au chap. 11), que le roi de France exerce son pouvoir « ordinaire » au sein du Conseil large, et son pouvoir « absolu » dans son Conseil étroit.

Comment empêcher les excès de la puissance absolue ?

Cette question provoque en général chez les Parlementaires une réponse prudente, analogue à celle de Charles Guillart dans son fameux discours de 1527 (voir chap. 9) : le roi ne doit pas vouloir tout ce qu'il peut, mais « seullement ce qui est en raison bon et équitable ». « En raison » : c'est-à-dire jugé tel par le conseil et la délibération des « gens d'entendement ». Tout le problème est de savoir si le roi peut être *contraint* de limiter sa volonté dans ces bornes « raisonnables » ou si l'on doit compter sur sa seule « bonté et tolérance », comme le dit Seyssel. Les Parlementaires n'ont pas osé, du moins publiquement et en corps, opter pour la première position. Les humanistes pensent d'ailleurs, on l'a vu, que le roi bien « institué » (éduqué) et bien conseillé sera nécessairement bon, d'une nécessité intérieure qui n'a pas besoin de contrainte extérieure.

A ce raisonnement, un jeune étudiant périgourdin, Étienne de

La Boétie, va opposer un argument d'une simplicité imparable :
« Mais à parler à bon escient, c'est un extrême malheur d'estre subject à un maistre duquel on ne se peut jamais asseurer qu'il soit bon
puis qu'il est tousjours en sa puissance d'estre mauvais quand il
voudra. »

Cette phrase est l'une des premières du *Discours de la servitude
volontaire*. L'œuvre a été, vraisemblablement, rédigée dès 1548 et
remaniée vers 1553-1554 ; elle a circulé sous forme manuscrite, et a
pu de cette manière toucher un grand nombre de lecteurs. C'est
ainsi que Montaigne l'a lue, et cette lecture lui a donné l'envie de
connaître l'auteur ; il a raconté dans les *Essais* comment leur première rencontre a donné naissance à une profonde amitié.

La dénonciation de la servitude volontaire par La Boétie

Le *Discours* est un texte énigmatique, qui a toujours fasciné les
historiens. On a cependant eu tendance à exagérer sa singularité,
au point de ne plus percevoir les courants de pensée auxquels il se
rattache. La Boétie renouvelle, en les radicalisant et en les parant
d'un style brillant et provocateur, des thèmes dont on trouve les
prémices dans la littérature politique médiévale. L'analyse qui suit
s'appuie sur l'édition donnée par Malcolm Smith (Droz, 1987).

Le paradoxe d'une servitude acceptée et consentie

Le livre s'ouvre sur l'expression d'une stupéfaction, devant le
lamentable spectacle d'un « nombre infini de personnes » qui se laissent tyranniser par un seul homme. Des interrogations passionnées
poussent le lecteur à ressentir cet ébahissement : « Mais ô bon Dieu,
que peut estre cela ? Comment dirons nous que cela s'appelle ? Quel
malheur est celui là ? » Et cela ne se passe pas en des temps ou des pays
reculés, mais « en tous païs, par tous les hommes, tous les jours ».

De quelle servitude s'agit-il ? De celle qui est le lot des sujets
dans une *monarchie*, entendue en son sens étymologique de « gouvernement d'un seul ». La Boétie évite de donner des exemples trop
précis. Mais le vocabulaire utilisé permet de repérer la dénoncia-

tion de deux sortes d'esclavage, qui alimentent classiquement la polémique politique : la servitude fiscale et la servitude curiale.

La première est décrite au début. Les asservis n'ont plus « ni biens, ni parens, femmes ny enfans ni leur vie mesme qui soit à eux » (p. 35). « Vous vous laissés emporter devant vous, leur dit La Boétie, le plus beau et le plus clair de vostre revenu, piller vos champs, voller vos maisons et les despouiller des meubles anciens et paternels, vous vivés de sorte que vous ne vous pouvés vanter que rien soit à vous » (p. 39). En effet, dans une monarchie, « il n'y a rien de public où tout est à un » (p. 34).

Ces phrases s'éclairent si l'on se reporte à la polémique déjà ancienne sur l'impôt. Le roi doit « vivre du sien ». A-t-il le droit de prendre en outre le bien de ses sujets ? Les juristes royaux répondent oui et s'appuient sur une constitution de Justinien : « Tout est censé appartenir au prince » (Code, 7, 37, 3). Le roi a le *dominium* (la maîtrise, la propriété) de tous les biens. A cette position s'oppose tout un courant contestataire, qui emploie la dialectique *liberté / servitude* pour critiquer l'assujettissement à l'impôt. La marque distinctive des Français (leur nom de « Francs » se réfère précisément à leur liberté), c'est de ne pas payer d'impôts sans leur libre consentement. Philippe de Mézières l'a rappelé à Charles VI dans le *Songe du vieil Pélerin* : « Ou tu es vray roi naturel et par grace des francs, ou tu es roy des serfs et des esclaves. » Au siècle suivant, en 1452, Jean Juvénal des Ursins déplore l'impôt devenu permanent : « Et pour ce on peut bien nommer ce royaume France, car ilz souloient [avaient l'habitude d']estre francs et avoient toutes franchises et libertés, mais de présent ilz ne sont plus que sers [serfs] taillables à voulenté » (textes cités par J. Krynen, *op. cit.*, p. 277-279). L'image de la servitude est si bien associée au paiement des impôts qu'en 1546 l'ambassadeur vénitien, rapportant la facilité avec laquelle le roi prélève les tailles, écrit que, selon certains Français, il ne faut plus dire *rex Francorum* (roi des Français), mais *rex servorum* (roi des esclaves). Or l'occasion qui a poussé La Boétie à écrire a été, selon l'ami de Montaigne Jacques-Auguste de Thou, la révolte de 1548 contre la gabelle, installée au mépris des libertés de la Guyenne (à Périgueux, elle a provoqué un soulèvement dès 1545).

La seconde servitude dénoncée est celle de la cour. Le tyran (car selon La Boétie, qui va ici beaucoup plus loin que quiconque, il n'y a pas de différence entre roi et tyran, entre monarchie et tyrannie) maintient son pouvoir en distribuant sa faveur : la chaîne des « faveurs et soufaveurs » (p. 68) forme un vaste filet qui enserre tous les ambitieux, ainsi intéressés au maintien de la domination tyrannique. Et pourtant, la vie de ceux qui mendient les faveurs du prince est misérable :

> Ce n'est pas tout à eux de lui obéir, il faut ancore lui complaire, il faut qu'ils se rompent, qu'ils se tourmentent, qu'ils se tuent à travailler en ses affaires, et puis qu'ils se plaisent de son plaisir, qu'ils laissent leur goust pour le sien, qu'ils forcent leur complexion, qu'ils despouillent leur naturel, il faut qu'ils se prennent garde à ses parolles, à sa vois, à ses signes et à ses yeulx, qu'ils n'aient œil, ni pied, ni main que tout ne soit au guet pour espier ses volontés et pour descouvrir ses pensées. Cela est cc vivre heureusement ? (p. 69-70).

On reconnaît la description classique de la servitude du courtisan, obligé d'obéir et de flatter : c'est l'un des thèmes de la littérature anti-curiale, dont *Le Curial* d'Alain Chartier ou *Le Jouvencel* de Jean de Bueil sont des exemples à la fin du Moyen Age. La vie de cour est l'aliénation de la liberté ; le quémandeur de grâces royales est l'exemple même du serf, ou, pire, de l'homme devenu une bête.

Ainsi, en dénonçant l'impôt non consenti et la croissance de la cour, La Boétie se situe dans un courant bien identifiable. Mais les progrès récents de l'appareil étatique expliquent la vigueur nouvelle et la forme radicalisée qu'il donne à ces thèmes. Les mécanismes de la domination y sont décrits avec une lucidité et une précision remarquables.

« Subjets à la raison et serfs de personne »

La Boétie innove encore dans l'analyse qu'il présente des causes de la servitude : non pas tant lorsqu'il dénonce l'accoutumance qui habitue les esclaves à leur sort et le leur fait trouver normal que lorsqu'il raille la mystique monarchique. A travers l'exemple de Pyrrhus, roi d'Épire, il qualifie de « belle bourde » le pouvoir thaumaturgique royal ; quant aux récits sur la Sainte Ampoule, l'oriflamme et les fleurs de lys, il les réduit, avec une désinvolture pétillante d'esprit, au statut de fables bonnes pour les poètes (p. 61-64).

Où trouver la liberté ? Autrefois : dans la Rome républicaine ou à Sparte. Ailleurs : à Venise. La Boétie, selon son ami Montaigne, aurait mieux aimé naître dans cette ville qu'à Sarlat. En quoi les Vénitiens sont-ils donc libres ? C'est qu'ils ne reconnaissent « autre seigneur que la loi et la raison » (p. 48). Autant dire qu'ils n'obéissent qu'à eux-mêmes, puisque chaque homme a en lui « quelque

naturelle semence de raison » (p. 41), et que « la loi » est l'émana-
tion de cette raison. En cela consiste la liberté ; c'est un droit « que
la nature nous a donné » (p. 41). En invoquant la raison, La Boétie
rejoint un thème cher aux parlementaires, ce qui n'est pas surprenant, tant il est lié à ce milieu, par sa charge et par sa famille (son
oncle et son beau-père sont tous les deux présidents au Parlement
de Bordeaux, où il exerce depuis 1554).

L'auteur de ce *Discours* étincelant n'a cependant rien de subversif. Non seulement il s'acquitte consciencieusement de ses devoirs de
magistrat, mais, dès que les désordres religieux surviennent, il
contribue au maintien de l'ordre en Agenais : en temps de péril,
tous les sujets doivent s'unir derrière leur roi. Il est probable qu'il
n'a pas songé à publier son œuvre, écrite, si la première version
date bien de 1548, à 18 ans, et remaniée à 23-24 ans ; il s'est
contenté d'en faire circuler le manuscrit à l'intention de ceux qui,
« mieux nés que les autres, [...] aians l'entendement net et l'esprit
clairvoiant, ne se contentent pas, comme le gros populas, de regar-
der ce qui est devant leurs pieds » (p. 51-52).

Après la mort prématurée de son ami (en 1563, à l'âge de 33 ans),
Montaigne voudra publier le *Discours*. Mais la gravité croissante des
divisions religieuses le fera bientôt changer d'avis. Très vite, beaucoup cataloguent l'œuvre comme « dangereuse ». Elle assimile le roi
au tyran, loue les tyrannicides de l'Antiquité et prône indirectement
le refus de payer l'impôt non consenti. Les réformés ne s'y tromperont
pas : en 1574, le texte sera partiellement édité dans un de leurs libelles
les plus vigoureux, *Le Réveille-Matin des François*, et en 1577 le pasteur
Simon Goulart le publiera de nouveau avec le titre ramassé de *Contre
Un*. Mais, dès les années 1550, son caractère « dangereux » est manifeste : alors que la répression s'abat sur les réformés et que ceux-ci
commencent à qualifier Henri II de « tyran », soulever la question
des abus du pouvoir et des droits des sujets face à l'arbitraire ne peut
manquer de trouver un large écho.

Monarchie absolue et monarchie mixte

Le refus radical (en théorie mais non en pratique) de la monarchie par La Boétie reste apparemment sans autre exemple. Les pen-
seurs politiques français estiment au contraire que la forme monar-

chique est la meilleure, et qu'elle est approuvée de Dieu. Mais pas n'importe laquelle : beaucoup affirment qu'elle doit être mélangée avec des éléments empruntés aux deux autres régimes fondamentaux analysés par Aristote, c'est-à-dire l'aristocratie et la démocratie. Seul un régime mixte pourra contenir les excès de la puissance absolue.

L'idéal du régime mixte

L'idée que le régime mélangé est le meilleur des systèmes est ancienne. Dès l'Antiquité, Platon et Aristote ont expliqué qu'il ne présente pas le défaut des régimes simples, qui risquent de dégénérer : il est donc plus stable. Polybe puis Cicéron expriment la même opinion. Au Moyen Age, saint Thomas d'Aquin vante les mérites d'une « police bien dosée » *(politia bene commixta)*. Au début du XVIe siècle, Machiavel, dans le *Discours sur la première Décade de Tite-Live*, souligne les chances de durée d'un mélange des trois formes de base (éd. Barincou, 1952, p. 387), tandis qu'Érasme écrit, dans son *Institutio Principis christiani* (1523), que le prince « préférera que sa monarchie mélangée d'aristocratie et de démocratie soit tempérée et adoucie, afin de ne pas en venir à tomber dans la tyrannie » (*Opera omnia*, Lyon, 1703, t. IV, col. 576). Tel est bien en effet le but poursuivi : que la monarchie ne devienne pas tyrannique. Ces arguments peuvent être combinés avec d'autres, en faveur de la limitation du pouvoir royal, dont le répertoire est bien constitué dès les XIIe-XIIIe siècles.

La nature mixte de la monarchie française et les deux corps du roi

Dès le début du XVIe siècle, un auteur comme Claude de Seyssel accrédite l'idée que le régime mixte est bien celui de la France. Pour lui, «... à bien prendre le totaige de cet empire français, il participe de toutes les trois voies du gouvernement politique » (*Prohème en la translation de l'histoire d'Appien*, 1510, éd. J. Poujol, 1961, p. 82). Mais c'est sous Henri II que paraît la théorie la plus claire de la monarchie mixte, due au juriste Charles Dumoulin. Dans son célèbre *Commentaire de l'édit des petites dates* (1552), il loue la supériorité du régime « mistionné » : « Un Royaume bien fondé et de

Répertoire des arguments pour limiter la puissance royale

— La couronne, siège de la souveraineté, est distincte du roi et supérieure à lui ; elle s'incarne dans le corps politique tout entier, dont le roi est la tête et les sujets sont les membres.

— Les rois sont les *administrateurs* (ou les *ministres, procurateurs, usufruitiers, tuteurs*) de la couronne. Ils exercent un office.

Selon une autre formulation, apparue semble-t-il au XVe siècle avec Jean Juvénal des Ursins, le roi *épouse* la couronne, ce qui signifie qu'il est tenu de respecter ses *droits*.

— Le roi doit se soumettre aux lois existantes et aux privilèges, qui forment la tradition légale et coutumière du royaume.

Cette affirmation est souvent étayée par la citation de la loi *digna vox*. Les empereurs Théodose et Valentinien avaient fait une déclaration impliquant que le prince était moralement tenu d'observer les lois, et, au VIe siècle, les compilateurs du Code de Justinien avaient résumé ainsi cette affirmation : « C'est une parole digne *(digna vox)* de la majesté du souverain, que le prince se déclare lui-même soumis à la Loi » (Code, 1, 14, 4).

— A l'origine, le peuple souverain a créé les rois. Cette maxime s'appuie parfois sur la référence à la *lex regia* (le peuple romain aurait librement transféré ses pouvoirs à l'empereur Auguste). Dans les manuels des compilateurs de Justinien (Digeste, 1, 4, 1, 1 ; Code, 1, 17, 1, 7 ; Institutes, 1, 2, 5), il n'est pas précisé si cette concession est définitive ou seulement limitée, conditionnelle et révocable. Les partisans d'un pouvoir fort optent pour la première interprétation, tandis que ceux d'un pouvoir limité choisissent la seconde (qui implique la souveraineté ultime du peuple).

— Tout acte royal concernant le royaume (et en particulier la levée d'impôts) doit obtenir le consentement des sujets.

Cette règle s'appuie sur la maxime du droit romain *Quod omnes tangit, ab omnibus approbetur* (souvent abrégée en *QOT*) : « que ce qui touche tout le monde soit approuvé par tout le monde » (Code, 5, 59, 5, 2). C'est un aphorisme du droit privé s'appliquant aux tutelles (mais le roi est parfois assimilé à un tuteur), peu à peu transposé dans le domaine du droit public et en particulier fiscal.

— Ce consentement commun *(consensus communis)* doit être obtenu dans des assemblées représentatives des sujets.

Tableau établi d'après *L'empire du roi*, de Jacques Krynen, Gallimard, 1993, et *Les deux corps du roi*, d'Ernst Kantorowicz (trad. franç., Gallimard, 1989).

longue durée doit estre composé par bon ordre et liaison de ces trois espèces de gouvernement et polices. » C'est le cas en France et dans l'Empire : « En retournant aux espèces de police en l'Empire d'Occident et Royaume de France, c'est Monarchie avec assaisonnement, composition et température d'Aristocratie et Démocratie des Estats, ou ordres de l'Empire et royaume respectivement » (n°s 1-9). La monarchie est figurée par le roi, l'aristocratie par le Conseil, la démocratie par les États généraux (ou le Parlement). La

« simple et absoluë Monarchie », c'est un régime non mélangé, où l'élément royal n'est pas tempéré par les autres.

Charles Dumoulin a bien mis en évidence les caractères politiques de la monarchie mixte : la dualité des corps du roi, l'exercice collégial du pouvoir, et la souveraineté partagée. S'inspirant du jurisconsulte italien Balde (XIVe siècle), il écrit : « le Roy a deux personnes [...] la personne intellectuelle, qui est la majesté et dignité comprenant la République », et « la personne privée [...], qui n'est que l'organe et l'instrument de ladite personne intellectuelle ». La première, qui se confond avec la Couronne, est un « corps mystique » ; mais l'individu royal ne peut l'incarner tout seul ; d'autres le font avec lui. Dumoulin se réfère à un cartulaire du roi Louis le Pieux, lequel aurait selon lui déclaré devant l'assemblée des États :

> Combien que la somme et totalité de ce ministère [royal] semble consister en nostre personne, toutesfois tant par authorité divine que par ordonnance humaine nous le reconnaissons estre ainsi distribué par parties qu'un chacun de vous en son lieu et ordre soit reconneu avoir partie de cestuy nostre ministère. Et partant appert que comme je dois estre admoniteur de vous tous, aussi vous tous devez estre nos adjuteurs (*ibid.*, n° 9 ; J.-L. Thireau, 1980, p. 254).

C'est « l'assemblée des membres » qui est le siège de la souveraineté, et qui l'exerce collégialement, le roi y occupant cependant la première place, et les autres y *participant* à une place subalterne mais nécessaire. Dumoulin voit d'ailleurs dans cette assemblée tantôt le Parlement, tantôt les États généraux.

Les discussions des années 1550

De nombreux indices montrent que, dans les années 1550, la question des limites à apporter au pouvoir du prince est le sujet de discussions passionnées. La mode croissante de l'idéal de la monarchie mixte et du modèle politique vénitien suscite une vigoureuse réfutation du Toulousain Guillaume de La Perrière, dans *Le miroir politique*, paru à Lyon en 1555 (mais peut-être rédigé beaucoup plus tôt). « Certains bons auteurs ont voulu dire que le Royaume de France n'est pas seulement gouverné par monarchie d'un seul Roy ains est aussi gouverné par l'aristocratie de Parlement : lesquels ils comparent aux Ephores des Lacédémoniens [...] A tout homme qui a sucé de bon lait, est apparent que nous vivons sous Empire Monarchique. » L'autorité du doge de Venise est « bridée », mais pas celle du roi de France, sinon par sa « naturelle bénignité » (f. 7 r°-8 r°).

On peut trouver les échos de ce débat dans la forme dialoguée donnée à plusieurs ouvrages publiés à ce moment-là. Certains, comme les *Dialogues* de Louis Le Caron ou ceux de Guy de Bruès, parus respectivement en 1556 et 1557, abordent le sujet du prince parmi d'autres, et expriment la nécessaire confiance en la « bonté » royale ; mais un écrit comme *Le Pourparler du Prince* de l'avocat Étienne Pasquier, publié en 1560 à la fin du premier volume de ses *Recherches de la France*, reflète l'inquiétude de leur auteur. On y voit discuter quatre personnages : l'Écolier, qui n'a pas encore l'expérience du monde, le Philosophe, qui a des vues désincarnées, le Courtisan, symbole des cyniques qui prônent une obéissance aveugle et s'inspirent de Machiavel, et le Politique, personnage sage et expérimenté. Celui-ci assimile implicitement la puissance absolue à l'arbitraire : « Ne voyez vous pas que noz roys, par une débonnaireté qui leur a esté familière, jamais de leur puissance absoluë n'entreprindrent rien en France ? » Le roi, « administrateur » ou « tuteur » du « public », doit être sous la Loi, définie comme « le sens commun de la cité » ; ses « passions » doivent se soumettre à la « raison », dont le « Sénat » (le Parlement) est le défenseur. Ainsi la monarchie est mêlée d'aristocratie. Mais ces arguments suscitent de « petites altercations » entre les interlocuteurs, ce qui indique bien le caractère passionné des échanges.

A la « recherche de la France »

Le titre donné par Étienne Pasquier à sa grande œuvre historique est significatif. D'autres historiens partent aussi, au milieu du XVIᵉ siècle, à la recherche des anciennes institutions françaises, et s'efforcent de découvrir ce qui fait la spécificité de la tradition historique de la « nation ».

La « liberté » des ancêtres : les Gaulois et les Francs

Pendant la décennie 1550 se manifeste le vif désir d'exalter la noblesse des origines du royaume. C'est une réaction au mépris manifesté d'une part par les Italiens, pour qui en dehors de la

Grèce et de Rome tout n'est que « barbarie », de l'autre par les historiens allemands, qui ont redécouvert Tacite à la fin du XVᵉ siècle et opposent volontiers les vaillants Germains aux Gaulois mous et indolents. Cette réaction se traduit soit par l'éloge des anciens Gaulois, soit par celui des anciens Francs, soit les deux à la fois. Pour certains auteurs, c'est l'occasion d'exalter la « liberté » des ancêtres.

La gallomanie des années 1550 fait naître plusieurs ouvrages ; l'un des premiers est *l'Apologie de la Gaule contre les malevoles escripvains* (1552) du grand humaniste visionnaire Guillaume Postel. L'année précédente, le même auteur a fait paraître *Les raisons de la Monarchie*, où il démontre que la monarchie du monde doit revenir au « Peuple et Prince des Gauloys », et formule de manière frappante le principe d'unité : « Une foy, une loy et ung seul commun consentement » (p. x). Remarquables aussi sont les livres de Jean Picard (*De prisca Celtopaedia* - De l'ancienne culture celte, 1556) et de Robert Ceneau (*Gallica Historia* - Histoire gauloise, 1557). Du point de vue politique, le plus intéressant est celui du philosophe Pierre Ramus, paru d'abord en latin en 1559 puis traduit en français la même année par Michel de Castelnau, sous le titre *Traité des meurs et façons des anciens Gaulois*. Ramus croit retrouver dans la République des premiers Gaulois un régime parfait, qu'il appelle « timocratique » (d'après Platon) ou encore « démocratique ». Le peuple y était souverain ; réuni en assemblée, il pouvait choisir ses magistrats et ses Princes et les renvoyer si ceux-ci se comportaient « autrement que les ordonnances du peuple ne commandoient ». Lorsqu'on connaît la propension des lettrés du XVIᵉ siècle à rechercher dans les origines le modèle politique idéal auquel la postérité doit se conformer, on mesure le poids de cette reconstruction du passé national.

D'autres auteurs se tournent plutôt vers les Francs. La vieille légende qui faisait d'eux les descendants des anciens Troyens et qui expliquait leur nom par celui de *Francus*, fils d'Hector, a été sérieusement contestée dès la deuxième moitié du XVᵉ siècle ; elle n'est plus guère utilisée que comme motif allégorique dans les entrées royales ou dans les poèmes à la gloire des rois de France (Ronsard l'utilisera encore dans sa *Franciade*, parue en 1572). Deux thèses la remplacent : ou bien les Francs sont présentés comme des « Gaulois de race » qui ont séjourné un temps en Germanie : c'est l'opinion de Guillaume Postel ou de Robert Ceneau par exemple. Ou bien ils sont considérés comme de purs Germains, et donc, tout autant que les Allemands, les descendants de ceux que décrit Tacite : c'est ainsi que Charles Dumoulin, en 1539, dans un traité sur la coutume de

Paris, les appelle *Francigermani* (Francs-Germains). Or le caractère distinctif des anciens Germains est censé être leur amour de la liberté.

Le renouveau d'intérêt pour les États généraux

La quête des origines du royaume attire l'attention des érudits sur l'institution des États généraux. Dans son traité *Des dignités, magistrats et offices du Royaume de France* (1553), pourtant très favorable à la toute-puissance du roi, le juriste Vincent de La Louppe consacre un passage aux « troys Estats », à leur fonctionnement et à leurs attributions. Quant à l'historien Julien Tabouet, il appelle les États généraux *pancelticus senatus* (le sénat panceltique), ce qui en dit long sur l'ancienneté qu'il confère à cette assemblée, bien qu'il n'en voie plus les vestiges que dans les réunions des États provinciaux (*De Republica et lingua Franciae* - De la république et langue de France, 1559).

Ainsi, sous Henri II, les progrès de la construction monarchique commencent à diviser les esprits. Face aux adeptes d'un pouvoir royal fort, tout un courant d'idées fait resurgir le thème du consentement commun, que la fonction d'exprimer ce consentement soit dévolue aux Parlements ou aux États généraux. Resterait à savoir si ce mouvement intellectuel trouve des échos chez ceux qui ne s'expriment pas, dont l'opinion est difficile à connaître. Tout au plus note-t-on que le désastre de Saint-Quentin en 1557 libère des manifestations de mécontentement populaire qui s'en prennent parfois au roi lui-même.

Le caractère passionnel du débat va se trouver dangereusement accentué par l'ampleur de la répression religieuse : la question politique de sa légitimité va bientôt être posée par les persécutés.

ORIENTATION BIBLIOGRAPHIQUE

Anne-Marie Cocula, *Étienne de La Boétie*, Éd. Sud-Ouest, 1995, 188 p.
Claude-Gilbert Dubois, *Celtes et Gaulois au XVIe siècle*, Paris, Vrin, 1972, 206 p.
Ernst Kantorowicz, *Les deux corps du Roi*, trad. franç., Paris, Gallimard, 1989, 634 p.
Donald Kelley, *Foundations of Modern Historical Scholarship*, New York, Columbia

Univ., 1970, 322 p. ; *The Beginning of Ideology. Consciousness and Society in the French Reformation*, Cambridge, 1981.

Pierre Mesnard, *L'essor de la philosophie politique au XVIe siècle*, Paris, éd. rev., Vrin, 1952, 712 p.

Jacques Poujol, *L'évolution et l'influence de l'idée absolutiste en France de 1498 à 1559*, thèse dactyl. de Paris-Sorbonne, 1955, 384 p.

Lucien Romier, *Les origines politiques des guerres de Religion*, Paris, Perrin, 1913-1914, 2 vol.

Jean-Louis Thireau, *Charles du Moulin, 1500-1566*, Genève, Droz, 1980, 460 p.

TROISIÈME PARTIE
Renaître, restaurer, réformer

A la fin du XVe siècle et au début du siècle suivant se multiplie l'usage des mots qui suggèrent l'idéal d'un retour aux origines, d'un recommencement à neuf, d'un ressourcement régénérateur : *restitution, restauration, réformation, rénovation.* Celui de *renaissance* est plus rare ; il est appliqué en 1550 par le peintre Vasari au courant artistique italien puis européen qui s'épanouit depuis le XIVe siècle (dans *Vies des plus excellents peintres, sculpteurs et architectes*). La répétition de ces termes traduit la volonté d'effacer les errements et les ignorances des siècles écoulés. Un élan de même nature anime tous les quêteurs de pureté originelle et se manifeste dans des domaines très divers, littérature, art ou religion.

15. La « restitution de toutes disciplines »

« Maintenant toutes disciplines sont restituées, les langues ins-
taurées : grecque, sans laquelle c'est honte que une personne se die
sçavant, hébraïcque, caldaïque, latine ; les impressions tant élé-
gantes et correctes en usance... » C'est le constat euphorique que
Rabelais place sous la plume de son Gargantua écrivant à son fils
(*Pantagruel*, 1532). En mai 1547, le latiniste Pierre Galland, faisant
l'oraison funèbre de François Ier, exprime le sentiment d'une métamorphose exaltante : « Nous soulions [avions l'habitude de] sous
forme humaine offusquée des ténèbres d'ignorance laide et abominable estre lourdes et grosses bestes, à présent par l'institution en
toutes bonnes sciences entendons [comprenons] quelque chose et
sommes véritablement devenus hommes. »

La philologie au cœur de l'humanisme

L'étude de la langue et des civilisations de l'Antiquité grecque
et latine se nomme *studia humanitatis* (l'étude des *humanités*). Un
humaniste (terme d'origine italienne médiévale, qui se répand en
France dans les années 1530, alors que le mot *humanisme* naît seulement au plus tôt à la fin du XVIIIe siècle), c'est d'abord celui qui s'y
adonne. Il le fait d'une manière neuve : en se tournant vers les
textes originaux plutôt que vers les traductions ou les commentaires. Le respect du texte est au cœur de sa démarche : il s'agit de

retrouver les manuscrits qui l'ont transmis, d'apprendre la langue dans laquelle il a été rédigé, de débusquer les erreurs de transcription et enfin de le publier.

Collecter les manuscrits

Dans ce domaine comme dans bien d'autres, ce sont les Italiens qui ont été les maîtres. Le Florentin Poggio Bracciolini, plus connu en France sous le nom de Le Pogge (1380-1459) a été un infatigable découvreur de manuscrits anciens, furetant sans cesse dans les monastères en quête de trouvailles inédites. La chute de Constantinople, prise par les Turcs en 1453, a été l'occasion pour de nombreux savants grecs de chercher refuge en Occident ; ils ont apporté avec eux de précieux manuscrits, faisant ainsi le bonheur des lettrés. Collecter des textes ou les faire copier devient une véritable passion pour les érudits et les mécènes. Le roi François Ier donne l'exemple : lorsqu'il confie en 1522 à Guillaume Budé la charge de maître de la « librairie » royale à Fontainebleau, il lui demande d'y rassembler un grand nombre de manuscrits grecs ; les ambassadeurs en Italie contribuent à cette mission en emmenant avec eux des copistes. C'est ainsi que Guillaume Pellicier, évêque de Montpellier, au cours de son ambassade à Venise (1539-1542), fait copier beaucoup de manuscrits anciens ; il en achète aussi, car la ville est alors le centre du commerce de cette marchandise très prisée.

Les humanistes ne s'intéressent pas seulement aux textes de l'Antiquité classique ; leur curiosité les porte aussi vers l'Égypte. En 1419 est découvert dans l'île d'Andros le manuscrit des *Hiéroglyphes d'Horapollo du Nil* (œuvre qui date sans doute du Ve siècle apr. J.-C.) ; les lettrés croient y trouver les traces d'une langue sacrée originelle. L'Italien Colonna s'en inspire pour le *Songe de Poliphile* (1499, traduit en français en 1546) ; les illustrations de ce récit de voyage initiatique influencent celles d'un ouvrage au succès immense, les *Emblèmes* d'Alciat (1531 et 1534), véritable répertoire d'images symboliques.

Un autre manuscrit, édité en 1471, exerce une grande influence : le *Corpus Hermeticum*, recueil attribué à un mythique égyptien contemporain de Moïse, Hermès Trismégiste, c'est-à-dire « trois fois grand » (ces textes datent en fait du IIe-IIIe siècles apr. J.-C.). Beaucoup de néo-platoniciens, comme Lefèvre d'Étaples, y chercheront le *Pimandre*, nom mystérieux de l'Esprit divin.

Comprendre la langue des textes anciens

La nécessité de connaître le grec pour pouvoir lire Homère, Platon ou Aristote autrement que dans des traductions latines s'impose d'abord aux Italiens ; à Rome, le moine byzantin Bessarion, devenu cardinal, est le véritable initiateur des études grecques. En France, d'illustres réfugiés fuyant l'avance turque donnent des cours de leur langue : ainsi Hermonyme de Sparte l'enseigne en 1475 à Jacques Lefèvre d'Étaples ; Jean Lascaris suit Charles VIII en 1495 et se lie d'amitié avec Guillaume Budé. Devenu un des plus grands hellénistes de son temps, celui-ci publie en 1529 un dictionnaire sous le titre *Commentarii linguae graecae (Commentaires sur la langue grecque)*.

L'hébreu suscite à son tour l'intérêt des lettrés. Il est en effet nécessaire à la lecture de l'Ancien Testament. L'humaniste allemand Reuchlin se fait le pédagogue de toute l'Europe en publiant en 1506 les *Rudimenta linguae hebraicae (Rudiments de la langue hébraïque)*. L'hébreu est aussi la clef de la kabbale, doctrine juive censée être dévoilée par une révélation divine et transmise par des initiés, qui fascine bien des hébraïsants, tels Pic de La Mirandole ou Postel.

La connaissance des « trois langues » (le latin, le grec et l'hébreu) devient partie intégrante de l'idéal de la culture humaniste. A Alcalá, en Espagne, le cardinal Cisneros fonde au début du siècle un collège trilingue, qui prépare entre 1514 et 1517 la fameuse Bible polyglotte *Complutensis*, donnant le texte biblique en trois colonnes (hébreu, grec et latin, et en bas de page la traduction en chaldéen du Pentateuque). En 1517 est institué par le testament d'un chanoine d'Aire le collège des Trois Langues à Louvain, avec l'appui d'Érasme. Budé, qui souhaite que la France ait aussi un collège trilingue, persuade François Ier d'inviter Érasme à en prendre la tête. Le refus de ce dernier blesse l'amour-propre du roi, qui se contente de créer en 1530 un corps de lecteurs royaux (à l'origine du futur Collège royal de France) : Vatable et Guidacier pour l'hébreu, Danès et Toussaint pour le grec. Le latin est enseigné à partir de 1534. S'y ajoutent les mathématiques (Oronce Finé), puis la rhétorique, la médecine et la philosophie. Des grands savants sont recrutés, comme Guillaume Postel et plus tard Pierre Ramus. Les leçons sont publiques, et se font dans divers collèges existants ; irrégulièrement payés, sans local propre, les lecteurs royaux n'en sont pas moins les prestigieux porte-parole d'une approche nouvelle du savoir.

Restituer le texte exact

Ici le précurseur est le romain Lorenzo Valla (1407-1457), qui applique les méthodes philologiques à la langue latine dans les *Elegantiae linguae latinae* (1444) et au Nouveau Testament dans les *In Novum Testamentum adnotationes* (1449). A son école, les Français apprennent à écarter les versions douteuses, à déceler les interpolations, à mépriser le travail des commentateurs. Lefèvre d'Étaples et Érasme adaptent ces leçons aux écrits des philosophes antiques et aux textes bibliques. Guillaume Budé, qui dit volontiers que la philologie est pour lui *altera conjux* (une seconde épouse), fait de même pour le droit romain : il publie en 1508 ses *Annotationes in XXIV libros Pandectarum (Annotations aux 24 livres des Pandectes)*, modèle de critique interne.

Imprimer et diffuser

C'est à Mayence qu'apparaît probablement le livre imprimé vers 1450 (Gutenberg). Ce nouvel outil est un prodigieux multiplicateur de la culture ; il permet aux humanistes de faire connaître largement les textes restitués dans leur pureté originelle par leurs soins. A Venise, Alde Manuce s'acquiert une grande renommée en éditant des textes grecs ; de 1495 à 1498, il publie la monumentale édition *princeps* des œuvres d'Aristote en cinq volumes in-folio. Son atelier devient le rendez-vous de l'Europe savante. Sa typographie est très soignée ; il est l'inventeur des caractères italiques et des formats in-octavo, plus maniables et moins chers que les in-folio ou les in-quarto. En France, la première presse est installée dans le collège de la Sorbonne en 1470 par Guillaume Fichet. Josse Bade s'établit en 1498 à Paris et publie les principales œuvres de la littérature latine dans des livres élégants et clairs. Sa maison est, elle aussi, un lieu de rencontres érudites et de discussions amicales, que fréquentent Lefèvre d'Étaples et Guillaume Budé. Son gendre Robert

Estienne, fils du grand imprimeur Henri et auteur en 1539 d'un dictionnaire latin-français *(Thesaurus linguae latinae)*, entretient cette tradition ; mais, poursuivi par la faculté de Théologie de Paris pour sa sympathie à l'égard de la Réforme, il devra s'enfuir à Genève. Le second mari de sa mère, Simon de Colines, est également un imprimeur remarquable. A Lyon, Sébastien Gryphe, d'origine allemande, s'installe en 1524 et publie des livres en latin, grec, hébreu, italien et français (c'est l'imprimeur des *Pantagruel* et *Gargantua* de Rabelais). Un Tourangeau, Christophe Plantin, s'établit en 1549 à Anvers et y crée une des plus grandes imprimeries d'Europe. Tous ces imprimeurs sont eux-mêmes des humanistes raffinés. Leurs femmes et leurs filles les secondent : ainsi Perrette Bade, femme de Robert Estienne, aide son mari dans la correction des épreuves.

A la recherche de *l'humanitas*

La philologie redonne aux textes une seconde jeunesse, et les humanistes les lisent avec un œil neuf. Ils y découvrent des exemples d'une perfection humaine différente de celle que proposait la culture médiévale, et donc les germes d'une définition renouvelée de l'homme. Non sans une question quelque peu angoissante : la sagesse d'un Socrate a-t-elle pu se développer sans Dieu ?

Les modèles antiques

Beaucoup de lettrés s'émerveillent de la grandeur morale des personnages de l'Antiquité. Érasme, le grand humaniste de Rotterdam en qui la plupart reconnaissent leur maître, exprime un sentiment répandu lorsqu'il rend compte ainsi de sa lecture du *De Officiis* de Cicéron :

> Cette lecture m'a tout embrasé pour la recherche du bien et de la vertu, au point que je n'ai jusqu'ici rien ressenti de semblable à la lecture de certains de nos contemporains, qui, bien que chrétiens, enseignent les mystères de la philosophie chrétienne et dissertent sur les mêmes sujets avec non moins de subtilité que de froideur. Pour moi, je ne sais ce que ressentent les autres, mais voici ce qui m'est arrivé [...] je songeais en moi-même

tout en lisant : voilà donc ce qu'un païen écrit pour des païens, un laïque pour des laïques *(prophanus prophanis)* . Et, dans ses préceptes de vie, quelle équité, quelle sainteté, quelle sincérité, quelle vérité, comme tout est naturel, comme rien n'est falsifié ni amollissant ! Quel courage il exige de ceux qui dirigent l'État ! Quelle figure aimable et admirable de la vertu il place devant nos yeux ! (lettre à Jacques Tutor, 10 septembre 1519, citée par H. Busson, *Le rationalisme dans la littérature française à la Renaissance*, 1957, Paris, Vrin, p. 24-25).

Et la mort de Socrate, racontée par Platon, l'enthousiasme : « Quand je lis des récits de ce genre sur de tels hommes, c'est à peine si je puis m'empêcher de dire : "Saint Socrate, priez pour nous !" » *(Colloques, Le banquet religieux)* .

Un peu plus tard, Jacques Amyot, précepteur des enfants de Henri II, enchante les gentilshommes incapables de lire le grec en traduisant les *Vies des hommes illustres* de Plutarque (ouvrage paru en 1559) : les modèles d'héroïsme qui y sont proposés seront étudiés avec passion par des générations de lecteurs.

Ainsi le commerce avec l'Antiquité aide-t-il les humanistes à définir « l'humanité », c'est-à-dire l'ensemble des qualités qui font la dignité et la singularité de l'homme. Platon est redécouvert par le mouvement néo-platonicien initié à Florence par Marsile Ficin, qui fait de sa villa de Careggi, à la fin du XVᵉ siècle, une nouvelle Académie, avec pour devise : *laetus in praesens* (heureux dans l'instant présent). Son ami Pic de La Mirandole apprend aux hommes que Dieu leur a donné une liberté à la fois vertigineuse et exaltante. Dans son fameux *Discours sur la dignité de l'homme*, il fait ainsi parler Dieu à Adam :

> Toutes les autres créatures ont une nature définie contenue entre les lois par nous prescrites ; toi seul, sauf de toute entrave, suivant ton libre arbitre auquel je t'ai remis, tu te fixeras ta nature. Je t'ai placé au centre de l'univers afin que tu regardes avec d'autant plus d'aisance à l'entour de toi tout ce qui est au monde. Je ne t'ai fait ni céleste ni terrestre, ni mortel ni immortel ; d'après ton vouloir et pour ton propre honneur, modeleur et sculpteur de toi-même, imprime-toi la forme que tu préfères. Tu pourras dégénérer en animal, être de l'ordre inférieur ; tu pourras, selon la décision de ton esprit, te régénérer en créature divine, être de l'ordre supérieur (cité par Albert-Marie Schmidt, *La poésie scientifique en France au seizième siècle*, Paris, 1938, p. 112).

Les néo-platoniciens français sont nombreux : les plus connus sont le médecin lyonnais Symphorien Champier, qui fait paraître en 1507 un résumé de la philosophie platonicienne *(Platonicae philosophiae libri sex)*, la sœur de François Iᵉʳ, Marguerite de Navarre, qui cherche dans la théorie de l'amour du *Banquet* une préfiguration du pur amour chrétien, et Louis Le Roy, qui publie en 1551 une traduction du *Timée* de Platon.

Le renouveau des études platoniciennes marque le recul de la domination intellectuelle d'Aristote, si évidente dans les derniers siècles du Moyen Age. Mais c'est le logicien qui perd du terrain, non le moraliste, le philosophe ou le théoricien politique. Jacques Lefèvre d'Étaples consacre le début de sa carrière à publier, traduire, enseigner, et christianiser ses œuvres. Pour lui, « Aristote est le maître de la vie humaine ». Il existe un foyer, bientôt suspect, de diffusion de la pensée aristotélicienne : Padoue (Université de Venise), où on l'enseigne à travers les commentaires d'Alexandre d'Aphrodise (IIe-IIIe siècles apr. J.-C.). Son disciple Pomponnazzi y démontre que tout dans l'univers peut s'expliquer par la seule raison humaine, y compris les miracles. Beaucoup de Français vont suivre des cours à Padoue ; revenus en France, ces « Padouans » (parmi lesquels se trouve Étienne Dolet) inquiètent l'Église par la liberté de leur esprit.

Cicéron est redécouvert ; il devient un maître à penser pour toute la première génération du siècle. Il propose l'idéal de l'*orateur*, c'est-à-dire de celui qui sait exprimer ses idées avec clarté et élégance, et qui peut entraîner les esprits par la seule puissance de son verbe. Il offre aussi un exemple d'homme politique qui a lutté pour la liberté de la Rome républicaine. Dolet est l'un des militants les plus passionnés de la cause cicéronienne. Mais cette cause n'est pas sans susciter des réserves, même chez Érasme, qui ne veut pas qu'on sacrifie la profondeur de la réflexion à l'art du bien dire (*Ciceronianus*, 1528).

Sénèque et le stoïcisme fournissent aussi des modèles, surtout à partir du moment où l'horizon s'obscurcit à cause des divisions religieuses et des malheurs des temps : on y cherche un guide pour maîtriser ses passions et atteindre à la sérénité intérieure. Jean Calvin participe à ce mouvement en publiant en 1532 un commentaire érudit du *De Clementia* de Sénèque.

Fabriquer des hommes par l'éducation

Tous les humanistes sont convaincus qu'il faut un long travail de formation pour mériter le nom d'homme. Ils s'enchantent de l'anecdote sur le philosophe grec Diogène, qui se promenait en plein midi sur une place publique d'Athènes, grouillante de monde, avec une lanterne allumée à la main, et qui répondait à qui l'inter-rogeait qu'il cherchait un homme et n'en trouvait pas. A la suite de Plutarque dans les *Moralia*, ils estiment qu'il faut trois éléments pour façonner un homme : la nature (qui doit être bien disposée), la « nourriture » (c'est-à-dire l'éducation) et l'exercice (l'effort per-sonnel). Beaucoup réfléchissent aux méthodes à employer pour faire éclore l'humanité chez les jeunes enfants et écrivent des traités d'éducation. Pour Érasme (*Declamatio de pueris statim ac liberaliter ins-tituendis*, parue en 1529 et traduite en français par Pierre Saliat en 1537 sous le titre *Déclamation contenant la manière de bien instruire les enfans, dès leur commencement*), « les hommes ne naissent pas, ils se fabriquent » *(homines non nascuntur, sed finguntur)*. Il faut pour cela une éducation « libérale », qui respecte les goûts et les aptitudes de l'élève et ne l'asservisse pas à des contraintes excessives. Un autre traité célèbre est celui de Jacques Sadolet, évêque de Carpentras : *De liberis recte instituendis (De la bonne éducation des enfants)*, publié à Lyon en 1533 ; il entend former des hommes « utiles au roi et à la patrie ». Guillaume Budé a lui aussi exposé ses idées sur l'éducation dans le *De studio literarum recte et commode instituendo* (1532) ; pour lui, l'important est le travail obstiné, persévérant, à poursuivre pendant toute la vie ; la culture ainsi durement acquise fera du savant l'égal des grands de ce monde. C'est cet espoir placé dans les vertus de l'éducation qui l'attire vers une œuvre comme *L'Utopie* de l'huma-niste anglais Thomas More, publiée à Paris en 1517 avec une de ses lettres à Thomas Lupset en guise de préface.

François Rabelais a tracé dans son *Gargantua* (paru sans doute en 1535) un programme d'éducation renommé, qui unit harmo-nieusement les exercices intellectuels, spirituels et physiques. Pro-gramme, il est vrai, à la mesure d'un géant et hors de la portée d'un enfant ordinaire, mais qui témoigne de la hauteur de l'idéal humaniste. Dans la description de l'abbaye de Thélème qui clôt le livre, Rabelais évoque les moines d'un nouveau genre qui la peu-plent : ce sont des êtres humains rendus parfaits par leur bonne nature et leur bonne éducation.

> En leur reigle n'estoit que ceste clause : FAY CE QUE VOULDRAS, parce que gens libères, bien néz, bain instruictz, conversans en compaignies hon-nestes, ont par nature un instinct et aguillon, qui tousjours les poulse à faictz vertueux et retire de vice, lequel ilz nommoient honneur.

Être « bien né » est une exigence souvent requise pour la réussite de l'éducation. L'expression n'a pas ouvertement, chez les humanistes, un sens social ; mais il n'empêche que cette acception est souvent implicitement présente (sauf peut-être chez Budé). A l'abbaye de Thélème, à côté de ceux qui annoncent le saint Évangile « en sens agile », entrent les « nobles chevaliers » et les « dames de hault paraige » (de haute naissance) ; les artisans – orfèvres, tailleurs, brodeurs, tapissiers – qui pourvoient à leurs besoins habitent à l'écart, dans un corps de logis qui leur est réservé. En France, il n'est guère qu'un penseur pour soutenir explicitement que les dons naturels se trouvent dans toutes les catégories sociales et pour réclamer un système éducatif qui donne ses chances à tous : c'est Jean Bodin. En 1559, dans l'*Oratio de instituenda in Republica juventute ad Senatum Populumque Tolosatem (Discours au Sénat et au Peuple de Toulouse sur l'éducation à donner aux jeunes gens dans la République)*, il dit : « Je voudrais que les enfants de tous les citoyens, à quelque catégorie qu'ils appartiennent, s'ils paraissent doués pour les lettres, reçoivent dorénavant une éducation et une instruction données selon une méthode officielle dans un collège public » (trad. P. Mesnard, Paris, 1951, p. 43). Il exprime ainsi les espoirs nés de l'institution des nouveaux collèges fondés par les corps de ville (voir chap. 6), qui dispensent une formation collective moins élitiste que la formation individuelle par des précepteurs souvent en honneur dans les familles nobles. Cette éducation commune, plus rationnelle que celle de la vieille faculté des arts, doit préparer solidement l'entrée dans les facultés supérieures de droit, de médecine ou de théologie. Le collège de Guyenne, fondé à Bordeaux en 1533, où s'illustre André de Gouvéa, et celui de la Trinité à Lyon, réformé par Barthélémy Aneau, sont des exemples réputés de ces collèges humanistes. Les capitouls de Toulouse veulent les imiter, et c'est en répondant à leur appel de candidatures que Bodin est amené à prononcer ce discours (sans succès d'ailleurs, puisqu'il n'est pas retenu).

L'encyclopédie des savoirs

Tous les humanistes sont convaincus que les connaissances sont unies entre elles par des liens et forment un ensemble, une *encyclopédie* (un « cercle »). Ils pensent donc pouvoir les maîtriser toutes. Néanmoins, des spécialisations inévitables se dessinent. Leurs domaines sont d'une grande variété.

Écoles et genres littéraires

La poésie connaît un renouvellement spectaculaire. Clément Marot (1496 ?-1544) infuse une émotion nouvelle dans les genres pratiqués par les poètes appelés « grands rhétoriqueurs » à la fin du XVᵉ siècle et au début du XVIᵉ, qui se complaisaient dans des exercices de pure virtuosité technique. Pour lui, l'art suprême consiste au contraire à donner l'impression de spontanéité et de naturel ; il en résulte une poésie charmante et subtile, où coexistent l'humour et les aspirations spirituelles. Ses ballades, rondeaux, épigrammes et satires ont un grand succès populaire (*L'Adolescence clémentine*, 1532 ; *L'Enfer*, 1542). Protégé par Marguerite de Navarre, il traduit aussi les Psaumes en français.

Les jeunes poètes de *la Brigade* (nom apparu en 1549, bientôt transformé en 1556 en celui de *Pléiade*) n'ont au début que mépris pour cette « simplicité ». Autour de Pierre de Ronsard et de Joachim du Bellay se regroupent Jean Dorat, Pontus de Tyard, Étienne Jodelle, Jean-Antoine de Baïf, Rémy Belleau. Du Bellay écrit en 1549 leur manifeste, la *Deffence et Illustration de la Langue française*. C'est à la fois une apologie des richesses du français et une invite à rejeter les genres médiévaux pour s'inspirer des modèles antiques, tels l'ode, l'épigramme, l'élégie, ou des formes mises à la mode par les Italiens, comme le sonnet. Un souffle lyrique neuf anime les œuvres de ces auteurs, qui assimilent l'inspiration poétique à un élan divin. Les plus connues, avant 1559, sont *Les Odes* (1550-1552), *Les Amours* (1552-1556) et *Les Hymnes* (1555-1556) de Ronsard, *L'Olive* (1549-1550), *Les Antiquités de Rome* et *Les Regrets* (1558) de Du Bellay. L'un des leurs, Jodelle, invente la tragédie avec sa *Cléopâtre captive* (1553).

A Lyon, un poète comme Maurice Scève crée dans ses sonnets un langage poétique d'une rare densité et d'une musicalité raffinée (*Délie*, 1544). Son inspiratrice, passionnément aimée, Pernette du Guillet, est également une poétesse remarquable. L'école lyonnaise comprend encore Louise Labé, « la belle Cordière » (car fille et épouse de marchands cordiers), qui chante l'amour charnel et ne craint pas de placer une préface militante à ses *Élégies* (1555) :

> Estant le temps venu [...] que les sévères loix des hommes n'empeschent plus les femmes de s'appliquer aus sciences et disciplines : il me semble que celles qui ont la commodité, doivent employer cette honneste liberté que notre sexe ha autrefois tant désirée à icelles aprendre...

Le genre narratif est lui aussi profondément renouvelé. L'influence du *Décaméron* de Boccace (XIVᵉ siècle) contribue à la mode des recueils de nouvelles. L'un des plus réputés est l'*Heptaméron* de Marguerite de Navarre, publié en 1559 dix ans après la mort de leur auteur : dix « devisants », bloqués par la crue du gave de Pau, passent le temps en racontant à tour de rôle une histoire tantôt grave, tantôt plaisante, autour du thème de l'amour. Le « valet de chambre » de Marguerite, Bonaventure des Périers, s'est plu lui aussi à recueillir des histoires dans ses *Nouvelles Récréations et joyeux Devis*, parus en 1558. Un gentilhomme breton, Noël du Fail, devenu à partir de 1571 conseiller au Parlement de Rennes, publie en 1547 les *Propos rustiques* et en 1548 les *Baliverneries ou Contes nouveaux d'Eutrapel*, réunion de courts récits d'un réalisme allègre et cru qui mettent en scène l'univers rural des paysans, des seigneurs et des hommes de loi des villages. Cette littérature facétieuse est le reflet d'une « société conteuse », aux traditions orales, dans laquelle il n'y a pas encore de séparation nette entre culture savante et culture « populaire ». Gentilshommes campagnards et villageois communient dans le même plaisir de conter. Les occasions ne manquent pas. Ce sont les veillées d'hiver : Noël du Fail dit avoir été « maintes fois auditeur » des beaux récits que faisait Robin son fermier « après souper, le ventre tendu comme tambourin, saoul comme Patault, le dos tourné au feu », tandis que sa femme filait et que des voisins venaient boire. Ce sont encore les joyeuses soirées qui terminent bien souvent au manoir les corvées paysannes. Ce sont enfin les discussions dans les auberges, où certains textes comme les lettres de rémission montrent la rencontre de gentilshommes et de paysans au retour des foires, autour d'un pichet de cidre ou d'un pot de vin.

Le goût pour les romans rassemble aussi un large public. En 1540 paraît la traduction, par Nicolas Herberay des Essarts, du premier livre d'*Amadis de Gaule*, œuvre de la fin du XVᵉ siècle due à l'Espagnol Ordoñez de Montalvo. Il s'agit d'un cycle romanesque où apparaissent les ingrédients qui font de tous temps les grands succès : l'amour et l'aventure ; le tout sur une trame chevaleresque qui exalte les valeurs héroïques. Les gentilshommes en sont des lecteurs assidus. Le sire de Gouberville, on l'a vu (chap. 4) le lit le soir à ses domestiques.

Il est un autre domaine où se rencontrent culture savante et culture du grand nombre : c'est l'astrologie. En 1555 paraissent à Lyon les *Vraies centuries et prophéties* de Michel de Nostredame, dit

Nostradamus. Le goût pour les prédictions fait le succès de nombreux almanachs et recueils de « pronostications », dont Rabelais se moque en publiant en 1533 une parodie, la *Pantagruéline prognostication*. La parente savante de l'astrologie, l'astronomie, est renouvelée par le *De revolutionibus orbium coelestium* (1543) du Polonais Nicolas Copernic, mais son œuvre reste ignorée encore des Français.

Nouveaux horizons, nouveaux savoirs

L'horizon des lettrés se trouve prodigieusement élargi par la découverte des nouveaux mondes. Un personnage obsède bientôt leur imagination : celui du « sauvage », ou du « cannibale ». En 1550, des Indiens Tupinambas du Brésil, ramenés par des marchands, sont l'attraction des spectacles présentés à Henri II lors de son entrée à Rouen. En 1557 paraît *Les singularitez de la France antarctique, autrement nommée Amérique*, ouvrage dans lequel André Thevet décrit l'expédition de Villegagnon au Brésil (1555-1560). Les sauvages y incarnent le mythe d'une société vivant « selon la nature ». Les *Essais* de Montaigne (chap. « Des Coches » et « Des Cannibales ») leur donneront une place de choix.

La soif de connaissances favorise la diffusion de livres spécialisés. Le désir de connaître les curiosités de l'univers animal et végétal explique la mode de l'histoire naturelle, redécouverte à partir des œuvres de Pline l'Ancien, et renouvelée par quelques grands esprits. Pierre Belon du Mans publie en 1553 ses *Observations*. Assez curieusement, le monde des poissons suscite un intérêt particulier : le même Pierre Belon leur consacre un traité en 1551, mais aussi (en 1555) le médecin montpelliérain Guillaume Rondelet, ami de Rabelais.

La médecine est illustrée par le nom de Jean Fernel, devenu en 1542 médecin ordinaire du dauphin Henri, futur Henri II ; Simon de Colines publie cette année-là son *De Physiologia*. Le Flamand André Vésale fait progresser la connaissance du corps humain avec le *De corporis humani fabrica* (1543). La chirurgie est dominée par Ambroise Paré (1509 ?-1590). Celui-ci apprend son art à la rude école des guerres d'Italie et l'expose en 1545 dans sa *Méthode de traicter les playes faites par les arquebuses et aultres bastons à feu* (il renonce en particulier à la cautérisation des plaies au fer rouge ou à l'huile bouillante). Devenu chirurgien ordinaire de la cour, il fait merveille au siège de Metz en 1552. Une phrase revient souvent sous sa plume, témoignant de son humilité chrétienne : « Je le pansai, Dieu le guérit. » Ce qui ne l'empêche pas d'avoir une haute conscience de sa valeur ; il a contribué à valoriser l'art des chirurgiens, bien moins considérés que les médecins (parce qu'ils œuvrent de leurs mains).

L'étude du droit romain est renouvelée par la « méthode française » (le *mos gallicus*), caractérisée par l'analyse des textes juridiques à la lumière de la connaissance de l'histoire, de la langue et de la civilisation romaines. C'est pourtant un juriste italien, André Alciat, qui vient l'enseigner à Bourges ; mais elle est portée à un haut degré de perfection par Guillaume Budé, qui nourrit son exégèse du Digeste par ses recherches d'historien (il publie en 1514 le *De Asse*, étude sur les monnaies et les institutions de Rome). L'héritage d'Alciat et assuré à Bourges par Éguinaire Baron, inspirateur de François Baudouin et du Toulousain Jacques Cujas. Mais il existe aussi un courant antiromain, pro-gaulois (François Connan, François Le Douaren) ou pro-germaniste (Charles Dumoulin, François Hotman).

L'histoire rompt avec le style des « Grandes Chroniques de France » pour s'ordonner en un récit cohérent où le souci du document et l'esprit critique commencent à apparaître. Deux histoires de la France font autorité : celles de Robert Gaguin, le *Compendium de origine et gestis Francorum* (*Précis sur l'origine et l'histoire des Francs*, 1495) et de l'Italien Paul Émile, le *De rebus gestis Francorum* (*Des hauts faits des Francs*, 1517-1518). *Les Illustrations de Gaule et singularitez de Troye* (1511-1513), de Jean Lemaire de Belges, sont plutôt un roman qu'une œuvre d'histoire ; leur auteur, protégé de Marguerite d'Autriche, y exalte moins la Gaule, contrairement à une idée répandue, que la Germanie, « vraye germinateresse et produiteresse de toute la noblesse de nostre Europe ». Le désir de retrouver les origines du royaume fait naître sous Henri II les œuvres déjà évoquées au chapitre précédent. Quant au souci géographique, il se manifeste par les premiers essais cartographiques d'Oronce Finé (1525) et par la nomination en 1550 de Nicolas de Nicolay comme géographe du roi.

Cette trop brève présentation de l'extraordinaire fermentation intellectuelle qui caractérise le mouvement humaniste permet d'en apercevoir les traits essentiels : la constitution d'une Europe des lettrés, dont la figure d'Érasme, cosmopolite et lié à tous les humanistes de son temps, est le symbole ; l'affirmation de la singularité de l'homme au sein de l'univers ; mais aussi le creusement d'une distance entre l'idéal humain ainsi proposé et les réalités de l'humanité ordinaire. Celle-ci pourra-t-elle être hissée à ce haut niveau ?

ORIENTATION BIBLIOGRAPHIQUE

Robert Aulotte (sous la dir. de), *Précis de littérature française du XVIe siècle*, Paris, PUF, 1991, 458 p.

Roger Chartier et Henri-Jean Martin, *Le livre conquérant*, Paris, Fayard, 1989, 796 p.

Marc Fumaroli, *L'âge de l'éloquence*, Genève, Droz, 1980, rééd. A. Michel, 1994, 882 p.

François Lebrun, Marc Venard, Jean Quéniart, *Histoire générale de l'enseignement et de l'éducation. De Gutenberg aux Lumières*, Paris, Nouv. Libr. de France, 1981, 670 p.

Frank Lestringant, *Le Cannibale, grandeur et décadence*, Paris, Perrin, 1994, 320 p.

Robert Mandrou, *Des humanistes aux hommes de science : 16e et 17e siècles*, Paris, Seuil, 1973, 256 p.

Jean-Claude Margolin, *L'humanisme en Europe au temps de la Renaissance*, Paris, PUF, 1981, 128 p.

Robert Muchembled, *Cultures et sociétés en France du début du XVIe siècle au milieu du XVIIe siècle*, Paris, SEDES, 1995, 518 p.

Augustin Renaudet, *Préréforme et humanisme*, Paris, 1953, rééd. Genève, Slatkine reprints, 1981, 740 p.

16. La Renaissance artistique

La première moitié du XVIe siècle est en France l'une des périodes les plus fécondes de l'histoire de l'art. La Renaissance est le produit de l'heureuse rencontre entre le goût de riches mécènes et le talent éblouissant d'artistes français et étrangers. Châteaux aristocratiques, jardins ordonnés, décor du quotidien, fêtes et musique : tout est mis en œuvre pour créer les conditions idéales d'un art de vivre raffiné et somptueux.

L'art français et la fécondation étrangère

La question du rôle de l'Italie

Pendant longtemps on a attribué aux premières guerres d'Italie un rôle décisif dans le renouvellement de l'art français qui se produit à partir de la dernière décennie du XVe siècle. Les historiens de l'art reviennent aujourd'hui sur cette interprétation. Les soldats de Charles VIII ont surtout été sensibles, leur correspondance le prouve, à la beauté des femmes et de leurs habits, fort peu à l'art. Par ailleurs, les contacts avec l'Italie (comme avec le Nord) sont fréquents bien avant 1494. « Il n'y eut pas de découverte éblouie du Midi au moment de la cavalcade de Charles VIII, ni d'adoption soudaine de nouveaux styles, mais des relations continues qui se traduisirent par des mariages princiers, des accords financiers,

des missions à Rome, et, dans le domaine artistique, des prélèvements périodiques de motifs susceptibles d'enrichir le répertoire.
Avec une accélération évidente autour de 1500, et une sorte de
point d'orgue autour de 1540 » (André Chastel, *L'art français*, Paris,
Flammarion, 1994, p. 9).

Certes, les guerres d'Italie sont l'occasion de ramener des artistes
et de commander des œuvres. Charles VIII revient avec un jardinier
(Pacello da Mercogliano), un architecte (Fra Giocondo), un
sculpteur (Guido Mazzoni). Le président au Parlement de Paris Jean
de Ganay demande à l'atelier florentin des Ghirlandajo un tableau
« en mosaïque » pour sa chapelle de Saint-Merry. Le maréchal de
Gié, Pierre de Rohan, fait exécuter un *David* par Michel-Ange.

Plus tard, François Ier appelle en 1516 Léonard de Vinci, déjà
âgé, qu'il installe au Clos-Lucé près d'Amboise ; mais le peintre
meurt en mai 1519, trop tôt pour avoir pu exercer une influence
sensible. Pour décorer son château de Fontainebleau, le roi fait
venir deux artistes prestigieux, Le Rosso et Le Primatice, suivis sous
Henri II par Nicolo dell'Abbate (voir ci-dessous).

François Ier achète aussi des tableaux : ainsi un *Saint-Michel* de
Raphaël et la *Joconde* de Léonard de Vinci. Il fait rechercher des
statues antiques en Italie ; il invite l'orfèvre Benvenuto Cellini et le
loge à l'hôtel du Petit Nesles. L'architecte Serlio est appelé à venir
travailler en France et y publie ses trois livres sur la géométrie et la
perspective, traduits par Jean Martin en 1545.

Mais les traditions de l'art français sont suffisamment solides et
vigoureuses à la fin du XVe siècle pour n'avoir emprunté à l'art italien, dans un premier temps, que les éléments ornementaux qui s'y
intègrent le mieux. Il n'y a pas eu de mélange : l'architecture reste
française, le décor est italien. Ensuite, une fois dépassé le stade de
l'emprunt, les Français, selon l'esprit humaniste, se tournent vers les
sources antiques elles-mêmes : le traité de Vitruve sur l'architecture,
par exemple, est traduit par Jean Martin en 1547. Ils inventent alors
un art neuf, en une synthèse harmonieuse purement française.

Les emprunts ornementaux

Dans le domaine de l'art religieux, l'architecture reste
gothique (dans le style « flamboyant », caractérisé par la complication et la virtuosité du décor) jusqu'au milieu du XVIe siècle.

Mais les mécènes et les artistes ne craignent pas d'introduire dans les églises des ornements de type nouveau. A Albi, l'évêque Louis II d'Amboise emploie une équipe venue de Bologne pour peindre les voûtes d'arabesques et de médaillons et ajouter une entrée triomphale sur le côté sud. L'église Saint-Eustache à Paris, commencée en 1532, associe le plan gothique et des pilastres cannelés. A Rodez, le cardinal-évêque Georges d'Armagnac juche un petit temple à l'antique au sommet du mur ouest de sa cathédrale.

Dans les châteaux royaux ou aristocratiques, on observe le même mariage surprenant entre les structures françaises et le décor italien. Les châteaux de la Loire sont les témoins d'une des phases de construction « les plus allègres, les plus inventives et agréables de tout l'art français. Aussi ne lui rend-on pas justice en se bornant à interroger la dose d'italianisme, de toute façon assez faible, qu'elle peut comporter » (A. Chastel, *op. cit.*, p. 138). Blois, Chenonceaux, Azay-le-Rideau, Chambord, Valençay, Villandry : autant de créations architecturales où l'invention des artistes se donne libre cours. A Blois, François Ier fait moderniser l'aile nord du château de Louis XII par une façade monumentale ornée d'un escalier à claire-voie ; du côté de la ville, il fait ajouter deux étages de loges inspirées du modèle de Bramante au Vatican. A Chambord, l'énorme escalier à vis à double révolution est un tour de force technique ; les parties hautes, extraordinaire forêt de cheminées et de lanternes ouvragées, sont traitées dans le goût français.

A la fin des années 1520, la cour abandonne la vallée de la Loire comme lieu de résidence habituelle et se fixe à Paris ou dans ses environs. François Ier fait construire le château de Madrid dans le bois de Boulogne (édifice aujourd'hui détruit) ; il supervise lui-même les plans de cette sorte de villa de luxe, conçue pour la détente, dont la décoration est confiée en partie à Girolamo della Robbia. A Saint-Germain en Laye, le vieux château de Charles V est agrandi par Pierre Chambiges de manière à pouvoir héberger un grand nombre de courtisans ; les façades sont animées par le contraste entre la brique et la pierre. Le château de Fontainebleau, au cœur d'une forêt giboyeuse, est un exemple de juxtaposition d'additions successives au gré des goûts et des besoins nouveaux ; le maître maçon Gilles Le Breton préside à la construction des aménagements et des ajouts. Le caractère le plus remarquable en est la décoration intérieure.

L'atelier de Fontainebleau

Les équipes d'artistes et leur œuvre

L'ensemble décoratif réalisé à Fontainebleau est d'une telle liberté d'invention et d'une telle richesse qu'il constitue une étape essentielle dans l'histoire de l'art français. Ce sont pourtant des artistes italiens qui ont été chargés de l'ornementation : mais ils ont su créer des formes nouvelles adaptées au goût de leur patrie d'adoption. Le Rosso a été recommandé à François Ier par l'Arétin. Il est installé par le roi au château et doté d'une prébende de chanoine à la Sainte-Chapelle. C'est sous sa direction qu'est réalisée la galerie François Ier de 1534 à 1539. Le Primatice arrive peu après ; commissaire des Bâtiments du roi après la mort du Rosso en 1540, il est nommé abbé de Saint-Martin de Troyes. Il décore les chambres du roi, de la reine et de la duchesse d'Étampes. Enfin, Nicolo dell'Abbate est appelé en 1552 par Henri II et devient le principal collaborateur du Primatice ; il orne avec lui la salle de bal et la galerie d'Ulysse.

Ces artistes trouvent un cadre approprié dans cet élément nouveau qu'est la *galerie*, lieu de passage propre à accueillir un vaste ensemble décoratif. Leur trait de génie est d'avoir donné pratiquement la même importance esthétique aux grandes scènes peintes à fresque, illustrant un programme narratif savant, et à leur encadrement de stuc, qui associe avec une virtuosité inventive des personnages en haut-relief, des *putti* (petits amours), des chutes de fruits, des guirlandes, des cartouches, et le motif nouveau du « cuir » (ornement rappelant un morceau de cuir découpé et contourné). Les parties basses sont recouvertes de boiseries (celles de la galerie François Ier sont de Scibec de Carpi, scandées par la répétition d'un F et de la salamandre). Ce décor fait penser aux *grotesques*, ces dessins entremêlant des personnages et des ornements, récemment découverts à Rome ; mais ils s'en différencient par l'ampleur et le volume.

Les scènes peintes se caractérisent par l'allongement élégant des silhouettes, dont les courbes répondent aux volutes de l'encadrement. Il y a là l'écho du maniérisme romain et émilien, mais transfiguré par la fantaisie. Les couleurs raffinées et un peu froides complètent l'impression d'harmonie.

Cet art a pu exercer une influence durable car il a été systématiquement diffusé par la gravure, cette technique nouvelle dont on découvre les immenses possibilités. Les eaux-fortes de Fantuzzi contribuent à faire connaître dans toute la France les formules de Fontainebleau. Des tapisseries reprennent aussi les thèmes des fresques ; des émaux, des parures en répètent les motifs décoratifs.

Les programmes iconographiques

Chaque ensemble de peintures s'ordonne autour d'un thème central, illustré par des scènes mythologiques et des figures allégoriques. Les déchiffrer requiert une bonne connaissance de la culture antique et du répertoire des symboles à la mode, que possédaient parfaitement les lettrés d'alors et que les historiens d'aujourd'hui peinent à maîtriser. Le programme le plus remarquable est celui de la galerie de François Ier ; il est peut-être dû à Lazare de Baïf. L'interprétation exposée ici est celle de Pierre et Françoise Joukovsky (*A travers la galerie François Ier*, 1992).

			Les fresques de la galerie François Ier				
			Nord				
VII	**VI**	**V**		**III**	**II**	**I**	
Sacrifice	Éléphant fleurdelysé	Jumeaux de Catane ou Énée		Mort d'Ajax	Éducation d'Achille	Vénus	
VII	**VI**	**V**	**IV**	**III**	**II**	**I**	
Ignorance chassée	Unité de l'État	Cléobis et Biton	Danaé	Mort d'Adonis	Jeunesse perdue	Centaures et Lapithes	
			Sud				

La galerie est composée de sept travées, nombre parfait. Elle se lit d'est en ouest ; dans chaque travée, la scène du Nord répond à celle du Sud. Elle décrit une sorte de parcours initiatique proposé au prince pacificateur. La première travée montre au nord Vénus, qui éveille un Cupidon nu, symbole de l'amour néo-platonicien qui unit les hommes entre eux et les relie à l'harmonie cosmique ; en face, le combat des Centaures et des Lapithes évoque au contraire la violence et la sauvagerie qu'il faut dominer. Le prince se prépare à cette mission par l'éducation (II N.), en évitant de perdre sa jeunesse dans l'insouciance (II S.). Les travées III et V symbolisent les épreuves : la mort (III) et l'adversité surmontée (V), tandis que dans la travée IV, au centre, l'énergie vitale de Jupiter féconde Danaé par une pluie d'or. La sixième travée évoque l'œuvre unificatrice (la grenade, symbole d'unité de l'État, en VI S.) et pacificatrice (l'éléphant fleurdelysé en VI N.) de la monarchie. La septième travée est l'aboutissement : l'ignorance est chassée et un sacrifice est offert à la divinité. Le travestissement mythologique est ici un langage savant qui exprime le sens religieux de l'espoir humaniste : celui d'une victoire de la concorde sur la discorde, de la culture sur la barbarie et de l'âme sur la mort, par la médiation du prince fidèle à Dieu.

D'autres programmes iconographiques répondent à une préoccupation plus simplement narrative. L'Iliade inspire celui de la galerie d'Ulysse (aujourd'hui détruite), entre la cour du Cheval Blanc et le jardin des Pins. La chambre de la duchesse d'Étampes est ornée par l'histoire d'Alexandre (allusion à François Ier) ; l'histoire de la nymphe Psyché décore celle du roi. Les motifs mythologiques servent aussi de thèmes aux tapisseries et à l'orfèvrerie.

Les plaisirs de l'eau et de l'amour

Le charme de Fontainebleau est fait de ses sources et ses fontaines. Les thèmes conjoints de l'eau et de l'amour sont illustrés par l'appartement des bains, qui se trouve juste au-dessous de la galerie François Ier et de son grand programme politico-mystique. Il comprend six salles (étuves ou bains) décorées par Le Primatice. C'est un lieu de délassement où sont accrochés des tableaux célébrant la nudité féminine : nymphes jouant avec l'eau, Vénus se baignant en compagnie de Mars, Diane partant nue à la chasse ou surprise au bain par Actéon. La gravure diffuse ces scènes bellifontaines : de nombreuses variations sur le thème des « femmes à la toilette », représentées dans leur baignoire, ou de Dianes nues, avec souvent des visages bien reconnaissables appartenant aux dames de la cour, peuvent être répertoriées. Elles répandent un type de perfection charnelle élégante et fine, qu'André Chastel a appelé « l'Éros de la beauté froide ».

Les plaisirs des jardins prolongent ceux du château. On y construit une grotte, ornement que les Italiens ont mis à la mode, lieu de fraîcheur où se réalise l'union de la nature et de l'art. Le décor intérieur de celle du jardin des Pins est sans doute l'œuvre du Primatice : fresques, stucs d'animaux et de feuillages, mosaïques de petits cailloux colorés. Tout près, le pavillon de Pomone (aujourd'hui disparu), célèbre la divinité des fruits et des jardins. Un peu partout sont placées des statues antiques ou des fontes dues à Benvenuto Cellini, qui ont fait dire à Vasari que Fontainebleau était une nouvelle Rome.

Cet art raffiné a été parfaitement assimilé par les artistes français. Un bel exemple de cette intégration harmonieuse est l'œuvre des Clouet, Jean (v. 1480-1541) et son fils François (v. 1510-1572), où se marient sans heurts les influences italiennes ou nordiques et la tradition du portrait français. C'est au premier (avec peut-être l'aide du second) qu'est dû le beau tableau représentant François Ier de face, somptueusement vêtu et paré de bijoux.

Fontainebleau, riche en outre d'une bibliothèque à la tête de laquelle le roi place Guillaume Budé en 1522, est un lieu total, conçu pour combler toutes les aspirations humaines, celles du corps comme celles de l'esprit et de l'âme.

Paris, Louvre, Aile Lescot, façace de la cour Carrée, d'après J. Androuet du Cerceau,
Les plus excellents bastiments de France (1576-1579),
in J.-M. Pérouse de Montclos, *Histoire de l'architecture française*, Paris, Mengès, 1989

L'apogée de la Renaissance artistique française (1540-1570)

L'architecture

La décennie 1540 est caractérisée par le profond renouveau de l'architecture. Les Français vont puiser directement à la source antique et créent une synthèse originale. Deux grands noms s'imposent : ceux de Pierre Lescot et de Philibert de L'Orme.

Le premier (1515-1578) est un gentilhomme cultivé à qui François Ier confie en 1546 la rénovation du Louvre. Il construit de 1549 à 1555 une merveilleuse façade sur la cour Carrée, ornée par les sculptures de Jean Goujon.

La façade fut composée par Lescot avec une virtuosité étourdissante. Trois avant-corps saillants, couronnés par des frontons curvilignes, encadrent deux groupes de trois travées séparées par des pilastres antiques ; cette disposition assure un équilibre, un calme harmonieux, qui invite à procéder à une analyse fine du détail. Tout y est ingénieux et contrasté, avec une exécution des modénatures, des niches, des reliefs d'une qualité rare. Les avant-corps sont construits sur un modèle de travées rythmiques, mais avec un entablement et un oculus au-dessus d'une porte, de telle sorte qu'il ne s'agit plus de la formule de Bramante. Les baies superposées sont différentes à chaque étage : arc cintré au rez-de-chaussée, avec enfoncement de la fenêtre ; haute baie avec frontons à l'étage, plus petite à l'attique avec décor de torches croisées. Toutes les ressources du répertoire à l'antique ont été utilisées, mais furent pliées à une organisation délicate. Au total, on ne peut dire que les niveaux horizontaux dominent, à la manière italienne ; ils sont marqués par des corniches ; celle qui court au-dessus du rez-de-chaussée est toutefois cassée au passage des avant-corps. Ces lignes sont traversées par la poussée verticale de travées qui mène le regard vers le haut. La façade rentre dans une grille d'un type nouveau, animée, dynamisée par l'entrecroisement des deux directions.

L'élégante distribution des effets décoratifs n'est pas moins efficace : ils s'accumulent dans les parties hautes, selon la meilleure tradition française. Des tables de marbre gris et rose, peu visibles sans nettoyage, ajoutent une touche de couleur. Et enfin les sculptures sollicitent l'attention par leur gradation régulière, leur symétrie et la grâce que Goujon et son atelier surent leur communiquer. Ajoutés les uns aux autres, tous les éléments de ces superbes bas-reliefs s'organisent en une sorte de programme politique, annonçant et préparant la monarchie universelle pour la Maison de France (A. Chastel, *op. cit.*, p. 187).

Un autre architecte remarquable dans ces années-là est Philibert de L'Orme. A la différence de Pierre Lescot, c'est un homme de métier, fils d'un maçon ; Henri II fait de lui un abbé. Il construit la chapelle royale de Vincennes, le château neuf de Saint-Germain-en-Laye, et, après 1560, une partie de la façade ouest des Tuileries. Son œuvre la plus admirée est le château d'Anet, bâti entre 1547 et 1552 à la gloire de la favorite de Henri II, Diane de Poitiers. Partout se trouvent les symboles de la divinité chasseresse, l'arc et le croissant (Diane est assimilée à Séléné, déesse de la lune). Le morceau de bravoure est la chapelle, couronnée par une coupole dont le décor intérieur, avec ses caissons ordonnés en spirale, produit le sentiment d'être aspiré vers le haut. De L'Orme est aussi un théoricien : il publie en 1561 *Nouvelles Inventions pour bien bastir à petits frais* et en 1567 un *Livre d'architecture*.

La sculpture

Jean Goujon est déjà célèbre lorsqu'il collabore avec Pierre Lescot pour la décoration de la façade du Louvre. Il a à son actif en particulier la réalisation de la fontaine des Innocents à Paris (1547-1550), à l'angle de la rue Saint-Denis et de la rue aux Fers (aujourd'hui rue Berger). C'est un élégant édicule en forme de temple antique, où des pilastres cannelés encadrent des nymphes verseuses d'eau en bas-relief. La grâce et le naturel des formes sont soulignés par le drapé mouillé : « Le marbre lui-même semble couler », dira plus tard Diderot. Il s'agit d'une assimilation pleinement maîtrisée des leçons de l'art grec. Malheureusement, Jean Goujon doit quitter la France en 1562 à cause de sa conversion à la Réforme.

L'autre grand sculpteur de la Renaissance française à son apogée est Germain Pilon, au génie puissant et vigoureux. C'est peut-être lui qui a réalisé pour la fontaine d'Anet la célèbre statue de Diane chasseresse, étendue, un arc à la main, auprès d'un grand cerf. Il exécute de nombreux monuments funéraires, dont le plus connu est celui de Henri II et Catherine de Médicis à Saint-Denis. Selon la formule introduite, semble-t-il, par le tombeau de Louis XII et d'Anne de Bretagne, à l'étage inférieur reposent les *gisants*, cadavres nus représentés avec un réalisme émouvant, tandis qu'à l'étage les souverains sont représentés en *orants* agenouillés, dans leurs vêtements royaux. Les quatre angles sont flanqués par des statues du Primatice. On doit également à Germain Pilon de nombreuses médailles représentant avec précision des personnages de la cour.

Le mécénat privé

La magnificence des grands financiers

Dans le Val de Loire, ce sont les constructions privées des grands officiers de finances qui ont, au cours des premières décennies du XVIe siècle, joué le rôle de foyers de développement artistique, bien avant les réalisations royales (sauf l'escalier de Blois). Le premier Florimond Robertet construit avant 1508 l'hôtel d'Alluye à Blois ; puis il entreprend en 1514 le château de Bury (aujourd'hui détruit), ordonné autour d'un *cortile*, dont l'ornement est un David de bronze de Michel-Ange (commandé d'abord par le maréchal de Gié et maintenant perdu). Bury fait sensation par ses nouveautés : escalier droit de la façade, emploi des ordres antiques. Tout y est conçu pour le confort et le plaisir des yeux ; un jardin d'agrément et un jardin potager complètent l'ensemble. Le général de Normandie Thomas Bohier achète le domaine de Chenonceaux sur le Cher et fait élever de 1515 à 1522 une vaste demeure qui enjambe la rivière sur des piles. L'idée d'un château sur l'eau est reprise en partie à Azay-le-Rideau, que fait bâtir de 1518 à 1527 le président à la Chambre des comptes de Paris Gilles Berthelot ; c'est en fait sa femme, Philippe *(sic)* L'Esbahye, qui, en l'absence de son mari trop occupé, surveille de près la construction et gère les comptes : son exemple montre l'ampleur des responsabilités qui peuvent incomber aux épouses de riches seigneurs accaparés par les devoirs d'une charge. Le secrétaire des finances Jean Breton fait édifier deux châteaux, Villesavin et Villandry (à partir de 1527 et 1532). Bien en cour, chargé de surveiller la construction de Chambord, Breton en profite pour emprunter aux constructions royales des idées architecturales et faire travailler pour lui des artistes comme Nicolo dell'Abbate. « Il a réussi ce que peu de secrétaires ont fait : la construction à cinq années d'intervalle de deux châteaux qui intègrent les traditions du Nord (les hauts combles) aux recherches

italiennes (la connaissance de Villesavin influence Serlio dans l'élaboration de l'hôtel du grand Ferrare à Fontainebleau) » (Sylvie
Charton-Le Clech, 1993, p. 105).

Par leur activité bâtisseuse, ces financiers jouent un rôle d'inci-
tation à la construction et à l'activité artistique. Mais un coup fatal
leur est porté par les campagnes déclenchées contre eux par François Ier à son retour de captivité.

Le mécénat de la haute noblesse

Les grands lignages ont également une part importante dans la
floraison de l'art renaissant. L'un des premiers châteaux dans le
goût nouveau est construit au début du siècle à Gaillon par le fastueux cardinal Georges d'Amboise. Perché sur un éperon qui
domine la Seine au sud de Rouen, c'est en fait le remaniement d'un
château préexistant, et son plan est irrégulier : mais, pour la décoration extérieure et intérieure, le cardinal fait appel à des équipes
lombardes de sculpteurs et de peintres. Les médaillons à l'antique
qui ornent les murs deviennent vite célèbres ; on admire aussi les
terrasses et les jardins, ornés de galeries et de pergolas.

Les deux familles dont l'antagonisme anime la vie politique
française à la fin du règne de François Ier et sous Henri II, les
Montmorencys et les Guises, rivalisent aussi par la splendeur de
leur mécénat. Anne de Montmorency fait construire à Écouen à
partir de 1538 un château dans lequel trois étapes sont discerna-
bles, marquées par les noms de Pierre Tâcheron, Jean Goujon
(peut-être) et Jean Bullant. La dernière se signale par l'élévation
d'un portique monumental sur l'aile sud, inspiré du Panthéon de
Rome. A Chantilly, le connétable fait reconstruire de 1527 à 1532
par Pierre Chambiges le château ancien, et édifier le « Petit Château » par Jean Bullant vers 1560. Il y réunit une vaste bibliothèque, formée essentiellement par les nombreux livres offerts par
les auteurs qui recherchent sa protection. C'est un amateur de
goût ; dans son hôtel de la rue Sainte-Avoye, il a une « estude »,
cabinet destiné à la lecture et à l'écoute de la musique. Cet hôtel,
bâti entre 1547 et 1556, possède entre cour et jardin une galerie
peinte à fresques par Nicolo dell'Abbate.

La lignée des Guises produit à plusieurs reprises la « triade capi-
toline » qui, selon Jean Babelon (colloque 1994 sur le mécénat des

Guises, sous la dir. d'Y. Bellenger, actes à paraître) est nécessaire à un mécénat idéal : une femme de goût, un grand prélat et un homme de guerre favori du prince. Ce sont, à la première génération, Claude de Guise, sa femme Antoinette de Bourbon et son frère le cardinal Jean de Lorraine. Les deux premiers font bâtir le charmant château de Joinville, dont les jardins sont chantés par Rémi Belleau ; le second, mélomane averti, protège de nombreux musiciens, mais aussi Lazare de Baïf, Étienne Dolet et Clément Marot. La même conjonction se reproduit à la génération suivante, avec François de Guise, sa femme Anne d'Este et son frère le cardinal Charles de Lorraine. La chapelle de l'hôtel des Guises à Paris, achevée en 1555, est construite sur les plans du Primatice et décorée par des fresques de Nicolo dell'Abbate. Charles de Lorraine s'entoure d'écrivains et d'artistes. Ronsard l'a montré aimant à jouer du luth en compagnie de son musicien Ferrabosco :

> Quelque fois il te plaist pour l'esprit défacher
> Du luc au ventre creux les languettes toucher,
> Pour leur faire parler les gestes de tes pères,
> Et les nouveaux combats achevez par tes frères... (*L'hymne de trèsillustre prince Charles cardinal de Lorraine*, 1559, cité par B. Handout, colloque cité sur les Guises.)

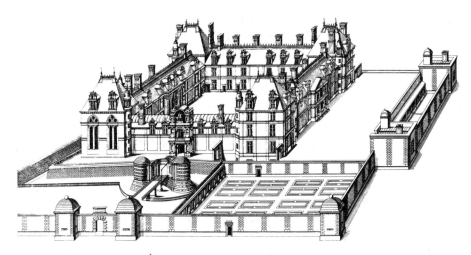

Château d'Écouen (Val-d'Oise), d'après J. Androuet Du Cerceau, extrait des *Plus excellents bastiments de France (1576-1579)*, in J.-M. Pérouse de Montclos, *Histoire de l'architecture française*, Paris, Mengès, 1989, p. 104

Fêtes et musique

Le goût des spectacles

Les artistes trouvent aussi l'occasion de s'exprimer dans les créations éphémères produites à l'occasion des Entrées royales et des fêtes de la cour. Les premières expriment la prise de possession symbolique d'une ville par le roi. Elles sont organisées par les notables, sur des programmes compliqués conçus par les lettrés les plus réputés. L'espace urbain est jalonné par des arcs de triomphe ornés de figures allégoriques; sur des estrades sont représentées des scènes évoquant la gloire du roi. Les différents corps de la ville défilent en ordre, revêtus d'habits magnifiques; des chars décorés transportent des personnages ou des animaux mythologiques. Certaines de ces entrées restent dans les mémoires: celle de Lyon en 1548, dont le «scénariste» est le poète Maurice Scève, pour laquelle un palais flottant en forme de petit temple est construit pour le roi; celle de Rouen en 1550, où des «cannibales» ramenés du Brésil sont présentés aux foules ébahies; celle de Nantes en 1551, où des combats navals de galères se déroulent sur l'eau et où l'on voit Neptune dans son char, accompagné de Néréides et de Tritons, venir faire hommage au roi.

Les divertissements de cour sont de plus en plus prisés par les courtisans. Ils s'enracinent dans la tradition des fêtes des ducs de Bourgogne au XVᵉ siècle. Particulièrement appréciées sont les mascarades chantées et dansées, à sujet mythologique, dans lesquelles on peut voir les prémices du ballet de cour. Les gentilshommes se transforment alors en acteurs et danseurs, se donnant à eux-mêmes un spectacle raffiné. Par certains côtés, ils sont, eux aussi, des artistes, que les exigences de l'ostentation placent en représentation permanente: cela explique la profonde connivence que Marc Fumaroli a soulignée entre les mécènes et les créateurs qu'ils protègent (*L'âge d'or du mécénat*, 1985). On a conservé de nombreux dessins du Primatice et de son atelier pour les costumes, indiquant parfois les coloris. Chaque famille noble a en effet son blason de couleurs, qui se combinent savamment lors des déplacements dansés.

La chanson polyphonique française

Pas de fête sans musique. Le mécénat de cour a permis les réussites de l'école française de la chanson polyphonique. Le compositeur de chansons le plus connu est Clément Janequin. Il a sans doute été l'élève de Josquin des Prés, qui a été attaché à la fin de sa vie à la chapelle de Louis XII. Janequin est l'auteur de chansons à succès, comme *La Guerre,* rebaptisée plus tard *La Bataille de Marignan.* Noël du Fail raconte dans les *Contes et discours d'Eutrapel* (1585) que « quand l'on chantoit la chanson de la guerre, faicte par Janequin, devant ce grand François, pour la victoire qu'il avoit eüe sur les Suisses : il n'y avoit celuy qui ne regardast si son espée tenoit au fourreau, et qui ne se haussast sur les orteils pour se rendre plus bragard et de la riche taille ». Parfait exemple d'effet réussi : les compositeurs veulent une musique qui provoque des émotions par son rythme et ses sonorités. Janequin crée de nombreuses chansons pittoresques, comme *Le Chant des oiseaux, L'Alouette, La Chasse* ; il met aussi en musique les plus grands poètes, de Marot à Ronsard. D'autres « chansonniers » sont réputés : à Paris, Claudin de Sermisy, le curé Passereau ; à Lyon, Dominique Finot.

La musique n'est pas seulement réservée aux fêtes ; elle est pour beaucoup une compagne quotidienne. A Montpellier, l'étudiant bâlois Félix Platter, arrivé en 1552, se met à sa fenêtre le soir pour jouer du luth, et les voisins l'écoutent ; des musiciens ambulants viennent chanter des chansons. Étienne Dolet écrit dans ses *Commentaires* de 1536 : « A la musique je dois ma vie et tout le succès de mes efforts littéraires [...] Je n'aurais jamais pu supporter les travaux immenses, infinis, que représente la compilation de cet ouvrage, si le pouvoir de la musique ne m'avait délassé... »

La musique religieuse est en revanche peu originale en France dans la première moitié du siècle. Il faut attendre la mise en musique du Psautier de Genève par Loys Bourgeois puis Claude Goudimel pour la voir se renouveler.

Pour les hommes de la Renaissance, toutes les muses sont complémentaires. *Ut pictura poesis,* selon la formule d'Horace : la peinture se lit, la poésie a des couleurs et se chante. Cette unité répond à l'harmonie du monde ; c'est la mission des artistes et des mécènes de la rendre sensible.

ORIENTATION BIBLIOGRAPHIQUE

Blunt !

Jean-Pierre Babelon, *Châteaux de France au siècle de la Renaissance*, Paris, Picard, 1989, 840 p.

Geneviève Bresc-Bautier (sous la dir. de), *Germain Pilon et les sculpteurs français de la Renaissance*, Paris, Documentation française, 1993, 400 p.

Roland de Candé, *Histoire universelle de la musique*, Paris, Seuil, 1978, 2 vol.

Sylvie Charton-Le Clech, *Chancellerie et culture au XVIe siècle*, Toulouse, Pr. du Mirail, 1993, 352 p.

André Chastel, *L'art français. Temps modernes, 1430-1620*, Paris, Flammarion, 336 p. ; (sous la dir. de), *Actes du Colloque sur l'art de Fontainebleau*, Paris, CNRS, 1975.

L'école de Fontainebleau, catalogue de l'exposition de 1972, Paris, Les Musées nationaux, 518 p.

Jean Delumeau, *La civilisation de la Renaissance*, Paris, Arthaud, 1967, rééd. 1984, 540 p.

Marie-M. Fragonard, *Les dialogues du prince et du poète*, Paris, Gallimard-Découvertes, 1990, 144 p.

Jean Jacquot (sous la dir. de), *Les fêtes de la Renaissance*, Paris, éd. du CNRS, t. I, 1956, 492 p.

Bertrand Jestaz, *L'art de la Renaissance*, Paris, Citadelles et Mazenod, 1987, 606 p.

Pierre et Françoise Joukovsky, *A travers la galerie François Ier*, Paris-Genève, 1992, 216 p.

R. Mousnier et J. Mesnard (éd.), *L'âge d'or du mécénat*, Paris, éd. du CNRS, 1985, 440 p.

Jean-Marie Pérouse de Montclos, *Histoire de l'architecture française. De la Renaissance à la Révolution*, Paris, Mengès, 1989, 516 p.

Jean-Michel Vaccaro (éd.), *Le concert des voix et des instruments à la Renaissance*, Paris, Éd. du CNRS, 1995, 720 p.

Édith Weber, *La musique protestante en langue française*, Paris, Champion, 1979 ; *Histoire de la musique française de 1500 à 1650*, Paris, SEDES, 244 p.

17. Les aspirations au renouveau spirituel et leurs premières manifestations en France

Dans un article célèbre de 1929 (Une question mal posée : les origines de la Réforme française et le problème des causes de la Réforme, repris dans *Au cœur religieux du XVIe siècle*, Paris, 1957), Lucien Febvre a définitivement disqualifié l'image simpliste que l'on se faisait auparavant : la Réforme serait avant tout une réaction contre les abus de l'Église catholique. Certes, les « abus » existent : cumul des bénéfices, abbayes données en commende, non-résidence et vie scandaleuse de certains membres du clergé. Mais leur attribuer un rôle décisif, c'est ne percevoir que l'aspect superficiel du phénomène, ne pas aller jusqu'à son « cœur religieux ». La Réforme est une réponse spirituelle à un intense besoin spirituel.

Elle s'exprime de deux manières, selon qu'elle se produit à l'intérieur de l'Église romaine (il s'agit alors de la Réforme catholique) ou contre elle (c'est la Réforme protestante, appelée de plus en plus par les historiens actuels *Réformation*).

Mais, avant que les différences entre ces deux manières de concevoir la Réforme ne deviennent évidentes, sous l'effet conjoint des élaborations doctrinales et des divergences de sensibilité religieuse, c'est au sein de l'Église traditionnelle que la volonté de renouveau fait jaillir un foisonnement d'idées et d'expériences. En France, ce temps de recherche inventive et de retour à la source évangélique, pénétré dès 1519 par les influences luthériennes, s'épanouit jusqu'à la fin de 1525, date de la dispersion du groupe de Meaux.

Les attentes spirituelles des chrétiens

Loin d'être un temps d'affaissement et de sclérose de la ferveur, la fin du XVe siècle est marquée par l'intensité croissante de la soif de Dieu. « En réalité, ce n'est pas parce que la foi est en baisse que la Réformation se produira, mais au contraire parce que le besoin religieux est plus fort qu'il n'avait été depuis longtemps » (Marc Vénard, *Histoire du christianisme*, t. VII, 1994, p. 677).

L'angoisse au sujet du salut individuel

Pour comprendre ce besoin religieux, il faut, comme le fait Pierre Chaunu (*Église, culture et société*, 1981), se situer dans une durée longue. Les progrès de la culture occidentale aux XIIe-XIIIe siècles aboutissent au désir de mieux se connaître, d'explorer l'espace intérieur de la conscience individuelle. Mais cette démarche s'accompagne d'une notion plus précise de la responsabilité de chacun, et donc de l'indignité personnelle et du péché. L'idée du Jugement suscite l'angoisse. Le Jugement dernier, celui qui, selon l'eschatologie chrétienne, se situera à la fin des temps, est un terrible quitte ou double : soit le Paradis soit l'Enfer. Or les peintres et les sculpteurs représentent l'Enfer sous des aspects de plus en plus épouvantables.

C'est autour du XIIe siècle que se précise le dogme du Purgatoire, qui est dans une certaine mesure une réponse à cette angoisse. Il propose une perspective intermédiaire pour les pécheurs ordinaires, qui espèrent éviter l'Enfer mais n'osent croire mériter immédiatement le Paradis. De façon naïve, le Purgatoire est conçu comme un *lieu* et un *temps* de pénitence qui permet à l'âme de se purifier avant d'être admise à la contemplation de Dieu. Après la mort, il y a un premier jugement, le jugement individuel : dans la plupart des cas, l'âme, séparée du corps, devra passer par l'épreuve purgatoire. Il s'agit en somme d'une manière de combler l'infinie distance entre la misère morale de l'homme et la perfection divine à laquelle il est appelé, en donnant le temps à la métamorphose purificatrice de s'accomplir. Le bonheur paradisiaque est ainsi différé, mais il apparaît moins hors de proportion avec l'indignité des pécheurs (à la condition de mourir dans le repentir, selon l'idéal de la *bonne mort* que diffusent les ouvrages sur l'*ars moriendi*, l'art de bien mourir).

L'attention des fidèles se focalise alors sur les moyens de raccourcir le temps passé dans le Purgatoire, et donc de hâter la béatitude finale. Ces moyens existent. Il y a d'abord les prières que les vivants disent pour leurs défunts et les messes que ces derniers ont fondées pour le salut de leur âme avant de mourir. Il y a aussi les *indulgences* liées à certaines dévotions ou à certains actes. Les indulgences, qui existent depuis le XIe siècle, sont à l'origine la diminution ou l'effacement des pénitences imposées aux pécheurs qui ont confessé leurs fautes et obtenu l'absolution. Par extension, elles ont fini par être des remises de peines spirituelles, à savoir le raccourcissement du temps passé dans le Purgatoire. Pour mesurer ce raccourcissement et établir des équivalences tarifées avec les actes à accomplir, il a fallu calculer, avec les inévitables dérapages que cela implique. Un exemple caractéristique est celui des prières dites devant l'une des nombreuses images représentant « la messe de saint Grégoire » (on y voit le pape Grégoire le Grand célébrer la messe et le Christ lui apparaître, couronné d'épines, émergeant du tombeau) : sept *Pater* (Notre-Père), sept *Ave* (Je vous salue Marie) et sept courtes prières appelées les oraisons de saint Grégoire valent 6 000 ans de remise sur le temps de Purgatoire. Ce tarif a tendance à augmenter : un manuscrit de la bibliothèque Sainte-Geneviève à Paris parle de 14 000 ans. Un autre manuscrit de la fin du XVe siècle promet 46 000 ans... Les prières dites devant les reliques des saints, les pèlerinages, certaines aumônes permettent également des gains fabuleux. Le record est en Allemagne, à Halle, avec des reliques qui totalisent près de 40 millions d'années d'indulgence...

Peut-on parler de délire, d'obsession névrotique, comme le fait Jacques Chiffoleau (*La comptabilité de l'au-delà*, Rome, 1980) ? C'est négliger la sincérité et l'authentique piété révélées par ces dévotions, orientées vers la méditation des fins dernières (P. Paravy, 1993). Reste que ces pratiques visent à une sécurité mécanique, attachant la promesse d'un salut plus proche à la répétition de gestes, de prières et d'actes. Certains prédicateurs les encouragent d'ailleurs indirectement. Ceux qui viennent prêcher dans les églises (appartenant le plus souvent aux ordres mendiants) répètent aux fidèles, croyant promouvoir la réforme, que les prêtres et les religieux sont tous pourris de vices : ils alimentent ainsi l'anticléricalisme et le sentiment que l'Église est inapte à son rôle de médiatrice. En même temps, ils créent un sentiment d'urgence : par leur goût pour les évocations apocalyptiques, ils entretiennent l'idée que la fin du monde est proche et que la colère de Dieu est imminente. Les laïcs qui savent lire et qui voudraient trouver une nourriture spirituelle plus substantielle n'ont bien souvent accès qu'à des ouvrages de piété aux visées moralisantes, mis petit à petit à leur disposition par l'imprimerie. Les Bibles disponibles sont moins le texte intégral, en latin (la *Vulgate*, traduction attribuée à saint Jérôme, fin du IVe siècle - début du Ve) ou en français (la plus complète est celle de Jean de Rély, parue en 1496), que des Bibles paraphrasées, moralisées ou historiées. S'ils ont les moyens de se tourner vers l'Université, les fidèles y trouvent surtout l'enseignement de la doctrine nominaliste, illustrée en particulier par Guillaume d'Ockham (première moitié du XIVe siècle), selon laquelle Dieu est inconnaissable par la seule raison humaine. La relation entre l'homme et Dieu semble ainsi coupée par un abîme, et les médiateurs habituels – les clercs – apparaissent incapables de remplir leur tâche (bien que les ecclésiastiques consciencieux aient été en réalité nombreux : voir chap. 2). Reste donc aux chrétiens à jeter comme ils le peuvent un pont sur l'abîme, par la quête éperdue d'indulgences, la pratique répétée de dévotions ritualisées et le recours à l'intercession des saints.

Le désir de réforme

Le sentiment que le meilleur chemin vers Dieu ne peut être trouvé que par l'ascèse et les progrès intérieurs commence cependant à se répandre dans le monde des religieux. Au cours du XVe siècle, le mouvement de retour à la *stricte observance*, c'est-à-dire à l'application rigoureuse des règles monastiques, gagne du terrain dans la plupart des ordres. Ce courant réformateur touche en particulier la famille franciscaine, dans laquelle les « observants » fondent des maisons nouvelles, au prix, d'ailleurs, d'une scission avec ceux de leurs frères qui refusent de se réformer. L'observance trouve aussi des adeptes chez les Dominicains, les Augustins, les Carmes et les Bénédictins, malgré les réticences parfois vives des partisans du statu quo. Le souci de se conformer à la règle est soutenu par la recherche de la perfection chrétienne, assurée par l'étude, la méditation, la prière privée et intériorisée. Ainsi est ouvert, avec une ferveur et une énergie remarquables, le grand chantier de la réforme de l'Église.

Les effets de cet élan rénovateur atteignent les laïcs. Un exemple en est la diffusion de la « dévotion moderne » *(devotio moderna)* à partir des Pays-Bas. Cette forme de piété a été élaborée par les disciples de Gérard Groote, un simple diacre, ami du grand mystique Jean Ruysbroek, qui a voué sa vie à la prédication dans la deuxième moitié du XIVe siècle. Ces disciples, les *Frères de la vie commune*, souvent des diacres et des sous-diacres, auxquels se joignent quelques prêtres et quelques laïcs, vivent dans le siècle sans se lier par des vœux ; ils mettent leurs biens en commun et partagent une existence de pauvreté et de méditation. Ils créent des écoles et donnent des conférences ouvertes à tous. Parallèlement à ces groupes est fondée une congrégation de chanoines réguliers, dont le centre est à Windesheim, près de Zwolle, sous la règle augustinienne.

La « dévotion moderne » est caractérisée par le refus des pratiques ascétiques excessives et des disputes théologiques stériles, et par le souci d'une vie intérieure nourrie par la prière et le recueillement. Elle est véritablement une réponse à l'individualisation de la relation du croyant à Dieu. Elle inspire un traité dans lequel d'innombrables fidèles trouvent un guide spirituel : *L'Imitation de Jésus-Christ* (vers 1420), dû sans doute à Thomas a Kempis. L'idéal qui y est proposé est celui d'un détachement progressif des tentations du monde par l'humble imitation de la vie du Christ, la pratique de l'examen de conscience et surtout l'oraison mentale solitaire, différente de la prière collective ritualisée.

Cette spiritualité commence à se diffuser en France à la fin du XVe siècle grâce à des prédicateurs ou des éducateurs. Le plus connu est Jean Standonck. Ce fils d'un pauvre cordonnier de Malines devient en 1483 principal du collège de Montaigu à Paris. Il y accueille, à côté d'écoliers suffisamment riches pour payer leur pension, des pauvres admis gratuitement et regroupés en une sorte de communauté monastique. A tous, il impose une discipline sévère et un régime alimentaire frugal. Sous sa direction, la réputation intellectuelle et spirituelle du collège croît ; mais les méthodes d'enseignement, restées très traditionnelles, et surtout l'austérité intransigeante de Standonck (qui rompt sur ce point avec la mesure gardée par les Frères de la vie commune) ne conviennent pas à tous les élèves. Érasme fait partie des réfractaires célèbres. Arrivé à Montaigu à la fin de 1495, il a critiqué plus tard le « collège de pouillerie » :

> Voici trente ans, écrit-il dans les *Colloques*, j'ai vécu à Paris dans un collège [...] où régnait Jean Standonck, homme d'intentions louables, mais tout à fait dépourvu de jugement. Se rappelant sa jeunesse, qu'il avait passée dans une extrême pauvreté, il ne négligeait pas les pauvres : on doit l'en approuver hautement. Et s'il s'était contenté d'alléger leur misère, de procurer à des jeunes gens les modestes ressources nécessaires à leurs études, il aurait mérité des louanges. Mais il se mit à son entreprise avec une autorité si dure, il les contraignit à un régime si rude, à de telles abstinences, à des veilles et à des travaux si pénibles, que plusieurs d'entre eux, heureusement doués, et qui donnaient les plus belles espérances, moururent ou devinrent par sa faute aveugles, fous ou lépreux, dès la première année d'essai : aucun ne resta sans courir quelque danger (cité par Augustin Renaudet, *Préréforme et humanisme à Paris*, 1953, p. 267).

Ces lignes révèlent l'incompatibilité entre la direction donnée par des rigoristes comme Standonck au mouvement de réforme et celle que lui imprime l'humanisme chrétien, dont Érasme est le représentant le plus prestigieux.

La *philosophia Christi* des humanistes

La « dévotion moderne » est avant tout une forme de *piété* prônant le détachement du monde. Aux humanistes revient de définir une *sagesse* chrétienne plus ouverte aux fidèles engagés dans le siècle. Reprenant une expression courante chez les Pères grecs de l'Église, Érasme la baptise « philosophie du Christ ».

Le combat pour la diffusion de l'Écriture

Les deux principaux soldats en sont Jacques Lefèvre d'Étaples et Érasme. Le premier (v. 1460-1536) doit son surnom à la ville de sa naissance, en Picardie. Pendant la première partie de sa vie, ce prêtre modeste consacre sa compétence de philologue et de professeur (il enseigne au collège du Cardinal-Lemoine à Paris) à l'édition des œuvres d'Aristote, mais aussi des textes mystiques qu'on attribue alors au premier évêque d'Athènes, Denys l'Aréopagite. Puis il s'oriente vers l'édition et la traduction des textes bibliques.

Les éditions de textes bibliques par Lefèvre d'Étaples

1509 : *Quincuplex Psalterium (Psautier quintuple)*, mise en parallèle de différentes versions en latin des Psaumes, accompagnées d'un appareil critique et religieux.

1512 : Commentaire des Épîtres de Paul, donnant sur deux colonnes le texte de la *Vulgate* et le commentaire de Lefèvre d'après l'original grec.

1523 : traduction française du Nouveau Testament.

1524 : traduction française du *Psautier*.

1528 : traduction française de l'Ancien Testament

Érasme de Rotterdam (1469-1536), fils d'un prêtre concubinaire, d'abord moine chez les chanoines réguliers augustins de Steyn en Hollande, ordonné prêtre en 1492, et finalement autorisé par le pape en 1517 à vivre en prêtre séculier et à recevoir des bénéfices ecclésiastiques, s'est attelé aussi à cette tâche. Il publie en 1516 sa propre traduction latine du Nouveau Testament, en regard du texte grec, sous le titre de *Novum Instrumentum* : c'est implicitement déclarer la *Vulgate* périmée. De 1517 à 1524 paraissent des *Paraphrases* sur différents écrits néo-testamentaires, sauf l'Apocalypse. Tous ces livres ont un immense succès.

L'érasmisme : une sagesse inspirée par l'Évangile

Érasme est devenu, par sa lumineuse intelligence, le maître à penser de toute l'Europe lettrée. Son premier ouvrage de littérature spirituelle, publié en 1504, doit beaucoup aux deux grands humanistes anglais John Colet et Thomas More, ainsi qu'au franciscain Jean Vitrier. Son titre est une métaphore guerrière : *Enchiridion militis christiani (Poignard du soldat chrétien)*. C'est un petit manuel de lecture et de méditation de l'Évangile, invitant le chrétien à placer sans cesse le Christ devant ses yeux. « Par Christ, précise Érasme, n'entends pas un vain mot, mais rien d'autre que la charité, la simplicité, la patience, la pureté, bref, tout ce qu'il a enseigné » (quatrième règle). La réédition de l'ouvrage en 1518 connaît un succès foudroyant.

Le célèbre pamphlet *Encomium morae (Éloge de la folie)*, paru en 1511, raille le ridicule et la bêtise tant des clercs que des laïcs, tandis qu'est exaltée la « folie de la Croix », thème paulinien permettant de développer celui de la vraie sagesse. La verve et l'ironie étincelantes qui s'y manifestent caractérisent aussi les *Adages* (recueil de proverbes commentés, publié en 1500 et enrichi en 1508) et les *Colloques* (dialogues familiers sur des sujets divers, comme la guerre, le mariage, l'éducation des femmes, sans cesse augmentés de 1522 à 1533). Érasme s'est aussi beaucoup préoccupé d'éducation : celle du prince (*Institutio principis christiani*, 1516) et celle des enfants (*Declamatio de pueris statim ac liberaliter instituendis*, 1529).

A travers ces œuvres se dessine ce qu'il appelle la *philosophia Christi*. C'est un humanisme chrétien, fondé sur la conviction que l'*humanitas*, l'ensemble des qualités qui font la dignité humaine, trouve son achèvement dans le Christ. Celui-ci se découvre essentiellement dans l'Évangile. Se conformer à son exemple, mettre en pratique son enseignement : voilà le but qui s'offre à son disciple. De ce point de vue, le laïc peut faire aussi bien que le prêtre, aussi bien que le moine : *monachatus non est pietas*, « état de moine ne signifie pas piété ». Ne pas enfermer la vérité dans des dogmes trop strictement formulés, préférer l'esprit à la lettre, ne pas asservir la liberté du chrétien à des prescriptions trop tâtillonnes, respecter les opinions d'autrui, préserver la paix entre les individus comme entre les États : tel est le haut idéal que propose Érasme.

Son évangélisme lui fait considérer au début avec sympathie le combat de Luther. Assez vite, cependant, il mesure la distance qui l'en sépare. C'est contre lui qu'il fait paraître en 1524 le *De libero arbitrio (Du libre arbitre)*, dans lequel il accorde à la liberté humaine une part d'autonomie face à la grâce divine ; Luther lui réplique en 1526 par le *De servo arbitrio (Du serf arbitre)*. La fin de la vie d'Érasme est attristée par le spectacle de la déchirure des chrétiens.

L'évangélisme du groupe de Meaux

Le mouvement qui porte tant de fidèles vers une lecture plus attentive de l'Évangile et vers la réforme de l'Église produit aussi en France une expérience originale, celle que l'évêque Guillaume Briçonnet tente à Meaux.

La prédication de l'Évangile

Guillaume Briçonnet appartient à l'une de ces grandes familles tourangelles qui ont fourni tant de serviteurs à l'Église et au roi à la fin du XVᵉ siècle et au début du siècle suivant. Son père Guillaume Iᵉʳ, principal conseiller de Charles VIII, est parvenu après son veuvage aux archevêchés de Reims et de Narbonne ; son oncle Robert, chancelier de France, a été également archevêque de Reims ; son oncle maternel n'est autre que Jacques de Beaune, baron de Semblançay, poursuivi en 1527 par la vindicte de François Iᵉʳ. Lui-même collectionne les bénéfices ecclésiastiques : chanoine de Notre-Dame de Paris, abbé de Saint-Germain-des-Prés, évêque de Lodève depuis 1489, évêque de Meaux depuis la fin de 1515 (mais il garde l'évêché de Lodève jusqu'en 1519...)

A première vue donc, l'incarnation parfaite du plus visible des abus : le cumul des bénéfices. Mais voilà que Guillaume Briçonnet prend au sérieux ses tâches, décidant de rétablir la discipline ecclésiastique tant dans son abbaye de Saint-Germain (dès 1513) que dans son diocèse de Meaux (à partir de 1518). Dans ce dernier, il entreprend d'abord de restaurer son autorité, de réformer les clercs, d'introduire largement le français dans la liturgie. Mais il se heurte aux résistances farouches d'une part des Franciscains et de l'autre du clergé séculier. Les premiers se plaignent à Rome, le second au Parlement. Au début de 1521, Briçonnet « semble être parvenu à une impasse » (Michel Veissière, 1984).

C'est alors qu'il décide de faire venir une équipe extérieure de prédicateurs. Le premier est Jacques Lefèvre d'Étaples, qui s'installe à Meaux entre avril et juin 1521, et devient en mai 1523 vicaire général du diocèse. Ceux qui le secondent sont les prêtres Gérard Roussel, Martial Masurier, François Vatable (l'éminent hébraïsant qui sera nommé lecteur au Collège royal fondé en 1530) ; un ermite de saint Augustin, Michel d'Arande ; un simple tonsuré, Guillaume Farel. A tous est proposé le même programme : « Connaître l'Évangile, suivre l'Évangile, et faire connaître partout l'Évangile. » Des traductions des textes évangéliques sont distribuées aux fidèles.

La persécution

Dès l'été 1521, la Faculté de théologie de Paris commence à s'alarmer de certains aspects de la prédication de Lefèvre et de Masurier. Elle a condamné, en avril, les positions de Luther, dont les livres arrivent en France depuis au moins 1519. Son redoutable syndic, Noël Béda, est prompt à soupçonner le groupe de Mcaux de propager l'hérésie luthérienne. Briçonnet, soucieux de manifester son orthodoxie, renvoie alors, en avril 1523, tous ses prédicateurs, pour n'engager de nouveau que Lefèvre, Roussel, Vatable, Masurier, auxquels se joignent Pierre Caroli et Jacques Pauvan (ou Pavant). La mesure vise sans doute Guillaume Farel, qui fuit à Bâle et s'oriente de plus en plus vers Zwingli, le réformateur de Zurich.

Si l'on met à part le cas de Guillaume Farel, les membres du groupe de Meaux justifient-t-ils la méfiance de la Faculté de théologie ? Sans doute y a-t-il une parenté entre leurs idées et quelques points de la doctrine luthérienne : leur manière d'enseigner le caractère central de l'Évangile et la supériorité de la foi sur les œuvres les en rapproche. Cependant, sur la question de la présence réelle du Christ dans les espèces eucharistiques du pain et du vin, qui est en train de devenir l'un des tests décisifs permettant de départager l'orthodoxie de l'hérésie, ils ne s'éloignent nullement de l'Église catholique. En somme, ils trient parmi les idées luthériennes. L'un d'eux, Martial Masurier, aurait dit : « Où Luther a bien dit, homme n'a mieux dit ; et où il a mal dit, homme n'a pis dit. » Mais cette seule phrase sent le soufre pour la sourcilleuse Faculté de théologie.

Guillaume Briçonnet dispose cependant d'armes efficaces pour détourner l'orage, dont la moindre n'est pas la protection que lui accorde Marguerite, sœur du roi François Ier et duchesse d'Alençon. De 1521 à 1524, il entretient avec elle une abondante correspondance spirituelle. En outre, à partir de 1523, il multiplie les déclarations d'orthodoxie. Mais la Faculté de théologie s'acharne. Le 2 décembre 1523, elle condamne des propositions de Caroli et de Masurier, qui doivent se rétracter. Des incidents accroissent sa sévérité : au cours de l'hiver 1524-1525, des habitants de Meaux lacèrent des affiches publiant des indulgences ; certains sont arrêtés pour avoir tenu des propos hérétiques. Des affirmations répréhensibles sont relevées dans un livre provenant de Lefèvre d'Étaples et de son équipe, les *Épistres et Évangiles pour les cinquante et deux semaines de l'an*, imprimé à Paris en 1525. Les franciscains de Meaux attaquent devant le Parlement Briçonnet, qui doit venir se justifier. La défaite de Pavie et la captivité de François Ier privent l'évêque de l'appui royal ; en août 1525, la Faculté, bientôt suivie par le Parlement, interdit les *Épistres et Évangiles* ainsi que toutes les traductions de la Bible en français. La protection de Marguerite, devenue reine de Navarre par son mariage avec Henri d'Albret, évite cependant le pire à la plupart des membres du groupe de Meaux : Lefèvre finit sa vie à Nérac, lieu de résidence de la reine ; Gérard Roussel devient évêque d'Oloron, Michel d'Arande évêque de Saint-Paul-Trois-Châteaux, Martial Masurier chanoine de Notre-Dame de Paris. Seul Jacques Pauvan finira sur le bûcher.

D'autres exemples d'une diffusion du mouvement évangélique et de ses tentations hétérodoxes peuvent être trouvés ailleurs qu'à Meaux : ainsi à Toulouse, à Lyon et à Grenoble ; dans cette dernière ville, les prédications du cistercien Pierre de Sébiville et du dominicain Aimé Meigret sont condamnées en 1524 (P. Paravy, 1993 ; D. Crouzet, 1996).

Luther et la rupture

Les difficultés rencontrées par les « bibliens » de Meaux témoignent de la nervosité nouvelle des gardiens de l'orthodoxie depuis le conflit de Luther avec Rome en 1517, et son excommunication par le pape le 3 janvier 1521. Tout partisan de la rénovation religieuse sera bientôt sommé de choisir son camp.

1517 : l'affaire des indulgences

Luther (1483-1546) est au début moine augustin à Erfurt en Thuringe. Au cours de son expérience monastique, il ressent avec une intensité torturante l'angoisse qui saisit si souvent les chrétiens de son temps au sujet de leur salut : que faut-il faire pour être sauvé ? Luther s'épuise en pénitences, en pratiques ascétiques, mais plus il accumule ces œuvres méritoires, plus son âme exigeante en mesure le caractère dérisoire au prix de l'infinie perfection divine. En outre, il voit bien que c'est proposer une sorte de marché à Dieu que d'oser se prévaloir devant lui de ses mérites. L'illumination lui vient alors de la méditation des écrits de saint Augustin et des Épîtres de saint Paul, en particulier de l'Épître aux Romains. Il butait contre l'expression « justice de Dieu », qu'il interprétait comme la sévère distribution des peines et des récompenses par un Juge « juste et vengeur ». Il comprend qu'elle désigne seulement la justice *donnée* par Dieu au pécheur, gratuitement, sans tenir compte ni de son péché, ni de ses prétendues bonnes œuvres.

Luther découvre ainsi – ou plutôt redécouvre – la notion de totale gratuité de l'amour de Dieu. La foi, imprégnation du croyant par cet amour, suffit à le justifier. La joie profonde qu'il ressent chasse définitivement son angoisse ; il va désormais consacrer sa vie à faire partager ce sentiment de libération.

Il va s'élever en particulier contre tous ceux qui font croire aux fidèles que le salut peut *s'acheter*. A cet égard, les indulgences que le pape a liées aux dons pour la reconstruction de la basilique Saint-Pierre de Rome lui apparaissent comme une véritable provocation. Non seulement c'est le versement d'une somme d'argent qui semble aux âmes simples être la cause directe de la diminution des peines purgatoires subies par les défunts, mais une moitié de cet argent, loin de servir à Saint-Pierre, est destinée à rembourser les dettes de l'archevêque de Mayence, qui a dépensé une fortune pour obtenir son archevêché et qui monnaie ainsi son accord à la prédication de l'indulgence ! L'indignation de Luther le pousse à écrire à l'archevêque. A sa lettre sont jointes 95 thèses, qu'il affiche aussi, probablement, le 31 octobre ou le 1er novembre 1517, à la porte de l'église du château de Wittemberg. Il y dénonce la fausse sécurité donnée aux chrétiens par les indulgences, et nie que le pape puisse agir sur le Purgatoire – et donc en quelque sorte contraindre Dieu – par le système indulgentiel.

Les 95 thèses ne sont pas un texte de rupture, mais un véhément cri d'alarme. Cependant elles sont reçues par le pape comme une atteinte grave à son autorité. Après l'échec de rencontres avec des théologiens (Cajetan et Éck), Léon X somme Luther de se rétracter par la bulle *Exsurge Domine* (15 juin 1520). Loin d'obtempérer, celui-ci se radicalise. Il est excommunié le 3 janvier 1521 (bulle *Decet romanum pontificem)* et mis au ban de l'Empire le 26 mai. Libéré de ses vœux monastiques et protégé par le prince-électeur de Saxe, il publie en 1520 plusieurs ouvrages qui précisent sa doctrine (dont la *Captivité babylonienne de l'Église* et un traité *De la liberté du chrétien*). Il se consacre désormais à la prédication et à la traduction de la Bible en allemand.

Principaux aspects du message luthérien

Sola fide : l'homme est justifié par la seule foi, d'une « justice passive » donnée gratuitement par Dieu ; il n'a aucune liberté pour y contribuer. Les œuvres ne peuvent justifier ; elle ne sont que la conséquence de la foi. *Sola scriptura :* l'Écriture (la Bible) est le critère ultime de la vérité (et non la tradition de l'Église). Tout chrétien doit y avoir accès. Deux sacrements seulement sont fondés par l'Écriture : le baptême et la cène. Dans ce dernier, la substance du corps et du sang du Christ est conjointe (sans la changer) à celle du pain et du vin (*consubstantiation* et non transsubstantiation). Il n'y a pas de Purgatoire ; prier pour les morts est inutile. Tout culte adressé à la Vierge et aux saints est idolâtrique ; seul Dieu doit faire l'objet d'un culte. Pas de vœux monastiques. Tout laïc a la dignité du clerc (sacerdoce universel).

L'influence de Luther en France

Des livres de Luther sont signalés à Paris dès février 1519. Ils pénètrent en France depuis Bâle, Strasbourg ou Anvers, et arrivent jusqu'aux principales universités. A Avignon, c'est un étudiant bâlois, Boniface Amerbach, qui fait connaître Luther au franciscain François Lambert ; celui-ci se consacre alors à la diffusion du message luthérien. Des ouvrages sont traduits en français : Guillaume Farel traduit le commentaire de Luther sur le *Pater noster* (1524). Louis de Berquin, un gentilhomme érasmien attiré par les idées luthériennes, fait de même pour plusieurs œuvres tant d'Érasme que de Luther. En 1525 paraît à Paris chez Simon de Colines un livre intitulé *L'Oraison de Jésuchrist*, recueil comprenant le *Pater noster* et le *Credo* de Guillaume Farel, la traduction de la préface de Luther à l'Épître aux Romains et celle de son sermon sur la mort et la passion du Christ. Il s'agit, selon Francis Higman (1992), du « texte le plus courageux de toute cette première époque de la Réforme, et certainement l'exposition la plus explicite de la pensée de Luther à paraître en français ». Le livre est réimprimé en 1528, avec des modifications qui en édulcorent le message, sous le titre *Le Livre de vraye et parfaicte oraison*. Sous cette forme atténuée, il connaît un énorme succès et réussit à échapper à la censure. La prédication est aussi un vecteur important des idées luthériennes. Avant 1530, elles ont atteint plusieurs grandes villes : Rouen, Paris, Meaux, Alençon, Orléans, Troyes, Bourges, Lyon, Grenoble, Avignon, Montpellier, Nîmes, Toulouse (Marc Lienhard, in *Histoire du christianisme*, t. VII, 1994).

La fracture consécutive à l'affaire de 1517 témoigne de l'impuissance de l'Église à se réformer sans se diviser. Il est vrai que, en France, dans les années 1520, la ligne de partage est loin encore d'être nette. Les espoirs de préserver l'unité subsistent. Cependant les premières condamnations, les premiers gestes de rupture ont créé des clivages difficiles à surmonter.

ORIENTATION BIBLIOGRAPHIQUE

Aux ouvrages indiqués à la fin des chapitres 2 et 15, il faut ajouter :

Pierre Chaunu, *Église, culture et société (...) 1517-1620*, Paris, SEDES, 1981, 544 p.

Jacques Chomarat, André Godin et Jean-Claude Margolin (éd.), *Actes du Colloque international Érasme*, Genève, Droz, 1990, 464 p.

Denis Crouzet, *La genèse de la Réforme française, 1520-1562*, Paris, SEDES, 1996, 620 p.

Jean-François Gilmont (sous la dir. de), *La Réforme et le livre : l'Europe de l'imprimé, 1517-v. 1570*, Paris, Seuil, 1990, 532 p.

Léon Halkin, *Érasme parmi nous*, Paris, Fayard, 1989, 498 p.

Francis Higman, *La diffusion de la Réforme en France, 1520-1565*, Paris, Labor et Fides, 1992, 282 p. ; *La piété et le peuple : publications en langue française de textes religieux (1511-1551)*, Paris, 1996.

Jacques Le Goff, *La naissance du Purgatoire*, Paris, Gallimard, 1981, 510 p.

Marc Lienhard, *Martin Luther. Un temps, une vie, un message*, Paris, Labor et Fides, 1991, 478 p.

Jean-Claude Margolin, *Érasme précepteur de l'Europe*, Paris, Julliard, 1994, 422 p.

Michel Veissière, *L'évêque Guillaume Briçonnet (1470-1534)*, Provins, Soc. d'Hist. et d'Arch., 1986, 532 p., et *Autour de Guillaume Briçonnet*, Provins, 1993.

18. L'émergence du calvinisme

La dispersion du groupe de Meaux ne marque pas la fin du mouvement évangélique en France, mais ouvre pour lui un temps de tâtonnements. La plupart de ceux qui s'en réclament veulent rester dans le sein de l'Église établie. Ceux qui rompent ne forment encore que des groupes dispersés, ouverts à diverses influences venues de l'extérieur comme celle de Luther ou encore celle de Zwingli, le réformateur de Zurich. C'est le Picard Jean Calvin qui réussit à rassembler les « mal sentants de la foi » autour d'une synthèse théologique claire et cohérente. En 1559, la confession de foi adoptée par les églises nouvellement fondées est d'inspiration calviniste.

Les historiens ont pris l'habitude d'utiliser le mot *réformé* pour désigner le courant issu de Calvin. Le terme *huguenot*, qui n'est pas d'usage courant avant 1560, se réfère plutôt à la dimension politique de la Réforme française. Il faut signaler que les réformés récusent l'appellation de *calvinistes*, qui fait d'eux les disciples d'un homme et non de Dieu, des « sectaires ». Le vocable *protestants* désigne au sens étroit les princes et villes luthériens du Saint-Empire qui ont *protesté* en 1529 contre les décisions de la Diète de Spire ; c'est par extension qu'il englobe tous ceux qui ont rompu avec l'Église romaine (mais les historiens varient sur l'ampleur à donner à cette extension).

Quant au mot *évangélisme*, depuis qu'il a été proposé en 1914 par P. Imbart de La Tour (*Les origines de la Réforme*, t. III), il a été adopté par la plupart des historiens pour nommer le courant religieux unissant des chrétiens d'avant le durcissement des choix confessionnels, ceux qui cherchent directement dans l'Écriture la source de leur foi, pensent que la vie spirituelle est intérieure et personnelle, se détournent de pratiques comme le culte des saints ou le recours aux indulgences, mais ne veulent pas rompre avec l'Église traditionnelle. En somme, les évangéliques croient qu'on peut concilier le message de Lefèvre d'Étaples et d'Érasme et celui de Luther. Cet espoir a été celui du groupe de Meaux. Il rencontre au début le rêve royal d'une réforme modérée et gallicane ; mais, dans la décennie 1525-1534, son irénisme se heurte à de telles difficultés que la nécessité de choisir commence à apparaître inévitable.

La décennie 1525-1534 :
l'espoir déçu de l'évangélisme français

Les évangéliques : des « nicodémites » ?

Dans l'Évangile de Jean, Nicodème est un Pharisien séduit par l'enseignement de Jésus, mais qui, n'osant se déclarer publiquement, ne vient le voir que la nuit. En 1544, Calvin fait paraître un opuscule *(Excuse à Messieurs les Nicodémites)* dans lequel il désigne par ce terme, de façon méprisante, tous ceux qui sont attirés par la Réforme mais qui cachent leurs convictions et continuent (par lâcheté, estime Calvin) à rester dans l'Église romaine. Des historiens ont repris le mot et s'en sont servi pour englober les chrétiens dont les choix religieux sont ambigus ; l'Italien Carlo Ginzburg (1970) soutient même que les nicodémites prônent sciemment la dissimulation religieuse. Thierry Wanegffelen a repris le débat (1994) et propose d'employer plutôt, pour désigner les dissimulateurs, le terme de *temporiseurs,* que la polémique réformée a également employé (en 1550 paraît la traduction par Valérand Poullain d'un ouvrage de Wolfgang Musculus, sous le titre *Le Temporiseur)*. Mais la plupart des évangéliques en qui les historiens ont vu des nicodémites ne songent pas à dissimuler. Leur originalité vient de ce qu'ils croient possible d'associer d'une part la doctrine de la justification par la foi seule (qui sent le luthéranisme) et de l'autre celle de la présence réelle corporelle du Christ dans la substance du pain et du vin de l'eucharistie, conforme au dogme catholique. Ils affirment sans ambiguïté leur choix de rester dans l'Église établie, tout en s'éloignant des pratiques ritualisées, des dévotions aux reliques et des prières pour les morts. Cette position leur a valu l'incompréhension de beaucoup d'historiens. Ce sont sans doute des catholiques sincères, mais qui, se situant avant les « constructions confessionnelles » des années 1530-1540, peuvent encore croire compatibles des affirmations dont la juxtaposition sera rejetée ensuite.

Marguerite d'Angoulême (d'Alençon par son mariage avec le duc d'Alençon, puis de Navarre du fait de son remariage avec Henri d'Albret) en est un exemple. Dans son œuvre spirituelle majeure, le *Miroir de l'âme pécheresse* (1531), que la Faculté de théologie aurait censurée en 1533 sans l'intervention du roi, elle exprime sa joie de recevoir le salut par la foi ; mais, dans un passage, elle se dépeint aussi communiant par l'eucharistie au « corps tresdigne, et sacré sang » du Christ. Protectrice de Marot et des membres du groupe de Meaux, elle aime à la fin de sa vie, au témoignage de Brantôme, « chanter vespres et messes » avec les religieuses de l'abbaye de Tusson qu'elle a fondée. Son confesseur et aumônier Gérard Roussel a une position analogue. Dans la *Familière exposition du Symbole, de la Loy, et Oraison dominicale* (restée manuscrite), on trouve juxtaposées l'affirmation de l'absolue gratuité du salut par la seule foi (qui s'attire la censure de la Faculté) et la reconnaissance explicite de la présence réelle corporelle du Christ dans l'eucharistie. La même attitude caractérise un autre des anciens prédicateurs de Meaux, Martial Masurier, ou encore Claude d'Espence, docteur de la Faculté, qui doit rétracter en 1543 des positions jugées « hérétiques », mais qui n'a pas été inquiété pour ses opinions eucharistiques. On peut peut-être ranger Rabelais (la complexité de sa pensée interdit toute étiquette trop simplificatrice) dans la catégorie de ces chrétiens d'obédience catholique, mais attirés par l'aspect libérateur du message de Luther.

Clément Marot, comme Rabelais, a suscité les interrogations des historiens, bien que son évangélisme ne semble pas l'avoir conduit à la rupture. Il est à vrai dire souvent délicat d'identifier avec certitude les positions, en un temps où la prudence commande de surveiller ses propos et où les frontières doctrinales n'apparaissent pas encore évidentes. En outre, les autorités civiles et religieuses augmentent la difficulté en baptisant indistinctement « luthériens » tous ceux dont les opinions leur sont suspectes. Il y a incontestablement en France, dans les décennies 1520 et 1530, des groupes luthériens dans les villes universitaires ; il y a aussi des dis-

ciples de Zwingli ; il existe même des adeptes de tendances « sectaires » assez mal connues (Bertrand des Moulins, Antoine Poc-
quet), que Calvin stigmatisera sous le nom de « libertins ». Il
semble pourtant que l'évangélisme refusant la rupture ait été alors
le courant le plus répandu.

Le pont que jettent les évangéliques entre deux sensibilités religieuses va cependant devenir de plus en plus fragile, par suite de
deux facteurs : d'une part l'effet d'amalgame induit par les persécutions, déjà sensible lors des difficultés rencontrées par le groupe de
Meaux ; de l'autre, la focalisation du militantisme réformateur sur
la question de la messe et de la présence réelle.

Le raidissement de la Faculté de théologie de Paris et de certains Parlements

La lutte contre Luther commence en France avec la condamnation d'avril 1521 de la Faculté de théologie de Paris. En 1523, un premier procès est intenté à Louis de Berquin, le traducteur d'Érasme.
En 1525, la captivité du roi et l'absence de sa sœur Marguerite laissent le champ libre aux défenseurs de l'orthodoxie : en mai, le Parlement de Paris fait condamner quatre ouvrages d'Érasme traduits en
français par Berquin ; en août, la Faculté de théologie interdit les
Épistres et Évangiles réunis en recueil par Lefèvre d'Étaples et son
équipe, ainsi que toutes les traductions de la Bible en français ; l'interdiction est solennellement proclamée par le Parlement par l'arrêt du
5 février 1526. Le mois précédent, Berquin a été arrêté et ses livres ont
été saisis ; il faudra l'intervention du roi à son retour pour arrêter ce
second procès. Désormais règne le soupçon. Érasme est considéré
comme le fourrier de l'hérésie. Dire que la foi seule justifie est censé
entraîner nécessairement les autres affirmations luthériennes. Cet
amalgame peut se comprendre (voir chapitre suivant) ; mais il rejette
des chrétiens qui ne se veulent pas séparés. A la gravité de la menace
redoutée répond la sévérité des châtiments : c'est le temps des bûchers
qui commence. Berquin aggrave son cas par le mélange de fermeté et
de désinvolture avec lequel il supporte l'épreuve ; c'est avec une ironie amusée qu'il commente dans une lettre à Érasme la *« tragoedia
Berquini »*. En 1529, profitant de l'absence royale, le Parlement le fait
arrêter de nouveau ; cette fois, il est exécuté.

Les bûchers s'allument aussi en province. Ceux que les parlementaires de Toulouse dressent en 1532 font périr 22 personnes, accusées d'hérésie, dont Jean de Caturce, régent à l'École de droit ; plusieurs autres sont condamnées à des amendes, comme Jean de Boyssonné, professeur de droit civil, ou exilées, tels Pierre Bunel et Jean de Coras, qui enseignent aussi le droit civil. Étienne Dolet, qui est alors étudiant à Toulouse, lance un vigoureux cri d'indignation dans ses *Orationes duae in Tholosam (Deux discours contre Toulouse)*, publiés à Lyon en 1534 : obsédés par la nécessité de préserver l'orthodoxie, les « vautours en toge » du Parlement de Toulouse confondent la quête spirituelle personnelle et l'hérésie ; ils en viennent à haïr « l'odieux nom d'Érasme », à dénier le droit de « s'attacher aux commandements du Christ avec un peu plus d'indépendance et de liberté », et plus généralement à stériliser toute activité intellectuelle. Révolté, Dolet poursuit lui-même une évolution qui le fera accuser d'athéisme : il finira pendu et brûlé en 1546 sur la place Maubert à Paris.

Les provocations des partisans d'une rupture brutale

Les tentatives de conciliation des évangéliques se heurtent à une autre pierre d'achoppement : le comportement provocateur de certains militants d'une Réforme intransigeante. Le premier type de provocation est le geste iconoclaste, qui détruit les « images » (statues ou tableaux) sous le prétexte qu'une représentation figurée fait écran entre l'âme et Dieu et risque de susciter une adoration idolâtrique détournée de son véritable objet. La destruction violente des images, pratiquée dès l'hiver 1521-1522 à Wittenberg par Carlstadt, est l'une des manifestations de ce qu'on a appelé la Réforme radicale (Luther, quant à lui, pense que les images sont utiles comme « prédication pour les yeux »). A Zurich, des théologiens radicaux comme Leo Jud les rejettent avec véhémence. Les images des saints et surtout de la Vierge sont spécialement visées par l'iconoclasme. Dans la nuit du premier juin 1528, une statue de la Vierge se trouvant au coin de deux rues à Paris est mutilée. L'indignation est immense. Le 11 juin, une procession expiatrice conduite par le roi en personne se déroule dans Paris. François Ier montre clairement à cette occasion sa ferveur catholique.

Le deuxième type de provocation s'attaque à la conception traditionnelle de la présence réelle corporelle du Christ dans les espèces du pain et du vin une fois consacrées. C'est aussi de Zurich que vient la remise en cause la plus vigoureuse, celle du courant *sacramentaire*. Pour Zwingli (1484-1531), le réformateur de cette ville, le pain et le vin sont seulement des *symboles* du corps et du sang du Christ. La question de l'eucharistie est étroitement liée à celle de la messe. Pour les catholiques, celle-ci rend sacramentellement présent sur l'autel le sacrifice de la Passion ; l'hostie (le pain sans levain qui sert au sacrement), lorsqu'elle est consacrée, représente le Christ en croix. Pour Zwingli, il ne peut y avoir qu'une cérémonie commémorative.

Or, de plus en plus, la question de la messe et celle de la présence réelle cristallisent les divisions doctrinales, de façon beaucoup plus violente que celle de la grâce. On trouve des traces du courant sacramentaire dans le diocèse de Troyes dès 1528 ; cette année-là, un foulon de drap est arrêté pour avoir dit : « Dieu est Dieu et pain est pain ». L'affaire des Placards d'octobre 1534 démontre avec brutalité l'incompatibilité des positions. Dans la nuit du 17 au 18 octobre 1534 est placardé à Paris, Tours, Orléans, Blois, Rouen et, à Amboise, jusque dans le château royal, un manifeste imprimé à Neufchâtel au titre provocant : *Articles véritables sur les horribles, grands et importables abus de la Messe papale, inventée directement contre la Sainte-Cène de Notre-Seigneur*. La conception catholique de la présence réelle y est violemment attaquée. On sait aujourd'hui (G. Berthoud, 1973) que l'auteur en est Antoine Marcourt, un exilé français influencé par Zwingli, devenu pasteur à Neufchâtel. L'affichage du texte montre qu'existe en France un certain nombre d'adeptes du courant sacramentaire. Le scandale est énorme chez les catholiques, pour qui la messe est au cœur de leur dévotion. Le roi s'indigne ; une procession expiatoire est organisée, une liste de suspects d'hérésie est dressée, des bûchers sont allumés. Tout nouveau livre imprimé est même interdit dans le royaume (mesure vite adoucie). Pour Francis Higman (1992), cette provocation des sacramentaires a été une façon, efficace, de « saboter » la réforme modérée et gallicane, trop tiède à leur goût, vers laquelle s'orientait l'évangélisme français.

Jean Calvin et le calvinisme

L'affaire des Placards contribue à rendre de plus en plus intenable la position des évangéliques modérés. Elle a également pour conséquence la fuite à Bâle d'un jeune érudit qui vient d'opérer une conversion intérieure, Jean Calvin. C'est dans cette ville qu'il rédige et fait paraître en 1536 le livre qui va servir de guide spirituel et moral à tous ceux qui envisagent la rupture mais n'ont pas encore d'orientation doctrinale définie : l'*Institution de la religion chrestienne*.

L'itinéraire de Calvin

Jean Calvin (1509-1564) est un Picard né à Noyon d'un notable, Gérard, à la fois greffier du corps de ville et procureur du chapitre cathédral. Il est très tôt destiné à la théologie par son père et reçoit précocement des bénéfices ecclésiastiques. Envoyé à Paris, il y suit les enseignements donnés au collège de Montaigu, dont, à la différence d'Érasme, il accepte sans murmurer la discipline austère. Puis il part étudier le droit à Orléans et à Bourges. Cette formation de juriste accentue son goût pour l'ordre et la clarté intellectuelle.

Il ressent dès ce moment-là une angoisse spirituelle voisine de celle qui a été à l'origine de l'expérience luthérienne. Il l'a décrite en 1539 dans un admirable *Discours* qu'il adresse à Dieu :

> ... les maîtres et docteurs du peuple chrétien [...] disaient que Ta miséricorde était à tous le commun port de salut. Mais pour icelle obtenir, ils ne donnaient autre moyen sinon de satisfaire pour nos péchés. Et lors telle satisfaction nous était enjointe : premièrement qu'après avoir confessé tous nos péchés à un prêtre, humblement nous en demandions pardon et absolution ; item que par bonnes œuvres nous effacions vers Toi la mémoire d'iceux ; finablement, pour suppléer ce qui nous défaillait, que nous y ajoutassions sacrifices et solennelles purgations. Et pour tant que Tu étais un juge rigoureux, vengeant sévèrement l'iniquité, ils montraient combien épouvantable devait être Ton regard. Pour ce commandaient-ils que l'on s'adressât premièrement aux saints, à ce que par leur intercession Tu nous fusses rendu et fait propice et exorable.
>
> Et comme j'eusse accompli toutes ces choses tellement quellement, encore que je m'y confiasse quelque peu, si étais-je toutefois bien éloigné d'une certaine tranquillité de conscience. Car toutes fois et quantes que je descendais en moi ou que j'élevais le cœur à Toi, une si extrême horreur me surprenait qu'il n'était ni purifications ni satisfactions qui m'en pussent aucunement guérir (cité par A. M. Schmidt, *Jean Calvin*, Paris, Seuil, éd. de 1965, p. 12).

Calvin a déclaré que sa « conversion », sa découverte de la gratuité du salut, a été « subite » ; mais la date exacte en est difficile à préciser. C'est un humaniste allemand, Melchior Wolmar, qui lui a fait sans doute connaître les idées et les ouvrages de Luther, sans parvenir encore à le persuader. Un épisode pénible joue peut-être un rôle : en 1531, son père meurt excommunié pour n'avoir pas rendu des comptes assez clairs aux chanoines qui l'employaient. Les choses se précipitent à partir de la fin de l'année 1533. Le 1er novembre, son ami Nicolas Cop, recteur de l'Université de Paris, prononce dans l'église des Mathurins un discours qui fait scandale. Ce n'est en fait qu'un texte d'inspiration évangélique, que Calvin a peut-être préparé ou même rédigé (ce qui prouverait qu'à ce moment-là il ne souhaite pas encore de rupture). Mais la relative modération du discours ne l'empêche pas d'être suspect. Calvin est inquiété ; il se réfugie près d'Angoulême. C'est là sans doute qu'il se « convertit ». Le 4 mai 1534, il revient à Noyon résigner tous ses bénéfices ecclésiastiques. Sa fuite à Bâle se produit en janvier 1535. Guillaume Farel l'appelle peu après à travailler à l'affermissement de la Réforme à Genève. Cette première expérience est un échec : entrés en conflit avec le Magistrat de la ville, Calvin et Farel sont expulsés en 1538. Calvin est alors invité à Strasbourg par le réformateur Martin Bucer ; il y passe quelques années fécondes. En 1541, il est rappelé à Genève par le Magistrat, et y reste jusqu'à sa mort en 1564. Il définit une ecclésiologie nouvelle dans les *Ordonnances ecclésiastiques* (1541), une liturgie dans la *Forme des prières et chants ecclésiastiques* (1542), et présente sa doctrine sous une forme simple dans le *Catéchisme* (1542). Il fait ainsi de Genève la capitale de la Réforme qu'il préconise. Il passe le restant de ses jours à prêcher et à enseigner, à soutenir ses disciples par une abondante correspondance, à publier de nombreux livres, mais aussi à polémiquer contre ses adversaires religieux, les catholiques, bien sûr, mais aussi les luthériens intransigeants, les partisans de la réforme radicale, et les théologiens qui soutiennent des opinions selon lui hérétiques, comme Sébastien Castellion (à qui il s'oppose sur la liste des textes bibliques canoniques) et l'Espagnol Michel Servet (brûlé vif à Genève en 1553 pour avoir refusé d'admettre la Trinité).

La théologie de Calvin

L'essentiel est contenu dans l'*Institution de la religion chrétienne*. L'ouvrage paraît d'abord en latin, en 1536. Il est dédié au roi François Ier, à qui Calvin adresse une respectueuse épître en date du 23 août 1535. Il lui fait part d'une crainte : que les provocations des « anabaptistes et gens séditieux », qui ne cherchent qu'à renverser l'ordre établi, ne discréditent la prédication de la Parole. Pour éviter toute confusion, il entreprend donc d'exposer la « saine doctrine », qui ne vient pas des hommes mais « de Dieu vivant et de son Christ ». L'épître est pénétrée de l'espoir implicite que le roi la lira favorablement et reconnaîtra la vérité de la cause qu'elle défend.

Le succès du livre est immédiat. Tous les exemplaires disparaissent en neuf mois. Calvin publie une nouvelle édition augmentée en 1539 ; désormais il ne cessera d'enrichir son œuvre. En 1541, il en donne une traduction française, écrite dans une langue claire, précise, élégante et non dénuée parfois de lyrisme. Les fidèles qui se détournent de l'Église catholique disposent maintenant de ce guide spirituel dont ils ressentent si profondément le besoin. La dernière version de l'*Institution* paraît en latin en 1559, puis en français en 1560.

Il n'est pas possible ici d'exposer toutes les subtilités de la pensée calvinienne. Un résumé rapide permettra cependant de comprendre l'influence qu'elle a pu exercer.

Premier point : Calvin comme Luther proclame la justification par la foi seule, *sola fide,* et non par les œuvres. Mais il met davantage encore l'accent sur le caractère total de la déchéance de l'homme depuis le péché originel d'Adam. La nature humaine est entièrement corrompue et abîmée, et radicalement incapable de faire le bien par elle-même. Le rejet de la confiance humaniste en la liberté de l'homme ne saurait être plus complet.

La gratuité du salut donné par Dieu se traduit par l'*élection* de certains pécheurs, justifiés en vertu d'un choix non pas arbitraire mais inexplicable par la raison limitée des hommes. Cette doctrine se précise peu à peu sous la forme de la double prédestination : le décret de Dieu « ordonne les uns à vie éternelle, les autres à damnation éternelle ». Mais cette notion n'est pas aussi centrale dans la pensée de Calvin qu'elle le sera pour certains de ses disciples. En outre, elle est pour lui source de joie et non de désespérance : le fidèle reconnaît la marque de l'élection dans la foi qui l'anime. L'homme n'est rabaissé que pour mieux exalter la merveille inespérée du salut et la puissance de l'amour de Dieu.

> Car quelle chose convient mieux à la Foy, que de nous recongnoistre nudz de toute vertu, pour estre vestuz de Dieu ? vuides de tout bien, pour estre empliz de luy ? serfz de péché, pour estre délivrez de luy ? aveugles, pour

estre de luy illuminez ? boyteux, pour estre de luy redressez ? débiles, pour estre de luy soustenuz ? de nous oster toute matière de gloire, à fin que luy seul soit glorifié et nous en luy ? (épître au roi).

Deuxième point : comme Luther encore, Calvin place dans la seule Écriture *(sola scriptura)* le critère de la vérité révélée. Mais l'accent est différent : les luthériens ont élaboré une confession doctrinale, la *Confession d'Augsbourg* (1530), puis une *Formule de Concorde* (1577) qui donne une liste des livres où se trouve l'essentiel de ce qu'il faut croire (livres dits « symboliques »). Avec ces textes, ils disposent d'un « corpus doctrinal commun et clos » (Olivier Millet, in *Histoire du christianisme,* t. VIII, 1992, p. 56). Rien de tel chez les calvinistes, pour qui l'Écriture est le seul texte normatif auquel se réfèrent les églises, éclairées par l'Esprit ; les Confessions de Foi qu'elles produisent ne sont que l'expression écrite de leurs convictions, et sont nécessairement diverses, susceptibles en outre de modifications de détail au fil du temps.

Troisième point : la doctrine de la présence réelle. Ici, Calvin se sépare de Luther, comme de l'Église catholique et de Zwingli. Pour lui, lorsque le fidèle reçoit dans la foi le pain et le vin, Dieu se communique librement à lui en même temps. Il s'agit donc d'une présence réelle, mais spirituelle et non corporelle, donnée par pure grâce ; le pain et le vin ne sont que les *signes* de cette grâce.

Les doctrines de la présence réelle

Catholiques : présence réelle corporelle dans le pain et le vin, la « substance » de ces derniers (mais non les « accidents » – forme, couleur, texture, propriétés –) étant changée au corps et au sang du Christ (transsubstantiation).
Luthériens : présence réelle corporelle dans le pain et le vin, la substance des ces derniers demeurant inchangée (consubstantiation).
Calvinistes : présence réelle spirituelle donnée par grâce *en même temps* que la réception (dans la foi) du pain et du vin (signes de la grâce).
Zwingliens : présence purement symbolique.

Un caractère commun important de la position de ceux qui rompent avec la conception traditionnelle est le refus d'admettre que le Christ puisse demeurer dans l'hostie une fois consacrée *(rémanence).* L'Église catholique propose celle-ci à l'adoration des fidèles, en particulier lors des processions de la Fête-Dieu (fête du *Corpus Christi,* du corps du Christ). Pour les calvinistes, les hosties consacrées ne sont que des morceaux de pain ; le zèle des plus exaltés ira jusqu'à les piétiner ou à les jeter aux chiens, sous les yeux épouvantés des catholiques.

Calvin garde deux sacrements, le baptême (qu'il n'est pas nécessaire, comme chez les catholiques, de donner immédiatemènt après la naissance, mais au plus tard dans l'année, au culte du dimanche) et la cène (dont il finit par fixer la périodicité à quatre fois par an).

Quatrième point : le rejet, comme Luther, du purgatoire et des prières pour les morts, ainsi que du culte des saints, considéré comme idolâtrique. Les saints n'ont aucun pouvoir d'intercession.

Lorsque les réformés français réunissent à Paris le premier synode national, en 1559, ils adoptent une *Confession de foi* qui s'inspire très largement de la doctrine calvinienne, malgré l'existence de quelques différences. Les églises françaises admettent les trois Credo dits *des Apôtres, de Nicée* et *d'Athanase,* sur lesquels Calvin a fait des réserves.

L'ecclésiologie de Calvin

C'est dans les *Ordonnances ecclésiastiques* promulguées à Genève en 1541 que Calvin jette les bases de son ecclésiologie, c'est-à-dire organise les structures des églises visibles (distinctes de l'Église invisible, qui est la communion de tous les élus). Il refuse le sacrement de l'*ordre* qui a pour effet de séparer les prêtres des laïcs. Des distinctions de ministères sont cependant introduites. Calvin en prévoit quatre : les *docteurs* (à Genève, les enseignants des écoles et de l'Académie fondée en 1559), les *pasteurs,* qui dispensent la Parole et les sacrements (et qui ne sont pas liés par des vœux, de célibat en particulier), les *anciens,* qui veillent à la discipline de la communauté, et les *diacres,* chargés de l'assistance aux pauvres et aux malades. Les anciens sont nommés par le Petit Conseil de Genève parmi les membres des Conseils dirigeants (Petit Conseil, Conseils des Soixante et des Deux Cents). Ainsi est assurée une étroite collaboration entre les pouvoirs civils et religieux. Les anciens et les pasteurs constituent le *Consistoire,* qui se réunit une fois par semaine.

Les réformés français reprendront les grands traits de l'ecclésiologie de Calvin, mais en l'adaptant aux réalités du royaume. Les quatre ministères seront réduits à trois (pasteurs, anciens et diacres). Un régime pyramidal d'assemblées sera instauré, le *système presbytérien-synodal* (voir chap. 20).

La liturgie, précisée par la *Forme des prières et chants ecclésiastiques* de 1542, est ordonnée autour du prêche, qui explique la Parole de Dieu. Elle est animée par le chant des Psaumes. Le texte est celui des traductions de Marot, améliorées et augmentées par Calvin et Théodore de Bèze. Le *Psautier de Genève* est admirablement mis en musique par Loys Bourgeois, puis par Claude Goudimel et Claude Le Jeune ; le chant fervent exprime la participation active des fidèles.

Politique et éthique calviniennes

Calvin consacre un chapitre de l'*Institution chrétienne* au « gouvernement civil ». Il lui assigne une mission positive, qui consiste à faire régner des lois justes, permettant aux chrétiens d'accomplir leur vocation civile et religieuse. A propos des magistrats, il utilise souvent l'expression « ordonnés pour », qui les subordonne à leur fonction.

Calvin insiste sur l'obligation d'obéissance inconditionnelle des sujets au pouvoir établi. Contre les anabaptistes qui refusent toute valeur chrétienne aux institutions politiques, il affirme qu'on ne doit pas douter « que supériorité civile ne soit une vocation, non seulement saincte et légitime devant Dieu, mais aussi tressacrée et honorable entre toutes les autres ». Les fidèles doivent honorer leurs supérieurs :

> De cela s'ensuyt autre chose : c'est que, les ayans ainsi en honneur et révérence, ilz se doivent rendre subjectz à eux en toute obéissance, soit qu'il faille obéyr à leurs ordonnances, soit qu'il faille payer impostz, soit qu'il faille porter quelque charge publicque qui appartienne à la deffense commune, ou soit qu'il faille obéyr à quelques mandemens. « Toute âme, dit Sainct Paul, soit subjecte aux Puissances qui sont en prééminence, car quiconque résiste à la Puissance, résiste à l'ordre mis de Dieu. »

Toutefois, l'attribution au pouvoir civil d'une mission définie conduit Calvin à envisager la possibilité que celle-ci soit trahie : cela se produit dans les situations de *tyrannie*. En ce cas, les simples particuliers *(privati homines)* n'ont d'autres recours que la patience et la prière, le martyre éventuellement ou la fuite. Mais, dans certains États, il peut exister des « Magistratz constituez pour la deffence du peuple, pour refréner la trop grande cupidité et licence des Roys ». Calvin les évoque dans une phrase célèbre du chapitre sur le gouvernement civil : jadis, c'étaient à Sparte les Éphores, à Rome les tribuns du peuple, à Athènes les Démarques. Aujourd'hui, ce pourraient être « en chascun royaume les trois estatz quand ilz sont assemblez » (c'est-à-dire les États généraux) :

> A ceux qui seroient constituez en tel estat, tellement je ne deffendrois de s'opposer et résister à l'intempérance ou crudélité des Roys, selon le devoir de leur office, que mesmes, s'ilz dissimuloient, voyans que les Roys désordonnément vexassent le povre populaire, j'estimerois devoir estre accusée de parjure telle dissimulation, par laquelle malicieusement ilz trahiroient la liberté du peuple, de laquelle ilz se devroient congnoistre estre ordonnez tuteurs par le vouloir de Dieu.

Cette phrase de l'*Institution* servira de caution aux doctrines ultérieures de la résistance légitime. Il faut cependant préciser que Calvin a toujours formellement désavoué les manifestations violentes de l'opposition à la tyrannie.

L'*Institution de la religion chrestienne* propose aussi une éthique. Chacun reçoit de la Providence un « estat et manière de vie », une « vocation », dont il doit remplir scrupuleusement les devoirs. Toutes les vocations sont honorables, toutes concourent à la gloire de Dieu. Les souffrances doivent être supportées dans un esprit d'imitation du Christ ; les plaisirs sont reçus dans l'action de grâces, ce qui garde d'y dépasser la « mesure ». La méditation de la mort rappelle la fragilité de l'existence sans faire oublier qu'elle est un don positif de Dieu.

Le travail est exalté comme l'accomplissement de la tâche assignée à l'homme dans la création ; les rapports entre employeurs et employés doivent être régis par le souci de la justice. Calvin rompt avec l'interdiction canonique du prêt à intérêt, en reconnaissant la légitimité d'une rétribution du service rendu par le prêteur, à condition que le taux n'en soit pas usuraire.

L'*Institution* se présente ainsi comme une véritable somme, à la fois guide spirituel pour ceux qui ont, comme le dit l'épître au roi, « faim et soif de Jésus-Christ », manuel théologique pour répondre aux adversaires et traité de morale pratique, privée et publique. Des libraires, des étudiants, des marchands, des colporteurs, des missionnaires (88 sont envoyés de Genève entre 1555 et 1562), la diffusent en France. De nombreux sermons, lettres et écrits divers de Calvin en complètent l'enseignement. La Réforme française dispose désormais d'une doctrine extraordinairement cohérente.

ORIENTATION BIBLIOGRAPHIQUE

Jean Baubérot, *Histoire du protestantisme*, Paris, PUF (« Que sais-je ? »), rééd. 1993, 128 p.

Gabrielle Berthoud, *Antoine Marcourt, réformateur et pamphlétaire*, Genève, Droz, 1973, 320 p.

Jean Boisset, *Sagesse et sainteté dans la pensée de Jean Calvin*, Paris, 454 p.

Jean Calvin, *Institution de la religion chrestienne*, éd. J. D. Benoît, Paris, Vrin, 1957-1963, 5 vol.

Bernard Cottret, *Calvin*, Paris, J.-C. Lattès, 1995, 456 p.

Jean Delumeau, *Naissance et affirmation de la Réforme*, Paris, PUF, 1965, dernière éd. 1994, 432 p.

Olivier Fatio (sous la dir. de), *Confessions et catéchismes de la foi réformée*, Genève, Labor et Fides, 1986, 374 p.

Carlo Ginzburg, *Il nicodemismo. Simulazione e dissimulazione religiosa nell'Europa del'500*, Turin, 1970.

Robert Kingdon, *Geneva and the Coming of the Wars of Religion in France*, Genève, Droz, 1956, 164 p.

Émile-G. Léonard, *Histoire générale du protestantisme*, Paris, PUF, 1961, 2ᵉ éd., 1980, 3 vol.

Olivier Millet, Les Églises réformées, p. 55-117, dans *Histoire du christianisme*, t. VIII : *Le Temps des confessions (1530-1620/1630)*, sous la dir. de Marc Venard, Paris, Desclée, 1992.

Robert Sauzet (sous la dir. de), *Les frontières religieuses en Europe du XVᵉ au VIIIᵉ siècle*, Paris, Vrin, 1992, 352 p. ; *Mendiants et réformes. Les réguliers mendiants, acteurs du changement religieux dans le royaume de France (1480-1560)*, Tours, Université François-Rabelais, 1994, 252 p.

Thierry Wanegffelen, *Des chrétiens entre Rome et Genève. Une histoire du choix religieux en France, vers 1520 - vers 1610*, thèse dactyl. de Paris I - Sorbonne, 1994, 914 p. (à paraître aux Éd. Champion en 1996 sous le titre *Ni Rome ni Genève : des fidèles entre deux chaires en France au XVIᵉ siècle*).

19. Réponses catholiques

La diffusion des idées luthériennes et calvinistes n'est pas restée sans réponses. S'il est vrai que le mouvement de réforme disciplinaire et le renouveau spirituel sont à l'œuvre dans l'Église romaine avant que Luther ne proclame en 1517 ses 95 thèses, et que, en ce sens, il faille parler de *Réforme catholique*, il n'en reste pas moins que les ruptures protestantes ont contribué à accélérer le phénomène, ont poussé les théologiens à préciser les dogmes et incité les autorités religieuses et civiles à pourchasser toute opinion hétérodoxe : l'expression *Contre-Réforme* peut être conservée pour qualifier cet aspect de leurs efforts, d'où finira par émerger un ordre catholique de type nouveau.

Le combat des théologiens

Les théologiens qui ont lutté contre les déviations doctrinales ont souvent mauvaise réputation. Rabelais les a épinglés d'une plume acérée, en leur fermant les portes de son abbaye de Thélème :

> Cy n'entrez pas, hypocrites, bigotz,
> Vieux matagotz, marmiteux, boursoufléz,
> Torcoulx, badaux, plus que n'estoient les Gotz
> Ny Ostrogotz, précurseurs des magotz,
> Haires, cagotz, caffars empantoufléz,
> Gueux mitoufléz, frapars escornifléz,
> Beffléz, enfléz, fagoteurs de tabus ;
> Tirez ailleurs pour vendre vos abus.

Longtemps les historiens se sont laissés influencer par les charges féroces des humanistes. La tendance aujourd'hui est à réhabiliter ce que James K. Farge a appelé « le parti conservateur » (1992) ; il s'agit de comprendre ses arguments et la nature des enjeux pour lesquels il se bat.

Les combattants

Il faut d'abord rappeler le rôle des deux grands théologiens qui ont été au début opposés à Luther : Thomas Cajetan et Jean Eck. Le premier est un dominicain, maître général de son ordre depuis 1506 et cardinal depuis 1517. Comme légat pontifical il rencontre Luther à Augsbourg en octobre 1518, et lui présente une argumentation serrée, appuyée sur sa parfaite connaissance du thomisme. Le second est professeur de théologie à l'Université d'Ingolstadt et dispute avec Luther à Leipzig dans l'été 1519 ; par sa logique sans faille, il pousse son interlocuteur à tirer toutes les conséquences de ses premières affirmations. Pour répondre au traité dans lequel Philippe Mélanchthon résume en 1521 la doctrine luthérienne *(Loci communes)*, il publie un manuel en 1525 *(Enchiridion locorum communium)*. Il réplique à la Confession d'Augsbourg de 1530 en participant à la rédaction d'une *Confutatio* intransigeante. Ces deux hommes ont beaucoup contribué à la construction confessionnelle catholique.

En France, ce sont les théologiens de la Faculté de théologie de Paris qui partent à l'assaut de l'hérésie. La Faculté est souvent désignée par les contemporains et par les historiens actuels par le nom de *Sorbonne*. En toute rigueur, c'est une erreur ; la Sorbonne n'est que l'un des ses collèges, fondé par Robert de Sorbon au XIIIᵉ siècle. Toutefois, cette confusion se comprend aisément, car c'est le plus souvent dans la Sorbonne que la Faculté se réunit pour censurer les écrits des novateurs, d'où la haine que ces derniers vouent aux *sorbonnagres*. L'une des ses missions est en effet d'examiner les opinions et de vérifier leur orthodoxie ; elle ne peut engager par elle-même des poursuites, et doit s'adresser pour cela aux tribunaux, ceux des évêques (les officialités) ou les cours royales. Le plus acharné est son syndic, Noël Béda (ou Bédier), haï des humanistes, disciple de Standonck sans en avoir l'austérité ni l'humilité, mais qui fait preuve de courage dans sa lutte contre l'hérésie puisqu'elle lui vaut d'être exilé à deux reprises, en 1533 et en 1535.

L'un des plus brillants des docteurs de la Faculté est Josse Clichtove, originaire de Flandre. Son itinéraire est remarquable : d'abord élève de Lefèvre d'Étaples, il se détache de l'érasmisme et perçoit très tôt les enjeux dogmatiques du débat soulevé par Luther. Il publie en 1524 un *Antilutherus*. En 1528, il est sans doute le principal inspirateur des « Décrets sur la foi » publiés par le concile provincial de Sens, qui sont en France la première réfutation approfondie et systématique des affirmations luthériennes produite par des évêques. Clichtove en donne un commentaire l'année suivante. Ces décrets fournissent une ligne doctrinale sûre et serviront en partie de modèle aux pères du Concile de Trente.

La nature du combat

Pour comprendre l'acharnement de la résistance opposée par les plus intransigeants des théologiens catholiques aux thèses luthériennes puis calvinistes, il faut bien saisir en quoi elles sont inacceptables pour eux.

Premiers enjeux : la liberté humaine d'un côté, la grandeur souveraine de Dieu de l'autre. Les protestants exaltent la seconde et estiment que la première est réduite à néant par le péché originel. Les catholiques ne peuvent admettre cet abandon du libre arbitre et affirment (non sans acrobaties théologiques destinées à sauvegarder tout de même la toute-puissance divine) que l'homme peut librement s'ouvrir ou se fermer à la grâce prévenante de Dieu, puis, bien disposé par elle, contribuer à son salut par ses œuvres. Ils réussissent ainsi à garder l'essentiel de l'héritage humaniste.

Le débat porte aussi sur le mode de présence de Dieu au monde. En déclarant que les sacrements sont efficaces par eux-mêmes *(ex opere operato)*, que le Christ est bien corporellement présent dans l'eucharistie sous les apparences (« accidents ») du pain et du vin, que les saints peuvent intercéder pour les pécheurs, l'Église catholique récuse l'insistance protestante sur le caractère absolu de la transcendance divine et refuse de diminuer, en quelque sorte, les voies d'accès au sacré. En maintenant que la messe actualise le sacrifice de la Passion, elle met le mystère du salut au cœur du temps des hommes. En déclarant efficaces les prières pour les défunts du purgatoire, elle légitime une piété séculaire chère au cœur de bien des fidèles et elle valorise l'aspect collectif des solidarités devant la mort.

Autres enjeux : l'autorité et la hiérarchie. Il s'agit moins, ici, du pouvoir du pape (l'Église gallicane conserve ses distances à son égard, et beaucoup de membres de la Faculté soutiennent la supériorité des conciles) que de la préservation d'une structure de médiation, celle de l'organisme ecclésiastique, entre le simple fidèle et Dieu. Les novateurs appliquent au texte de l'Écriture les mêmes méthodes philologiques qu'aux textes profanes de l'Antiquité grecque et romaine : ils contribuent donc à le banaliser. Même effet de banalisation avec les traductions diffusées par les évangéliques qui ouvrent la Bible à tous les lecteurs, sans passer par l'intermédiaire des commentaires patentés des théologiens. L'affirmation que l'Écriture est la seule source de vérité et l'effacement de la différence entre le laïc et le clerc vont dans le même sens. Les gardiens de l'orthodoxie y voient deux dangers, inséparables : d'une part celui d'une prolifération d'opinions diverses, non guidées par la compétence des spécialistes et par les traditions séculaires dont l'Église est dépositaire ; de l'autre celui de la diffusion d'une attitude individualiste et potentiellement contestataire, qui peut ébranler l'autorité non seulement ecclésiastique mais aussi politique. Un peu plus tard, le roi Jacques Iᵉʳ d'Angleterre exprimera cette crainte par le célèbre *no bishop, no king* (pas d'évêque, pas de roi). En invoquant leur *conscience* (éclairée par l'Esprit) face aux juges temporels et spirituels, Luther et Calvin ouvrent la voie, pensent les théologiens catholiques, à l'insoumission, menacent l'ordre traditionnel du royaume et à terme le pouvoir du roi et son titre de Très Chrétien. En fait, tant les luthériens que les calvinistes, conscients du risque, organiseront leurs églises de manière à l'écarter. Mais leurs adversaires l'estiment trop grave pour être encouru. Le soulèvement des paysans en Allemagne en 1525 semble leur donner raison.

Tous ces points recevront une formulation dogmatique stricte au Concile de Trente. Avant, ils ne font pas encore l'unanimité chez tous les catholiques, les évangéliques croyant possible, on l'a vu, d'en rejeter quelques-uns. Mais ils sont déjà fermement exprimés et indissolublement associés dans les premières réponses doctrinales à Luther émanant des théologiens les plus exigeants.

Le roi et la justice royale

L'attitude des souverains

François Ier est conscient de la nécessité d'une réforme disciplinaire de l'Église ; en outre, l'influence de sa sœur Marguerite le rend sensible aux arguments du mouvement évangélique. C'est ainsi qu'il protège Louis de Berquin et Clément Marot. Il est probable qu'il penche, au début, pour une réforme modérée et gallicane, sans rompre avec Rome. Le Concordat de Bologne et la perception des décimes sur le clergé lui offrent d'ailleurs un contrôle suffisant sur l'Église pour qu'il n'ait pas à attendre d'avantages politiques d'une rupture.

Sa piété catholique ne saurait faire de doute. Elle se manifeste de façon éclatante bien avant l'affaire des Placards, lors de la procession expiatoire consécutive à la mutilation de la statue de la Vierge à Paris en juin 1528. Il y participe à pied, « portant un cierge de cire blanche couvert par la poignée de velours cramoisi, un peu plus grand que les autres » ; il place lui-même la nouvelle statue à la place de l'ancienne ; puis, « ayant les larmes aux yeux », il s'agenouille devant elle et fait « ses oraisons ». La procession est aussi un moyen d'ordonner autour du roi les corps et les ordres du royaume, et de réaffirmer ainsi la hiérarchie sociale menacée par l'acte de violence. Enfin, elle est un rite purificateur destiné à laver la cité de la souillure de l'hérésie. Ces aspects se retrouvent lors des deux processions qui suivent le scandale des Placards.

La croyance en la possibilité d'une réforme modérée, sans rupture, explique sans doute des initiatives de François Ier qui pourraient paraître contradictoires au premier abord. D'un côté, il est inquiet des progrès du luthéranisme ; pendant l'été 1533, il demande au pape l'autorisation de sévir plus énergiquement contre l'hérésie ; le pape lui accorde une bulle en ce sens, enregistrée par le Parlement en décembre ; ce même mois, il rencontre Clément VII à Marseille, et l'accord est scellé par le mariage de son fils Henri (futur Henri II) avec la nièce du pape, Catherine de Médicis. De l'autre, lorsqu'il envoie Jean et Guillaume Du Bellay négocier en 1533-1535 avec les princes luthériens allemands, ce n'est pas seulement pour conclure une alliance contre l'empereur ; des contacts sont pris avec Philippe Mélanchthon, le disciple modéré de Luther, et avec les réformateurs Jean Sturm et Martin Bucer, dans l'espoir d'arriver à un accord doctrinal fondé sur une affirmation commune de la justification par la foi. Il est possible évidemment de voir dans ces tractations un simple leurre pour appâter les princes allemands. On peut aussi considérer que les prises de position dogmatiques de la Faculté de théologie de Paris comme celles des luthériens intransigeants n'ont pas encore fermé la porte à toute espérance de concorde.

Quand François Ier a-t-il cessé de croire à l'instauration d'une réforme gallicane pouvant intégrer en douceur le renouveau induit par les évangéliques sans accepter les « excès » luthériens ? Il est certain que l'affaire des Placards d'octobre 1534 marque une étape importante. Le manifeste d'Antoine Marcourt a été, selon certaines sources, affiché à la porte de sa chambre, ou, selon d'autres, placé dans sa tasse. La majesté royale est atteinte tout autant que la doctrine de la présence réelle. En novembre, cinq « hérétiques » sont exécutés. En janvier 1535, un *Petit Traité de la saincte eucharistie* du même Marcourt est diffusé à Paris. Cette seconde provocation exaspère le roi, qui va jusqu'à interdire la publication de nouveaux livres et fait rechercher activement les coupables ; une liste de 63 « luthériens » est dressée, dont Pierre Caroli, Clément Marot et l'imprimeur Simon Du Bois. Pourtant l'édit de Coucy, du 16 juillet 1535, offre l'amnistie à ceux qui ont été soupçonnés d'hérésie, emprisonnés, et qui ont vu leurs biens confisqués. Ceux qui se sont enfuis peuvent rentrer à condition d'abjurer leurs erreurs dans les six mois. L'édit, il est vrai, est surtout destiné à rassurer les alliés allemands ; par ailleurs sont exclus de l'amnistie les récidivistes et les sacramentaires (ces derniers y seront inclus en mai 1536). Mais l'épître au roi de Jean Calvin, du 23 août 1535, placée en tête de l'*Institution*, montre que celui-ci estime François Ier encore ouvert à la persuasion.

C'est finalement la date de 1543 qu'il faut sans doute retenir comme décisive. Cette année-là, la Faculté de théologie de Paris élabore des « Articles de foi » qui sont, sur l'ordre du roi, enregistrés par le Parlement de Paris comme « loi du royaume ». Pendant plus d'un siècle, les membres du Parlement de Paris et de l'Université seront obligés de prêter serment de fidélité à ces articles. Dans son édit d'approbation, le roi déclare explicitement vouloir que « soit tousjours continuée, gardée et entretenue l'unité, intégrité et syncérité de la foy catholicque comme le principal fondement de nostredict Royaume » (cité par James K. Farge, 1992, p. 142).

A la fin de sa vie, l'obsession de l'unité religieuse du royaume conduit François Ier à autoriser la répression des Vaudois du Lubéron, acquis à la Réforme depuis le synode de Chanforan en 1532 dans le val d'Angrogne (voir chap. 20). En avril 1545, les habitants de Mérindol et de Cabrières qui n'ont pas pu s'enfuir sont exterminés sans jugement. L'indignation de l'Europe protestante est immense.

A son avènement, Henri II semble vouloir revenir à une politique moins dure. Il fait juger devant une juridiction d'exception les responsables du massacre, Jean Maynier, baron d'Oppède, premier président au Parlement d'Aix, et Antoine Escalin des Aymars, baron de La Garde, dit le capitaine Polin. Mais les inculpés sont acquittés par leurs juges, des parlementaires. Henri II montre désormais une volonté d'extirper l'hérésie qui ne le quittera plus. En octobre 1547 est érigée au Parlement de Paris une Chambre spéciale, chargée des questions religieuses, bientôt connue sous le nom de *Chambre ardente*. De sa création à janvier 1550, période où il est actif, ce tribunal prononce 450 condamnations, dont 60 peines de mort (N. Weiss, 1889).

Mais la crise gallicane de 1551 semble un temps bouleverser la donne.

La crise gallicane de 1551

Le pape Jules III, élu en 1550 en partie grâce à l'appui des cardinaux français, ne manifeste pas la reconnaissance que la France attend de lui et tombe sous l'influence de la faction impériale. Poussé par celle-ci, il rouvre le Concile général à Trente sans l'assentiment de Henri II et de l'Église gallicane (qui refusent d'y envoyer une délégation). Le différend s'envenime à propos de Parme : cette ville, dont le duc Octave Farnèse revendique la possession, est promise par le pape à la maison d'Autriche. Farnèse demande alors la protection du roi de France ; par ailleurs, celui-ci parle de convoquer un « concile national » pour promouvoir la réforme en France. Au moment de la réunion du concile général, cette annonce est reçue par le pape comme une provocation. En présence des cardinaux français et de l'ambassadeur, emporté par la colère, il se laisse aller à menacer Henri II de l'excommunier et de le priver de ses états. C'est agiter un chiffon rouge devant

l'Église gallicane. Les troupes françaises soutiennent Octave Farnèse dans la guerre qui éclate entre lui et le pape au sujet de
Parme; Jules III, furieux, réitère sa menace d'excommunication.
Les relations entre la France et la papauté sont alors coupées;
Henri II interdit d'envoyer de l'argent à Rome pour les expéditions des bénéfices. En même temps, les liens avec les princes protestants allemands sont réactivés. L'hypothèse d'une soustraction
de la France à l'obéissance du pape et de la création d'un patriar-
cat français indépendant est alors ouvertement exprimée au Conseil
du roi, le 4 ou le 5 août 1551. Voici comment l'envoyé du duc de
Parme, Montemerlo, rapporte la scène à son maître, dans une
lettre datée du 6 août :

> Peu après s'est tenu un conseil devant le roi, et il y a eu quelqu'un [peut-
> être Jean de Monluc] qui a dit qu'il serait bon de se soustraire tout à fait
> à l'obéissance du pape et de faire un Patriarche dans l'église gallicane,
> lequel aurait l'entière puissance *[l'omnimoda potestà]* , et le Roi, se tournant
> vers le cardinal de Lorraine, lui demanda ce qu'il lui en semblait, et le car-
> dinal, les larmes aux yeux, regardant le Roi fixement, répondit : « Sire,
> j'en appelle à la conscience de Votre Majesté, de laquelle je veux qu'elle
> prenne conseil et non des autres» (cité par Lucien Romier, *Les origines poli-
> tiques des guerres de Religion,* 1913, t. 1, p. 259). [Mais (complément d'infor-
> mation communiqué par Alain Tallon), Montemerlo ajoute que c'est
> peut-être par modestie que le cardinal de Lorraine a fait cette réponse, et
> qu'il pourrait bien être le futur patriarche.]

C'est dans ce contexte que le juriste Charles Dumoulin, sans
doute encouragé officiellement, écrit en 1551 son *Commentaire sur
l'édit contre les petites dates* (un édit de juin 1550 qui limite les profits
pontificaux sur la résignation des bénéfices en faveur d'un successeur). L'auteur y prône le schisme, sur le modèle anglican. Cependant, effrayé par l'attitude du roi de France, le pape cède sur la
question de Parme; les relations sont rétablies; il n'est plus question de rupture et le «parti conservateur» reprend le dessus.
Dumoulin, dont l'ouvrage paraît (en latin) en 1552 après la résolution de la crise, fait les frais du revirement royal : attaqué par la
Faculté de théologie, il s'enfuit à Bâle. L'épisode des Papimanes,
dans le *Quart Livre* de Rabelais (la version définitive paraît en janvier 1552), est à interpréter à la lumière de cette tension des rapports avec la papauté.
    Il y a sans doute une grande part de manipulation politique
dans ces péripéties. Mais elles montrent aussi la force du sentiment
gallican, tenté par les choix extrêmes en cas de provocations ponti-

ficales. L'édit de Châteaubriant, publié en 1551, atteste toutefois que la lutte contre l'hérésie continue ; le roi, à vrai dire, ne peut se permettre de rompre avec Rome en un temps de péril protestant.

L'organisation de la répression

Les édits

Édit de Coucy, 16 juillet 1535 : peut être inclus dans les édits de répression, malgré l'amnistie accordée à ceux qui ont été poursuivis pour luthéranisme, car il prévoit le gibet pour ceux qui propageront l'hérésie par la parole ou l'écrit.

Édit de Paris, 24 juin 1539 : les tribunaux laïcs (les bailliages et sénéchaussées et les Parlements), et non plus seulement les ecclésiastiques, sont habilités à juger chacun sans appel les cas d'hérésie.

Édit de Fontainebleau, 1er juin 1540 : confirme le précédent, mais rend l'appel obligatoire aux Parlements. L'hérésie est définie comme étant en soi «crime de lèze-majesté divine et humaine, sédition du peuple et perturbation de nostre estat et repos public ».

Édit de Paris, 23 juillet 1543 : restauration de la différence entre l'hérésie simple (dont la connaissance est dévolue à l'Église) et la sédition (confiée aux tribunaux civils) : mais tout scandale procédant de l'hérésie est censé séditieux. L'édit redonne la souveraineté (dans ces cas) aux bailliages et sénéchaussées.

Édit de Paris, 19 novembre 1549 : la définition de l'hérésie comme sédition est reprise, écartant *de facto*, sinon *de jure*, la compétence de l'Église. A la suite des protestations des Parlements, l'appel devant eux est restauré.

Édit de Châteaubriant, 27 juin 1551 : l'hérésie simple reste du domaine de l'Église, mais les désordres issus de l'hérésie sont jugés sans appel tant par les cours inférieures que par les Parlements. Les perquisitions sont autorisées, et la peine de mort est prévue pour les détenteurs de livres prohibés. La censure est mieux organisée. Un serment de catholicité sera demandé aux postulants aux offices. Les articles de foi de 1543 seront lus tous les dimanches à l'église.

Édit de Compiègne, 27 juillet 1557 : extension des cas de peine de mort sans appel (négation de la présence réelle, du culte des saints, destruction des statues, assemblées, prêches, transport de livres prohibés, liens avec Genève).

Édit d'Écouen, 2 juin 1559 : tous les hérétiques doivent être châtiés ou expulsés.

D'après N. M. Sutherland, *The Huguenot Struggle for Recognition*, 1980, p. 333-345.

La répétition de ces édits jalonne la volonté croissante de répression, mais témoigne aussi des conflits entre les juridictions. Le premier procès en hérésie connu, devant un tribunal ecclésiastique *(officialité)*, est celui d'un foulon du diocèse de Troyes, en 1528, accusé d'avoir tenu des propos contre la présence réelle. Les officialités sont vite estimées trop lentes. A partir de l'édit de Paris de 1539, l'hérésie est jugée principalement par les tribunaux laïcs, soit parce qu'elle est définie comme séditieuse en elle-même (édits de 1540 et 1549), soit parce qu'elle est censée entraîner inévitablement des perturbations de l'ordre public (édits de 1543 et 1551). Le problème de l'appel envenime les relations entre les cours royales : par les édits de Paris (1539 et 1543), de Châteaubriant (1551) et de Compiègne (1557), les cours inférieures (bailliages et sénéchaussées, puis à partir de 1552 présidiaux) sont autorisées à juger sans appel les cas d'hérésie, au grand mécontentement des Parlements. L'appel devant ces derniers n'est restauré que par les édits de 1540 et 1549.

Des *inquisiteurs de la foi*, nommés par le pape, sont chargés de déceler et d'examiner les hérétiques. Mais ils sont placés sous la juridiction des tribunaux royaux, auprès de qui ils agissent ; en France, à la différence de l'Espagne, il n'y a pas de juridiction inquisitoriale autonome. En Provence, Jean de Roma se signale par son zèle contre les Vaudois ; à Paris Matthieu Ory est très actif, et ses pouvoirs sont étendus en 1536 à tout le royaume, sous le titre d'inquisiteur général de la foi. Il y a cependant une tentative en juillet 1557 pour créer des tribunaux inquisitoriaux, sous la direction des trois inquisiteurs généraux (dont Henri II a demandé la nomination au pape), les cardinaux de Lorraine, Bourbon et Châtillon ; mais, malgré le contrôle concédé aux parlements, cette initiative se heurte à leur opposition et elle est abandonnée en juin 1558.

C'est presque toujours une dénonciation qui est à l'origine des procès. Les délateurs, depuis 1535 et jusqu'en 1557, reçoivent les biens des condamnés, ce qui permet de penser que leurs motifs ne sont pas toujours le souci de l'orthodoxie. Toutefois, il n'est pas prudent pour eux de dénoncer des personnages trop puissants qui peuvent se venger s'ils sont innocentés ; par ailleurs, le système de la délation fonctionne mal dans les sociétés rurales, soudées par des solidarités efficaces. Il faut tenir compte de ces particularités lorsqu'on analyse l'origine sociale des réformés poursuivis en justice. L'interrogation peut comporter l'emploi de la torture. Les peines vont de l'amende honorable à la mort sur le gibet ou le bûcher, en passant par la confiscation des biens, l'exil et l'envoi aux galères. Les condamnations au bûcher constituent de 4 à 7 % de l'ensemble des cas jugés, qui sont de 5 000 à 8 000 avant les guerres de Religion. Le nombre de ces cas augmente spectaculairement au cours de la période ; le Parlement de Toulouse, par exemple, en juge 4 dans la décennie 1511-1520, puis 8, 121, 257 et 684 dans les quatre décennies suivantes (R. Mentzer, 1984). Cette inflation traduit, tout autant que les progrès de l'hérésie ceux de la peur qu'elle suscite : comme dans les procès en sorcellerie, observe l'historien Mark Greengrass (1987), plus les juges cherchent, plus ils trouvent.

Les noms des réformés morts pour leur foi sont recueillis par un imprimeur réfugié à Genève, Jean Crespin. Il publie en 1554 le *Livre des martyrs*, continuellement étoffé et réimprimé jusqu'en 1609. Ses récits édifiants sont parfois embellis ; c'est ainsi que François d'Augi, condamné au bûcher par le Parlement de Toulouse, y est montré s'exclamant d'une voix forte au milieu des flammes qu'il voit les cieux ouverts et le Fils de Dieu prêt à l'accueillir, alors que les archives du Parlement, qui datent l'exécution de 1551, signalent qu'il a été étranglé avant d'être brûlé (R. Mentzer, 1984, p. 121). Mais cette volonté hagiographique fait du livre de Crespin une arme efficace pour entretenir le courage militant des réformés.

Beaucoup cependant cherchent à échapper à la répression et s'enfuient. C'est le début du *Refuge*. A partir de 1549 est tenu à Genève un registre des réfugiés qui demandent le statut d'*habitants* ; il mentionne près de 5 000 noms avant 1560, mais le nombre exact des exilés français est sans doute proche du double. D'autres s'enfuient à Bâle, Lausanne, Neufchâtel, Strasbourg. Dans ces villes se développent des communautés importantes, en liaison avec la mère patrie et réfléchissant aux moyen de faire cesser les persécutions.

La censure complète le dispositif de la répression. Le premier acte qui l'établit est l'arrêt du Parlement de Paris du 18 mars 1521 : tout livre à publier devra être examiné par l'Université de Paris. Peu après, le régime de censure est étendu à tout le royaume. En 1544 la Faculté de théologie rédige un *Catalogue des livres censurez,* solennellement publié en 1545 avec un arrêt du Parlement.

Les mesures prises sont loin pourtant d'être totalement efficaces ; bien souvent leur application stimule plus qu'elle n'éteint l'ardeur des combattants de la foi. Henri II met fin aux guerres d'Italie dans le but explicite d'avoir les mains libres pour mieux combattre l'hérésie ; par les lettres patentes d'Écouen du 2 juin 1559, il renforce encore la répression.

La France et les débuts du Concile de Trente

Les difficultés de la convocation d'un concile général

Le Concile de Latran V réuni par Jules II (1512-1517), malgré ses faibles résultats, a eu le mérite de s'attaquer au problème de la réforme des abus dans l'Église. Après la diffusion des idées luthériennes, l'Église se trouve confrontée à un problème autrement redoutable, celui du schisme. L'idée que seul un concile général pourra le résoudre réunit bien des adeptes, mais soulève des difficultés qui semblent longtemps insurmontables. La première est l'opposition irréductible de Clément VII, qui craint la résurrection des thèses sur la supériorité des conciles. L'avènement de son successeur Paul III, en 1534, la fait disparaître ; se posent alors les questions intimement liées de l'accord entre les princes chrétiens et du choix d'un lieu qui ne semble pas favoriser l'un plus que l'autre. En juin 1536, Paul III convoque le concile à Mantoue pour l'année suivante ; mais la reprise de la guerre entre François Iᵉʳ et Charles Quint, en 1536, en compromet durablement la réunion, malgré les efforts du pape pour réconcilier les deux ennemis à l'entrevue de Nice en 1538.

Naissance des Jésuites

Pendant ces années se forme autour d'Ignace de Loyola l'embryon de ce qui sera bientôt la Compagnie de Jésus, dont le rôle sera important au Concile de Trente. Ignace de Loyola, jeune gentilhomme basque espagnol qui s'est voué au service du Christ après une blessure reçue en 1521 au siège de Pampelune, est à Paris de 1528 au début de 1535 pour y conquérir des grades universitaires ; il est d'abord inscrit au collège de Montaigu, puis à celui de Sainte-Barbe. Il a déjà derrière lui, alors, une longue expérience spirituelle : une retraite à Montserrat, près de Barcelone, l'a mis en contact avec la *devotio moderna* ; il s'est inspiré de ses méthodes d'oraison méthodique pour composer un recueil d'*Exercices spirituels*, sorte de manuel de gymnastique de l'âme. A Paris, il réunit autour de lui des compagnons dont les noms deviendront bientôt illustres : François Xavier, Pierre Favre, Diego Laínez, Alfonso Salmeron, Simon Rodrigues et Nicolas Bobadilla. A eux sept, ils décident de se lier par des vœux solennels. C'est la scène fameuse du 15 août 1534, sur la colline de Montmartre alors couverte de vignes : après la messe célébrée par Pierre Favre dans une petite chapelle consacrée à la Vierge, ils forment des vœux de chasteté et de pauvreté et s'engagent à convertir les infidèles. Le conflit avec les Turcs rendant difficile cet engagement, Ignace de Loyola décide de se mettre à la disposition du pape, qui crée la Compagnie de Jésus en 1540, par la bulle *Regimini militantis Ecclesiae*. Par leur formation, leur vœu spécial d'obéissance au pape, le statut qui facilite leur apostolat (ces clercs réguliers portent l'habit séculier et vivent dans le monde), les Jésuites sont bien armés pour la conquête des âmes. Placés sous la direction du Préposé général, élu à vie (le premier est Loyola), ils sont répartis en *provinces* ; celle de France est créée en 1555. Le premier collège français est fondé à Billom (Auvergne) en 1556.

Les premières sessions du concile

La paix de Crépy-en-Laonnois, en 1544, rend enfin possible la réunion du concile ; la France, en position de faiblesse, accepte la ville de Trente comme lieu de réunion, cité libre d'Empire située sur le versant italien des Alpes. Ouverte le 13 décembre 1545, cette première série de sessions est interrompue par des menaces de peste, après un transfert à Bologne, en septembre 1548. La reprise de 1551-1552 est boycottée par la France, pour les raisons rappelées plus haut. Elle a pourtant suscité de fortes espérances chez certains chrétiens : en effet, à la suite de l'*Intérim d'Augsbourg* de 1548, compromis entre les catholiques et les protestants d'Allemagne accordant la communion sous les deux espèces (du pain et du vin) et le mariage des prêtres, des délégations luthériennes sont admises au concile. Mais les évêques catholiques se contentent d'écouter leurs professions de foi et refusent tout dialogue. La reprise de la guerre en Allemagne provoque à nouveau l'ajournement du concile, qui n'aboutira que lors de sa réouverture, du 18 janvier 1562 au 5 décembre 1563.

Les premières sessions ont cependant permis un gros travail de formulation dogmatique, sur l'autorité de l'Écriture et de la Tradition, et sur le péché originel et la justification ; la question de l'eucharistie a été abordée. Les réponses catholiques s'orientent ainsi vers la « pétrification de l'orthodoxie » (M. Venard, in *Histoire du christianisme*, t. VIII, p. 224). Au détriment du dialogue.

ORIENTATION BIBLIOGRAPHIQUE
(outre les références données à la fin du chapitre 2)

Frederic J. Baumgartner, *Change and continuity in the French Episcopate. The Bishops in the Wars of Religion, 1547-1610*, Durham, Duke Univ. Press, 1986, 326 p.

Jean Dupèbe, Un document sur les persécutions de l'hiver 1533-1534, *Bibl. d'Hum. et Ren.*, 1986.

James K. Farge, *Le parti conservateur au XVIᵉ siècle*, Paris, Collège de France, 1992, 198 p.

Mark Greengrass, *The French Reformation*, Oxford, Basil Blackwell, 1987, 88 p.

Alain Guillermou, *Les Jésuites*, 5ᵉ éd., Paris, PUF (« Que sais-je ? »), 1992, 128 p.

Francis Higman, *La diffusion de la Réforme en France, 1520-1565*, Paris, Labor et Fides, 1992, 282 p.

Hubert Jedin, *Histoire du Concile de Trente*, t. 1, trad. de l'éd. de 1951, Paris, Desclée, 1965, 538 p.

Jean-Pierre Massaut, *Josse Clichtove. Humanisme et réforme du clergé*, Paris, Les Belles Lettres, 1968, 2 vol.

Raimond Mentzer, Heresy Proceedings in Languedoc, *Transact. of the Amer. Philosoph. Soc.*, 1984.

John O'Malley, *The first Jesuits*, Cambridge (Mass.), Harvard Univ. Pr., 1993, 458 p.

Lucien Romier, *Les origines politiques des guerres de Religion*, Paris, Perrin, 1913, 2 vol.

Nicola M. Sutherland, *The Huguenot Struggle for Recognition*, Yale Univ. Press, 1980, 394 p.

Nathanaël Weiss, *La Chambre ardente*, Paris, Fischbacher, 1889.

20. L'éclosion des églises réformées

Jusque vers 1555, la Réformation donne naissance en France à des groupuscules isolés et clandestins, sans véritable structure ecclésiale. Seules quelques villes possèdent des communautés organisées : Sainte-Foy en 1541, Aubigny et Meaux en 1542, Tours et Pau en 1545. Elles sont d'ailleurs moins tournées vers Genève que vers Strasbourg, à laquelle Tournai en 1544 et Meaux en 1546 demandent un pasteur (E. G. Léonard, *Histoire générale du protestantisme*, 2ᵉ éd., 1980).

A partir de 1555 se produit une multiplication spectaculaire d'églises « dressées » à la genevoise (avec pasteur et consistoire), qui commencent à sortir de la clandestinité. Cette année-là, assure l'*Histoire ecclésiastique des églises réformées* (compilation attribuée à Théodore de Bèze), « Satan commença alors d'être assailli et combattu de plus près qu'il n'avait été auparavant en France ». Cette éclosion étonnante pose des problèmes que les historiens n'ont pas tout à fait résolus.

La répartition sociale des conversions

On trouve des adeptes de la Réformation dans toutes les couches sociales, selon des proportions plus ou moins élevées. Deux types de sources permettent de les connaître : les plus nombreuses sont les archives de la répression ; les autres sont les listes de réfugiés comme le

Livre des habitants de Genève. Elles sont imparfaites : les premières laissent échapper des personnes à travers les mailles de leur filet ; les secondes ne mentionnent que ceux qui ont réussi à fuir.

Le clergé

Les ruptures les plus spectaculaires sont celles des ecclésiastiques. Elles concernent surtout le bas clergé et les ordres réguliers. Dans l'échantillon de 2 733 protestants poursuivis dans les ressorts des Parlements de Bordeaux et de Toulouse, étudié par Janine Garrisson (1980), on compte 69 membres du clergé, soit 2,5 %. Le nombre des prêtres, recteurs et vicaires est particulièrement important en Gévaudan. Parmi les ordres se signalent les Cordeliers, les Augustins, les Jacobins. En 1549, par exemple, 32 novices augustins quittent leur couvent à Rouen, créant un scandale (D. Nicholls, 1981).

Des chanoines sont poursuivis à Albi, en Guyenne, dans la région de Toulouse. Parmi les évêques, quatre, qui font partie des huit que l'Inquisition romaine cite à comparaître en 1563, sont finalement restés catholiques : Jean de Monluc (Valence), François de Noailles (Dax), Louis d'Albret (Lescar), Claude Regin (Oloron) ; ils font partie de ceux qui persistent à croire à la concorde. Mais douze ont abandonné leur diocèse entre 1556 et 1577 : ceux de Montauban, Pamiers, Nevers, Arles, Troyes, Beauvais, Aix, Gap, Apt, Chartres, Uzès et Riez. Jean de Lettes, évêque de Montauban, et Jacques Spifame, évêque de Nevers, s'enfuient à Genève avec une femme. Jean de Saint-Chamond, seigneur de Saint-Romain, archevêque d'Aix, choisit spectaculairement la messe de Noël 1566 pour se déclarer : du haut de sa chaire, il dénonce la papauté, jette sa crosse et sa mitre et devient l'un des chefs militaires les plus réputés de l'armée calviniste. Le cas de l'évêque de Troyes, Antoine Caracciolo, est plus surprenant : déçu à la fois par Rome et Genève, navré de l'échec du colloque de Poissy, il convoque les anciens de l'église réformée de Troyes en octobre 1561 et demande à être pasteur tout en conservant sa dignité et son temporel d'évêque. Sa démarche ouvre une question : les églises réformées vont-elles admettre des évêques ? Le troyen Nicolas Pithou, un converti qui donne une relation de l'affaire, n'hésite pas à écrire : « la Mitre et l'Évangile estoient choses incompatibles » (cité par T. Wanegffelen, thèse dactyl. de 1994). Calvin, consulté par Bèze, répond négativement. Mais Caracciolo est tout de même élu pasteur par les réformés de Troyes ; il s'intitule « évêque et ministre du Saint-Évangile », continue à célébrer la messe et à ordonner des prêtres ! Son attitude provoque des désordres dans la ville ; Catherine de Médicis exige sa démission d'évêque, effective à la fin de 1561. Il désire alors exercer le ministère pastoral à Orléans, mais il est rejeté par les réformés de cette ville et meurt isolé en 1570. Son cas illustre le problème posé aux évêques qui veulent se convertir. Beaucoup hésitent à renoncer à leur temporel ; ceux qui franchissent le pas le conservent le plus longtemps possible, tel le cardinal Odet de Châtillon, comte-évêque de Beauvais, qui passe ouvertement à la Réforme en 1561, se marie en 1564, mais garde ses revenus épiscopaux jusqu'à sa fuite en Angleterre en 1568.

La noblesse ; le rôle des femmes dans les conversions nobiliaires

L'adhésion d'une forte proportion de nobles a été décisive pour l'expansion de la Réforme protestante : elle lui a donné un poids social et lui a fourni des hommes de guerre. Elle s'est produite assez tard ; elle devient importante surtout à partir de 1557, année où beaucoup de gentilshommes sont surpris à Paris, le 4 septembre, participant à une assemblée rue Saint-Jacques. Elle se prolonge jusque dans la décennie 1570 (c'est en 1575 que Henri de La Tour d'Auvergne, vicomte de Turenne, se convertit ouvertement).

La proportion des nobles réformés par rapport à l'effectif nobiliaire total varie considérablement d'une province à l'autre. La palme est emportée par la Normandie, avec 40 % (J. Wood, 1980). En Quercy (36 %), en Guyenne et Gascogne, en Gévaudan et en Haute-Provence, la conversion des gentilshommes constitue « un phénomène massif » (J. Garrisson, 1980). Ailleurs, elle est moins spectaculaire, tout en restant importante : 19 % en Beauce (J.-M. Constant, 1981), 13 % dans le Haut-Limousin (M. Cassan, 1996), autour de 10 % dans les bailliages de Provins ou de Nevers. L'édit d'Amboise consacrera la puissance du « culte de fief » en 1563, à la fin de la première guerre (voir chap. 25).

Les familles nobles se retrouvent souvent divisées par la conversion de certains de leurs membres. Les Montmorencys en sont un exemple : tandis que le chef du lignage, le connétable Anne, reste ferme dans son catholicisme et veille sur celui de ses fils, sa sœur Louise et ses neveux Châtillon (Odet, le cardinal-évêque qui vient d'être évoqué, l'amiral Gaspard de Coligny et leur frère François d'Andelot) s'en séparent. C'est pour la *gens* Montmorency à la fois une faiblesse et un atout, selon les circonstances, que n'a pas le lignage rival, celui des Guises, dont le monolithisme catholique ne s'est pas effrité. Les Bourbons sont aussi un lignage partagé : Antoine de Bourbon, roi de Navarre par son mariage avec Jeanne d'Albret (elle-même passée au calvinisme à Noël 1560), est fortement tenté par l'adhésion à la Réforme, au point que, à partir de 1558, les réformés le croient gagné, mais il se retourne finalement vers le catholicisme au début de 1562 ; en revanche, la conversion de son cadet Louis de Condé, devenue manifeste en 1558, est plus ferme. Un de leurs frères, le cardinal Charles de Bourbon, reste catholique et sera, sous le nom de Charles X, le roi choisi par les ligueurs. On pourrait multiplier les exemples de ces familles nobles divisées par les choix religieux. Le phénomène est accentué par le nombre de « mariages mixtes » : pour les stratégies matrimoniales nobiliaires, la confession n'est, assez souvent, qu'un facteur parmi les autres, qui sont le statut, la richesse et la puissance des réseaux de clients et d'amis de la famille dont l'alliance est envisagée. Jean de Gontaut, baron de Biron, catholique, épouse la protestante Renée-Anne de Bonneval. Leur fils Armand, élevé dans la religion de sa mère mais redevenu catholique, épouse la protestante Jeanne d'Ornezan ; une des sœurs d'Armand épouse le protestant Jacques de Durfort. Même bigarrure chez les Savoie : Claude de Savoie, comte de Tende, gouverneur de Provence depuis 1525, a d'un premier lit un fils, Honorat, comte de Somme-rive, qui prendra en 1562 la tête des troupes catholiques provençales ; mais Claude se remarie en 1539 avec Françoise de Foix-Candale, déjà ouvertement réformée ; René de Cipières, fils de ce deuxième lit, sera le chef des troupes protestantes et combattra son demi-frère lors de la bataille de Sisteron. Le rôle des femmes nobles dans les adhésions nobiliaires est souvent important. L'histoire de la Réforme française est remplie de figures féminines impressionnantes d'énergie et de conviction : Jeanne d'Albret, qui introduit d'autorité le culte protestant en Béarn en 1561 ; Charlotte de Bourbon, fille du duc de Montpensier ; Madeleine de Mailly, comtesse de Roye, nièce du connétable Anne de Montmorency, et ses deux filles, Éléonore et Charlotte de Roye, respectivement épouses du prince de Condé et du comte de La Rochefoucauld. Bien d'autres pourraient être citées, telle Charlotte de Laval, femme de Coligny, ou Françoise du Bec-Crespin, mère de Ph. Duplessis-Mornay.

Les mobiles de l'adhésion des nobles à la Réforme ont suscité la controverse chez les historiens. Le nombre de ceux dont on sait qu'il s'agit bien d'un véritable engagement spirituel, parce que les témoignages écrits qu'ils ont laissés l'attestent, est relativement restreint. Parmi eux, l'amiral Coligny, qui, fait prisonnier par les Espagnols après le désastre de Saint-Quentin en 1557, lit la Bible dans sa prison ainsi que les sermons de Calvin sur les Psaumes ; il découvre alors « la vérité de l'Évangile » et prend publiquement la parole pour défendre les réformés en 1560 à l'assemblée de Fontainebleau. François de La Noue, qui va mériter bientôt le surnom de « Bayard huguenot », se convertit après la paix de Cateau-Cambrésis, lorsque, revenu chez lui en Bretagne, il entre en contact avec les premières églises réformées que François d'Andelot a aidé à fonder. Philippe Duplessis-Mornay, tiraillé entre un père catholique et une mère réformée (Françoise du Bec-Crespin), se plonge dès l'âge de dix ans, à la mort de son père en 1559, dans l'étude de l'Écriture pour former sa conviction et devient l'un de ces laïcs théologiens qui sont une des originalités de la Réforme. Mais, pour beaucoup d'autres, les indices manquent. Certains historiens en ont profité pour affirmer que l'adhésion nobiliaire serait le fruit d'une frustration, celle de combattants licenciés après la fin des guerres d'Italie : le passage dans les rangs huguenots serait pour eux un moyen de retrouver la possibilité de se battre et de gagner des honneurs à la pointe de leur épée. Cette thèse, trop simpliste lorsqu'elle est ainsi formulée, a été reprise sous une forme nouvelle par Denis Crouzet (1996), pour qui l'honneur nobiliaire se confond avec l'honneur de Dieu : la paix est pour les gentilshommes « une extraordinaire privation d'être, d'autant plus tragique qu'elle se greffe sur un contexte mental d'angoisse eschatologique » ; surgissant après les guerres d'Italie, les guerres de Religion auraient permis aux nobles d'effectuer un transfert de sacralité, les uns devenant des « soldats du Christ » (les réformés) et les autres des « croisés » (les catholiques). Reste que cette interprétation ne permet pas de résoudre le mystère de la conversion, devant lequel il faut rappeler le devoir d'humilité de l'historien : celui-ci ne peut sonder les reins et les cœurs. Par ailleurs il s'agit de prendre en considération la puissance des réseaux de sociabilité nobiliaires, voisinage, parenté, amitié, clientèles ; ce type de solidarité entraîne amis et dépendants dans le sillage de leur protecteur, et crée ces « îles et îlots de Réforme », ces « nébuleuses seigneuriales », dans lesquels la fidélité a joué un rôle important, analysés par A.-M. Cocula (1992) et par J. Garrisson (1980) : ainsi ceux des Caumont-La Force en Agenais et Périgord, des Pons et des Ségur-Pardaillan en Aquitaine. Le problème politique de la monopolisation du pouvoir par les catholiques Guises sous le règne de François II (1559-1560) doit aussi être pris en compte : c'est lui, par exemple, qui précipite la décision de Jean de Parthenay-L'Archevêque, baron de Soubise, comme ses *Mémoires* le soulignent.

Un bon nombre de gentilshommes ont été séduits, autour de 1560, par les idées de la Réforme, mais finalement n'ont pas franchi le pas. Selon Blaise de Monluc, dans ses *Commentaires*, « il n'estoit pas fils de bonne mère qui n'en vouloit gouster » (Monluc lui-même a été attiré). Un exemple de ces nobles un instant tentés est celui du sire de Gouberville. Dans son *Journal*, il ne note sa présence à la messe ni en mai, ni en juin, ni en juillet 1562 ; à la Pentecôte, il assiste au prêche d'un ministre à Bayeux. Signe de ses préoccupations, il rapporte une conversation tenue le 4 août 1562, ce qu'il fait rarement. Son interlocuteur lui dit : « Qui m'en croira, on fera un Dieu tout nouveau qui ne sera ni papiste ni huguenot, affin qu'on ne dise plus un tel est luthérien, un tel est papiste, un tel est hérétique, un tel est huguenot. » Gouberville répond : « Unus est Deus ab eterno et eternus » (Dieu est un de toute éternité et éternel). La gravité du dialogue est frappante. Mais Gouberville, effrayé par les troubles qui commencent à naître, et sommé par le lieutenant du bailliage de Valognes de déclarer sa fidélité au roi et au catholicisme, obtempère (M. Foisil, 1981).

Les habitants des villes

Les populations urbaines ont été les premières touchées par la diffusion de la Réformation. Universités, collèges, foires, marchés, imprimeries et librairies, auberges, boutiques, échoppes, autant de lieux d'échanges qui favorisent la circulation des idées. Les prédicateurs y trouvent un public attentif.

Le monde du commerce s'est largement ouvert au calvinisme : la proportion des marchands dans les listes de suspects que l'on possède tourne autour de 15 %. A Paris et à Lyon, ils fournissent de gros contingents. A Toulouse, le milieu des riches pasteliers compte beaucoup de convertis, tels Pierre Assézat, Pierre Cheverry ou le fils de Jean de Bernuy. Parmi ceux du Sud-Ouest ou de Montpellier, certains *marranes*, juifs d'origine espagnole, exilés et devenus catholiques au moins en apparence, sont attirés par la Réforme.

Les officiers royaux forment 6 % de l'échantillon de J. Garrisson, ce qui est bien supérieur à leur importance numérique dans le royaume. Mais, à Rouen, ils sont au contraire sous-représentés (Ph. Benedict, 1981). Parmi eux, il y a des conseillers des Parlements. Ceux-ci ne forment la plupart du temps qu'une petite minorité ; à Paris, Anne du Bourg paie de sa vie en 1559 l'audace d'avoir pris la parole pour dire sa réprobation des supplices. Leur nombre est plus important à Toulouse, où, après l'assaut huguenot de 1562, 30 conseillers sur 80 sont interdits de fonction. Dans les présidiaux, créés en 1552, les réformés sont en revanche très nombreux, en particulier dans les villes du Midi : Béziers, Nîmes, Dax, Saintes, Toulouse. J. Garrisson rappelle que ces cours ont encore du mal à trouver leur place dans le système judiciaire, ce qui pourrait expliquer une « angoisse existentielle » chez leurs membres, « levain d'une recherche spirituelle approfondie » : formulation subtile de la vieille hypothèse d'un conditionnement des choix religieux par les frustrations sociopolitiques.

Le nombre important d'avocats, docteurs et licenciés pose un problème de même nature : ce sont des gens instruits, ambitieux, qui ne trouvent pas toujours à acheter les offices qui leur apporteraient l'ascension sociale. Même chose pour les praticiens de robe longue et de robe courte (un dixième de l'échantillon de J. Garrisson), notaires, procureurs, solliciteurs, sergents royaux : bien que nettement moins instruits, ils sont eux aussi en quête d'ascension sociale. Mais il faut se méfier de ce type de corrélation : ce sont aussi les avocats, les procureurs et les notaires qui formeront le gros des troupes ligueuses, à Paris par exemple. Faudrait-il alors invoquer non pas la nature mais la force de l'engagement, soit dans un camp soit dans l'autre, et chercher son aliment dans une insatisfaction personnelle plus fréquente chez eux ? Reste tout de même le mystère individuel du choix entre conversion ou attachement à la tradition.

Les professeurs, les régents, les libraires et les imprimeurs fournissent un milieu de choix pour la diffusion des idées des Réformateurs. Le cas de la famille des Estienne, obligée de s'installer à Genève, a déjà été évoqué, de même que celui de l'Université de

Toulouse, dont certains professeurs finissent sur le bûcher en 1532 ou sont exilés. A Bordeaux, le collège de Guyenne passe pour être un repaire d'hérétiques ; Florimond de Raemond, fervent catholique qui écrit plus tard une *Histoire de la naissance, progrez et décadence de l'hérésie de ce siècle* (1605), y a été élève, et raconte que les maîtres désapprenaient à leurs élèves à faire le signe de la croix, disant que c'étaient « des singeries ».

Bien des membres des corps de ville ont un grand rôle dans la propagation du calvinisme, surtout dans le Midi. A Toulouse, par exemple, les capitouls de 1561 sont tous réformés ; à Montpellier, cinq sur six le sont. Mais, à Bordeaux, Agen, Rabastens, les jurats et les consuls restent catholiques. Là encore, il est difficile d'établir une corrélation trop stricte, comme on l'a parfois tenté, entre volonté d'autonomie urbaine et adhésion au calvinisme (la même « explication » est aussi avancée pour rendre compte de la participation, plus tard, à la Ligue).

C'est avec le monde des artisans que les partisans des interprétations déterministes ont trouvé un terrain de prédilection. Celui-ci a en effet donné d'énormes contingents à la Réforme. A Montpellier, sur une liste datée de 1560, analysée par E. Le Roy Ladurie (1966), ils forment 69 % des suspects. Le *Livre des habitants* de Genève indique une proportion analogue : 68,5 %. A Toulouse et à Grenoble, ils forment seulement 38,7 % et 33,9 % (J.-M. Davies, 1979), ce qui est encore considérable. Le grand historien Henri Hauser a cru pouvoir déceler dans leur adhésion une forme de protestation sociale exprimée dans un langage religieux. Cette idée a été reprise récemment par Henri Heller (1991), qui n'hésite pas à parler de lutte des classes. Cette thèse est difficile à étayer. Il y a en outre à rendre compte des différences entre les artisans eux-mêmes : ceux du cuir, du métal, du papier et du vêtement sont ouverts à la Réformation, ceux de l'alimentation, du bois et de la pierre lui sont fermés. La nouveauté du métier, le degré de culture plus ou moins grand ont-ils joué un rôle ?

Les paysanneries

Dans son ensemble, le monde paysan a été rétif à la Réforme. Il y a naturellement des exceptions. Les vallées cévenoles densément peuplées, où les paysans sont souvent aussi des artisans, ont été des voies de pénétration du calvinisme. En Béarn, les paysans ont été obligés de suivre les injonctions de Jeanne d'Albret. En Agenais, Périgord, Quercy, Rouergue, Gévaudan, Velay, Forez, Dauphiné, c'est sans doute de leur plein gré que les censitaires ont suivi leurs seigneurs convertis. Il faut se souvenir aussi que bien des agriculteurs habitent dans les villes et sont en contact avec les nouveautés urbaines : cela explique sans doute, par exemple, les 4,8 % de cultivateurs trouvés dans la liste de 1560 à Montpellier. Certains paysans, dans la vallée du Rhône et en Bas-Languedoc, invoquent la Réforme, à la fin de la décennie 1550, pour refuser de payer la dîme : mais ces grèves décimales témoignent sans doute d'un certain radicalisme religieux, et sont en tout cas vigoureusement dénoncées par les réformés des villes. Il y a, enfin, le cas particulier des Vaudois. Ces paysans du Lubéron sont les descendants des disciples de Pierre Valdo, fondateur du mouvement des « Pauvres de Lyon » vers 1170. Ils nient le Purgatoire, refusent le culte des saints, pensent que les sacrements n'ont d'efficacité qu'administrés par de « bons » prêtres, mais croient à la liberté humaine et à la valeur des œuvres. Des prédicateurs itinérants et clandestins, les *barbes*, maintiennent leur foi. G. Audisio (1984) et P. Paravy (1993) ont montré comment, lors du synode de Chanforan en 1532, Guillaume Farel les a attirés à la Réforme ; peu à peu, ils se fondent dans le calvinisme, jusqu'aux massacres de 1545 (voir chap. 19).

Ces exceptions mises à part, les paysans ont été majoritairement réfractaires à la Réforme. Leur exemple permet de mieux percevoir l'opposition irréductible entre deux formes de sensibilité religieuse. La piété catholique fait appel à l'affectivité ; elle reconnaît les formes collectives, ritualisées, extérieures, du culte et de la prière ; elle introduit le sacré dans les moments essentiels de l'existence, comme le mariage et la mort ; elle légitime les solidarités des vivants avec leurs défunts, dont la présence est si obsédante, si familière, dans la culture paysanne ; elle multiplie les intercesseurs secourables, Marie et tous les saints, auxquels les fidèles peuvent confier leurs soucis et leurs misères. Le catholicisme traditionnel de la première moitié du siècle, avec ses indulgences, ses dévotions répétées, ses processions, répond aux attentes du monde rural. Il a fallu les exigences plus hautes (et utopiques ?) des Réformateurs pour ne voir dans ces pratiques que rites sans âme, idolâtries ou même superstitions. Denis Crouzet (1990) a bien montré que le succès du calvinisme est dû au « désangoissement » qu'il apporte à l'âme inquiète de son salut, mais qu'il introduit aussi une âpreté, une épuration, une individualisation de la piété; les paysanneries ne sont pas prêtes à accepter ce denier aspect.

Si l'on ajoute à cela que les réformés ont entrepris, par l'intermédiaire du zèle purificateur des consistoires, de «changer l'homme», d'en faire un être digne de sa vocation, en pourchassant non seulement les vices mais aussi les «futilités» comme la danse ou les fêtes carnavalesques, on comprend que les paysans aient renâclé. En mai 1561, on voit des laboureurs défiler à Montpellier, dont le consulat est presque entièrement composé de réformés, pour réclamer à la fois le droit d'aller à la messe et celui de danser... La Réforme catholique entreprendra aussi ce travail de moralisation, mais avec un bon demi-siècle de décalage, ce qui lui garde pour le moment un visage plus accueillant aux chrétiens ordinaires. Il faut enfin évoquer les cas particuliers des diocèses fermement tenus par un prélat consciencieux, comme celui de Rodez, marqué au début du siècle par la grande figure de François d'Estaing (N. Lemaître, 1988).

L'organisation et la répartition géographique des églises réformées

Le système presbytérien-synodal

Les premières églises sont simplement «plantées», petites communautés de fidèles sans pasteurs, s'assemblant pour lire l'Évangile et chanter des Psaumes. Pour qu'elles soient «dressées», il faut qu'elles aient une organisation ecclésiale, avec pasteur, consistoire et culte régulier. C'est en 1555 que les premières églises dressées à la genevoise apparaissent, à Poitiers et à Paris. Le premier texte organisant la structure des églises est élaboré à Poitiers, en 1557, sans que, semble-t-il, Calvin y ait beaucoup de part. Il y a d'ailleurs, avant 1559, des résistances à l'influence genevoise. En revanche, celle-ci est patente dans la *Discipline* qu'adopte en 1559, en même temps que la *Confession de foi*, le premier synode général tenu clandestinement à Paris. Ce texte adapte aux réalités du royaume l'ecclésiologie instituée par les *Ordonnances ecclésiastiques* de 1541, en réduisant les quatre ministères à trois et en instaurant un régime pyramidal d'assemblées. La description qui suit analyse ce système au temps où il est bien établi.

Premier niveau, à la base : l'église. Elle a un *pasteur,* ou *ministre.* C'est un homme qui n'est pas tenu au célibat, formé, dans les premiers temps, à Genève ou dans une autre ville acquise à la Réforme (Strasbourg, Lausanne), puis, ensuite, dans l'une des Académies fondées en France (huit y sont créées, depuis celle de Nîmes en 1561 jusqu'à celle de Die en 1604). Il est au début souvent choisi par Calvin et la Compagnie des pasteurs de Genève ; puis, lorsque le système est bien en place, c'est normalement le *consistoire,* c'est-à-dire l'assemblée formée par le pasteur, les anciens et les diacres, qui le désigne (et qui peut le démettre). Cette responsabilité considérable sera cependant de plus en plus confiée aux instances supérieures, colloque ou synode provincial. Le pasteur doit en outre être « approuvé » par l'assemblée du « peuple ». Les *anciens* sont des notables de la communauté, mis en place d'abord plus ou moins spontanément puis recrutés par cooptation, chargés de surveiller la conduite morale des fidèles et de les empêcher de retomber dans « l'idolâtrie ». Réunis en consistoire, ils peuvent juger les fautes commises, donner des pénitences et écarter de la cène (« excommunication » temporaire ou, pour les endurcis, définitive). L'usage se répandra de distribuer des sortes de jetons, les *méreaux,* à ceux qui sont déclarés dignes de la cène. Les *diacres* sont chargés en principe de la catéchèse et de l'assistance ; ils sont très actifs dans certaines églises, comme à Nîmes, mais leur fonction est souvent exercée par les anciens. Pasteurs, anciens et diacres constituent le consistoire, qui se réunit selon une périodicité régulière, administre l'église, tient des registres de délibérations et sert de tribunal.

Deuxième niveau : l'assemblée de *colloque,* qui regroupe les pasteurs, accompagnés chacun par un ou deux anciens, de plusieurs églises. Cet échelon n'est pas mis en place si celles-ci sont trop peu nombreuses, comme en Bretagne.

Troisième niveau : le *synode provincial,* qui réunit deux fois par an les délégués des églises d'une « province » (15 provinces synodales à la fin du siècle).

Enfin, le quatrième et dernier échelon, au sommet, est représenté par le *synode général,* réuni selon la nécessité. Le premier est celui de Paris, en 1559, auquel il a été déjà fait allusion ; sa réunion, d'initiative largement nobiliaire, révèle à quel degré d'organisation sont déjà parvenus les réformés en France.

Le système presbytérien-synodal français est un compromis entre les tendances « démocratiques » et autoritaires. Le « peuple » fait entendre sa voix pour approuver le pasteur ou « protester » contre lui. Les membres des consistoires et des synodes sont le plus souvent des notables, hommes pondérés, soucieux d'ordre et de discipline, désireux d'obéir au pouvoir royal. La structure pyramidale assure un contrôle centralisé sur les assemblées des niveaux inférieurs.

Le « croissant réformé »

La carte des églises « dressées » (voir carte 8) montre qu'elles sont majoritairement réparties le long d'un arc de cercle allant de La Rochelle au Dauphiné en passant par la vallée de la Garonne et le Bas-Languedoc. A l'extérieur de ce « croissant », la Normandie et le Béarn sont aussi des zones de fortes concentrations. Ailleurs, le tissu des églises est plus lâche, comme dans le Bassin parisien ou la Provence. Des zones de faible densité apparaissent : la Bretagne, le cœur du Massif central, les provinces frontières du Nord et de l'Est comme la Picardie, la Champagne et la Bourgogne. Certaines villes ont des communautés importantes : celle de Rouen compte 16 500 personnes environ en 1565. A La Rochelle et à Nîmes, plus de la moitié des habitants est convertie ; à Lyon, un tiers de la population, à Amiens et à Paris, entre 10 et 20 %.

Aucune des explications proposées pour rendre compte de cette répartition n'est véritablement satisfaisante. On remarque l'importance des voies de communication et en particulier des axes fluviaux, mais seules les vallées du Rhône et de la Garonne concentrent de façon significative les implantations des églises réformées. Les corrélations qui ont été suggérées avec le degré d'alphabétisation ou le niveau culturel ne peuvent rendre compte de l'opposition globale entre le Nord et le Midi. Invoquer le désir d'affirmation provinciale ne permet pas de comprendre les différences entre zones de refus et zones d'adhésion ; par ailleurs, la langue de la liturgie (prêches exceptés) est presque toujours le français. La géographie de la Réforme ne peut s'expliquer que par une pluralité de facteurs, parmi lesquels la force des liens de sociabilité et la vitalité des élites urbaines ont sans doute joué un grand rôle.

On peut estimer qu'au début de la décennie 1560 il y a environ 1 250 églises dressées dans le royaume, sans compter le Béarn (Coligny, en 1562, en indique 2 150 à Catherine de Médicis, mais il veut

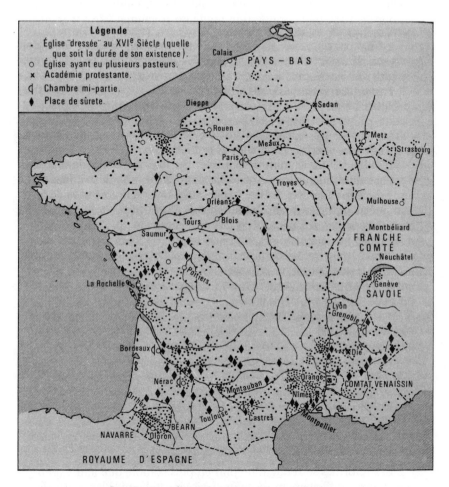

Carte 8 – Les églises réformées en France, XVIᵉ siècle

Source : *Histoire du christianisme,* t. 8 :
Le temps des confessions (1530-1620), Paris, Desclée
(sous la dir. de I.-M. Mayeur, Cl. Piétri, A. Vauclez, M. Venard), 1992)

impressionner la reine mère). Cela correspond à un nombre de fidèles qui n'atteint sans doute pas tout à fait 2 millions, et se situe autour de 10 % de la population totale du royaume. C'est le temps de l'expansion maximale de la Réformation en France.

L'abandon de la clandestinité

La fin des années 1550 est aussi le moment où les réformés commencent à proclamer leur foi au grand jour, avec la ferveur joyeuse de néophytes luttant contre les forces du mal. L'affaire de la rue Saint-Jacques, le 4 septembre 1557, témoigne d'une détermination nouvelle de leur part : dans la nuit, une réunion d'environ 400 fidèles est découverte dans une maison particulière ; pris à partie par la foule, la plupart arrivent à s'échapper grâce à la protection armée de gentilshommes, mais 130 participants sont arrêtés, dont beaucoup de dames de haute naissance. Les autorités découvrent avec inquiétude que le mouvement de la Réforme touche la noblesse. Une autre étape est franchie au Pré-aux-Clercs, un terrain vague au pied des remparts, à l'emplacement de l'actuelle rue du Bac, les 13-19 mai 1558 : abandonnant décidément la clandestinité, de 4 à 6 000 personnes se réunissent tous les soirs pour chanter des psaumes, avec à leur tête Antoine de Bourbon, roi de Navarre, et bon nombre de gentilshommes. L'accès du Pré-aux-Clercs finit par être interdit, et d'Andelot est temporairement emprisonné. Dans plusieurs villes du Sud, les prêches commencent à être publics. Le 10 juin 1559, des conseillers au Parlement de Paris, dont Anne du Bourg, osent dire en présence du roi qu'il faut cesser les persécutions en attendant un concile général ; Henri II, furieux, les fait arrêter.

Les réformés se rendent de plus en plus compte que leur expansion pourra difficilement se poursuivre sans la bienveillance royale. Or, un mois après les terribles lettres patentes d'Écouen, Henri II est mortellement blessé dans un tournoi, le 30 juin 1559, lors des réjouissances qui célèbrent la fin des guerres d'Italie ; il meurt le 10 juillet. Une immense espérance semble s'ouvrir pour les persécutés : ils caressent l'espoir que le nouveau roi de 15 ans, François II, va les écouter et leur accorder le droit à l'existence ; les plus ardents vont jusqu'à espérer une providentielle conversion de tout le royaume.

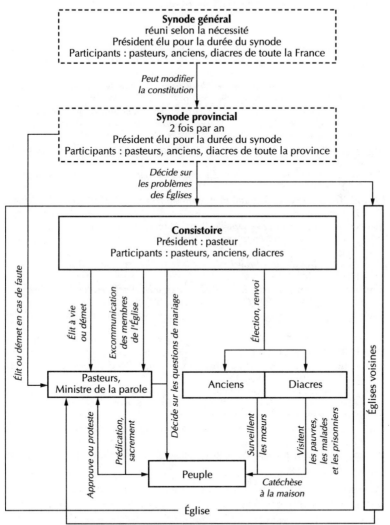

**Tableau 8 – Constitution
des Églises réformées de France (1559)**
(simplifiée)

D'après *Atlas für Kirchengeschichte,* éd. Herder, p. 75, et Marc Venard
(éd.), *Histoire du christianisme,* t. VIII, Paris, Desclée, 1992, p. 80

ORIENTATION BIBLIOGRAPHIQUE
(outre les références données à la fin des chapitres 2, 17, 18 et 19)

Gabriel Audisio, *Les Vaudois du Lubéron,* Gap, Louis Jean, 1984, 592 p.

Philip Benedict, *Rouen during the Wars of Religion,* Cambridge Univ. Press, 1981, 298 p.

Michel Cassan, *Le temps des guerres de Religion. Le cas du Limousin (vers 1530 - vers 1630),* Paris, Publisud, 1996, 464 p.

Anne-Marie Cocula, Châteaux et seigneuries : des îles et îlots de Réforme en terre aquitaine, *in* R. Sauzet (éd.), *Les frontières religieuses en Europe du XV* au XVII* siècle,* Paris, Vrin, 1992, p. 185-193.

Jean-Marie Constant, *Nobles et paysans en Beauce aux XVI* et XVII* siècles,* Lille III, 1981, 598 p.

Denis Crouzet, *Les guerriers de Dieu. La violence au temps des troubles de religion,* Paris, 1990, 2 vol.

Joan-M. Davies, Persecution and Protestantism : Toulouse, 1562-1575, *The Historical Journal,* 1979.

Madeleine Foisil, *Le sire de Gouberville,* Paris, Aubier, 1981, 288 p.

Janine Garrisson-Estèbe, *Protestants du Midi,* Toulouse, Privat, 1980, rééd. 1991, 376 p.

Henry Heller, *Iron and Blood. Civil wars in Sixteenth-Century France,* Montréal, Buffalo, 1991.

Emmanuel Le Roy Ladurie, *Les paysans de Languedoc,* Paris, SEVPEN, 1966, 2 vol. ; *Le siècle des Platter, 1499-1628,* Paris, Fayard, 530 p.

Alain Molinier, Aux origines de la Réforme cévénole, *Annales ESC,* mars-avril1984, p. 240-265.

Samuel Mours, *Le protestantisme en France au XVI* siècle,* Paris, Lib. prot., 1958.

David Nicholls, Inertia and Reform in the pre-Tridentine French Church : the response to Protestantism in the diocese of Rouen, 1520-1562, *Journal of Ecclesiastical History,* 1981, p. 185-197.

Nancy Roelker, Les femmes de la noblesse huguenote au XVIᵉ siècle, *L'Amiral de Coligny et son temps, Actes du Colloque 1972,* Paris, Soc. de l'Histoire du Prot. fr., 1974, p. 227-250.

Lucien Romier, *Le royaume de Catherine de Médicis. La France à la veille des guerres de Religion,* Paris, 1925, 2 vol.

Richard Staufer, *La Réforme,* Paris, PUF, coll. « Que sais-je ? », n° 1376, 5ᵉ éd. corrigée, 1993, 128 p.

James Wood, *The nobility of the Election of Bayeux, 1463-1666,* Princeton Univ. Press, 1980, 220 p.

Le temps des guerres civiles
1559-1598

PREMIÈRE PARTIE
Le rejet violent du premier essai de tolérance civile (1559-1568)

La mort de Henri II, le 10 juillet 1559, ouvre une crise de l'autorité royale. Les plus modérés des réformés croient alors que celle-ci va leur fournir l'occasion d'obtenir pacifiquement et légalement la reconnaissance de leur existence et de leur foi. De leur côté, certains catholiques préconisent l'abandon de la persécution. Parallèlement, la relative faiblesse de la monarchie l'incline peu à peu à accepter, comme un moindre mal, une tolérance temporaire des « hérétiques ». Cette miraculeuse convergence de cheminements divers va-t-elle permettre la coexistence, même précaire, des confessions ? Le massacre de Wassy, en mars 1562, tue l'espoir aussitôt né. Le chancelier Michel de L'Hôpital tente alors de le faire renaître, mais sa disgrâce, en 1568, marque l'échec de cette première tentative pour concilier la paix et la différence religieuse.

Le traité de Cateau-Cambrésis, qui met fin aux guerres d'Italie, est scellé par des alliances matrimoniales entre les anciens belligérants : la fille et la sœur de Henri II, Élisabeth et Marguerite, épousent respectivement le roi d'Espagne Philippe II et le duc de Savoie Emmanuel-Philibert. Des fêtes sont données en l'honneur de ce double mariage. Henri II, cavalier accompli, participe aux joutes qui doivent se dérouler cinq jours durant. Le vendredi 30 juin 1559, portant les couleurs de Diane de Poitiers (le noir et le blanc), il se mesure successivement au prince de Ferrare, au duc de Guise, au duc de Nemours, et enfin au comte de Montgomery. La dernière rencontre ayant été indécise, le roi presse Montgomery de faire une seconde passe. C'est au cours de cet ultime affrontement que la lance de son adversaire frappe le roi à l'attache de la visière du casque, et atteint l'œil gauche de plusieurs éclats. Malgré les soins de Vésale et d'Ambroise Paré, la plaie s'infecte et le roi meurt après une longue agonie, le 10 juillet, en pleine force de l'âge (il a 40 ans). Son fils aîné n'est qu'un adolescent, François II, né le 19 janvier 1544 et donc âgé de 15 ans. Cet événement imprévu ouvre une crise monarchique.

La monopolisation du pouvoir par les Guises

Les espoirs déçus des réformés

Le coup de lance de Montgomery apparaît à bien des persécutés comme un jugement de Dieu. La jeunesse du nouveau roi permet toutes les espérances. Les réformés estiment en effet que

François II doit être considéré *comme un mineur*. Ils vont ainsi à l'encontre de l'ordonnance de Charles V de 1374, qui fixe la majorité des rois de France à 14 ans. En fait, à la mort de ce roi, le 16 septembre 1380, l'ordonnance n'avait pas été appliquée. Charles VI avait été déclaré majeur et sacré avant même d'avoir atteint 12 ans, mais ses oncles avaient gouverné en son nom jusqu'à ce qu'il ait eu 20 ans. Cette ambiguïté permet aux réformés de récuser l'ordonnance de 1374 et de soutenir la thèse de la minorité de François II (minorité dans laquelle ils distinguent cependant des degrés, la *tutelle* jusqu'à 14 ans et la *curatelle* jusqu'à 25 ans).

Or, selon eux, en cas de minorité royale, deux choses sont requises : les États généraux doivent être réunis et les princes du sang doivent prendre en main la direction du royaume. Ces perspectives expliquent leurs espoirs : les princes du sang, ce sont Antoine de Bourbon, roi de Navarre, que l'on a vu chanter des psaumes au Pré-aux-Clercs en mai 1558, et Louis, prince de Condé, son frère, dont la conversion semble sincère. Par ailleurs, ils pensent que la réunion des États généraux leur permettra de s'exprimer publiquement et légalement. La persécution va cesser, Anne du Bourg sera libéré, la « vérité » sera proclamée...

Cette thèse politique des réformés – dont l'argumentation pourrait être dite de nature « constitutionnelle » – est exprimée très tôt après la mort du roi. Elle est parfaitement claire dans une lettre envoyée à Calvin le 15 août 1559 par un pasteur de Paris, François Morel :

> La loi veut en France, si le roi laisse à sa mort des enfants mineurs *(pupilli)*, que les ordres du royaume [les États généraux] soient tout d'abord assemblés, que ce soit eux qui décident des tuteurs et gouverneurs *(moderatores custodesque)* à donner auxdits mineurs, et que d'autres soient préposés aux affaires du royaume, selon qu'ils seront plus ou moins proches du roi par le sang, qui aient la direction de tout jusqu'à la majorité desdits enfants. De par le droit, il est donc licite de convoquer les états du royaume (*Opera Calvini*, t. XVII, col. 597, cit. et trad. du latin par H. Naef, *La conjuration d'Amboise et Genève*, Paris, 1922, p. 78).

La même lettre montre que Calvin s'est déjà, à cette date, préoccupé de sonder les intentions du roi de Navarre. Le caractère de la doctrine ainsi soutenue indique sans doute l'influence du grand juriste François Hotman, un exilé que son ami Jean Sturm a invité à enseigner le droit au Gymnase de Strasbourg.

La thèse des droits d'Antoine de Bourbon au gouvernement n'est pas seulement défendue par les réformés. A la cour de France, l'ambassadeur du duc de Ferrare en fait état comme d'une opinion partagée par beaucoup. Bien des courtisans s'attendent à voir revenir le roi de Navarre de Nérac où il réside.

Seulement les choses ne se passent pas de cette manière. Le duc François de Guise et son frère le cardinal Charles de Lorraine, qui avaient été écartés du pouvoir à l'extrême fin du règne précédent, profitent de leur situation d'oncles par alliance de François II (qui a épousé leur nièce Marie Stuart) pour s'imposer, avec l'accord du roi et de la reine mère Catherine de Médicis. Le cardinal prend en main les affaires financières et le duc l'armée. Or les Guises sont de fermes catholiques, dont les calvinistes n'attendent que la poursuite des persécutions. Non qu'ils aient été responsables des redoutables lettres d'Écouen, promulguées pendant leur disgrâce; mais, à Metz, placée sous la juridiction de Charles de Lorraine dès son annexion, les réformés sont si impitoyablement pourchassés depuis septembre 1558 que la diète des princes allemands, réunie à Augsbourg en mars 1559, a envoyé une protestation à Henri II avant sa mort. Des Lorrains semble ne pouvoir venir que la répression. De fait, l'automne et le début de l'hiver 1559 sont marqués par une terrible persécution. La victime la plus illustre est Anne du Bourg, étranglé et brûlé en place de Grève le 23 décembre.

La question de la légitimité des Guises

Si leur déception est grande, les réformés ne tardent pas à apercevoir les avantages qu'ils peuvent tirer de la situation. Sous Henri II, il leur était difficile de contester la légitimité de la répression. Sous les Guises, cela devient possible. Ceux-ci, en effet, sont au pouvoir par la volonté de François II : mais un roi mineur peut-il déléguer une autorité qu'il n'a pas? Les réformés affirment que non. Dès le 12 septembre 1559, Théodore de Bèze, le bras droit de Calvin, l'écrit de Genève à son ami Bullinger : « Le roi n'a pas encore, selon les lois, d'autorité sur laquelle les Guises puissent s'étayer » (cité par H. Naef, ouvr. cité, p. 78-79). En outre, ils ne sont pas *du sang*, c'est-à-dire du sang de France, malgré les alliances conclues par leur famille avec la lignée royale (leur mère est Antoinette de Bourbon). Bien pire, ils sont considérés comme des étrangers, bien que leur père Claude ait obtenu des lettres de naturalité en 1506. En somme, ils ne sont que des favoris, dont la légitimité provient du vouloir d'un enfant et d'une femme, censés éminemment manipulables. Quel poids peuvent-ils avoir face au sang royal des Bourbons, qui, eux, disent s'appuyer sur les «lois du royaume»?

On les accuse en outre d'exercer un pouvoir arbitraire, sans prendre conseil, bref, de gouverner en rois *absolus*: le mot est écrit en octobre 1560 par Marguerite de Parme, régente des Pays-Bas, dans une lettre par laquelle elle informe Philippe II des raisons du mécontentement contre les Guises (éd. L. Gachard, 1867, p. 296). Ils violent donc l'ordre traditionnel du royaume.

Les Guises permettent ainsi aux réformés d'affirmer qu'ils ne luttent pas contre le roi, mais contre des usurpateurs, que leur cause est *politique et non religieuse,* et qu'elle peut par conséquent être partagée par tous, catholiques comme protestants. Le texte qu'ils souhaitent remettre au roi en même temps que leur confession de foi, intitulé *Les Estats de France opprimez par la tyrannie de ceux de Guise,* le dit expressément:

> Combien qu'entre ceux qui se sont eslevez contre eux [les Guises], il y en aist qui désirent vivre selon la réformation de l'Évangile [...] néantmoins ceste seule cause ne leur eust faict jamais prendre les armes, s'il n'y eust eu une cause civile et politique: qui est l'oppression faicte par eux de vostredicte Majesté, Estats, loix et coustumes de France (texte publié en 1560 puis réimprimé avec d'autres textes justificatifs de la conjuration d'Amboise dans le recueil intitulé *Mémoires de Condé,* t. 1 de l'édition de Londres, 1740).

De fait, l'hostilité aux Lorrains est partagée par tous les gentilshommes lésés par leurs premières mesures. Placés devant l'énormité du déficit (M. de L'Hôpital confessera aux États généraux d'Orléans 43 millions et demi de livres de dettes, pour des recettes annuelles qui tournent autour de 12 millions), les Guises entreprennent de faire des économies drastiques, non sans courage. Les aliénations du domaine royal consenties par les deux rois précédents et les survivances des offices sont révoquées. Les intérêts des dettes de l'État sont arbitrairement baissés; les pensions, les gages, les factures ne sont pas acquittés. De nombreux soldats sont licenciés, et le paiement de leur solde est remis à plus tard. Ces mesures sont en soi très impopulaires; mais elles le sont bien davantage à cause des exceptions que les Guises doivent consentir à leurs clients. Ils ont construit autour d'eux une large clientèle, qui, compte tenu de la fragilité de leur position politique, leur est indispensable ; ils ne peuvent s'offrir le luxe de mécontenter leurs dépendants. On les soupçonne donc de fermer l'accès au roi, c'est-à-dire aux honneurs et aux charges, à leurs ennemis politiques et religieux. Les gentilshommes appartenant à la clientèle de leur rival déchu, le connétable de Montmorency, ou écartés à cause de leur confession, sont tout disposés à se rallier à la coalition anti-Guises. D'ailleurs, la propagande politique mise au point pendant l'automne et l'hiver 1559 par les communautés réformées de Paris, Strasbourg ou Genève est habilement faite pour enrôler les nobles, et en particulier un texte connu sous le nom de « livret de Strasbourg », dû sans doute à François Hotman. Un appel est lancé à « la noblesse du royaume » pour libérer le roi de la « tyrannie » des « étrangers ».

La dérobade du roi de Navarre

Mais, pour que les choses se passent dans l'ordre et la légalité, il faut qu'Antoine de Bourbon, roi de Navarre, à qui son statut de premier prince du sang donne une dignité publique (voir le tableau généalogique p. 14), demande la réunion des États généraux, qui pourraient alors mettre les Guises en accusation. Calvin en fait une condition nécessaire à son approbation. Il a expressément indiqué au gentilhomme-pasteur Antoine de Chandieu qu'il fallait « que les estats [généraux] se joignissent avec le Roy de Navarre pour y mettre ordre [...] et qu'il ne trouvoit mauvais que les fidèles en ceste sorte fussent du nombre » (H. Naef, p. 158). En revanche, lorsque Chandieu lui a demandé si, à défaut d'Antoine de Bourbon, son frère Condé ne pourrait pas le remplacer, la réponse de Calvin a été catégorique : c'est impossible.

Or Antoine de Bourbon a bien autre chose en tête. En 1512, les Espagnols ont conquis la plus grande partie de son beau royaume de Navarre, et il ne songe qu'à la récupérer. Les Guises catholiques s'entendent bien avec l'Espagne et pourraient peut-être intervenir en sa faveur : ce n'est pas le moment de se les aliéner. Aussi fait-il la sourde oreille aux propositions des réformés.

Quant à Condé, il agirait bien, mais il n'est pas le premier prince du sang. Son initiative serait donc risquée; or, militairement, il n'est pas prêt; en outre, il recule devant la perspective d'une action violente. Tout porte à croire qu'il n'est pas impliqué directement dans la conjuration, malgré les accusations portées contre lui après coup par les Guises (N. M. Sutherland, 1980). Ni les Montmorencys ni les Châtillons n'ont participé, semble-t-il, à la préparation de l'entreprise. Les gentilshommes qui se décident finalement à agir le font sans patronage, ni des grands, ni de Genève (seuls quelques pasteurs, David et Boisnormand, et, de façon indirecte, Morel et Chandieu, y sont mêlés).

La conjuration d'Amboise (mars 1560)

Les conjurés

Lassés par ce qu'ils appellent l'« inaction » et même la « lâcheté » des Bourbons, tout comme par les prudences de Calvin et de Bèze (dont certaines lettres permettent toutefois de penser qu'ils n'auraient pas été mécontents si les conjurés avaient réussi), quelques nobles se décident à agir et préparent ce qui est resté sous le nom de *conjuration d'Amboise*. Leur chef est Jean du Barry, seigneur de La Renaudie, un gentilhomme périgourdin converti, auparavant lié aux Guises, mais qui leur en veut parce que son beau-frère, Gaspard de Heu, échevin de Metz, a été arrêté et exécuté pour avoir agi en faveur des protestants persécutés de sa ville. La Renaudie a aussi perdu un procès contre le greffier au Parlement de Paris Jean du Tillet, un protégé des Lorrains. N'agit-il que par vengeance ? Rien n'est moins sûr; ce n'est pas parce que Calvin, qui ne l'aime pas, a laissé sur lui un jugement peu flatteur qu'il faut exclure qu'il ait pu adhérer aux mobiles à la fois politiques et religieux qu'il met en avant.

Derrière lui se rassemblent des gentilshommes de noblesse moyenne et provinciale, convertis ou attirés par la Réforme. Ils viennent du Sud-Ouest (le baron Charles de Castelnau-Tursan et le capitaine Mazères), de Périgord (Bouchard d'Aubeterre), de Poitou (Jean d'Aubigné, le père d'Agrippa), du Val de Loire (le baron de Raunay) de Provence (le capitaine Chasteauneuf et

Ardoin de Porcelet, seigneur de Maillane), de Bourgogne (les deux frères Maligny), de Picardie (le capitaine Coqueville et le sire de Cany), et aussi de Normandie, de Bretagne, d'Ile-de-France, de Champagne, de Languedoc. De Genève arrivent des réfugiés, comme le Breton Charles Ferré, seigneur de La Garaye, et le Gâtinais Adrien de Briquemault, seigneur de Villemongis. Charles Du Puy-Montbrun et Paul de Mouvans doivent mener des combats en Dauphiné et en Provence. Des mercenaires sont enrôlés sous le nom d'un « capitaine muet », comme c'est l'usage des recruteurs. L'origine des fonds est obscure : ni les princes allemands, ni la reine d'Angleterre Élisabeth, sollicités, ne paraissent avoir contribué ; les églises réformées semblent avoir été réticentes à donner, sauf celles de Lyon, de Provence, et, partiellement, de Paris.

Les conjurés ont aussi bénéficié de la complicité active ou passive de marchands et d'artisans de plusieurs grandes villes, en particulier à Tours, Orléans, Lyon et Valence.

Le déroulement des événements

La conjuration d'Amboise a déconcerté les contemporains. Son caractère essentiellement nobiliaire n'a pas échappé aux Guises, mais ceux-ci ont eu du mal à admettre qu'elle ait pu avoir lieu sans la direction et la caution d'un grand, comme c'était souvent le cas lors de révoltes de nobles. Avertis de son existence dès le 12 février, ils ont cherché d'abord à l'assimiler à un complot fomenté par l'étranger, puis à une simple sédition d'hérétiques. La relative absence de violence des conjurés a aussi surpris les observateurs. L'ambassadeur d'Espagne Chantonnay a dit, dans une lettre du 18 mars adressée à Marguerite de Parme, sa stupéfaction devant la facilité avec laquelle ils se sont laissé arrêter, dès le 10 mars, « comme si c'estoient enfans »... « comme des moutons »... : « Croyez, Madame, que c'est une chose comme enchantement [c'est-à-dire comme si on les avait "enchantés" en leur jetant un sort] qu'il est impossible de le décrire, et sont ces malheureux si mal pourmenés [dirigés] qu'ils viennent tous donner dedans le filet, sans savoir de leurs compagnons ni que l'entreprise est découverte. Ils se suivent fil à fil » (cité par C. Paillard, 1880). Que s'est-il donc passé ?

Chronologie de la conjuration d'Amboise

1er février 1560 : les conjurés se rassemblent à Nantes. Cette assemblée est dans leur esprit un substitut des États généraux, destiné à légitimer leur action.

12 février : des avis sont donnés aux Guises par un avocat parisien, des Avenelles, chez qui se réunissent des conjurés. Les Guises croient à la préparation d'un complot fomenté par les Anglais à cause des affaires d'Écosse.

22 février : la cour s'installe à Amboise.

2 mars : nouveaux avis aux Guises, par le duc de Savoie et le cardinal Granvelle aux Pays-Bas. Les soupçons s'orientent vers l'Allemagne, la Suisse et Genève.

8 mars : édit d'apaisement, enregistré au Parlement le 11 mars, offrant l'amnistie pour les « crimes » d'hérésie et la libération pour les prisonniers non convaincus de rébellion, à condition de vivre « comme bons catholiques ».

10 mars : premières arrestations de conjurés et de soldats recrutés par eux, dans les bois entourant Amboise. Des coffres pleins d'armes sont saisis.

14 mars : brève escarmouche dans un faubourg de Tours.

14-17 mars : les arrestations s'intensifient. Le 15 mars, capture de Mazères et Raunay par le duc de Nemours ; ce dernier propose, vraisemblablement de bonne foi, au baron de Castelnau, retranché dans le château de Noizay, à quelque 5 km d'Amboise, de le conduire auprès du roi. Castelnau accepte ; mais, arrivé à Amboise, il est jeté en prison.

16 (?) mars : un pardon est offert à tous ceux qui sont venus en armes à Amboise, à condition de repartir dans les 48 heures par petits groupes. Ceux qui sont ainsi renvoyés sont, selon Chantonnay, de pauvres artisans, les uns armés, les autres non, venus « pour parler à leur roi et le requérir de leur consentir vivre selon leur religion pour le salut de leurs âmes ». Le roi s'engage à recevoir leurs doléances, portées par un ou deux délégués.

17 mars : deux cents hommes conduits par Edme de Maligny, Bertrand de Chandieu (le frère du pasteur Antoine) et le capitaine Coqueville essayent de prendre d'assaut une des portes d'Amboise, celle des Bons-Hommes. Ce même jour commence une série d'exécutions des principaux conjurés. La férocité de la répression témoigne de la peur qu'a eue la cour. Le duc François de Guise est nommé lieutenant général du royaume, avec des pouvoirs exceptionnels.

19 mars : La Renaudie est tué dans la forêt de Château-Renaud, sur la rive droite de la Loire. Son corps est mis en cinq quartiers exposés aux portes d'Amboise.

Chronologie établie à partir des travaux de C. Paillard, H. Naef, L. Romier, N. M. Sutherland.

Les mobiles des conjurés

La facilité avec laquelle les gens arrêtés autour d'Amboise se sont laissé prendre, de même que la confiance dont a témoigné le baron de Castelnau pour suivre le duc de Nemours, indiquent que l'intention première des conjurés était d'éviter la violence si c'était possible. Ils voulaient parvenir jusqu'au roi, qu'on leur disait « prisonnier » des Guises et donc incapable d'écouter ses sujets. Ils souhaitaient lui remettre des textes : celui qui porte le titre *Les Estats de France opprimez par la tyrannie de ceux de Guise, au Roy leur souverain seigneur*, dont il a été question plus haut, et peut-être aussi, selon certaines sources, la confession de foi récemment adoptée par le synode général tenu à Paris l'année précédente. Ils espéraient provoquer une réunion des États généraux, qui auraient pu déclarer illégitime le pouvoir des Lorrains.

L'éventualité de la violence était cependant prévue, comme le prouvent les stocks d'armes découverts et l'enrôlement de mercenaires, mais contre les Guises, au cas probable de leur résistance. L'édit d'apaisement du 8 mars et le pardon, daté vraisemblablement du 16 mars, accordé aux premiers prisonniers montrent la force qu'est alors en train de prendre le parti de la modération à la cour, auquel le cardinal de Lorraine lui-même n'est pas étranger ; le roi s'ouvre à la possibilité d'écouter des émissaires des réformés. De ce point de vue, l'attaque de la porte des Bons-Hommes, le 17 mars (un autre combat aurait eu lieu en même temps près de Tours, selon l'ambassadeur de Ferrare), en provoquant la peur de la cour, apparaît comme une tentative maladroite et désespérée des plus violents, qui ne fait que renforcer la position de François de Guise, nommé lieutenant général du royaume. Elle témoigne aussi de la division et de la mauvaise coordination de l'entreprise. L'usage des armes, répondant à l'aspect politique de la cause des conjurés, a nui à son but religieux.

Les suites d'Amboise

L'aspect violent de la conjuration a pour conséquence d'accroître la méfiance des catholiques à l'égard des réformés. Les contemporains ont noté que c'est à partir de 1560 que le mot *huguenots* devient d'usage courant pour les désigner. C'est vraisemblablement une déformation du mot *eidgenossen*, signifiant *conjurés, confédérés*, et désignant la faction qui a conduit Genève à la conquête de son indépendance. On en trouve un exemple dès 1535 (sous la forme *anguenotz*). Le mot suggère donc le complot, le secret et l'esprit de liberté. Au-delà, c'est l'influence, réputée subversive, du monde suisse et des structures « républicaines » des cantons qui est aperçue. Toutes ces connotations sont renforcées par la conjuration : un official de Périgueux ne dépose-t-il pas qu'il a entendu dire à La Renaudie que « c'est grande folie que le royaume soit gouverné par un seul » et qu'il faut « faire un canton à Périgueux et un autre à Bordeaux ? » (L. Romier, 1923, p. 67). En outre, comme les réformés se réunissent la nuit, pour célébrer leur culte clandestin, on les assimile à des revenants : tels, écrit une relation hostile aux Guises parue en 1576, l'*Histoire de l'Estat de France, tant de la Republique que de la Religion*, attribuée à Louis Régnier de La Planche, « à Paris [...] le moine bourré, à Orléans, le mulet Odet, à Bloys, le loup garou, à Tours, le roy Huguet ». Ce dernier nom a sans doute aussi une part dans les connotations du mot *huguenot*, à cause des déambulations nocturnes des conjurés dans les campagnes tourangelles. Gens de la nuit, du complot et de la subversion : telle est l'image des réformés que lègue la conjuration d'Amboise.

On comprend l'effort des rescapés pour défendre la légitimité de leur entreprise. Ils publient des relations de l'événement, telle l'*Histoire du tumulte d'Amboise*, et des traités exposant leur argumentation politique. Le caractère sommaire des exécutions (pendaisons, noyades, décapitations, cadavres exposés aux créneaux de la terrasse du château) est dénoncé. Des récits édifiants racontent la mort des condamnés, comme celle du seigneur de Villemongis : celui-ci, le dernier à être décapité, aurait trempé ses mains dans le sang de ses compagnons et les aurait levées vers le ciel en s'écriant : « Seigneur, voici le sang de tes enfants. Tu en feras la vengeance ! » D'Aubigné évoque dans *Sa vie à ses enfants* l'indignation de son père devant les têtes coupées et exposées de ses compagnons : « Ils ont décapité la France, les bourreaux ! » Une multitude de libelles dénonce les Guises. Le plus célèbre est l'*Épistre envoiée au Tigre de la France*, dans lequel François Hotman couvre d'invectives le cardinal de Lorraine : « Tigre enragé, vipère venimeuse, sépulcre d'abomination, spectacle de malheur : jusques à quand sera-ce que tu abuseras de la jeunesse de notre roi ? »

Les « moyenneurs » et l'assemblée de Fontainebleau

Les partisans de la concorde religieuse

Une fois passées la peur éprouvée par la cour au moment de l'assaut du 17 mars et la répression qu'elle provoque, le parti de la modération se fait de nouveau entendre. C'est lui qui est à l'origine de l'édit du 8 mars. La violence d'Amboise lui donne paradoxalement des arguments : elle montre que la persécution soulève des rancœurs dangereuses pour l'ordre du royaume.

C'est le terme de « moyenneurs » qui convient le mieux pour désigner les modérés, partisans de la concorde. Le mot vient de Calvin : sous sa plume, c'est une insulte qu'il lance, dans un opuscule de 1549, à la tête de ceux qui voudraient acheter la conciliation au prix de compromis insupportables à ses yeux. L'injure est reprise par son disciple P. Viret. Mais Claude d'Espence, cet adepte de l'évangélisme qui a dû rétracter en 1543 ses positions sur la justification par la foi (voir chap. 18) la relève et s'en fait une bannière : « Quoy donc ? Moyenneur, s'il plaît à Dieu. Car ainsi a-il plu à un mien amy m'appeler, escrire, imprimer. Injure, s'il ne le pense, honorifique, tiltre d'honneur, et non d'outrage » (*Apologie*, 1568, citée par Mario Turchetti, 1984, p. 145).

Les « moyenneurs » souhaitent la *concorde* religieuse, qu'il faut avoir soin de distinguer des différentes formes de la *tolérance*.

Concorde et tolérance

Concorde religieuse : retour à l'unité catholique au prix de concessions disciplinaires et/ou doctrinales, faites par les confessions en présence.

Tolérance civile : acceptation (le plus souvent provisoire) de la différence religieuse, pour un motif politique : préserver la paix civile.

Tolérance religieuse : acceptation définitive de la différence religieuse, soit par respect d'autrui, soit par croyance à la diversité des chemins pour aller vers Dieu.

En 1560, les partisans de la tolérance religieuse sont extrêmement rares. Un nom surtout vient à l'esprit : celui de Sébastien Castellion. Cet humaniste converti à la Réforme, originaire du Bugey, est sans doute l'auteur en 1554 d'un *Traité des hérétiques* où il affirme que, mises à part les grandes évidences comme l'existence d'un seul Dieu, les divergences sur les questions obscures de la religion sont inévitables : il ne faut donc pas les appeler « hérésies » (Joseph Lecler, 1955, rééd. 1994). Cette position est aussi intolérable à Calvin ou à Bèze qu'aux catholiques intransigeants. On peut aussi citer le grand érudit Guillaume Postel, dont le *De Orbis terrae concordia* (1544) prône la tolérance réciproque entre les diverses croyances, même si, dans *De la République des Turcs* (1560), on le voit acquis au rêve d'une religion unique et universelle.

Les « moyenneurs » sont attachés à l'unité, mais ils la conçoivent catholique et romaine. Ils croient possibles, pour y parvenir, des concessions disciplinaires et peut-être doctrinales, consenties par les deux côtés. Ils pensent à un *Intérim*, comme celui d'Augsbourg en 1548, qui avait autorisé la communion sous les deux espèces et le mariage des prêtres. Pour cela, il faudrait réunir un concile *libre*, où tous les courants issus de la Réforme seraient présents. *Intérim* et *concile libre* commencent à devenir des mots clefs des débats au printemps 1560.

Qui sont ces « moyenneurs » ? Ce sont des humanistes inspirés par l'idéal érasmien : des théologiens comme Claude d'Espence, des juristes comme François Baudouin. Leur maître à penser, Georges Cassander, un théologien des Pays-Bas, écrit d'eux qu'ils forment un « troisième ordre des modérés et des pacificateurs ». Ils comptent des appuis importants dans le Conseil du roi : Jean de Monluc, évêque de Valence ; Paul de Foix, archevêque de Toulouse ; Charles de Marillac, archevêque de Vienne ; André Guillart, membre d'une grande famille de robe ; et surtout le chancelier lui-même, Michel de L'Hôpital. Celui-ci, en poste après la mort de François Olivier en avril 1560, est encore persuadé, à ce moment-là, que la coexistence de deux confessions dans un même État est impossible. Il le dit dans son discours d'ouverture aux États d'Orléans, le 13 décembre 1560 : « C'est folie d'espérer paix, repos et amitié entre les personnes qui sont de diverses religions », et il rappelle « le vieil proverbe *Une foy, une loy, un roy* ». Mais ces « maladies de l'esprit » que sont les hérésies (expression utilisée dans un discours de juillet 1560) doivent être soignées par la douceur, non par la violence.

Catherine de Médicis fait partie de ceux qui veulent sincèrement obtenir la concorde religieuse, idéal qui se conjugue chez elle avec le rêve néo-platonicien d'un « règne de l'amour » (D. Crouzet, 1994). Elle met ses espoirs dans la tenue d'un concile qui réconciliera le peuple des Français, « car de le penser contenir en obéissance et concorde pendant que les espritz seront ainsi agitez et occuppez de diversitez d'opinions et de doctrines, il n'y a personne en ce monde qui ne le juge impossible » (lettre du 22 avril 1561 à Louis de Saint-Gelais, évêque de Rennes). Enfin, parmi les « moyenneurs », il y a le cardinal de Lorraine. Ce grand seigneur brillant, complexe, de culture étendue et de mœurs pures, n'est pas ce « tigre de la France » qu'a dénoncé Hotman et que caricature une légende noire. Il cherche sincèrement les moyens de retrouver l'unité religieuse. Dès la fin de l'année 1559, il se rallie à l'idée de réunir un concile de l'église gallicane ; peu à peu, il en vient même à envisager que les calvinistes puissent y être admis.

Sous l'influence de ces conseillers, François II, le 21 mars (quatre jours seulement après l'assaut d'Amboise), annonce la réunion d'un « concile national ».

Une tolérance dissimulée, en attendant le concile

S'ouvre alors une période à hauts risques pour la monarchie. Il faut absolument éviter de provoquer la colère des calvinistes et des catholiques intransigeants, pour qui la politique de concorde n'est que compromission. Par ailleurs il faut compter avec l'attitude des souverains étrangers, qui surveillent avec inquiétude l'évolution de la cour de France. Le pape ne veut pas d'un concile national, qui lui fait redouter un schisme gallican. Quant à Philippe II, il craint le mauvais exemple de la France pour ses sujets des Pays-Bas, qui grondent contre sa politique répressive ; il dispose d'agents qui le tiennent au courant des moindres événements à la cour et n'hésite pas à faire pression sur les membres du Conseil, à les « syndiquer », comme le dit Catherine de Médicis (lettre de l'ambassadeur Chantonnay du 4 mars 1561). La reine mère est exaspérée par cette ingérence espagnole, mais elle ne peut s'offrir le luxe d'indisposer son puissant voisin et gendre. Elle est donc *contrainte* à la dissimulation et au louvoiement : loin d'être chez elle le signe de ce machiavélisme cynique dont on l'a souvent accusée, sous prétexte que sa famille paternelle est florentine (mais sa mère est une La Tour d'Auvergne), cette politique est une stratégie de survie.

En mai 1560, l'édit de Romorantin rend son sens à la distinction entre hérésie et sédition, qui avait été vidée de tout contenu par les édits précédents. Désormais, les tribunaux épiscopaux jugeront les hérétiques. C'est le retour à l'édit de Coucy de 1535, et la liberté de conscience pour les réformés qui ne font pas de « scandales ». S'ils troublent l'ordre public (les assemblées pour le culte, toujours interdit, relèvent de ce cas), ils seront alors jugés par les tribunaux royaux (les présidiaux, auxquels sont rajoutés en août les Parlements).

Mais, dès l'édit du 8 mars, les assemblées privées des réformés sont tacitement tolérées. Le cardinal de Lorraine va bientôt dire publiquement, à l'assemblée de Fontainebleau, que l'on ne doit pas poursuivre « ceux qui, sans armes, et de peur d'être damnés, iroient au prêche, chanteroient les psaumes et n'iroient pas à la messe ». Il n'est cependant pas question d'accorder la liberté de culte : ce serait le roi, s'il le faisait, qui risquerait la damnation. C'est donc le début d'une tolérance qui ne veut pas dire son nom, justifiée par « la nécessité des temps », et inévitablement accompagnée de dissimulation. Seulement les agents du roi n'y comprennent souvent plus rien. En novembre, l'évêque de Riez, perplexe, demande des précisions au cardinal : « Ce me seroit un grand bien d'en entendre la vérité, afin que je me garde de mesprendre en faisant trop ou faisant trop peu. »

L'assemblée de Fontainebleau (août 1560)

Les risques d'incompréhension que suscite la nouvelle politique royale imposent la nécessité d'obtenir un large consensus avant de convoquer un concile. L'assemblée de notables de Fontainebleau, réunie du 21 au 26 août 1560, répond à ce but.

Elle est composée des membres du Conseil du roi, élargi par l'adjonction des trésoriers de l'Épargne, des secrétaires d'État, des maîtres des Requêtes et des chevaliers de l'Ordre de Saint-Michel. Par une pratique qui deviendra ensuite coutumière, le roi a pris soin de faire, auparavant, une « fournée » de nouveaux chevaliers, afin de s'assurer une majorité confortable. La pompe et la publicité qui entourent l'assemblée indiquent qu'elle a une portée justificative.

Deux « moyenneurs » du Conseil, Jean de Monluc et Charles de Marillac, exposent le remède nécessaire : convoquer un concile national. Sur ce point, ils parlent sans doute sur l'ordre de la reine mère et du chancelier. Mais ils vont plus loin : ils démontrent que la crise financière et politique exige les États généraux. Les Guises, qui n'en voulaient pas, se rallient à l'opinion commune.

Mais un incident menace de tout gâter. Dès le début, l'amiral Coligny se lève et présente deux requêtes des réformés normands. C'est la première fois qu'il se manifeste publiquement pour la Réforme. Avec une bénignité « dont aucuns », selon une relation contemporaine, « furent estonnés et esbahis », François II fait lire ces requêtes par le secrétaire d'État L'Aubespine. L'amiral critique ensuite ouvertement le duc de Guise, qui réplique âprement. Il faut toute la diplomatie des présents pour apaiser le conflit naissant. Le 31 août, un édit du roi résume le résultat de l'assemblée. Deux mesures sont annoncées : d'une part, la réunion d'une assemblée « des évesques, prélats et autres membres de l'église de nostre royaulme », prévue pour janvier 1561 ; de l'autre, celle « des trois ordres qu'on appelle les états-généraux », en décembre prochain. Ainsi le mois d'août s'achève de façon inattendue après les violences d'Amboise : l'espoir d'une réconciliation des Français renaît.

ORIENTATION BIBLIOGRAPHIQUE

Denis Crouzet, *La nuit de la Saint-Barthélemy. Un rêve perdu de la Renaissance*, Paris, Fayard, 1994, 658 p.

Joseph Lecler, *Histoire de la tolérance au siècle de la Réforme*, 1955, rééd. 1994, Paris, A. Michel, 854 p.

Henri Naef, *La conjuration d'Amboise et Genève*, Genève, Paris, A. Julien, H. Champion, 1922, 406 p.

C. Paillard, Additions critiques à l'histoire de la conjuration d'Amboise, *Revue Historique*, 1880, p. 61-108 et 311-335.

Lucien Romier, *La conjuration d'Amboise*, Paris, Perrin, 1923, 290 p.

Nicola-Mary Sutherland, *The Huguenot Struggle for Recognition*, Yale Univ. Press, 1980, 394 p.

Mario Turchetti, *Concordia o tolleranza ? François Baudouin e i « moyenneurs »*, Genève, Droz, 1984, 650 p.

Corrado Vivanti, La congiura di Amboise, *Complots et conjurations dans l'Europe moderne*, colloque de 1993, Éc. fr. de Rome, actes à paraître (sous la dir. de Y. M. Bercé et Elena Fasano Guarini).

Thierry Wanegffelen, *Des chrétiens entre Rome et Genève*, thèse dactyl. de Paris I - Sorbonne, 1994, 914 p.

22. La concorde impossible

Les espoirs soulevés par l'assemblée de Fontainebleau sont presque immédiatement menacés par une conjoncture adverse. D'abord, les rescapés de la conjuration d'Amboise, furieux de leur échec, lancent dans l'été des mouvements qui font craindre à François II un soulèvement généralisé du royaume et l'amènent à ordonner une sévère répression. Puis ce sont la maladie et la mort du jeune roi, juste avant l'ouverture des États généraux, et l'avènement de son frère Charles IX, dont la minorité est cette fois incontestable puisque qu'il n'a que 10 ans. Dans ces conditions, il faut aux « moyenneurs » beaucoup de ténacité pour continuer à travailler à la réunion du concile prévu, qui prend finalement le nom de *colloque* et se tient à Poissy en septembre 1561. Mais la confrontation entre calvinistes et catholiques ne fait que révéler l'ampleur des divergences ; la concorde religieuse se révèle un rêve irréalisable.

Les nouvelles tentatives des conjurés d'Amboise

L'appel aux princes du sang

Malgré la faible part que le prince de Condé a eue dans la préparation de la conjuration de mars, il est hors de doute qu'il a su ce qui se préparait et qu'il a souhaité le succès des conjurés. Il est arrivé à Amboise le 14 ou le 15 mars 1560, et les Guises, méfiants, lui ont demandé de participer à la défense du château pour le mettre à l'épreuve. Mais c'est avec la complicité d'un écuyer du prince que l'un des chefs arrêtés, Edme de Maligny, est parvenu à s'échapper. Dès que le fait est connu, de lourds soupçons pèsent sur Condé. Celui-ci se disculpe d'une manière conforme au code de l'honneur nobiliaire : le 2 avril, il donne un démenti public, devant le roi, à quiconque l'accuserait, et offre de se battre en duel contre celui qui le ferait, renonçant pour cela à ses privilèges de prince du sang. C'est un défi plein de panache que personne, y compris les Guises, ne se hasarde à relever. Condé quitte alors la cour et rejoint Antoine de Navarre à Nérac.

C'est là que les deux frères voient converger vers eux des appels pressants à agir plus énergiquement contre les Lorrains. L'absence de la caution d'un prince du sang a été l'une des faiblesses de la conjuration d'Amboise : comment prétendre à la légitimité sans l'autorité de ceux dont la naissance fait des personnes publiques ? Edme de Maligny, François Hotman viennent voir les Bourbons en juin et juillet ; Calvin accepte que Théodore de Bèze leur soit envoyé. On leur remet une *Supplication et Remonstrance*, qui les accuse sans ménagements d'avoir failli au devoir que leur impose leur condition : prendre les armes contre la tyrannie pour défendre le roi et le royaume. Ou bien, écrivent les auteurs du texte (dont le style véhément fait penser à celui d'Hotman),

> vous n'estiez suffisamment informez des droictz qui vous appartiennent pour le soulagement de ce pauvre Royaume, ou pour le moins [...] vous n'avez en telle recommandation que vostre degré et prééminence le requiert la devoir qui vous oblige aux peuples de France maintenant oppressez par la tyrannie des estrangers, et gémissans après l'ayde et secours que vous luy devez, et que vous luy refusez par trop longuement (texte de 1560, republié dans les *Mémoires de Condé*, t. 1 de l'éd. de Londres, 1740).

L'abnégation des conjurés, qui n'ont pas hésité à donner leur vie, est opposée à la négligence des princes du sang. On sent frémir dans ce texte une sorte de rancœur des simples gentilshommes contre les grands.

Les Bourbons se sont-ils laissé émouvoir par cet appel véhément ? Ont-ils une responsabilité dans les mouvements déclenchés pendant l'été ? Ils les ont vraisemblablement encouragés dans un premier temps. Mais Antoine de Navarre est vite revenu à la prudence. Condé s'est peut-être engagé plus avant. Le 26 août, en tout cas, un de ses courriers, Jacques de La Sague, est arrêté porteur de lettres qui le compromettent (papiers aujourd'hui disparus, ce qui empêche de connaître leur teneur exacte). La cour, affolée, croit à une nouvelle conspiration dont Condé est le chef. Le 31 août, François II envoie une lettre à Antoine de Navarre dans laquelle il le somme de lui amener son frère.

Les mouvements de l'été 1560

La situation devient en effet périlleuse. Les réformés, mettant à profit l'application indulgente de l'édit de Romorantin, multiplient les prêches publics dans les provinces où ils sont bien implantés : Normandie, Anjou, Poitou, Saintonge, Limousin, Périgord, Guyenne, Languedoc, Provence, Dauphiné. Les conjurés d'Amboise qui ont échappé à la répression renouvellent leurs efforts. A Strasbourg, le réformateur Jean Sturm jubile ; dans une lettre du 19 août adressée au roi de Danemark, il écrit : « La conspiration de France, réprimée dans sa première tentative, semble s'étendre aujourd'hui et se fortifier manifestement : l'entreprise, conduite autrefois par des moyens secrets, ne tardera pas à éclater dans une guerre ouverte » (cité par L. Romier, 1923, p. 219). De son côté, Calvin, qui désapprouve toujours l'action violente, mais exhorte les Bourbons à désobéir à l'ordre du roi les convoquant à la cour, annonce le soulèvement de la noblesse en Bretagne, Anjou, Poitou, et Guyenne.

Si les mouvements de l'été ne ressemblent pas à une « guerre ouverte », ils sont suffisamment graves pour la faire craindre à la monarchie. En Anjou, le maire d'Angers signale des séditions fomentées par « aulcuns du reste de l'émotion d'Amboyse » ; en Guyenne, le baron de Biron indique au roi des rassemblements suspects de gentilshommes désireux de « nouveaultés » et de « changement » ; en Guyenne et Languedoc, les réformés s'organisent militairement. En Provence, Paul de Mouvans et ses hommes, qui ont pris les armes, capitulent à la fin de l'été ; mais, en Dauphiné, Montbrun continue le combat. Surtout, Edme de Maligny et ses troupes se préparent à s'emparer de Lyon : trahis, ils sont surpris dans la nuit du 4 au 5 septembre, et la cour horrifiée découvre après coup la gravité du péril évité de justesse. En septembre et octobre, des groupes d'hommes en armes convergent vers Poitiers et Orléans.

La répression de l'automne et l'arrestation de Condé ; la mort du roi

François II réagit avec une autorité que n'ont pas assez soulignée les historiens. La dignité royale est menacée par les rébellions ; il convient de la restaurer. «Je sauray fort bien faire cognoistre que je suis roy», écrit-il le 31 août à Antoine de Navarre ; puis, le 5 octobre, à propos de l'arrivée imminente de ce dernier : «Je me suis résolu [s'il vient avec des intentions subversives] luy faire sentir que je suis roy qui ay puissance et moyen de me faire obéyr...» (*Négociations... relatives au règne de François II*, éd. Louis, Paris, 1841).

L'enjeu – le maintien de l'autorité royale – explique l'ampleur de la répression qui suit. Les compagnies d'ordonnance sont déployées dans tout le royaume ; le ban et l'arrière-ban sont convoqués. Les forces royales dispersent les assemblées des réformés. Cependant, ceux-ci sont poursuivis comme séditieux et non comme hérétiques : la distinction entre hérésie et sédition réactivée par l'édit de Romorantin n'est pas remise en cause. La persécution de l'automne 1560 n'a pas la violence de celle de l'automne 1559.

Les Bourbons finissent par obtempérer à l'ordre royal et se rendent à Orléans, où le roi a décidé de tenir les États généraux. Non sans hésitations, ils ont renoncé à s'entourer d'un appareil guerrier que la noblesse du Sud-Ouest et de l'Ouest leur a pourtant proposé. Sitôt arrivé, le 31 octobre, Condé est arrêté. Le roi a pris ses précautions avant de se hasarder à cet acte grave : fournée de chevaliers de l'ordre de Saint-Michel pour s'assurer de leur dévouement, demande aux nobles de lui renouveler leur serment de fidélité. C'est bien François II, et non les Guises ou la reine mère, qui prend en main le procès du prince. Celui-ci, dans sa défense, invoque le «bas âge» du roi : c'est cette thèse politique des conjurés d'Amboise que François II entend frapper en la personne de l'accusé. Antoine de Navarre, publiquement humilié par le cardinal de Lorraine, n'ose rien faire pour son frère. Condé est vraisemblablement condamné à mort (l'historien L. Romier met cependant en doute le fait, rapporté par les sources protestantes).

Mais François II, atteint d'un abcès à l'oreille que les médecins sont impuissants à soigner, meurt, sans avoir atteint ses 17 ans, le soir du 5 décembre 1560. Son petit frère Charles, né le 27 juin 1550, n'a que 10 ans.

La minorité royale et les États généraux d'Orléans et de Pontoise

L'avènement politique de Catherine de Médicis

La manière dont la reine mère arrive à obtenir la réalité du pouvoir révèle son habileté. Pourtant, le chagrin qu'elle ressent à la mort de François II est profond : elle l'exprime très simplement à sa fille la reine d'Espagne :

> Pour ce, ma fille, m'amye, recommandez-vous bien à Dieu, car vous m'avez vue aussi contente comme [que] vous, ne pensant jamais avoir autre tribulation que de n'être assez aimée à mon gré du Roi votre père, qui m'honorait plus que je ne méritais ; mais je l'aimais tant que j'avais toujours peur, comme vous savez fermement assez ; et Dieu me l'a ôté, et ne se contente de cela, m'a ôté votre frère que j'ai aimé comme vous savez, et m'a laissée avec trois enfants petits, et en un royaume tout divisé, n'y ayant un seul à qui je me puisse du tout fier, qui n'ait quelque passion particulière (*Lettres de C. de Médicis*, pub. par H. de La Ferrière, Paris 1880, t. 1, p. 158). L'orthographe hasardeuse de Catherine a été modernisée (elle écrit : ... « et m'a laysée aveque troys enfans petys, et en heun reaume tout dyvysé, n'y ayent heun seul à qui je me puise du tout fyer »...).

Lorsqu'elle évoque ses enfants, elle pense aux trois fils qui lui restent. Un principe directeur, qui se nourrit à la fois de son amour de mère et de son sens de la dignité royale, va désormais inspirer ses choix : leur transmettre intact l'héritage de leur père, c'est-à-dire un royaume entier et une autorité respectée.

La réalisation de cet objectif requiert prudence, clairvoyance et ruse, toutes qualités dont Catherine de Médicis n'est pas dépourvue. L'échiquier politique est encore assez clair. D'une part, le roi de Navarre, qui veille à ne pas se déclarer trop ouvertement (on le voit tantôt pencher vers les réformés, tantôt vers les catholiques), porte néanmoins l'espoir calviniste. De l'autre, le duc de Guise s'est nettement « marqué » du côté catholique au cours de l'assemblée de Fontainebleau : il a ainsi adressé un signe tant au roi d'Espagne, qui a besoin d'un allié sûr à la cour, qu'aux catholiques français, qui commencent à chercher un chef. Entre les deux, le connétable Anne de Montmorency, dont le catholicisme est connu, est handicapé aux yeux des partisans de la fermeté et en particulier des Espagnols par les sympathies réformées de ses neveux Châtillons. Le but de Catherine de Médicis est de maintenir l'équilibre entre ces trois forces, sans perdre de vue son idéal de concorde religieuse, auquel elle adhère sincèrement, et qui est de surcroît seul capable à ses yeux de garantir l'obéissance des sujets.

Elle s'assure le pouvoir en deux temps : d'abord, juste après la mort de François II, elle partage la régence avec Antoine de Navarre, dont il ne serait pas prudent, compte tenu du jeune âge de Charles IX, de contester les droits de premier prince du sang. Condé est libéré. Puis, après une grave altercation en février 1561 entre Navarre et Guise, qui fait craindre un moment un conflit sanglant, elle obtient de Navarre qu'il lui laisse le pouvoir, avec le titre de gouvernante de France, en échange de la charge de lieutenant général du royaume. Seul inconvénient, de taille : les nouveaux honneurs de Navarre le placent au-dessus du connétable et privent le duc de Guise de l'autorité militaire qu'il avait sous François II. Le mécontentement des deux frustrés va bientôt se manifester.

Les États généraux

Lorsque meurt le roi, les députés élus aux États convoqués à Orléans sont déjà en route. L'assemblée est ouverte le 13 décembre par Charles IX.

C'est la première fois depuis soixante-seize ans (la réunion de 1558 à Paris est plutôt, on l'a vu, une assemblée de notables) que les États généraux sont réunis. Ils le seront encore quatre fois au cours de la seconde moitié du XVIe siècle.

États généraux réunis dans la seconde moitié du XVIe siècle

États d'Orléans : 13 décembre 1560 - 31 janvier 1561.
États de Pontoise : 1er-27 août 1561.
Premiers États de Blois : 6 décembre 1576 - 2/5 mars 1577.
Seconds États de Blois : 16 octobre 1588 - 15 janvier 1589.
États de Paris (dits États de la Ligue) : 26 janvier - 8 août 1593.

NB. — Ces dates sont celles des séances solennelles d'ouverture et de clôture. En 1577, les dates retenues pour la fin des États sont celles du congé donné par le roi aux ordres, et, en 1593, celle de la dernière assemblée délibérative générale.

Les processus d'élection des députés donnent la parole à un très grand nombre de sujets. Tout le monde est au courant, en principe, des lettres royales de convocation adressées aux gouverneurs, aux baillis et sénéchaux, puis transmises aux corps de ville et aux juridictions inférieures : elles sont lues à son de trompe sur les places et aux carrefours, placardées sur les édifices publics, annoncées en chaire par les curés.

L'assemblée électorale principale se tient, depuis 1484, dans la ville chef-lieu du bailliage ou de la sénéchaussée. Mais chaque ordre y envoie ses électeurs selon des modalités particulières.

Les électeurs du clergé sont appelés personnellement, sauf les membres des chapitres et des couvents qui délèguent des représentants, sauf aussi les prêtres sans cure. Ce sont les évêques et archevêques, les abbés et les prieurs, et assez souvent les curés (convoqués surtout dans le nord de la France).

Les électeurs de la noblesse sont ceux qui possèdent un fief. Ils reçoivent aussi une convocation individuelle. Les officiers royaux anoblis coutumièrement par leur charge votent avec les roturiers.

Les participants du tiers état à l'assemblée électorale principale sont, d'une part, les représentants de la ville chef-lieu du bailliage ou de la sénéchaussée où se tient cette assemblée (corps de ville, délégués des métiers et des quartiers) et, de l'autre, les élus des petites villes et des villages ou bourgs. Pour ces derniers (s'ils ont bien reçu la lettre de convocation, ce qui est plus fréquent dans la France du Nord que dans le Midi), la désignation des électeurs se fait le plus souvent à deux niveaux. Au niveau inférieur, l'appel du roi est lu en chaire par le curé après la messe ; au jour dit, les chefs de famille, y compris les veuves, se réunissent sur la place de l'église, sous la présidence d'un juge royal ou seigneurial ou d'un habitant notable ; chacun dit son avis, et le plus lettré, souvent le notaire du lieu, rédige un cahier de doléances ; un représentant est choisi. On peut ainsi considérer que le suffrage est très largement répandu.

La plupart du temps existe un niveau intermédiaire. Les délégués élus par les villages et les bourgs s'assemblent au siège d'une juridiction inférieure, châtellenie ou prévôté. Ils fondent alors en un seul leurs cahiers de doléances et choisissent le ou les électeurs qui voteront à l'assemblée électorale du bailliage.

Les pays d'États forment un cas à part. Dans certains est choisie la règle de l'élection par bailliage ou sénéchaussée ; dans d'autres, ce sont les États provinciaux qui élisent leurs députés.

Les États généraux d'Orléans innovent en adoptant le principe de séances séparées pour chacun des trois ordres, après la séance plénière d'ouverture. Cette nouveauté, lourde de conséquences, est due vraisemblablement à la méfiance du clergé, qui sait que la noblesse et le tiers état veulent le faire contribuer lourdement au remboursement de la dette monarchique. Siégeant séparément, les ordres sont obligés de communiquer par l'intermédiaire de messagers, ce qui nuit à la cohésion de leur action. Chacun élabore un cahier de doléances unique à partir des cahiers apportés par les députés. Les votes ont lieu par bailliage ou sénéchaussée à l'intérieur de chaque gouvernement, puis par gouvernement dans chacun des ordres, à la majorité. Les cahiers ainsi élaborés sont solennellement remis au roi, présentés par trois porte-parole. Chaque sujet peut ainsi espérer faire parvenir ses plaintes au souverain ; le dialogue est renoué.

Les élections aux États d'Orléans ne se déroulent pas sans désordres. A Rouen, Blois, Angers, Poitiers, Angoulême, Rodez, Millau, Montauban, Cahors, les réformés réclament fortement des temples et la liberté de culte. Les assemblées électorales sont l'occasion pour les avocats de révéler la combativité politique dont ils vont faire preuve tout au long des guerres civiles, tant dans un camp que dans l'autre, et dont il faut peut-être chercher l'explication, on l'a vu, dans les difficultés croissantes qu'ils éprouvent à acheter des offices répondant à leur ambition et à leur formation. A Angers, l'avocat François Grimaudet se rend célèbre par la férocité de ses attaques contre la corruption des clercs et des juges.

Selon les calculs de l'historien James Russell Major, il y a à Orléans 455 députés : 127 pour le clergé, 107 pour la noblesse, 221 pour le tiers. La disparité entre le nombre de représentants de chaque ordre est sans grande importance, puisque le vote n'a pas lieu par tête. La représentation des sujets, rappelons-le, est conforme à la logique du temps : c'est aux plus élevés en dignité, aux plus riches, aux plus instruits (la *sanior pars*, la plus saine partie) qu'est confié par les électeurs le soin de défendre leurs intérêts, parce qu'ils ont plus de poids et d'influence. Une minorité est de confession réformée, sans qu'on puisse préciser exactement son importance.

Le chancelier de L'Hôpital ouvre les États d'Orléans, le 13 décembre, par un discours demeuré célèbre. Sans abandonner son idéal d'unité religieuse et de concorde (Mario Turchetti, 1984), il prône l'abandon de la violence :

Tu dis que ta religion est meilleure. Je défends la mienne. Lequel est plus raisonnable, que je suyve ton opinion, ou toy la mienne ? Ou qui en jugera, si ce n'est un saint concile ? [...] Ostons ces mots diaboliques, noms de parts, factions et séditions, luthériens, huguenots, papistes. Ne changeons le nom de chrestien (éd. Robert Descimon, 1993, p. 85-87).

La variété des sujets abordés par les députés, conformément à leurs cahiers de doléances, est très grande : gouvernement du royaume, querelles religieuses, affaires ecclésiastiques, organisation judiciaire, législation, finances, commerce et armée. Cet énorme travail, codifié par les juristes du Conseil, sous la direction du chancelier, est à l'origine de la grande ordonnance d'Orléans de 1561. Les États ont eu ainsi un rôle législatif. Ce rôle se heurte, toutefois, à la rivalité du Parlement de Paris : celui-ci veut enregistrer le texte et exercer à cette occasion son droit de remontrances. Les États protestent et affirment que leur œuvre ne peut être modifiée. La reine mère intervient, et l'ordonnance est finalement enregistrée sans retouche majeure le 12 septembre.

C'est sur le problème financier que l'assemblée achoppe. Paradoxalement, les lettres de convocation n'en ont pas parlé ; et Michel de L'Hôpital attend le 13 janvier pour révéler l'énormité du déficit (43 millions et demi de dettes). Les députés ont alors beau jeu de dire qu'ils n'ont pas reçu de mandat pour consentir un nouvel impôt : il faut pour cela qu'ils retournent devant leurs mandants. Cette tactique sera souvent renouvelée par la suite : devant chaque exigence fiscale du roi, les députés se disent liés par un *mandat impératif,* dont les clauses sont contenues dans leurs cahiers (qui expriment toujours, naturellement, l'idée que les impôts sont excessifs et doivent être diminués). Il y a là une cause majeure de l'abandon par le roi, après une dernière expérience en 1614, de la convocation d'une assemblée qui se révèle finalement incapable de répondre à son attente, c'est-à-dire lui fournir des ressources nouvelles consenties par les sujets.

La monarchie est obligée de céder : les députés sont renvoyés devant les électeurs. De nouvelles lettres de convocation sont expédiées, qui cette fois mentionnent l'objectif : trouver des remèdes à la crise financière. Des élections ont lieu, utilisant exceptionnellement le gouvernement comme circonscription électorale, par économie ; en principe, chaque gouvernement (dont le nombre a été porté à 13) doit élire un seul député par ordre (en fait, il y en aura en tout près de 80). Le lieu et la date de la réunion sont fixés à Pontoise, le 1er août.

Là encore, les élections sont parfois tumultueuses. A Paris, l'assemblée électorale de la prévôté de Paris, tenue en mars 1561, reprend les thèses des conjurés d'Amboise : régence au premier prince du sang, élection d'un « conseil légitime » par les États, éviction des cardinaux et des étrangers. A Montpellier, lors de la réunion des États provinciaux de Languedoc, en mars, l'avocat Claude Terlon (un sympathisant, sans plus, de la Réforme), soutenu par l'avocat nîmois huguenot Chabot, provoque une réunion séparée du tiers état et propose un projet pour solder les dettes royales, qu'Emmanuel Le Roy Ladurie (*Les paysans de Languedoc*, 1966, p. 360) a qualifié de « révolutionnaire » : vendre les biens du clergé, éteindre la dette avec une partie des sommes ainsi récoltées et remettre la gestion de la partie restante aux corps de ville. Ceux-ci en feraient un fonds dont les intérêts recevraient une double affectation : d'une part salarier les ecclésiastiques (devenus ainsi des sortes de fonctionnaires municipaux), de l'autre consentir des prêts aux marchands pour stimuler l'activité économique.

A Pontoise, les députés arrivent avec une idée précise : faire payer le clergé. Claude Terlon, qui est envoyé par le tiers état du Languedoc, expose son projet. Les députés du clergé, qui siègent la plupart du temps à Poissy avec une assemblée des prélats qui y est réunie depuis le 31 juillet, finiront par céder : peu après la fin des États, cette assemblée signe le 21 octobre 1561 le *Contrat de Poissy*, par lequel le clergé offre en don gratuit 1 600 000 livres par an pendant six ans, et promet en outre de racheter une partie de la dette (Claude Michaud, 1991). Mais, en contrepartie, elle obtient l'autorisation de réunir des *assemblées du clergé* pour gérer la subvention accordée : c'est l'origine d'une institution originale de la France monarchique. Ces assemblées voteront, non sans réticences parfois, un *don gratuit* et veilleront aux intérêts de l'ordre. Mais cette concession n'empêchera pas le roi, poussé par la nécessité, de procéder à des ventes massives des biens du clergé : il y en aura en 1563, 1568, 1569, 1574, 1576, 1586, 1587-1588.

Les deux autres ordres refusent de payer, si bien que le roi se passe de leur consentement pour imposer, une fois les États séparés, une taxe sur le vin.

Dans les domaines religieux et politique, les États ont été hardis, ceux de Pontoise encore plus que ceux d'Orléans. Un grand nombre de députés du tiers État et de la noblesse (s'opposant sur ce point au clergé) souhaitent qu'on donne des temples aux réformés ;

à Pontoise, le tiers insère même cette demande dans son cahier. En ce qui concerne le gouvernement, la noblesse veut que les États influent sur la composition du Conseil (c'était l'une des revendications d'Amboise). La périodicité régulière des États généraux est exigée : le tiers État propose, à Orléans, tous les cinq ans, et à Pontoise, tous les deux ans ; la noblesse se contente d'une périodicité décennale, mais demande à Pontoise une réunion spontanée des États lorsque la couronne échoit à « un prince mineur de 20 ans, ou aultrement incapable de manier les affaires du royaume ». Enfin, le tiers et la noblesse réclament pour l'assemblée le droit de décider la paix ou la guerre. On assiste bien au renouveau des théories sur le pouvoir des États (G. Picot, 1888, t. II).

Mais cette renaissance pousse les légistes royaux à réagir. Les débats autour de la minorité du roi, à Orléans, ont ainsi incité le Conseil à réaffirmer la valeur publique de la fameuse maxime de droit privé sur les successions : il a soutenu que « par la loi du royaume *le mort saisissoit le vif* et l'autorité passoit sans interruption du roi défunt à son légitime successeur ». C'est la doctrine selon laquelle *le roi ne meurt jamais*, qui permet de rejeter l'idée qu'il puisse y avoir un interrègne, même bref, pendant lequel la majesté royale serait incarnée non plus dans le corps individuel et périssable du roi, mais dans le corps collectif du royaume, représenté par les États généraux (Ralph Giesey, 1987).

Le Colloque de Poissy (9 septembre - 14 octobre 1561)

En novembre 1560, le pape convoque le Concile général à Trente : ce sera donc la prolongation des sessions précédentes, et non, comme le souhaitaient la reine mère et le cardinal de Lorraine, un concile *nouveau et libre*. Cette déception renforce le camp des partisans du concile national annoncé à l'issue de l'assemblée de Fontainebleau. Reste à savoir ce que sera la réunion projetée en France : concile gallican (où ne siégeront que des membres de l'Église de France) ou colloque (où les protestants seront admis) ? C'est la seconde solution qui prévaut, évoquant les grands colloques de Worms et Ratisbonne (1540-1541).

Les Pourparlers de Paris et l'édit de juillet 1561

En attendant cette rencontre, des mesures provisionnelles sont prises : des lettres de cachet du 28 janvier renouvellent l'amnistie pour l'hérésie simple (sans sédition) et y incluent, le fait est à souligner, les pasteurs. Du milieu de juin au début de juillet, une assemblée du Conseil élargi à des parlementaires parisiens (Étienne Pasquier la désigne sous le nom de *Pourparlers de Paris*), convoquée vraisemblablement par le cardinal de Lorraine, est à l'origine de « l'édit de Juillet » (promulgué le 11), tellement soucieux de ménager les deux bords qu'il en est incohérent. Il mécontente tout le monde, et en particulier les catholiques. C'est dans ce contexte de désarroi et de rancœur qu'a lieu le colloque.

Le colloque, ultime chance pour la concorde

Le 25 juillet 1561, des lettres royales annoncent la tenue de la rencontre à Poissy ; les réformés y participeront. Le colloque porte tous les espoirs de concorde des « moyenneurs » : il ne faut pas en sous-estimer l'ampleur, sous le prétexte qu'on en connaît, *a posteriori*, l'échec.

L'ouverture solennelle se fait le 9 septembre, dans le couvent des dominicaines de Poissy, devant le roi, la reine mère, le chancelier et les princes du sang. La délégation calviniste compte symboliquement douze membres, plus Théodore de Bèze qui est leur porte-parole.

Les « moyenneurs » sont divisés sur la stratégie à adopter. Les uns (Jean de Monluc, Claude d'Espence, ce dernier étant le conseiller du cardinal de Lorraine) voudraient se borner à des concessions disciplinaires et liturgiques, comme la communion sous les deux espèces, la simplification des rites du baptême ou la limitation de l'usage des images dans le culte, et prendre pour référence les cinq premiers siècles de l'histoire de l'Église. La difficulté est que ces concessions ne touchent pas au cœur du problème, à savoir la présence réelle du Christ dans les espèces consacrées. Les chefs politiques (le roi de Navarre, la reine mère, le chancelier) envisagent alors la possibilité de proposer sur ce point aux calvinistes une formulation de type luthérien, analogue à celle de la Confession d'Augsbourg (dans sa forme primitive de 1530), adoptée par Charles Quint lors de la paix d'Augsbourg de 1555. Ce qui ne veut pas dire que ces « moyenneurs » deviennent luthériens ! Simplement, la formulation d'Augsbourg leur semble moins loin de la doctrine catholique que ne l'est le calvinisme : elle pourrait fournir une base de discussion. Quant au cardinal de Lorraine qui, conseillé par Espence, appartient plutôt à la première catégorie de « moyenneurs », il est probable qu'il voit dans la Confession, à laquelle il finit par admettre d'avoir recours, un moyen d'arracher les calvinistes aux tendances sacramentaires qu'il perçoit chez eux : à partir de là, les convertir à la conception catholique de la présence réelle serait, selon lui, plus facile (Thierry Wanegffelen, 1994).

Mais les « moyenneurs » se heurtent à deux intransigeances. Celle des calvinistes, d'abord. Calvin abomine toute idée de compromis. Il voit le colloque comme la confrontation entre la Vérité et l'erreur, dont la première sortira nécessairement victorieuse en éblouissant l'adversaire. Dès le 9 septembre, avec une clarté inflexible, Théodore de Bèze expose sa conviction que, dans la cène, le corps du Christ « est éloigné du pain et du vin autant que le plus haut ciel est éloigné de la terre ». Ces paroles provoquent la colère des prélats. L'intransigeance catholique n'est pas moindre. De sourcilleux censeurs veillent sur l'orthodoxie : le cardinal de Tournon, envoyé par le pape, et bientôt le légat pontifical Hippolyte d'Este et le général de la Compagnie de Jésus, Diego Laínez.

Il faut donc beaucoup de ténacité au cardinal de Lorraine pour proposer, lors de la troisième séance, une confession très voisine de celle d'Augsbourg, la wurtembergeoise. C'est un fiasco. Désolée, Catherine de Médicis confie la question de la présence réelle à une commission restreinte de dix personnes, dont elle choisit les cinq membres catholiques parmi les plus ouverts. L'espoir renaît : après plusieurs ébauches, une formule eucharistique est élaborée par Espence ; retouchée par les ministres, elle est présentée à l'assemblée des prélats. Mais celle-ci la rejette. Le colloque est clos le 14 octobre sur un échec.

Dans un ultime effort, la reine mère organisera encore à Saint-Germain des conférences entre théologiens, du 28 janvier au 11 février, pour tenter, en vain, de trouver une voie médiane. La concorde est décidément un rêve impossible.

Il ne reste guère que deux issues : la guerre ou la tolérance civile. Tandis que, dans le pays, des troubles divers montrent que bien des intransigeants des deux bords ont déjà opté pour la première, Catherine de Médicis et Michel de L'Hôpital s'acheminent lentement vers la seconde.

ORIENTATION BIBLIOGRAPHIQUE
(outre les références données à la fin du chapitre 21)

Ralph Giesey, *Le roi ne meurt jamais*, Paris, Flammarion, 1987, 350 p. (trad. de l'éd. de 1960).

James Russell Major, *The Deputies to the Estates in Renaissance France*, Madison, 1960, 202 p.

Claude Michaud, *L'Église et l'argent sous l'Ancien Régime*, Paris, Fayard, 1991, 804 p.

Michel Péronnet, Naissance d'une institution, les assemblées du clergé, in *Pouvoirs et institutions en Europe au XVIe siècle*, André Stegmann éd., Paris, Vrin, 1987, p. 249-261.

Georges Picot, *Histoire des États généraux*, Paris, Hachette, 2e éd., 1888, t. II, 444 p.

Louis Serbat, *Les assemblées du clergé de France*, 1561-1615, Paris, Champion, 1906, 410 p.

Richard Stupperich, La Confession d'Augsbourg au Colloque de Poissy, in *L'amiral de Coligny et son temps*, Paris, 1974, p. 117-133.

23. La montée des intransigeances

La concorde, solution médiane, exaspère tous ceux, catholiques comme protestants, qui assimilent compromis et compromission. Pour eux, elle est une tentative intolérable pour édulcorer la Vérité, que chacun croit de son côté. Souvent animés par le sentiment de l'imminence de la colère de Dieu s'ils laissent se perpétuer plus longtemps les abominations des impies, ils commencent à s'armer. De nombreuses violences marquent l'année 1561.

L'élan triomphant des réformés

La quasi-impunité dont jouissent les calvinistes depuis l'avènement de Charles IX les encourage à sortir de la clandestinité. Avec un enthousiasme joyeux, ils croient que s'ouvre devant eux la perspective d'une conversion entière du royaume ; l'Église romaine — dans laquelle ils voient la Grande Prostituée dont parle l'Apocalypse — sera éliminée et l'Évangile prêché dans sa pureté. Ils redoublent donc d'activité militante.

La multiplication des églises

Selon les calculs de Robert Kingdon (1957), Genève, Neufchâtel et Berne auraient fourni près de 150 pasteurs aux églises de France en 1561 et au début de 1562. C'est, rappelons-le, dans ces années-là que le nombre des réformés en France atteint son maximum (près de 2 millions).

La volonté de sortir de la clandestinité, déjà marquée par les processions du Pré-aux-Clercs à Paris en mai 1558, s'accentue. Un peu partout, les prêches se tiennent publiquement et les fidèles affluent. De plus en plus s'impose la nécessité d'obtenir des lieux de culte pouvant héberger ces vastes assemblées : cette revendication devient l'objectif majeur des calvinistes.

Le passage de la nuit au grand jour peut être illustré par l'exemple de Castres, bien connu grâce aux *Mémoires* de Jacques Gaches. La communauté des réformés de cette ville demande à Genève un pasteur en 1559. On leur envoie Geoffroy Brun, qui est reçu nuitamment en avril 1560 dans la maison des Gaches. Jacques rappelle, dans son récit, son excitation de jeune garçon lors du culte nocturne, le secret, le guet aux portes, les voix étouffées. Les assemblées éveillent tout de même le soupçon, le culte doit se déplacer dans une autre maison. Les poursuites de l'automne 1560 l'interrompent. Mais, le 18 avril 1561, un autre ministre récemment arrivé se met à prêcher publiquement. Les consuls lui intiment mollement l'ordre de quitter la ville, sans succès. Les fidèles sont de plus en plus nombreux, les consuls se convertissent et le culte est installé dans des bâtiments publics (*Mémoires* publiés par Charles Pradel, 1879).

La protection des grands facilite parfois cet abandon de la clandestinité. A Montargis, où s'est retirée la fille de Louis XII, Renée, duchesse de Ferrare, François Morel, chapelain de la duchesse, prêche ouvertement en 1561 ; la ville devient « une oasis huguenote » (R. Kingdon). A Paris, après le Colloque de Poissy, Théodore de Bèze donne des sermons sous la garde des soldats de Condé ; Éléonore de Roye, femme de ce dernier, fait célébrer le culte ouvertement chez elle, et, selon l'ambassadeur Chantonnay, les Parisiens scandalisés manquent de mettre le feu à son hôtel. Selon le même témoin, l'amiral Coligny fait prêcher au château de Fontainebleau, le dimanche des Rameaux, devant une assistance de 12 à 1 300 personnes où se trouve le prince de Condé, à portes ouvertes : le chant des psaumes résonne de manière intolérable pour les catholiques. Le cas du Béarn est particulier, puisque c'est autoritairement que Jeanne d'Albret installe dans la « souveraineté » le culte réformé par l'ordonnance du 19 juillet 1561. Les résistances qui se manifestent (à Pau, Monein, Nay et ailleurs) sont réprimées. Dans une lettre à l'évêque de Lescar, la reine dit agir pour le bien de ses sujets, trop « rudes » pour discerner eux-mêmes la vérité. En janvier 1570, l'ordonnance d'Arros interdit le culte catholique et expulse le clergé de l'Église romaine (N. Roelker, *Jeanne d'Albret*, 1979)

La compagnie des pasteurs de Genève fait de son mieux pour stimuler et canaliser cet essor spectaculaire. Des presses de la ville sortent de nombreux livres que des colporteurs transportent partout en France, en particulier les exemplaires du *Psautier* (27 400 sont imprimés à Genève à la fin de 1561 et au début de 1562). Les théologiens les plus réputés accourent : Guillaume Farel fait de Gap un centre militant d'où la Réforme se diffuse en Dauphiné ; Théodore de Bèze devient le secrétaire et trésorier de Condé ; Pierre Viret vient prêcher à Nîmes, Montpellier puis Lyon.

Énivrés par ces succès, les calvinistes peuvent croire que le jour est proche où la France entière sera illuminée par la « Vérité de l'Évangile ». Une gravure répandue à de nombreux exemplaires résume cette conviction ; intitulée *La grande Marmite renversée*, elle montre une énorme marmite, remplie des richesses de l'Église catholique et chauffée par les bûchers des martyrs, culbutée par la lumière de l'Écriture. Des estampes analogues sont diffusées un peu partout.

Premiers jalons d'une organisation politique

L'expansion fait naître le besoin d'une représentation politique. Le second synode national, qui s'ouvre à Poitiers le 10 mars 1561, s'y emploie. Il prévoit que chaque province enverra un délégué à la cour ; ces hommes présenteront au roi leur confession de foi et une pétition. Ils seront munis d'instructions par les provinces. Ainsi est institué un groupe de représentants des réformés auprès du roi ; les preuves existent qu'il a réellement été formé, sans que l'on puisse mesurer exactement quelle a été son influence. En prenant cette décision, les huguenots s'engagent dans la voie de l'action politique.

Le synode de Poitiers élabore aussi un *Mémoire* en vue de le présenter aux États généraux de Pontoise. On y trouve un programme identique à celui que met en avant, au même moment, l'assemblée électorale de la prévôté de Paris (voir chapitre précédent) : pouvoir des princes du sang et choix par les États des membres du Conseil, d'où doivent être chassés les cardinaux et même le chancelier,

encore tenu en suspicion par les réformés. Le problème de l'illéga-
lité des prêches publics est soulevé : la responsabilité de braver les
édits du roi est laissée à l'appréciation de chaque pasteur. C'est
« incontestablement une innovation dans la doctrine de l'obéissance inconditionnelle au Magistrat, si importante dans la théorie
calviniste traditionnelle » (R. Kingdon).

Le problème de la résistance à la tyrannie a d'ailleurs déjà été
ouvertement posé par les textes justificatifs de la conjuration d'Amboise qui affirment la légitimité de la prise d'armes, non pas contre
le roi, dépeint comme prisonnier, mais contre les tyrans lorrains.
Mais l'hypothèse de l'opposition à un roi impie commence à être
envisagée. Même Théodore de Bèze, si attaché pourtant à l'obéissance des sujets, le fait : dans la traduction française, parue
en 1560, du *De haereticis a civili magistratu puniendis* (œuvre de 1554
qui répond au traité de Castellion sur le même sujet), il évoque,
dans un passage, la question d'un prince qui combattrait « le règne
de Christ » :

> Le devoir du Magistrat inférieur est de maintenir, tant qu'il luy est pos-
> sible, en son pays et sous sa jurisdiction la pureté de la religion ; en quoy il
> faut qu'il procède avec grande prudence et bonne modération, mais si
> faut-il qu'il y ait aussi de la constance et magnanimité. Et de ceci la ville
> de Magdebourg a monstré de nostre temps un exemple bien notable...
> (cité par R. Kingdon, à la fin de l'édition de *Du Droit des Magistrats*,
> Genève, 1971, p. 69).

L'exemple célèbre de Magdebourg, qui a résisté en avril 1550
au siège des armées de l'empereur, ne laisse pas de doute sur ce que
Bèze appelle « la constance et magnanimité » dont doit faire preuve
le « Magistrat inférieur ». Par ailleurs, dans l'édition remaniée de sa
Confession de la foy chrestienne, aussi parue en 1560, Bèze confie le
devoir de « réprimer les tyrans » aux États généraux plutôt qu'aux
Magistrats inférieurs ; on trouve dans ce texte l'influence probable
des écrits sur la résistance légitime de deux exilés, l'Écossais John
Knox et l'Anglais Christopher Goodman, publiés à Genève
en 1558.

Sans aller si loin, le synode provincial de Montauban (avril
1561) prend soin de définir le rôle des magistrats politiques, et leur
prescrit, entre autres tâches, d'empêcher que des obstacles soient
mis au pur service de Dieu. A partir du moment où des corps de
ville et des officiers royaux sont convertis se pose inévitablement le
problème de leur obéissance à des ordres réputés injustes.

Les débuts d'une organisation militaire

Le fait majeur est ici la conversion de nombreux nobles à partir de 1555. Lorsque la clandestinité est abandonnée, c'est tout naturellement vers eux que se tournent les églises pour assurer leur protection. Bientôt chacune se retrouve gardée par un capitaine ayant sous ses ordres des fidèles plus spécialement entraînés. Une hiérarchie militaire s'esquisse. En 1561, au synode provincial de Sainte-Foy, l'Aquitaine se dote de deux *protecteurs*, l'un pour le ressort du Parlement de Bordeaux, l'autre pour celui du Parlement de Toulouse ; sous leurs ordres, un colonel est mis à la tête de chaque colloque. Il y a là l'ébauche d'une solide infrastructure militaire sur laquelle le prince de Condé pourra s'appuyer lors de sa prise d'armes au printemps 1562, en tant que protecteur général.

Le déferlement de l'iconoclasme huguenot

Le temps des « temporiseurs » est bien terminé. Il s'agit désormais d'arracher des lieux de culte aux catholiques : la première église conquise est celle d'Issigeac le 24 février 1561. Puis il faut les purifier de leurs souillures papistes en renversant les « images », statues de la Vierge et des saints, croix, retables et plus généralement toutes les représentations figurées de la divinité.

Chronologie et géographie des violences iconoclastes

Il existe des destructions ou des mutilations d'images bien avant les années 1560. Le premier acte de ce genre en France est la détérioration d'une statue de la Vierge dans une rue parisienne en 1528 (voir chap. 18). Mais ce n'est qu'au printemps 1560, avec les opérations de Paul de Mouvans et de son armée en Haute-Provence, que l'iconoclasme huguenot prend l'aspect d'une action de masse, aboutissant à des destructions importantes et répondant à des mobiles religieux collectivement assumés. Auparavant, on peut distinguer, avec

Olivier Christin (1991), deux étapes préliminaires : de 1528 à 1555, c'est le temps des actes isolés, accomplis par des individus agissant à titre personnel, non soutenus par des communautés, et dont les motifs confessionnels ne sont pas toujours très clairs. Puis, de 1555 (date où, à Toulouse, une poignée de huguenots, surtout des étudiants, brise des statues sur la façade de la cathédrale) à 1560, c'est le temps des petits groupes déterminés, opérant des destructions limitées. Au printemps 1560 commence celui des dévastations systématiques par des foules militantes et organisées.

Avant la prise d'armes de Condé au début d'avril 1562 (qui ouvre la première guerre civile), les destructions n'ont lieu pratiquement que dans le Midi (à l'exception d'un cas signalé à Tours en septembre 1560) : en Haute-Provence (printemps-été 1560), dans la vallée du Rhône (Vienne en mars 1561, Orange en novembre et décembre), dans le Bas-Languedoc (Sauve en juillet 1561, Montpellier, Nîmes et les villages environnants en septembre-octobre), dans le Sud-Ouest (Montauban et ses environs en août-automne 1561, Agen en décembre). Les violences iconoclastes s'y multiplient surtout à partir de l'été 1561 ; elles accompagnent l'occupation pacifique ou armée des lieux de culte. Elles se précipitent au début de 1562 : on en signale alors à Bazas, Foix, Pamiers, Castres, Villeneuve, Grenade, Annonay.

Après le déclenchement de la guerre, leur nature se modifie. Elles se produisent à l'occasion de la conquête de villes entières et non plus seulement de lieux de culte ; les mobiles politiques et militaires se surajoutent aux motifs religieux ; enfin, elles s'étendent à toute la France, avec un paroxysme d'avril à octobre 1562. Elles touchent les pays de la Loire (Bourges, Romorantin, Gien, Châtillon-sur-Loing, Tours, Montargis, Vendôme, Beaugency, Blois, Cléry, Angers, Saumur, Saint-Benoît-sur-Loire, Mehun, Orléans), la Normandie (Rouen, Dieppe, Caen, Caudebec, Jumièges, Saint-Martin-de-Boscherville, Bayeux, Elbeuf, Barentin, Limesy, Coutances, Avranches, Sées, Saint-Lô, Saint-Wandrille, Le Tréport), la vallée du Rhône (Valence, Vienne, Lyon, Grenoble, Valréas, Cavaillon, Aubenas, Bollène, Orgon, Marnans, Romans, la Grande Chartreuse), les capitales du Maine, du Poitou et de l'Angoumois.

Les épisodes suivants n'auront pas la même ampleur : élimination des images en Béarn sur l'ordre de Jeanne d'Albret à partir de 1563, destructions pendant la deuxième et la troisième guerre de 1567 à 1570, iconoclasme chronique jusque vers 1585, puis résurgence en 1621 lors des guerres de Rohan.

Modalités de l'iconoclasme
et sociologie des briseurs d'images

L'étude d'Olivier Christin montre de façon convaincante que les foules iconoclastes ne sont pas seulement composées d'éléments «populaires» incontrôlés (paysans, artisans, domestiques, archers, sergents), mais que les notables (nobles, possesseurs de seigneuries, détenteurs d'offices et hommes de loi, marchands, libraires, apothicaires, chirurgiens) ont joué un rôle déterminant. Au Mans, où les destructions se produisent, il est vrai, en mai 1562, donc après le début de la première guerre, l'ensemble des notables forme 55,3 % des accusés ayant eu à rendre compte de leurs actes devant la justice royale; les catégories inférieures n'en constituent que 23,8 % (mais 20,9 % sont d'origine sociale inconnue). Entre ces deux composantes du mouvement se noue une alliance, fondée sur la communauté de l'idéal religieux.

Pourtant, les modalités d'action de chacun de ces deux groupes sont bien différentes. Pour les briseurs d'images d'origine populaire, la destruction revêt volontiers des allures de fête joyeuse et débridée. Ils y vont en famille, avec femme et enfants; les «idoles» sont brûlées dans des feux de joie, avec des cris, des chants et des danses; les participants organisent des banquets, se revêtent par dérision des vêtements ecclésiastiques en se proclamant chanoines ou évêques; les provocations sont multipliées: hosties jetées aux chiens, crucifix rôtis à la broche, excréments déposés sur les autels et dans les bénitiers, ossements de saints extirpés de leurs reliquaires et jetés dans la rue. La fête tourne parfois au pillage: main basse est faite sur l'orfèvrerie, les provisions, le bois, les meubles des églises ou des couvents. Au début du mouvement, lorsque des résistances sont rencontrées, des prêtres sont molestés ou massacrés. A Paris, le 27 décembre 1561, des huguenots et des catholiques en viennent aux mains parce que le chant des psaumes des uns et le son des cloches des autres les irritent mutuellement; l'église Saint-Médard est dévastée: c'est le *tumulte de Saint-Médard*.

Les notables, eux, veulent donner au mouvement dignité et légalité; ils exigent que le renversement des idoles soit conduit de façon ordonnée, par des personnes investies d'une autorité publique, et non par des individus privés. Pour canaliser les

« débordements » populaires, ils poussent à l'extrême le souci du légalisme : des inventaires sont dressés, une comptabilité précise est tenue ; les objets confisqués sont vendus aux enchères et les trésors récupérés sont fondus pour la défense de la cause. A Agen, en décembre 1561, les ministres vont jusqu'à collaborer avec les magistrats de la ville pour punir les démolisseurs les plus excités. On retrouve ici la hantise des pasteurs et des anciens d'éviter tout ce qui pourrait ressembler à une rébellion et à une mise en péril de l'ordre social. En 1561, le synode provincial de Sainte-Foy, déjà cité, rappelle que c'est « l'office des magistrats et non des particuliers d'oster les marques d'idolâtrie ».

Avant le début de la première guerre civile, la prudence des notables est très grande, et des tensions apparaissent entre eux et les éléments populaires. C'est le cas, par exemple, à Montpellier, où les événements sont racontés dans la chronique d'un magistrat à la Cour des comptes, Jean Philippi, acquis à la Réforme mais très hostile aux violences du « populaire ». A partir du 20 octobre 1561, la cathédrale et les autres églises de la ville sont envahies et dépouillées par une foule militante, malgré les efforts des consuls réformés pour faire des inventaires et éviter les pillages : voilà ce que c'est, commente Philippi, que de donner trop de liberté au « peuple ». Mais après le déclenchement de la guerre, les notables protestants, devenus maîtres des villes conquises, sont davantage capables d'organiser eux-mêmes la purification des lieux de culte avec tout l'ordre et toute la légalité nécessaires (ce qui ne les empêche pas de manier eux-mêmes, à l'occasion, haches et barres de fer). A partir de ce moment-là, la coopération entre tous les agents de l'entreprise est frappante.

Le sens de l'iconoclasme

Jusqu'à une date récente, les destructions étaient volontiers analysées soit comme le vandalisme incontrôlé de foules en délire, soit comme la manifestation de frustrations économiques et sociales. La mise en évidence du rôle joué par les notables et de leur alliance prudente avec les destructeurs populaires permet de souligner l'importance de leur sens religieux. Sans doute, des motivations autres ont pu animer les uns ou les autres : anticléricalisme, désir de s'emparer des biens d'église, joie de piller pour les plus pauvres, volonté politique de s'approprier l'espace urbain et suburbain pour les notables, voire accomplissement de vengeances personnelles. Mais ces mobiles apparaissent toujours secondaires par rapport au but essentiel : renverser les « idoles ».

Ce geste a d'abord, rappelons-le, caractérisé l'aile radicale de la Réforme, autour de Carlstadt durant l'hiver 1521-1522 à Wittenberg ; il s'est reproduit, avec des modalités diverses, à Zurich (1524), à Strasbourg ((1530), à Münster (1534-1535). Mais Luther a admis le rôle pédagogique des images. Calvin, pour sa part, conteste la valeur des représentations religieuses, d'une manière de plus en plus sévère au fil des rédactions successives de l'*Institution* ; cependant il insiste, tout comme son disciple Théodore de Bèze, sur la nécessité d'éviter toute violence. Le refus des images s'appuie sur une interprétation littérale des textes bibliques de l'*Exode* (20, 4) et du *Deutéronome* (4, 15), prescrivant de ne faire « aucune image taillée » de Dieu pour éviter la tentation de l'idolâtrie.

Le renversement des idoles est un geste de rupture, à vocation pédagogique, une manière de manifester avec éclat l'imposture romaine et de déclarer sa foi à la face du monde, au risque du martyre. Plus profondément, l'acte destructeur a un contenu théologique. Très significativement, c'est souvent après avoir écouté les prêches d'un pasteur (c'est le cas à Nîmes, après ceux de Pierre Viret, selon un témoin) que les foules iconoclastes se dirigent vers les églises et les couvents ; ou encore c'est à l'occasion de processions de la Fête-Dieu, qui exaltent l'hostie consacrée, que les violences se déchaînent. Il s'agit de rejeter concrètement l'inflation catholique du sacré, de « vivre, prouver et enseigner l'extériorité pure de Dieu à la sphère humaine » (D. Crouzet, 1990). Non, ni l'hostie, ni la croix, ni les statues ne sont le lieu d'une présence surnaturelle : ce ne sont que du pain, du bois et de la pierre ; les brûler ou les piétiner n'est nullement un sacrilège. Ainsi est instaurée de manière visible et non plus spéculative une séparation nette entre le sacré et le profane, aboutissant à une « recomposition de la sacralité » (O. Christin). Là est le ressort profond de l'accord global entre élites et catégories inférieures : tous contribuent à la même œuvre édifiante et sanctifiante, chacun selon sa vocation et sa place.

La mobilisation catholique

Les appels des prédicateurs

Les clercs n'ont pas attendu les violences des briseurs d'images pour appeler les catholiques à réagir ; au contraire, ils les ont parfois eux-mêmes provoquées : ainsi, à Paris, à Toulouse, à Rouen, des militants zélés guettent tous ceux qui ne saluent pas les statues et les croix placées aux principaux carrefours, excitant ainsi la haine des huguenots pour les images. Mais l'iconoclasme a servi leur volonté de mobilisation, tant il a suscité de douleur et d'horreur chez les catholiques les plus attachés à la tradition. Le prêtre Artus Désiré, dans un ouvrage au titre significatif, *Les Combatz du fidèle Papiste* (1550, réédité en 1560), dit sa colère devant « les autelz rompuz et brisez, les imaiges cassez, le service divin cessé, les sacrez vaisseaux polutz [souillés], la sainte onction respandue, les précieuses reliques bruslez ». Les nombreux opuscules militants d'Artus Désiré font partie d'une multitude de libelles appelant à la défense de l'Église romaine, qui contribuent à développer le sentiment d'urgence eschatologique qui se répand chez les catholiques : la fin des Temps est proche, Calvin est l'Antéchrist annoncé dans l'Apocalypse, les tribulations subies par l'Église présagent l'imminence du châtiment. Il faut s'armer et devenir le bras de Dieu pour frapper l'hérétique. C'est l'appel à une « violence sotériologique », selon l'expression de Denis Crouzet.

Cet enseignement est repris par de nombreux prédicateurs, qui s'attribuent une mission prophétique, au sens de l'Ancien Testament. Beaucoup sillonnent la France à partir de 1558. Les plus exaltés sont le jacobin Pierre Dyvolé et le frère minime Jean de Hans. C'est à la suite d'un sermon de ce dernier, au carême 1560, dans l'église des Saints-Innocents à Paris, qu'un « luthérien » est assassiné devant le portail. Catherine de Médicis s'inquiète de ces prédications ; en décembre 1561, Jean de Hans est arrêté, au scandale des Parisiens. Il prophétise alors à la reine mère et au roi les malheurs qui accableront la France s'ils protègent l'hérésie. Peu de jours après il est triomphalement libéré. Dans plusieurs villes, des protestants sont massacrés (en particulier à Beauvais en avril 1561, à Aix durant l'été, à Carcassonne en décembre). Les processions de la Fête-Dieu sont souvent l'occasion des troubles.

L'inquiétude catholique ne se traduit pas seulement par des pulsions meurtrières, mais aussi par une ferveur pénitentielle et expiatoire, accompagnée d'une attente anxieuse des signes de Dieu. Le curé
champenois Claude Haton décrit dans ses *Mémoires* les processions qui
sont organisées par les fidèles et les miracles qui attestent l'intervention divine. Ainsi, à Troyes, à la fin d'août 1561, la foule voit une croix
monumentale, dite *la Belle Croix*, changer de couleur de jour en jour et
y perçoit le prélude du retour du Christ armé pour les combats des
derniers Temps. Tout manifeste l'imminence de la colère de Dieu.

Les premières ligues catholiques

Devant la politique de conciliation pratiquée par le pouvoir,
attribuée au mieux à l'impuissance du roi-enfant, au pire à une
lâche connivence, les catholiques les plus ardents décident de s'organiser eux-mêmes en associations ou ligues qui prennent en main
la défense de la foi. En octobre-novembre 1561 apparaît en Agenais
une ligue nobiliaire pour lutter contre l'hérésie. A Bordeaux est
fondé au mois de novembre un « syndicat » pour protéger les intérêts des catholiques ; ce regroupement se transforme bientôt en un
mouvement de masse, animé par un président et un avocat au Parlement et par un lieutenant général de la sénéchaussée ; il est dirigé
contre les sympathies protestantes des jurats de la ville et contre
l'attitude jugée trop molle du lieutenant du gouverneur (ce dernier
est Antoine de Navarre), le seigneur de Burie. A Toulouse, durant
l'hiver et le printemps 1561-1562, des présidents, des conseillers,
des avocats et des procureurs au Parlement organisent eux aussi
une association. A Aix, le seigneur de Flassans réunit autour de lui
dès l'été 1561 une troupe hétéroclite de gentilshommes et de moines
bien décidés à défendre la foi traditionnelle. Ainsi, parallèlement à
la mobilisation des huguenots se constitue celle des catholiques.

La formation du Triumvirat

La plus redoutable de ces associations est celle que forment au
début d'avril 1561 (sans doute le 6) François de Guise, Anne de
Montmorency et Jacques d'Albon de Saint-André, association res-

tée sous le nom (donné par les huguenots) de *Triumvirat*, bien que, selon l'ambassadeur d'Espagne Chantonnay, cette ligue ait réuni d'autres grands seigneurs, dont les cardinaux de Bourbon et de Tournon, le duc de Montpensier et le maréchal de Brissac. Selon la même source, les associés jurent de maintenir la foi catholique et assurent le roi de leur obéissance à condition qu'il demeure fidèle à la religion de ses pères : ainsi apparaît le thème redoutable de *l'obéissance conditionnelle*. L'occasion immédiate du triumvirat est le scandale éprouvé par ses fondateurs à l'occasion du prêche public organisé par Coligny le dimanche des Rameaux et des sermons à la cour, le jour de Pâques, du « moyenneur » Jean de Monluc, l'évêque de Valence. A côté de ces mobiles religieux fondamentaux, il faut aussi noter un mécontentement d'exclus qui se sentent écartés de la faveur royale : tous les témoins notent que Coligny et son frère Châtillon ont alors l'oreille du roi ; par ailleurs, le nouveau titre de lieutenant général du royaume donné à Antoine de Navarre pour le dédommager de l'abandon de ses droits à la régence dépossède le duc de Guise et le connétable (voir chap. 22). Le fait qu'Anne de Montmorency fasse partie du triumvirat est un coup dur pour les partisans de la concorde : par cet acte, le connétable indique clairement que son choix confessionnel l'emporte désormais sur sa solidarité familiale envers ses neveux Châtillons. C'est un barrage redoutable que dresse le triumvirat sur le chemin de la tolérance civile.

Il ne faut pas pour autant ajouter foi à un document diffusé après le début de la guerre, contenant soi-disant le « sommaire des choses accordées » entre les triumvirs : on y lit qu'avec l'aide de l'Espagne, du pape, de l'empereur et du duc de Savoie ceux-ci mettront tout en œuvre pour éliminer le protestantisme, d'abord en France puis en Europe, et pour « effacer le nom de la famille et race des Bourbons ». Ce texte est manifestement un faux forgé par la propagande huguenote.

Le dynamisme conquérant du protestantisme suscite ainsi des réactions à la fois angoissées et violentes chez les catholiques les plus déterminés à l'arrêter. Des deux côtés, l'ardeur militante pousse ceux qu'elle anime à refuser tout compromis. C'est dans ce contexte tendu que Catherine de Médicis et Michel de L'Hôpital vont tenter un pari un peu fou pour préserver la paix menacée, à savoir l'instauration ouverte de la tolérance civile. Mais ils ne feront en fait que donner aux passions des arguments supplémentaires pour déclencher la guerre.

ORIENTATION BIBLIOGRAPHIQUE

Olivier Christin, *Une révolution symbolique. L'iconoclasme huguenot et la reconstruction catholique*, Paris, Les Éd. de Minuit, 1991, 352 p.

Denis Crouzet, *Les guerriers de Dieu. La violence au temps des troubles de religion*, Paris, 1990, 2 vol.

Robert Kingdon, *Geneva and the Coming of the Wars of Religion in France*, Genève, Droz, 1956, 164 p.

Lucien Romier, *Le royaume de Catherine de Médicis*, Paris, Perrin, 1922, 2 vol.

24. Le pari risqué de la tolérance civile et le déclenchement de la guerre

L'échec de la politique de concorde religieuse au Colloque de Poissy ne laisse plus qu'une solution à ceux qui veulent désespérément éviter le conflit armé : rendre légale (et donc obligatoire) la coexistence non violente entre les deux confessions, au moins temporairement. C'est le parti que finissent par prendre Catherine de Médicis et le chancelier Michel de L'Hôpital, sans toutefois perdre l'espoir d'un retour ultérieur à l'unité, obtenu par la douceur. Il s'agit bien d'une tolérance civile et provisoire.

« Tolérer ce scandale pour éviter un plus grand »

C'est en ces termes qu'Étienne Pasquier, dans l'une de ses lettres, résume le discours du chancelier aux membres du Parlement venus présenter des remontrances sur l'édit promulgué en janvier 1562. Le plus grand scandale qu'il s'agit d'empêcher, c'est la guerre civile ; le moindre qu'il faut bien tolérer, c'est la coexistence en France de deux confessions (*Lettres historiques*, publ. par D. Thickett, Droz, 1966, p. 85).

Les catholiques intransigeants abandonnent la cour (octobre 1561)

Depuis l'été 1560 et surtout depuis l'avènement de Charles IX la monarchie a opté pour une tolérance couverte, qui n'ose pas dire son nom et qui n'est pas exempt d'incohérences. L'édit du

19 avril 1561, par exemple, tout en prohibant le culte et en prévoyant des peines sévères contre les iconoclastes, interdit de persé-
cuter quelqu'un dans sa maison : cette clause apparaît aux yeux des
catholiques en colère comme une approbation tacite du culte privé.
L'édit de juillet 1561, publié après les Pourparlers de Paris, mécontente tout le monde par ses obscurités (voir chap. 22). L'ambassadeur d'Espagne Chantonnay tempête auprès de la reine mère :
« cette continuelle dissimulation et tolérance », prophétise-t-il, vaudra à la France la perte de la vraie religion et le renversement de
l'autorité royale (lettre du 11 avril 1561, *Archivo Documental Español*,
t. II, Madrid, 1950). Mais, soutenue par le chancelier, la reine
mère ne se laisse pas intimider ; bien plus, après l'échec de Poissy,
elle s'apprête à passer de la tolérance couverte à la tolérance
ouverte.

Le duc François de Guise sent alors qu'il ne peut rester à la cour
dans ces conditions : ce serait en quelque sorte faire croire qu'il cau-
tionne cette politique. Il y va de son « honneur » et de sa « réputation », écrit l'ambassadeur vénitien Michel Suriano ; il ne peut déce-
voir ni l'espoir des catholiques fervents ni les attentes du roi
d'Espagne, qui commence à voir en lui l'animateur de la défense de la
foi en France. Ainsi s'explique le caractère spectaculaire de son
départ : le 19 octobre 1561 (peu de temps après la clôture du Colloque de Poissy), il quitte la cour, accompagné de ses frères, du duc de
Nemours et de 700 cavaliers. Peu de temps après, Anne de Montmorency l'imite. Les modérés restent maîtres du terrain, mais cette soli-
tude de mauvais augure les fragilise dangereusement.

Le cardinal de Lorraine, quant à lui, réside habituellement
depuis la fin de février 1561 dans son diocèse de Reims, où il
accomplit une œuvre remarquable d'archevêque réformateur ; il en
partira le 23 novembre 1562 pour participer aux travaux du
Concile de Trente.

La promulgation de l'édit de Janvier (édit de Saint-Germain)

Une intention analogue à celle qui a abouti à la réunion des
Pourparlers de Paris préside à la convocation de l'assemblée de
Saint-Germain, qui s'ouvre au début de janvier 1562 : élaborer un
édit qui émane d'un consensus assez vaste pour revêtir un caractère

de légitimité aux yeux de tous les partis. Seulement, cette fois, le Conseil, outre l'apport des chevaliers de Saint-Michel, n'a pas seulement été élargi aux représentants du seul Parlement de Paris, mais aussi à ceux des Parlements de province, réputés plus ouverts à la conciliation. Des membres de chaque Parlement y assistent.

C'est devant cette assemblée que Michel de L'Hôpital expose en termes très clairs la solution envisagée :

> ceulx qui conseilleront au roy de se mectre tout d'ung costé, font autant que s'ilz luy disoyent, qu'il print les armes pour faire combattre le membre pour le membre, à la ruyne du corps [...] il n'est pas icy question *de constituenda religione, sed de constituenda republica* [de fonder la religion, mais de fonder la chose publique] : et plusieurs peuvent estre *cives, qui non erunt Christiani* [citoyens, qui ne seront pas Chrétiens] : mesmes l'excommunié ne laisse pas d'estre citoyen.

Texte capital, qui propose une distinction entre le citoyen et le chrétien et sépare nettement l'ordre temporel de l'ordre spirituel. C'est bien ce clivage qui est au cœur du débat entre les partisans de la tolérance civile et ceux des catholiques qui ne peuvent concevoir que la fusion des deux ordres. Michel de L'Hôpital reste cependant très attaché à l'espérance de l'unité, souvent exprimée dans ses discours ; mais les circonstances l'obligent à envisager momentanément le problème religieux sous l'angle politique. Il se différencie en cela des rares partisans d'une tolérance religieuse pure et simple, dont un texte paru en 1561, l'*Exhortation aux princes et seigneurs du Conseil privé du Roy, pour obvier aux séditions qui semblent nous menacer pour le fait de la Religion*, vient d'exposer les idées. L'auteur anonyme (qu'on a parfois identifié, sans raison valable, à Étienne Pasquier) y montre la nécessité « de permettre en [la] république deux Églises : l'une des Romains et l'autre des Protestants » ; il ne cache pas ses convictions réformées, mais son souci de respecter la liberté des consciences estompe manifestement chez lui l'idéal d'une uniformité de foi.

Le Conseil élargi réuni à Saint-Germain aboutit à la promulgation de l'édit du 17 janvier 1562, connu sous le nom d'*édit de Janvier*. Il introduit une énorme nouveauté : le culte public des réformés devient légal, à condition qu'il soit célébré de jour, sans armes et à l'extérieur des villes (au-delà de leurs remparts) ; à l'intérieur, selon une instruction postérieure, seul un culte privé est autorisé. Ces restrictions ne doivent pas dissimuler l'ampleur du changement. Les synodes et les consistoires pourront désormais se tenir avec la permission ou en la présence d'officiers royaux. C'est la reconnaissance officielle de la dualité des confessions en France.

Mais, pour que cette tolérance imposée puisse être acceptée, il aurait fallu un pouvoir fort. Cette condition ne sera remplie que sous Henri IV qui, aidé par l'élargissement du camp des modérés et par la lassitude des conflits, pourra enfin faire respecter, avec l'édit de Nantes, une coexistence relativement pacifique des catholiques et des réformés. Trente-six ans plus tard, et après huit guerres...

L'accueil fait à l'édit

Les sentiments des réformés sont mitigés : l'édit ne leur offre pas une liberté complète ; par ailleurs, ils n'obtiennent pas de temples. Les communautés du Midi qui avaient occupé des lieux de culte en plein cœur des villes sont en principe obligées de les rendre. Néanmoins, les concessions octroyées leur paraissent une conquête appréciable et d'autant plus importante à défendre qu'elle est immédiatement contestée par leurs adversaires.

L'édit de Janvier soulève en effet bien des colères chez les catholiques. Les Parlements de Paris, Dijon, Aix refusent de l'enregistrer ; celui de Paris n'obtempère qu'après deux lettres de jussion et non sans qu'auparavant une *Déclaration* explicative ait confirmé que l'édit a été promulgué « par manière de provision et sans que par nostredite ordonnance nous ayons entendu approuver deux religions en nostre royaume ». Certains gouverneurs ne l'appliquent pas. Quant aux prédicateurs catholiques, ils se déchaînent. A Provins, par exemple, selon les *Mémoires* du curé Claude Haton, le cordelier Jehan Barrier ironise : autant demander aux chats et aux rats de vivre en bonne amitié ! Dans les sermons et les libelles les plus enflammés, Catherine de Médicis est comparée à Jézabel, l'épouse du roi d'Israël Achab, qui introduisit le culte des faux dieux et pervertit son mari (ce dernier figurant le chancelier, voire le roi lui-même).

En Provence, le seigneur de Flassans se proclame le *chevalier de la foi* et prend la campagne avec sa troupe ; ses soldats portent autour du cou un chapelet et sur la tête un chapeau orné d'une croix de laine blanche fixée par une plume de coq ; un cordelier les précède porteur d'un crucifix. Cette bande est décimée le

6 mars 1562 lors du sac de Barjols, place où elle s'est retranchée, assaillie par l'armée royale sous les ordres des comtes de Tende et de Crussol. A son exemple, bien des catholiques s'estiment fondés à reprendre en main le glaive que le roi ne veut plus brandir contre l'hérétique : il y a là une remise en cause, aux conséquences redoutables, du monopole royal de la violence légitime.

Si les plus intransigeants repoussent avec horreur l'idée d'une tolérance civile, bien des catholiques modérés la rejettent également, estimant qu'elle n'apportera pas la paix espérée ; certains « moyenneurs » regrettent que l'on ne persévère pas davantage dans la voie de la concorde religieuse. C'est le cas, en particulier, de l'auteur du *Mémoire sur la pacification des troubles*, écrit peut-être dans l'été 1562 ; l'ouvrage a été attribué à Étienne de La Boétie, attribution contestée par Anne-Marie Cocula (*Étienne de La Boétie*, Éd. Sud-Ouest, 1995). L'inconvénient majeur d'admettre en France deux religions y est souligné : c'est faire « deux diverses républiques opposées de front l'une à l'autre » ; elles ne pourront que se combattre. L'autorité du roi en sera dangereusement ébranlée. Il faut essayer de maintenir l'unité religieuse au prix d'une réformation des « abus » de l'Église romaine et de concessions liturgiques (suppression des excès des honneurs rendus aux statues, prières en français, communion sous les deux espèces). Les réformés n'auront alors plus d'arguments : « Quand la nostre [Église] sera ainsi réglée et réformée, elle semblera toute nouvelle et cella leur donnera grande occasion d'y revenir sans scrupule. » C'est là l'idéal des moyenneurs, dont la vitalité s'exprime encore dans les conférences tenues à Saint-Germain (28 janvier - 11 février 1562) entre les théologiens des deux confessions, prolongement du Colloque de Poissy (voir chap. 22).

Le prévisible accident de Wassy

Antoine de Bourbon choisit son camp

Le départ hors de la cour des partisans de la fermeté a pour résultat de concentrer les pressions des agents des puissances catholiques (le nonce, l'ambassadeur du roi d'Espagne) sur le roi de Navarre. Celui-ci, en effet, lieutenant général du royaume, est le premier personnage de l'État après le roi et la reine mère ; il détient la force des armes, sans rival depuis l'éloignement du connétable de Montmorency et du duc de Guise. C'est aussi le premier prince du sang, et le « sang de France » a pris un poids politique nouveau depuis la conjuration d'Amboise et la minorité de Charles IX.

Or il ne s'est pas encore déclaré nettement. Laissons de côté le problème de sa sincérité et de ses convictions profondes, difficiles à connaître avec certitude. L'essentiel est ici l'image qu'il donne de lui-même : le flou qui la caractérise jusqu'à la fin de janvier 1562 est sans doute moins la conséquence d'une faiblesse de caractère que d'un calcul politique avisé. Il s'en sert en effet comme d'une arme pour obtenir de l'Espagne les « compensations » qu'il réclame pour le dédommager de la perte d'une partie de son royaume de Navarre : il ne se déclarera fermement catholique que s'il les obtient. Il n'est pas exclu qu'à ces raisons se joigne la conscience des conséquences lourdes qu'aura sa décision : le camp pour lequel il optera aura à la fois la force (donnée par son pouvoir de lieutenant général du royaume) et une légitimité (conférée par son statut de premier prince du sang). Son indétermination est une condition indispensable à la réussite des partisans de l'équilibre (N. M. Sutherland, 1984).

Mais, à la fin de janvier 1562, il se décide : il s'oppose nettement au nouvel édit. Effet des promesses mirifiques des Espagnols (qui lui parlent d'une terre en Italie ou aux Pays-Bas) ou sincère horreur de la tolérance ? Toujours est-il qu'il ne changera plus jusqu'à sa mort, survenue à la fin de l'année.

Désormais, le camp catholique est le plus fort. Coligny et d'Andelot quittent la cour. C'est un retournement spectaculaire de la conjonture politique ; François de Guise peut revenir.

Le retour du duc de Guise

François de Guise, après son départ d'octobre, s'est d'abord retiré sur ses terres en Champagne. Il entame une correspondance suivie avec le duc de Würtemberg, qu'il va rencontrer à Saverne, sur les terres de l'évêque de Strasbourg, du 15 au 18 février 1562. Cette mystérieuse « entrevue de Saverne » a fait couler beaucoup d'encre. Les cardinaux de Lorraine et de Guise, le duc d'Aumale et le prince de Joinville y assistent ; le duc de Würtemberg, de son côté, a amené deux théologiens luthériens réputés, Jean Brent et Jacob Andréa. Les discussions sont en effet essentiellement théologiques : elles portent sur l'eucharistie, la messe, la justification par la foi. S'agit-il d'une ultime démarche pour essayer de rattraper l'échec du Colloque de Poissy ? De la part du cardinal de Lorraine, c'est une attitude plausible : on se souvient qu'au colloque il a fait appel à la confession de foi wurtembergeoise. Pour le duc de Guise, qui témoigne pourtant d'un désir de s'instruire, il s'agit peut-être de la volonté de s'assurer la neutralité des princes luthériens allemands. Mais la neutralité pour quoi faire ? De la réponse à cette question dépend celle qu'on peut apporter au problème controversé de la préméditation du massacre de Wassy : autant dire que les passions, hier et encore aujourd'hui, obscurcissent les enjeux. Selon les accusations des protestants, François de Guise aurait cherché l'appui des princes allemands pour pouvoir revenir en force dans le royaume et y déclencher la guerre civile ; la violence exercée à Wassy en serait le premier acte.

Le retour de Guise peut cependant s'expliquer tout simplement par le fait que la conjoncture a changé à la cour à cause du choix d'Antoine de Bourbon. Le duc, en outre, est explicitement appelé tant par Catherine de Médicis que par les catholiques parisiens. Il revient dans l'espoir de faire abolir l'édit de Janvier.

Le massacre

Le dimanche 1ᵉʳ mars 1562, tôt le matin, le duc de Guise pénètre à Wassy, sur le chemin du retour vers la cour. Wassy est une petite ville champenoise d'environ 3 000 habitants, close de remparts, à quatre lieues de Joinville, résidence habituelle des Guises. Elle possède un château royal dont l'usufruit a été donné en douaire à Marie Stuart, laquelle l'a confié à son oncle le duc. Depuis octobre 1561, une église réformée y a été dressée, et attire un nombre grandissant de fidèles. De Joinville, Antoinette de Bourbon, la mère des Guises, s'en indigne : certains de ses serviteurs n'ont-ils pas été débauchés par ces suppôts de Satan ? Conjointement avec l'évêque de Châlons et avec le prieur et le prévôt de Wassy, elle exerce une forte pression sur son fils François pour qu'il fasse cesser ce scandale ; l'église huguenote est une épine au flanc guisard. Mais le duc de Guise a résisté jusque là à ces exhortations. Au retour de Saverne, il est peu probable qu'il soit disposé à changer d'attitude : ce serait remettre en cause le patient travail effectué depuis l'automne auprès du duc de Würtemberg.

Quatre relations contemporaines racontent les faits : deux protestantes et deux catholiques. Parmi ces dernières, il y a une lettre de François de Guise au duc de Würtemberg, dans laquelle il présente l'affaire comme un « accident ». Mot destiné à se disculper auprès d'un destinataire qui aura du mal à comprendre. Toutefois, la reconstitution plausible des faits qui peut être tentée permet de le conserver, à condition d'ajouter que cet accident a été rendu quasi inévitable par l'échauffement des esprits de part et d'autre.

Le duc et ses gens s'arrêtent à l'église de Wassy, sans doute pour entendre la messe. François de Guise a avec lui sa femme Anne d'Este, enceinte, son frère le cardinal de Guise, des gentilshommes et deux cents chevaux ; le cardinal de Lorraine, lui, ne fait pas partie de la compagnie. Le son des cloches appelant les huguenots au culte se fait alors entendre. Il paraît intolérable à la troupe guisarde, qui vient d'être assiégée par les doléances du prieur et du prévôt de Wassy contre les hérétiques. Une confrontation des sources permet de déduire que la « grange » où se tient le prêche, qui rassemble environ 600 personnes, se trouve vraisemblablement à l'intérieur des remparts, et que l'assemblée huguenote est donc en contravention avec l'édit de Janvier. Le duc envoie trois hommes sur les lieux, sans doute pour s'informer. C'est à ce moment-là que la violence éclate : des injures sont lancées, les réformés ferment la porte de la grange et s'y barricadent, des pierres sont peut-être jetées en direction des émissaires du duc. Celui-ci arrive à son tour ; il est accueilli à coups de pierres et d'insultes. Les catholiques furieux donnent l'assaut à la grange et massacrent les huguenots désarmés : il y a parmi ces derniers de 25 à 50 morts, dont 5 femmes et 1 enfant, et près de 150 blessés. Guise n'a pas pu ou n'a pas voulu retenir ses troupes (S. Shannon, 1988).

La nouvelle du massacre se répand avec une rapidité incroyable. Tandis que Théodore de Bèze va porter les plaintes des réformés au roi, les catholiques les plus ardents se réjouissent ouvertement. L'événement est appréhendé par eux « comme une délivrance de l'interdit de violence » (D. Crouzet) : un duc a pris en main la défense de la foi. Le 16 mars 1562, celui-ci entre à Paris, accueilli en triomphateur par ceux qui voient en lui un second Moïse, armé du glaive de Dieu.

Pour les huguenots, c'est la tuerie de Wassy, le 1er mars, qui marque l'entrée dans la première guerre civile : ils rejettent ainsi sur les catholiques la responsabilité de son déclenchement. Pour ces derniers, au contraire, c'est de la prise d'armes du prince de Condé, le 2 avril, que date le début du conflit.

Le coup de force catholique et la prise d'armes de Condé

Le roi « prisonnier » ?

Catherine de Médicis est mécontente que le duc de Guise soit allé s'installer à Paris au lieu de venir à la cour comme elle le lui avait demandé. La capitale apparaît de plus en plus comme le lieu d'un catholicisme militant dont les manifestations inquiètent la monarchie. Les triumvirs s'y trouvent désormais réunis avec Antoine de Bourbon ; ils prennent des mesures pour assurer la sécurité des Parisiens. Le prince de Condé, qui y est aussi avec une escorte armée inférieure en nombre à celle du duc de Guise, proteste contre ces dispositions hostiles ; peu après, le 23 mars, se sentant menacé, il quitte Paris. Le 20 mars, Bèze a écrit aux églises réformées pour qu'elles organisent leur défense.

Reste aux opposants à l'édit de Janvier, maîtres de la capitale, à mettre la légitimité monarchique de leur côté. C'est l'objet du coup de force du 27 mars 1562. Catherine de Médicis, espérant encore maintenir l'équilibre entre les partis, ne souhaite pas aller à Paris, ce qui serait le signe d'un choix. Les triumvirs et Navarre viennent alors la chercher à Fontainebleau et la ramènent, elle et le roi, avec une escorte d'un millier de cavaliers, sans violences certes, mais avec une fermeté qui ne laisse pas le choix à la reine mère et à son fils. Le souverain peut apparaître comme prisonnier de la faction catholique.

La justification de la prise d'armes de Condé

Condé s'empare alors de la ville d'Orléans, le 2 avril 1562. Il accompagne son acte de la publication d'une *Déclaration* qui légitime le recours aux armes tout en rejetant sur ses adversaires la responsabilité de la « guerre civile ».

Cette *Déclaration* est datée du 8 avril. Elle a été vraisemblablement rédigée par François Hotman et Théodore de Bèze, qui se trouvent alors auprès de Condé. Son argumentation est essentiellement politique. Le roi est prisonnier, les chefs catholiques se servent abusivement de sa personne pour couvrir leurs méfaits ; il est donc du devoir d'un prince du sang, à défaut d'Antoine de Bourbon, qui s'est laissé circonvenir, de recourir à la force pour le délivrer. Ce manifeste est suivi le même jour d'une *Protestation* devant le roi et la reine mère et aussi devant « tous les Roys, Princes, Potentats, amis et alliez de ceste couronne, avec toute la Chrestienté ». Puis, le 11 avril, est signé par 73 gentilshommes un « Traité d'Association faicte par Monseigneur le Prince de Condé avec les Princes, Chevaliers de l'Ordre, Capitaines, Gentilshommes et autres de tous estats, qui sont entrez, ou entreront cy après, en ladicte Association, pour maintenir l'honneur de Dieu, le repos de ce Royaume, l'estat et liberté du Roy soubs le gouvernement de la Royne sa mère ».

Il ne faut pas voir dans le thème du roi captif un simple artifice de rhéthorique, mais en mesurer la portée, qu'on pourrait dire « constitutionnelle ». Il témoigne tout d'abord de la force du principe monarchique : la légitimité ne peut être que du côté du souverain. Les triumvirs se sont assurés de sa présence physique ; reste aux réformés à se prévaloir de sa caution morale. Il convient aussi de souligner la cohérence politique de la *Déclaration*. Condé y rappelle les conditions de promulgation de l'édit de Janvier : son élaboration au sein d'une large assemblée en fait une décision émanant d'un consensus, conformément à la pratique du gouvernement par grand conseil. Ceux qui s'y opposent ne sont que trois personnes privées, dont les intentions perverses ont été démontrées par le massacre de Wassy, et qui ont imposé leur volonté personnelle à leur souverain. Défendre l'édit de Janvier, c'est vouloir « conserver les pauvres fidèles en la liberté de conscience qu'il a pleu au Roy leur permettre » (*Traité d'Association*) ; mais c'est aussi affirmer son attachement aux traditions légales du royaume et son hostilité à l'arbitraire. Cette argumentation est répétée de manière particulièrement claire dans la *Réponse* faite le 19 mai 1562 à la demande des triumvirs d'un nouvel édit rétablissant l'unité de la foi. Les chefs catholiques y sont comparés à « Auguste, Marc Antoine et Lépide, quand par leur Triumvirat meschant et infâme ils subvertirent les loix et la Républicque Romaine » :

> Ils demandent puis après un Édict perpétuel sur le faict de la Religion. Et quand nous avons demandé l'entretènement de celuy qui a esté faict [l'édit de Janvier] jusques à la majorité du Roy, ils ont dit que c'estoit une demande incivile et desraisonnable : que c'est au Roy, quand bon luy semble, de changer, limiter, amplier et restreindre ses Édicts [...] C'est un duc de Guyse, Prince estranger, un sieur de Montmorancy et un sieur de sainct André, qui font une ordonnance contre l'Édict de Janvier, accordé par le Roy, la Royne sa mère et le Roy de Navarre, les Princes du sang, avecques le Conseil du Roy, et quarante des plus grands et notables per-

sonnages de tous les Parlemens. Ce sont trois qui font une ordonnance contre la requeste présentée par les Estats, c'est-assavoir la noblesse et le tiers estat, à Orléans, et depuis à sainct Germain [...] Ce sont trois personnes privées qui font une loy contre les loix de ce Royaume (*Mémoires de Condé*, éd. Londres, 1740, t. III).

Le choix d'une argumentation politique est peut-être purement tactique : Condé espère par là se rallier les catholiques modérés, qu'il veut croire indignés par la violence faite au roi. Dans sa *Protestation*, il s'adresse à « tous les bons et loyaux subjects de sa Majesté ». Il n'en reste pas moins qu'en opposant les conditions d'élaboration de l'édit de Janvier à la revendication par ses adversaires du droit du roi à changer ses édits « quand bon lui semble », il place le problème sur le terrain des modalités, collectives ou non, des prises de décision royales et sur celui des garanties contre leur mutation. Ainsi, inévitablement, le conflit met en jeu des positions politiques. Les triumvirs sont en outre dépeints comme élevés par la « faveur » ; à leur grandeur arbitraire, Condé oppose la sienne, donnée par « Dieu et nature », inscrite dans l'ordre légitime du royaume.

Catherine de Médicis se range du côté des chefs catholiques

Les arguments de Louis de Condé n'ont de valeur que si la reine mère et le roi protestent contre leur « captivité ». Mais Catherine de Médicis n'a pas admis la prise d'Orléans, qui est suivie le lendemain de celle de Tours puis de beaucoup d'autres villes. Contrairement à la tuerie de Wassy, qui peut être considérée comme une émeute, la conquête d'une grande ville par un prince du sang est une atteinte grave à l'autorité royale. La reine mère fait donc savoir avec netteté que ni son fils ni elle ne sont prisonniers et que les chefs catholiques ont agi pour le bien du royaume. Ce faisant, elle met la légitimité monarchique du côté de ces derniers, sans équivoque possible ; le premier prince du sang et le roi parlent désormais d'une même voix. Dans ces conditions, l'armée du prince de Condé n'est plus qu'une troupe de rebelles contre laquelle la puissance royale doit s'exercer.

Ainsi pourvues chacune d'une armature idéologique qui fonde l'usage de la violence, les intolérances des deux bords peuvent se donner libre cours. La première des huit guerres civiles commence.

Les huit guerres civiles de Religion

Première guerre : 1562-1563. Elle est déclenchée par le massacre de Wassy du 1ᵉʳ mars 1562 et par la prise d'armes de Condé le 2 avril. Elle se termine par l'édit d'Amboise en mars 1563.

Deuxième guerre : 1567-1568. Elle commence les 26-28 septembre 1567 par la « surprise de Meaux » et s'achève le 23 mars 1568 par l'édit de Longjumeau qui rétablit l'édit d'Amboise.

Troisième guerre : 1568-1570. Le 23 août 1568, Condé et Coligny, se pensant menacés, fuient et vont se retrancher dans La Rochelle. Le 8 août 1570, l'édit de Saint-Germain donne pour la première fois des places de sûreté aux réformés.

Quatrième guerre : 1572-1573. Elle est provoquée par le massacre de la Saint-Barthélemy et prend fin le 11 juillet 1573 par l'édit de Boulogne.

Cinquième guerre : 1574-1576. Elle débute au printemps 1574 avec des prises d'armes dans les provinces et deux conspirations des Malcontents autour du duc François d'Alençon et s'achève par la « paix de Monsieur » ; l'édit « de Beaulieu » accorde aux réformés une liberté de culte quasi complète et crée des chambres mi-parties dans chaque Parlement.

Sixième guerre : 1576-1577. Après la gestation d'une ligue unifiée et devant l'orientation catholique des États généraux de Blois, les huguenots reprennent les combats ; ceux-ci aboutissent le 8 octobre 1577 à l'édit de Poitiers, qui restreint considérablement les concessions de l'édit précédent.

Septième guerre (dite Guerre des Amoureux) : 1579-1580. L'occasion en est la surprise de La Fère par Henri de Condé le 29 novembre 1579 ; elle se termine le 26 novembre 1580 par la paix de Fleix.

Huitième guerre (Troubles de la Ligue) : 1585-1598. A la suite de la naissance de la Sainte Ligue, la guerre reprend durant l'été 1585. Elle ne prend véritablement fin que le 30 juin 1598 avec l'édit de Nantes, qui est la charte de la coexistence entre les confessions catholique et réformée jusqu'à sa révocation en 1685.

ORIENTATION BIBLIOGRAPHIQUE

Vittorio de Caprariis, *Propaganda e pensiero politico in Francia durante le guerre di Religione*, I : *1559-1572*, Naples, Éd. Scient. Italiane, 1959, 490 p.

Sylvia C. Shannon, *The Political Activity of François de Lorraine, duc de Guise (1559-1563) : From Military Hero to Catholic Leader*, thèse dactyl. 1988, Univ. de Boston.

Nicola-M. Sutherland, *The Huguenot Struggle for Recognition*, New Haven, Yale Univ. Press, 1980, 394 p.

25. La première guerre civile
(printemps 1562 - printemps 1563)

Le premier conflit a une durée relativement brève ; la mort des principaux chefs (le premier prince du sang, Antoine de Bourbon, et deux des membres du triumvirat, le duc François de Guise et le maréchal Jacques d'Albon de Saint-André) contribue à l'écourter. Chaque camp combat pour faire triompher sa vérité, d'autant plus âprement qu'il croit être l'instrument de la violence de Dieu. Mais la radicalisation religieuse met au jour d'inquiétantes tensions sociales et politiques.

L'affrontement

La prise des villes par les huguenots

C'est, pour reprendre les termes utilisés par Janine Garrisson (1980), à une « incroyable tornade », un « raz-de-marée », un « orage huguenot » que les catholiques doivent faire face au printemps 1562. Les unes après les autres, beaucoup de villes passent aux mains des réformés, soit par conquête, soit parce que leurs magistrats sont déjà convertis à la Réforme.

En Dauphiné, c'est un « processus foudroyant : les villes tombent comme des châteaux de cartes » ; Romans, Valence, Grenoble, Die, Vienne, Montélimar, Gap se rallient à Condé. Dans le

Bas-Languedoc, ce sont Nîmes, Saint-Gilles, Bagnols, Beaucaire, Montpellier, Béziers, Agde ; bien des consulats, comme à Nîmes et Montpellier, y étaient déjà dominés par les réformés, et les petites villes alentour et les villages imitent leur exemple. Dans le Haut-Languedoc et le Rouergue sont conquises Montauban, Castres, Caussade, Réalville, Millau, Puylaurens, Saint-Antonin, Rabastens, Gaillac, etc. ; dans les Cévennes et le Vivarais, Aubenas, Privas, Annonay, Largentière, Tournon, Bourg-Saint-Andéol. Le réseau urbain de la Guyenne, de l'Angoumois, de la Saintonge et du Poitou est lui aussi largement gagné. Lyon est occupée dans la nuit du 29 au 30 avril ; c'est la réédition réussie du coup de force manqué de septembre 1560. Bien des villes de la vallée de la Loire connaissent le même sort qu'Orléans : Tours, Blois, Angers, Beaugency, Sancerre, La Charité. En Normandie les réformés de Rouen s'emparent de la ville dans la nuit du 15 avril ; Caen, Dieppe et le pays de Caux sont bientôt conquis.

Dans le Sud-Ouest, la vague huguenote connaît cependant des arrêts. A Toulouse, le coup de main favorisé en mai par les capitouls acquis à la Réforme échoue face à la détermination du Parlement et du petit peuple urbain, stimulés par la ligue constituée au printemps : les catholiques restent maîtres de la ville au terme de trois ou quatre jours de sauvages combats de rue qui laisseront aux Toulousains la hantise d'un complot protestant. A Bordeaux, où s'est constituée aussi l'une des premières ligues catholiques, les réformés n'arrivent pas à se saisir du château Trompette. A Vergt, près de Périgueux, les troupes du huguenot Symphorien de Duras sont battues le 9 octobre 1562 par Blaise de Monluc.

A Orange, la Réforme triomphe dès décembre 1561, défiant ainsi la puissance pontificale toute proche à Avignon. Mais la ville est reconquise dès le 6 juin 1562. En Provence, l'avance des troupes réformées conduites par Paul de Mouvans se heurte à la résistance organisée efficacement par le seigneur de Flassans et par son frère aîné Jean de Pontevès, seigneur de Carcès ; Sisteron est reprise en septembre. Ainsi, là où les catholiques se sont organisés en associations dès avant le début des troubles, l'offensive huguenote est arrêtée ou contenue.

Dans la moitié Nord de la France, les succès des réformés sont fragiles. Le 1er août 1562, Poitiers est regagnée ; le 31 août c'est le tour de Bourges. Louis de Condé appelle à l'aide tant les princes protestants allemands que la reine Élisabeth d'Angleterre ; les premiers envoient des secours, mais la seconde s'engage davantage.

Le traité de Hampton Court et le siège de Rouen

L'appel de Condé à l'étranger a des précédents dans l'histoire des révoltes nobiliaires ; il est légitimé ici par la nécessaire solidarité des défenseurs de la Parole de Dieu face à l'oppression. Les triumvirs et le roi de Navarre, quant à eux, demandent de l'aide à Philippe II. Par le traité de Hampton Court (20 septembre 1562) la reine Élisabeth octroie aux huguenots 100 000 couronnes et 6 000 hommes, mais Condé doit lui livrer Le Havre, en gage d'un échange futur avec Calais ; c'est pour elle un moyen d'assurer le retour de cette dernière ville à l'Angleterre, prévu par le traité de Cateau-Cambrésis au bout de huit ans.

Devant la menace qui pèse sur la Normandie, les chefs catholiques décident d'assiéger Rouen. L'importance de l'enjeu explique celle des forces qu'ils y emploient. Une armée de 30 000 hommes, commandée par Antoine de Bourbon, arrive en septembre 1562 sous les murs de la ville. Les négociations menées parallèlement avec les assiégés se heurtent à l'obstination désespérée de la faction militante huguenote, composée des ministres, des artisans rouennais et des réfugiés venus de Basse-Normandie et du Maine. C'est au cours de ce siège que le roi de Navarre trouve la mort : blessé d'une arquebusade le 15 octobre, il meurt le 17 novembre suivant. Le 26 octobre, l'assaut final est donné par les catholiques, et la ville connaît trois jours de violences.

La bataille de Dreux

Le prince de Condé tente alors un bref siège de Paris (26 novembre - 10 décembre 1562), puis marche à la rencontre des secours anglais. Le connétable de Montmorency lui barre la route devant Dreux. S'engage alors, le 19 décembre, la première bataille rangée des guerres civiles. Les troupes condéennes l'affrontent avec le handicap d'une infériorité numérique, malgré l'apport de mercenaires allemands (elles comptent 13 000 hommes environ, parmi lesquels 5 000 cavaliers, contre 16 000 au moins du côté des catholiques, dont 6 000 Suisses) ; mais elles sont stimulées par la conviction que l'affrontement va manifester le jugement de Dieu et faire triompher leur cause. C'est l'espoir que Louis de Condé évoque devant elles avant les combats : la bataille sera l'ordalie finale qui confondra les méchants. Paroles imprudentes : c'est une défaite qu'elles subissent, et le choc est rude pour les grandes espérances des réformés. Cette désillusion explique en partie les réticences ultérieures des chefs huguenots à s'exposer de nouveau aux risques d'une bataille rangée.

Les réformés peuvent cependant se flatter d'avoir mis hors de combat deux des chefs ennemis. L'un des triumvirs, le maréchal de Saint-André, est tué au cours de la dernière charge catholique ; un second, Anne de Montmorency, est fait prisonnier. Mais Condé est lui-même capturé. François de Guise lui ménage un traitement d'une extrême courtoisie ; il le fait manger à sa table et dormir dans son lit. Déroutés par cette conduite apparemment surprenante à l'égard d'un ennemi, des historiens ont suggéré que le duc n'a obéi qu'à des motifs politiques : détacher des huguenots un prince du sang et la légitimité qu'il représente. Mais il faut aussi prendre en compte les valeurs de l'honneur nobiliaire : François de Guise accomplit là un de ces « beaux actes » dont le gentilhomme réformé La Noue, dans ses *Discours politiques et mlitaires*, écrit qu'ils « ne doivent estre ensevelis en oubliance, à fin que ceux qui font profession des armes s'estudient de les imiter, et s'esloignent des cruautez et choses indignes, où tant se laissent aller en ces guerres civiles » (Éd. Sutcliffe, Droz, 1967, p. 667).

Le siège d'Orléans et l'assassinat du duc de Guise

Les catholiques victorieux s'attaquent ensuite au quartier général des huguenots, Orléans. Sa capture aura une haute valeur symbolique, puisque c'est par sa conquête qu'ont commencé les hostilités. Le duc de Guise l'investit le 5 février et emporte facilement le faubourg du Portereau. Mais, le 18 février, à la veille d'un assaut dont tout laisse à penser qu'il sera décisif, il est blessé le soir en rentrant dans son logis d'un coup de feu tiré d'un taillis par un gentilhomme réformé, Poltrot de Méré. Il meurt le 24 février, au terme d'une agonie dont des relations catholiques soulignent l'exemplarité chrétienne et chevaleresque.

Cet acte suscite bien des questions. Certes, Poltrot de Méré a des motifs personnels : c'est un rescapé de la conjuration d'Amboise, parent de La Renaudie selon les *Mémoires* de Soubise (N. M. Sutherland, 1984). Il est possible qu'il ait été encore imprégné des idéaux religieux et politiques soutenus par les conjurés. En tout cas son attentat profite immédiatement aux réformés, puisqu'il arrête la reconquête imminente d'Orléans et supprime un homme que des bruits insistants présentaient comme le principal adversaire d'une paix négociée rapide. Des pourparlers accompagnent en effet les combats dès le début, sauf pendant des ruptures éphémères ; Catherine de Médicis les poursuit avec obstination, tant elle espère que la guerre n'est qu'un obstacle temporaire à la reprise de la politique de tolérance civile. Les protestants, après l'échec de Dreux, ont cessé de croire à la possibilité d'une victoire militaire ; ils souhaitent donc aussi la paix, tout en voulant à tout prix éviter la reprise d'Orléans, qui les mettrait dans une position de trop grande infériorité. Or le duc de Guise passe, comme l'ambassadeur anglais Thomas Smith s'en fait l'écho, pour décidé à ne pas accepter une paix qui accorderait aux huguenots cette tolérance civile contre laquelle il a pris les armes.

Il est cependant impossible de savoir si des huguenots ont commandité l'acte de Poltrot. Il y a parmi les plus militants beaucoup « d'assassins en puissance » (Denis Crouzet), pour qui François de Guise est l'homme à abattre ; son meurtrier est célébré par eux comme un tyrannicide qui a délivré Orléans comme jadis Judith a sauvé Béthulie en tuant le tyran Holopherne. Mais Coligny et Théodore de Bèze, que Poltrot accuse dans sa déposition, se disculpent avec une énergie indignée. Reste que le premier a l'imprudence de reconnaître qu'il a employé Poltrot comme espion et qu'il lui a donné de l'argent, et d'ajouter que la mort du duc est le plus grand bienfait qui puisse arriver au royaume et à sa propre maison. Les Guises en retirent la conviction qu'il est coupable.

Le 18 mars, Poltrot de Méré est exécuté par écartèlement ; le lendemain est signé l'édit de pacification d'Amboise.

L'édit d'Amboise (19 mars 1563)

Cet édit restreint considérablement les libertés de culte accordées par celui de Janvier, mais il marque le retour à la tolérance civile. Le culte réformé ne pourra plus s'exercer que dans les faubourgs d'une seule ville par bailliage ou sénéchaussée. Cette règle générale souffre cependant trois exceptions. D'abord celle de la vicomté et prévôté de Paris, d'où le culte est banni. En revanche, il est autorisé dans les villes où il a été célébré jusqu'au 7 mars 1563, à condition que les huguenots y restituent les églises prises aux catholiques.

La troisième exception est lourde de conséquences : les possesseurs de seigneuries ayant le droit de haute justice peuvent faire célébrer le culte dans leurs maisons devant « leur famille et subjects » et les autres seigneurs devant leur famille seulement. Cette disposition sanctionne le poids pris par la noblesse dans l'organisation du parti réformé ; elle soulève chez quelques-uns des rancœurs, moindres cependant que ne le supposent des historiens aujourd'hui, trop enclins à parler de religion « de caste » pour désigner ce que tendrait à devenir le calvinisme après Amboise. En revanche, les restrictions à la liberté de culte consenties par Condé scandalisent bien des huguenots, qui espéraient voir rétablir l'édit de Janvier. Coligny accuse le prince d'avoir fait « la part à Dieu ».

Le 30 juillet, Le Havre est repris. Condé a participé à l'opération.

Les modalités de la violence

Les armées et leur recrutement

Les forces catholiques sont composées, au début, de 61 compagnies d'ordonnance (près de 6 000 combattants), portées à 103 à la fin (J. Wood, 1991), soit près de 10 000 hommes, et d'une trentaine de bandes de gens de pied formées par le duc de Guise par l'ajout de nouvelles recrues aux « vieilles bandes » ; s'y joignent bientôt 6 000 Suisses et des mercenaires catholiques allemands, reîtres (cavaliers) et lansquenets (fantassins). Louis de Condé s'est employé à dénier à ces forces le qualificatif d'*armée royale*, en se présentant comme le « protecteur et défenseur de la maison et couronne de France » ; mais il ne peut empêcher qu'elles ne soient de plus en plus perçues comme celles du roi, ce qui finit par provoquer des défections parmi les gentilshommes qui le suivent.

La formation des troupes huguenotes est au début largement spontanée ; elle repose sur la mobilisation des réseaux d'amitié.

François de La Noue évoque dans les *Discours* comment de nombreux nobles ont accouru vers Condé :

> ... gentils-hommes arrivoyent inopinément de tous costez, sans avoir esté mandez, de manière qu'en quatre jours il s'en trouva là plus de cinq cents [...] Et en ceste manière partoient des provinces ceux qui estoient plus renommez, avec dix, vingt ou trente de leurs amys, portant armes couvertes, et logeans par les hostelleries, ou par les champs en bien payant, jusqu'à ce qu'ils rencontrent le corps et l'occasion tout ensemble (éd. citée, p. 612-613).

Chaque « ami » de Condé amène ainsi ses propres « amis » ; 73 d'entre eux signent le traité d'Association publié le 11 avril, dont 60 peuvent être identifiés. Un tiers vient de Picardie (gouvernement de Condé) et du Valois et de la Brie, où le prince possède ses principaux domaines. Les autres arrivent de l'Ouest et du Sud-Ouest, de l'Ile-de-France et de Normandie. Il faut souligner que leur engagement auprès de Condé ou des autres chefs huguenots comme les Châtillons, La Rochefoucauld ou Rohan ne les empêche pas de garder une certaine liberté. Ainsi Louis de Lannoy, seigneur de Morvilliers, et François de Hangest, seigneur de Genlis, finissent par quitter les troupes condéennes parce qu'il désapprouvent, le premier l'appel aux Anglais, le second une rupture des négociations avec le roi. Ces exemples montrent qu'ils ne sont pas des *clients* dépendants du prince, mais bien des *amis* qui mettent librement leur réseau d'amitié à sa disposition, sans se sentir liés (Kristen B. Neuschel, 1989).

Quant aux fantassins des forces de Condé, ils sont constitués d'une part de volontaires, dont un grand nombre vient du Midi, et des 3 000 reîtres et 4 000 lansquenets allemands que François d'Andelot a recrutés dans les États protestants de l'Empire. Le financement de l'armée huguenote est assuré par la confiscation des biens des « papistes » et du clergé et par celle des impôts royaux. Des ministres y assurent le service de Dieu et veillent à la discipline morale.

Les massacres et la diabolisation de l'ennemi

Cette première guerre a été marquée par des violences sauvages, qui sont le fait soit de communautés urbaines acharnées à faire disparaître de leurs murs la souillure de l'hérésie, soit de soldats pillant les villes après leur reddition. Les réformés sont les victimes des premières. Deux massacres ont particulièrement marqué la mémoire huguenote : celui de Sens (12-14 avril 1562), où, à l'issue d'une procession, les catholiques détruisent la grange qui servait de temple et tuent les participants au culte ; celui de Tours (juillet 1562) où quelque 200 huguenots sont assommés et jetés dans la Loire. Les mutilations sexuelles, l'éventration, le dépècement des cadavres y témoignent de la volonté de faire perdre toute figure humaine à l'ennemi ; l'adversaire que l'on poursuit en lui n'est autre que Satan. On voit des enfants lapider, brûler, traîner dans les rues des corps d'hérétiques : la violence exercée étant censée être celle de Dieu, elle ne pourrait mieux se manifester que par l'intermédiaire de mains innocentes (D. Crouzet, 1990, t. 1, p. 77). Les excès commis par la soldatesque frappent, eux, tantôt les villes réformées, tantôt les catholiques. Au sac d'Orange et à celui de Sisteron reprises aux huguenots réplique celui de Mornas, dont les défenseurs catholiques sont égorgés et placés dans une barque dérivant au fil du Rhône, avec ce message : « O vous, gens d'Avignon ! Laissez passer ces marchands, car ils ont payé le péage à Mornas. » Sur les bords de la Loire, en juillet, le sac de Blois par l'armée catholique répond à celui de Beaugency par l'armée huguenote. Lors de ces pillages, les soldats massacrent d'ailleurs souvent sans distinction de religion.

Deux noms sont souvent cités pour illustrer l'inhumanité du conflit : ceux de Blaise de Monluc en Guyenne du côté catholique et de François de Beaumont, baron des Adrets en Dauphiné du côté protestant. Le premier est assurément un chef de guerre impitoyable. Mais les exécutions qu'il ordonne sont pour lui une nécessité issue de la gravité du péril où se trouve l'autorité royale. C'est un homme complexe qui s'est attaché à conquérir l'honneur à la pointe de l'épée, tout en étant conscient des cruautés que cela implique ; témoin cette apostrophe lancée aux capitaines : « Capitaines et vous, seigneurs, qui menez les hommes à la mort, car la guerre n'est pas autre chose »... (*Commentaires*, éd. Courteault, 1964, p. 59). Quant au baron des Adrets, il bâtit sa réputation sur son extraordinaire rapidité de manœuvre : il est partout à la fois, pratiquant une sorte de guérilla sanglante qui déroute l'ennemi. Il n'a vraisemblablement rallié le parti huguenot que dans l'espoir de faire une carrière plus brillante. Il déchante vite ; arrêté en janvier 1563 mais amnistié par l'édit d'Amboise, il combat ensuite dans les rangs des catholiques, malgré les suspicions durables de ces derniers.

Le combat par la plume

Certains écrivains ne restent pas inactifs et lancent leur talent dans la bataille. Le plus illustre est Ronsard, qui écrit vers la mi-juin 1562 un *Discours des misères de ce temps, à la reine mère du roi,* puis, à l'automne suivant, une *Continuation du discours des misères de ce temps.* Il y exprime de manière émouvante son horreur de la guerre civile :

> Madame, je serais ou du plomb ou du bois, /Si moi que la nature a fait naître Français, /Aux siècles à venir je ne contais la peine, /Et l'extrême malheur dont notre France est pleine. /Je veux malgré les ans au monde publier, /D'une plume de fer sur un papier d'acier, /Que ses propres enfants l'ont prise et dévêtue, /Et jusques à la mort vilainement battue [...] De Bèze, je te prie, écoute ma parole [...] Ne prêche plus en France une Evangile armée, /Un Christ empistollé tout noirci de fumée, /Portant un morion en tête, et dans la main /Un large coutelas rouge du sang humain... (Éd. F. Higman, Livre de Poche, 1993, vers 1-4 et 119-124, p. 78 et 82).

Ces poèmes militants de Ronsard ont un tel retentissement qu'ils suscitent de la part des huguenots des répliques vengeresses, en particulier celles d'Antoine de La Roche-Chandieu et de Bernard de Montméja qui, sous des pseudonymes, accablent le poète d'invectives.

Une voix isolée s'élève cependant pour plaider la cause de la tolérance religieuse : c'est celle de Sébastien Castellion, dont le *Conseil à la France désolée* paraît sans nom d'auteur ni lieu d'édition à la fin de 1562. De Bâle, il observe avec tristesse les maux qui frappent la France, et croit « qu'une seule parole de vérité évidente » suffirait pour rappeler les belligérants à la raison :

> Car il ne faudrait que dire à ceux qui forcent les consciences d'autrui : voudriez-vous qu'on forçât les vôtres ? et soudainement leur propre conscience, qui vaut plus de mille témoins, les convaincrait tellement qu'ils en demeureraient tout camus.

Castellion a lu l'*Exhortation aux princes,* mais il s'en distingue par un souci encore plus grand de respecter la diversité religieuse : il faut tout simplement, selon lui, « appointer et laisser les deux religions libres, que chacun tienne sans contrainte celle des deux qu'il voudra ». Utopie irréalisable...

L'ébranlement de l'autorité monarchique

La tentation du tyrannicide

Les événements de la première guerre civile font apparaître dans certains milieux huguenots des tendances redoutables pour l'ordre établi, que les pasteurs et les chefs militaires réformés tentent d'étouffer. La tentation du tyrannicide, lorsqu'il s'agit du meurtre d'un « tyran » par un homme privé se disant inspiré par Dieu, sans procédure judiciaire conduite par des magistrats légitimes, est le type même des perspectives qui effraient les responsables protestants, soucieux de légalité et ennemis du désordre. Coligny et Théodore de Bèze ont formellement blâmé l'acte de Poltrot de Méré. Mais voilà qu'à Lyon, au printemps 1563, le danger semble resurgir. Une fois l'édit d'Amboise signé, les huguenots qui dominent la ville refusent de le reconnaître ; la résistance de Lyon dure jusqu'au 15 juin. C'est dans ces circonstances qu'y est publié un petit livret, *La défense civile et militaire des innocens et de l'Église du Christ,* considéré comme si subversif qu'il est condamné par tous les pasteurs unis derrière Pierre Viret et que Soubise, le gouverneur établi par Condé, en fait brûler tous les exemplaires par une ordonnance rendue le 11 juin. Le juriste Charles Dumoulin est accusé de l'avoir produit, et doit publier une *Apologie* pour se disculper. C'est cette *Apologie,* qui réfute point par point les arguments contenus dans la *Défense,* qui permet d'en reconstituer la teneur. L'auteur anonyme y exalte l'exemple biblique des Macchabées, dressés contre Antiochus, et soutient que des personnes privées peuvent prendre les armes contre le tyran ; il affirme le droit de désobéir aux ordres des officiers royaux dès lors que le souverain est impie.

C'est aussi du milieu huguenot lyonnais que, l'année suivante, provient un opuscule, intitulé *Sentence redoutable et arrest rigoureux du jugement de Dieu, à l'encontre de l'impiété des Tyrans,* qui présente comme admirable la coutume des Tartares lors de « la création de leur roy » : selon ce texte, après l'avoir acclamé, ils le font asseoir sur un siège bas et lui disent :

> regarde en haut et cognois Dieu, et regarde cest aix sur lequel tu es assis en bas : si tu administres bien, tu auras tout à souhait ; mais si tu adminis-

tres mal, tu seras derechef tant humilié et despouillé de toutes choses, que mesme ce petit aix, sur lequel tu te sieds, ne te sera laissé de reste (*Mémoires de Condé*, éd. 1740, t. VI, p. 561).

Il n'est pas jusqu'à Calvin qui, dans des sermons des années 1560-1562, ne durcisse sa dénonciation des souverains qui contraignent les sujets à l' « idolâtrie » : ils perdent *ipso facto* leur dignité de roi (M. Engammare, 1995).

Des exemples témoignent d'un discrédit naissant de la monarchie. Les excès de certains iconoclastes le suggèrent : à Cléry, ils violent la tombe de Louis XI ; à Orléans, ils jettent aux chiens les entrailles de François II et fricassent son cœur à la poêle ; à Bourges, ils dépècent le cadavre de Jeanne de France, première femme de Louis XII. A Saint-Mézard en Guyenne, les huguenots assemblés pour détruire les images répondent à un gentilhomme venu leur remontrer que le roi le trouverait mauvais : « Quel roy ? Nous sommes les roys. Celuy-là que vous dites est un petit reyot de merde ; nous lui donrons des verges, et luy donrons mestier pour luy faire apprendre de gagner sa vie comme les autres. » Et Monluc, qui rapporte le fait dans ses *Commentaires* (éd. citée, p. 484), d'ajouter : « Ce n'estoit pas seulement là qu'ils tenoyent ce langage, car c'estoit partout. » En août 1563, des lettres envoyées par la reine d'Espagne, sœur du roi Charles IX, sont interceptées ; un aubergiste de Béziers les porte à un pasteur en disant que « lesdites lettres estoient de la sœur de nostre vendeur de petits pastés » ; sur quoi le pasteur réplique qu'il « en serviroit son derrière » (papiers des seigneurs de Saint-Sulpice éd. par E. Cabié, Albi, 1908, p. 26).

Il ne faut assurément pas généraliser ces exemples, qui restent marginaux. Le capital symbolique de la monarchie est encore immense, et les réformés, dans leur très grande majorité, veulent être des sujets fidèles de leur roi. Mais on doit garder en mémoire ces manifestations si l'on veut comprendre l'éclosion des théories hardies exprimées dans les années suivantes.

Mouvements antiseigneuriaux et grèves fiscales

Le 23 novembre 1561, le seigneur catholique de Fumel, en Guyenne, est sauvagement massacré par ses paysans huguenots. C'est le début d'une sorte de psychose de peur chez les gentilshommes de la province, dont témoignent les *Commentaires* de Monluc. Selon ce dernier, des ministres encouragent alors les paysans à ne plus acquitter ni leurs droits seigneuriaux ni leurs tailles.

> ... quand les procureurs des gentilshommes demandoient les rentes à leurs tenanciers, leur respondoient qu'ils leur monstrassent en la Bible s'ilz le devoient payer ou non, et que, si leurs prédécesseurs avoient esté sots et bestes ilz n'en vouloient point estre (éd. citée, p. 487).

Le long de la vallée du Rhône et en Bas-Languedoc, les mouvements de grève fiscale, qui ont été précédés dès 1560 de grèves décimales, se multiplient au point de pousser l'assemblée politique huguenote tenue à Nîmes du 2 au 13 novembre 1562 à blâmer énergiquement les « libertins » qui « pencent que par l'évangille ils sont admenés à une liberté terrienne et affranchissent le vassal et soubject de son seigneur, et les feudataires de la prestation censuelle, pour ne paier aucuns debvoirs de fief et seigneurie » (*Bull. de la Soc. de l'Hist. du Prot. fr.*, 1873, p. 555). L'interprétation de ces signes d'antagonisme social est complexe : D. Crouzet (1990) avance avec des arguments pertinents que « c'est l'accession à la parole de Dieu... qui crée la radicalité. La conscience sociale est générée par la conversion même. Elle ne lui préexiste pas » (t. 1, p. 763).

L'organisation politique des huguenots languedociens

En Languedoc, les réformés s'organisent. Montpellier résiste à un siège (septembre-début octobre 1562). Une assemblée réunie à Nîmes du 2 au 13 novembre 1562 « au nom du Pays » de Languedoc élit le comte Antoine de Crussol comme « chef, défenseur et conservateur » et jette les bases d'une organisation politique.

Le procès-verbal de l'Assemblée de Nîmes est signé par le président Charles de Bargès, envoyé par la noblesse du Vivarais et par 14 délégués de villes (Montpellier, Nîmes, Alès, Viviers, Beaucaire, Florac, Pont-Saint-Esprit, Bagnols, Béziers, Les Vans, Mende, Uzès, Agde, Castres). Cette réunion est suivie d'une autre à Bagnols, du 31 mars au 5 avril 1563, avec 25 membres pour la noblesse et 31 pour le tiers état (procès-verbaux publiés par J. Loutchitzki dans le *BSHPF* en 1875). Les institutions ainsi créées sont provisoires, puisque le terme expressément indiqué en est la majorité du roi ; mais elles préfigurent celles qui seront élaborées dans les années ultérieures.

**Tableau 9 – Institutions politiques
créées par l'Assemblée de Nîmes
novembre 1562**

A l'échelon de la province :

Assemblée représentant le « Pays »	Conseil du « Pays »	Chef, défenseur et conservateur
Composée de deux membres élus par diocèse.	Composé de 9 membres et de 1 greffier, plus 2 nobles siégeant à tour de rôle et nommés par le chef militaire.	Élu par l'Assemblée du Pays.
Attributions militaires : – levée des hommes ; – organisation des «forces sur l'eau » ; – armes, munitions ; – forteresses, garnisons ; – nomination d'un contrôleur des montres.	Le Conseil donne «mandement de bailler argent », vérifie les comptes rendus par les surintendants des diocèses, donne son accord aux traités conclus avec l'ennemi par le chef militaire.	Il traite avec l'ennemi avec l'accord d'un ou plusieurs membres du Conseil du Pays et avec celui de l'Assemblée ; il nomme au gouvernement des places en informant le Conseil du Pays ; il conduit les opérations militaires ; il convoque l'Assemblée à la requête du Conseil.
Attributions financières : – levée d'impôts ; – taxation des marchandises ; – saisie des biens de mainmorte et «emprunt » des deniers royaux ; – mise aux enchères des biens des papistes et du clergé ; – confiscation des sels de Peccais ; – interdiction de la traite des blés et sels.		

Organisation des églises :

– répartition des ministres, organisation du paiement de leurs gages et de ceux des diacres.

Justice :

– éviter l'appel au Parlement de Toulouse, infesté de papistes ; recourir à l'arbitrage.

A l'échelon des diocèses :

Assemblées diocésaines. Chacune nomme : des *surintendants* qui doivent veiller à la «police civile et à la prompte levée des deniers », et qui rendent compte tous les deux ou trois mois au Conseil du Pays ; deux députés pour l'Assemblée du Pays ; deux receveurs généraux et un contrôleur ; un lieutenant de prévôt des maréchaux et ses archers.

(Procès-verbaux publiés par Jean Loutchitzki, *Bull. de la Soc. de l'Hist. du Prot. fr.*, 1873.)

Les députés se réfèrent au *Pays*, entité juridique et morale chargée de connotations affectives. C'est une « association » des villes et des diocèses de Languedoc, dont les représentants demandent à être compris dans celle de Condé et veulent s'allier aux provinces voisines. De fait, à Bagnols, l'Assemblée reçoit les envoyés du Dauphiné et du Lyonnais et approuve « le contract contenant l'alliance » avec ces pays. Il n'est pas question de récuser la forme monarchique ; mais les députés protestent de leur obéissance à « la Majesté du roi », formule qui se réfère à la dignité plutôt qu'à l'individu royal. Il y a là les germes d'une organisation politique monarchique mais confédérale.

Il faut aussi noter la séparation introduite entre le civil et le militaire et le contrôle du second par le premier. Enfin, la volonté de purification religieuse conduit à envisager l'expulsion massive de tous les papistes (qui seraient refoulés vers Narbonne et Toulouse, ou Avignon et Arles) ; le Languedoc oriental, devenu ainsi un îlot de pureté réformée, serait l'exemple du règne de la Parole de Dieu.

Pourtant, malgré leurs succès dans le Sud-Est, les grandes espérances des huguenots ont été mises en échec au cours de la première guerre civile. Non seulement l'Église romaine n'a pas été abattue, mais elle a montré une capacité de résistance qui témoigne, tout autant que de la force avec laquelle elle rejette l'innovation, de la qualité du travail de réforme mené en son sein dès le XVe siècle.

ORIENTATION BIBLIOGRAPHIQUE

Denis Crouzet, *Les guerriers de Dieu. La violence au temps des troubles de religion*, Paris, Champvallon, 1990, 2 vol.

Max Engammare, Calvin monarchomaque : du soupçon à l'argument, in *Protestantisme et politique*, Coll. 1995 du Centre d'hist. des réformes et du prot., Montpellier, Univ. Paul-Valéry, 1995, actes à paraître (Michel Péronnet éd.).

Janine Garrisson, *Protestants du Midi, 1559-1598*, Toulouse, Privat, 1980, 368 p.

Kristen B. Neuschel, *Word of Honor. Interpreting Noble Culture in Sixteenth-Century France*, Ithaca et Londres, Cornell Univ. Press, 1986, 224 p.

N. M. Sutherland, *Princes, Politics and Religion, 1547-1589*, Londres, Hambledon Press, 1984, 258 p.

James B. Wood, The Royal Army during the Early Wars of Religion, 1559-1579, *Society and Institutions in Early Modern France* (M. Holt éd.), Univ. of Georgia Press, 1991, p. 1-35.

26. L'effort de restauration de l'autorité monarchique (1563-1567)

La guerre civile qui s'achève en mars 1563 n'apparaît pas encore aux Français comme la première d'une longue série ; ils peuvent croire qu'elle n'est qu'un malheureux accident dont les conséquences sont réparables. Pour la reine mère et le chancelier, le remède passe par le nécessaire rétablissement de l'autorité royale, ébranlée pendant les troubles.

Catherine de Médicis et Michel de L'Hôpital

Le rôle politique de la reine mère

Peu de reines ont une légende aussi noire que Catherine de Médicis ; il n'est que d'évoquer le visage que lui prête Alexandre Dumas dans *La Reine Margot*. De son vivant, elle est honnie par les catholiques intransigeants dès l'édit de janvier 1562 et par les réformés à partir de 1565. Elle montre pourtant de solides qualités politiques pour faire face à la situation. La première est sa ténacité, servie par une robuste santé et par un optimisme qui refait vite surface après chaque coup dur. Mais ce n'est pas obstination : lorsque les vents sont contraires, elle sait louvoyer ou détourner sa route, quitte à reprendre plus tard le cap fixé. Point n'est besoin pour expliquer son art de la dissimulation d'invoquer ses origines florentines (rappelons d'ailleurs que sa mère est une La Tour d'Auvergne) ni d'arguer de l'influence de Machiavel, qu'elle connaît : il s'agit plutôt de la conscience réaliste de la position de faiblesse dans laquelle elle se trouve face aux pressions intérieures et extérieures. Son objectif reste toujours le même : maintien de l'intégrité du royaume et de l'autorité royale, qui se confondent pour elle avec la grandeur de ses fils. Dans une lettre de conseils sur l'art de gouverner adressée vraisemblablement à Charles IX, datée peut-être de septembre 1563, elle l'indique clairement : « Revoir [le royaume] en l'estat auquel il a esté par le passé, durant les règnes des Rois Messeigneurs vos père et grand-père. »

Dans le domaine religieux, elle n'a pas cette indifférence que certains historiens lui attribuent ; elle cherche à bien connaître les opinions des uns et des autres. Lorsqu'au début de l'année 1561 elle rencontre François Baudouin, elle l'interroge avec curiosité : « Vous me parlez tousjours de la foy des Suyches, ceux de Genesve et de Calvin. Quelle foy ont les princes en Allemaigne ? » Et comme Baudouin, ancien disciple de Calvin, lui assure que la foi des Genevois est supérieure, parce qu'en Allemagne « chascun croit ce qu'il luy plaist, et se changent tousjours », Catherine de Médicis lui réplique : « Je ne vous croy point, mais je m'en informeray » (M. Turchetti, 1984, p. 205). Sa foi se teinte aussi d'attirance pour les courants néo-platoniciens et pour les spéculations de l'astrologie. Mais elle reste attachée à l'unité de la foi catholique ; la tolérance civile provisoire n'est pour elle qu'un moyen de revenir ultérieurement à la concorde religieuse. Le 20 avril 1563, elle écrit à l'évêque de Rennes :

> L'intencion du Roy mon fils et la myenne n'est pas de laisser establir, par le moyen de ladicte pacification [d'Amboise] une nouvelle forme et exercice de religion en ce royaume, mais bien pour parvenir avec moings de contradiction et difficulté à la réunion de tous noz peuples en une mesme sainte et catholique religion (*Lettres*, pub. par H. de La Ferrière, 1885, t. 2, p. 19).

Elle croit qu'une femme est plus capable qu'un homme de parvenir à cette concorde, comme en témoigne cette déclaration, féministe avant la lettre, à Artus de Cossé, seigneur de Gonnor, le 19 avril 1563 :

> Si ceux qui ont commencé la guerre eussent eu patience de nous laisser achever ce que avions si bien commencé à Saint-Germain [l'assemblée d'où est issu l'édit de Janvier]... si les choses eussent été plus mal qu'elle ne sont après cette guerre, l'on eut pu blâmer le gouvernement d'une femme ; mais honnêtement l'on ne doit blâmer ni calomnier que celui des hommes,

quand ils veulent faire les rois ; et dorénavant, si l'on ne m'empêche encore, j'espère que l'on connaîtra que les femmes ont meilleure volonté de conserver le royaume que ceux qui l'ont mis en l'état en quoi il est (éd. citée, t. 2, p. 17 ; orthographe modernisée).

Pour parvenir à ses fins, elle multiplie les contacts personnels et les voyages de conciliation ; elle envoie aussi sans se lasser des lettres aux quatre coins du royaume (environ une tous les deux jours) et des émissaires chargés de porter ses intentions. Mais l'essentiel est sa présence au Conseil étroit qui se tient le matin et son contrôle des dépêches qui y sont reçues : le règlement du conseil du 23 octobre 1563 précise qu'elle doit être la première à ouvrir les plis apportés par les secrétaires d'État et que, « avant que le Roy signe aucune lettre de sa main, elles seront veues et entendues par la dite dame au conseil des affaires du matin » (J. Boutier *et al.*, 1984). Pendant les années qui séparent les deux premières guerres civiles, la reine mère, selon l'ambassadeur de Venise, « gouverne avec un plein et absolu pouvoir et comme si elle était roi ».

L'action du chancelier

A ses côtés, Michel de L'Hôpital la seconde. Son action a suscité bien des appréciations divergentes. Huguenot dissimulé aux yeux des catholiques ardents de son temps, il a passé au XIXe siècle pour le champion de la tolérance religieuse. En fait, il est vraisemblablement resté imprégné, comme Catherine de Médicis, par le rêve d'un retour final à l'unité. Bien qu'il doive sa première carrière à une protectrice de la Réforme, Marguerite, duchesse de Berry et sœur de Henri II, et bien que sa femme et sa fille unique deviennent réformées, c'est grâce à l'influence du cardinal de Lorraine qu'il est promu chancelier en 1560 ; il partage à ce moment-là l'idéal de concorde religieuse de ce dernier (voir chap. 21). Après l'échec du colloque de Poissy, son évolution le conduit à accepter une tolérance civile, solution politique qui correspond aussi à son profond respect de la liberté des consciences. Il est douteux cependant qu'il soit allé jusqu'à la tolérance religieuse (S. Kim, 1993). On est frappé, en lisant ses œuvres, par la tonalité mystique qu'elles revêtent parfois, indice de convictions contenues par le souci du réalisme. Il faut aussi tenir compte de son gallicanisme, qui le pousse à adopter une position stricte sur l'indépendance temporelle de la couronne et de l'Église de France à l'égard du pape. Cette attitude explique en partie sa rupture en 1564 avec le cardinal de Lorraine, qui est revenu du concile de Trente désireux d'en faire accepter les décrets en France et rallié par ailleurs à une conduite de fermeté catholique.

La volonté de maintenir l'équilibre instauré par l'édit d'Amboise amène le chancelier à recourir à une brutalité politique à laquelle ne le prédispose sans doute pas l'amour de la tradition que révèlent bien des passages de ses discours. Face à ses anciens collègues du Parlement, hostiles à l'édit, il affirme sans ménagements le monopole législatif du roi. En 1566, on lui reproche même de n'être pas passé par le Conseil pour envoyer des lettres patentes autorisant les protestants à appeler à leur chevet des pasteurs et non des prêtres (H. Michaud, *La grande Chancellerie*, 1967, p. 52). Il aurait voulu limiter et peut-être supprimer la vénalité des offices. Comme sa tolérance, son style autoritaire lui est sans doute dicté par les difficultés du temps.

Catherine de Médicis le défend avec constance contre les accusations des catholiques militants, et en particulier contre les efforts du roi d'Espagne et du pape pour le faire renvoyer. Cependant elle ne s'appuie pas uniquement sur lui ; à partir de 1564 elle écoute beaucoup le secrétaire d'État Claude de L'Aubespine et certains conseillers italiens, tel Albert de Gondi, comte de Retz. En 1568, elle sera impuissante à le préserver contre la montée du catholicisme intransigeant.

La proclamation de la majorité du roi
(Rouen, 17 août 1563)

Le problème de l'âge de la majorité royale

La minorité de Charles IX est un handicap sérieux pour faire respecter l'édit d'Amboise : l'autorité d'un roi mineur n'a pas le même poids que celle d'un souverain adulte. Si mes souhaits, écrit alors Ronsard dans un poème au roi, étaient ouïs de Dieu, je lui demanderais de « vous donner six bons ans d'avantage » (*Œuvres*, éd. P. Laumonier, t. 13, p. 132). A défaut, on peut hâter la déclaration de sa majorité. La référence en la matière est l'ordonnance de Charles V d'août 1374, publiée au Parlement le 21 mai de l'année suivante, qui fixe la majorité des rois de France à 14 ans, soit beaucoup plus tôt que pour les particuliers (25 ans). Mais, comme on l'a vu plus haut (chap. 21), la valeur de cette ordonnance a été contestée par les conjurés d'Amboise. A la mort de son auteur, le 16 septembre 1380, elle n'a pas été appliquée, puisque Charles VI a été déclaré majeur et sacré avant même d'avoir atteint 12 ans, et qu'en fait ses oncles ont gouverné en son nom jusqu'à ce qu'il ait eu 20 ans.

En outre, les termes de cette ordonnance sont ambigus : *donec decimum quartum aetatis annum attigerit,* « jusqu'à ce qu'il ait atteint sa quatorzième année ». Cela signifie-t-il le lendemain du treizième anniversaire ou le jour du quatorzième ? Lorsque la première occasion de mettre vraiment en œuvre le texte de 1374 s'est présentée, c'est-à-dire à la mort de Louis XI, le 30 août 1483, Charles VIII, né le 30 juin 1470, a 13 ans accomplis ; il lui manque 10 mois pour en atteindre 14. L'interprétation adoptée à ce moment-là est que la quatorzième année (de 13 à 14 ans) doit être *achevée* pour que le roi soit déclaré majeur (Y. Labande-Mailfert, *Charles VIII,* 1975, p. 31). S'ouvre alors une période confuse au cours de laquelle l'oncle par alliance du roi, le duc d'Orléans, futur Louis XII, dispute la tutelle de Charles VIII et la direction des affaires à Anne de Beaujeu, fille aînée de Louis XI. Le roi est finalement sacré à Reims le 30 mai 1484 et, sans qu'il y ait déclaration solennelle de majorité, il fait son entrée à Paris le 5 juillet.

Les échos des débats politiques passionnés suscités par les conjurés d'Amboise sont encore sensibles en 1563, comme en témoignent les relations des ambassadeurs. C'est dans ce contexte qu'est proclamée la fin de la minorité royale.

Les innovations politiques du 17 août 1563

La première de ces innovations consiste à déclarer la majorité de Charles IX dans un lit de justice tenu le 17 août non au Parlement de Paris, mais dans un Parlement de province, celui de Rouen. La cour parisienne est ainsi punie des réserves mises à l'enregistrement de l'édit d'Amboise. Ce faisant, le roi lui dénie la prééminence qu'elle revendique sur le corps de tous les Parlements.

La seconde innovation est l'interprétation de l'ordonnance de Charles V que Michel de L'Hôpital, soutenu par la reine mère, fait triompher : la quatorzième année doit être seulement *commencée*, et non pas achevée, pour que le roi soit déclaré majeur. C'est le moyen de gagner un an (Charles IX a alors 13 ans et 1 mois et demi). « Nostre roy, dit le chancelier, a bien attainct cest aage [sa quatorzième année] et non accomply. Mais ceux qui ont veu les livres sçavent que les loix veulent qu'en honneurs l'an commencé est réputé pour entier et accomply [...] il suffit d'avoir attainct, et non accomply le dernier an de l'aage. » Après ce précédent, la loi de la majorité des rois à 13 ans révolus (soit à partir de leur treizième anniversaire) deviendra ce qu'on appellera plus tard (après 1574) une « loi fondamentale ».

La déclaration de la majorité est aussi pour L'Hôpital l'occasion de rappeler des principes qui lui sont chers. D'abord celui de la continuité monarchique : c'est ainsi qu'il affirme que « jamais le royaume n'est vacant, ains y a continuation de Roy à Roy, et que si tost que le Roy a l'œil clos, aussi tost nous ayons Roy [...] sans attendre couronnement, onction, ne sacre ». Il dit également aux parlementaires que la souveraineté réside dans le pouvoir de faire la loi, et que ce pouvoir est détenu par le roi seul :

> Vous dites estre par-dessus les ordonnances et n'estre obligez par icelles, si n'est en tant qu'il vous plaist. Messieurs, messieurs, faites que l'ordonnance soit par-dessus vous. Vous dites estre souverains [en tant que membres d'une Cour souveraine] : l'ordonnance est le commandement du Roy et vous n'estes pas par-dessus le roy. [...] Le roy fait une ordonnance, vous l'interprétez, vous la corrompez, vous allez au contraire : ce n'est pas à vous. Les juges qui ne se veulent conformer au législateur sont comme des vogueurs qui tirent au contraire du gouverneur, et partant font péricliter le navire ; ou comme le père de famille qui n'est obéy des siens en sa maison. Si vous trouvez, en pratiquant l'ordonnance, qu'elle soit dure, difficile, mal propre et incommode pour le pays où vous estes juges, vous la devez pourtant garder, jusques à ce que le prince la corrige, n'ayans pouvoir de la muer, changer ou corrompre, mais seulement user de remonstrance (éd. R. Descimon, 1993, p. 107-108).

Michel de L'Hôpital, en mettant ainsi le pouvoir législatif au cœur de la souveraineté, ouvre la voie à la pensée de Jean Bodin, qui fait partie, avec Louis Le Caron, Louis Le Roy, Étienne Pasquier, du cercle des auteurs réunis dans les années 1560 par une commune admiration de l'œuvre du chancelier. Il distingue avec clarté la fonction de justice, déléguée aux Parlements, de la fonction légiférante, exercée par le roi au sein de son Conseil et à laquelle les Parlements doivent être étrangers. Il met donc énergiquement en cause le rôle de colégislateurs que ces derniers veulent se donner par le moyen des remontrances.

Les parlementaires parisiens protestent contre cet acte d'autorité ; mais, le 12 septembre 1563, le roi reçoit une délégation de trois d'entre eux venus lui porter leurs remontrances et leur assène une vigoureuse algarade :

> Vous vous estes faict accroire qu'estiez mes tuteurs ; vous trouverez que je vous feray cognoistre que ne l'estes point, mais mes serviteurs et subjects, que je veulx qui m'obéissent à ce que je vous commanderay (S. Hanley, 1983, p. 187).

Le tour de France royal (1564-1566)

Une fois majeur, le roi entreprend de parcourir son royaume au cours d'un long périple qui dure vingt-sept mois, du 24 janvier 1564 au 1er mai 1566. Ce voyage a été étudié par Pierre Champion en 1937, puis par Jean Boutier, Alain Dewerpe et Daniel Nordman en 1984. Ce qui suit résume leurs conclusions.

Le voyage ; l'entrevue de Bayonne

Les mobiles de ce long cheminement à travers la France sont multiples : il s'agit de contrôler l'application de l'édit d'Amboise, de mieux relier le centre et les périphéries, et surtout de faire voir le roi à ses sujets afin de raffermir leur obéissance. La cour part de Paris, s'attarde quelques semaines à Fontainebleau, puis traverse la Champagne et pousse jusqu'à Bar-le-Duc, en Barrois mouvant, où elle assiste au baptême du fils du duc de Lorraine, petit-fils par sa mère de Catherine de Médicis. Puis elle s'oriente vers le sud, rejoint la vallée de la Saône et parvient à Lyon, où son séjour est contrarié par la présence de la peste. L'itinéraire suit ensuite la vallée du Rhône, traverse le Languedoc, arrive à Toulouse, fait une pointe en direction de Bayonne pour remonter ensuite vers La Rochelle. Après une escale à Nantes puis à Châteaubriant la cour se dirige vers Moulins, où elle séjourne longuement, puis va jusqu'à Clermont-Ferrand. A partir de là les dernières étapes la ramènent vers Paris sans autres détours.

Ce déplacement n'est pas, en soi, inhabituel pour une monarchie dont l'un des caractères est encore l'itinérance; il sort néanmoins de l'ordinaire par sa durée et par l'ampleur de l'espace parcouru. Il suppose un énorme effort d'organisation. On peut calculer qu'au moins 10 000 personnes, peut-être 15 000, suivent le roi; courtisans, marchands et artisans se côtoient, voyageant à cheval, à pied ou en litière; les animaux de bât et les chariots qui transportent les victuailles, les meubles et les tapisseries donnent au cortège l'allure d'une immense caravane marchande, dont l'hébergement pose de sérieux problèmes aux villes qui la reçoivent. Les organes de gouvernement suivent le roi, qui tient régulièrement son conseil et reçoit les ambassadeurs.

Le voyage est l'occasion d'entrevues avec les souverains voisins. A Bar-le-Duc, Catherine de Médicis souhaite rencontrer Maximilien, fils de l'empereur (espoir finalement déçu); à Lyon, le duc Emmanuel-Philibert de Savoie vient lui rendre visite; à Bayonne, elle retrouve sa fille Élizabeth, accompagnée, non du roi d'Espagne en personne comme elle l'aurait aimé, mais du duc d'Albe. Cette entrevue de Bayonne (15 juin - 2 juillet 1565) a suscité bien des soupçons chez les huguenots; beaucoup ont cru après coup que le massacre de la Saint-Barthélemy d'août 1572 y avait été planifié. Rien ne permet d'étayer cette accusation. Le duc d'Albe, il est vrai, arrive avec des instructions très fermes: il demande l'interdiction du culte réformé, la publication en France des décrets du concile de Trente et une profession de foi catholique pour tous les officiers du roi. Mais la reine mère semble bien n'avoir rien promis, affirmant sa foi catholique sans céder sur la nécessité provisoire de la tolérance civile.

Pendant le voyage se situe aussi un autre acte diplomatique important: le traité signé à Troyes avec l'Angleterre le 12 avril 1564, qui stipule le retour définitif de Calais à la France moyennant une indemnité de 120 000 couronnes.

La réaffirmation de l'autorité royale

Le tour de France permet de rappeler à tous les sujets leur devoir d'obéissance. Les Parlements sont visités successivement;

devant celui de Bordeaux, le chancelier réitère l'affirmation du monopole législatif royal : « Tout ce désordre, dit-il aux parlementaires, ne vient que du mespris que vous avez du Roy et de ses ordonnances lesquelles vous ne craignez et ne gardez sinon en tant qu'il vous plaist. » Ce n'est pas à eux d'interpréter la loi : « C'est au roy seul à quy cela appartient et non à vous » (J. Boutier *et al.*, p. 245). Les villes sont également reprises en main. Par l'édit de Crémieu de juillet 1564, le roi entend contrôler les élections aux corps de ville partout où se trouvent un évêché ou archevêché, un parlement ou un présidial : c'est la première fois qu'une législation royale sur les villes a une portée aussi vaste. De fait, un peu partout, à Troyes, Vienne, Grenoble, Aix, Marseille, Nîmes, Montpellier, Toulouse, Auch, Bordeaux, Bayonne, Nérac, La Rochelle, Nantes, le roi intervient dans les élections, souvent pour rétablir l'ordre menacé par les antagonismes ; dans plusieurs des villes qui avaient été occupées par les huguenots, il accepte une magistrature mi-partie (mixte). Ces interventions royales sont parfois bien acceptées, mais elles suscitent aussi des protestations, comme à Troyes et surtout à Paris, dont le gouverneur François de Montmorency, en les exécutant, est accusé de violer « les anciennes coustumes et Loys de la Ville ».

Très habilement, Catherine de Médicis s'efforce de créer des clientèles dans les villes. Il faut, écrit-elle dans un passage important de la lettre à son fils sur l'art de gouverner à laquelle il a été fait allusion plus haut,

> qu'en toutes les principalles villes de vostre royaume vous y gagniez trois ou quatre des principaulx bourgeois, et qui ont le plus de pouvoir en la ville, et autant des principaulx marchans qui aient bon crédit parmy leurs concitoiens, et que, soubz main, sans que le reste s'en aperçoive ny puisse dire que vous rompiez leurs privillèges [...] les aiez si bien gaignez qu'il ne se fasse ni die rien au corps de ville, ny par les maisons particulières que n'en soiez adverty ; et que, quand ilz viendront à faire leurs eslections pour leurs magistrats particuliers selon leurs privillèges, que ceulx-ci, par leurs amis et pratiques, facent tousjours faire ceulx qui seront à vous du tout (éd. citée, t. 2, p. 95).

De fait, la politique royale cherche à la fois à gratifier et à contrôler les élites urbaines. L'édit de novembre 1563 institue à Paris un tribunal des Juges Consuls pour le commerce, à l'instar de ce qui existe déjà à Lyon, Rouen, Toulouse ; d'autres villes sont bientôt dotées de cette institution, à la satisfaction des marchands. De même, plusieurs villes d'Auvergne et de Limousin, auparavant sous la tutelle de leurs seigneurs, sont pourvues de consulats (M. Cassan, 1994).

La noblesse n'est pas oubliée : la même lettre insiste sur l'absolue nécessité de « contenter » les nobles. Ce voyage est l'occasion pour le roi de convoquer les gentilshommes de chaque province ; ceux-ci ne se font pas prier et accourent en foule, heureux d'être présentés à Charles IX et rêvant d'établir avec lui ce contact personnel indispensable à leur conception de l'allégeance. Le roi les récompense en distribuant abondamment le collier de l'ordre de Saint-Michel.

Toutefois le voyage révèle une certaine défiance du roi tant à l'égard de l'obéissance des sujets que du dévouement des fidèles et des clients. Il croit utile de renforcer l'une et l'autre en exigeant un serment exprès des gentilshommes, des officiers royaux et des magistrats urbains : il se le fait prêter à plusieurs reprises. Rien n'indique mieux la fragilisation subie par son autorité durant la première guerre civile.

Le rôle fédérateur des fêtes et des entrées

Le voyage est aussi l'occasion d'organiser des réjouissances collectives où la majesté royale est exaltée et où les antagonismes peuvent être oubliés. Les fêtes, carnavals, bals, mascarades, tournois et comédies sont des spectacles magnifiques organisés sur des canevas savants pour lesquels les poètes de cour rivalisent de talent. Ronsard compose plus de 2 000 vers pour le carnaval de Fontainebleau ; Jean-Antoine de Baïf est l'auteur de la mascarade du 21 juin 1565 à Bayonne. La danse et le chant y tiennent une place importante. Les sujets sont tirés de la mythologie ou des romans de chevalerie ; les courtisans déguisés en chevaliers ou en héros antiques affrontent des géants et combattent pour leurs dames. D'ingénieuses machineries font tourner des planètes dans le ciel et animent des animaux fantastiques. L'ordre de la fête exalte les hiérarchies : ainsi, à Fontainebleau puis à Bayonne, dans la mascarade du Château enchanté, seul le duc d'Orléans parvient à vaincre le géant qui garde prisonnières de belles demoiselles, et seul le roi arrive finalement jusqu'à elles pour les délivrer. De même, la ronde ordonnée des astres, dans la mascarade organisée à Bar-le-Duc, figure l'harmonie cosmique et son lien avec celle du royaume enfin rétablie. A cet égard les fêtes ont un rôle incantatoire visant à faire advenir ce qu'elles représentent. Il s'agit aussi de montrer aux souverains étrangers que la France n'est pas sortie épuisée de la guerre civile et qu'elle est riche ; la magnificence des fêtes de Bayonne, en particulier, est destinée à éblouir les puissants voisins espagnols, dont l'austérité vestimentaire fait un frappant contraste.

Quant aux entrées organisées dans les villes visitées, elles sont prétexte à créer des arcs de triomphe, des emblèmes peints ou sculptés et des scènes de théâtre. Les programmes iconographiques dénotent une convergence frappante entre l'imaginaire des oligarchies urbaines et celui de l'entourage royal : l'exaltation du passé national répond au besoin de repères que tous ressentent après la tourmente. C'est ainsi que sont figurés les grands ancêtres, mythiques comme cet Hercule gaulois ou ces anciens rois de Gaule « découverts » par les érudits du XVIe siècle, ou réels comme Clovis, Charles Martel ou Charlemagne. Le souci de l'enracinement dans une continuité dynastique encore plus proche pousse d'ailleurs Catherine de Médicis à changer les prénoms de deux de ses enfants à l'occasion de leur confirmation : Monsieur (futur Henri III), prénommé Alexandre à sa naissance, prend le prénom de son père en mars 1565 ; son frère cadet Hercule reçoit en janvier suivant celui de son grand-père François.

Les mesures prises

L'œuvre législative

De nombreux édits et ordonnances sont promulgués entre 1563 et 1567.

La tradition attribue une grande part, dans cette législation, à Michel de L'Hôpital. Ce n'est pas toujours facile à prouver. On sait néanmoins qu'il a joué un rôle décisif dans l'assemblée du Conseil élargi (où siègent les princes du sang, les grands officiers de la couronne et les premiers présidents des Parlements d'Aix, Dijon, Grenoble, Bordeaux, Toulouse et Paris) qui s'ouvre à Moulins en janvier 1566 ; c'est au sein de cette assemblée que s'élabore l'ordonnance de Moulins.

Septembre 1563 : Ordonnance de Mantes, qui interdit d'imprimer un livre sans privilège royal.

Novembre 1563 : Édit créant à Paris un tribunal des Juges Consuls pour les affaires commerciales (institution qui est l'ancêtre des Tribunaux de Commerce).

Janvier 1564 : Édit de Paris, dont l'article 39 crée une petite révolution administrative : désormais l'année officielle commence le 1er janvier et non plus à Pâques. Le «nouveau style» entre en vigueur le 1er janvier 1565, mais le Parlement de Paris ne s'y conforme qu'en 1567.

Juillet 1564 : Édit de Crémieu. Le roi se réserve le droit de choisir des magistrats urbains sur deux listes de candidats élus dans les villes importantes (sièges d'un évêché ou archevêché ou d'un parlement ou présidial).

Février 1566 : Ordonnance de Moulins. Les Parlements ne pourront refuser d'enregistrer les édits ou les ordonnances ni de les faire appliquer, même si les remontrances qu'ils pourront présenter sur ces lois sont rejetées.

— La juridiction criminelle est laissée aux villes (et la simple police est donnée à celles qui ne l'ont pas) mais la juridiction civile leur est ôtée.

— Le principe de l'inaliénabilité du domaine est solennellement réaffirmé, avec comme seule exception la constitution d'apanages pour les fils puînés du roi.

— L'autorité des gouverneurs est circonscrite à leurs fonctions militaires.

— Le droit des testateurs à créer des substitutions dans leur famille est limité.

Mai 1567 : Édit protégeant les lignages patrilinéaires. Les veuves ne pourront plus, dans le Midi, succéder à leurs enfants en cas de prédécès de ces derniers, comme le droit romain les y autorisait ; les biens iront au lignage paternel.

La mise en vente d'une partie des biens du clergé

Le redressement de l'autorité royale ne peut cependant s'effectuer sans tenter de combler l'énormité du gouffre financier. Le 17 mai 1563, le chancelier évoque la situation devant le Parlement de Paris pour le pousser à accepter les mesures prises par un édit du 13 mai : le roi a environ 50 millions de livres de dettes, dont 5 sont immédiatement nécessaires pour payer les troupes et en particulier expulser les Anglais hors du Havre. Les recettes de l'année précédente se montent à 8 460 000 livres et les dépenses à 18 millions de livres. Le contrat de Poissy ne suffit pas à assurer à la monarchie les revenus indispensables ; aussi est-elle réduite à recourir à la solution qu'ont suggérée certains députés des ordres laïcs aux États de Pontoise : aliéner les biens du clergé. L'édit du 13 mai 1563 prévoit de vendre des terres ecclésiastiques en quantité suffisante pour créer des rentes d'une valeur totale de 100 000 écus par an (1 écu vaut à ce moment-là 2 livres 10 sous), l'intérêt prévu étant de 8,33 %

(denier 12), soit un capital de 5 millions de livres en biens-fonds. L'accord du pape n'a pas été accordé ; mis devant le fait accompli, il donne son aval *a posteriori* en octobre 1564. Le Parlement, d'abord hostile, finit par accepter.

Les protestations du clergé n'empêchent pas ces premières ventes d'avoir lieu, à la grande satisfaction de tous les « affamés du temporel » (Emmanuel Le Roy Ladurie, *Les paysans de Languedoc*, 1966), ravis de voir arriver sur le marché des terres que leur statut de biens de mainmorte soustrayait aux convoitises. Beaucoup se précipitent sur l'aubaine. Dans le Midi languedocien, ce sont surtout des huguenots, petits nobles, marchands et robins qui en profitent ; ils savent s'entendre pour écarter des enchères non seulement les catholiques mais aussi les artisans et boutiquiers de leur propre confession. Dans le diocèse de Montpellier pourtant, c'est un catholique, Simon Fizes, devenu en 1567 l'un des quatre secrétaires d'État, qui fait l'acquisition la plus remarquable : il achète la baronnie de Sauve.

Le clergé réussit à racheter partiellement les biens mis en vente lors de cette première aliénation ; mais celle-ci ne comble qu'une partie des besoins royaux. Le recours à cet expédient sera renouvelé à chaque fois que la situation financière redeviendra désastreuse, en 1568, 1569, 1574, 1576, 1586 et 1587-1588 ; lors des ventes ultérieures, qui cette fois seront durables (sauf celles de 1568 et 1587-1588, remplacées par des subventions extraordinaires), les acquéreurs catholiques seront les plus nombreux à en profiter, y compris dans le Midi (voir chap. 34).

Les constructions monarchiques

Les soucis de l'État laissent à Catherine de Médicis le temps de se préoccuper de bâtir, dans le but d'exalter la grandeur de la dynastie. Elle commence à faire construire sur le flanc nord de la basilique de Saint-Denis la chapelle des Valois, chantier confié successivement au Primatice puis à Jean Bullant et enfin à Baptiste Du Cerceau, et qui ne sera pas terminé ; cette chapelle doit servir de cadre au tombeau de Henri II et de la reine, entrepris en 1561 pour abriter les gisants des souverains exécutés par Germain Pilon. A partir de 1563-1564, Philibert de l'Orme entame pour Catherine la réalisation d'un premier projet de palais aux Tuileries, dont il souhaite que la façade, rythmée par des colonnes baguées, soit l'exemple de « l'ordre français » qu'il veut créer.

Au cours des années qui suivent la première guerre, la nécessité de rétablir la majesté royale a donc conduit la reine mère et le chancelier à une pratique autoritaire et personnelle du pouvoir qui est moins due à une doctrine préétablie qu'au désir de vaincre les résistances rencontrées. C'est parce que les Parlements multiplient les remontrances que L'Hôpital invoque le monopole législatif du roi. C'est pour éviter des dissensions internes qu'il veut contrôler les élections des magistrats urbains. Mais ce renforcement de l'autorité est fragile ; il reste menacé par la violence des antagonismes religieux.

ORIENTATION BIBLIOGRAPHIQUE

J. Boutier, A. Dewerpe, D. Nordman, *Un tour de France royal. Le voyage de Charles IX (1564-1566)*, Paris, Aubier, 410 p.

Michel Cassan, Une émancipation politique tardive : les villes du Limousin et de l'Auvergne sous Charles IX, in *Espaces et pouvoirs urbains dans le Massif central et l'Aquitaine du Moyen Age à nos jours*, M. Cassan et J.-L. Lemaître éd., Ussel, diff. De Boccard, 1994, p. 231-256.

Ivan Cloulas, *Catherine de Médicis*, Paris, Fayard, 1979, 714 p. ; Id., Les aliénations du temporel ecclésiastique sous Charles IX et Henri III, *Rev. d'hist. de l'Église de France*, 1958, p. 5-56.

Sarah Hanley, *Le lit de justice des rois de France* (1983), trad. franç. de 1991, Paris, Aubier, 468 p.

Séong-Hag Kim, « Dieu nous garde de la messe du chancelier. » The Religious Belief and Political Opinion of Michel de L'Hôpital, *The Sixteenth Century Journal*, 1993, p. 595-620.

Claude Michaud, *L'Église et l'argent sous l'Ancien Régime*, Paris, Fayard, 1991, 804 p.

27. Difficile coexistence et rechute dans la guerre

Une grande partie des catholiques n'est pas prête à accepter la tolérance civile imposée par l'édit d'Amboise, malgré la diminution des concessions octroyées aux réformés par rapport à l'édit de Janvier : ce serait pactiser avec l'hérésie. Les huguenots, par ailleurs, estiment scandaleuses les restrictions apportées à la liberté de culte et ne perdent pas l'espoir d'obtenir davantage. Ce double mécontentement fragilise la position des modérés, dont le combat pour maintenir la paix se heurte à des obstacles de plus en plus redoutables.

Les réactions de rejet chez les catholiques

Les difficultés d'application de l'édit d'Amboise

Aussitôt promulgué, l'édit se révèle d'une exécution délicate. A partir d'avril 1563, le roi donne des commissions à des gouverneurs et à des maréchaux pour aller dans les provinces en contrôler l'application. François de Montmorency, gouverneur de Paris et de l'Ile-de-France, est envoyé sillonner son gouvernement tandis que son frère Henri de Montmorency-Damville, qui succède en mai 1563 à leur père Anne à la tête du gouvernement de Languedoc, doit y faire la même chose. Le maréchal de Bourdillon est délégué dans les provinces de l'Ouest, et celui de Vieilleville à Lyon et dans le Sud-Est. Charles IX adjoint à chacun de ces grands seigneurs deux commissaires de robe, membres du Conseil du roi ou du Parlement de Paris, pour les aider de leur savoir juridique.

A Lyon, Vieilleville met fin à la résistance de la ville, où il fait son entrée le 15 juin ; il assigne trois lieux de culte aux réformés (l'édit leur donne ce droit, puisque le culte y était célébré au 7 mars) ; après de longues tractations, il installe un consulat mi-parti formé de représentants des deux confessions. En revanche, en Languedoc, le jeune Montmorency-Damville se fait remarquer par son zèle catholique, au point que le roi doit l'inviter à plus de modération pour ne pas échauffer les esprits.

Les commissaires se heurtent à bien des difficultés. Il y a d'abord la question du choix des villes dans les faubourgs desquelles le culte sera célébré. Dans chaque bailliage, il ne peut y en avoir qu'une : c'est l'objet de discussions serrées entre les réformés et les représentants du roi, qui ne veulent pas que la ville choisie soit une place trop forte. Autre problème, celui de la restitution de leurs maisons et de leurs biens aux huguenots que la haine catholique a chassés. Il est particulièrement épineux à Paris, où les passions sont si vives que lorsque l'édit est publié dans les rues à son de trompe le 30 mars, les hérauts sont bombardés de boue et assaillis par la foule furieuse (*Mémoires* de Claude Haton). C'est en se cachant que les réformés se hasardent petit à petit à revenir chez eux.

Les réticences des Parlements et des États provinciaux

Le Parlement de Paris n'a enregistré l'édit d'Amboise, le 27 mars, qu'avec des réserves, en considérant qu'il n'est valable que jusqu'à la majorité du roi. Aussi, lorsque, le 17 août 1563, le roi se proclame majeur au Parlement de Rouen, il inclut dans l'édit de majorité la confirmation de celui d'Amboise, et ordonne le lendemain au Parlement de Paris de l'enregistrer. Mais il faut encore six semaines pour que, au terme d'un dur conflit, les parlementaires, furieux de surcroît que la déclaration de majorité ait eu lieu à Rouen, se résignent à obtempérer (S. Hanley, 1991). En outre, L'Hôpital doit intervenir énergiquement pour que la cour parisienne cesse d'exiger de ses membres une profession de foi catholique, comme elle l'a fait pendant la guerre.

Les autres cours renâclent également à appliquer l'édit. A Toulouse, le roi doit agir pour faire réintégrer les magistrats réformés, tels Jean de Coras et Arnaud de Cavagnes. A Aix, la résistance est plus forte qu'ailleurs : le Parlement refuse jusqu'en août d'enregistrer l'édit, et les conseillers maintiennent l'exigence d'une profession de foi catholique, s'opposant ainsi au retour de leurs collègues protestants. Le roi suspend alors la cour en mars 1564.

Certains États provinciaux ne cachent pas non plus leur hostilité à l'édit. La manifestation la plus inquiétante est celle des États de Bourgogne, qui font publier des *Remonstrances [...] sur l'Edict de pacification des troubles du Royaume de France.* Ils y rappellent la promesse faite par Louis XI, lors de la réunion du duché à la France, de les maintenir dans la religion catholique, et ajoutent que leurs ancêtres ont plus facilement changé de roi que de prêtres (J. Boutier *et al.,* 1984, p. 171). Les États de Languedoc, réunis à Narbonne en décembre 1563, supplient le roi de « ne permettre pour le bien de la paix que au païs de Languedoc ait deux diverses religions », et demandent à Montmorency-Damville de faire surseoir à l'exécution de l'édit jusqu'au retour de leurs députés envoyés à la cour (*Arch. Dép. de la Haute-Garonne,* C 2281).

Ces résistances expliquent qu'au cours des quatre années de paix qui suivent la première guerre se soient imposées des interprétations de plus en plus restrictives de l'édit d'Amboise. La monarchie elle-même cède partiellement à ce courant en promulguant le 4 août 1564 l'édit de Roussillon, qui, tout en punissant tant les infractions des catholiques que l'iconoclasme des huguenots, interdit à ces derniers « toutes assemblées en forme de synode ».

Vigueur des prédications et renaissance des ligues catholiques

Beaucoup de prédicateurs catholiques attisent l'indignation de leurs auditeurs contre l'obligation qui leur est faite de tolérer l'hérétique. Le plus ardent est Simon Vigor, dont la parole enflammée soulève ceux qui l'écoutent. Nouveau prophète qui proclame que Dieu lui-même s'exprime par sa bouche, il proteste contre l'édit, jugé inique. Si le roi, s'écrit-il, « fait des ordonnances meschantes, pourquoy ne crierons-nous contre, et dirons que c'est mal-faict ? » (D. Crouzet, 1990, t. 1, p. 420). Dans ses sermons, l'idéal d'une fusion totale entre le politique et le religieux conduit à conférer au plus petit fidèle le droit et même le devoir de désobéir à un souverain impie.

Le refus d'accepter une tolérance imposée amène les catholiques les plus fervents à se regrouper à nouveau en ligues. En Guyenne, dès mars 1563, est créée une association à l'initiative de plusieurs gentils-hommes, dont le comte Frédéric de Foix-Candale, le marquis de Trans, l'évêque d'Aire, le comte d'Escars, gouverneur de Bordeaux, et sans doute Blaise de Monluc (mais il a nié le fait). L'organisation en est remarquable. Les statuts (août 1564) ont été publiés par les huguenots dans le recueil connu sous le nom de *Mémoires de Condé* (éd. 1740, t. VI). Quatre niveaux sont prévus : province, sénéchaussée, « juridiction » et paroisse ; à chacun de ces niveaux se trouve un chef et protecteur, assisté par un conseil composé, pour les deux échelons supérieurs, de six membres (deux par ordre) et, pour les inférieurs, de quatre notables (« des plus apparens ») ; chaque adhérent doit prê-ter serment et payer une cotisation perçue par des receveurs particu-liers et généraux et destinée à financer le combat. On pourrait penser qu'en faisant connaître cette ligue illégale, les réformés en ont grossi les statuts pour mieux la dénoncer ; mais le texte révèle une sincérité dans l'horreur de l'hérésie qui plaide pour son authenticité. Le précé-dent de l'arianisme y est rappelé, dont les sectateurs ont été chassés de Guyenne par les catholiques unis « par accord et alliance de bonne foi et de bonne religion » : à leurs descendants de faire de même en pur-geant la province des nouveaux hérétiques.

Dans le Maine apparaît en 1564 une association comprenant le lieutenant général, Taron, le gouverneur du Mans et l'évêque Charles d'Angennes, avec la complaisance tacite du gouverneur, le duc de Montpensier. Des hommes masqués s'attaquent à la vie et aux biens des protestants, comme ceux-ci s'en plaignent dans des doléances adressées au roi (*Mém. de Condé*, t. VI). Un peu plus tard, des confréries du Saint-Esprit servent en Bourgogne de cadre à des associations anti-huguenotes. La première est créée en 1567 par Gas-pard de Saulx-Tavannes, lieutenant général de la province : les obli-gations confraternelles traditionnelles (assistance aux messes, aux obsèques des confrères, entraide mutuelle) y voisinent avec le devoir pour tous les adhérents d'expulser les huguenots de la milice urbaine, de n'avoir aucun contact avec eux et de défendre le catholicisme. L'année suivante, ce type de confrérie essaime à Chalon-sur-Saône, Mâcon, Beaune, Tournus, et, sous le vocable de la Sainte-Croix, à Autun (J. Lecler, 1936). D'autres naissent en Champagne, Berry, Comminges, Navarre. A Limoges est fondée en mai 1567 une confré-rie de la Sainte-Croix, dont les membres portent une croix d'étain ou d'argent sur leur chapeau ; le 3 de ce mois, ils placent un « mai », c'est-à-dire un de ces arbres que les sociétés de jeunes ont coutume de planter pour célébrer le retour du printemps, devant la maison du premier frère : c'est le symbole de la Croix qui reverdira malgré la souillure de l'hérésie (M. Cassan, 1996). Ces confréries ont un recrutement variable selon les lieux, restreint aux notables urbains à Dijon, plus largement ouvert ailleurs.

Face à ces associations, Charles IX, après les avoir interdites, finit par se résoudre, à la suite d'une réunion de son conseil tenue à Mont-de-Marsan le 18 mai 1565, à prendre lui-même la tête d'une ligue de catholiques, dans l'espoir d'y inclure toutes celles qui se sont constituées sans son autorisation. A ses côtés, d'ailleurs, les partisans de la fermeté parlent de plus en plus fort, et se heurtent à ceux de la tolérance civile. Un épisode fait figure à cet égard de symptôme avant-coureur : c'est le heurt du cardinal de Lorraine et du maréchal de Montmorency à Paris, le 8 janvier 1565. Le premier, qui, après son retour du concile de Trente, pense désormais que la concorde religieuse ne peut pas être obtenue par la conciliation mais doit être imposée par la force, veut entrer ce jour-là dans la capitale avec une importante escorte en armes ; il est accompagné de son neveu le duc Henri de Guise. Or le roi a interdit la venue de troupes armées privées à Paris. Le gouverneur de la ville, François de Montmorency, qui s'est fait l'instrument de la politique de tolérance, s'oppose à son entrée avec bon nombre de gentilshommes des deux confessions ; un bref combat, au carrefour de la rue Saint-Honoré et de la rue Saint-Denis, s'engage alors, à l'issue duquel le cardinal est obligé de se réfugier dans la boutique d'un cordier. L'affaire fait grand bruit et accroît l'inimitié des Guises contre la maison des Montmorencys, dont font partie les Châtillons. Des rumeurs prêtent au cardinal l'intention de créer une ligue de grands seigneurs catholiques pour pourvoir à leur défense.

Réforme et Contre-Réforme dans l'Église catholique

L'œuvre du concile de Trente

Le débat sur la tolérance se complique de l'épineuse question de la réception des décrets du concile de Trente. La troisième série de séances, après celles de 1545-1548 et de 1551-1552, s'ouvre le

18 janvier 1562. Contrairement aux vœux de Catherine de Médicis et du cardinal de Lorraine, les protestants n'y assistent pas ; en guise de désapprobation, la délégation des évêques français, conduite par le cardinal, n'arrive qu'en novembre. La reine mère espère encore faire changer le lieu de réunion, récusé par les adeptes de la Réforme : en avril 1563, elle envoie dans ce but René de Birague, alors conseiller au Conseil du roi, auprès des pères conciliaires puis de l'empereur. Dans l'instruction confiée à son émissaire, elle écrit :

> Il est toujours entendu que le lieu de Trente est si suspect à tous les princes et peuples protestans d'Allemagne, qu'il n'y en a un seul, ni aussi des royaumes d'Angleterre, Éscosse, Dannemarch, Suède et autres, qui y veuille comparoistre. Or de les condamner de leurs opinions et exercices de religion qu'ilz n'ayent esté ouïs, ce seroit, au lieu de les attirer en une union avec nous, les en aliéner entièrement ; en quoy faisant voilà des membres qui demeurent perpétuellement séparez du corps [...] Et qui voudra penser qu'ils reçoivent et obéissent aux décrets du concile faits en leur absence, il se trompe (*Lettres*, pub. par H. de La Ferrière, 1885, t. II, p. 13).

Les craintes de la reine mère sont fondées. Le concile continue de siéger à Trente jusqu'à la clôture solennelle du 5 décembre 1563 ; il ne travaille pas à un accord avec les hérétiques mais à la définition du dogme catholique.

Son œuvre doctrinale porte sur les points contestés. Au *sola Scriptura* des protestants les Pères opposent « les traditions non écrites » dont l'Église est le dépôt, source de vérité après le texte biblique ; ils arrêtent le nombre des livres canoniques qui composent ce dernier et déclarent authentique la version latine de la *Vulgate*. Face au *sola fide* ils réaffirment la liberté humaine, mais en donnent une formulation qui est « un petit chef-d'œuvre de gymnastique théologique » (M. Venard, *Hist. du christianisme*, 1992, p. 243) : l'homme est impuissant à se justifier tout seul par ses « œuvres », mais il peut librement se mettre ou non en condition de recevoir la grâce initiale qui amorce en lui le processus de justification, auquel il peut ensuite contribuer. Outre les deux sacrements (baptême et eucharistie) reconnus par les protestants, le concile maintient les cinq autres qu'ils récusent : confirmation, mariage, pénitence, extrême-onction, et enfin le sacrement de l'ordre, qui manifeste le caractère sacré du ministère sacerdotal. La présence réelle et substantielle du Christ dans les espèces consacrées, qui n'ont plus de pain et de vin que les propriétés (les « accidents », selon la terminologie scolastique qui inspire aussi le mot de *transsubstantiation*) est affirmée, et l'accès des laïcs à la communion sous les deux espèces est refusé. La messe est l'actualisation du sacrifice unique du Christ. Enfin, l'existence du purgatoire, le culte des saints, l'utilité des images sont maintenus.

Dans l'œuvre disciplinaire, deux points ressortent particulièrement. Le décret sur les séminaires (*seminaria*, pépinières) prévoit des collèges où des jeunes garçons pauvres (à partir de 12 ans) seront instruits et éduqués gratuitement : ainsi seront préparées des recrues pour le sacerdoce ; mais les séminaires tels qu'ils apparaîtront plus tard, où les futurs prêtres recevront une formation spécifique, ne sont pas encore envisagés. Le décret *Tametsi* déclare nuls les mariages clandestins, et exige pour la validité du sacrement la présence du curé d'un des deux époux ainsi que de deux témoins ; mais il ne va pas jusqu'à demander le consentement des parents comme le souhaitait la monarchie française, dont l'édit de 1557 fait de ce consentement une condition indispensable. Pour le reste, le concile est l'aboutissement de plus d'un siècle de travail obstiné de l'Église pour se réformer : les évêques dans leurs diocèses et les curés dans leurs paroisses doivent se dévouer au salut des âmes.

Le concile consacre la victoire d'une conception hiérarchique de l'Église ; le pape énergique qui est élu le 1er février 1566, Pie V (qui sera canonisé), dispose désormais de moyens efficaces pour la régénération espérée, dans ses deux aspects de Réforme intérieure et de Contre-Réforme militante. L'œuvre est parachevée par la publication en 1564 d'un *Index* (liste) des livres interdits, où il est précisé que la lecture de la Bible traduite en langue vulgaire, dangereuse pour les âmes mal informées, ne peut être faite qu'avec l'autorisation écrite de « l'évêque ou l'inquisiteur », et par celle d'un Catéchisme officiel en 1566, dont la traduction française paraît en 1567 sous le titre de *Catéchisme aux curés*. Suivent le *Bréviaire* en 1568 et le *Missel* en 1570.

Le problème de la réception des décrets

Le cardinal de Lorraine, de retour en France, met tout en œuvre pour faire recevoir les décrets du concile. Mais il se heurte à une double difficulté. Il y a d'abord les réticences gallicanes traditionnelles, surtout sensibles dans les Parlements et, au sein du clergé, dans les chapitres. L'obstacle essentiel est cependant que la publication des décrets semble inconciliable avec l'édit d'Amboise, qui autorise la liberté de conscience et une liberté limitée du culte réformé. Pour la plupart des acteurs du jeu politique s'établit clairement l'équation suivante : la réception des décrets égale l'abrogation de l'édit, et donc la guerre. Les efforts du cardinal de Lorraine n'aboutissent pas.

Cela ne signifie pas que l'esprit de Trente ne se diffuse pas en France. Les principaux artisans de cette pénétration sont les Jésuites, autorisés officiellement dans le royaume depuis 1561 (mais leur premier collège, celui de Billom en Auvergne, date de 1556). Leur Compagnie, liée au pape par un vœu spécial d'obéissance et soustraite à l'autorité des évêques, suscite une hostilité viscérale chez les gallicans ; en outre, leur statut ambigu de religieux vivant dans le monde inquiète. Malgré cela, ils accomplissent une œuvre remarquable. Ils ouvrent en 1564 à Paris, rue Saint-Jacques, le collège de Clermont, qui va former des générations de futurs dirigeants ; ils provoquent par là la fureur de l'Université de Paris, qui leur intente un procès et confie à l'avocat Étienne Pasquier le soin de prononcer contre eux un retentissant réquisitoire en 1565. Le collège n'en continue pas moins ; un peu partout, les jésuites prêchent, publient, rassurent les âmes, comme le P. Auger à Lyon et le P. Possevin à Paris et Rouen.

Les débats et les craintes des réformés

La mise en cause de la Discipline par Morély

Face à l'élan catholique, le dynamisme des réformés ne s'émousse pas, mais il se disperse en partie dans des querelles internes.

La plus grave est provoquée par la parution à Lyon, en avril 1562, du *Traicté de la discipline et police ecclésiastique*, du théologien Jean Morély. C'est une attaque en règle contre le système presbytérien-synodal tel qu'il s'est établi dans les églises réformées depuis l'adoption d'une *Discipline* commune par le premier synode national de Paris en 1559. Pour Morély, le consistoire a trop de pouvoir et l'assemblée des fidèles pas assez ; c'est à celle-ci que doit revenir le soin d'élire les pasteurs, de juger de la doctrine, de surveiller les mœurs et de prononcer l'excommunication. Il veut appliquer au gouvernement des églises l'idéal du régime mixte cher à Aristote et à Polybe (voir chap. 14). Pour lui, l'élément monarchique est figuré par le Christ, tête de l'Église ; l'élément aristocratique l'est par le consistoire, qui détient le pouvoir exécutif ; l'élément démocratique l'est enfin par l'assemblée des fidèles, qui doit avoir la puissance souveraine. Sa conception de la « démocratie » dans les églises ne doit cependant pas être mal comprise : il partage l'aversion universelle pour le gouvernement de la « multitude » et n'admet dans l'assemblée que les membres qui en sont dignes, c'est-à-dire âgés de plus de 15 ans, admis au sacrement de la Cène et ayant fait la confession publique de leur foi ; en sont exclus les enfants, les femmes, les marchands accapareurs (seuls doivent être acceptés ceux qui laisseront visiter leurs greniers par le consistoire...), les fabricants d'idoles, les faiseurs d'horoscopes et les joueurs. En outre, il récuse fermement, sauf pour élire les ministres et les anciens, le vote à la majorité, ce qui reviendrait à « compter » les voix au lieu de les « peser » ; il veut croire que l'action de l'Esprit saint conduira l'assemblée à un consensus (Philippe Denis et Jean Rott, 1993).

Enfin, il refuse la structure hiérarchique du régime presbytéro-synodal : il accepte bien l'existence des synodes provinciaux et nationaux, mais ne leur donne qu'un pouvoir consultatif et leur dénie la « puissance de déterminer ».

Son système rappelle l'expérience des églises naissantes, telles que celles des réfugiés à Strasbourg, Francfort ou Wesel, ou encore les premières églises françaises, où pasteurs et anciens ont pu être choisis par les fidèles. Il préfigure en partie le congrégationalisme anglais qui sera fondé par Robert Browne vers 1580. L'idéal de la souveraineté de l'assemblée présenté par Morély trouve des appuis en Ile-de-France, à Orléans, en Languedoc ; il a les sympathies de gentilshommes comme les Châtillons et Soubise ; à partir de 1570, il reçoit l'approbation militante du philosophe Pierre Ramus. Mais il se heurte au modèle genevois, plus autoritaire, qui, adapté par la *Discipline* de 1559, ne laisse aux fidèles que la faculté d'approuver ou « protester » les pasteurs. En un sens, le livre de Morély symbolise les résistances françaises à ce qu'il appelle, dans une lettre à son ami le pasteur Hugues Sureau du Rosier, « la tyrannie de ceux de Genève ».

La consolidation du modèle genevois

Le principal adversaire de Morély est Théodore de Bèze, dont le rôle spirituel devient dominant à Genève après la mort de Calvin en 1564. Il mesure les risques d'éclatement qui menacent le protestantisme français, dans lequel des courants luthériens, sacramentaires et même anabaptistes sont encore perceptibles ; ce n'est pas le moment de donner trop de pouvoir à l'assemblée des fidèles. Il croit pourtant comme Jean Morély aux vertus du régime mixte ; mais il privilégie l'élément aristocratique du consistoire et tient à la structure hiérarchique des synodes. Il est largement responsable de la condamnation qui frappe le livre de Morély au synode national d'Orléans réuni à la fin d'avril 1562. L'auteur est ensuite excommunié en août 1563 par les ministres de Genève, et son *Traité* est publiquement brûlé le 18 septembre de la même année. La polémique se poursuit cependant pendant dix ans, malgré le renouvellement de la condamnation au synode national de Paris réuni le 25 décembre 1565, jusqu'à la sentence finale du synode national de Nîmes en juin 1572. Morély se réfugie en Angleterre.

Théodore de Bèze continue à se battre pour l'unité des réformés. En 1565, il approuve la condamnation par le synode de Paris d'un livre du juriste Charles Dumoulin, *Collatio et unio quatuor evangelistarum Jesu Christi*, pour ses déviations doctrinales et diciplinaires. Il lutte aussi contre la diffusion, à partir de 1568, des idées d'Éraste, théologien de Heidelberg qui veut réserver à l'État le pouvoir de censure et nie l'autonomie de l'Église en matière disciplinaire. La correspondance de Bèze témoigne de ces efforts pour préserver le modèle genevois.

La montée de l'inquiétude des huguenots

La fragilité de la paix accapare cependant de plus en plus l'attention des églises réformées. Les incidents se multiplient. Certains sont provoqués par le choc de deux militantismes aussi acharnés l'un que l'autre : ainsi lorsqu'une procession de catholiques se heurte à un cortège de huguenots revenant du prêche, et que chacun tente d'abord de couvrir par ses chants ceux des autres puis en vient aux mains, comme cela arrive à Rouen en mars 1564 ou à Provins en 1566. D'autres sont déclenchés par des rumeurs et des pulsions : ainsi à Lyon, où la découverte d'une mine sous la citadelle en février 1567 fait porter immédiatement les soupçons sur les réformés et aboutit au saccage du temple des Terreaux. D'autres enfin sont le résultat de l'action des ligues catholiques.

Pour quelques-uns des plus audacieux des huguenots, un espoir d'évasion s'ouvre en 1562 avec la tentative du Dieppois Jean Ribault pour aller fonder en Floride une colonie où ils pourraient pratiquer leur culte en liberté ; mais cette aventure se termine tragiquement par le massacre des colons par les Espagnols en 1565. Dans certaines églises, surtout dans la moitié nord de la France, commence à se faire sentir un déclin numérique. Le durcissement des frontières doctrinales entre les deux confessions force bien des sympathisants à choisir, et beaucoup le font en optant pour la religion traditionnelle. Par ailleurs, certains fidèles se sentent découragés par les difficultés à protéger leur vie, leurs biens et leurs charges. De plus en plus, l'espace de liberté se resserre autour des huguenots, chez qui grandit le sentiment que l'édit d'Amboise va être révoqué.

En août 1566 survient un événement majeur, qui va avoir des conséquences profondes sur l'évolution française : la révolte des Pays-Bas contre le roi d'Espagne. Celui-ci envoie, pour la réprimer, le duc d'Albe à la tête d'une puissante armée qui quitte le Milanais espagnol en remontant le long de la frontière orientale du royaume. Pour protéger cette frontière, Catherine de Médicis fait lever, au printemps 1567, 6 000 Suisses et 10 000 fantassins français. Mais, une fois l'armée du duc d'Albe passée, les Suisses ne sont pas licenciés. Les chefs militaires huguenots sont envahis par le soupçon : serait-ce pour les tourner contre eux ? Ils veulent alors reprendre l'initiative.

La deuxième guerre civile (septembre 1567-mars 1568)

La surprise de Meaux

A la cour, l'influence du cardinal de Lorraine croît ; les huguenots n'observent pas sans inquiétude qu'il attire de plus en plus vers lui le jeune frère du roi, Henri. Les Châtillons redoutent la volonté des Guises de venger la mort du duc François, malgré la réconciliation formelle que Catherine de Médicis a réussi à arracher aux antagonistes à Moulins en janvier 1566. Le passage du duc d'Albe réveille en outre les rumeurs d'un pacte qui aurait été conclu avec lui à Bayonne pour exterminer les réformés. Les chefs militaires de ces derniers sont alors conduits, après des débats passionnés au cours desquels la prudence de Coligny tempère la hardiesse de Condé et de d'Andelot (La Noue en révèle l'âpreté dans ses *Discours politiques et militaires*) à envisager un coup de force pour arracher le roi à l'influence du cardinal de Lorraine et mettre la légitimité monarchique de leur côté. C'est la *surprise de Meaux* : une troupe de gentilshommes volontaires appelée par Condé s'approche de Monceaux, où se trouve la cour ; mais celle-ci, avertie, prend peur, se replie dans la place forte de Meaux, puis, le 28 septembre 1567, gagne Paris à marches forcées sous la protection des Suisses ; les troupes condéennes n'osent pas s'attaquer à leurs piques baissées.

L'échec transforme le pari de Condé en catastrophe. Il est délicat pour lui de justifier une entreprise qui rappelle fâcheusement celle du triumvirat en mars 1562, contre laquelle il a émis des protestations si indignées. Cette fois, l'atteinte à la majesté du roi semble être du côté des réformés, et ni le roi ni la reine mère ne l'oublieront. C'est en tout cas le signal de la guerre.

Mobilisation et premiers affontements

La monarchie fait un effort militaire sans précédent : 60 000 hommes finissent par être rassemblés en Champagne en janvier 1568 ; en tout, en comptant les 8 500 Allemands qui arrivent ensuite, les garnisons et les forces levées par Monluc dans le Sud-Ouest, on arrive au nombre extraordinaire de 100 000 hommes environ sous les armes pour le roi (J. Wood, 1991). L'armée huguenote, comme lors de la première guerre, est composée de gentilshommes volontaires recrutés dans les réseaux d'amitié et les clientèles. Les troupes venues du Quercy et du Haut-Languedoc prennent le nom d'*armée des Vicomtes,* commandée par Caumont, Paulin, Bruniquel et Monclar ; en Bas-Languedoc, en Dauphiné et en Provence, le commandement échoit à Jacques de Crussol, frère de l'ancien protecteur des églises de Languedoc, à Charles Du Puy-Montbrun et à Paul de Mouvans. Ces forces méridionales finiront par rejoindre dans la vallée de la Loire celles de Condé et celles venues de l'Ouest. En janvier 1568, Condé reçoit le renfort de reîtres et lansquenets envoyés par l'électeur palatin (calviniste) Frédéric III et placés sous le commandement de Jean-Casimir, fils de ce dernier.

Plusieurs villes du Midi sont prises par les huguenots ; à Nîmes, à la Saint-Michel, des catholiques, dont le grand vicaire, des chanoines et des curés, sont tués et leurs corps jetés dans un puits de la cour épiscopale : c'est le massacre de la *Michelade*, qui fait au moins une vingtaine de morts.

La bataille de Saint-Denis et la paix de Longjumeau

Après l'échec de négociations avec la cour, l'armée huguenote assiège Paris et bloque toutes les voies d'approvisionnement ; le fameux pain blanc de Gonesse n'arrive plus, et les Parisiens murmurent. Le connétable fait alors sortir son armée (25 000 hommes environ) de la capitale, le 10 novembre 1567, devant la porte Saint-Denis. La bataille s'engage, au cours de laquelle Anne de Montmorency est mortellement blessé (il meurt deux jours après) ; les huguenots, très inférieurs en nombre, se replient à Saint-Denis puis à Montereau. Privée du commandement du connétable, l'armée est placée sous la direction de Monsieur, Henri d'Anjou, qui a été nommé lieutenant général du royaume.

Les forces condéennes prennent Orléans, Tours et Blois, puis assiègent Chartres. Des négociations s'engagent et aboutissent à la paix de Longjumeau (23 mars 1568), qui rétablit l'édit d'Amboise et supprime toutes les restrictions qui lui ont été apportées. Le roi s'engage à payer les mercenaires du Palatin ; il exige le désarmement des huguenots, mais renvoie à plus tard le licenciement de ses propres troupes. Ceci fait craindre aux réformés d'avoir été floués.

La disgrâce de Michel de L'Hôpital

La paix de Longjumeau apparaît comme une ultime tentative pour sauver la politique de tolérance civile restreinte instaurée par l'édit d'Amboise. Elle suscite une flambée de colère catholique.

Michel de L'Hôpital tente alors l'impossible pour s'opposer aux intransigeances; c'est ainsi qu'il refuse le sceau à la publication d'une bulle du pape autorisant la deuxième aliénation des biens du clergé, parce que la condition en est l'engagement du roi de France à extirper l'hérésie (H. Michaud, *La grande Chancellerie*, 1967, p. 45). Il ne fait que précipiter sa disgrâce, sensible dès la fin de juin; les sceaux lui sont retirés dans le courant du mois de septembre, alors que la troisième guerre a déjà commencé.

Le nouveau garde des Sceaux, Jean de Morvillier, est un modéré proche du chancelier; il n'en reste pas moins que le départ de ce dernier signale l'échec du premier essai de tolérance civile, auquel il a imprimé sa marque particulière: respect conjoint de l'autorité royale et du droit des consciences.

ORIENTATION BIBLIOGRAPHIQUE

Michel Cassan, *Le temps des guerres de Religion. L'exemple du Limousin (vers 1530 - vers 1630)*, Paris, Publisud, 1996, 464 p.

Philippe Denis, Jean Rott, *Jean Morély et l'utopie d'une démocratie dans l'Église*, Genève, Droz, 1993, 406 p.

Hubert Jedin, *Crise et dénouement du concile de Trente, 1562-1563*, Paris, Desclée, 1966, 220 p.

Joseph Lecler, Aux origines de la Ligue [...] (1561-1570), *Études*, 1936, p. 188-208.

Jean de Pablo, Contribution à l'étude de l'histoire des institutions militaires huguenotes, II : L'armée huguenote entre 1562 et 1573, *Archiv für Reformationsgeschischte*, 1957, n° 2, p. 192-215.

James B. Wood, The Royal Army during the Early Wars of Religion, 1559-1579, *Society and Institutions in Early Modern France* (M. Holt éd.), Univ. of Georgia Press, 1991, p. 1-35.

DEUXIÈME PARTIE
Internationalisation et politisation des enjeux (1568-1577)

Dès le début, le conflit français a des enjeux politiques internationaux. Mais c'est surtout à partir de 1568 qu'ils deviennent plus évidents, à la suite de la rigoureuse répression de la révolte des Pays-Bas par le roi d'Espagne. Les chefs huguenots voient dans cette violence une tentative d'assassiner, non seulement la liberté de conscience, mais la liberté tout court. Ils se sentent solidaires et soupçonnent le roi de France de vouloir imiter Philippe II, comme d'ailleurs celui-ci l'y pousse, au nom de la défense de l'autorité monarchique. Les trois crises majeures, et dans une certaine mesure parallèles, qui surviennent en 1568, 1572 et 1574 reflètent, chez les principaux acteurs du conflit, une mutation significative dans leur manière d'envisager le combat.

28. Les huguenots et les gueux ;
la troisième guerre (1568-1570)

Les événements de l'été 1568 sont d'une importance capitale pour l'évolution ultérieure de la situation française. Le massacre de la Saint-Barthélemy, en août 1572, ne peut, en particulier, être pleinement compris que si on le replace dans la perspective du processus qui s'enclenche pendant le bref répit qui sépare la deuxième et la troisième guerre civile, répit marqué par les répercussions en France de la terrible répression du duc d'Albe aux Pays-Bas.

La révolte des Pays-Bas et les exécutions de 1568

Le soulèvement des gueux (1566)

Les 17 provinces qui composent les Pays-Bas font partie, au milieu du XVIᵉ siècle, de l'héritage des anciens ducs de Bourgogne, qu'une politique matrimoniale avisée et les hasards successoraux ont mis depuis 1555 sous l'autorité du fils de Charles Quint, devenu roi d'Espagne sous le nom de Philippe II (voir tableau 7, p. 179). Elles sont très attachées à leurs privilèges et libertés. Chacune possède une Assemblée d'États, dont la composition varie ; dans les États des trois provinces les plus prospères, la Flandre, le Brabant et la Hollande, ce sont les villes qui ont un rôle dominant. Des États généraux se réunissent régulièrement depuis 1464, mais leurs députés sont étroitement liés par les instructions de chacun des

États provinciaux qui les délèguent. Cette structure donne à l'ensemble des 17 provinces l'allure d'un État confédéral. En outre, des textes y limitent l'autorité du souverain : ce sont, d'une part, les chartes de privilèges des villes et des provinces, dont la plus fameuse est celle connue sous le nom de *Joyeuse Entrée du Brabant* (1356), que chaque duc de Brabant doit jurer de respecter et, de l'autre, le *Grand Privilège* de 1477, qui affirme que le souverain ne peut déclarer la guerre ni lever de nouveaux impôts sans le consentement des États. Ces textes, sans être une constitution au sens d'aujourd'hui, n'en délimitent pas moins les droits respectifs du roi et des sujets, et restreignent les pouvoirs du premier. Le *Grand Privilège* et la *Joyeuse Entrée* comportent une clause de désobéissance : si le roi viole les privilèges, les sujets ont le droit de résister (M. Van Gelderen, 1992).

La diffusion de la Réforme aux Pays-Bas, dans sa forme calviniste ou, plus marginalement, anabaptiste, se fait essentiellement à partir de trois centres : le port cosmopolite d'Anvers (90 000 habitants environ), les zones d'active industrie textile de Flandre occidentale et la ville de Tournai, où les réformés sont en fréquents contacts avec les huguenots français.

Dans son souci d'extirper l'hérésie, Philippe II est nécessairement amené à vouloir accroître son autorité et à bousculer les privilèges. En 1559, une réorganisation des diocèses mécontente profondément ses sujets. La sévérité de la répression religieuse, qui continue celle des *placards* (édits) de Charles Quint, scandalise les réformés, mais aussi beaucoup de catholiques modérés ; tous craignent que l'inquisition espagnole ne soit introduite aux Pays-Bas. En outre, les exigences fiscales du roi sont très mal ressenties.

La politique royale apparaît d'autant plus insupportable qu'elle émane d'un souverain lointain (Philippe II a quitté définitivement les Pays-Bas en 1559), qui semble n'avoir en vue que les intérêts espagnols. Il se fait représenter par une gouvernante générale, sa demi-sœur Marguerite de Parme, mais la réalité du pouvoir est exercée par un homme détesté, symbole du gouvernement par des « étrangers », le cardinal Granvelle, un Comtois.

Une première étape de la résistance est constituée par la formation d'une ligue des grands nobles, en 1562. Ceux-ci, tels le prince Guillaume d'Orange et les comtes d'Egmont et de Hornes, occupent une place importante au principal Conseil, le Conseil d'État ; en se liguant, ils obtiennent en 1564 le renvoi de Granvelle. La deuxième étape est la création d'une confédération de membres de la noblesse moyenne, dirigée par Louis de Nassau, frère du prince d'Orange, et par son ami Henri de Bréderode ; ils signent en janvier 1566 le manifeste d'une ligue, le *Compromis des nobles,* véritable charte de la résistance à l'oppression religieuse et politique, invoquant le « devoir » des gentilshommes de défendre le « bien public ». Ces associés viennent, le 5 avril 1566, présenter leurs requêtes à la gouvernante ; traités de « gueux » par l'un des conseillers de celle-ci, ils relèvent l'insulte ; le soir même ils se réunissent dans un banquet, vêtus en mendiants, avec une besace sur l'épaule et deux écuelles au côté ; ils adoptent comme cri de ralliement : « Vive les gueux ! »

La troisième étape est l'explosion iconoclaste qui se produit en août 1566 : elle frappe d'abord les centres textiles de Flandre occidentale comme Hondschoote et Armentières, touchés par la crise économique qui sévit depuis 1565, puis elle gagne la majeure partie du pays ; les églises d'Anvers sont dévastées.

La répression du duc d'Albe

Philippe II décide alors d'envoyer un grand noble castillan, le duc d'Albe, châtier la rébellion. Le duc conduit d'Italie jusqu'aux Pays-Bas une imposante armée qui remonte le long de la frontière orientale française, faisant peur tant à Catherine de Médicis qu'aux huguenots. Il arrive à destination au cours de l'été 1567 et institue un tribunal d'exception, le *Conseil des Troubles.* Selon les estimations de A. Verheyden (*Le conseil des troubles,* Bruxelles, 1961), 12 000 personnes sont jugées ; 9 000, dont le prince d'Orange, sont condamnées par défaut et leurs propriétés confisquées ; plus de 1 000 sont exécutées, dont les comtes d'Egmont et de Hornes, suppliciés le 5 juin 1568.

Or ces deux chefs de l'opposition nobiliaire ont toujours affirmé leur attachement à la foi catholique : ils apparaissent donc comme les victimes d'un combat pour les libertés de leur pays, que le roi, ou plutôt ses mauvais conseillers, voudrait écraser sous le prétexte de la répression de l'hérésie. En outre, ils sont liés d'amitié et de parenté avec les Montmorencys et les Châtillons : le comte de Hornes s'appelle Philippe de Montmorency-Nivelle. Non seulement les réformés français se sentent menacés par la répression qui s'abat sur leurs coreligionnaires et y voient le début de l'exécution du pacte qui, selon eux, aurait été conclu à Bayonne, mais la soli-

darité nobiliaire réunit dans une commune inquiétude les principaux chefs huguenots et les grands nobles favorables à la tolérance.
Selon l'ambassadeur espagnol, Catherine de Médicis aurait dit
publiquement qu'elle voulait traiter les huguenots de la même
façon (lettre à Philippe II du 13 juin 1568, *Archivo Documental
Español*, t. X., 1959, n° 1652).

L'alliance des huguenots et des gueux

La « sainte Alliance » d'août 1568

Les relations entre les membres de la ligue formée aux Pays-Bas
en 1562 et les nobles français huguenots ou catholiques modérés, de
même que celles entre les fidèles calvinistes de part et d'autre de la
frontière s'intensifient en 1568. La répression du duc d'Albe provoque l'arrivée d'une vague de réfugiés en Picardie ; les huguenots
de cette province assemblent alors des forces pour porter secours à
leurs voisins.

Dès ce moment-là commence à se poser le dilemme qui va
empoisonner toute la politique française pendant des décennies :
faut-il soutenir les révoltés des Pays-Bas, tactique classique qui
consiste à attiser les difficultés intérieures d'un voisin trop puissant
afin de l'affaiblir ? Mais cette tactique ne comporte-t-elle pas des
risques énormes, d'une part, parce que l'armée espagnole a une
réputation d'invincibilité et, de l'autre, parce que les catholiques
fervents ne manqueront pas d'interpréter l'agression contre un
défenseur majeur du catholicisme comme une preuve d'adhésion à
l'hérésie ? Dilemme que seul Richelieu arrivera à maîtriser, en réus-
sissant le tour de force de faire coexister une politique pro-protes-
tante à l'extérieur et catholique à l'intérieur.

Quand la révolte des Pays-Bas éclate, la monarchie française
n'est pas en situation d'affronter l'Espagne. C'est pourquoi, lorsque
des huguenots montent une expédition pour aller aider leurs coreligionnaires, sous la direction de Paul de Mouvans et du capitaine
Coqueville – deux anciens participants à la conjuration d'Amboise –,
le maréchal de Cossé est envoyé pour l'intercepter : les huguenots
sont écrasés à Saint-Valéry, en juillet 1568, et Coqueville est exécuté.

L'attitude royale n'est pas étrangère au renforcement des liens

qui se produit au cours de l'été 1568 entre les chefs des réformés et
ceux des gueux. Depuis avril 1568, l'ambassadeur espagnol don
Francès de Alava fait état des bruits d'une entente entre eux. En
août 1568, un texte d'alliance est élaboré :

> Nous, Louys de Bourbon, Prince de Condé [...], Gaspar de Coligny, Admi-
> ral de France [...] et nous Guilliaulme de Nassau, Prince d'Orange [...],
> Ayants devant les yeulx la gloire de Dieu, la loyaulté et obligation que nous
> debvons à nos Princes, lesquels nous voyons par mauvais conseilliers qui ont
> occupé leurs oreilles, estre tombez en telle mécognoissance qu'ils ruinent
> leurs propres biens et fidelles subjects, et aliènent les affections d'iceulx, [...]
> Nous doncques, consydérants ces choses, pour obvier à ces inconvéniens et
> retrancher les desseings des susdicts conseilliers, après avoir meurement pesé
> les affaires et cognu que leur intention est d'exterminer la vraye religion et
> aussy la noblesse et autres gens de bien, sans lesquels les Roys ne peuvent
> estre maintenus en leurs Royaulmes, espérant sur le prétexte de cela establir
> leurs Tyrannies par tout et agrandir leurs dominations, avons, tant pour
> nous que au nom de la Noblesse, ausquels le faict touche à ceste heure de près
> pour les susdictes raisons, promis en foy de Princes et d'hommes de bien de
> pourchasser, tant qu'en nous est, la gloire de Dieu, le profict et service de nos
> Roys, et le bien publicq, et la liberté de la religion, sans laquelle nous ne pou-
> vons vivre en paix (texte pub. par G. Groen Van Prinsterer, *Archives ou Cor-
> respondance inédite de la maison d'Orange-Nassau*, 1ʳᵉ série, t. III, Leide, 1836,
> p. 282-286).

On notera la volonté prêtée aux conseillers du roi d'exterminer
la noblesse. Le texte ajoute que chaque partie contractant cette
« sainte alliance » devra secourir l'autre et que, ensuite, « le secours
envoyé se payera par celuy-là de nous qui l'aura demandé ». Il n'a
peut-être pas été signé effectivement, mais la suite des événements
montre sa validité : lorsque éclate la troisième guerre, Orange et
Nassau font entrer leur armée en France, de novembre 1568 à janvier 1569, pour aider les huguenots. A partir de ce moment se
posera pour Coligny le problème de la réciprocité, le « paiement du
secours », enjeu vital de la conjoncture politique au début des
années 1570 (N. M. Sutherland, 1984).

L'accentuation des pressions catholiques extérieures et intérieures

En même temps s'intensifie la volonté des puissances catholiques
d'en finir avec l'hérésie. La correspondance de l'ambassadeur d'Espagne en 1568 trahit un net durcissement de l'attitude espagnole : la

collusion entre les huguenots et les gueux devient le cauchemar de Philippe II. Le problème est compliqué par la situation anglaise. En mai 1568, la reine d'Écosse Marie Stuart, nièce du cardinal de Lorraine, s'enfuit et se réfugie chez sa cousine Élisabeth d'Angleterre, mais celle-ci la garde en fait prisonnière ; le cardinal de Lorraine pousse alors à une intervention pour sauver Marie Stuart. Les huguenots croient Élisabeth en danger, et des contacts sont noués avec des Anglais pour tenter de parer à la menace catholique. L'ambassadeur espagnol Francès de Alava en viendra à faire apercevoir à son maître une sorte d'entente internationale subversive des protestants (*Arch. Doc. esp.*, t. XI, 1960, n° 1665). Philippe II prône un remède radical : il faut, écrit-il le 4 mai 1568 à l'ambassadeur, que le roi et sa mère « coupent les têtes » *(cortan las cabezas)* des chefs huguenots. S'ils ne le font pas, le roi perdra sa couronne et sa vie (*ibid.*, t. X, n° 1632). On le voit, il se place sur un terrain politique : il s'agit de la défense de l'autorité monarchique.

Le pape Pie V, pour sa part, reste dans le domaine religieux mais fait aussi pression sur le roi de France ; on se souvient que Michel de L'Hôpital essaie en vain de refuser les sceaux à la bulle autorisant la deuxième aliénation des biens du clergé, parce que la condition en est que le roi s'engage à extirper l'hérésie (voir chap. 27). La disgrâce du chancelier éloigne l'obstacle le plus redoutable aux instances des puissances catholiques ; c'est le cardinal de Lorraine, de nouveau influent au Conseil à partir de mai-juin 1568, qui s'en fait l'instrument (malgré quelque méfiance espagnole à son égard).

A l'intérieur du royaume, les ligues et confréries catholiques ont beau être interdites par la paix de Longjumeau, elles renaissent avec vigueur. Outre celles déjà apparues en Bourgogne et Limousin (voir chap. 27), il s'en crée à Bourges, Orléans, Angers, Troyes, Le Mans. A Troyes, l'association est formée par le lieutenant-général Charles de La Rochefoucauld, et son serment est manifestement inspiré de celui de la confrérie du Saint-Esprit à Dijon. Au Mans, Louis d'Angennes, frère de l'évêque de la ville, reconstitue en juillet 1568 une ancienne ligue regroupant des gentilshommes, des officiers royaux et des notables urbains, qui se réunissent dans le couvent des Jacobins hors les murs pour jurer de lutter contre les huguenots et Satan. Des expéditions punitives multiplient les assassinats de réformés : en juillet, par exemple, six hommes masqués abattent le lieutenant de la compagnie de d'Andelot devant sa maison près de Mâcon, et Coligny, en se plaignant au roi, accuse la confrérie du Saint-Esprit. A la même époque, Condé dénonce à Charles IX le fait que des gentilshommes armés servent de tueurs à la confrérie d'Autun (R. Harding, 1978). « Ceste meschante petite paix, écrit La Noue (*Discours*, éd. Sutcliffe, 1967, p. 712), qui ne dura que six mois, fut beaucoup pire [que la guerre] pour ceux de la Religion, qu'on assassinoit en leurs maisons, et ne s'osoyent encore defendre. »

Devant la prolifération ligueuse, le roi adopte une attitude semblable à celle qu'il a déjà choisie en 1565 : il prend la tête du mouvement. Le 14 août, la formule d'un serment est envoyée à tous les gouverneurs et aux chefs des ligues existantes, afin qu'elles se fondent en une seule sous la direction du souverain.

La troisième guerre civile (août 1568 - août 1570)

Un guet-apens manqué contre Condé et Coligny ?

Dans ce contexte hostile, il n'est pas étonnant que les chefs huguenots prennent peur. Condé et Coligny se trouvent, à la fin d'août 1568, en Bourgogne, à Noyers et Tanlay. Or, le 23 août, ils s'en enfuient précipitamment, avec la famille de Condé et quelques centaines de soldats. Leur troupe se grossit en chemin de nombreux huguenots ; ils ne s'arrêtent qu'une fois en sûreté à La Rochelle. Après avoir traversé la Loire par un gué hasardeux, ils entonnent le cantique chanté jadis par les Hébreux poursuivis par la vindicte de Pharaon et sortis sains et saufs de la mer Rouge. Condé justifiera sa fuite en disant que le cardinal de Lorraine et « ses complices et adhérents », poussés par l'Espagne, ont voulu le faire tuer ainsi que l'amiral. Que s'est-il passé ? A-t-on affaire à une sorte de première Saint-Barthélemy ?

La peur de Condé d'être assassiné est sans doute réelle. Ses soupçons ont de quoi s'étayer : par deux fois, Francès de Alava rapporte être mêlé à une « négociation pour tuer le prince de Condé », dans laquelle serait impliqué le cardinal de Lorraine (*Arch. Doc. esp.*, t. X, n°s 1646 et 1649). Dans une lettre du 7 juillet 1568, il raconte à Philippe II que la reine mère, se promenant dans une galerie dont elle a pris soin de fermer les fenêtres, lui a dit que le roi a ordonné à Gaspard de Tavannes, lieutenant général de Bourgogne, d'arrêter ou tuer Condé et Coligny, mais que Tavannes a refusé (*ibid.*, n° 1668). Ces paroles, si elles ont été dites, sont proba-

blement une manière de gagner du temps face aux pressions espagnoles : le « refus » de Tavannes est sans doute une excuse inventée.
L'ambassadeur, d'ailleurs, ne croit pas vraiment à la détermination
de Catherine. Une lettre du 20 août de Tavannes, adressée au roi,
prouve qu'il n'a reçu à cette date aucun ordre en ce sens ; mais elle
montre aussi que Condé est persuadé que le lieutenant général prépare un mauvais coup contre lui (S. C. Gigon, 1909).

Là est bien l'essentiel : le soupçon s'installe pour un long moment
entre le roi et les chefs huguenots. Ceux-ci ne croient pas encore à sa
malignité personnelle, mais ils le voient manipulé par des pressions de
toute sorte, venues des catholiques intransigeants de l'intérieur
comme de l'extérieur, si bien que de sa bouche et de sa main peut
venir le mal, même malgré lui. Cela va poser pour eux de manière
urgente et impérative le problème du contrôle des paroles et des actes
du roi, c'est-à-dire un problème éminemment politique.

Le reflux de l'espoir des huguenots et leur radicalisation politique

La fuite de Condé et de Coligny marque le début de la troisième guerre civile. Dès leur installation à La Rochelle, c'est cette
ville qui remplace Orléans comme quartier général des huguenots.
Leurs principaux chefs y convergent : La Noue, Montgomery, La
Rochefoucauld ; la reine de Navarre, Jeanne d'Albret, y amène son
jeune fils Henri. La place est facile à défendre ; en outre, elle peut
recevoir des secours d'Angleterre ou des Pays-Bas. « Gueux de
mer » zélandais et pirates rochelais attaquent ensemble les vaisseaux espagnols ou français.

L'édit de Saint-Maur, enregistré le 23 septembre 1568, supprime toute liberté de culte aux réformés ; il est qualifié de « perpétuel et irrévocable ». La liberté de conscience demeure, mais les
ministres doivent quitter le pays. Un deuxième édit prive de leurs
charges tous les officiers royaux non catholiques. C'est, pour beaucoup de huguenots, l'effondrement de leurs espérances : il leur
devient évident que la monarchie, dans son état actuel, ne pourra
être gagnée de l'intérieur comme ils le croyaient. Pour accéder au
pouvoir, il leur faut en changer la forme, ou plutôt, selon un raisonnement conforme à leur conception de l'histoire, lui redonner le
visage qu'elle est censée avoir eu à l'origine, avant les innovations
tyranniques. C'est à partir des années 1567-1568, et non après 1572

comme on le croit souvent, que la pensée politique huguenote commence à se radicaliser. Il y a eu au début des années 1560, il est vrai, quelques indices d'un durcissement (voir chap. 25) ; mais ils sont restés relativement isolés ou étouffés par les responsables des communautés réformées. Ils deviennent beaucoup plus nombreux et affirmés lors des deuxième et troisième guerres.

Dès 1567, les libelles justifiant la prise d'armes de Condé développent une argumentation politique hardie. Selon ces textes, le prince veut défendre le « bien public », c'est-à-dire « l'ordre ancien » du royaume, qui concerne tous les bons sujets du roi, quelle que soit leur religion : « il faut mettre à part toute différence » ; le remède est la réunion des États généraux *(Advertissement sur la Protestation de Monseigneur de Condé)*. La guerre qu'il conduit ressemble en tous points à la « guerre du Bien public », menée en 1465 contre la tyrannie de Louis XI ; le but est identique : rendre aux États généraux leur rôle de contrôle de la monarchie *(Mémoires des occasions de la guerre appelée le Bien public, rapportez à l'estat de la guerre présente)*. Le principe de la réunion fréquente des États est l'une des « anciennes ordonnances, sur lesquelles l'Estat est fondé » *(De la nécessité d'assembler les États)*. Le roi doit être considéré comme toujours mineur, dans le sens où il a toujours besoin auprès de lui, même s'il est d'âge mûr, d'un « légitime conseil », qui représente mieux les intérêts des sujets que trois ou quatre mauvais conseillers ; c'est le « consentement volontaire » des sujets qui fait les rois *(Requeste et remonstrance du peuple, adressante au Roy)*.

Il y a donc une radicalisation dès 1567. Mais une étape importante est franchie en 1568. On en saisit la portée en lisant un traité rédigé sans doute entre octobre 1568 et mars 1569, intitulé *Question politique : s'il est licite aux subjects de capituler avec leur prince*. Robert Kingdon, qui en a donné une édition en 1989 (Droz), l'attribue, reprenant une hypothèse d'Eugénie Droz, à Jean de Coras, parlementaire toulousain, chancelier de la reine de Navarre et réfugié à La Rochelle. *Capituler*, c'est d'abord contracter avec le roi. L'auteur imagine un contrat initial entre le peuple et le prince, lors de l'élection de ce dernier, impliquant des obligations réciproques et donnant un caractère conditionnel à l'obéissance des sujets. Des traces écrites subsistent de ce contrat : d'une part le serment que le roi jure à son sacre, de l'autre les chartes des privilèges urbains et provinciaux. La monarchie a donc une nature contractuelle, qui lie le roi.

Capituler, c'est aussi travailler ensemble à l'élaboration des décisions collectives. Trois instances, trois « compagnies » doivent partager la souveraineté avec le roi : les États généraux, les Parlements et le Conseil des pairs de France.

> Les histoires [...] nous certifient qu'en tel temps [autrefois] les roys portoient si grand respect à telles assemblées, qu'ils n'entreprenoyent aucunes guerres, ne publioyent aucunes loix ou édicts, n'imposoient aucunes levées de deniers, et n'entreprenoyent autres choses appartenantes à la police publique sans le bon et meur [mûr] conseil de l'une des trois compaignies à la censure desquelles se modéroyent toutes les volontez des Princes (éd. citée, p. 12).

Capituler, enfin, c'est, le cas échéant, « résister » à la « volonté du roy », au besoin par les armes. L'auteur dénonce le Conseil secret, tenu « dedans des cabinets, ou au coing d'une cheminée, ou en une ruelle de lit », ce qui favorise l'influence du « paradoxeur » (le cardinal de Lorraine) ; il vitupère la « puissance absolue » et les « tyrannies papistiques et Turquoises ». Même si Charles IX est encore présenté comme un bon roi, un avertissement lui est adressé : qu'il songe au sort de Childéric, détrôné par ses sujets. Il y a là une préfiguration des thèses monarchomaques. D'ailleurs c'est en 1567-1568 que Hotman rédige l'essentiel de sa *Francogallia*, publiée en 1573 (R. Giesey, préface à l'éd. de Cambridge, 1972).

De nombreux autres traités, libelles et manifestes issus de La Rochelle révèlent aussi la radicalisation de 1568 (V. de Caprariis, 1959 ; D. Crouzet, 1994). La *Déclaration de ceux de la religion réformée de La Rochelle* affirme que les rois qui se dressent contre Dieu sont *ipso facto* réduits à l'état de personnes privées. Le *Discours par dialogue sur l'édit de la révocation de la paix* (1569) blâme les rois qui usent « d'absolue puissance contre les loix ». Les manifestes de Condé et de Jeanne d'Albret dénoncent la collusion des Guises et de l'Espagne.

La bataille de Jarnac et la mort du prince de Condé (13 mars 1569)

Des deux côtés, les armées font appel aux secours étrangers. Catherine de Médicis a négocié des emprunts auprès des puissances catholiques, le pape, le roi d'Espagne et le duc de Toscane. Les huguenots reçoivent, on l'a vu, le concours de Guillaume d'Orange et des « gueux de mer » ; il obtiennent aussi une aide financière d'Élisabeth ; enfin, les princes protestants allemands leur envoient une armée sous le commandement du duc des Deux-Ponts, Wolfgang de Bavière.

L'armée de Condé et de Coligny, après avoir conquis les villes de Poitou et de Saintonge nécessaires à la sécurité de La Rochelle, est rejointe par « l'armée des vicomtes », déjà levée en Quercy, Périgord et Rouergue pendant la deuxième guerre, et par des troupes venues de Dauphiné, Provence et Languedoc, conduites par Paul de Mouvans (qui meurt à l'automne) et par Jacques de Crussol, sieur de Beaudisné puis baron d'Assier après 1567, frère d'Antoine, devenu duc d'Uzès. Le 13 mars 1569 est livrée à Bassac, près de Jarnac sur la Charente, en Angoumois, une bataille qui est une défaite pour les huguenots.

Le prince de Condé y trouve la mort d'une manière qui remplit ses partisans d'indignation. Tombé de cheval, la jambe brisée, il s'est rendu à un gentilhomme catholique lorsqu'il est tué d'un coup de pistolet dans la tête par Montesquiou. Or Montesquiou est le capitaine des gardes de Monsieur, Henri d'Anjou. Il y a plus : celui-ci humilie publiquement le cadavre du prince en le faisant transporter à Jarnac sur une ânesse, « par desrision..., bras et jambes pendantes », raconte Brantôme (A. M. Cocula, 1988). Une rivalité personnelle a opposé Condé et Henri d'Anjou au sujet de la charge de lieutenant général du royaume ; mais, pour les hugue-nots, cet assassinat entre dans la logique d'extermination de leurs chefs, à laquelle ils croient de plus en plus. D'Andelot meurt en mai 1569 : ils pensent aussitôt qu'il a été empoisonné. De fait, après Jarnac, les pressions espagnoles et pontificales s'accroissent : l'am-bassadeur d'Espagne demande nommément la mort de Coligny, d'Andelot et La Rochefoucauld ; quant aux lettres de Pie V au roi, elles sont « un appel constant au massacre des protestants » (N. Lemaître, 1994, p. 260). Le 13 septembre, le Parlement émet un « arrêt de mort » privant Coligny de ses honneurs, charges et biens, et met sa tête au prix de 50 000 écus. Au début d'octobre, Charles de Louviers, seigneur de Maurevert, celui-là même qui tentera d'assassiner Coligny le 22 août 1572, tue l'un des lieute-nants de l'amiral, Artus de Mouy.

La Roche-L'Abeille et Moncontour (25 juin et 3 octobre 1569)

Les combats de la troisième guerre civile sont marqués par un impitoyable esprit de représailles, où le sentiment d'être l'instru-ment de la colère de Dieu voisine avec le désir de venger les parents et les amis tombés sous les coups de l'adversaire. La vengeance de Jarnac s'exerce à La Roche-L'Abeille (près de Saint-Yrieix, en Limousin) ; les huguenots surprennent devant cette place et anéantissent plus de cinq cents arquebusiers catholiques, faisant très peu de prisonniers. Coligny pousse une pointe en Périgord, où ses troupes se trouvent exposées à la guérilla meurtrière des paysans conduits par leurs curés qui ont, à l'automne précédent, déjà décimé les hommes de Paul de Mouvans ; exaspéré, il fait procéder à des exécutions systématiques pour terroriser les agresseurs. Celle du château de La Chapelle-Faucher est particulièrement atroce : plus de 250 paysans ramassés au hasard sont enfermés dans une salle et massacrés.

La vengeance de La Roche-L'Abeille s'exerce à son tour à Moncontour, au nord du Haut-Poitou, où Coligny, après avoir assiégé sans succès Poitiers, rencontre l'armée de Henri d'Anjou. C'est la seconde défaite grave des réformés ; Coligny est blessé mais réussit à s'enfuir. Les mercenaires suisses ne font pas de prisonniers : ils égorgent méthodiquement au couteau, jusque tard dans la nuit, les reîtres et les Français qui se rendent.

Les batailles de Jarnac et de Moncontour assoient chez les catholiques la réputation du jeune duc d'Anjou (il a alors 19 ans). Bien que le maréchal de Tavannes ait été le véritable chef, il a fait preuve de vaillance. Les poètes de cour chantent ses louanges ; Ronsard compose un poème qui célèbre ses victoires sur les hérétiques : « Tel qu'un petit aigle fort, /Fier et fort, /Ils ont été foudroyés, /Foudroyés, /sur les bords de la Charente »... Le duc d'Anjou apparaît de plus en plus aux catholiques fervents comme le chef espéré (Pierre Chevallier, 1985).

La marche de Coligny

Mais, pendant l'hiver, les forces huguenotes se reconstituent dans la vallée de la Garonne, avec l'armée des vicomtes et les troupes de Montgomery qui viennent du Béarn. Au printemps, après avoir pillé le Toulousain, l'armée de Coligny commence une grande marche dévastatrice à travers le Midi. Le gouverneur de Languedoc, le maréchal Henri de Montmorency-Damville, montre une curieuse indolence pour le poursuivre, dénoncée par un Blaise de Monluc indigné : il a sans doute commencé à ce moment-là l'évolution qui le conduira à se dissocier d'une politique catholique intransigeante. Deux autres maréchaux, François de Montmorency, le frère aîné de Damville, et François de Vieilleville, font preuve à ce moment-là des mêmes réticences à s'engager à fond contre les huguenots. Leur attitude montre à quel point la noblesse française est divisée ; cette division se retrouve au Conseil. C'est l'obstacle le plus important que rencontrent les pressions des puissances catholiques. Le parti de la modération prend de plus en plus de force au fur et à mesure que Coligny, remontant la vallée du Rhône puis victorieux à Arnay-le-Duc (27 juin 1570) et parvenu jusqu'à La Charité, se rapproche dangereusement de Paris. Les négociations, déjà engagées durant l'été 1569, reprennent pendant l'hiver ; les Guises se révèlent incapables de les orienter et finissent par être disgraciés. La manifestation la plus connue de cette disgrâce est la colère qu'essuie Marguerite de Valois de la part de sa mère et du roi son frère pour avoir flatté les espoirs du jeune duc de Guise de l'épouser.

L'édit de Saint-Germain (8 août 1570)

La faillite des édits précédents a rendu les huguenots exigeants sur leur sécurité ; ils obtiennent donc, pour la première fois, quatre places de sûreté pour deux ans : La Rochelle, Cognac, La Charité-sur-Loire et Montauban. C'est, pour le roi, consentir à abandonner son monopole des armes. Le culte réformé est autorisé dans les maisons des seigneurs hauts-justiciers, dans les lieux où il était célébré jusqu'au 1er août 1570, et dans les faubourgs de deux villes par gouvernement (et non plus une par bailliage). Les réformés doivent retrouver leurs charges et leurs biens. Le roi réintègre ses « chers et bien aimés cousins » le prince d'Orange et Louis de Nassau dans les biens qu'ils possèdent en France.

La paix de Saint-Germain, bien que surnommée « boiteuse et mal assise » (elle a été négociée par le boiteux Biron et par Henri de Mesmes, seigneur de Malassise) est mieux conçue que les précédentes. Mais elle n'éteint pas le soupçon qui s'est installé des deux côtés : le roi accuse ses sujets huguenots de vouloir contrôler et diminuer son autorité, et ceux-ci suspectent ses conseillers – et bientôt lui-même – de souhaiter installer en France une tyrannie étrangère aux traditions de liberté du royaume. Ce double soupçon empoisonne tout dialogue.

458

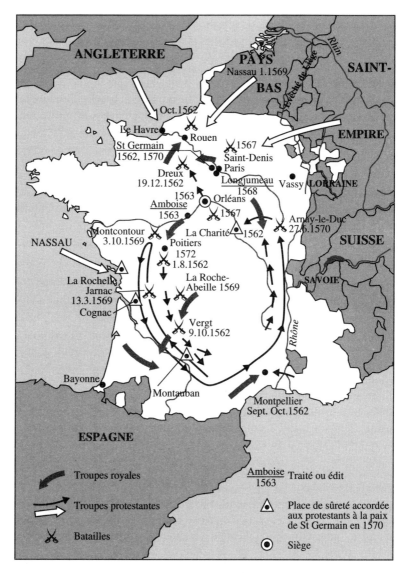

Carte 9 – Les premières guerres de 1560 à 1572

(D'après Michel Péronnet, *Le XVIᵉ siècle, 1492-1620*,
Hachette, éd. revue, 1995)

ORIENTATION BIBLIOGRAPHIQUE

Vittorio de Caprariis, *Propaganda e pensiero politico in Francia durante le guerre di Religione*, I : *1559-1572,* Naples, Éd. Scient. Italiane, 1959, 490 p.

Anne-Marie Cocula, Dreux, Jarnac, Coutras : le rebondissement de la vendetta des Grands, in *Avènement d'Henri IV. Quatrième centenaire*, I : *Coutras*, Pau, J. et D. Éd., 1988, p. 17-37.

Pierre Chevallier, *Henri III*, Paris, Fayard, 1985, 752 p.

Denis Crouzet, *La nuit de la Saint-Barthélemy. Un rêve perdu de la Renaissance*, Paris, Fayard, 1994, 658 p.

S. C. Gigon, *La troisième guerre de Religion*, Paris, Charles-Lavauzelle, 1909, 409 p.

Robert R. Harding, *Anatomy of a Power Élite. The Provincial Governors of Early Modern France*, New Haven, Yale Univ. Press, 1978, 310 p.

Kervyn de Lettenhove (baron de), *Les Huguenots et les Gueux*, Bruges, Beyaert, t. 1-2, 1883-1884, 510-616 p.

Nicole Lemaître, *Saint Pie V*, Paris, Fayard, 1994, 432 p.

N. M. Sutherland, *The Huguenot Struggle for Recognition*, Yale Univ. Press, 1980, 394 p., et *Princes, Politics and Religion, 1547-1589*, Londres, Hambledon Press, 1984, 258 p.

Martin Van Gelderen, *The Political Thought of the Dutch Revolt*, 1555-1590, Cambridge Univ. Press, 1992, 332 p.

La paix de Saint-Germain dure deux ans, ce qui, compte tenu de l'état d'échauffement des esprits, est un petit miracle. L'édit, il est vrai, est plus facile à appliquer que celui d'Amboise ; il mentionne les villes où peut être célébré le culte, au lieu d'en laisser le choix aux discussions entre les huguenots et les représentants du roi. Le cardinal de Lorraine est éloigné ; les modérés sont de nouveau au pouvoir. Surtout, le roi Charles IX, qui a 20 ans, est d'âge à régner par lui-même ; or il reprend à son compte la politique de tolérance civile limitée que Michel de L'Hôpital et Catherine de Médicis ont essayé une première fois d'imposer de 1562 à 1568. Cette tentative pour rétablir une coexistence paisible entre les confessions se heurte de nouveau au rejet passionné des catholiques fervents. Seulement, cette fois, le rejet prend la forme du terrible massacre de la Saint-Barthélemy (24 août 1572), drame majeur dont les conséquences sont désastreuses pour le roi.

L'apparente victoire de la paix civile

Les modérés au pouvoir

La disgrâce des Guises laisse le champ libre à leurs adversaires, en particulier au duc François de Montmorency, maréchal de France, gouverneur de Paris et de l'Ile-de-France. Depuis long-

temps, il s'est fait le serviteur de la politique monarchique de tolérance civile. L'édit de Saint-Germain est largement son œuvre
(avec Artus de Cossé, Armand de Gontaut-Biron et Henri de
Mesmes). Son influence devient prépondérante au Conseil,
conjointement avec celles de l'évêque d'Orléans, Jean de Morvillier, garde des Sceaux depuis la disgrâce de L'Hôpital, et de Paul
de Foix, archevêque de Toulouse.

Ce qui différencie ce deuxième essai de tolérance civile du premier, c'est une volonté plus nette d'échapper à l'ingérence espagnole et une prise de conscience de la nécessité de tisser des liens
solides, matrimoniaux et diplomatiques, avec les protestants, tant à
l'intérieur qu'à l'extérieur. Deux projets de mariage sont élaborés :
le premier vise à unir Marguerite, la sœur du roi, au jeune roi de
Navarre, Henri, qui apparaît, après la mort de son père Antoine,
comme le nouveau chef naturel des réformés ; le second prévoit
d'allier Monsieur, Henri d'Anjou, à la reine d'Angleterre Élisabeth, malgré l'inégalité des âges. Lorsque Anjou, sous la pression
des catholiques, finit par refuser cette union dans l'été 1571, le des-
sein est repris en faveur de son cadet François d'Alençon, en dépit
d'une différence d'âge plus grande encore (il a alors 16 ans et la
reine en a 38). Des alliances extérieures consolident cette orientation : un traité est conclu avec l'Angleterre en avril 1572 ; des
accords sont négociés avec l'Électeur palatin ; Hubert Languet
traite pour la France avec son maître l'Électeur de Saxe ; Gaspard
de Schomberg, un Saxon passé au service de Charles IX, défend les
intérêts du roi auprès des autres princes allemands. C'est le retour
à une grande politique cohérente, qui reprend en partie des choix
adoptés pendant les guerres d'Italie et les accommode à la situation
présente.

Charles IX, pour sa part, se marie le 26 novembre 1570 avec la
deuxième fille de l'empereur, Élisabeth (l'aînée, elle, épouse Philippe II, veuf depuis 1568 d'Élisabeth de France) : la volonté de
s'émanciper de la surveillance espagnole n'exclut pas le souci de
maintenir des liens avec les Habsbourgs. Devenu adulte, le roi
adopte l'idéal pacifique qui a inspiré la politique de sa mère et se
convainc, sous l'influence des modérés au pouvoir, de la nécessité
temporaire de la tolérance civile. En outre, le bruit qui est fait
autour des succès militaires de son frère d'Anjou, nouveau héros des
catholiques fervents, l'incite à se démarquer d'un catholicisme trop
intransigeant.

Quant à Coligny, il ne revient au Conseil que le 12 septembre 1571, non sans appréhension. Avant d'accepter d'y figurer, il pose onze conditions, dont une garantie écrite de la part du roi, de ses frères et de sa mère au sujet de sa sécurité (N. M. Sutherland, 1980). Il ne reste pas longtemps à la cour : il repart le 18 octobre. Il n'y réapparaît que le 6 juin 1572. Il est traité avec un grand respect par Charles IX ; mais ses séjours près de lui sont trop brefs pour qu'il ait pu exercer cette emprise sur le roi qu'on a parfois cru déceler et pour provoquer cette jalousie maternelle dont, en conséquence, on crédite Catherine de Médicis.

L'apaisement des esprits par les arts et la littérature

Le jeune roi, nourri de néo-platonisme par l'éducation que lui a donnée son précepteur Jacques Amyot, rêve de triompher des passions mauvaises en appelant les gentilshommes de la cour à s'élever jusqu'à la perception de l'harmonie cosmique : ils seront ainsi induits à rétablir dans le royaume le reflet perdu de cette harmonie. C'est à ce but que répond la création, le 10 novembre 1570, de l'*Académie et Compagnie de poésie et de musique*. L'âme en est le poète Jean-Antoine de Baïf ; avec l'aide de musiciens comme Joachim Thibauld de Courville et le huguenot Claude Lejeune, il tente de retrouver le secret de la musique du légendaire Orphée, qui parvenait par ses sons enchantés à captiver les hommes et à les détourner de leurs penchants sauvages. Baïf invente les « vers mesurés », destinés à être chantés, qui font coïncider les syllabes et les notes longues ou brèves : de l'exactitude de cette coïncidence dépend le pouvoir de l'incantation poétique, de façon à capter la musique céleste que l'on croit produite par les astres (Frances A. Yates, 1947). Des membres de la Pléiade, tels Ronsard, Belleau, Jodelle, Pontus de Tyard, fréquentent cette Académie.

Les fêtes, les mascarades, les ballets et les spectacles de la cour, où s'associent la musique, la danse, la peinture et la poésie, portent aussi la trace de cette volonté de recréation incantatoire d'un monde harmonieux, afin de conjurer les maux du temps présent. Brantôme a souligné à juste titre le rôle de Catherine de Médicis dans ces créations esthétiques raffinées et malheureusement éphémères :

> Et nottez que toutes ces inventions ne venoient d'autre boutique ny d'autre esprit que de la royne ; car elle y estoit maistresse et fort inventive

en toutes choses. Elle avoit cela que, quelques magnificences qui se fissent à la court, la sienne passoit toutes les autres. Aussy disoit on qu'il n'y avoit que la royne mère pour faire quelque chose de beau. Et si telles despenses coustoient, aussy donnoient elles du plaisir : disant en cela souvent qu'elle vouloient imiter les empereurs romains qui s'estudioient d'exhiber des jeux au peuple et luy donner du plaisir, et l'amuser autant en cela sans luy donner loysir à mal faire (cité par Frances Yates, *The Valois Tapestries*, Londres, 1959, p. 68)).

Le « peuple » qu'évoque ici Catherine de Médicis est surtout celui des courtisans, divisés par les factions. Ainsi, tout est fait pour favoriser la durée de la paix. Et pourtant bien des points noirs subsistent : la rivalité des grandes familles entre elles, l'atmosphère de suspicion qui continue à empoisonner la cour, et surtout le problème persistant des Pays-Bas et la colère des catholiques.

L'éventualité d'une intervention aux Pays-Bas

Coligny est toujours lié par la clause de réciprocité de l'accord d'août 1568 avec le prince d'Orange et Louis de Nassau : le « paiement du secours » (voir chap. 27). Guillaume d'Orange a quitté la France après le siège de Poitiers, mais son frère y est resté ; il participe au synode de La Rochelle en avril 1571, appelé « le synode des princes » : Jeanne d'Albret y assiste, avec son fils Henri et son neveu Henri de Condé, fils du prince tué à Jarnac, ainsi que de nombreux autres grands nobles réformés. C'est la première fois qu'un synode se tient avec l'autorisation royale depuis l'édit de Roussillon d'août 1564. Louis de Nassau pousse à une intervention française aux Pays-Bas. Il rencontre Charles IX, peut-être à l'entrevue du 12 juillet 1571 au château de Lumigny (en Brie) et plus sûrement à la fin du même mois à Fontainebleau. Il propose au roi un partage des Pays-Bas : l'Angleterre aurait la Hollande et la Zélande, la France récupérerait la Flandre et l'Artois, et le reste reviendrait à l'Empire, sous l'autorité du prince d'Orange. Charles IX écoute cette proposition, mais tout est suspendu à l'accord anglais, qu'Élisabeth fait espérer mais qui ne viendra jamais (N. M. Sutherland).

Le 1ᵉʳ avril 1572 se produit un événement qui fait l'effet d'un coup de tonnerre : les « gueux de mer » se sont emparés de Brielle, aux bouches de la Meuse. C'est sans doute un hasard : la tempête a rabattu leur flotte sur ce port, pris au dépourvu par cette arrivée imprévue... Il n'empêche : cette « victoire » fait l'effet de celle de David triomphant de Goliath et réveille la résistance calviniste. Le prince d'Orange, qui s'est converti ouvertement à la foi réformée, envahit les Pays-Bas ; en mai, Louis de Nassau, bientôt aidé par François de La Noue, prend Mons et Valenciennes. Presque toute la Hollande se déclare pour eux.

Le moment est venu pour Coligny de payer sa dette. Mais, dans un premier temps, il ne veut pas intervenir en dehors d'une guerre conduite par le roi, dont il espère la réconciliation des Français, unis contre l'ennemi commun. Or le Conseil est formellement opposé à un conflit avec l'Espagne, trop périlleux pour la France : plusieurs fois consulté, il donne une réponse négative si ferme qu'il est difficile pour le roi d'aller à l'encontre. Catherine de Médicis est tout aussi hostile. Charles IX va donc choisir le parti du double jeu : aider secrètement les révoltés des Pays-Bas tout en protestant officiellement qu'il n'en fait rien.

Les choses se compliquent du fait de l'ardeur des huguenots les plus belliqueux, impatients d'en découdre, et que la prudence de Coligny n'arrive pas toujours à tempérer : tels son gendre Charles de Téligny, ou encore Jean de Hangest, seigneur de Genlis. Celui-ci quitte Paris le 12 juillet, avec un corps de 5 000 hommes ; selon l'ambassadeur anglais Walsingham, il aurait eu des ordres secrets du roi de saisir Cateau-Cambrésis. Mais Genlis commet la folie de courir jusqu'à Mons, au moment précis où le roi édicte l'interdiction à ses sujets d'y aller sous peine de mort. Et c'est la catastrophe : le 17 juillet, le corps français est écrasé à Quiévrain par le duc d'Albe. Genlis, arrêté et torturé, dit avoir agi sur ordre du roi. La colère de Charles IX éclate : cette équipée est une provocation maladroite et peut-être une désobéissance. En tout cas, l'assistance couverte devient difficile pour lui.

Coligny est alors poussé, tant par la clause de réciprocité que par les plus belliqueux de son entourage, à envisager une action privée (mais avec, vraisemblablement, le consentement secret du roi) ; le 11 août 1572, Guillaume d'Orange écrit à son frère le comte Jean que l'amiral l'a assuré qu'il allait venir avec 12 000 fantassins et 3 000 cavaliers (N. M. Sutherland, 1980, p. 206). Mais c'est là une entreprise à hauts risques qui peut entraîner la guerre avec l'Espagne, à un moment où il devient évident que l'Angleterre laissera les Français combattre tout seuls. Comme en 1568, l'union entre les huguenots et les gueux se révèle politiquement explosive.

La colère catholique

La paix de Saint-Germain, comme les précédentes, a provoqué chez les catholiques fervents un ressentiment violent. Les prédicateurs se déchaînent et créent un climat d'attente apocalyptique. Pour Simon Vigor, ce n'est pas une paix, mais « une torche, qui allumera un feu si grand qu'il consommera tout le Royaume de France » (cité par D. Crouzet, 1990, t. 2, p. 428). Artus Désiré, dans un opuscule, prédit les pires calamités issues de la malédiction divine.

Des événements significatifs trahissent l'ampleur de la colère des intransigeants. A Rouen, le 18 mars 1571, des catholiques se jettent sur des réformés revenant du culte parce qu'ils ont refusé de s'agenouiller devant un prêtre portant l'hostie consacrée à un mourant ; ils en tuent une quarantaine. Cinq des agresseurs, arrêtés par la justice royale, sont libérés par une foule furieuse. La terrible répression qui suit, menée par le duc François de Montmorency (66 condamnations à mort, nombreuses amendes), plonge les catholiques dans l'indignation et l'incompréhension (Ph. Benedict, 1981).

A Orange, c'est aussi la vigueur d'un châtiment des catholiques qui scandalise. Ceux-ci, après un coup de force huguenot avorté (3 février 1571), exercent de violentes représailles ; les réformés se plaignent au prince d'Orange ; soucieux de satisfaire ce dernier, le roi fait remettre la ville à un gouverneur choisi par lui et plusieurs catholiques sont exécutés (M. Venard, 1993).

A Paris, c'est l'affaire de la croix de Gastine. Cette croix a été élevée sur l'emplacement de la maison rasée de trois huguenots condamnés à mort pendant la guerre, Philippe Gastine, son fils et son gendre. Or un article de l'édit de Saint-Germain interdit, dans un but d'apaisement, tout monument commémorant l'exécution d'une personne ; la croix est donc enlevée, au matin du 20 décembre 1571, sur ordre royal (à la suite d'une requête émanant des réformés). Aussitôt, une brutale émeute catholique se déclenche ; l'indignation est exaspérée par la répression du duc de Montmorency (B. Diefendorf, 1991).

Des facteurs aggravent les tensions parisiennes. C'est, d'abord, le mécontentement du Parlement. Celui-ci n'a pas accepté les rudes leçons du chancelier de L'Hôpital (voir chap. 26) ; en outre, il s'oppose à la politique religieuse du roi comme à ses exigences fiscales et tempête contre l'expédient qui consiste à mettre en vente de nouveaux offices. Le 16 août 1572, il enregistre sous la contrainte un édit fiscal frappant les procureurs. Il y a, ensuite, l'insatisfaction de la milice parisienne. Celle-ci, réorganisée en juin-juillet 1562, est une véritable police urbaine dotée d'armes à feu pendant les guerres (et qui les garde souvent après), placée sous l'autorité du corps de ville (le prévôt des marchands, son chef, est en 1571 l'orfèvre Claude Marcel, dévoué à la reine) ; elle est formée par des bourgeois de Paris, dont beaucoup sont animés à la fois par la haine des huguenots et par une profonde colère contre l'aggravation de la fiscalité royale. Ces tensions, jointes à l'effervescence catholique, entretiennent un climat préinsurrectionnel à Paris (J.-L. Bourgeon, 1992).

Par ailleurs, les pressions des puissances catholiques voisines se font de plus en plus lourdes. Il s'agit surtout de celles de l'Espagne ; le changement de pape (Pie V meurt le 1ᵉʳ mai 1572, et est remplacé par Grégoire XIII) atténue momentanément celles de Rome. C'est le mérite de Nicola-Mary Sutherland et de Jean-Louis Bourgeon d'avoir réaffirmé, après Lucien Romier, l'importance des agissements espagnols, tant ceux du duc d'Albe que de Philippe II. Il faut tenir compte de la formidable dynamique de reconquête déclenchée par la victoire de Lépante contre les Turcs (7 octobre 1571) : l'Espagne interprète ce triomphe comme un signe de Dieu annonçant l'écrasement prochain de tous les ennemis du Christ, les hérétiques comme les infidèles. Ses efforts redoublent. Or elle ne manque pas de relais au Conseil du roi. Il y a les Italiens : René de Birague qui tient les sceaux depuis que le vieux Morvillier a demandé, en février 1571, à en être déchargé, Albert de Gondi, comte de Retz, parent par sa femme de l'ambassadeur de France en Espagne et client des Guises, Louis de Gonzague, duc de Nevers, beau-frère du duc de Guise. Henri d'Anjou, qui finit par se dégager ostensiblement du projet de mariage avec Élisabeth d'Angleterre, et le maréchal Gaspard de Tavannes font partie des partisans de la fermeté contre les huguenots. Le cardinal de Lorraine, lui, est à Rome, travaillant de toutes ses forces à empêcher le pape d'accorder la dispense de consanguinité nécessaire pour que puisse être célébré le mariage entre Marguerite de Valois et Henri de Bourbon. Le jeune duc Henri de Guise et son oncle le duc d'Aumale sont à Paris, redoutables par leurs clientèles et par leur popularité dans la capitale.

Depuis au moins 1568, Philippe II ne cache pas son avis qu'il faut tuer Coligny. Il le répète à Charles IX dès le retour de l'amiral au Conseil. Pourquoi cet objectif revêt-il brusquement un caractère de plus grande urgence après le mariage de Marguerite et de Henri ? C'est que, d'une part, l'Espagne reste persuadée, malgré les dénégations de Charles IX, que celui-ci va soutenir l'action de Coligny aux Pays-Bas, perspective qu'il lui faut absolument conjurer, et que, de l'autre, elle sait que les négociations avec Louis de Nassau ont programmé une éventuelle action après, justement, ce mariage (N. M. Sutherland, 1973).

La Saint-Barthélemy parisienne et ses séquelles provinciales

La Saint-Barthélemy a donné naissance à une retentissante querelle entre ses historiens, Janine Garrisson, Denis Crouzet et Jean-Louis Bourgeon. Il faut rappeler que les sources décisives manquent ; on dispose surtout de lettres, écrites par les protagonistes pour convaincre leurs interlocuteurs, et de relations ou de mémoires sujets à caution : tout récit des circonstances du drame n'est donc qu'une *reconstitution plausible*, étayée par l'analyse critique des documents subsistants. Il faut ajouter que la complexité de l'événement est à la rencontre d'une multiplicité de facteurs convergents.

Le mariage du 18 août

L'union entre Marguerite de Valois et Henri de Navarre est célébrée dans un climat lourd de menaces, et malgré l'absence de la dispense pontificale espérée. La mort de Jeanne d'Albret, le 9 juin, l'a un temps retardée. Tout, dans la cérémonie, scandalise les Parisiens. La bénédiction nuptiale est donnée dehors, devant la cathédrale Notre-Dame, sur une estrade dressée sur le parvis. Ni le nouvel époux ni ses amis huguenots n'assistent ensuite à la messe : ils se sont retirés à l'évêché et ne reviennent qu'à la fin de cette célébration papiste.

Les fêtes qui suivent sont censées exalter l'harmonie retrouvée, mais elles sont observées d'un œil hostile par les Parisiens. La colère de Dieu leur semble avoir été annoncée par des comètes et des prodiges. La conjoncture économique est mauvaise : le setier de blé

(1,56 hl) atteint presque 9 livres en août et la crise de subsistances provoque des troubles dans la capitale. La chaleur étouffante qui règne alors n'arrange rien (J. Estèbe-Garrisson, 1968).

L'attentat contre Coligny (22 août 1572)

C'est en sortant d'une séance du Conseil tenue au Louvre que, le 22 août, vers 11 heures du matin, Coligny est visé par un tueur, rue des Poulies ; le coup manque, puisque l'amiral est seulement blessé à la main et au coude. L'assassin est Charles de Louviers, sieur de Maurevert, qui a déjà à son actif la mort du seigneur de Mouy, un fidèle de Coligny, en 1569. La maison d'où l'arquebusade a été tirée est louée à un prêtre proche des Guises.

Qui a commandité ce crime ? On ne peut qu'émettre des conjectures. L'hypothèse Catherine de Médicis est peu vraisemblable : celle-ci tient trop à la réconciliation des Français à laquelle elle croit être parvenue avec le mariage de sa fille et du roi de Navarre. Celle de l'Espagne est éminemment plausible, que ce soit depuis Madrid ou Bruxelles, peut-être avec l'accord des ducs d'Aumale et de Guise et la participation de leurs clients. La complicité du duc d'Anjou est possible.

L'attentat fait immédiatement renaître le soupçon chez les chefs huguenots, qui se pressent au chevet de l'amiral dans son logis de la rue de Béthisy : Navarre, Condé, La Rochefoucauld, Téligny, Jean de Ferrières, seigneur de Maligny (ce dernier est un « ancien » d'Amboise). Leur colère est quelque peu tempérée par la visite du roi, qui leur promet justice. Mais le thème du complot d'extermination, qui hante les consciences réformées depuis l'entrevue de Bayonne (et même avant), n'en resurgit pas moins. Il est probable que les plus exaspérés évoquent la possibilité de fuir la capitale, ce qui équivaudrait à une nouvelle prise d'armes. Les plus légalistes poussent au contraire leurs compagnons à rester dans Paris, dans l'espoir de voir le roi, convaincu de la responsabilité de l'Espagne dans l'attentat, se décider enfin à la guerre contre elle (D. Crouzet). Il y aurait eu des fuites trahissant ces discussions : si tel est bien le cas, elles n'ont pu que provoquer les pires inquiétudes tant chez le roi, prompt à croire à la subversion huguenote, que chez les partisans de l'Espagne, redoutant l'aide française aux Pays-Bas. De nouveau, la logique du soupçon instaure son emprise déstabilisatrice et provoque un sentiment d'urgence.

Le revirement royal

Il y a peut-être une ou deux réunions du Conseil étroit dans l'après-midi du samedi 23 août, et plus sûrement au moins une autre dans la nuit du 23 au 24. Jean-Louis Bourgeon et Denis Crouzet rejettent avec raison les versions romanesques, trop mal étayées (Charles IX terrorisé par sa mère, finissant par s'écrier « Qu'on les tue tous ! »...). Ils s'accordent sur un point essentiel : il y a eu décision royale, prise au sein du Conseil avec l'accord de Catherine et au désespoir des modérés comme Morvillier, d'éliminer les chefs huguenots réputés les plus dangereux, à commencer par Coligny. Seulement, pour le premier de ces historiens, cette décision est « subie comme une fatalité » par Charles IX : c'est une capitulation, tard dans la nuit, devant les pressions du parti catholique proespagnol du Conseil, sous la menace conjointe d'une émeute parisienne déclenchée par les Guises et d'une entrée en guerre de l'Espagne. Elle se traduit par deux faits : d'une part Charles IX donne très vraisemblablement l'ordre (au matin du 24 août, jour de la Saint-Barthélemy, entre 1 heure et 3 heures) au colonel des gardes françaises, le seigneur de Cosseins, qui veille sur le logis de l'amiral avec des arquebusiers, de ne pas résister au « commando guisard » parti exécuter Coligny ; de l'autre, il fait expulser du Louvre, en pleine nuit, les gentilshommes de l'entourage du roi de Navarre, les vouant sciemment à une mort certaine (J.-L. Bourgeon, 1995, p. 31 et 34). Pour D. Crouzet, au contraire, la décision du roi est active et méditée : il ordonne d'éliminer un nombre limité de chefs huguenots (une vingtaine ? une cinquantaine ?). Sans rejeter la thèse classique (J. Garrisson) du mobile politique de cet ordre, le soupçon de sédition ayant été brusquement réactivé par l'attitude des huguenots après l'attentat, D. Crouzet insiste sur la volonté du roi de supprimer les destructeurs de son rêve de concorde.

Le 24 août, dans des dépêches expédiées à l'extérieur, le roi attribue la mort de l'amiral et de ses amis à une « sédition » déclenchée par les Guises. Mais, dès le 25 et le 26, devant le Parlement de Paris, il change son argumentation : il revendique ouvertement la responsabilité des meurtres et affirme qu'il a été obligé de sévir pour empêcher une conspiration huguenote imminente. Pour J.-L. Bourgeon, c'est là une manière de ne pas perdre la face en feignant d'avoir pris l'initiative d'une action qui est, en fait, une émeute contre lui qu'il n'a pas pu contrôler ; deux des compagnons de Coligny, Briquemault et Cavagnes, seront d'ailleurs jugés et condamnés à mort pour complot. Pourtant, le thème de la conspiration huguenote répond trop bien aux craintes de Charles IX pour être écarté comme un simple prétexte : depuis 1567, il y a chez lui une méfiance latente à l'égard des visées politiques des réformés ; que cette méfiance ait resurgi après le 22 août est tout à fait plausible. Les pressions proespagnoles, qui sont alors devenues plus menaçantes, n'auraient pas réussi à « retourner » le roi et à le pousser à mettre en danger l'œuvre de réconciliation civile entreprise si elles n'avaient rencontré un ressentiment prêt à renaître. Dans une lettre adressée à Schomberg le 13 septembre, à l'intention des princes allemands, il a cette phrase révélatrice, qui donne de la vraisemblance à la thèse d'une adhésion royale volontaire à la décision prise dans la nuit du 23 au 24 août :

> Il [Coligny] avoit plus de puissance et estoit mieux obey de la part de ceux de la nouvelle Religion que je n'estois, de sorte que s'estans arrogé une telle puissance sur mesdicts sujets, je ne me pouvois plus dire Roy absolut mais commandant seulement à une des parts de mon Royaume (Bibl. nat., Man. fr. 3951, f° 151 v°).

La généralisation du massacre

L'exécution politique d'un nombre limité de chefs huguenots, décidée par le Conseil, dégénère en une abominable tuerie, que le roi n'a pas prévue et qui dure jusqu'au 29 août. Là encore, les historiens s'opposent. Pour D. Crouzet et J. Garrisson, il s'agit de la « fureur sacrale » spontanée du peuple parisien, à la suite du meurtre de l'amiral perpétré par une troupe conduite par Guise et Aumale au petit matin : ceux-ci ayant crié dans les rues qu'ils exécutent un ordre du roi, les catholiques, dans une allégresse guerrière, célèbrent l'accord qu'ils croient miraculeusement revenu entre eux et leur souverain et entreprennent de purifier la ville dans le sang ; les violences exercées par des enfants sur le cadavre de Coligny manifestent la colère divine agissant par des mains innocentes ; d'ailleurs, au cimetière des Saints-Innocents, une aubépine desséchée refleurit, signe évident pour eux de cette harmonie ressuscitée. Pour Jean-Louis Bourgeon, au contraire, c'est un soulèvement contre le roi, une Fronde avant la lettre, programmée par les Guises, avec la complicité du Parlement et la participation active de la milice. Il refuse l'expression de « dérapage » populaire et croit à l'action méthodique et organisée des bourgeois de Paris, appelés par le tocsin qui sonne vers 2 heures du matin à Saint-Germain l'Auxerrois et sans doute dans d'autres églises.

Sur les péripéties du drame, des *Mémoires* donnent des détails crédibles. Marguerite de Valois obtient la vie de trois gentils-hommes huguenots poursuivis au Louvre par les tueurs. Le roi Henri de Navarre et le prince Henri de Condé sont épargnés sous la condition d'abjurer. Maximilien de Béthune (futur duc de Sully) doit la vie au gros livre d'heures qu'il met sous son bras en allant se réfugier au collège de Bourgogne où il est écolier. Le jeune Caumont-La Force échappe par miracle à ses poursuivants, tombé sous les cadavres de son père et de son frère. Les morts, dépouillés de leurs vêtements et de leurs bijoux, sont jetés dans la Seine. La mémoire huguenote en rajoute : d'Aubigné ira jusqu'à dépeindre le roi arquebusant ses sujets depuis une fenêtre du Louvre, et des estampes montreront Catherine de Médicis en maléfique veuve noire venant inspecter les cadavres.

En fait, dès le 24, le roi donne l'ordre d'arrêter le massacre. Mais il n'est pas obéi. Lorsque enfin les tueries s'arrêtent, il y a de 2 000 à 4 000 victimes. On y compte le philosophe Pierre Ramus. Les puissances catholiques manifestent leur joie ; Philippe II triomphe ; le pape assiste à une messe d'action de grâces à Rome. Mais, pour les réformés, c'est une terrible rupture.

Les « Saint-Barthélemy » des provinces

L'une des légendes dont cette histoire est fertile veut que le roi ait ordonné le massacre des huguenots dans les provinces. Il n'en est rien. Le roi écrit aux gouverneurs de maintenir l'ordre et de faire respecter l'édit de pacification. Tout au plus leur prescrit-il, par des instructions orales, d'emprisonner, sans doute momentané-ment, ceux dont on peut craindre les réactions. Mais, dans certaines villes, la fureur catholique atteint les huguenots, par effet de contagion ou, dans le Midi, comme une péripétie des affrontements pour le pouvoir urbain. Des massacres se produisent, de la fin d'août à la mi-septembre, à La Charité, Bourges, Meaux, Orléans (de 1 000 à 1 500 victimes), Angers, Saumur, Troyes, Rouen, Lyon (plus de 700 morts) ; puis, du 3 au 6 octobre, à Bordeaux (de 200 à 300 morts), Toulouse, Albi, Gaillac, Rabastens. A Lyon, le musicien Claude Goudimel est assassiné et jeté dans le Rhône. A Toulouse, Jean de Coras est pendu avec deux autres conseillers au Parlement. En tout, en France, les « Saint-Barthélemy » ont fait peut-être jusqu'à 10 000 victimes.

La quatrième guerre civile (octobre 1572 - juillet 1573)

Un « mouvement presque roturier, jaillissant des villes »...

C'est en ces termes que Janine Garrisson (1980) décrit la résistance des huguenots, surtout ceux du Midi, brutalement privés de leurs chefs, à partir d'octobre. Nîmes et Montauban ferment leurs portes aux soldats du roi ; Caussade, Millau, Saint-Antonin renforcent fébrilement leurs murailles ; La Rochelle refuse de recevoir Armand de Biron comme gouverneur ; Sancerre organise sa défense. Des gentilshommes reconstituent une structure militaire : Géraud de Lomagne pour le Rouergue, le vicomte de Paulin pour le Castrais et l'Albigeois, le général Saint-Romain (Jean de Saint-Chamond, ancien archevêque d'Aix) pour le Vivarais, les Cévennes et le Bas-Languedoc. Mais ces nobles sont chacun pourvus d'un conseil civil composé par des notables urbains qui les contrôlent.

Le siège de La Rochelle : la foi, l'honneur et la mort

Au début de novembre, Biron commence le siège de La Rochelle. Des rescapés du massacre parisien, des réfugiés venus des provinces voisines, des pasteurs proscrits affluent dans la ville et stimulent l'esprit de résistance. Les armateurs et les marins maintiennent le lien avec les gueux de mer et approvisionnent les habitants avec les prises faites sur les navires espagnols ; une délégation est envoyée à la reine Élisabeth. Les Rochelais vivent leur aventure comme celle d'une Jérusalem assaillie par les forces du mal : leur salut est entre les mains de Dieu, qui fera nécessairement triompher leur cause. L'Ancien Testament ne relate-t-il pas la délivrance miraculeuse de Bétulie ou de Samarie ? De Genève, François Hotman va même, dans une lettre du 12 décembre 1572, jusqu'à consulter le théologien Bullinger sur la légitimité d'un retour de la ville à son « ancienne indépendance ». Il y a un précédent dans l'Écriture : celui de Lobna (ou Libna), dressée contre Joram, fils d'Achab. Lobna va devenir l'une des références de la résistance huguenote : référence subversive, car c'est une sécession qui est ainsi proposée en exemple (la ville s'est donnée aux Philistins, *Rois II*, 8, 22).

François de La Noue est envoyé par le roi parlementer avec les Rochelais ; ceux-ci lui proposent alors de prendre la tête de leur défense, et La Noue, avec l'accord du roi qui en espère la modération des ardeurs des assiégés, accepte. Pari surprenant et intenable : en mars, le « Bayard huguenot » revient au camp royal.

Le duc Henri d'Anjou rejoint Biron en février avec environ 6 000 hommes. Il a avec lui Navarre, Condé, les ducs d'Aumale et de Guise, Guillaume de Thoré (le cadet des frères Montmorencys) et le jeune neveu de ce dernier, Henri de Turenne. La présence du protestant La Noue et celle des princes ayant abjuré lors du massacre contribuent à estomper le caractère confessionnel de l'armée. Lorsque François d'Alençon arrive au camp pour servir sous les ordres de son frère Henri, les gentilshommes que la tuerie parisienne a indignés se rassemblent autour de lui : le bruit court en effet qu'il a eu le courage de regretter la mort de Coligny. C'est l'amorce d'un rapprochement entre les nobles modérés des deux confessions qui croient urgent de lutter contre la « tyrannie », rapprochement qui deviendra effectif lors de la cinquième guerre.

La réunion dans un espace restreint de tant de hauts seigneurs est une occasion rêvée pour les gentilshommes qui veulent illustrer leurs noms par leurs prouesses. Brantôme y court, « sans solde ny paye aucune », avec un « beau fourniment de Milan, monté sur une belle haquenée de cent escus », accompagné de « six ou sept gentilzhommes et soldats bien signallez, armez et montez de mesme » ; il évoque dans le *Discours sur les Colonels de l'infanterie de France* (éd. E. Vaucheret, Vrin, 1973) sa fierté d'avoir joui, pendant ce siège qui est resté dans sa mémoire comme une fête, de la familiarité du duc de Guise. Les deux jeunes fils de Jean de Saint-Sulpice y rivalisent aussi de courage. Le cadet, Comiac, reçoit une arquebusade à la jambe. « Notre fils Comiac a triomphé », écrit Saint-Sulpice à sa femme : une blessure reçue au combat n'est-elle pas le moyen par excellence de conquérir l'honneur ? Mais la plaie s'infecte et Comiac meurt. Le père se raccroche à l'idée que la « bonne opinion » (réputation) si chèrement conquise lui survivra (papiers et correspondance éd. par E. Cabié, Albi, 1908).

L'impossibilité de vaincre militairement les huguenots

Le siège de La Rochelle est meurtrier. Selon une liste de 155 officiers du camp royal dressée à ce moment là, 66, soit 42,6 %, meurent et 47, soit 30,3 %, sont blessés. L'historien James Wood, qui commente cette liste (1991), donne, parmi bien d'autres, l'exemple de ce siège pour démontrer l'incapacité où se trouve la monarchie à triompher militairement des huguenots. La mobilisation de l'armée royale est toujours lente et difficile ; devant La Rochelle, il a fallu six mois pour qu'elle soit au complet, avec l'arrivée à la fin de mai des Suisses qui sont, comme tous les mercenaires étrangers, les véritables spécialistes de la guerre. Ce seul siège requiert un effort considérable de presque tout le pays : les munitions de l'artillerie, poudre et boulets, viennent des provinces proches mais aussi du Bassin parisien, de Normandie et de Picardie. L'approvisionnement est une énorme affaire : un contrat signé à la fin de 1572 avec des marchands de Niort impose aux concessionnaires de fournir chaque jour 30 000 pains, 10 800 pintes de vin et 20 000 livres de bœuf. J. Wood a calculé qu'une année de guerre coûte alors à la monarchie, en moyenne, de 16 à 18 millions de livres, pour des recettes qui tournent alors autour de 13 millions en année normale (mais qui rentrent mal en temps de trouble) ; il faut donc recourir à un endettement massif (la dette s'élèvera à 101 millions en 1576). A cela s'ajoutent les pertes humaines, les désertions, les refus de combattre des mercenaires lorsqu'ils ne sont pas payés (ce qui arrive souvent), qui diminuent les forces réunies à grand peine. Bref, le roi est incapable de maintenir un effort militaire sur beaucoup plus d'un an. Il y a là une raison essentielle de la brièveté de chacune des guerres civiles, vite terminées par des paix fragiles. Il faut adjoindre à ces facteurs les aspects politiques : le Conseil est divisé sur la conduite à tenir, et l'influence des modérés, confortée par la détresse financière, finit toujours par l'emporter sur celle des plus belliqueux.

L'élection de Henri d'Anjou au trône de Pologne

En 1573, un facteur extérieur s'ajoute à ceux qui poussent à la paix : c'est l'élection, le 11 mai, du duc d'Anjou comme roi de Pologne, en remplacement du dernier des Jagellons mort le 7 juillet 1572. L'évêque de Valence, Jean de Monluc, a été chargé par Catherine de Médicis de soutenir la candidature de son fils ; l'habileté de Monluc réussit le tour de force d'obtenir de la Diète polonaise, où il y a une forte minorité protestante, qu'elle ferme les yeux sur la Saint-Barthélemy, présentée comme un acte politique dénaturé par les excès de la populace. La nouvelle de son élection parvient au duc d'Anjou en juin ; il ne peut plus, décemment, s'acharner sur les réformés. Le 24 juin, il parvient à un accord avec les Rochelais, et le siège est levé le 6 juillet.

Deux autres sièges mémorables ont marqué la quatrième guerre. C'est, d'abord, celui de Sancerre, bloquée par La Châtre : siège terrible qui dure de mars au 19 août, et que Jean de Léry a raconté dans un récit célèbre (publié par G. Nakam, éd. Anthropos, 1975). C'est, ensuite, celui de Sommières en Languedoc, investie plus mollement par Montmorency-Damville du 11 février au 8 avril.

L'édit de Boulogne (11 juillet 1573) et la requête des huguenots du Midi

L'édit étend au royaume les clauses de l'accord conclu à la Rochelle. Il octroie la liberté de conscience, mais il restreint considérablement la liberté de culte : celui-ci n'est autorisé que pour les habitants de trois villes, la Rochelle, Nîmes et Montauban (privilège étendu ensuite à Sancerre). Les seigneurs haut-justiciers peuvent faire célébrer des baptêmes et des mariages chez eux, mais avec une assistance limitée à dix personnes en dehors de leur famille.

L'édit provoque chez les huguenots des réactions différentes. A ceux du nord de la Loire, il apparaît acceptable après la grande tourmente subie par les églises. Ils aspirent à la paix. Le nombre des fidèles diminue : craignant pour leur vie et leurs biens, certains se résignent à abjurer. Le curé de Provins Claude Haton ironise sur ceux qui se précipitent à la messe. Dans beaucoup de villes, des cérémonies publiques d'abjurations sont organisées ; à Rouen, selon Philip Benedict, 3 000 réformés réintègrent ainsi l'Église catholique.

Mais les huguenots du Midi restent armés, décidés à obtenir davantage. Nîmes et Montauban n'ont pas été représentées aux négociations de la Rochelle ; leurs habitants obtiennent du duc d'Anjou l'autorisation de se réunir. A Montauban, avec les députés de 22 communautés du Midi, ils élaborent une requête, le 25 août 1573, qui provoque la colère de la reine mère. Ils demandent la liberté de culte, le libre accès aux charges, des tribunaux spéciaux, la réhabilitation de Coligny, Briquemault et Cavagnes. Surtout, ils veulent une alliance de la France avec les puissances protestantes voisines en guise de garantie de « l'union » conclue entre le roi et tous ses sujets, tant les catholiques que les réformés, précisent-ils (J. Garrisson, 1980). Cette *union* n'est pas sans évoquer le *contrat* cher aux théoriciens huguenots les plus hardis.

Ainsi, non seulement la Saint-Barthélemy n'a rien réglé, mais elle a stimulé chez les réformés méridionaux une conscience politique nouvelle.

ORIENTATION BIBLIOGRAPHIQUE
(outre les références données à la fin du chapitre 28)

Philip Benedict, *Rouen during the Wars of Religion*, Cambridge Univ. Press, 1981, 298 p.

Jean-Louis Bourgeon, *L'assassinat de Coligny*, Genève, Droz, 1992, 136 p. ; *Charles IX et la Saint-Barthélemy*, Genève, Droz, 1995, 208 p.

Denis Crouzet, *La nuit de la Saint-Barthélemy. Un rêve perdu de la Renaissance*, Paris, Fayard, 1994, 658 p.

Barbara Diefendorf, *Beneath the Cross. Catholics and Huguenots in XVIth-Century Paris*, Oxford Univ. Press, 1991, 272 p.

Janine Garrisson (Estèbe), *Tocsin pour un massacre ou la saison des Saint-Barthélemy*, Paris, Le Centurion, 1968 ; *La Saint-Barthélemy*, Paris, 1987, rééd. Bruxelles, Complexe, 1987, 219 p. ; *Protestants du Midi, 1559-1598*, Toulouse, Privat, 1980, rééd. *ibid.*, 1991, 376 p.

Philippe Joutard (éd.), *La Saint-Barthélemy ou les résonances d'un massacre*, Neuchâtel, Delachaux & Niestlé, 1976, 246 p.

Robert Kingdon, *Myths about the St. Bartholomew's Day Massacres : 1572-1576*, Cambridge, Londres, Harv. Univ. Press, 1988, 270 p.

Alfred Soman (éd.), *The Massacre of St. Bartholomew. Reappraisals and Documents*, La Haye, 1974.

Nicola-Mary Sutherland, *The Massacre of St. Bartholomew and the European Conflict, 1559-1572*, Londres, Macmillan, 1973, 360 p.

Marc Venard, *Réforme protestante, Réforme catholique dans la province d'Avignon, XVI* siècle*, Paris, Le Cerf, 1993, 1 280 p.

James B. Wood, The Royal Army during the Early Wars of Religion, 1559-1579, *Society and Institutions in Early Modern France* (M. Holt éd.), Univ. of Georgia Press, 1991, p. 1-35.

Frances A. Yates, *The French Academies of the Sixteenth Century*, Londres, 1947, 200 p.

30. Le combat des monarchomaques pour la souveraineté du peuple

L'indignation provoquée par le massacre de la Saint-Barthélemy avive chez les réformés la conviction que l'évolution politique en cours de la monarchie est néfaste et qu'il est urgent de l'enrayer. C'est elle, pensent-ils, qui, en donnant trop de pouvoir à la volonté du roi, appuyée sur une poignée de conseillers pervers, a permis la catastrophe. Il faut donc revenir à un état antérieur, plus respectueux des libertés des Français. Mais cet état antérieur, ils le reconstruisent à leur manière : selon eux, la souveraineté n'y appartenait pas au roi, mais au peuple.

Les théoriciens les plus hardis ont été qualifiés de *monarchomaques* (c'est-à-dire : «ceux qui combattent les monarques») par un de leurs adversaires, William Barclay, dans un traité publié en 1600 (*De Regno et regali Potestate : Du Royaume et de la Puissance royale*). Terme polémique donc, dénonçant des gens «qui s'efforcent de démolir les royaumes et les monarchies et de les réduire en anarchies». Le qualificatif leur est resté. Il peut être gardé, dans la mesure où le sens étymologique de *monarchie* est «pouvoir d'un seul» : s'ils ne récusent pas l'existence du roi, les monarchomaques combattent l'exercice solitaire de la puissance monarchique. Il est significatif que le *Discours de la Servitude volontaire* d'Étienne de La Boétie ait été partiellement publié en 1574 dans l'un de leurs traités *(Le Réveille-Matin des François et de leurs voisins),* puis réédité en 1577 par le pasteur Simon Goulard (dans le t. III des *Mémoires de l'Estat de France sous Charles neufiesme),* sous le titre ramassé de *Contr'Un.*

Les traités des monarchomaques

La Francogallia *de François Hotman*

Depuis 1560 et l'*Epistre envoiée au Tigre de la France*, François Hotman est de tous les combats. Entre les deux premières guerres, il a bénéficié de la protection de Michel de L'Hôpital, qui l'a encouragé à écrire son manifeste contre les gloses qui défigurent les textes des lois romaines (*Antitribonian*, 1567). Pendant la deuxième guerre, il est aux côtés de Condé et contribue à l'élaboration de ses justifications politiques.

Une bonne partie de sa grande œuvre, la *Francogallia*, est sans doute rédigée entre la fin de 1567 et l'été 1568 (Ralph Giesey et John Salmon, préface à l'édition critique du texte latin, 1972). Sous le choc de la Saint-Barthélemy, il remanie et achève son manuscrit, qu'il publie à Genève en 1573 chez Jacob Stoer. Le livre a un succès immédiat. En 1574 paraissent à la fois une nouvelle édition et une traduction française, peut-être due à Simon Goulart, sous le titre *La Gaule Françoise* (les citations qui suivent sont extraites de cette traduction). Des éditions augmentées sont publiées en 1576 et 1586, puis une édition posthume en 1600. C'est dans la préface, sans doute rédigée après le massacre et dédiée au comte Palatin Frédéric (la famille Hotman a des origines silésiennes et l'auteur de la *Francogallia* entretient des relations suivies avec les princes allemands) qu'il faut chercher la clé de l'ouvrage : « Ayant l'entendement tout fisché sur la considération de ces extremes calamitez et misères communes », Hotman a eu recours aux « historiens François et Alemans » et y a retrouvé la description du « gouvernement politic » d'autrefois, qui a été abâtardi par les rois de France et leurs conseillers depuis Louis XI. Il s'agit donc « de réduire nostre Estat corrompu à ce bel ancien accord qui fut du temps de nos Pères ».

Quel était donc « ce bel ancien accord » ? Il a été l'œuvre conjointe des Francs (Hotman se rallie à la thèse qui en fait d'anciens Germains) et des Gaulois : les premiers, appelés par les seconds, les ont aidés à renverser la « tyrannie » romaine et ont formé avec eux un seul peuple, les Francs-Gaulois. Ils tenaient des assemblées générales, dans lesquelles Hotman voit les ancêtres des

États généraux, qui élisaient et contrôlaient les rois. Le sens implicite de cette « histoire » est facile à tirer pour les lecteurs de 1573 : il faut se dresser contre la nouvelle tyrannie de Rome (celle du droit romain, des Italiens de la cour, des doctrines de Machiavel, de l'ultramontanisme) et retrouver « l'ancienne liberté françoise ». Selon le chroniqueur parisien Pierre de L'Estoile, le livre a été bien reçu par tous les « bons François » et critiqué seulement par « quelques corrompus Macchiavélistes et François Italianizés » (*Registre-Journal*, éd. M. Lazard et G. Schrenk, Droz, 1992, p. 226). François Hotman est sans doute aussi l'auteur du *De furoribus gallicis* (1573), récit des massacres de l'été 1572, traduit sous le titre *Discours véritable des rages exercées en France*.

Les autres traités

Les autres œuvres des monarchomaques sont moins historiques et plus théoriques. L'une des plus importantes est *Du Droit des magistrats sur leurs sujets*, de Théodore de Bèze, dont la rédaction date de juin-juillet 1573 ; sa publication, refusée par le Conseil de Genève pour ne pas avoir d'ennuis avec l'ambassadeur de France, se fait sous le couvert de l'anonymat en 1574, à la fois à Genève par Jacob Stoer et à Heidelberg par Jean Mareschal. Le succès est grand, plusieurs éditions suivent, de même que pour la version latine (qui est peut-être l'originale). C'est un recueil de réponses aux cas de conscience des huguenots qui se demandent s'ils peuvent résister légitimement à la tyrannie.

La même année 1574 paraît à Édimbourg (lieu fictif, peut-être pour Bâle) *Le Réveille-Matin des François et de leurs voisins*, comprenant deux *Dialogues* édités d'abord en latin en 1573 pour le premier et en 1574 pour le second. L'œuvre est signée d'un pseudonyme évocateur : Eusèbe Philadephe Cosmopolite, c'est-à-dire « homme pieux, aimant ses frères, citoyen du monde » ; la rédaction de la dédicace à la reine d'Angleterre est située à Éleuthéroville, soit la « ville de la liberté ». Les noms les plus souvent avancés pour l'identification de l'auteur sont ceux du médecin dauphinois Nicolas Barnaud et du juriste Hugues Doneau. C'est le deuxième Dialogue qui est un traité monarchomaque, le premier étant plus historique, plus énigmatique aussi.

Toujours en 1574 paraît un autre ouvrage anonyme, *Discours*

politiques des diverses puissances establies de Dieu au monde, remarquable
par la vigueur de la pensée. Enfin, en 1579 (mais écrit en 1575-
1576) est publié à Bâle un traité intitulé *Vindiciae contra Tyrannos*
(Revendications contre les Tyrans) sous le pseudonyme de Junius
Brutus ; une traduction française paraît en 1581, *De la puissance légitime du Prince sur le Peuple, et du Peuple sur le Prince.* C'est le plus brillant, le plus complet et le plus systématique de tous ces traités. Il est
sans doute l'œuvre du gentilhomme-théologien Philippe Duplessis-
Mornay ; la participation de Hubert Languet, souvent évoquée par
les historiens, est peu probable (B. Nicollier, 1995).

L'ennemie : la puissance absolue

L'inquiétante proximité entre la puissance absolue et la tyrannie

Tous les auteurs de ces traités sont convaincus de l'étroitesse
de la distance qui sépare l'exercice de la puissance absolue et la
tyrannie, au point que, selon eux, l'une conduit presque inévitablement à l'autre. Pour Hotman : «... la puissance royale, si on
ne luy donne quelque mors, comme dit Platon, qui la tienne un
petit [un peu] en bride : et qu'on lui souffre de s'élever jusques
en un degré suprême de souveraineté et de puissance absolue en
toutes choses ; adonc il y a grand danger qu'estant là, ne plus ne
moins que sur un précipice glissant, elle ne se laisse choir en
tyrannie» (éd. A. Leca, Presses Univ. d'Aix-Marseille, 1991,
p. 12). L'image du «chemin glissant» est reprise par le *Réveille-
Matin* (Dialogue, II, p. 86). L'auteur des *Vindiciae* rapporte l'opinion d'Aristote selon laquelle la puissance absolue ne se trouve
que chez les peuples barbares : «Il dit puis après que ceste puissance absolue est cousine germaine de tyrannie, et l'eust appellée
tout à fait tyrannie, n'eust esté que ces bestes de Barbares s'estoyent volontairement assujettis à icelle» (éd. H. Weber, Droz,
1979, p. 139). On reconnaît le thème de la *servitude volontaire* cher
à La Boétie. La puissance absolue est assimilée à l'arbitraire ; il
s'agit donc d'en dénoncer les caractères, afin d'empêcher les
Français de se laisser abêtir comme des barbares.

Les manifestations de la puissance absolue

Le premier de ses caractères est qu'elle s'exerce de manière solitaire, avec l'appui d'un Conseil purement personnel, qui n'est composé que de « flatteurs et mignons de cour ». Les décisions prises reflètent la volonté de l'individu royal, voire ses « passions », ses « fantaisies » ; elles sont donc éminemment changeantes et muables, et les sujets ne peuvent en attendre aucune stabilité. Elles s'accompagnent de secret et de dissimulation qui excluent toute possibilité de contrôle ; elles sont empreintes de mauvaise foi, conformément aux leçons puisées dans « le chapitre dixhuitiesme du livre du prince de Machiavelli » (*Le Réveille-Matin*, Dialogue, I, p. 40). Il y a dans cette dénonciation de la mutabilité des décisions royales le reflet de l'exaspération huguenote devant la succession d'édits contradictoires et éphémères en matière de religion : on ne peut, affirme par exemple un libelle anonyme publié à La Rochelle en 1573 *(Question, assavoir s'il est licite sauver la vie aux massacreurs et bourreaux prins en guerre par ceux de la Religion assiégez en ceste ville)*, « croire que la justice et le pur service de Dieu puissent et doivent estre réglez et compassez à la fantaisie d'un seul homme mortel, lequel selon qu'il sera mené de diverses passions, se permettra gouverner le ciel et la terre, faisant tantost un édict, tantost un autre tout contraire »... Or c'est bien en se référant au « pouvoir absolu » qu'un courtisan comme l'italien Albert de Gondi, comte de Retz, proclame que le roi n'est pas astreint aux édits, et qu'il peut les changer « selon le temps et la nécessité » *(pro tempore et necessitate)* : Théodore de Bèze rapporte la chose avec indignation à Bullinger dans une lettre de janvier 1574 (*Correspondance*, éd. par A. Dufour et B. Nicollier, Droz, t. XV, 1991, p. 12)

Par une réaction de défense contre cette instabilité, les monarchomaques sont amenés à durcir la distinction entre le roi-individu et la Majesté royale, qui s'incarne dans l'ensemble du Royaume. Voici l'exemple de l'argumentation de la *Francogallia* : « Le Roy, combien qu'il soit Prince et Seigneur, toutefois il n'est qu'une personne seule et singulière quant à luy. Mais le Royaume, c'est la communauté universelle de tous les citoyens et sujets, qui y sont comprins. » De *Royaume*, Hotman glisse à *Royauté* : « Voila desja une différence, qui est entre le Roy et le Royaume : venons maintenant aux autres. Le Roy est mortel, aussi bien que le moindre de ses sujets. Mais la Royauté est perpétuelle, et mesmes immortelle. » Le roi peut être prisonnier, fou ou mort : « Le Royaume destitué de son Roy demeure néantmoins en son entier », puisqu'il s'incarne dans l'assemblée des États généraux. Il en résulte qu'il faut réserver l'expression *Majesté royale* au roi siégeant dans ses États, et ne pas en qualifier sa personne : « Quelle apparence y a-t-il que ce soit que le Roy jouë, soit qu'il danse, soit qu'il babille avec des femmes, que cependant on ne l'appelle jamais autrement que Royale majesté, ainsi qu'on fait communément à la Cour ? » (éd. citée, p. 109, 156-158).

Par opposition aux décisions prises par un seul est exaltée la sagesse de celles qui sont élaborées par *plusieurs* (le mot, au XVIe siècle, signifie beaucoup, un grand nombre). Il faut auprès du roi un *Conseil du Royaume*, où « plusieurs entendements et plusieurs bons cerveaux » sont « amassez ». Le conseil étroit, simple conseil privé et personnel de l'individu royal, ne peut en tenir lieu :

> Car quant à ce que les Roys ont un conseil ordinaire auprès d'eux, par l'advis duquel ils disent qu'ils gouvernent la République. Premièrement c'est autre chose d'estre du conseil du Royaume, et autre chose d'estre du conseil privé du Roy. Car le premier tend à pourvoir au bien de toute la République universellement : l'autre ne pense qu'à servir aux commoditez et avantages d'un homme (éd. citée, p. 101).

Un deuxième caractère de la puissance absolue découle du premier : elle tend à faire reculer peu à peu le domaine des lois du Royaume au profit de celui des lois du roi. Personne n'empêche le roi de prendre tout seul des décisions pour ses affaires particulières. Mais pour « l'administration de l'Estat universel du Royaume », les lois doivent être élaborées par ceux qui en ont la charge, les États généraux, vrai Conseil du Royaume, et ne peuvent être changées que par eux, ce qui en garantit la stabilité. « Le peuple de France n'estoit anciennement obligé à garder autres loix que celles-là qui avoyent esté autorisées par ses voix et suffrages » (éd. citée, p. 122 et 159). Parmi ces lois du Royaume, il en est de particulièrement vénérables ; ce sont des lois fondatrices, que Théodore de Bèze appelle, semble-t-il pour la première fois, *lois fondamentales* (éd. citée, p. 61). Celles qu'élaborent les États s'inscrivent dans la continuité de celles-ci. Or l'individu royal cherche à les modifier et donc à transformer en muables lois du roi d'immuables lois du Royaume : il voudrait ainsi faire reculer les « bornes », les « limites », les « termes » que les lois mettent autour de lui.

La supériorité de la loi élaborée par « plusieurs » est justifiée de manière légèrement différente selon les ouvrages : pour les uns, comme l'auteur des *Vindiciae*, c'est parce que « plusieurs » ont plus de chances qu'un seul d'être en conformité avec la raison. « La Loy est la raison et sagesse de plusieurs sages »... « La Loy est une intelligence, ou plustost un amas de plusieurs entendemens ; et l'entendement est (si j'ose ainsi parler) une parcelle de la divinité » (éd. citée, p. 137-138). D'autres, comme Hotman, plus concrets, se réfèrent à l'*histoire* plutôt qu'à la *raison* : « plusieurs » sont plus capables qu'un de déchiffrer et de respecter la tradition historique du pays. Il y a là deux tournures d'esprit qui colorent différemment la définition du *bien public* : les premiers y voient plutôt l'intérêt général et le rattachent à la notion d'État ; les seconds le considèrent comme un patrimoine collectif, un héritage commun, et le rapprochent des notions de patrie et de nation. Selon l'une ou l'autre orientation, la puissance absolue est une offense à la sagesse ou une rupture de la continuité historique.

Dans les deux cas est affirmée la dignité du sujet, soit comme être de raison obéissant à l'aspect raisonnable de la loi, soit comme copropriétaire du bien commun. C'est un « citoyen », attaché à la « sainte et sacrée liberté ». Or la puissance absolue tend à faire de lui une bête brute, un esclave, un Turc. Elle lui refuse son légitime droit de regard sur la gestion commune, qui le touche de près, selon la vieille maxime *Quod omnes tangit* (*Francogallia*, p. 99 ; voir chap. 14).

Le remède : le retour à la monarchie originelle

La souveraineté du peuple

En opposition à la monarchie corrompue par l'exercice de la puissance absolue, les monarchomaques idéalisent celle des origines, qui aurait selon eux perduré sans trop de dommages jusqu'à Louis XI. Il suffit d'y revenir. Ils en reconstruisent les aspects à grands renforts d'érudition partisane. L'histoire reçoit ici un rôle équivoque : donner la caution du « réel », et donc de l'évidence, à des doctrines politiques. L'histoire du peuple hébreu, telle qu'elle est retracée dans la Bible, est aussi abondamment mise à contribution.

Dans la monarchie originelle, le peuple était souverain. L'affirmation est quelque peu tempérée chez Hotman par son admiration pour la monarchie mixte, c'est-à-dire où la souveraineté est partagée entre le roi, la noblesse et le peuple (p. 97) ; mais il n'en affirme pas moins que « la souveraine et principale administration du Royaume des Francsgaulois appartenoit à la générale et solennelle assemblée de toute la nation qu'on a appellé depuis l'assemblée des trois estats » *(ibid.)*. Pour les *Vindiciae*, « le souverain, c'est tout le peuple, ou ceux qui le représentent » (p. 219). Théodore de Bèze continue à appeler le roi souverain, mais il place au-dessus de lui la *souveraineté*, dont il dépend, et qui est « représentée » par les États (p. 19 et 52). Le *Réveille-Matin* affirme que le peuple a retenu une partie de la « souveraine puissance », qu'il peut reprendre en totalité si le roi devient un tyran : les États qui le représentent sont alors « souverains magistrats par-dessus le Roy » (Dialogue, II, p. 85-88).

Il ne faut pas se tromper sur la souveraineté du peuple telle que la conçoivent les monarchomaques et faire de ceux-ci des démocrates avant la lettre. Pour eux, le peuple souverain n'est nullement la multitude, pour laquelle ils n'ont que répugnance ; il s'agit de la communauté organisée, dotée d'une personnalité juridique et dont la voix ne peut s'exprimer que par l'intermédiaire des États généraux. Son pouvoir vient de Dieu. C'est l'assemblée des États qui a les attributs de la souveraineté : élire ou déposer les rois (la monarchie, élective à l'origine, est devenue héréditaire, mais l'assemblée peut choisir une autre lignée en cas de déposition d'un tyran), faire les lois, décider de la paix et de la guerre, voter les impôts, désigner les officiers ou magistrats. Sa souveraineté n'est pas partagée et le roi n'en est que l'exécutant. Toutefois, avec quelque inconséquence, les auteurs ne précisent guère les conditions de régularité de sa convocation.

Le contrat entre le peuple et le roi

Pour mieux exprimer les limitations qui pèsent sur le pouvoir royal, les monarchomaques se servent de la doctrine du contrat. Cette notion, comme celle de la souveraineté du peuple, a des antécédents médiévaux, mais elle reçoit comme elle une cohérence nouvelle par la force avec laquelle ils l'affirment. Selon eux, à l'origine il y a eu un contrat entre le roi et le peuple, par lequel le premier s'est engagé à veiller au « profit » ou « salut » public et le second à obéir. Mais ce contrat oblige différemment les deux parties : le roi est tenu « purement et simplement » de respecter ses engagements, tandis que le peuple ne l'est que conditionnellement, la condition de son obéissance étant la soumission du roi à ses obligations. Les traces du contrat originel subsistent selon les monarchomaques dans le serment que le roi doit jurer lors de son sacre. Pour l'auteur des *Vindiciae,* il y a un double contrat : le premier unit Dieu et le peuple tout entier ; quant à celui qui lie le peuple et le roi, il a presque l'allure d'un contrat d'embauche : à l'aide d'une métaphore navale, le roi est présenté comme le pilote engagé pour conduire le navire politique selon « la route propre au seigneur d'iceluy », c'est-à-dire le peuple (p. 230).

L'idée d'un contrat précis, juridique, codifiant les droits et les devoirs respectifs des gouvernants et des gouvernés, est l'ancêtre lointaine, dans la présentation qu'en ont donnée les monarchomaques, de celle de constitution. Malgré leur volonté de croire à un retour aux origines, l'instauration d'une monarchie contractuelle eût été une rupture aussi grande par rapport à la monarchie consultative que celle qu'ils attribuent à la monarchie absolue.

La résistance contre le tyran

Tyran d'usurpation et tyran d'exercice

Les monarchomaques distinguent classiquement entre deux formes de tyrannie. Le tyran d'usurpation est celui qui est parvenu au pouvoir par des voies illégitimes. L'attitude à son égard est claire : tout le monde, même les personnes privées, peut se dresser contre lui et éventuellement le tuer. Cette affirmation n'est pas dénuée de conséquences en France, puisque l'auteur des *Vindiciae* et celui du *Réveille-Matin* placent Catherine de Médicis dans ce cas.

Le tyran d'exercice, parvenu légitimement au pouvoir mais l'exerçant de manière tyrannique, pose un problème plus délicat. Que faire lorsque le roi, « de bon prince devient Charles IX », comme le dit *Le Réveille-Matin* ? (II, p.84).

Le refus de la réduction automatique du tyran à l'état de personne privée

Les monarchomaques se trouvent devant deux théories du droit de résistance. La première, que Quentin Skinner a appelée « théorie du droit privé » (1978, II, p. 199), a été élaborée au début du siècle par des juristes saxons ; selon elle, un tyran, du fait même de l'impiété de ses actes, se trouve automatiquement réduit à l'état de personne privée ; en conséquence, n'importe quel sujet agressé par sa tyrannie, y compris un simple particulier, peut se prévaloir du cas de légitime défense prévu par le droit privé, selon la maxime *vim vi repellere licet* (il est licite de repousser la violence par la violence). Il en résulte que tout sujet peut se défendre contre un tyran d'exercice, qui se dépouille lui-même de la dignité de sa fonction, et le cas échéant le tuer. La théorie de la réduction automatique du tyran à l'état de personne privée a été soutenue en France par divers libelles depuis 1562 (voir chap. 25 et 29). Elle révèle une volonté de subordonner étroitement l'ordre politique à l'ordre religieux (le premier ayant essentiellement pour mission de faire respecter le second) et suppose une définition religieuse de la tyrannie : celle-ci est le fait d'un roi impie, qui veut contraindre les sujets à agir contre Dieu.

Les monarchomaques sont très conscients qu'une telle théorie risque d'apparaître comme un appel au meurtre et ont voulu éviter ce dérapage : on sent, par exemple, à quel point Théodore de Bèze avance précautionneusement dans ce « passage glissant » et supplie ses lecteurs de ne pas « tirer mauvaise conséquence » de ce qu'il a à dire (*Du droit des magistrats*, p. 11). Il dénie absolument à une personne privée le droit de se dresser de sa propre initiative contre un tyran d'exercice. Les autres textes sont tout aussi prudents (sauf peut-être les *Discours politiques*, moins explicites sur ce point). Pour les *Vindiciae*, « il n'y a si petit matelot qui ne soit tenu de mettre la main à la besongne » pour éviter le naufrage, mais à condition qu'il ait une autorité, si mince soit-elle (p. 236). La seule exception serait celle de l'inspiration divine d'un tueur mandaté directement par Dieu, dont l'Ancien Testament donne de nombreux exemples. Mais Théodore de Bèze déclare ne pas vouloir « toucher » ce point (éd. citée, p. 16). Quant à l'auteur des *Vindiciae*, il lance un avertissement vigoureux à quiconque s'estimerait « inspiré du sainct Esprit » : « Je le prie de se bien fonder et voir s'il n'est point enflé d'arrogance, prendre garde qu'il ne soit Dieu à soy-mesme, et ne concevoir de sa teste telle opinion de soy » (éd. citée, p. 86). Attention aux illuminés qui ne sont que des « imposteurs », précise-t-il plus loin (p. 241).

La résistance légale

Les monarchomaques ont donc prudemment choisi la seconde doctrine de la résistance, ébauchée par des juristes de Hesse, appelée « constitutionnelle » par Quentin Skinner : il faut que les particuliers passent par la médiation des personnes investies d'une autorité publique, seules habilitées à entreprendre le processus de résistance légale. Ces personnes, ce sont les « magistrats inférieurs », selon la terminologie de Théodore de Bèze et de l'auteur des *Vindiciae*, qui en donnent une liste à peu près analogue : d'une part les magistrats des corps de ville ou même (pour les *Vindiciae*) les baillis et les sénéchaux, de l'autre les « ducs, marquis, comtes, vicomtes, barons », c'est-à-dire les membres de la noblesse considérés comme exerçant une part de la puissance publique du fait de leur dignité. Il faut souligner ce rôle donné aux nobles et à leur qualité, autre indice qui écarte toute confusion possible des monarchomaques avec des « démocrates » avant la lettre. Ces magistrats doivent, en cas de tyrannie manifeste, demander la réunion des États généraux ; ceux-ci admonestent le roi ; s'il refuse d'obtempérer, ils peuvent le juger et, finalement, le déposer pour en choisir un autre. Théodore de Bèze prévoit qu'en cas de corruption de certains magistrats inférieurs ou des membres des États, la minorité restée pure (la « plus saine partie ») peut agir à la place de la majorité corrompue (p. 53-54). Un traité comme les *Discours politiques* donne aussi beaucoup d'importance au Parlement (que François Hotman, au contraire, disqualifie).

Ce qui guide les monarchomaques, c'est une définition *politique* et non plus seulement *religieuse* de la tyrannie : celle-ci est pour eux l'infraction aux lois du Royaume et non plus seulement celle aux lois de Dieu. La voie leur a été ouverte par les textes justificatifs de la conjuration d'Amboise ; mais c'est dans leurs œuvres que la définition de la tyrannie comme un attentat contre les lois est la plus nette. Pour François Hotman, c'est à la « chose publique », aux « bonnes loix et statuts de nos ancestres », que Louis XI a le premier fait une « profonde playe » (préface). Théodore de Bèze affirme qu'il ne suffit pas qu'un roi soit vicieux pour être dit tyran : « La Tyrannie emporte une malice confermée avec un renversement d'estat et des Loix fondamentalles du Royaume »... c'est « une puissance exercé contre les loix » (p. 27 et 61). L'auteur des *Vindiciae* consacre deux parties différentes à la violation des lois de

Dieu et à celle des «lois civiles» : dans le second cas, le tyran commet un crime de «lèse-Majesté des Loix» ; par un retournement audacieux de l'argumentation des juristes royaux, il est dit passible de la *lex Julia* (p. 145 et 219 ; sur la *lex Julia*, voir chap. 9).

Le devoir de juste violence

Que faire cependant en cas d'obstination du roi ? C'est là que doit intervenir la violence légitime : il faut prendre les armes, toujours sous la conduite d'un magistrat inférieur (un prince du sang ou un membre de la haute noblesse donnant la meilleure caution). François Hotman avance à cet effet la notion de «sédition juste et nécessaire», et donne l'exemple de la guerre du Bien Public contre la tyrannie de Louis XI, menée par les ducs de Bourbon, de Berry et de Charolais et par les comtes de Dunois, d'Armagnac et d'Albret. Ces princes prirent les armes afin «de le mener [le roi] par force à la raison» ; leur action aboutit selon l'auteur à faire nommer auprès de Louis XI, par les États généraux convoqués à Tours, 36 députés, 12 par ordre, appelés les «36 Procureurs de la chose publique» (p. 172-176). Théodore de Bèze refuse pour sa part le mot de sédition, à la connotation subversive, mais évoque une «guerre justement entreprise» (p. 8 et 54). L'auteur des *Vindiciae* rejette également le terme de sédition (pour lui, c'est le tyran qui est séditieux) et parle de «justement lever les armes» (p. 234). Ce n'est pas cependant sans une certaine tristesse que les monarchomaques prescrivent ainsi le recours à la violence, eux qui voient la monarchie idéale comme un «bel ancien accord» ; ils savent que le remède est «dangereux». Du moins ont-ils multiplié les garde-fous pour que la violence légitime ne dégénère pas en soulèvement incontrôlé.

Reste à mettre en pratique leurs appels à la résistance contre la tyrannie. La Rochelle a incarné en partie leurs aspirations. Mais c'est la cinquième guerre, qui commence en 1574, qui va porter leurs espérances. Si Théodore de Bèze, au début, reste méfiant, François Hotman voit dans le déclenchement du conflit l'influence de sa *Francogallia,* comme il l'écrit dans une lettre du 27 avril 1574 à son ami Gwalter (D. Kelley, 1973, p. 250), et Philippe Duplessis-Mornay va s'y engager à la fois par la diplomatie et les armes. Le temps semble venu, qu'appelle de ses vœux l'auteur de la *Francogallia* dans sa préface, de prendre les armes pour porter secours à la «patrie», cette «mère misérablement oppressée».

ORIENTATION BIBLIOGRAPHIQUE

Donald Kelley, *François Hotman. A Revolutionary's Ordeal*, Princeton University Press, 1973, 370 p.

Pierre Mesnard, *L'essor de la philosophie politique au XVIe siècle*, éd. rev., Paris, Vrin, 1952, 712 p.

Béatrice Nicollier, *Hubert Languet (1518-1581)*, Genève, Droz, 1995, 684 p.

Quentin Skinner, *The Foundations of Modern Political Thought*, Cambridge Univ. Press, 1978, 2 vol., rééd. 1992-1995.

Marguerite Soulié, La Saint-Barthélemy et la réflexion sur le pouvoir, *in* Franco Simone (sous la dir. de), *Culture et politique en France à l'époque de l'Humanisme et de la Renaissance*, Turin, Acad. delle scienze, 1974, p. 413-425.

Jean Touchard, *Histoire des idées politiques*, Paris, PUF, 1958, 12e éd. 1991, t. 1, 394 p.

31. L'union des Malcontents contre la tyrannie : la cinquième guerre (1574-1576)

La cinquième guerre civile est tout à fait différente des précédentes, puisque, cette fois, des catholiques modérés combattent aux côtés des réformés contre les troupes royales : c'est dire que les mobiles politiques passent au premier plan. Non que les mobiles religieux soient oubliés, bien au contraire : mais la reconnaissance du culte réformé et la coexistence confessionnelle pacifique semblent plus que jamais, après la Saint-Barthélemy, ne pouvoir être obtenues qu'au prix d'une étape préliminaire, une « réformation d'État », offrant des garanties contre l'arbitraire et permettant de mettre fin aux guerres civiles. C'est pour parvenir à cet objectif que des gentilshommes des deux confessions, qui se disent « malcontents » du roi, prennent les armes. Leur « malcontentement » n'est pas une simple aigreur de frustrés : il a une véritable dimension politique.

Le « malcontentement » nobiliaire

La cinquième guerre trahit un incontestable malaise nobiliaire. Mais il ne faut pas se tromper sur sa nature ; il convient de rejeter le cliché simpliste d'un « déclin » politique et économique *global* de la noblesse, que rien ne permet d'affirmer. Ce malaise est avant tout l'effet d'une crise du « pacte » tacite sur lequel reposent les relations entre la noblesse et le roi (voir chap. 13).

L'insécurité de l'accès aux « bienfaits du roi »

Les « bienfaits du roi », ce sont les honneurs, les charges, les pensions et les dons divers qu'il peut distribuer. La croissance monarchique en a mis dans sa main une quantité que nul seigneur de son royaume ne saurait surpasser. Pour les nobles, le problème crucial est d'accéder à ces bienfaits, c'est-à-dire à la faveur du roi. Cela suppose pour les grands une présence physique à la cour, ou alors celle d'un ami ou parent bien placé ; pour les simples gentils-hommes, cela signifie l'appartenance à la clientèle d'un patron qui jouit de la bienveillance royale. Le système fonctionne bien lorsque la distribution se fait avec équité, sans privilégier indûment un « favori ». Si l'arbitrage du roi est moins ferme, l'accès à ses bien-faits devient plus aléatoire. C'est ce qui s'est passé pendant les guerres de Religion, sous l'influence de plusieurs facteurs.

Le premier est la jeunesse des rois. François II et Charles IX ont été des adolescents ; les gentilshommes n'ont pas confiance en leur capacité d'arbitrage.

Le second, plus grave, est la déchirure religieuse, qui provoque à la cour l'alternance brutale des factions : disgrâces et retours en grâce se succèdent, entraînant les clientèles. Impossible, dans ces conditions, d'avoir la moindre sécurité, que l'on soit un grand ou un gentilhomme de noblesse moyenne. Le résultat est la volatilité des clientèles : les clients ont tendance à déserter sans scrupules un maître disgracié et à s'attacher au favori du moment, quitte à reve-nir au premier ensuite. Pour stabiliser leurs clients, les grands essaient de les attacher à un « parti », religieux (le « marquage » catholique des ducs de Guise répond en partie à cet objectif) ou politique, dont ils prennent la tête (R. Harding, 1978) : mais le remède ne fait qu'accentuer l'instabilité. Pour se prémunir contre celle-ci, ils en viendront à souhaiter un contrôle collectif de la ges-tion du stock des faveurs royales, par la participation de tous au Conseil et le refus du Conseil étroit, siège par excellence du mono-pole de la faveur.

D'autres facteurs restreignent la masse des bienfaits disponibles, soit en les dévaluant tellement qu'ils cessent d'être désirables, soit en les mettant hors de la portée des grands. A la première catégorie appartient, par exemple, le collier de l'ordre de Saint-Michel, devenu trop commun (on connaît le mot de Montaigne, qui l'obtient : ce n'est pas lui qui s'est élevé jusqu'à l'ordre, mais l'ordre qui s'est abaissé jusqu'à lui). La deuxième catégorie est celle des offices royaux, dont les possesseurs viennent d'obtenir, grâce aux édits de janvier et juin 1568, la dispense de la clause des quarante jours, moyennant le paiement d'un tiers de la valeur de l'office, le *tiers denier*. «Jusque-là, pour obtenir des offices, des résignations ou des survivances, ces sujets s'adressaient à de grands seigneurs qui les leur faisaient obtenir et à meilleur compte et s'en faisaient ainsi des partisans, des clients» (R. Mousnier, *La vénalité des offices*, PUF, 1971, p. 50). Dès cette date, une partie des offices échappe à la redistribution par les grands.

L'éclatement du modèle nobiliaire

Un autre facteur du malaise nobiliaire est l'accroissement de l'importance du service civil du roi, fondé sur une compétence technique et devenu aussi utile que le service des armes.

Cette opposition entre service civil et service guerrier, entre robe et épée, entre deux *modèles* de vertu noble, ne coïncide pas strictement avec celle de deux groupes sociaux bien délimités, une noblesse ancienne et une nouvelle. Quelques exemples rappelleront combien les choses sont plus compliquées. Il existe des gentils-hommes fort diplômés : ainsi Jean Ébrard de Saint-Sulpice, capitaine de cinquante hommes d'armes et gouverneur de la maison de François d'Alençon, est docteur *in utroque* (dans les deux droits, civil et canon). Des gentilshommes de vieille souche sont, à partir de 1564, surintendants généraux des finances : Artus de Cossé, Louis d'Ongnies, François d'O, Maximilien de Béthune, duc de Sully. D'autres achètent des offices : le sire de Gouberville en a un (lieutenant des Eaux et Forêts) ; au Parlement de Rouen, 17 % des conseillers sont déjà nobles avant d'y entrer, dont les deux tiers en sont au moins à leur quatrième génération de noblesse (J. Dewald, 1980).

Ces précisions apportées, il faut constater que la plupart des gentilshommes répugnent à passer de longues années sur les bancs de l'Université : Monluc, par exemple, s'étonne que des jeunes au sang vif puissent rester assis et enfermés toute la journée (*Commentaires*, éd. P. Courteault, 1964, p. 345). Peu ont donc acquis les qualifications nécessaires pour les tâches les plus techniques du gou-

vernement. D'ailleurs, selon eux, il suffit d'être « généreux » pour
être un bon juge ou un bon conseiller du roi : ils estiment que la
vertu noble innée est polyvalente, notion aux antipodes de celle de
compétence acquise. C'"est à ce titre qu'ils réclament un pourcentage de places dans les cours de justice et en particulier dans les
Parlements. Ils ressentent comme un affront que des hommes de
plume et de cabinet jouissent parfois mieux qu'eux de la confiance
royale. Ils souffrent de voir des charges données à des gens qui
n'ont jamais combattu : ainsi, en 1567, les gentilshommes réunis
autour de Louis de Condé expriment leur colère dans un libellé :

> Ce qui mécontente autant la Noblesse de ce Royaume est de voir les
> charges, honneurs et faveurs départis à personnes indignes, et ceux qui
> sont de basse condition estre le plus proches de la personne de sadite
> majesté : ou, s'ils sont de la qualité de Noblesse, n'avoir aucune expérience
> des armes, n'en avoir fait profession (chose indigne de la grandeur d'un si
> grand Roi) (*Response de Monseigneur de Prince de Condé et autres Seigneurs...*,
> Orléans, 1567).

Cela ne signifie pas que les nobles sont écartés du pouvoir : le
poids qu'ils ont dans les provinces par leurs richesses et leurs clientèles et les factions qu'ils sont capables de mobiliser à la cour font
que les rois dépendent largement d'eux. Mais leur identité n'est
plus aussi claire pour eux qu'auparavant. Certains éprouvent alors
un besoin nouveau d'accentuer leur spécificité guerrière. La multiplication des duels, la complexité croissante des règles du point
d'honneur, l'exaltation de l'héroïsme en proportion inverse de la
futilité du motif, répondent en partie à ce but. Ou encore, pour
mieux se distinguer des hommes de plume, ils se targuent d'être
incultes, comme Bussy d'Amboise dont l'un de ses familiers écrit
qu'il fait « profession d'estre ignorant », alors qu'il sait faire des vers
français, grecs et latins (P. de Dampmartin, *Du Bon-heur de la Cour*,
1592, fº 91 rº).

C'est sans doute le même besoin de se différencier qui donne un
large écho chez les gentilshommes aux thèses qui font des Francs
des Germains et voient en eux, sous l'influence de la Germanie de
Tacite, des guerriers farouchement épris de liberté. En effet, certains commencent à adopter l'idée selon laquelle ces Francs
conquérants sont les ancêtres des nobles. Ne lit-on pas chez Jean
Lemaire de Belges : « Est la terre de Germanie la vraye germinateresse et produiteresse de toute la noblesse de nostre Europe » (*Les
Illustrations de Gaule*, 1511-1513, liv. III) ? Charles Dumoulin, qui
correspond avec Anne de Montmorency et lui dédie certains de ses

ouvrages, n'a-t-il pas exalté la fierté et la pureté raciale des *Franci-germani* (*Commentarii in consuetudines parisienses*, 1539) ? Étienne Pasquier ne reconnaît-il pas que les Francs ont conquis la Gaule et que cette première conquête a débouché sur une stratification sociale donnant des privilèges nobiliaires aux Francs vainqueurs par la distribution des terres conquises, même si ensuite il y a eu mélange des deux peuples (*Recherches de la France*, liv. 1, 1560, chap. VII et liv. II, 1565, chap. XVI) ? La querelle sur la dualité des ancêtres, les Francs et les Gaulois, devient passionnelle dans la deuxième moitié du XVIᵉ siècle et reflète le débat sur la nature de l'ordre social. On n'est donc pas surpris de trouver dans l'un des textes justificatifs des Malcontents, la *Brieve Remonstrance à la Noblesse de France*, une allusion à la « première fondation » du Royaume, quand « les nobles et généreux François de Germanie se saisirent de l'Isle de France, sous leur Roy Mérovée, lequel assigna à un de ses principaux capitaines la terre de Montmorency » (p. 58). Implicitement, l'amour de la liberté propre aux guerriers du Nord est opposé ici à l'esprit de servitude apporté du Sud par les conseillers italiens que dénonce le texte.

Le malaise devant l'extrémisme religieux

Bien des familles nobles sont divisées par les choix religieux. On en a déjà vu des exemples dans le chapitre 20. Le cas le plus notoire est celui des Montmorencys, dont les cousins Châtillons sont passés à la Réforme, et dont le neveu Henri de La Tour d'Auvergne, vicomte de Turenne, est, pendant la cinquième guerre, sur le point d'en faire autant. L'ampleur des réseaux de parenté, d'amitié et de solidarité résiste souvent, surtout dans la France méridionale, à la déchirure religieuse ; de là ces demandes d'entraide adressées à des parents situés dans l'autre camp, lorsque l'armée ennemie se rapproche dangereusement. En 1580, par exemple, un lieutenant du roi de Navarre, Jean de Gontaut-Biron, baron de Salignac, fait tout ce qu'il peut pour protéger les biens de son parent l'évêque de Cahors lors de la prise de cette ville par l'armée huguenote (papiers des Saint-Sulpice publ. par E. Cabié, Albi, 1909, p. 581). Cette solidarité n'est pas passée inaperçue des observateurs roturiers : Antoine Batailler, membre du consulat de Castres, croit même y voir l'effet d'une tactique des nobles pour sauvegarder leurs intérêts : « Si un gentilhomme catholique a deux enfants, il en fait recevoir un à la religion, et laisse l'autre demeurer catholique. Le gentilhomme de la Religion fait le semblable »... (*Mémoires sur les guerres civiles à Castres*, publ. par C. Pradel, Albi, 1894, p. 42-43).

Sans aller jusque-là, force est de constater la lassitude croissante de beaucoup de gentilshommes combattant leurs parents et amis dans les rangs adverses. A cet égard, le caractère meurtrier du siège de La Rochelle a pu jouer un rôle dans le rapprochement des modérés des deux bords et leur faire prendre conscience que la guerre ne sert qu'à décimer la noblesse française. Au profit de qui ? Bientôt le soupçon s'installe : au profit de ceux qui veulent instaurer en France une monarchie absolue contraire aux traditions du royaume ; pour ceux-ci, en effet, la noblesse, attachée aux libertés, est une gêneuse. Les nobles découvrent là une clé qui va leur permettre d'interpréter les expériences vécues depuis deux décennies et de donner un sens politique à leur malcontentement.

La prise d'armes des Malcontents

L'éphémère retour à la situation d'avant la Saint-Barthélemy

La paix de La Rochelle n'a pas, on l'a vu, désamorcé l'agitation huguenote, qui reste inquiétante en Poitou, en Aunis et en Languedoc. Celle-ci est encore plus menaçante depuis le rapprochement confessionnel opéré sous les murs de La Rochelle autour de François d'Alençon. Ce dernier se trouve placé, du fait de l'élection de Henri d'Anjou au trône de Pologne, dans la position d'un héritier possible de la couronne de France. Sans doute, Charles IX promulgue le 10 septembre 1573 des lettres patentes assurant à Henri sa succession s'il mourait sans enfant mâle, hypothèse de plus en plus probable compte tenu de sa santé déclinante. Mais, d'une part, il n'est pas sûr que le roi de Pologne puisse échapper à ses sujets polonais si le cas se produisait ; de l'autre, beaucoup ne veulent pas le voir régner en France, le trouvant trop lourdement engagé du côté des catholiques militants, et soutiennent les espérances de François d'Alençon. La position de ce dernier et des modérés qui l'entourent est ainsi renforcée par la conjoncture : une fois de plus, le balancier revient du côté des partisans de la tolérance civile.

De multiples signes témoignent de cette décrispation. L'un des plus spectaculaires est l'accueil fait aux ambassadeurs polonais venus chercher leur nouveau souverain (août-septembre 1573). Ces émissaires exotiques aux longues barbes et à la nuque rasée symbolisent à la fois le respect des diversités religieuses qui caractérisent leur pays et l'attachement à leurs libertés : le futur roi doit jurer de ne détruire ni les unes ni les autres (*Jurabis aut non regnabis* : « Tu jureras ou tu ne règneras pas », assène à un Henri d'Anjou plutôt réticent l'un des ambassadeurs). Agrippa d'Aubigné et bien d'autres gentilshommes s'émerveillent du modèle offert par ces « Sarmates rasés », hommes libres qui n'obéissent qu'au droit et à la loi (*Les Tragiques*, liv. II, vers 713-719). Cependant Henri d'Anjou, désireux de régner, s'incline devant leurs exigences ; Charles IX écoute leurs interventions en faveur des réformés français ; des divertissements magnifiques sont donnés en leur honneur, au cours desquels une place de choix est faite aux mariés des noces tragiques, Marguerite de Valois et Henri de Navarre. Marguerite fait l'admiration des Polonais par sa beauté et sa culture ; elle est la seule à pouvoir leur répondre avec aisance en latin, tandis que ses frères éprouvent avec dépit les lacunes de leur formation de latinistes. Bref, ces fêtes semblent réaliser le premier article de l'édit de Boulogne de juillet 1573 : « Que la mémoire de toutes choses passées depuis le 24ᵉ jour d'août dernier passé, à l'occasion des troubles et émotions advenues en notre Royaume, demeurera éteinte et assoupie, comme de chose non advenue... »

Ces indices d'un retour à la modération ne durent pas que le temps des réjouissances offertes aux Polonais. Ils se confirment avec la reprise de la politique extérieure amorcée après l'édit de Saint-Germain. On recommence à parler de l'aide aux révoltés des Pays-Bas : elle est évoquée officiellement dès l'entrevue de Blamont (novembre 1573), à la frontière du duché de Lorraine, où Catherine de Médicis et François d'Alençon, faisant une partie de la route avec le roi de Pologne dans son voyage vers ses nouveaux sujets, ont rencontré Louis de Nassau et le comte Christophe, fils de l'Électeur palatin Frédéric III ; on en parle plus sérieusement depuis janvier, car le duc d'Alençon est tenté par l'aventure aux Pays-Bas. L'influence de François de Montmorency, qui a joué un rôle important après la paix de 1570 et a quitté Paris juste avant la Saint-Barthélemy, redevient prédominante au Conseil au début de janvier 1574. Sur ses instances, François d'Alençon est nommé chef du Conseil, garde du sceau privé du roi et commandant des armées. Il est vrai que celui-ci aurait voulu plus : la lieutenance générale du royaume que le départ de Henri d'Anjou a laissée vacante. N'était la surveillance étroite que le roi et sa mère, méfiants, font exercer sur le duc d'Alençon et le roi de Navarre, retenus en fait dans une captivité dorée à la cour, on pourrait se croire revenu à la situation d'avant la Saint-Barthélemy. Il y a là de quoi faire renaître les vieilles inquiétudes de l'Espagne et du parti des catholiques intransigeants. La Saint-Barthélemy aurait-elle été inutile ?

Le départ de Montmorency et la prise d'armes

Le cardinal de Lorraine et les partisans de la fermeté au Conseil s'emploient à faire cesser cette situation scandaleuse pour eux : Montmorency est poussé à partir à la fin de février. Mais son départ fait disparaître la dernière caution qui rassurait les huguenots et les catholiques modérés. Les espoirs qui leur ont été donnés leur apparaissent désormais comme des leurres : dans le climat de suspicion généralisée qui règne alors, la seule issue qui semble s'offrir à eux pour obtenir des garanties enfin stables est le recours à la violence. Leur prise d'armes, début de la cinquième guerre, comporte deux aspects : des soulèvements dans les provinces et deux conjurations à la cour. Dans les provinces, c'est, en Poitou, la saisie de nombreuses villes par surprise à la faveur des déguisements carnavalesques du Mardi-Gras ; les combattants, conduits par François de La Noue, prennent le nom de *Publicains*, c'est-à-dire défenseurs du bien public. En Dauphiné, c'est Charles Du Puy-Montbrun qui prend la tête des hostilités ; en Languedoc, les réformés rendent opérationnelle leur organisation militaire, dont Damville va bientôt prendre la tête. D'Angleterre, Montgomery prépare une flotte pour débarquer en Normandie.

A la cour, les conjurations ont pour but de faire évader de la cour Henri de Navarre et François d'Alençon. Le but est de les faire fuir à Sedan, principauté souveraine dont le duc est un La Marck ; là, ils rejoindront Louis de Nassau. L'étape suivante du plan reste indécise : soit marche sur le royaume, soit aide aux Pays-Bas. Les artisans de ces conjurations sont des gentilshommes qui se disent malcontents ; les plus ardents sont Thoré et Méru, les cadets des Montmorencys, et leur neveu Turenne. Une première conjuration est programmée pour le Mardi-Gras ; elle échoue (mais elle a tout de même provoqué une belle peur à la cour : « l'effroi de Saint-Germain ») ; le roi pardonne. Une seconde conjuration est alors préparée pour le début d'avril, avec des buts analogues, les artisans principaux étant ici deux gentilshommes du duc d'Alençon, La Molle et Coconnat. C'est encore un échec. Cette fois la fureur de Charles IX éclate : il fait arrêter, torturer et exécuter La Molle et Coconnat, et, sur la foi de leurs révélations, fait arrêter le 4 mai 1574 le duc François de Montmorency et son parent Artus de Cossé, tous les deux maréchaux de France, bien qu'ils se soient en réalité tenus à distance des complots. Ils vont rester en prison pendant un an et demi. La brutalité de cette réaction est certainement à mettre en relation avec une recrudescence des pressions de la diplomatie espagnole, confortée par la terrible défaite infligée aux révoltés des Pays-Bas à Mook Heide, le 14 avril : les deux interlocuteurs de l'entrevue de Blamont, Louis de Nassau et le comte Christophe du Palatinat, y trouvent la mort. Le 18 juin, la reine mère dépossède Henri de Montmorency-Damville de ses pouvoirs en Languedoc, dont il reste nominativement gouverneur : mesure, en fait, difficile à appliquer. Il semble bien que seule la crainte inspirée par la puissance de Damville et de sa clientèle languedocienne ait empêché le roi de faire assassiner son frère aîné le duc dans sa prison (De Crue, 1892). C'est donc une nouvelle tentative d'élimination violente de la politique de coexistence confessionnelle (politique symbolisée ici par Montmorency et Alençon) et des conséquences qu'elle est censée impliquer (aide aux Pays-Bas et caution supposée à la « subversion » huguenote), moins ample et moins terrible certes que la Saint-Barthélemy, mais provoquée par des craintes analogues.

L'alliance des Malcontents et des huguenots

Henri de Montmorency-Damville, furieux de l'arrestation de son frère, en butte à la méfiance du roi et à l'hostilité du Parlement de Toulouse, se rapproche alors des huguenots languedociens ; en juillet 1574, l'assemblée politique que ceux-ci tiennent à Millau l'élit comme leur protecteur dans la province, et les articles de son association avec eux sont signés le 12 janvier 1575 à Nîmes. Il reste pourtant un catholique fervent. Deux raisons l'ont poussé à cette solution. Il s'agit d'abord d'une tactique de survie, dictée par un sentiment d'insécurité et destinée, comme il l'a dit lui-même, à défendre sa « maison » et son honneur, tous deux menacés par l'instabilité de la faveur du roi. Mais il est aussi arrivé à la conviction, lui l'ancien partisan des Guises, que la seule solution raisonnable, puisqu'on ne peut pas faire disparaître les huguenots, est de s'entendre avec eux. « Nous nous souvenons bien, monseigneur, lui diront plus tard (en 1590) les consuls réformés de Nîmes, de vous avoir souvent ouy dire que nostre religion, ou ne debvoyt poinct du tout estre tollérée, ou, si elle l'est, comme Dieu nous a faict ceste grâce, qu'elle le doibt estre indifféramment, sans aucune restriction ni limitation de lieux » (texte pub. par M. Ménard, *Histoire... de la ville de Nismes*, Paris, 1754, t. V, p. 197).

Charles IX meurt le 30 mai 1574. Son frère Henri s'enfuit alors de son royaume de Pologne, après une chevauchée rocambolesque qui lui permet d'échapper à son grand chambellan lancé à ses trousses, puis rentre lentement en France en passant par l'Italie où il s'attarde. Catherine de Médicis a été nommée régente en attendant. Pendant trois mois (Henri III arrive à Lyon au début de septembre), la France vit une sorte d'interrègne, d'autant plus imprécis que les nouvelles de la fuite du roi de Pologne ont tardé à venir : les espoirs placés dans un règne de François d'Alençon ont pu sembler un temps plausibles. L'importance de ce dernier en est accrue. Mais le retour de Henri III rend vaines ces attentes. Ce n'est que le 15 septembre 1575 que le duc d'Alençon parvient à s'enfuir. Henri de Condé, lui, a pu quitter la cour dès le printemps 1574 et revenir au calvinisme, et est en train de lever des troupes dans le Palatinat. Il ne manque plus, pour compléter le nombre des chefs des Malcontents, que Henri de Navarre : celui-ci s'évade à son tour de la cour en février 1576.

Les justifications de la prise d'armes

Manifestes et traités

Comme lors des prises d'armes antérieures, les Malcontents publient des déclarations pour se justifier ; en outre, des traités anonymes développent leur argumentation. A la première catégorie appartiennent les *Déclarations* faites en mai et juillet 1574 par le prince Henri de Condé, « accompaigné de plusieurs Seigneurs Gentilshommes de l'une et l'autre religion » ; la *Déclaration* de Henri de Montmorency-Damville, proclamée à Montpellier le 13 novembre 1574 ; enfin la *Déclaration* de François d'Alençon, après sa fuite, donnée à Dreux le 18 septembre 1575. De la deuxième catégorie relèvent quatre ouvrages tout à fait remarquables. C'est d'abord le commentaire de la déclaration du duc d'Alençon, sous le titre *Briève Remonstrance à la Noblesse de France sur le faict de la Déclaration de Monseigneur le duc d'Alençon* (1576). Ce texte est attribué à Innocent Gentillet, un juriste huguenot qui se rend célèbre par une réfutation vigoureuse des thèses de Machiavel (*Anti-Machiavel*, 1576). Le second est le *Discours merveilleux de la vie, actions et déportements de Catherine de Médicis*, en qui on aurait tort de ne voir que le pamphlet ordurier que le titre suggère : c'est un traité politique de haute tenue, qui connaît deux versions, l'une en 1575 et l'autre, remaniée, en 1576. Le troisième est la *Résolution claire et facile sur la question tant de fois faicte de la prise des armes par les inférieurs* (Bâle, 1575 puis Reims, 1577), exposé précis du droit à la résistance légitime, qu'on a attribué sans preuve solide au réformé Odet de La Noue, le fils de François. Le quatrième est la *France-Turquie* (Orléans, 1576), tendant à prouver que l'on veut « réduire le royaume en tel estat que la tyrannie turquesque ».

Le thème du complot contre la noblesse

Un caractère commun, plus ou moins marqué selon les textes, signale leur appartenance au mouvement des Malcontents : c'est l'affirmation qu'il existe un complot contre les gentilshommes du royaume. Les instigateurs en seraient les Italiens au pouvoir : Catherine de Médicis, bien sûr, mais aussi René de Birague, chancelier depuis 1573, Albert de Gondi, comte puis duc de Retz, maréchal de France depuis la même date, Louis de Gonzague, devenu duc de Nevers par son mariage. Ces étrangers n'ont qu'un but : « subvertir » le royaume en détruisant ses anciennes lois. Pour y parvenir, il leur faut détruire les anciennes lignées, parce qu'elles sont les gardiennes naturelles des lois du royaume : « La noblesse de France [...] n'a jamais voulu souffrir que les loix du royaume fussent violées ni changées, ains s'est tousjours employée jusques à présent à les maintenir et à faire observer » (*Briève remonstrance*, p. 40). La Saint-Barthélemy aurait été une étape importante dans la réalisation de ce projet. En effet, pour Montmorency-Damville comme pour l'auteur du *Discours Merveilleux*, il ne faut pas croire que la Saint-Barthélemy a visé les huguenots : elle résulte de la volonté d'exterminer « tous les grands de ce Royaume, sans égard de Religion ». L'emprisonnement des princes et des maréchaux en 1574 relève de la même logique. Pire encore : les étrangers attisent volontairement les querelles religieuses afin de détourner l'attention des Français de leur néfaste entreprise, de les forcer à s'entretuer et de décimer ainsi la noblesse. Il faut donc réagir. Et d'abord ouvrir les yeux, retrouver sa clairvoyance en mettant les « lunettes de cristal de roche » (c'est le titre d'un des libelles publiés à la suite de la *France-Turquie*) que constituent les avertissements des Malcontents. Ensuite s'unir par-delà les différences de religion et faire confiance à un concile national « saint et libre » pour surmonter les divisions religieuses. Enfin, demander la réunion des États généraux pour réformer le royaume et, en cas de résistance des tyrans étrangers, appeler la noblesse à exercer son devoir de révolte.

> A cela mesme vostre devoir et honneur vous appelle, Seigneurs et gentils-hommes François. Ce n'est pas pour néant que vous portez les armes. C'est pour le salut de vos Princes, de vostre patrie, et de vous-mesmes. Ne endurez donc pas que vos Princes soyent esclaves, que les principaux officiers de ceste Couronne, pour l'affection seulement qu'on sait qu'ils portent à sa conservation, soyent en danger de leur vie : que vous mesmes soyez tous les jours exposez à la mort pour satisfaire à l'appétit de vengeance d'une femme qui se veut venger de vous et par vous tout ensemble. Recognoissons, quelque différent de Religion qu'il y ait entre nous, que ce néantmoins nous sommes tous François, enfans légitimes d'une mesme patrie, nais en un mesme Roiaume, sujets d'un mesme Roy (*Discours Merveilleux*, éd. sous la dir. de Nicole Cazauran, Genève, Droz, 1995, p. 278).

Le plaidoyer pour une souveraineté partagée

Les textes justificatifs des Malcontents se distinguent de ceux des monarchomaques en ce sens qu'ils penchent plutôt pour une monarchie mixte que pour la souveraineté non partagée des États généraux. Leur orientation beaucoup plus nobiliaire leur fait donner une plus grande importance au Conseil, qui représente l'élément aristocratique. Ils voient l'exercice du pouvoir comme la collaboration entre trois instances : les États généraux, le Conseil (un

Conseil où les grandes lignées seraient équitablement représentées et non un Conseil étroit) et le roi. Les modalités de cette collaboration sont bien indiquées par l'auteur de la *Résolution claire et facile*, lorsqu'il présente les lois comme « procédées du vrai et naturel conseil d'icelle [la Couronne], publiées de l'authorité de la mesme majesté Royale, selon l'advis et requeste des États légitimement assemblez » (p. 93 de l'éd. de 1575). Le roi ne ferait donc qu'*autoriser* des décisions collectives, c'est-à-dire leur conférer le sceau de la légalité.

Ce trait indique qu'il n'est pas possible de confondre les Malcontents avec ceux qu'on appelle de plus en plus les *Politiques*. Ceux-ci en effet (voir chap. 33), bien qu'ils partagent l'aversion pour la tyrannie, sont en train de prendre conscience de la nécessité d'un pouvoir monarchique fort pour surmonter la crise ; ils se distinguent donc sur ce point des Malcontents.

Dans le Midi : le combat pour une structure confédérale

Parallèlement aux luttes des Malcontents, les huguenots consolident l'organisation confédérale ébauchée en 1562 (voir chap. 25).

Le modèle des États provinciaux et généraux

Avant la Saint-Barthélemy, les assemblées politiques se veulent les substituts des États provinciaux de Languedoc. La première, on l'a vu, est celle qui se réunit à Nîmes du 2 au 13 novembre 1562 : elle s'intitule « Assemblée généralle des estats dudict païs de Languedoc ». On y trouve une formulation très claire de la légitimité de la prise d'armes (« ceste juste résistance et défence civile »). Les assemblées suivantes (Bagnols, ouverte le 31 mars 1563, Montpellier, 30 octobre 1567, Nîmes, 1er décembre 1569, Nîmes, 14 février 1570 et Anduze, 23 juin 1570) font de même (procès-verbaux publiés par Jean Loutchizki, *Bull. de l'Hist. du Prot. fr.*, 1873, 1875, 1877 et 1896).

Après la Saint-Barthélemy, les plus importantes changent de nature et se réfèrent au modèle des États généraux. Trois surtout sont à retenir.

**Principales assemblées politiques des huguenots
dans les années 1573-1575**

Assemblée de Millau, décembre 1573 : elle élabore un « règlement », sorte de constitution prévoyant pour les réformés une structure confédérale.
Assemblée de Millau, juillet 1574 : elle choisit le prince Henri de Condé comme
« gouverneur général et protecteur » et Henri de Montmorency-Damville
comme « gouverneur et lieutenant général pour le roi en Languedoc », chargé,
en l'absence de Condé, de « veiller à la conservation de la Couronne ».
Assemblée de Nîmes, janvier-février 1575 : elle s'ouvre aux catholiques, qui signent
avec les réformés un « traité d'association ».

La seconde de ces assemblées se présente comme celle des « églises réformées de France représentées par une assemblée générale ». Celle de Nîmes s'intitule : « États généraux des Provinces de ladite Union ».

Cette dernière expression est à souligner : les *Provinces de l'Union*. Il vaut mieux la retenir plutôt que celle de « Provinces-Unies du Midi », proposée par Jean Delumeau (*Naissance et affirmation de la Réforme*, p. 181 de l'éd. de 1965) et reprise par Janine Garrisson (1980, p. 185). Pour deux raisons : d'abord parce que c'est le nom utilisé par les artisans de cette structure ; ensuite parce que l'expression « Provinces-Unies du Midi » risque de faire naître une confusion, par analogie avec les Provinces-Unies du Nord : faire croire qu'il s'agit d'une sécession et d'une république. Or ce n'est ni l'une, ni l'autre.

Les rédacteurs du règlement de décembre 1573 se situent expressément dans le royaume : « n'ayant d'autre but que la gloire de Dieu, l'avancement du règne du Christ, le bien et service de cette couronne et le commun repos de ce royaume » (cité par L. Anquez, 1859, p. 11). La véhémence avec laquelle ceux de l'assemblée de Millau de juillet 1574 protestent que « jamais ne leur est entré au cœur de [...] se soustrere, licentier ou dellivrer indignement de l'obéissance qu'ils doivent comme vrais et naturels sujets de cette couronne à leur vray et naturel Roy leur prince et souverain seigneur » témoigne peut-être de l'existence d'une tentation antérieure de sécession, contemporaine du siège de La Rochelle ; mais cette tentation, si elle a existé, a été éphémère. Condé devra supplier le roi de « convoquer les estats généraux de France » (texte publié par G. Griffiths, 1968, p. 282). Il n'est donc pas question d'un repli sur le Midi : il s'agit de la France, il s'agit d'une « réformation d'Estat ». Et, à Nîmes, les catholiques, comme tous les bons sujets du roi, sont appelés à participer. Ce qui apparaît dans ces textes, c'est l'image d'une confédération de provinces, l'*Union* jouissant d'une large autonomie et à la tête de laquelle se trouverait le roi de France.

Les institutions créées

La structure confédérale, telle qu'elle se présente au terme des aménagements apportés par l'assemblée de Nîmes, comporte trois niveaux.

A la base, il y a la ville. Les assemblées ne sont pas très disertes sur ce niveau. Seul un texte mystérieux, un *Règlement* datant probablement de l'automne 1572 et publié par le *Réveille-Matin des François* sous le titre *Arrest de Daniel,* fait allusion à un « majeur » élu et à deux assemblées, un Conseil des Vingt-Quatre et une assemblée des Soixante-Quinze. Ce texte, plein d'un ressentiment violent contre le tyran Charles IX, évoque l'idéal des cités-états antiques ; il est animé par un esprit analogue à celui de la résistance de La Rochelle. Les assemblées de 1573-1575 ont une vision plus large et plus prudente.

Au-dessus, on retrouve la triade déjà mise en place en 1562 : assemblée élue, chef investi du pouvoir militaire, Conseil civil élu qui surveille ce dernier. A la tête de chaque province (ou « généralité ») se trouve une Assemblée provinciale, réunie tous les trois mois, élue par les villes. Elle nomme un Conseil provincial permanent et un général qui a « l'intendance et conduite de la guerre ». En Languedoc, c'est Damville qui remplit les fonctions de général. Il supporte du reste fort mal le contrôle du Conseil, peuplé de gens de robe. Ces derniers l'accusent d'exercer « une autorité absolüe » et il les traite de « républicains »... (*Mémoires* de son secrétaire Charretier, Bibl. nat., Fonds Languedoc, 93).

La même hostilité au pouvoir absolu se retrouve au niveau supérieur. L'Assemblée générale se réunit tous les six mois (règlement de 1573) ; chaque assemblée provinciale y envoie trois députés : un noble, un magistrat (qui remplace ainsi la députation du clergé) et un du tiers état. A Nîmes, il est indiqué seulement : un noble et deux du tiers. L'Assemblée générale fait les lois, dont l'assemblée de Millau de décembre 1573 proclame « la supériorité et domination par-dessus tous tant généraux, magistrats, gouverneurs, diocésains, capitaines et autres officiers publiques »), décide de la guerre et de la paix, vote les impôts. Elle nomme un Conseil permanent. Le Protecteur élu (Condé), surveillé par ce conseil, est vivement mis en garde contre la puissance absolue :

> En somme mondit seigneur le prince prendra s'il luy plaist en bonne part qu'ayant esgard aux esclandres énormes et horribles advenus en France par l'abus d'une prétendue puissance qu'on appelle (très mal) absollue uzurpée et très injustement introduite en ce Royaume, qu'on supplie très humblement sa grandeur de ne [...] commander en ladite puissance absolue (Griffiths, p. 283).

Il y a des receveurs généraux ou particuliers et un contrôleur général des finances par province. La justice est confiée aux juges ordinaires et aux présidiaux ; des chambres de justice à Montauban, Millau et Castres sont prévues. Les ressources sont fournies par le prélèvement des impôts royaux et par la confiscation et l'affermage des biens ecclésiastiques.

L'appel à la tolérance

Le souci d'associer les catholiques est sensible dès la *Requête* du 25 août 1573. L'assemblée de Millau de juillet 1574 légifère pour tous les partisans de la *Cause*, « tant de la Religion que catholiques paisibles et réconciliés ». C'est le *Traité d'association* conclu à Nîmes en janvier 1575 entre les catholiques et les réformés qui illustre le mieux l'idéal de tolérance civile : « Attendant que Dieu par sa grâce nous ait unis en religion », il faut « vivre les uns avec les autres, pour rendre paisible la conscience d'un chacun [...] chacun à cet égard demeurera en son entière liberté de conscience, sans que l'un empêche l'autre en l'exercice accoustumé de sa religion [...] paisiblement et en mutuelle charité, sans outrages ni paroles piquantes ». Dans certaines villes adhérant à l'Union sont installés des consulats mi-partis : c'est le cas à Montpellier de 1574 à 1577.

La fin de la guerre et la victoire des Malcontents

L'ampleur des forces opposées au roi

La cinquième guerre change de visage après l'évasion du duc d'Alençon. Avant, c'est un affrontement indécis, fait d'embuscades et de coups de main, entrecoupé de suspensions d'armes et de négociations. Les opérations se déroulent en Normandie, en Poitou, dans la vallée du Rhône, en Provence et en Languedoc. Les victimes les plus illustres sont Montgomery et Montbrun : le premier (celui-là même qui a été l'auteur du coup de lance fatal à Henri II) est pris à Saint-Lô en mai 1574 et exécuté ; le second est arrêté en juillet 1575 et exécuté lui aussi. En Languedoc, les paradoxes de cette guerre sont bien illustrés par le combat entre Damville, catholique allié aux réformés, et Jacques d'Assier devenu duc d'Uzès à la mort de son frère, encore huguenot et menant une armée royale.

La mort du cardinal de Lorraine, le 26 décembre 1574, fait disparaître un adversaire coriace des réformés et catholiques unis. Pourtant, lorsque le roi reçoit, en avril 1575, la requête de ces derniers, version étoffée de celle d'août 1573, il ne se résout pas à leur céder. Henri III s'est fait sacrer à Reims le 13 février 1575 et a épousé le surlendemain Louise de Vaudémont, issue d'une branche cadette de la maison de Lorraine et parente des Guises.

Après la fuite de François d'Alençon, les Malcontents ont la caution d'un prince du sang, qui s'intitule protecteur de la liberté et du bien public de France. Bientôt, des gentilshommes le rejoignent par milliers : s'il gagne, ce sera tout bénéfice, et s'il perd, le roi ne pourra que pardonner à son frère (M. Holt, 1986). Les ambassadeurs étrangers notent que le roi reste dangereusement seul. Peu résistent, comme le duc de Nemours, qui met en garde Monsieur : « Jamais personne n'a entrepris ce que vous voulez entreprendre qu'il ne soit ruiné, les Rois demeurent tousjours les plus forts, et les autres tousjours succombent »... (Bibl. nat., M. fr. 2945). Condé se prépare à entrer en France avec les reîtres recrutés dans le Palatinat, conduits par Jean-Casimir, le fils de l'Électeur ; la défaite qu'inflige à une partie d'entre eux le duc de Guise à Dormans (10 octobre 1575) ne suffit pas à le dissuader. Henri III, sans argent, doit accepter une trève de sept mois signée à Champigny le 21 novembre. Mais Condé entre tout de même en France avec une armée d'au moins 30 000 hommes ; le duc d'Alençon, un temps retourné par les objurgations de sa mère, confirme son engagement à la tête des Malcontents ; Henri de Navarre s'enfuit à son tour en février et les rejoint. Sous cette formidable pression, le roi doit subir les conditions de ses adversaires.

La « paix de Monsieur »

La paix signée à Étigny, près de Sens, apparaît comme une victoire personnelle de *Monsieur*, le frère du roi. L'édit du 6 mai, connu sous le nom d'édit de Beaulieu, est à bien des égards extraordinaire, à moins de quatre ans de la Saint-Barthélemy. Le culte réformé est permis quasiment partout, sauf à Paris et deux lieues alentour, et dans les villes où séjourne la cour. Les réformés obtiennent huit places de sûreté et des chambres mi-parties dans chaque Parlement. L'article 16 prescrit de dire *religion prétendue réformée* pour désigner leur foi (mais l'expression est déjà utilisée dans les édits depuis celui de Longjumeau ; l'usage l'abrège en *R.P.R.*). Les victimes de la Saint-Barthélemy sont réhabilitées, ainsi que La Molle et Coconnat. L'article 58 n'est pas moins digne d'intérêt : la convocation des États généraux est annoncée dans un délai de six mois. Ainsi, cette convocation, normalement acte souverain du roi, est stipulée par un traité : les sujets ont vraiment, ici, « capitulé » avec leur prince.

Des articles secrets récompensent les Malcontents. Le duc d'Alençon ajoute à son apanage l'Anjou, la Touraine et le Berry ; il prend le titre de duc d'Anjou. Henri de Condé est reconduit dans le gouvernement de Picardie et Damville dans celui de Languedoc. Jean-Casimir renonce à Metz, Toul et Verdun, qu'il convoitait, mais reçoit le duché d'Etampes et des compensations financières. Henri de Navarre est confirmé dans son gouvernement de Guyenne, auquel sont joints le Poitou et l'Angoumois.

Cette spectaculaire victoire est une reculade du pouvoir royal. Mais elle est éminemment fragile. La coalition qui l'a obtenue est divisée, et les princes qui l'ont dirigée ne s'entendent guère entre eux. Surtout, la tolérance civile quasi totale qu'elle a instaurée est toujours aussi insupportable aux catholiques intransigeants, qui vont très vite chercher à prendre leur revanche.

ORIENTATION BIBLIOGRAPHIQUE

Léonce Anquez, *Histoire des assemblées politiques des réformés de France*, Paris, 1859, rééd. Genève, Slatkine Reprints, 1970, 520 p.

Francis De Crue, *Le parti des Politiques au lendemain de la Saint-Barthélemy*, Paris, Plon, 1892, 362 p.

Jonathan Dewald, *The Formation of a Provincial Nobility*, Princeton Univ. Press, 1980, XV-402 p.

Janine Garrisson, *Protestants du Midi, 1559-1598*, Toulouse, Privat, 1980, rééd. *ibid.*, 1991, 376 p.

G. Griffiths, *Representative Government in Western Europe in the Sixteenth-Century*, Oxford, Clarendon Press, 1968, XVIII-622 p.

Robert R. Harding, *Anatomy of a Power Elite. The Provincial Governors of Early Modern France*, New Haven, Yale Univ. Press, 1978, 310 p.

Mack P. Holt, *The Duke of Anjou and the Politique Struggle during the Wars of Religion*, Cambridge Univ. Press, 1986, XIII-242 p.

Arlette Jouanna, *Le devoir de révolte. La noblesse française et la gestation de l'État moderne, 1559-1661*, Paris, Fayard, 1989, 504 p.

Michel Péronnet, La « république des Provinces-Unies du Midi » : les enjeux de l'historiographie, *Protestantisme et révolution*, actes du 6ᵉ coll. Jean Boisset, Montpellier, Univ. Paul-Valéry, 1989, p. 5-26.

32. La rapide désintégration des conquêtes des Malcontents (1576-1577)

La paix de Monsieur semble ouvrir tous les espoirs tant aux huguenots qu'à leurs alliés Malcontents catholiques. Va-t-on voir advenir cette « mutation d'estat » que le roi Charles IX, écrivant en décembre 1573 à Henri de Montmorency-Damville, disait redouter (*Lettres de Catherine de Médicis*, t. IV, 1891, p. CLXXXII) ? Mais les rebelles sont victimes de l'ampleur même de leur succès. La première de leurs conquêtes, la tolérance civile quasi générale, provoque une violente réaction catholique, l'appel à l'unification des mouvements ligueurs et le déclenchement d'une sixième guerre ; quant à la seconde, la marche espérée vers une « réformation » du royaume grâce aux États généraux, elle se révèle être une victoire de dupes, dans la mesure où les élections sont majoritairement favorables aux catholiques intransigeants.

Les prodromes d'une ligue unifiée

L'indignation des catholiques devant l'édit de Beaulieu

La liberté de culte presque totale accordée aux réformés par l'édit ne peut que scandaliser les fidèles les plus militants de l'Église romaine, prêts à tout pour s'y opposer. En Poitou, des gentilshommes se rassemblent, en septembre 1576, autour de Louis de La Trémoïlle, duc de Thouars. A Paris, un parfumeur, Pierre de La Bruyère, et son fils Matthieu, conseiller au Châtelet, organisent la résistance et font signer un formulaire d'association. En Bretagne et en Normandie autour de Rouen, les catholiques s'agitent également.

Surtout, trois villes, qui devaient être attribuées au duc d'Alençon et au prince de Condé, refusent d'obtempérer, soutenues par leur gouverneur : Angoulême et le marquis de Ruffec, Bourges et le maréchal de La Châtre, Péronne et le maréchal d'Humières. C'est cette dernière ville qui va devenir le centre le plus actif du mouvement ligueur. Autour de Jacques d'Humières se regroupent 150 gentilshommes, parmi lesquels Jacques d'Happlaincourt et le seigneur d'Estourmel, deux clients des Guises. D'autres villes picardes, Abbeville, Saint-Quentin, Beauvais, Corbie, adhèrent à l'association. La situation stratégique de la Picardie explique le retentissement de cette ligue.

Les manifestes ligueurs

Trois formulaires d'association ont joué un grand rôle (M. Orléa, 1980). Le premier et peut-être le second sont des manifestes de la ligue de Péronne.

L'intérêt du premier et du troisième texte est l'appel à sortir du cadre provincial, à la différence des ligues locales qui existaient auparavant. Selon toute vraisemblance, les Guises ont adopté une attitude favorable mais prudente face à ce mouvement (J.-M. Constant, 1984). Pourtant, le chef souhaité par les ligueurs est sans doute le jeune duc Henri de Guise, qui a conquis une belle réputation de bravoure lors de sa victoire à Dormans contre les reîtres : c'est là qu'il a reçu la blessure à la joue qui le fait surnommer, comme son père, le Balafré.

Le deuxième texte est le plus hardi. Il n'est connu que par la publication qu'en ont donnée les ouvrages de trois historiens contemporains, l'*Histoire de France* de La Popelinière, l'*Histoire universelle* d'Agrippa d'Aubigné et la *Chronologie novénaire* de Pierre Palma-Cayet ; pour cette raison, des doutes ont été émis sur son authenticité et sur sa date (M. Orléa, p. 38). Pourtant, l'idéal d'une monarchie contrôlée par les États généraux qui y est esquissé correspond aux espérances des ligueurs, qui se donnent beaucoup de mal pour que les élections aux États de Blois leur soient favorables : l'allusion à cette assemblée alors imminente exprime bien ces

---

Les formulaires d'association du mouvement ligueur de 1576

Premier manifeste, émanant des «prélats, sieurs, gentilshommes, capitaines et soldats, habitans des villes et plat pays de Picardie». Les associés forment «une saincte et chrestienne union, parfaicte intelligence et correspondance de tous les fidèles, loyaux et bons subjects du roi», pour la défense de «l'Église catholique, apostolique et romaine», contre les «ministres de Satan» et les huguenots. Ils jurent d'obéir au roi, et espèrent être assistés «universellement par toutes les provinces, prélats, seigneurs de ce royaume».

Deuxième manifeste. Il s'agit de douze articles de «l'association des princes, seigneurs et gentilshommes catholiques». Le document est placé sous l'invocation de la sainte Trinité. Les trois premiers articles sont les plus remarquables :

— le premier prévoit de «rétablir la loi de Dieu en son entier» et de remettre «le saint service d'iceluy selon la forme et manière de la Sainte Église catholique»;

— le second promet obéissance au roi, mais selon les articles qui lui seront présentés aux prochains États et à condition qu'il ne fasse rien «au préjudice de ce qui y sera ordonné par lesdits Estats»;

— le troisième demande la restitution aux provinces de leurs «droits, prééminences, franchises et libertés anciennes, telles qu'elles estoient du temps du roi Clovis, premier roi chrestien, et encore meilleures et plus profitables, si elles se peuvent inventer».

Association faite entre les Princes, Seigneurs et Gentilshommes des Bailliages, formulaire à signer qui circule à Blois parmi les députés des États à la fin de novembre 1576, peut-être à l'initiative de l'archevêque de Lyon Pierre d'Épinac, un fidèle des Guises : une organisation militaire est envisagée, avec un chef élu; les signataires doivent jurer d'employer leurs biens et leurs vies pour l'entière exécution «de la résolution prise par lesdits Estats».

---

attentes. Il montre que les catholiques ont l'habileté de récupérer la demande de réunion des États faite par les Malcontents et de retourner cette arme contre ces derniers; la radicalisation est en train de passer de leur côté. Ils font même preuve d'une hardiesse plus grande que la leur en envisageant, dans leur défense des «franchises et libertés anciennes» des provinces, la possibilité d'en *inventer* de meilleures encore que celles du «temps du roi Clovis». Cet appel à l'innovation est une ouverture à la mutation politique.

Un quatrième texte a pu passer pour exprimer les buts des ligueurs: c'est un mémoire qui aurait été trouvé sur un de leurs émissaires revenant de Rome, l'avocat Jean David. Ce mémoire appelle à remplacer les descendants dégénérés de Hugues Capet par ceux de la race de Charlemagne, c'est-à-dire les Guises. En effet, la maison de Lorraine encourage la thèse de son ascendance carolingienne depuis que celle-ci a été avancée par Symphorien

Champier, premier médecin du duc Antoine de Lorraine, dans *Le recueil ou croniques des hystoires des royaulmes d'Austrasie* (Lyon, 1510). En fait, tout porte à croire que le mémoire de David n'est qu'un faux. Il circule à Paris à la fin d'octobre 1576.

Face à ces écrits provocateurs qui demandent l'obéissance à un chef élu distinct du roi, Henri III a recours à une tactique identique à celle qu'a déjà employée son frère Charles IX en 1565 et 1568 : il se déclare le chef de la Ligue en gestation. Le 2 décembre 1576, juste avant l'ouverture des États, il adopte le troisième texte ligueur mais en change le sens : il y supprime le passage sur « le chef eslu de ladite Association » et remplace « la résolution prise par lesdits Estats » par « ce qui sera commandé et ordonné par S. M. après avoir oüy les remonstrances des Estats assemblez ». Ainsi modifié, le texte est envoyé dans les provinces pour qu'il soit signé par tous. Mais c'est avec un succès inégal : en Picardie et en Champagne, des nobles refusent les modifications. Le mouvement ligueur, partiellement récupéré par le roi, se met en veilleuse, prêt à resurgir.

Les États de Blois (décembre 1576 - mars 1577)

Des élections mouvementées

C'est dans ce climat tendu que se déroulent les élections aux États généraux prévus par la paix de Monsieur. Elles reflètent la vivacité des antagonismes. Selon La Popelinière et les *Mémoires* de Mme Duplessis-Mornay, les ligueurs ont exercé des pressions avant et pendant les assemblées de bailliage et de sénéchaussée, qui sont (voir chap. 22) les assemblées électorales principales. Dans certains cas, les réformés n'y ont même pas été convoqués : ainsi à Paris ; dans d'autres, ils ont refusé de se présenter, pour protester contre les manœuvres ligueuses. Même lorsqu'ils participent au choix des députés et à la rédaction des cahiers de doléances, ils sont pratiquement toujours minoritaires. Il y a parfois des troubles, comme à Provins dans l'assemblée électorale de la noblesse. Les cas d'élection de députés réformés sont rarissimes : il n'y en a que deux, des nobles, François de Pons, seigneur de Mirambeau, député de Saintonge, et Claude de La Croix, député de Sézanne ; Philippe

Duplessis-Mornay est élu, mais refuse son mandat (M. Holt, 1987). Les Malcontents sont divisés du fait du ralliement de François d'Anjou-Alençon aux côtés du roi ; à Vitry-le-François, la candidature de Bussy d'Amboise, ami du duc, est évincée (il est vrai que le candidat des ligueurs est écarté également) au profit de celle de Jacques d'Anglure, un modéré partisan du roi. De manière générale, les réformés et les catholiques Malcontents restés leurs alliés se plaignent des irrégularités survenues dans les élections et dans la rédaction des cahiers de doléances ; en conséquence, ils refusent de reconnaître la validité de ces États qu'ils ont pourtant réclamés.

Le débat sur la souveraineté partagée

La séance solennelle d'ouverture des États a lieu le 6 décembre 1576 ; mais beaucoup de députés sont arrivés avant et ont commencé à siéger dès le 24 novembre. D'après les estimations de James Russell Major (1960), l'assemblée compterait 383 membres (110 pour le clergé, 86 pour la noblesse et 187 pour le tiers ; toutefois, selon Mark Greengrass, seuls 171 des députés du tiers voient leurs pouvoirs vérifiés).

On peut considérer que cette assemblée est celle où s'exprime le plus fermement l'exigence de la transformation du royaume en une monarchie mixte, où le pouvoir serait partagé entre les États généraux, le Conseil et le roi. Le contraste entre la hardiesse des revendications formulées et la modicité des résultats obtenus amène d'ordinaire les historiens à parler d'échec et à accuser les députés de faiblesse ou de lâcheté. Cette manière de voir ne rend pas justice à la haute tenue des débats dont les États généraux ont été l'occasion. L'assemblée a été une sorte de forum « constitutionnel » où les enjeux des thèses en présence ont été clairement définis : l'absence de persévérance à défendre l'idéal de la souveraineté partagée est largement dû à la perception lucide par les députés des risques qu'il comporte en un temps de divisions religieuses exacerbées.

Trois journaux (outre les procès-verbaux du premier et du troisième ordre) sont des sources importantes : pour le clergé, celui de Guillaume de Taix, doyen de l'église de Troyes ; pour la noblesse, celui de Pierre de Blanchefort, député du Nivernais ; pour le tiers, celui de Jean Bodin, député du Vermandois.

Les questions politiques et religieuses abordées au cours de ces

États sont étroitement imbriquées. Parmi les premières, il y a, d'une part, la composition du Conseil du roi, et, de l'autre, le pouvoir des États généraux.

En ce qui concerne le Conseil, c'est le clergé qui se montre le plus hardi. Il veut en faire une assemblée représentative composée de délégués des trois états : elle aurait 24 membres, outre les princes du sang et les grands officiers de la Couronne, dont un tiers serait formé de représentants du premier ordre, un tiers de « gentilshommes de robe courte » et le dernier tiers de gens « de robe longue » (G. Picot, 1888, p. 95). Les deux autres ordres ne vont pas si loin (encore que Pierre de Blanchefort mentionne un vœu particulier tendant à faire du Conseil une assemblée formée de 24 nobles élus par les douze principales provinces) ; mais ils demandent que, pour l'examen des cahiers de doléances (qui doit normalement être fait par le Conseil), les États aient communication de la liste des conseillers, qu'ils puissent récuser ceux dont la partialité leur serait suspecte et adjoindre au nombre restant un nombre égal de députés choisis par chacun des ordres. Le clergé s'associe à cette requête.

Les députés souhaitent aussi que leurs décisions, lorsqu'elles réunissent l'unanimité des trois ordres, échappent à ce processus d'arbitrage par un Conseil élargi à leurs représentants. Sur ce point, ils affirment sans ambiguïté le pouvoir législatif des États : selon eux, toute décision unanime doit devenir une loi inviolable, une loi du Royaume, que seule une autre assemblée d'États pourrait changer. Le roi n'interviendrait que pour l' « autoriser », sans pouvoir la modifier. L'éventualité de son refus n'est pas envisagée ; en revanche, il lui serait demandé de jurer d'exécuter cette loi, serment qui serait requis aussi de la reine mère et des princes. Cette loi serait immédiatement applicable, sans enregistrement préalable par les Parlements selon le vœu du clergé, ou alors, selon celui du tiers état, avec enregistrement mais sans que les Parlements aient le droit d'y apporter des modifications (G. Picot, p. 100).

Bien plus, tout ordre contraire aux lois du Royaume ainsi édictées devrait être tenu pour nul et non avenu, et tout sujet pourrait légitimement lui désobéir. Ce droit à la désobéissance prend même l'allure, dans le cahier du clergé, d'un droit à la résistance légitime : les officiers et les sujets seraient requis de « n'avoir égard ni obéir à tous contraires mandements ; et soit auxdits sujets loisible de résister contre tous ceux qui se voudront opposer et contrevenir, de quelque qualité et condition qu'ils soient, et par spécial, soient relevés de toute fidélité et devoir envers leurs seigneurs y contrevenant en aucune façon directement ou indirectement » (texte cité par E. Charleville, 1901, p. 174).

Sont aussi revendiqués pour les États le droit de consentir l'impôt (cahiers du clergé et du tiers) et celui de décider de la paix et de la guerre (cahier du clergé). Une périodicité régulière est prévue : tous les cinq ans selon la noblesse et le clergé, et tous les dix ans selon le tiers.

Ainsi, le pouvoir des États généraux est très nettement revendiqué à Blois. Les députés ont une haute conscience de leur dignité : ils ont le sentiment de représenter la France. Lorsqu'ils envoient des ambassades aux chefs des Malcontents, le roi de Navarre, le prince de Condé et Henri de Montmorency-Damville, ils discutent longuement des formules de politesse à employer : « Et ne se faut ébahir en cela s'il fut disputé, commente Guillaume de Taix : car il étoit question que les États, représentant toute la France, écrivoient, et partant c'étoit la France même qui écrivoit ; il ne falloit donc pas en rien méprendre du style » (*Journal*, publ. par Lalourcé et Duval, *Recueil de pièces originales et authentiques concernant la tenue des États généraux*, Paris, 1789, t. II, p. 298-301).

D'où vient donc que les députés ne se soient pas tenus fermement à défendre ces revendications ? Plusieurs réponses peuvent être proposées. La première est qu'ils perçoivent clairement que l'enjeu en est l'intégrité de la souveraineté royale, et qu'ils s'interrogent sur l'opportunité de la diminuer en un temps troublé. Guillaume de Taix rapporte les discussions passionnées qui animent la commission mixte de 36 membres, 12 de chaque ordre, créée le 9 décembre. Sur la question du pouvoir législatif des États, « plusieurs » s'inquiètent :

> ... il n'étoit raisonnable que le roi l'accordât, d'autant qu'il préjudicioit à son droit de souveraineté, qui ne permet que le roi s'assujetisse à la volonté de ses sujets [...] Les autres opinoient au contraire, et disoient que le roi ne se faisoit point de tort, d'autant que ses États et sujets ne lui vouloient demander que choses concernant l'honneur de Dieu, le repos du royaume et le bien du service du roi ; remontroient que la monarchie étoit toujours plus élevée, quand, par le consentement commun des trois États, elle établissoit une ou plusieurs loix sur les trois choses sudites ; que s'il ne lui plaisoit le faire et se retenir la toute puissance de prendre et rejetter de ses États ce que bon lui sembleroit, en vain ils auroient été convoqués et assemblés, d'autant, disoient-ils, que s'il n'étoit question que de bailler papiers de doléances et juger dessus selon la volonté, un simple procureur et messager les eût pu présenter sans tant de peines et de frais.

Sur la composition du Conseil, les débats sont tout aussi vifs :

> Pourquoi, disoient les adversaires des requêtes, voulez-vous entrer au conseil du roi ? Vous y mettrez qui vous voudrez des vôtres, vous en ôterez

qui vous voudrez de ceux du roi, le roi ne sera donc plus que valet des États, ou du moins il ne sera ni roi ni chef, qui est une chose trop dérogeante à sa souveraineté » (éd. citée, p. 269-271).

Ces discussions montrent la division des esprits sur le problème de la souveraineté royale : beaucoup ne sont pas prêts à la sacrifier.

Une deuxième raison, non moins importante, peut être invoquée : la thèse de l'inviolabilité des lois promulguées par les États unanimes a fait l'objet d'une véritable récupération par les catholiques les plus militants. On l'a vu, c'est le clergé qui se montre le plus hardi. Or les ordres ont voté au cours du mois de décembre, non sans débats passionnés, le retour du royaume à l'unité catholique. C'est cette décision des trois ordres que les catholiques intransigeants veulent ériger en loi fondamentale qui s'imposerait au roi lui-même, l'empêchant ainsi d'accorder la liberté de culte aux réformés. Les instructions données par les députés aux ambassadeurs envoyés aux chefs des Malcontents révèlent clairement cette utilisation partisane : elles établissent une nette différence entre les « lois du roi », modifiables, et les « lois du royaume », immuables ; mais la loi du roi qu'il s'agit de tenir comme nulle et non avenue est l'édit de Beaulieu, tandis que la loi du royaume infrangible est la résolution sur la catholicité votée par les États ! On conçoit que la forte minorité favorable à la tolérance civile, dans la noblesse et le tiers, ait pris ses distances à l'égard d'une thèse aussi aisément manipulable.

Le troisième facteur est à rechercher du côté du tiers état, et en particulier de Jean Bodin. Sur la question du Conseil du roi, celui-ci redoute que, si des députés des États sont adjoints aux conseillers, ceux du tiers ne soient mis en minorité. Cette crainte révèle sa claire conscience de la probable orientation nobiliaire d'un Conseil qui serait « représentatif ». En outre, il est trop attaché à la souveraineté royale – *Les Six Livres de la République* sont parus il y a juste quelques mois – pour adhérer à une telle revendication. Il faut ajouter que plus d'un tiers des membres du troisième ordre sont des officiers du roi, que leurs charges inclinent à la prudence (M. Greengrass, 1994). La méfiance des autres ordres à l'égard de la duplicité du roi fait le reste : lorsque, le 19 février, Henri III propose d'ajouter dix-huit députés au Conseil pour discuter des cahiers, mais sans « épurer » celui-ci, les États refusent (G. Picot, p. 72-73).

Le problème fiscal

L'assemblée se heurte aussi au roi au sujet du subside que celui-ci attend d'eux ; à défaut, il voudrait être autorisé à aliéner une partie du domaine. Or les députés n'accordent ni l'un ni l'autre. En ce qui concerne le subside, ils invoquent leur mandat impératif : leurs instructions portent une diminution des impôts et beaucoup de cahiers demandent même un rabais de la taille au niveau qu'elle avait sous Louis XII. Sur la question de l'inaliénabilité du domaine, c'est Jean Bodin qui se montre le plus intransigeant ; son obstination lui fait d'ailleurs perdre la charge de maître des Requêtes que Henri III lui avait laissé entrevoir.

La question fiscale est liée à celle de la guerre. Si les États avaient voté celle-ci, ils auraient été obligés de consentir des subsides : c'est pourquoi Henri III leur demande expressément, le 26 février, de se prononcer sur la question. Une décision positive lui aurait permis d'espérer des ressources et aurait en outre donné à la politique de restauration catholique la légitimité du consensus du royaume. Mais les États finissent par refuser la guerre. Le tiers état a commencé, il est vrai, par rejeter, le 26 décembre, après un vote serré (7 gouvernements contre 5), une résolution prévoyant le retour à l'unité catholique « par voies douces et pacifiques et *sans guerre* » ; mais le parti de la paix, dirigé par Bodin, l'emporte ensuite peu à peu sur celui de la guerre, conduit par l'avocat Versoris. Les autres ordres évoluent aussi progressivement vers la paix, et, à la fin de février, les ardeurs guerrières sont devenues minoritaires (G. Picot, p. 82). Cette émergence d'une volonté pacifique est due à l'influence croissante des modérés, à la prise de conscience de la gravité du déficit et à l'émotion soulevée par les récits des misères du pays qui parviennent jusqu'aux députés. Elle vide de tout contenu la décision initiale de restauration catholique.

Mais le roi persévère à espérer et à demander. La séance solennelle de clôture a lieu le 17 janvier, et pourtant Henri III interdit aux députés de s'en aller, officiellement pour attendre les réponses aux cahiers de doléances, en réalité dans l'espoir d'arracher des subsides ou l'autorisation d'aliéner une partie du domaine. Une telle obstination s'explique par la croyance que les députés finiront par se laisser acheter : ils sont soumis en effet à de multiples pressions et corruptions ; elle témoigne aussi de la conscience de l'importance d'obtenir la caution des États. Mais ceux-ci persistent dans leur refus : le clergé parce qu'il a déjà beaucoup donné, la noblesse parce qu'elle veut servir par l'épée et non par l'impôt (elle demande aussi une gestion plus rigoureuse des recettes et la poursuite des financiers malhonnêtes) et le tiers parce que le pays est épuisé. Finalement le clergé consent à donner 450 000 livres, une somme bien faible... Ce dialogue de sourds se poursuit jusqu'au début de mars, date à laquelle le roi se résout à laisser partir les députés (du 2 au 5 mars selon les ordres).

L'ordonnance issue des cahiers, dite de Blois, ne sera rédigée (dans une commission réunie par le garde des Sceaux Cheverny) et publiée qu'en 1579.

La sixième guerre (décembre 1576 - septembre 1577)

Les sacs d'Issoire et de La Charité

Dès qu'ils ont constaté l'orientation catholique des États, les huguenots ont repris les combats en Poitou et en Guyenne, à la fin de décembre ; l'annonce, faite par le roi au Conseil le 22 décembre et réaffirmée solennellement le 3 janvier, qu'il n'acceptera plus qu'une religion dans son royaume, conformément au serment de son sacre, les conforte dans leur résolution. Mais ils sont affaiblis par la défection de François d'Anjou-Alençon, réconcilié avec Henri III. Le commandement théorique des forces royales est donné à Monsieur ; le duc de Nevers en a la responsabilité réelle, secondé par le duc de Guise et son frère le duc de Mayenne. L'armée royale met le siège devant La Charité puis Issoire, et lorsque ces deux villes se rendent, le 2 mai et le 12 juin, elles sont pillées et saccagées par les soldats royaux mal payés et mal nourris. Les huguenots reprocheront amèrement ces atrocités à l'ancien chef des Malcontents.

Montmorency-Damville rompt également, en mars, avec les réformés, avec lesquels, on l'a vu, l'entente lui était difficile, et se rapproche du roi ; il met le siège devant Montpellier, sans arriver à prendre la ville.

Henri III, privé du secours financier des États, ne s'est engagé qu'à contre-cœur dans la guerre. Après les sièges de La Charité et d'Issoire et la prise de Brouage par le duc de Mayenne, il est contraint à la négociation.

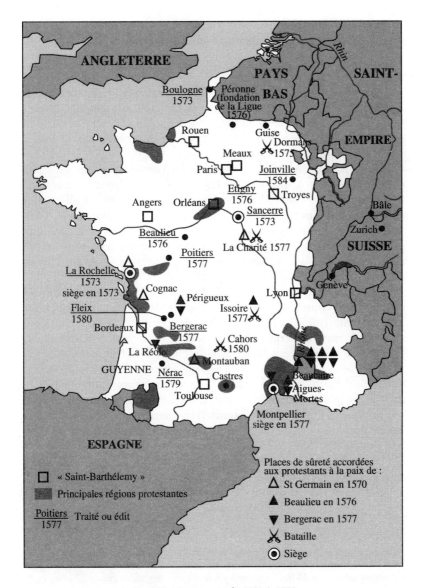

Carte 10 – Les guerres de 1572 à 1585

(D'après Michel Péronnet, *Le XVIᵉ siècle, 1492-1620*,
Hachette, éd. rev., 1995)

La paix de Bergerac et l'édit de Poitiers
(17 septembre 1577)

Du côté des huguenots, la situation n'est pas meilleure ; Henri de Navarre fait prévaloir un esprit de conciliation dans les tractations. La paix est signée à Bergerac le 14 septembre et l'édit qui la confirme l'est à Poitiers le 17 ; celui-ci est enregistré par le Parlement le 8 octobre.

Le culte réformé est accordé dans les faubourgs d'une ville par bailliage (comme à Amboise en 1563) et dans les lieux occupés par les huguenots à la date du 17 septembre. Les chambres mi-parties ne sont maintenues que dans les Parlements d'Aix, Bordeaux, Grenoble et Toulouse, et encore les réformés n'y figureront plus que pour un tiers des membres. Huit places de sûreté leur sont accordées, mais pour six ans seulement. Enfin, toutes les ligues sont interdites.

Ainsi, l'ample liberté de culte obtenue en 1576 par les réformés s'est rétrécie comme une peau de chagrin ; les chefs catholiques des Malcontents ont « trahi »... Du moins l'édit de Poitiers paraît-il acceptable aux modérés des deux camps. Après les oscillations brutales entre la sévère restriction du culte de l'édit de Boulogne en 1573 et la permission quasi complète de l'édit de Beaulieu en 1576, il marque le retour à un compromis raisonnable. Il va permettre un répit de près de huit ans (interrompu par une brève rechute en 1579-1580) que Henri III va employer, aidé par l'évolution politique des esprits, à colmater les brèches béantes ouvertes par la crise de 1574-1576 dans l'autorité royale.

ORIENTATION BIBLIOGRAPHIQUE

Edmond Charleville, *Les États généraux de 1576,* Paris, A. Pedone, 1901, 212 p.

Jean-Marie Constant, *Les Guise,* Paris, Hachette, 1984, 266 p. ; Le langage politique paysan en 1576 : les cahiers de doléances des bailliages de Chartre et de Troyes, *in* R. Chartier et D. Richet (éd.), *Représentation et vouloir politiques. Autour des États généraux de 1614,* Paris, EHESS, 1982, p. 25-30.

Mark Greengrass, A Day in the Life of the Third Estate : Blois, 26th December 1576, *in* A. Bakos (éd.), *Politics, Ideology and the Law in Early Modern Europe,* New York, Univ. of Rochester, 1994, p. 73-90).

Mack P. Holt, *The Duke of Anjou and the Politique Struggle during the Wars of Religion*, Cambridge Univ. Press, 1986, 242 p. ; Attitudes of the French Nobility at the Estates-General of 1576, *The Sixteenth-Century Journal*, 1987, vol. XVIII, n° 4, p. 489-504.

James Russell Major, *The Deputies to the Estates in Renaissance France*, Madison, 1960, 202 p.

Manfred Orléa, *La noblesse aux États généraux de 1576 et de 1588*, Paris, PUF, 1980, 184 p.

Georges Picot, *Histoire des États généraux*, 2ᵉ éd. rev., Paris, Hachette, 1888, t. III, 442 p.

33. Les réactions de défense de la souveraineté royale

La vigueur des débats politiques aux États de Blois a révélé la profondeur de la division des esprits ; beaucoup sont effrayés par la perspective d'une monarchie dominée par les États généraux. Cette réaction de peur est bien souvent assez intense pour triompher des réticences à l'égard de la puissance absolue. C'est ce qui se passe en particulier pour cette catégorie de gens que l'on appelle de plus en plus les *Politiques*. Leur évolution, il est vrai, n'est pas uniquement fondée sur la crainte : elle se nourrit également de raisonnements théoriques. Mais certains de leurs arguments, inspirés de Machiavel, ne sont pas très avouables. Jean Bodin leur rend donc un service précieux en leur fournissant une solide doctrine de la souveraineté, dont la cohérence s'oppose victorieusement à celle de la monarchie mixte.

La lente conversion des Politiques à un pouvoir fort

Les sens du mot « politique »

L'adjectif *politique*, du grec *politikos*, désigne ce qui est relatif à la « cité » *(polis)* et plus généralement à la « police » (manière dont est organisée et administrée une communauté). Au milieu du XVIᵉ siècle, lorsqu'il est substantivé, il évoque un homme qui, par son savoir ou par ses responsabilités, connaît l'art de gouverner. L'un des personnages du dialogue d'Estienne Pasquier intitulé

Pourparler du Prince (publié en 1560 avec le premier livre des *Recherches de la France*) s'appelle *le Politic*: c'est celui qui observe les régimes politiques avec le regard froid du technicien, mettant entre parenthèses (sans les rejeter) les finalités religieuses et les perspectives philosophiques.

De 1560 jusqu'aux lendemains de la Saint-Barthélemy, le mot *Politique* tend à devenir péjoratif: l'attitude qu'il évoque est en effet soupçonnée (à tort) d'être le résultat de l'indifférence religieuse, voire de l'athéisme. Le 9 janvier 1564, le cardinal de Granvelle écrit à propos de Coligny: « Bien suis-je pour moy en opinion que spécialement l'Admiral se soit plus servy de la religion pour prétexte, et pour faire ses affaires et parvenir à ses desseings [...] et le tiens pour plus politique, comme ilz appellent en France, que pour dévot » (cité par F. de Crue, *Le parti des Politiques*, 1892, p. 5). Le 16 novembre 1573, le premier président au Parlement de Rouen déclare devant les États de Normandie: « On a nouvellement introduit et interprété ce mot *politique* quasi: n'étant d'aucune religion » (*Cahiers des États de Normandie*, éd. Ch. de Robillard de Beaurepaire, 1891, p. 292). La famille d'esprits qui est stigmatisée sous ce nom se distingue par une manière commune d'envisager la division religieuse et de proposer une approche politique du problème confessionnel. L'exemple le plus remarquable en est le chancelier Michel de L'Hôpital, qui se persuade peu à peu qu'il faut adapter la loi aux nécessités du temps (voir chap. 24).

Plutôt la tyrannie que la guerre civile

Après la Saint-Barthélemy s'ouvre une seconde étape dans l'histoire des Politiques. Dans une lettre du 27 avril 1574 où François Hotman informe son ami Gwalter que le duc d'Alençon, le roi de Navarre et le maréchal de Cossé sont prisonniers, il ajoute: « Dans Paris lui-même plus de mille personnes, nobles, magistrats et marchands ont été emprisonnés. Ils ont pris le nom de Politiques » (lettre citée par D. Kelley, *François Hotman*, 1973, p. 250). Ce texte est peut-être le premier où l'on trouve trace de l'emploi du mot comme d'une étiquette qu'un groupe s'applique à lui-même. Mais il convient de distinguer entre les Malcontents, qui sont surtout des nobles désireux de renforcer leur influence dans l'État, et les Politiques, essentiellement des juristes, qui partagent souvent avec les premiers l'idéal de la monarchie mixte, mais que leur horreur des désordres incline peu à peu à penser que la souveraineté ne peut être partagée. C'est ce lent cheminement, du rejet de la puissance absolue vers l'acceptation d'un pouvoir fort, que les Politiques entreprennent au cours de la période 1572-1585 (de la Saint-Barthélemy à la réaffirmation de la Sainte Ligue).

Beaucoup d'éminents esprits illustrent cette évolution. Ils sont au fond d'eux-mêmes réticents à l'égard d'une monarchie qui serait absolue. L'un des *Quatrains* de Guy Du Faur de Pibrac, avocat général au Parlement de Paris, commence ainsi :

> Je hais ces mots de puissance absolue
> De plein pouvoir, de propre mouvement...

Étienne Pasquier, avocat au Parlement de Paris puis, en octobre 1585, avocat général du roi à la Chambre des comptes, éprouve une méfiance analogue. C'est lui qui a répété avec le plus d'insistance que la volonté du roi devait se soumettre à la *civilité de la Loi* :

> Grande chose véritablement, et digne de la Majesté d'un Prince, que nos Roys, ausquels Dieu a donné toute puissance absolue, ayent d'ancienne institution voulu réduire leurs volontés sous la civilité de la loy ; et en ce faisant que leurs Edicts et Decrets passassent par l'alambic de cet ordre public (*Recherches de la France*, liv. II, 1565, chap. 4, p. 66. Et encore, dans ses *Lettres*) : Il ne faut rien espérer de bon, si le Roy par sa bonté ne réduit sa puissance absolue sous la civilité des Loix royales de la France, comme ont fait ses Prédécesseurs : en ce faisant, il aura la paix avec Dieu, il l'aura dans son Royaume, il l'aura avec ses Subjects (Lettres d'Étienne Pasquier, in *Œuvres*, t. II, 1723, rééd. Slatkine, Genève, 1971, liv. XII, col. 346).

En outre, dans un plaidoyer prononcé le 4 février 1576 pour la ville d'Angoulême devant le Parlement de Paris, il formule de manière très claire l'idéal du régime mixte, qu'il estime réalisé dans la monarchie française : mais, pour lui, c'est, à la différence des Malcontents, le Parlement et non le Conseil qui représente l'élément aristocratique (éd. citée, liv. VI, lettre I, col. 145).

Louis Le Roy, professeur au Collège royal, dans le commentaire qu'il fait de la *Politique* d'Aristote, publiée par ses soins en 1568, affirme également que la monarchie française a une forme mixte (p. 178). Même déclaration, bien qu'un peu plus timide, dans *De l'estat et succez des affaires de France* (1570) de Bernard Du Haillan, historiographe du roi :

> Car bien que ce soit une monarchie, si est-ce que par l'institution d'une infinité de belles choses politiques qui la rendent florissante, il semble

qu'elle soit composée des trois façons de gouvernement, c'est à sçavoir de la Monarchie qui est d'un, de l'Aristocratie qui est le gouvernement des personnanges graves et sages, choisis et receus au maniement des affaires, et de la Démocratie (c'est-à-dire du gouvernement populaire) (p. 78-79, cit. par W. Church, 1941, p. 121-122).

Mais aucun de ces hommes, si attirés qu'ils soient par l'idéal de la monarchie mixte, n'aime le désordre, et les audaces des textes justifiant les prises d'armes les effraient. Étienne Pasquier ne peut adhérer à la notion de devoir de révolte. Il exprime par exemple ses réticences à l'égard d'Innocent Gentillet, qui, dans l'*Anti-Machiavel*, expose des idées sur le rôle des États généraux analogues à celles qui sont énoncées dans la *Briève Remonstrance à la noblesse de France*, ce commentaire de la Déclaration du duc d'Alençon dont il est sans doute aussi l'auteur (voir chap. 31) :

> Vous approuvez doncques l'Autheur de l'Antimachiavel (direz-vous ?). Il y a des extrémitez en luy, comme en l'autre. En ce qu'il se conformera à la Justice, et au repos du bien public, je seray volontiers des siens, mais si par propositions erronées, il veut exciter à murmure les sujets encontre leur souverain Magistrat, je le condenneray tout à faict (liv. VI, col. 238).

Et, devant la violence des troubles, il a cet aveu :

> C'est pourquoy si de deux maux il faut choisir le moindre, je ne douteray point de dire à pleine bouche et cœur ouvert, qu'encores que la tyrannie soit odieuse à Dieu et au monde, et qu'à la longue elle perde son autheur, si aimeray-je tousjours mieux une tyrannie, pendant une paix, que de tomber en la miséricorde d'une guerre civile (*ibid.*, col. 270).

Une évolution analogue peut être décelée chez Du Haillan. Dans l'*Histoire de France* parue en 1576, il insiste sur la grandeur monarchique ; et, dans la réédition de 1580 de *De l'estat et succez des affaires de France*, il renonce à sa première opinion sur la monarchie mixte, au prix d'une dérobade peu glorieuse :

> Nous ne disons pas que la France soit un estat composé de trois façons de gouvernement, ni divisé en trois en puissance absoluë et esgalle, chacune ayant la sienne : mais nous disons seulement qu'il semble qu'il le soit, veu les authoritez des trois Estats [...] Car il n'y a nul doubte qu'il ne soit absolument Royal, Monarchique et Souverain (p. 154, cit. par W. Church, p. 121-122).

On trouve un cheminement semblable chez Louis Le Roy : dans *De l'excellence du gouvernement royal* (1575), il se moque sans le nommer des rêveries d'Hotman sur le gouvernement originel et ironise sur les États généraux (p. 27). Quant à Pibrac, c'est lui qui accepte de justifier, sur ordre du roi, le massacre de la Saint-Barthélemy...

Ainsi, pour ces hommes soucieux de faire respecter l'autorité royale qu'ils voient dangereusement menacée, le remède aux troubles passe par le renoncement aux vieux idéaux et par l'obéissance à un roi fort. Ils vont peu à peu se constituer une nouvelle philosophie politique.

La gestation de la notion de raison d'État

Les justifications de la Saint-Barthélemy

Un premier élément caractérisant cette nouvelle philosophie s'apparente à la notion de raison d'État, bien que l'expression ne se répande vraiment qu'après 1589, date de la parution à Turin du livre de Giovanni Botero, *Delle ragion di Stato,* traduit en français en 1599 par Gabriel Chappuis. Elle désigne les considérations d'intérêt public supérieur qui servent à justifier les infractions aux lois ordinaires. Confrontés constamment à des situations dramatiques qui semblent mettre en péril l'existence du royaume, beaucoup s'ouvrent à l'idée qu'en cas de danger public imminent, il est nécessaire de punir immédiatement, sans attendre qu'une enquête vienne confirmer les soupçons ; ce sera l'une des maximes de la raison d'État. Le roi Charles IX lui-même invoque cet argument pour légitimer la Saint-Barthélemy, lors du discours prononcé le 26 août devant le Parlement, et argue du péril urgent menaçant l'État, en l'occurrence la conspiration huguenote supposée.

Ce thème du châtiment préventif nécessaire figure dans la justification du massacre que Guy Du Faur de Pibrac rédige, sans doute sur l'ordre de la reine mère. Il s'agit d'une lettre datée du 1er novembre 1572 et parue sous le couvert de l'anonymat au début de 1573 : *L'Épître à Stanislas Elvide* (écrite en latin, puis traduite en français). Elvide est un personnage imaginaire : il symbolise les Polonais alors sur le point d'élire leur roi. Il faut légitimer à leurs yeux la Saint-Barthélemy, de façon à ce que la tuerie ne desserve pas la cause du candidat Henri d'Anjou. Selon l'argumentation de Pibrac, la décision politique d'éliminer les huguenots les plus dangereux a été prise «pour maintenir l'État». Le roi se trouvait devant un cas d'urgence ; il a donc eu raison de faire passer l'exécution avant le jugement. Il n'a fait qu'exercer sa justice souveraine, au nom de l'intérêt suprême du royaume, dont il est le seul juge ; quant à la barbarie des massacres qui ont suivi, elle est le fait de la populace. Pibrac se comporte-t-il ici seulement en client servile de la reine mère, comme on l'en a accusé ? Rien n'est moins sûr. La conscience de la gravité de la crise a pu pousser ce partisan des « formes ordinaires de la justice » à admettre « l'extraordinaire ».

Un autre texte remarquable utilise un raisonnement analogue : c'est la *Lettre de Pierre Charpentier, jurisconsulte, adressée à François Portus Candiois*, parue à la fin de 1572. L'auteur, qui se présente comme un ministre calviniste repenti, montre comment le roi a dû faire violence à sa clémence naturelle pour sauver l'État de l'entreprise de subversion que ses promoteurs huguenots ont baptisée la *Cause*. Ainsi, le thème du péril urgent sert à magnifier la volonté royale, seule capable de mesurer la gravité du risque et d'agir vite.

Lectures de Machiavel et de Tacite

La notion de punition préventive est inspirée du *Prince* de Machiavel. Les premières traductions publiées en France de ce livre et des *Discours sur la première Décade de Tite-Live* datent, rappelons-le, de 1544 (les *Discours*, traduits par Jacques Gohorry) et de 1553 (*Le Prince*, traduit par Guillaume Cappel). *Le Prince* a encore connu deux autres traductions, en 1563 par Gaspar d'Auvergne et en 1571 par Jacques Gohorry. Mais c'est sans l'avouer que Guy Du Faur de Pibrac s'en inspire. Machiavel est en effet un auteur qui scandalise.

Il faut ici bien distinguer Machiavel de l'interprétation sélective qu'en ont faite ses lecteurs : c'est cette interprétation qui finira plus tard par être désignée du nom péjoratif de *machiavélisme*. Machiavel n'est nullement un partisan de la monarchie absolue ; l'idéal, pour lui, semble être le régime mixte, mêlé de monarchie, d'aristocratie et de démocratie : position très traditionnelle (*Discours sur la première Décade de Tite-Live*, in *Œuvres*, éd. Barincou, Gallimard, 1952, p. 387). Mais les partisans d'une autorité royale forte retiennent de son œuvre les éléments qui peuvent conforter leur position, ceux qui précisément font scandale parce qu'ils radicalisent la séparation entre l'ordre politique et l'ordre religieux ou moral. Machiavel voit dans les constructions politiques des œuvres purement humaines, étrangères à des desseins providentiels ; la seule intervention extra-humaine est celle de la Fortune, c'est-à-dire de forces mystérieuses et en apparence irrationnelles avec lesquelles la liberté humaine doit compter. En assignant à l'État un but essentiellement terrestre, durer, il donne aux situations d'urgence une plus grande gravité. Face à celles-ci, le seul recours est dans une action rapide, dont la réussite indique *a posteriori* qu'elle était bonne ; l'échelle des valeurs morales n'est absolument pas pertinente pour l'évaluer. L'apologie de l'efficacité incline tout naturellement les lecteurs du *Prince* à valoriser le pouvoir d'un seul.

L'ampleur de l'influence de cette lecture de Machiavel est révélée par la virulence de la réfutation qu'en donne, en 1576, Innocent Gentillet. Cette réfutation, l'*Anti-Machiavel*, est dédiée au duc d'Alençon ; elle démontre que les idées machiavéliennes sont étrangères aux traditions françaises.

La lecture de Tacite alimente un deuxième courant qui conduit à la formulation de la raison d'État. Il faut mettre entre cet auteur et les lectures qui en ont été faites la même distinction que celle qui vient d'être rappelée entre Machiavel et le machiavélisme. Les œuvres complètes de Tacite sont publiées à Anvers en 1574 par un jeune humaniste néerlandais, Juste Lipse. La vogue du style de Tacite succède à celle de l'éloquence cicéronienne ; or Cicéron symbolise la Rome républicaine et libre et Tacite celle des Empereurs tout-puissants.

Le recul de l'histoire providentielle : l'échec de la Franciade

C'est dans ce climat désenchanté que paraissent, en septembre 1572, les *Quatre Premiers Livres de la Franciade*, dont une édition remaniée est publiée l'année suivante. Cette vaste épopée en décasyllabes est consacrée à la gloire des rois de France et de leurs ancêtres. L'œuvre souffre du décalage entre le temps de sa conception (l'idée en remonte à 1550 et le début de la rédaction à 1564) et celui de sa parution. Ronsard y reprend la vieille légende de l'origine troyenne des souverains, à laquelle plus personne ne croit, mais qu'il met toutefois au goût du jour en faisant épouser à Francus, fils d'Hector, une princesse allemande ; ce qui lui permet de faire prophétiser au héros que ses descendants seront de « sang troyen et germain » (liv. IV, vers 737-740).

Mais l'œuvre déçoit ; Ronsard ne l'achèvera jamais. L'exaltation épique du destin monarchique s'accorde mal avec le scepticisme ambiant. « Telle est peut-être la leçon principale de la *Franciade*, dont l'échec s'explique au fond par un doute, qui remonte au moins à l'époque des *Discours*, à l'égard de l'histoire désertée par l'ordre providentiel. Les moments les plus beaux de cette épopée inachevée, mais non manquée sans doute, sont peut-être ceux où l'on devine, derrière les questions de Francus, celles du poète sur le sens de l'histoire » (Jean Céard, Daniel Ménager et Michel Simonin, *Notice* sur la Franciade, in *Œuvres complètes* de Ronsard, Gallimard, Pléiade, 1993, p. 1607).

La définition de la souveraineté par Jean Bodin

Les arguments les plus efficaces sont fournis aux partisans d'un pouvoir fort par l'ouvrage que le juriste Jean Bodin publie en 1576 : *Les Six Livres de la République,* dont les nombreuses rééditions attestent l'immense succès. Il emprunte tacitement à Machiavel les critères d'utilité et d'efficacité (tout en s'élevant dans sa préface contre son immoralité) sans rejeter celui de la conformité aux lois de Dieu, offrant ainsi une synthèse neuve.

Une vie à l'image des troubles du siècle

Bodin est né à Angers vers 1529 d'un père maître couturier, assez aisé. Son parcours religieux est chaotique : carme défroqué, attiré par la Réforme et peut-être momentanément converti, enrôlé à la fin de sa vie dans les rangs de la Ligue à Laon puis ramenant la ville au roi avant sa mort en 1596, il est l'auteur d'un traité célèbre sur les sorciers (*De la Démonomanie des Sorciers,* 1580) et d'un ouvrage qui l'a fait suspecter d'athéisme (le *Colloquium Heptaplomeres,* resté manuscrit). Sa carrière est celle d'un homme de loi qui n'a pas réussi à obtenir des charges de premier plan : d'abord avocat au Parlement de Paris, il est ensuite avocat puis procureur du roi au bailliage de Vermandois et siège de Laon. On a vu comment il paie son courage politique aux États de Blois en perdant l'espoir d'une charge de maître des Requêtes. Il a servi le duc d'Alençon (au moins à partir de 1580 et peut-être avant), mais la mort du duc en 1584 le frustre de ses espérances. Sa notoriété vient surtout de ses œuvres. Trois ont un intérêt capital dans l'histoire des idées politiques. Dans le *Methodus ad facilem historiarum cognitionem* (1566), traduit par Pierre Mesnard sous le titre *La méthode de l'histoire* (in *Œuvres philosophiques* de Jean Bodin, PUF, 1951), il réfléchit sur les conditions du travail de l'historien ; dans la *Réponse au paradoxe de Monsieur de Malestroict* (1568), qui sera évoquée au chapitre 34, il donne une explication de la hausse des prix ; dans *Les Six Livres de la République* (1576), il définit la souveraineté législative.

Souveraineté et puissance absolue

La définition de la souveraineté par Jean Bodin frappe par sa concision et sa clarté : « La souveraineté est la puissance absoluë et perpétuelle d'une République » (début du chapitre VIII du livre I, p. 179 de l'édition de 1986, Fayard, qui reproduit l'édition de 1593). Le mot *République* désigne ici « un droit gouvernement de plusieurs mesnages et de ce qui leur est commun, avec puissance souveraine », selon la définition donnée au premier chapitre.

La puissance souveraine est *absolue*. Elle ne souffre pas de conditions : « La souveraineté donnée à un Prince sous charges et conditions n'est pas proprement souveraineté ni puissance absoluë » (éd. citée, p. 187). Elle n'est pas soumise aux lois, y compris les siennes :

> C'est pourquoy la loy dit que le Prince est absous de la puissance des loix [...] le Prince souverain ne peut se lier les mains, quand ores il voudroit. Aussi voyons nous à la fin des édits et ordonnances ces mots : CAR TEL EST NOSTRE PLAISIR, pour faire entendre que les loix du Prince, ores [bien] qu'elle fussent fondées en bonnes et vives raisons, néantmoins qu'elles ne dépendent que de sa pure et franche volonté (p. 191-192).

C'est là, exprimée de manière parfaitement nette, la doctrine de l'obéissance totale : il ne faut pas obéir aux ordres du Prince parce qu'ils sont bons, mais parce qu'ils sont ses ordres. Ce n'est pas au sujet d'examiner avant d'obtempérer la nature des commandements royaux.

La puissance absolue a cependant des limites. Ce sont, d'abord, les lois divines et naturelles. Ensuite, les « loix qui concernent l'estat du Royaume et de l'establissement d'iceluy, d'autant qu'elles sont annexées et unies avec la Couronne » (p. 197), c'est-à-dire celles qu'on commence à appeler fondamentales. Bodin mentionne la loi salique, et, dans le chapitre 2 du livre VI, l'inaliénabilité du Domaine royal. Donc, un ensemble « constitutionnel » réduit et clos, contrairement aux théories des monarchomaques et des Malcontents qui en font un corpus en extension continue, puisque pour eux les États généraux peuvent faire des lois du Royaume dans le prolongement des lois fondamentales, et que ces lois du Royaume sont au-dessus du roi.

Reste le problème des coutumes des provinces, qui sont des lois particulières. Là, les États généraux ou provinciaux peuvent, selon Jean Bodin, intervenir.

> Mais quant aux coustumes générales et particulières, qui ne concernent point l'establissement du Royaume, on n'a pas accoustumé d'y rien changer, sinon après avoir bien et deuëment assemblé les trois estats de France en général, ou de chacun Bailliage en particulier, non pas qu'il soit nécessaire de s'arrester à leur advis, ou que le Roy ne puisse faire le contraire de ce qu'on demandera, si la raison naturelle et la justice de son vouloir luy assiste (p. 198).

Tout est là : les États généraux, dont Bodin dit cependant que la Majesté du Prince n'est jamais aussi grande que lorsqu'ils sont réunis autour de leur souverain, n'ont qu'un rôle purement consultatif : le vouloir juste du roi seul l'emporte sur l'opinion de plusieurs. Bodin s'en prend avec vigueur aux monarchomaques et en particulier à Théodore de Bèze : « Ceux qui ont escrit du devoir des Magistrats, et autres livres semblables, se sont abusez de soustenir que les estats du peuple sont plus grands que le Prince : chose qui fait révolter les vrais subjects de l'obéissance qu'ils doyvent à leur Prince souverain. »

La première et essentielle marque de souveraineté est la « puissance de donner et de casser la loy » (chap. 10, liv. I, p. 309). Le pouvoir législatif est ainsi placé au cœur de la souveraineté et non plus le pouvoir judiciaire comme avant (on peut comparer avec la définition traditionnelle que donne, par exemple, Louis Le Caron : « La principale marque de souveraineté est la droicte et souveraine administration de la justice, soit distributive, soit commutative », *Pandectes*, liv. I, 1587, p. 2). Un souverain juge n'a qu'un rôle d'arbitre ; un souverain législateur suprême impose sa volonté dans tous les domaines :

> de sorte qu'à parler proprement on peut dire qu'il n'y a que ceste seule marque de souveraineté, attendu que tous les autres droits sont compris en cestui là ; comme décerner [décider] la guerre, ou faire la paix : cognoistre en dernier ressort des jugemens de tous magistrats, instituer et destituer les

plus grands officiers : imposer ou exempter les sujets de charges et sub-sides : ottroyer graces et dispenses contre la rigueur des loix : hausser ou baisser le tiltre, valeur et pied des monnoyes ; faire jurer les sujects et hommes liges de garder fidélité sans exception à celui auquel est deu le serment, qui sont les vrayes marques de souveraineté, comprises sous la puissance de donner la loy à tous en général, et à chacun en particulier *(ibid)*.

Ainsi, il n'y a plus seulement des prérogatives royales qu'il faudrait énumérer, comme le faisaient Jean Ferrault et Charles Grassaille, mais une souveraineté une et indivisible, attribuée au seul roi, résumée dans la capacité à faire la loi.

Sur le problème délicat des impôts, Bodin affirme cependant que le roi ne peut en prélever sans le consentement de ses sujets. Sur ce point, sa position reste très traditionnelle. Il distingue trois sortes de monarchie : la tyrannique, la seigneuriale et la royale. Ce qui sépare la dernière (la meilleure) de la seconde, c'est que le monarque royal laisse aux sujets « la liberté naturelle et la propriété des biens à chacun » : ils doivent donc consentir librement à donner des impôts. Le monarque seigneurial, lui, « peut être juste et vertueux Prince et gouverner ses sujets équitablement, demeurant néantmoins seigneur des personnes et des biens » (chap. III, liv. II). Cette typologie est importante. En plaçant entre la monarchie royale et la tyrannie ce régime intermédiaire qu'est la monarchie seigneuriale, Bodin allonge la distance entre la puissance absolue et la puissance tyrannique, que les monarchomaques croyaient si courte ; il débarrasse le mot *absolu* de sa connotation d'arbitraire et montre qu'il n'est pas incompatible avec des garanties pour les contribuables. Il contribue ainsi à dissocier le pouvoir d'un seul de la notion de servitude, que La Boétie avait si fortement accouplés.

Pourtant, il ouvre une faille béante dans son argumentation : le recours au consentement des sujets à l'impôt doit cesser selon lui « en cas de nécessité urgente » (liv. VI, chap. 2, p. 47). La *nécessité urgente* sera le cheval de Troie qui ruinera de l'intérieur l'édifice des libertés fiscales des sujets.

Le refus de la monarchie mixte

Enfin, Jean Bodin porte un coup fatal à l'idéal de la monarchie mixte, en démontrant que la souveraineté ne saurait être partagée et que le mélange des trois régimes fondamentaux aboutirait à altérer dangereusement l'obéissance due au roi :

> « Car si la souveraineté est chose indivisible, comme nous avons monstré, comment pourroit-elle se despartir à un prince, et aux seigneurs, et au peuple en un mesme temps ? La première marque de souveraineté est donner la loy aux sujets : et qui seront les sujets qui obéïront, s'ils ont aussi puissance de faire loy ? » La monarchie de France est « donc pure Monarchie, qui n'est point meslée de puissance populaire, et moins encore de seigneurie Aristocratique : et telle meslange est du tout impossible et incompatible » (liv. II, chap. 1, p. 11 et 23).

Toutefois, Bodin n'abandonne pas complètement l'idéal du mélange. S'il l'élimine de *l'État*, il le réintroduit au niveau du mode de *gouvernement*. L'État royal « doit estre tempéré par le gouvernement aristocratique et populaire, c'est-à-dire par Justice harmonique » (liv. VI, chap. 6, p. 251). La « justice harmonique » consiste à associer dans la distribution des charges et des honneurs les qualités contraires, les nobles et les roturiers, les riches et les pauvres, les jeunes et les vieux, les vertueux et les vicieux, tous utiles, chacun à leur mesure, à l'État.

C'est là un témoignage du pragmatisme de l'auteur, qui correspond à sa conception d'une « politique expérimentale » (l'expression est de Pierre Mesnard, 1952, p. 536). Pour lui, la diversité des hommes est déterminée par le climat, la latitude, la longitude, l'altitude du pays où ils vivent ; tout l'art du sage politique sera donc « d'accommoder l'estat au naturel des citoyens, et les édits et ordonnances à la nature des lieux, des personnes et du temps » (V, 1, 11).

Par ce rôle donné à l'observation, à la réflexion, à l'adaptation des lois aux réalités, Bodin peut être considéré comme l'un des fondateurs de la science politique, même si les solutions concrètes qu'il propose relèvent parfois de l'utopie généreuse.

Ainsi, les répercussions de la Saint-Barthélemy contribuent à précipiter l'avènement d'une réflexion théorique sensible à la fragilité des constructions politiques et soucieuse d'assurer leur durée. Sans faire disparaître les conceptions anciennes de l'allégeance et de la fidélité, une nouvelle doctrine de l'obéissance est en train de naître, fondée sur la nécessité de maintenir l'ordre et sur le caractère infrangible du principe d'autorité.

ORIENTATION BIBLIOGRAPHIQUE

William F. Church, *Constitutional Thought in the Sixteenth-Century France*, Cambridge, Harv. Univ. Press, 1941, 360 p.

A. London Fell, *Origins of Legislative Sovereignty and the Legislative State*, III : *Bodin's humanistic legal system*, Boston, 1987, 344 p.

Julian Franklin, *Jean Bodin et la naissance de la théorie absolutiste*, 1973, trad. franç., Paris, PUF, 1993, 224 p.

Jean Bodin, Actes du Colloque interdisciplinaire d'Angers de 1984, Pr. Univ. d'Angers, 1985, 2 vol.

Salvo Mastellone, *Venalità e machiavelismo in Francia (1572-1610)*, Firenze, Olschki, 1972, 350 p.

Pierre Mesnard, *L'essor de la philosophie politique au XVI* siècle*, éd. rev., Paris, Vrin, 1952, 712 p.

Michel Simonin, *Pierre de Ronsard*, Paris, Fayard, 1990, 424 p.

Quentin Skinner, *Machiavel* (Oxford, 1981), Paris, Le Seuil, 1989, 182 p.

Ernest Thuau, *Raison d'État et pensée politique à l'époque de Richelieu*, Athènes, 1966, 478 p.

Yves-Charles Zarka (éd.), *Raison et déraison d'État*, Paris, PUF, 1994, 448 p. ; *Jean Bodin. Nature, histoire, droit et politique*, Paris, PUF, 1995, 264 p.

34. Heurs et malheurs des temps

L'édit de Poitiers de septembre 1577 apporte, on l'a vu, un répit relatif après la sixième guerre. C'est le moment de prendre une première mesure de l'état du royaume et de se demander quelles sont les conséquences des conflits sur l'économie et la société. Celles-ci doivent être replacées dans une conjoncture de longue durée, qui s'est établie bien avant les troubles : la hausse des prix. Elles sont, en outre, très diverses selon les provinces : ce n'est qu'après 1585 que la France du Nord sera profondément atteinte. Et, dans celle du Sud, certains, comme le constate Brantôme à propos de la noblesse, se sont enrichis, « par la grâce, ou la graisse, de ceste bonne guerre civile ».

La hausse des prix

L'ampleur du phénomène

Dans la décennie 1560, les habitants du royaume commencent à s'inquiéter de l'accélération du mouvement ascendant des prix. Elle est particulièrement sensible pour les prix agricoles. On peut la saisir grâce aux *mercuriales*, c'est-à-dire aux tableaux des prix de vente des denrées sur les marchés. Celle de Paris (de 1520 à 1698) a été publiée par Micheline Baulant et Jean Meuvret (Paris, 1960-1962) ; celle de Toulouse (de 1486 à 1868) par Georges et Gene-

viève Frêche (Paris, 1967) ; celle d'Amiens (qui commence seulement en 1565) par F. et P. Desportes et P. Salvadori (Amiens,
1990).

La hausse commence bien avant 1520, dès les deux dernières
décennies du XVᵉ siècle. C'est à Paris qu'elle est la plus forte ; elle
est en outre plus marquée pour les grains que pour les autres denrées agricoles.

Tableau 10 – Le mouvement des prix agricoles à Paris et Toulouse au XVIᵉ siècle

Période	Prix du froment à Paris ([a]). Indices	Prix du froment à Toulouse ([b]). Indices	Prix du vin à Toulouse ([c]). Indices
1526-1535	1,00	1,00	1,00
1533-1537	0,83	0,73	0,72
1538-1542	0,97	1,01	0,96
1543-1547	1,41	0,87	1,10
1548-1552	1,39	0,83	0,62
1553-1557	1,21	1,44	0,76
1558-1562	1,76	1,25	0,88
1563-1567	2,60	2,07	1,41
1568-1572	2,60	1,95	0,72
1573-1577	3,56	3,13	1,40
1578-1582	2,47	2,55	0,91
1583-1587	4,45	2,86	0,94
1588-1592	7,67	3,35	1,98
1593-1597	6,12	3,87	1,23
1598-1602	3,23	3,08	1,23

([a]) Calculés pour l' « année-récolte », d'août à juillet, d'après M. Baulant et J. Meuvret, *Prix des céréales extraits de la Mercuriale de Paris (1520-1698)*, Paris, t. 1, 1960.

([b]) Calculés de janvier à décembre, d'après G. et G. Frêche, *Les prix des grains, des vins et des légumes à Toulouse, 1486-1868*, Paris, 1967.

([c]) Calculés de janvier à décembre, *ibid.*

(Tableau établi par James Russell Major, *From Renaissance Monarchy to Absolute Monarchy : French Kings, Nobles and Estates*, Baltimore and London, The Johns Hopkins Univ. Press, 1994, p. 77 et 124.)

Les prix des produits manufacturés s'élèvent aussi. Ceux des
souliers, des bonnets et des toiles destinés aux pauvres de l'Aumône
lyonnaise sont multipliés par 3,5 entre 1550-1554 et 1595-1599.
Dans le même temps, à Lyon, ceux du froment le sont par 4 ; pour
l'ensemble des produits de consommation courante (blés, vin,
viande, huile, fromage, habillement, logement), le coefficient multiplicateur est de 3,4 entre les mêmes dates (R. Gascon, 1971).

Trois « années-récoltes » (août-juillet) sont marquées par des

hausses brutales : 1545-1546, 1565-1566 et 1573-1574 ; elles sont
suivies d'un palier, avant l'explosion des prix de la dernière décennie du siècle.

**Tableau 11 – Les hausses de 1545-1546,
1565-1566 et 1573-1574
aux Halles de Paris**

1543-1544	3,39	1563-1564	4,33	1571-1572	8,06
1544-1545	4,04	1564-1565	4,69	1572-1573	10,38
1545-1546	6,38	1565-1566	10,70	1573-1574	18,06

(Moyennes annuelles, calculées par années de récolte, des prix en livres tournois du setier de froment
de 1,56 hl, d'après M. Baulant et J. Meuvret, *op. cit.*)

La cherté de 1565-1566 frappe les esprits ; le Parlement de Paris
ordonne une enquête. Un maître des Comptes, le sieur de Malestroict, publie en 1566 un mémoire intitulé : *Remonstrances et paradoxes
[...] sur le faict des monnoies.* Son ouvrage est à l'origine d'un débat
retentissant sur les prix.

Les causes de la hausse et la controverse
entre Malestroict et Bodin

Le « paradoxe » de M. de Malestroict consiste à affirmer que la
hausse est une illusion, puisqu'elle est mesurée en livres tournois.
Or la livre, monnaie de compte, s'est lentement dépréciée si on
considère son équivalent en argent : donc la montée des prix n'est
que nominale. La cherté de 1565-1566 est accidentelle.
    Ce raisonnement a le mérite d'attirer l'attention des contempo-
rains sur la dépréciation de la livre. On peut la connaître de façon
approximative à travers les tarifs officiels (les cours commerciaux
l'amplifient encore) :

**Tableau 12 – Valeur-argent
de la livre tournois**

1513	1 livre correspond à	17,96 g	d'argent	1550	1 livre correspond à	15,12 g	d'argent
1521	—	17,19 g	—	1561	—	14,27 g	—
1533	—	16,38 g	—	1573	—	13,19 g	—
1541	—	16,07 g	—	1575	—	11,79 g	—
1543	—	15,62 g	—	1577 (juin)	—	10,71 g	—
1549	—	15,57 g	—	1602	—	10,98 g	—

(D'après M. Baulant et J. Meuvret, *op. cit.*)

La réforme de 1577 (voir le chapitre suivant) supprime le compte par livre tournois tout en opérant une légère déflation : en fixant la valeur de l'écu-soleil, pièce d'or réelle qui servira désormais d'unité de compte, à 60 sous, soit trois anciennes livres, il ramène l'équivalent-argent de 20 sous au niveau de la livre de 1575, soit 11,79 g d'argent. En 1602, une nouvelle réforme réintroduira le compte par livre.

Mais la dépréciation de la livre n'est pas assez importante pour annuler la hausse nominale des prix, comme le croit M. de Malestroict. Si on convertit les prix du setier de froment à Paris en leur équivalent-argent, et si l'on compare la moyenne des vingt-cinq dernières années du siècle (pour atténuer l'effet des violentes oscillations qui caractérisent la décennie 1585-1595) aux vingt-cinq années 1520-1545, on obtient un coefficient de multiplication de l'ordre de 3,3 (contre 4,62 pour les prix nominaux, toujours pour Paris).

La hausse est donc bien réelle et pas seulement nominale : c'est ce que démontre en 1568 Jean Bodin, dans la *Response au paradoxe de M. de Malestroict touchant l'enchérissement de toutes choses*. Pour lui, la principale cause est l'abondance d'or et d'argent. Il insiste aussi sur l'essor manufacturier et commercial français, qui permet d'attirer dans le royaume les métaux précieux d'Amérique ramenés par les Espagnols, sur l'accroissement de la population qui suscite une augmentation de la demande, sur la progression des dépenses de luxe dans les villes et à la cour, sur le rôle des banquiers lyonnais comme agents de compensation financière avec les places étrangères.

Tableau 13 – les arrivages d'or et d'argent d'Amérique en Espagne (en kilos)

Période	Or	argent	Période	Or	argent
1503-1510	4 965		1561-1570	11 530	942 858
1511-1520	9 153		1571-1580	9 429	1 118 591
1521-1530	4 889	148	1581-1590	12 101	2 103 027
1531-1540	14 466	86 193	1591-1600	19 451	2 707 626
1541-1550	24 957	177 573	1601-1610	11 764	2 213 631
1551-1560	42 620	303 121			

(D'après Earl J. Hamilton, *American Treasure and the Price Revolution in Spain, 1501-1650*, Cambridge, Mass., 1934.)

En fait, le phénomène de la hausse des prix est complexe et a des causes multiples. Les aspects quantitativistes de la thèse de Bodin ne sont pas à rejeter, dans la mesure où l'afflux des métaux précieux a pu accentuer et diffuser l'inflation ; mais celle-ci commence bien avant que ne se fassent sentir en France les effets de l'arrivage des trésors américains (l'or et de plus en plus l'argent des mines du Potosi au Pérou, relayant l'argent des mines d'Europe centrale et l'or de Guinée apporté par les Portugais depuis 1470 environ).

L'augmentation de la masse monétaire a joué un rôle, mais non décisif : celle-ci, selon F. C. Spooner (1956), après une alternance d'essors et de reculs, double de 1550 à 1600 : soit une progression moindre que celle des prix. La vitesse de circulation des monnaies a également une influence.

La croissance démographique a une incidence certaine, surtout celle des villes, dont la demande croît plus vite que l'offre des campagnes. La progression de la population se poursuit en effet durant les premières guerres, mais à un rythme beaucoup plus modéré, sauf exceptions locales. Le déclin ne surviendra qu'après 1580 (sans être accompagné d'une chute des prix, bien au contraire).

Enfin, il faut tenir compte de l'enchaînement de plus en plus rapide des mauvaises récoltes dans la seconde moitié du siècle, provoqué par la tendance au refroidissement du climat et la mise en culture de terres moins fertiles (M. Morineau, 1977). Les conflits ont aggravé ce facteur d'augmentation des prix.

Les vicissitudes de l'économie

Les difficultés de la production

La hausse des prix, bénéfique pour les industries parce que relativement lente avant le milieu du siècle, devient néfaste ensuite par ses irrégularités et sa rapidité. En outre, l'enchérissement des grains a pour effet de diminuer, dans les salaires (dont la progression est inférieure à celle du coût de la vie), la part consacrée à l'achat de produits manufacturés au profit de celle destinée au pain. Les activités fabriquant des articles de qualité moyenne pour les catégories populaires s'en trouvent défavorisées. Il faut ajouter que le coût de la main-d'œuvre augmente lorsque les compagnons sont nourris par leur maître, comme c'est le cas en particulier dans l'art de la soie ou l'imprimerie. Ces facteurs rendent les produits français moins compétitifs face à la concurrence étrangère. Or il se trouve que c'est précisément le moment où celle-ci s'exacerbe.

Pour la draperie, c'est « l'offensive des draps d'Angleterre » (R. Gascon), « carisés », « ferlins », qui fait peser une menace. Beaucoup de régions productrices du royaume sont touchées : Paris, Troyes, Poitou, Languedoc dans une moindre mesure. Les produits anglais, draps, mais aussi bas, chaussures, chapeaux, envahissent en outre l'Espagne, débouché traditionnel des marchands français.

Pour la soierie, la concurrence vient d'Italie (Turin, Milan, Modène, Reggio), de Franche-Comté (Besançon) et de Genève : ces villes se mettent à fabriquer des étoffes de soie meilleur marché que celles du royaume. La situation est aggravée par le subside de 50 % sur l'entrée des soies manufacturées, qui servent à la fabrication des soieries, institué en octobre 1563. Devant la protestation des Lyonnais, le roi le supprime en octobre 1566, mais le rétablit en 1567 au profit du banquier florentin Dadiaceto (ou d'Adjaceto). La soierie de Lyon est durement éprouvée. Au milieu du siècle, il y aurait eu dans la ville, selon les estimations des marchands, 3 000 métiers faisant vivre de 12 à 15 000 personnes. En 1573, il n'y en a plus que 200 : les autres ont cessé de battre.

Il y a bien un effort royal de protection : les ordonnances de 1552, 1567, 1572 et 1577 interdisent l'exportation des laines et des chanvres et l'importation des draps de soie et des toiles. Mais les effets de cette politique sont anéantis par les dispenses que le roi accorde souvent aux marchands étrangers.

Pour la production du pastel, cette plante cultivée entre Albi, Toulouse et Carcassonne et dont les feuilles servent à fabriquer une teinture bleue très appréciée, c'est la concurrence de l'indigo américain qui commence à se manifester à partir de 1561. A ce facteur s'ajoutent la désorganisation apportée par les troubles et les difficultés financières des grands pasteliers toulousains et de leurs bailleurs de fonds lyonnais. Toute une partie de la richesse de Toulouse s'effondre. Il faut préciser cependant que le pastel du Lauragais continue, dans la deuxième moitié du siècle, à approvisionner les centres textiles de Méditerranée occidentale par l'intermédiaire de Narbonne (Gilbert Larguier, 1996).

La guerre n'est donc pas la seule responsable des malheurs des temps ; elle ne fait qu'aggraver, par ses dévastations et les obstacles apportés aux échanges, les effets de la conjoncture, surtout dans la

France du Sud, en Poitou, dans l'Est et à Lyon. Dans le Midi, il s'agit plutôt d'une « guérilla » d'embuscades et de coups de main ; les dommages deviennent considérables à partir de la troisième guerre, qui est celle de la grande marche de l'armée de Coligny à travers le Languedoc et de la diffusion de l'habitude du pillage, la « picorée ». Le relevé du produit de la dîme (J. Goy et E. Le Roy Ladurie, 1972) fait apparaître dans les provinces méditerranéennes un déclin sensible de la production agricole entre 1558 et 1575. A Lyon, l'occupation huguenote de 1562-1563 et la grave épidémie de peste qui sévit en 1564 (la ville, selon R. Gascon, perd alors le tiers de sa population) portent un rude coup à l'économie. Dans la France de l'Est, le plus dur est le passage des reîtres, qui se dédommagent des insuffisances de leur solde en dévastant les pays traversés : c'est le cas particulièrement en Champagne et en Bourgogne à la fin de la cinquième guerre. Les épidémies pesteuses (celles de 1562-1565 et 1578-1582 sont très virulentes) et les crises de subsistance (1562-1563, 1565-1566, 1573-1574) s'ajoutent aux malheurs subis.

En revanche, dans la France du Nord et en Bretagne, les effets de la guerre sont moins néfastes, du moins avant les années 1580. Ainsi, à Amiens, la manufacture textile garde un haut niveau d'activité jusqu'en 1585, grâce au maintien des liens commerciaux avec l'Espagne ; les perturbations de 1568 et 1573, dates où les corsaires de La Rochelle sont les plus actifs, ne l'affectent que momentanément (Pierre Deyon, *Amiens, capitale provinciale*, 1967).

Le commerce et la banque

Comme le montre l'exemple d'Amiens, les centres de commerce ne souffrent de la guerre que si les relations avec l'extérieur sont coupées. Les grands ports réussissent dans l'ensemble à préserver leur activité. Ceux de la façade atlantique ou des côtes de la Manche sont certes perturbés par les troubles : les marchands bretons se plaignent des corsaires rochelais ; les exportations de sel et de vin sont désorganisées par la dégradation des marais salants de Brouage et par la diminution des achats de vin aux Pays-Bas touchés par la révolte. Mais, malgré les difficultés, le commerce de Bordeaux, Nantes ou Rouen arrive à se maintenir avant la huitième guerre. La Bretagne continue à exporter ses toiles. Saint-Malo fonde sa prospérité sur un circuit triangulaire mis en place au milieu du siècle : les plus actifs des Malouins vont chercher la morue le long des côtes de Terre-Neuve, l'amènent à Cadix, à Marseille et à partir de 1571 à Civitavecchia, d'où ils rapportent à Saint-Malo des produits méditerranéens, vins, huiles, fruits, savon, alun (A. Lespagnol, *Histoire de Saint-Malo*, Toulouse, 1984).

Autre port prospère : Marseille, qui profite des embarras de Venise en guerre contre les Turcs (« guerre de Chypre », 1570-1573) pour capter le commerce des épices et bénéficier des nouvelles « Capitulations » accordées par le sultan Sélim II en 1569 : l'apogée se situe en 1573. Le déclin ne se produira qu'après, avec la peste de 1580-1581, les effets de la crise lyonnaise et la Ligue (G. Rambert, *Histoire du commerce de Marseille*, 1951). Cette vitalité permet à la draperie languedocienne, par l'intermédiaire de Narbonne, de conserver de bons débouchés en Provence et d'en conquérir au Levant (G. Larguier).

Avant 1580-1585, les vicissitudes du commerce se traduisent donc essentiellement par les difficultés des foires situées dans les régions exposées. Les échanges sont perturbés par le banditisme et par la multiplication des péages que les partis en présence ou même le moindre petit seigneur riverain installent sur les routes et les voies d'eau. Les foires de Lyon surtout, déjà frappées par la faillite du Grand Parti en 1557 (voir chap. 11), transférées à Chalon-sur-Saône pendant l'occupation huguenote, sont atteintes par la peste de 1564 et par l'insécurité des chemins. La crise lyonnaise est accentuée par les malheurs d'Anvers, plaque tournante du circuit européen de l'argent, touchée par la banqueroute de Philippe II en 1557 puis saccagée en 1576 par les troupes espagnoles. Autre facteur aggravant : le désordre monétaire, caractérisé par les variations du rapport entre les monnaies d'or et les pièces d'argent et par la prime de fait dont jouissent les monnaies étrangères. En 1580, la ferme de 2,5 % sur l'entrée des marchandises est tombée à la moitié des années 1565-1570 et au tiers des années 1543-1545. Seul prospère le commerce des épices, grâce à l'essor de Marseille, avant le recul des deux dernières décennies (R. Gascon).

Toutefois, l'activité de la banque reste vive à Lyon jusque vers 1585 ; mais elle a surtout un caractère spéculatif, dangereusement dissocié du commerce.

Les transformations de la société

Le creusement des distances sociales

La hausse des prix agricoles défavorise tous ceux qui vivent d'un salaire payé en totalité ou partiellement en espèces, à la ville ou à la campagne. Les petits propriétaires paysans qui ont peu d'excédents à vendre sont aussi paupérisés.

Par ailleurs, avant le grand tour de vis fiscal des années 1590, l'impôt royal augmente sous Charles IX et Henri III : la taille et ses « crues » passent de 6 millions de livres environ en 1561-1565 à 7,12 millions en 1575. Ce montant reste inférieur, une fois déflaté en équivalent-blé, au niveau connu sous Henri II : ce qui fait que, pour le roi, cette hausse nominale cache un reflux réel des recettes fiscales (P. Chaunu, *Hist. éc. et soc. de la France*, I, 1, 1977, p. 173). Mais, pour les salariés, elle se traduit tout de même par une augmentation du nombre de jours qu'ils doivent consacrer à acquitter leur dû : dix jours en 1588 contre presque neuf en 1559 et sept en 1547 dans le cas d'un manœuvre parisien du bâtiment chef d'une famille de quatre personnes (M. Morineau, *ibid.*, I, 2, p. 980).

Les paysans, outre l'impôt, payent les droits seigneuriaux, la dîme et parfois des taxes perçues successivement par les partis en guerre. Que survienne une disette ou une épidémie, et ils doivent vendre. Ce processus de dépossession paysanne commence, autour des grandes villes, bien avant les troubles, qui ne font que le précipiter. Ainsi, près de Lyon, à l'issue de la sécheresse de 1556 :

> Les pauvres laboureurs n'ayant de quoi se nourrir furent contraints d'exposer en vente à non-prix leurs héritages aux personnes riches qui lors avoyent les belles terres et vignes pour un morceau de pain. Et plusieurs par ce moyen dressèrent les belles granges, bastissans leurs lieux de plaisance de la misère des pouvres (Guillaume Paradin, *Histoire de Lyon*, 1573, cité par R. Gascon, 1971, p. 841).

Il y a en effet des bénéficiaires de l'inflation : tous ceux qui ont des grains à vendre. Entrent en compétition, dans la course à l'enrichissement, les gros propriétaires (roturiers ou nobles) et les fermiers, les seconds l'emportant sur les premiers lorsque la rente foncière s'élève moins vite que le prix des grains et le montant des salaires. C'est le cas, en particulier, en Ile-de-France et en Langue-doc. S'enrichissent également tous les intermédiaires, les spécula-teurs, les marchands capables de faire des stocks, les fermiers de droits seigneuriaux. Pour ceux-là, les aléas de la guerre ne représen-tent que des coups durs passagers et non une catastrophe irréver-sible comme pour les précaires.

Entre ces deux extrêmes, les catégories moyennes s'amenuisent (sauf dans le Centre et l'Ouest, où elles résistent mieux).

La quête de la considération par l'achat d'offices et de terres

Les incertitudes des profits manufacturiers et commerciaux incitent à rechercher des placements plus sûrs. Parmi les trois qui se présentent (la rente, l'office et la terre), les deux derniers sont les plus recherchés, parce qu'ils donnent un prestige social inégalé. Ainsi, les capitaux se détournent des investissements productifs, ce qui fragilise encore l'économie du royaume. Seuls les grands ports et les centres manufacturiers qui résistent aux conséquences néfastes de la conjoncture jusque vers 1580-1585 échappent en partie à cette tendance ; mais beaucoup de leurs marchands cèdent à leur tour à la tentation pendant la crise de la fin du siècle.

Les offices exercent un puissant attrait. Ils apportent la considé-ration collective et, pour les plus élevés d'entre eux, l'accès à la noblesse (voir chap. 12). Les profits qu'ils permettent sont en outre loin d'être négligeables : vers 1560, un conseiller « lai » (laïc) touche 600 livres par an à Paris et 375 livres en province (R. Mousnier, 1971). Ces gages, il est vrai, restent stationnaires dans la seconde moitié du siècle. Le prix nominal des offices, lui, s'envole après 1575 : à Rouen, celui de conseiller passe d'une moyenne de 4 500 livres dans les années 1545-1575 à 10 000 livres autour de 1590, avant de grimper à 20 000 après 1604, année de la création de la Paulette ; à Paris, aux mêmes dates, les prix sont res-pectivement de l'ordre de 10 000, 20 000 et 45 000 livres (J. Dewald, 1980 ; R. Descimon, 1989). Les présidents à mortier des Parlements ont des salaires supérieurs : 3 000 livres par an à Rouen. Si on ne considère que les gages, la rentabilité de l'office tombe de 10 % environ dans le troisième quart du siècle à 5 % vers 1590 ; ce dernier pourcentage est inférieur à la rente constituée (qui est généralement « au denier douze », soit 8,33 %) et dépasse un peu le profit de la rente foncière (qui varie entre 3,33 % et 5 %). Mais les gages sont loin d'être le seul gain que procurent les offices. Les épices, ces indemnités perçues pour tout acte de justice et d'administration, sont multipliées par 8, à Rouen, entre 1520 et 1610. En outre, le service du roi offre de multiples avantages pour les officiers les plus élevés. Il y a d'abord l'accès au « capitalisme fiscal » (E. Le Roy Ladurie) : les officiers prennent à ferme les droits du domaine royal, dont les aliénations se multiplient, et les « rebaillent » en faisant de gros bénéfices ; ainsi, Pierre Ier Séguier, grand-père du fameux chancelier du XVIIe siècle, avocat au Parlement de Paris, puis avocat du roi et enfin président dans ce même Parlement de 1554 à sa mort en 1580, monopolise entre 1550 et 1580 diverses impositions « du gros et huitième » pour une dizaine de paroisses près de Paris, qui lui rapportent de 18 à 20 % (D. Richet, 1991). Il faut noter que les grands nobles participent aussi très largement à ce capitalisme fiscal. Il y a également, pour les robins, les lucratives commissions obtenues du roi et les réseaux d'affaires que leur position leur permet d'entretenir.

Bref, le service du roi enrichit. Les plus grandes familles de la robe parisienne, les Séguier, de Thou, Harlay, Lefèvre d'Ormesson, Mesmes, Molé, Nicolaï, atteignent des fortunes considérables. Le président Barnabé Brisson est riche de 350 000 livres à sa mort en 1591 (E. Barnavi et R. Descimon, 1985). A titre de comparaison, la richesse moyenne des ducs et pairs étudiés par J. P. Labatut est, entre 1589 et 1624, de 800 000 livres. Les conseillers n'atteignent pas le niveau des présidents, et ceux de province sont moins fortunés que ceux de Paris. A Rouen, la fortune d'un conseiller est en moyenne de 100 000 livres (J. Dewald) : moins qu'un grand marchand de la ville (200 000 livres), moins que la haute noblesse provinciale (de 200 à 300 000 livres), mais beaucoup plus que la moyenne gentilhommerie rurale (de 15 à 20 000 livres).

Par ailleurs, les édits de survivance de 1568 (voir chap. 12) consolident l'hérédité des offices et l'indépendance des officiers ; Henri III en promulgue deux autres en 1574 et 1576. La vénalité, bien que critiquée par Michel de L'Hôpital et par les cahiers des États généraux, est bien installée. Tout concourt donc à faire des offices un placement de plus en plus recherché. Or l'offre croît : le roi, toujours à cours d'argent, en met de nouveaux sur le marché. Le personnel des cours souveraines et subalternes augmente ; une Cour des comptes est reconstituée en 1580 à Rouen, après la pre-

mière érection éphémère de 1543 ; les chambres mi-parties, quand
elles sont mises en place, sont l'occasion de créer quelques offices
pour des magistrats réformés. Les maîtres des Requêtes, ramenés à
un peu plus de vingt par Michel de L'Hôpital, sont une cinquantaine en 1589 (M. Etchéchoury, 1991). Cet accroissement nourrit
les doléances des contemporains, qui disent volontiers que l'inflation des juges est la cause de la multiplication des procès. Mais la
demande est telle qu'elle ne peut pas toujours être satisfaite ; le
développement de l'hérédité tend en outre à réserver les charges
des cours souveraines, les plus convoitées, aux fils et aux gendres
des gens en place, tandis que les ambitieux piétinent.

Encore plus recherchés que les profits de l'office sont ceux de la
terre, malgré le caractère relativement modeste des revenus fon-
ciers. Ils sont en effet indispensables à l'assise sociale des familles,
surtout lorsqu'il s'agit de seigneuries. Or les troubles multiplient le
nombre des terres offertes.

L'aliénation d'une partie des biens du clergé (voir chap. 26) en
a mis un certain nombre sur le marché. Selon les estimations d'Emmanuel Le Roy Ladurie (*Histoire économique et sociale de la France*,
1977), fondées sur les calculs d'Ivan Cloulas (1958), les aliénations
de 1569, 1574, 1576 et 1586 (celle de 1563 a finalement été rachetée par le clergé, et celles de 1568 et 1587-1588 sont transformées
en contributions extraordinaires), ont proposé à la vente un peu
moins de 1 % du territoire national mis en culture.

**Tableau 14 – Typologie des acquéreurs des biens
du clergé en 1569 dans 22 diocèses**

Nobles	26,9 %	Acquéreurs collectifs, artisans,	
Officiers ou juristes	14,9 %	petit tiers état	17,4 %
Bourgeois et marchands	29,9 %	Paysans	3,1 %
		Divers	7,8 %

(D'après Ivan Cloulas, Les aliénations du temporel ecclésiastique sous Charles IX et Henri III, *Rev. d'Hist. de l'Église de France*, 1958, p. 5-56.)

La noblesse est largement surreprésentée dans cet échantillon
des acquéreurs. Le groupe des officiers est moins important, mais il
est nombreux autour des grandes villes (35 % dans le diocèse de
Paris, 31 % dans celui de Lyon). La catégorie la plus importante
est celle des bourgeois et marchands, assoiffés de prestige terrien.
Les « acquéreurs collectifs » sont des petites gens qui se sont groupés
pour faire un achat. Quant au pourcentage des paysans, il est déri-

soire : ils n'ont pas eu part au festin, mis à part quelques gros
laboureurs.

Bien plus, ce sont ces derniers qui sont, on l'a vu, les principales
victimes du second grand mouvement qui affecte les terres : les plus
appauvris sont obligés de vendre leurs tenures, rachetées le plus
souvent par les notables urbains.

Il y a aussi mise en vente de seigneuries par des gentilshommes
ruinés. Les acheteurs sont souvent des gentilshommes eux-mêmes,
comme l'a montré James Wood pour l'élection de Bayeux (1980).
Mais des roturiers arrivent par ce moyen à posséder une terre
noble, ce qui est pour eux un moyen d'ascension sociale. Il n'est pas
étonnant que le roi ait voulu bloquer cet accès à la noblesse, source
d'évasion fiscale : en 1569 est supprimée la possibilité, particulière à
la Normandie, d'être anobli par la possession d'un fief pendant
quarante ans ; en 1579, l'ordonnance de Blois interdit l'anoblissement par la « tierce foi » (prestation de foi et hommage pour un fief
par trois générations successives).

Pertes et profits de la gentilhommerie

La plupart des gentilshommes étant des propriétaires terriens,
la conjoncture a pour eux les mêmes conséquences, bénéfiques ou
néfastes, que pour les autres possesseurs de terres. Ils sont gagnants
lorsque la « réserve » de leur seigneurie (voir chap. 5) est vaste, surtout pour la part qui est exploitée en faire-valoir direct. Les redevances seigneuriales, laminées par l'inflation lorsqu'il s'agit de cens
en espèces, en bénéficient lorsqu'elles sont en nature. Les disettes et
les ravages des guerres ne les touchent ni plus ni moins que les
autres propriétaires, compte tenu du fait que les exigences de leur
statut imposent aux gentilshommes un niveau de dépenses généralement supérieur à celui des roturiers et leur font sentir plus âprement leurs pertes éventuelles.

La guerre leur a aussi permis des profits spécifiques : beaucoup
de hobereaux désargentés se mettent à rançonner systématiquement les voyageurs et à piller les campagnes. Montaigne a raconté
dans les *Essais* comment il s'est fait dépouiller, pendant une trêve,
par quinze ou vingt gentilshommes et comment il a dû négocier sa
rançon, « qu'ils me taillioient si haute qu'il paroissoit bien que je ne
leur estois guère cogneu » (liv. III, chap. 12). Les paysans dénon-

cent les « gens-pillent-hommes » et les « gens-tuent-hommes » ; le capitaine Merle, qui sévit en Gévaudan et en Auvergne dans les années 1570, en est un exemple. Rançons, péages, butins divers, voire profits de la piraterie sont souvent lucratifs.

La guerre a également servi de moyen d'ascension sociale à de nombreux petits capitaines, chefs de bandes improvisés ou placés par les gouverneurs ou le roi à la tête d'une place-forte. L'armée des vicomtes (voir chap. 27 et 28) en présente de nombreux cas. Souvent, ils profitent de leur expérience guerrière pour prétendre à la noblesse, et quelques-uns y parviennent. Là encore, aux pertes des victimes des conflits s'opposent les gains des profiteurs.

Au terme de ce rapide bilan, il apparaît que la guerre, avant 1585, n'a qu'une responsabilité partielle, plus grande au Sud qu'au Nord, dans l'altération de la conjoncture et que celle-ci, inégalement ressentie selon les régions, n'a pas encore franchi le cap de la récession. Le pire reste à venir.

ORIENTATION BIBLIOGRAPHIQUE
(outre les références données pour les chapitres 1, 4, 5, 6, 7 et 12)

Sylvie Desachy-Delclos, *Les capitaines en Rouergue à l'époque des guerres de Religion*, École nat. des Chartes, Position des Thèses, Paris, 1995, p. 67-73.

J. Goy et E. Le Roy Ladurie (éd.), *Les fluctuations du produit de la dîme*, Paris, Mouton, 1972, 398 p.

Provinces et pays du Midi (1555-1585), Avènement d'Henri IV, Quatrième centenaire, Pau, J. et D., 1989, 320 p.

Denis Richet, *De la Réforme à la Révolution : études sur la France moderne*, Paris, Aubier, 1991, 584 p.

F. C. Spooner, *L'économie mondiale et les frappes monétaires en France*, Paris, SEVPEN, 1956, 546 p.

Pierre Vilar, *Or et monnaie dans l'histoire*, Paris, Flammarion, 1974, 440 p.

TROISIÈME PARTIE
La reconstruction monarchique au péril de la Ligue (1577-1598)

La dernière période des guerres civiles se complique d'un problème de succession. Le redressement monarchique que commence à opérer Henri III après 1577 est brutalement compromis en 1584, date de la mort de François d'Anjou, seul héritier Valois du trône : va-t-on voir régner un réformé, le Bourbon Henri de Navarre ? La Sainte Ligue catholique qui naît repousse avec horreur cette perspective. L'hypothèse galvanise au contraire les huguenots, qui redoublent d'efforts. La violence des affrontements répond à l'ampleur de l'enjeu ; la huitième guerre est une épreuve terrible pour le royaume et pour la monarchie ; Henri III y laisse la vie. Mais de la profondeur de la crise naît aussi le désir d'ordre qui pave la voie de Henri IV. Après la conversion de ce dernier, la majorité des Français est prête à se résigner à la tolérance civile.

35. La reprise en main du royaume
par Henri III (1577-1584)

Lorsque la paix de Bergerac et l'édit de Poitiers mettent fin, en septembre 1577, à la sixième guerre civile, Henri III peut espérer que la paix durera et qu'il aura devant lui le temps nécessaire pour rétablir son autorité. De fait, si l'on met à part la courte septième guerre (novembre 1579 - novembre 1580), le royaume jouit jusqu'à la fin de 1584 d'un répit relatif, qui permet au roi d'agir. L'étude de ces sept années prête quelque vraisemblance aux propos du chroniqueur Pierre de L'Estoile sur Henri III, « très bon prince s'il eût rencontré un bon siècle ».

L'affermissement de l'autorité royale

La personnalité du roi

Henri III est un être complexe, qui a fait l'objet de jugements très divers, tant de la part de ses contemporains que des historiens. Le portrait le plus nuancé est celui qu'en a tracé Jacqueline Boucher (1986). Le roi est doté d'une belle prestance physique et d'une majesté naturelle. Son intelligence est vive ; mais il aperçoit si lucidement les avantages et les inconvénients de chaque décision à prendre qu'il en est souvent paralysé. Esprit très religieux et attaché à l'Église catholique, il en vient peu à peu à considérer que ce sont ses péchés qui, en provoquant la colère de Dieu, conduisent son peuple à l'abîme. Le 9 octobre 1579, il écrit à Arnaud du Ferrier, ambassadeur à Venise ; il évoque le zèle ardent qu'il faut avoir pour l'honneur de Dieu :

> connoissant que c'est le seul moyen par lequel je doibs espérer tirer mes sujets des calamitez et misères qui les affligent, lesquelles je confesse procéder de mes vices et péchez ; et quand il plairoit à sa divine bonté que j'en portasse la pénitence pour le salut et rédemption de tant de pauvre et désolé peuple qu'il a sousmis sous ma puissance, lequel succombe sous le faix, je m'estimerois très heureux (*Lettres de Henri III*, publ. par M. François, Paris, Klincksieck, t. IV, 1984, p. 285).

Cette conception de sa responsabilité spirituelle et de l'aspect sacrificiel de son rôle le conduira en 1582 à une conversion morale, manifestée par des pratiques de mortification, des retraites dans des monastères et la participation aux processions des confréries de pénitents. C'est aussi un homme cultivé, aux goûts raffinés, éloquent et plein d'esprit, protecteur des lettres et des arts.

En 1577, la conscience tragique des maux du royaume n'a pas encore altéré sa confiance dans les possibilités de redressement. Il entend bien faire reconnaître qu'il est le maître. Confronté aux revendications des États de Blois, il affirme avec fermeté qu'il est « prince souverain non subject aux Estats », et qu'il n'a pas l'intention de leur « communicquer ceste auctorité royale et souveraine » (lettre à Jacques d'Humières, 22 février, éd. citée, t. III, 1972, p. 165).

Les hommes du roi

Henri III a été servi par des hommes de valeur. Le plus remarquable est Nicolas de Neufville, seigneur de Villeroy, l'un des quatre secrétaires d'État (les trois autres sont Pierre Brûlart, Claude Pinart et Simon Fizes, baron de Sauve ; après sa mort en 1579, ce dernier n'est pas remplacé). « Travailleur acharné, levé tôt, couché tard, usant ses yeux dans les écritures, prenant rarement du repos, n'ayant pour l'aider dans une énorme besogne qu'un personnel très restreint de commis, rédigeant tous les jours la correspondance avec les ambassadeurs » (J. Nouaillac, 1908), c'est aussi l'ami et le confident du roi : celui-ci lui donne le curieux sobriquet de *Bydon*, et lui écrit, en mars 1580 : « Aimez moi tousjours, car je serai vrément tousjours le bon maître. »

Aussi dévoué est Pomponne de Bellièvre, d'une famille de robe lyonnaise, conseiller au Conseil d'État en 1570, président au Parlement de Paris de 1576 à 1580. Il reçoit la surintendance des finances de 1574 à 1588, charge déjà exercée, au début du règne de Charles IX, par Artus de Cossé et Louis d'Ongnies. Autre personnage central : Philippe Hurault de Cheverny, garde des sceaux après la retraite de Birague en 1578 puis chancelier à la mort de ce dernier en 1583.

La séparation des sections du Conseil du roi se précise, bien que celui-ci reste théoriquement un. Son nom se fixe à partir de 1578 : *Conseil d'État*. Les sections spécialisées sont celle des Parties pour la justice et celle des Finances (qui cesse d'exister en 1574 mais est rétablie en 1582). Les intendants des Finances prennent de plus en plus d'importance et rapportent souvent tant au Conseil des Finances qu'au Conseil d'État et au Conseil privé des Parties, comme les maîtres des Requêtes, cantonnés dans celui des Parties, s'en plaignent en 1585 (M. Etchéchoury, *Les maîtres des Requêtes*, 1991). Le nombre des secrétaires des finances, servant par groupe de quatre au Conseil, est porté à 30 en 1585. Le Conseil secret ou des Affaires, tant vilipendé par les Malcontents, devient sous Charles IX et Henri III une réunion informelle tenue en marge du Conseil d'État, dans un coin de la pièce où siège celui-ci : ce sont ces « petits conseils à l'oreille » que dénonce le *Discours merveilleux* en 1575.

La place des officiers du roi dans l'ensemble de l'appareil étatique est de plus en plus grande. En 1579, Charles Figon, maître des Comptes à Montpellier, la donne à voir « d'un trait d'œil », sous la figure d'un « arbre des dignités et offices de France », dans son *Discours des estats et des offices* (E. Le Roy Ladurie, 1987).

En juillet 1577 les trésoriers de France sont constitués en collèges, les *Bureaux des Finances,* 1 par recette générale (dont le nombre passe bientôt de 18 à 20). Chaque Bureau a d'abord 5 membres, puis 7 en 1581 et 9 en 1587 (voir chap. 11).

L'œuvre législative

Henri III a beaucoup légiféré ; mais les troubles n'ont pas permis d'appliquer vraiment ces lois.

Ordonnance de Blois, 1579. Ses 363 articles, rédigés d'après les cahiers de doléances des États de 1576-1577, touchent à tous les domaines. Elle condamne la vénalité des charges et prévoit la diminution du nombre des offices. Elle limite les pouvoirs des gouverneurs, réduits au nombre de 12. Elle interdit l'anoblissement par la possession d'un fief pendant trois générations successives.
Ordonnance de 1581 sur les jurandes, étendant celles-ci à tous les métiers.
Ordonnance de 1584 sur l'amirauté, réglementant le pouvoir de l'amiral, le droit de l'armement des navires, celui des épaves et des prises de guerre.
Ordonnance de 1584 sur la gendarmerie, dont l'article 40 ouvre à des roturiers la possibilité d'être gendarme dans les compagnies d'ordonnance.

Sur l'ordre du roi, le président Barnabé Brisson fait un recueil de toutes les ordonnances françaises, qui constituent le *Code Henri III*, publié en 1587.

Le voyage pacificateur de Catherine de Médicis (septembre 1578 - novembre 1579)

Non sans quelques difficultés, la reine mère accepte de passer au second plan derrière celui de ses fils qu'elle préfère. Mais elle continue à travailler à la restauration de l'ordre. C'est ainsi qu'elle entreprend, presque sexagénaire, un long périple dans le Sud du royaume.

Son premier souci est de rétablir l'entente entre sa fille et le roi de Navarre : elle conduit une Marguerite réticente auprès de son mari à Nérac. Elle en profite pour écouter les doléances des réformés ; après une entrevue à La Réole le 2 octobre 1578, des négociations se poursuivent à Nérac et aboutissent en février 1579 au traité qui porte le nom de cette ville (voir plus bas).

Elle traverse ensuite le Languedoc, brave avec courage les arquebuses des défenseurs de Montpellier (devenue en 1577 place de sûreté) en passant le long des murailles de la ville et arrive en Provence. A Salon, elle rencontre l'astrologue Nostradamus. Elle apaise momentanément la lutte que se livrent les *carcistes* (catholiques intransigeants partisans du comte de Carcès) et les *razats* (nom donné aux réformés et à leurs alliés catholiques modérés), et nomme comme gouverneur Henri d'Angoulême, bâtard de Henri II. Mais elle échoue à faire rendre par le maréchal de Bellegarde le gouvernement de Saluces dont il s'est emparé.

En Dauphiné, elle trouve une situation conflictuelle dangereuse. Le chef des huguenots Lesdiguières refuse de la rencontrer.
Les paysans des campagnes autour de Romans ont commencé à
s'armer contre les excès des gens de guerre et s'attaquent à des
compagnies d'ordonnance de passage parmi eux. En février 1579,
les artisans de la ville élisent pour chef un maître drapier, Jean
Serve, dit Paumier. Sous sa conduite, artisans et paysans se liguent
et vont s'attaquer à la place-forte de Châteaudouble où s'est
retranché un seigneur huguenot transformé en brigand, avec l'accord plus ou moins forcé du lieutenant général, Laurent de Maugiron. Enivrés par leur victoire, les ligués se mettent, au printemps 1579, à menacer les seigneurs, à refuser de payer les droits,
les dîmes et les impôts ; leur mécontentement est accru par les
gelées tardives qui atteignent les vignes et les noyers. Gentilshommes et notables urbains prennent peur. Catherine de Médicis
rencontre Paumier en juillet et celui-ci, tout en protestant de son
obéissance au roi, lui dit avoir été élu « pour la conservation du
pauvre peuple affligé de la tyrannie de la guerre » (*Mémoires* du
notaire Eustache Piémond, cités par E. Le Roy Ladurie, 1979). Un
dénouement sanglant survient en 1580, lors du carnaval de
Romans : à la faveur des déguisements, artisans et laboureurs nar-
guent les notables. Le 15 février, ces derniers, dans un réflexe de
peur panique, massacrent Paumier et ses partisans. Dans le plat-
pays, les gentilshommes poursuivent les bandes paysannes ; les dernières sont écrasées le 23 mars à Moirans par l'armée royale de
Maugiron. Le voyage de la reine mère lui a permis de mesurer
l'ampleur des antagonismes.

Le roi et la noblesse

Henri III répète souvent que sa noblesse est son « bras droit ».
Mais ses relations avec les grands sont empoisonnées par la
méfiance : aussi choisit-il de s'appuyer sur des gentilshommes
appartenant à une noblesse moyenne et donc plus dépendants, les
fameux « mignons ». Le mot *mignon* n'a pas la connotation scandaleuse qu'on lui attache souvent : il est synonyme de « favori ».
Les premiers apparaissent autour du roi vers 1576 ; ce sont, en
particulier, François de Saint-Luc, Louis de Maugiron, Jacques
de Caylus, Henri de Saint-Sulpice, Gilles de Souvré, François

d'O, Guy de Livarot. Après 1580, deux surtout monopolisent la faveur royale, les deux « archimignons » : Anne de Joyeuse et Jean-Louis d'Épernon. Les accusations d'homosexualité ont noirci leurs rapports avec le roi. Sans chercher à mesurer leur véracité, ce qui est difficile, il faut noter qu'elles sont le reflet d'une incompréhension devant les habitudes de propreté corporelle et de raffinement vestimentaire que veut introduire Henri III à la cour et auxquelles il entend plier les mignons : usage de savon et de parfums, changement fréquent de linge, luxe des habits et des bijoux (y compris le port de boucles d'oreilles). Toutes ces délicatesses imitées des cours italiennes sont considérées comme les preuves de natures efféminées par beaucoup de gentilshommes français, qui n'imaginent pas qu'on puisse être à la fois vaillant et propre, brave et raffiné (ce que sont pourtant les mignons) : d'où les soupçons sur les mœurs de ces jeunes élégants. Le faste des compagnons de Henri III est aussi le signe éclatant de la puissance de la faveur royale : le roi veut manifester par là que toute grandeur vient de lui. La disgrâce relève de la même volonté pédagogique : d'O et Saint-Luc en font l'amère expérience.

Les mignons sont les fidèles par excellence. Henri III veut en outre un cercle plus large de dévoués. L'ordre de Saint-Michel est trop galvaudé ; aussi le roi fonde-t-il en novembre-décembre 1578 celui du Saint-Esprit, donné à des gentilshommes pouvant prouver trois « races » (générations) paternelles de noblesse et formant une milice chrétienne ayant le roi pour chef. Le 1ᵉʳ janvier 1579 a lieu la première promotion, dont les membres portent un manteau noir brodé des flammes du Saint-Esprit et un collier d'or d'où pend une croix ornée d'une colombe. La croix peut aussi être portée pendue au fameux « cordon bleu ».

Dans les provinces, le roi s'efforce aussi de satisfaire les gentilshommes de noblesse moyenne en leur octroyant des honneurs, tels qu'une place de gentilhomme ordinaire de la Chambre, un petit emploi de cour, le collier de Saint-Michel. Lorsqu'à ces faveurs s'ajoute une charge militaire (gouvernement de place ou de ville, capitainerie d'une compagnie, lieutenance générale), les nobles ainsi distingués s'intègrent dans la « noblesse seconde », clientèle royale grâce à laquelle Henri III tient les provinces (L. Bourquin, 1994). Certains des onze duchés-pairies érigés pendant le règne le sont au profit de la noblesse moyenne.

Le roi tente de contenir la puissance des gouverneurs. Des hommes de robe sont placés auprès d'eux : ainsi, en octobre 1579, le président à la cour des aides de Montpellier Jean Philippi est nommé auprès de Henri de Montmorency en Languedoc, pour « le suivre et accompagner où besoing sera et l'assister esdictes affaires concernans la justice » (lettres de Henri III, éd. citée, t. IV, p. 284). N'imaginons cependant pas trop vite une rivalité entre ces précurseurs des intendants et les gouverneurs : les premiers sont souvent les clients des seconds. Les gouvernements les plus sensibles sont donnés aux mignons : à Joyeuse, ceux de Normandie en 1583 et l'année suivante du duché d'Alençon ; à Épernon, ceux de Metz et du pays messin en 1583, de Provence en 1586, et à la mort de Joyeuse en 1587, de la Normandie et des provinces de Saintonge, Aunis et Angoumois. Mais ces cumuls attisent dangereusement la colère de la haute noblesse.

L'éclat de la cour

Henri III essaie de faire de la cour à la fois la vitrine de la grandeur royale et un instrument de gouvernement. Il y réussit partiellement.

La codification des rangs

La cour est le lieu où le respect des préséances rend les rangs *visibles* ; leur codification stricte est un moyen pour le roi d'imposer son arbitrage et de limiter la férocité de la compétition pour le prestige, en indiquant clairement à chacun quelle est sa place.

L'édit de décembre 1576 donne la préséance aux princes du sang sur les autres pairs de France. Cette décision élève le lignage royal à une hauteur que nul autre peut atteindre et contribue ainsi à renforcer le caractère dynastique de la monarchie ; c'est un pas de plus vers la sacralisation du « sang de France ».

En 1585 est créée la charge de grand maître des cérémonies. L'étiquette à la cour est précisée par les règlements de 1578, 1582 et 1585. Le dernier distingue cinq pièces, dont la dignité est mesurée par la distance qui les sépare du roi ; les courtisans y sont répartis selon leur qualité.

Répartition des courtisans selon le règlement du 1ᵉʳ janvier 1585

Chambre royale où dort le roi.

Chambre d'audience : les secrétaires d'État ; les membres du Conseil : conseillers d'État en service, financiers, princes du sang, archevêques et évêques ; les gouverneurs de province spécifiés, les gentilshommes de la Chambre en service, le premier écuyer, le premier maître de l'hôtel, le premier président du Parlement de Paris, et les nains du roi.

Chambre d'État : les premiers présidents de la Chambre des comptes et de la cour des aides de Paris, les gouverneurs de province qui ne sont ni princes ni spécifiés, les archevêques et évêques qui ne sont pas au Conseil, les gentilshommes servants qui ne sont pas « de quartier », les capitaines de gens d'armes, les secrétaires des finances et le greffier du Conseil en service, les présidents et gens du roi des cours de Parlement, le président des Trésoriers généraux de Paris.

Antichambre : les Maîtres des Requêtes en service, les dix gentilshommes de la Maison du roi, les gentilshommes qui sont sur l'état du roi sans service effectif, les secrétaires des finances qui ne sont pas de quartier.

Salle de Sa Majesté : les « gens d'apparence ».

À 5 heures du matin, le roi s'éveille ; seuls Joyeuse et Épernon peuvent l'approcher alors qu'il s'habille. Puis il fait dire qu'il est éveillé : chaque groupe progresse alors d'une pièce et se rapproche de la source unique de tout honneur.

Un épisode significatif résume le sens de ces mesures : au début du règne, Henri III fait installer de légères barrières autour de la table où il prend ses repas. Devant la colère des courtisans, il les fait retirer ; mais il les rétablit par le règlement du 1ᵉʳ janvier 1585. Henri III veut ainsi s'isoler de la foule des importuns, mais aussi introduire une distance symbolique entre lui et ses sujets, même lorsque ces derniers appartiennent à la haute noblesse. Celle-ci perçoit clairement le sens politique de cette décision et s'en offusque.

Les fêtes de l'esprit et du goût

Le roi veut faire de la cour un foyer de culture et d'art. Cette attitude n'est pas que folle prodigalité ; elle correspond aux aspirations intellectuelles du roi ; elle a aussi, comme sous Charles IX, un but politique : conjurer les divisions. L'Académie de poésie et de musique de Jean-Antoine de Baïf devient l'*Académie du Palais,* pénétrée de néo-platonisme, dont le siège est au Louvre ; Henri III est très assidu à ses séances. L'influence italienne se fait sentir à tous les niveaux, y compris dans le langage, ce qui provoque la dénonciation véhémente de Henri Estienne dans les *Deux Dialogues du nouveau langage françois italianisé* (1578), suivis en 1579 par *De la Précellence du langage françois.* Le roi fait venir en 1576 une troupe fameuse de comédiens italiens, les *Gelosi.* Les femmes jouent un rôle éminent à la cour ; Marguerite de Valois, revenue de Nérac dès 1582, y brille par son esprit en même temps qu'elle scandalise par la liberté avec laquelle elle se conduit. Les peintures d'Antoine Caron, par leur symbolisme compliqué, donnent une idée des subtilités esthétiques qui ravissent les courtisans. La musique et la danse rythment les divertissements. Les fêtes les plus splendides sont données en 1581 à l'occasion du mariage du duc Anne de Joyeuse avec la demi-sœur de la reine Louise : elles sont marquées par le célèbre *ballet comique de la reine*, dont le maître d'œuvre est le piémontais Beaujoyeulx. Les poètes de la Pléiade et Philippe Desportes écrivent des vers et Claude Lejeune compose des airs pour l'occasion.

Les palais royaux sont embellis. La construction des Tuileries se poursuit ; Bullant bâtit pour la reine mère l'hôtel de Soissons. L'art des jardins se perfectionne ; Catherine fait orner celui des Tuileries par une grotte avec des animaux en terre cuite réalisés par Bernard Palissy. Les courtisans construisent des hôtels somptueux à Paris : les plus réputés sont celui de Nevers pour Louis de Gonzague et celui d'Angoulême pour la demi-sœur du roi, Diane de France.

Cependant, malgré le raffinement intellectuel et artistique de la cour, les mœurs des courtisans restent encore brutales et souvent fort légères ; par ailleurs, l'étiquette est bien moins sévère que dans la cour espagnole voisine.

Les difficultés de l'apprivoisement des factions

Plus délicat pour le roi est l'arbitrage entre les grands lignages, qu'il mécontente en comblant les mignons. Ses rapports avec les Guises sont difficiles ; il cherche à diminuer leur influence, mais il veut aussi éviter une rupture dangereuse pour lui. Le fameux duel qui oppose les mignons du roi, Caylus, Maugiron et Livarot, le

27 avril 1578, à trois fidèles des Guises, Entragues, Ribérac et Schomberg, et dont seuls réchappent Livarot et Entragues, illustre ces tensions. Ses relations avec son frère François d'Anjou sont plus épineuses encore. La tactique conciliatrice du roi rencontre un échec flagrant : Henri de Damville, devenu duc de Montmorency à la mort de son frère François en 1579, refuse de venir à la cour, tant il se méfie de celui qu'il appelle « le roi double ».

Les réformes financières et économiques

La réforme monétaire de 1577

Les effets de l'inflation sont accrus par le désordre monétaire (voir chap. 34). Depuis les années 1550, le royaume est inondé de testons d'argent ; l'ordonnance de 1561 a tenté de donner l'avantage aux monnaies d'or, mais celle de 1575 favorise de nouveau celles d'argent, frappées à haut titre par les Hôtels des Monnaies ; parmi ces derniers, ceux de Paris, Rennes, La Rochelle, Rouen et Bayonne connaissent une prospérité remarquable (F. C. Spooner, 1956). Les monnaies de billon (alliage d'argent et de cuivre) se répandent également. Les pièces d'or et les monnaies étrangères jouissent d'une prime de fait. Les mesures de 1577 (mars et septembre) visent à remédier à ce désordre : elles suppriment le compte par livre et imposent comme unité de compte une pièce d'or réelle, l'écu au soleil, dont la valeur est fixée à soixante sous (soit l'équivalent de trois anciennes livres tournois). Les monnaies étrangères sont interdites, sauf les pistoles, réaux et ducats d'Espagne et les ducats de Portugal. Le rapport de l'écu et des autres pièces est fixé ; des quarts et des demi-quarts d'écus sont frappés pour faciliter les échanges. Des monnaies de cuivre sont prévues et seront frappées dès 1578. Mais, très vite, l'écu-monnaie de compte commence à se déprécier par rapport à l'écu réel. Les monnaies étrangères continuent de circuler. Le retour à la livre comme monnaie de compte et une nouvelle dévaluation deviendront nécessaires en 1602, avec l'afflux toujours croissant de l'argent espagnol (redistribué après 1589 par Amsterdam) et les effets de la banqueroute de Philippe II en 1596-1597 ; le cours de l'écu sera alors fixé à 65 sous.

Les difficultés financières

Les séquelles financières de la cinquième guerre sont lourdes : le roi a dû payer les reîtres de Jean-Casimir. Le 22 juillet 1576 est signé avec celui-ci un contrat pour le paiement de 3 398 549 florins, (environ 6 400 000 livres), la première échéance de 721 504 florins étant immédiatement exigible et les autres payables aux foires de Francfort de 1577 à 1581. Le surintendant des finances Bellièvre met en gage à Venise les bijoux de la couronne ; bien plus, il sert d'otage à Jean-Casimir en attendant le règlement définitif.

Les difficultés sont accrues par les refus d'impôts qui se multiplient dans les provinces. Les États provinciaux de Normandie, de Bretagne et de Bourgogne invoquent leurs privilèges pour rejeter les nouvelles taxes. En Champagne se manifestent également des grèves fiscales. Ces résistances entravent les rentrées d'impôts, malgré l'augmentation de la taille (dont la valeur nominale passe de 7 120 000 livres en 1576 à près de 18 millions en 1588). La perception des impôts indirects, traites, aides, gabelles, est affermée à des *partisans* ou *traitants* italiens comme Gondi, Sardini ou Zamet ; la rentabilité en est grevée par les bénéfices qu'ils empochent. A partir de 1578, des partisans se groupent pour former le *grand parti du sel* qui afferme les grandes gabelles ; les capitaux sont apportés par des financiers mais aussi par les plus riches courtisans qui y investissent de l'argent. Le bail du 21 mai 1582 est passé avec une association où figure Sébastien Zamet, protégé du duc d'Épernon ; celui du 14 octobre 1585 est emporté par une autre association patronnée par Joyeuse. Les intérêts sont énormes : la gabelle rapporte environ 800 000 écus au roi, mais le grand parti et ses bailleurs de fonds gagnent à peu près autant (J. Boucher, 1986). En 1584, un bail unique regroupe les « cinq grosses fermes » : douane de Lyon, une partie des droits d'exportation et d'importation et les taxes intérieures sur le drap et le vin.

L'Église contribue lourdement. A l'échéance du contrat de Poissy de 1561, une assemblée du clergé réunie de septembre 1567 à février 1568 signe un nouveau contrat, le 22 novembre 1567, qu'elle honore en versant 1 300 000 livres par an pendant dix ans sous forme de décimes régulières. Cette subvention est prolongée par l'assemblée de Melun de 1579-1580 pour six ans. Celle de 1585-1586 institue la périodicité décennale des assemblées dites de contrat et la continuité du versement de 1 300 000 livres. Sont levées en outre des décimes extraordinaires. Quant aux aliénations, celle de 1574 produit 2 500 000 livres, augmentés en 1575 par la levée de 1 million supplémentaire (qui rapporte en fait au roi 637 831 livres) ; celle de 1576 fournit 2 824 637 livres ; s'y ajoute la somme votée par le clergé aux États de Blois (C. Michaud, 1989).

En 1576, les recettes de l'État se monteraient à 14 millions environ, mais la dette s'élève à 101 millions. Dans ces conditions, le roi a de plus en plus recours aux expédients. Il met en vente des offices : les velléités de diminution de la vénalité sont balayées. En octobre 1578, le roi institue le droit du marc d'or sur les offices, qui représente de 0,5 à 1 % de la valeur de la charge. Les aliénations du domaine se multiplient, les villes sont taxées, des emprunts forcés touchent les notables urbains et les rentes de l'Hôtel de Ville sont diminuées.

L'assemblée des Notables de 1583-1584

En 1582, le roi fait une tentative remarquable pour lancer une réforme en profondeur du royaume, qui permettrait de sortir du cercle des expédients. Il crée des commissions chargées de mener de vastes enquêtes sur la situation des provinces. Les résultats sont analysés dans une assemblée de notables, réunie à Saint-Germain-en-Laye du 18 novembre 1583 au début de février 1584. Elle est composée des princes du sang et des officiers de la couronne, de 26 conseillers d'État, de 7 juristes, de 2 diplomates et des représentants de Joyeuse, Épernon, la reine mère et Monsieur. Des projets sont présentés pour beaucoup de domaines, en particulier les finances et l'économie : ils trouvent un écho dans l'œuvre législatrice de Henri III en 1584. Les restrictions des dépenses portent leurs fruits : en 1585, le budget royal est presque en équilibre (P. Chevallier, 1985). Mais les troubles de la Ligue vont anéantir ces efforts.

Il faut évoquer enfin le remplacement, en 1582, du calendrier julien par le calendrier grégorien (bulle *Inter gravissimas* du pape Grégoire XIII). Cette mesure est destinée à rattraper le retard de l'année civile (qui était trop longue de onze minutes) sur l'année solaire : en France, on passe directement du 9 au 20 décembre. Seuls les pays catholiques adoptent ce changement immédiatement.

Les relations avec les protestants
de l'intérieur et de l'extérieur

La septième guerre civile (novembre 1579 - novembre 1580)

Cet effort de redressement est momentanément interrompu par la courte septième guerre. Catherine de Médicis, on l'a vu, en ramenant sa fille Marguerite auprès du roi de Navarre, est parvenue à conclure le traité de Nérac (28 février 1579), qui confirme l'édit de Poitiers et accorde aux huguenots 14 places de sûreté supplémentaires en Guyenne et Languedoc pour six mois.

Les réformés sont divisés. Certains veulent conserver le bénéfice de la paix. La cour de Nérac est le siège de divertissements raffinés depuis l'arrivée de Marguerite et de ses dames d'honneur. Montaigne, depuis 1577 gentilhomme de la chambre du roi de Navarre, et qui met la dernière main aux deux premiers livres des *Essais* (parus en 1580), y vient souvent. Le poète Salluste Du Bartas en est l'ornement : son poème *La Semaine* (1578), paraphrase de la Genèse, remporte un vif succès. Pétrie de néo-platonisme, Marguerite veut introduire « l'honneste amour » : sous ce titre, Guy Le Fèvre de La Boderie publie en 1578 une traduction du *Banquet* de Platon qui lui est dédiée ; l'union physique doit, selon elle, être le couronnement d'un long commerce amoureux. Henri de Navarre « s'apprivoise », se vêt de satin jaune et poudre ses dents d'or (Jean-Pierre Babelon, *Henri IV*, 1982). On s'accommode de la diversité confessionnelle, comme Marguerite le rappelle dans ses *Mémoires* : à la sortie, qui du prêche, qui de la messe,

> nous nous rassemblions pour nous aller promener ensemble, ou en un très beau jardin qui a des allées de lauriers et de cyprez fort longues, ou dans le parc que j'avois fait faire [...] et le reste de la journée se passoit en toutes sortes d'honnestes plaisirs, le bal se tenant d'ordinaire l'apres-disnée et le soir.

Mais Henri de Condé et son entourage s'irritent des violations de l'édit. Comme les catholiques s'opposent à son entrée en possession du gouvernement de Picardie, le prince s'empare de La Fère le 29 novembre 1579. C'est le début de la septième guerre, dite *guerre des Amoureux* parce que Aubigné et Sully ont prétendu qu'elle avait été déclenchée par les intrigues amoureuses de Marguerite, qu'ils n'aiment pas, et de ses dames d'honneur.

Ce conflit est marqué par un brillant fait d'armes au cours duquel le roi de Navarre révèle ses talents militaires : le siège et la prise de Cahors (28 mai - 1er juin 1580). Mais, ailleurs, les armées protestantes rencontrent des échecs : le duc de Mayenne prend aux huguenots la place forte de La Mure en Dauphiné, le maréchal de Biron contient en Guyenne la progression de Henri de Navarre et le maréchal de Matignon reprend La Fère en septembre 1580. Beaucoup de réformés, attachés à la paix, refusent de s'engager dans le conflit : ni La Rochelle, ni le Languedoc (sauf Aigues-Mortes, Lunel et Sommières, entraînées par François de Châtillon, fils de Coligny), ne bougent. François d'Anjou propose sa médiation : le 26 novembre est signé le traité de Fleix, qui confirme celui de Nérac et laisse aux huguenots la possession des places de sûreté pour six ans.

Cette médiation réussie confirme le duc d'Anjou dans le rôle de chef des partisans de la tolérance civile, un temps assumé lors de la guerre des Malcontents et réaffirmé avec éclat par son action aux Pays-Bas.

Le duc d'Anjou et les Pays-Bas

En 1578, François d'Anjou a déjà tenté de porter secours aux révoltés des Pays-Bas. En 1579 survient un événement décisif : les provinces du Sud, largement catholiques, se rassemblent dans l'*Union d'Arras* (6 janvier), fidèle à Philippe II, alors que les sept provinces calvinistes du Nord s'en séparent et se regroupent au sein de l'*Union d'Utrecht* (23 janvier). Se pose alors pour les provinces séparatistes le problème du régime à adopter. Une série de traités et libelles parus entre 1578 et 1580 opte pour un régime monarchique, mais dans lequel le prince respecterait le pouvoir des États généraux et les libertés religieuses et politiques (Van Gelderen, 1992). Après un premier appel à l'archiduc Mathias, Guillaume d'Orange se tourne vers François d'Anjou. Plusieurs raisons expliquent ce choix : la réputation de prince tolérant qu'a Monsieur ; la croyance qu'ainsi l'appui français sera assuré ; le rêve de créer un bloc anti-espagnol avec l'Angleterre et la France. En effet, le projet va de pair avec la reprise des négociations du mariage du duc d'Anjou avec Élisabeth. Henri III, pourtant, est réticent ; il ne veut pas d'une guerre avec l'Espagne. Néanmoins, la distance prise par la France à l'égard de Philippe II se marque dans l'affaire du Portugal, dont le roi Sébastien disparait tragiquement au Maroc, dans la bataille d'Alcazar-Kébir (août 1578) ; son successeur, le vieux cardinal Henri, meurt à son tour en janvier 1580. Catherine de Médicis tente alors de faire prévaloir ses droits, pourtant bien lointains, à la succession portugaise, puis soutient un autre prétendant, Antonio, prieur de Crato, et envoie une expédition malheureuse aux Açores où Philippe Strozzi, « l'ami parfait » de Brantôme, trouve la mort. Mais Philippe II, héritier le plus proche, se fait reconnaître roi du Portugal.

Les États généraux de l'Union d'Utrecht offrent à François d'Anjou d'être leur « prince et seigneur ». Il exige que soit rajouté à ces mots l'adjectif *souverain*. Les émissaires des États refusent, car ce terme, « estant pris pour un mot signifiant puissance absolue, les pays qui se gouvernoient par leurs loix, coustumes et privilèges ne le pouvoient tenir sinon pour suspect » (G. Griffiths, *Representative Government in Western Europe*, Oxford, 1968, p. 497). François se résigne, malgré les mises en garde de Jean Bodin, alors à son service, qui lui dit que la souveraineté ne se partage pas : il accepte les conditions et signe avec les émissaires le traité du Plessis-lès-Tours, le 19 septembre 1580, vrai contrat dont une clause formule le droit de déposer un prince inique (M. Holt, 1986).

Par l'acte du 26 juillet 1581, les Provinces-Unies proclament leur indépendance. Mais Anjou ne fait pas le poids face au redoutable gouverneur espagnol Alexandre Farnèse, duc de Parme. En outre, le 17 janvier 1583, il commet la folie de tenter de saisir Anvers par surprise. C'est un désastre : la « furie d'Anvers » aboutit à la mort d'un millier de gentilshommes français, accablés par la milice urbaine. Anjou bat en retraite jusqu'à Cambrai.

L'aventure est terminée pour Monsieur. Sa mort, le 10 juin 1584, pose le problème de la succession, du fait de l'absence d'enfants du couple royal ; elle ouvre la crise de la Ligue, qui va emporter les efforts réformateurs de Henri III.

ORIENTATION BIBLIOGRAPHIQUE
(voir aussi les références du chapitre 31)

Jacqueline Boucher, *La cour de Henri III*, Éd. Ouest-France, 1986, 218 p.

Pierre Chevallier, *Henri III*, Paris, Fayard, 1985, 752 p.

Jean Ehrmann, *Antoine Caron, peintre des fêtes et des massacres*, Paris, Flammarion, 230 p.

Emmanuel Le Roy Ladurie, *Le carnaval de Romans*, Paris, Gallimard, 1979, 432 p. ; *L'État royal. De Louis XI à Henri IV, 1460-1610*, Paris, Hachette, 1987, 358 p.

Margaret Mac Gowan, *L'art du ballet de cour en France*, 1581-1643, Paris, 1963.

Claude Michaud, La participation du clergé de France aux dépenses de la monarchie pendant les guerres de religion, *Les Églises et l'argent*, Pr. de l'Univ. de Paris-Sorbonne, Ass. des Hist. mod., 1989, p. 21-35.

J. Nouaillac, *Villeroy, secrétaire d'État et ministre (...)*, Paris, Champion, 1908, 594 p.

Robert Sauzet (éd.), *Henri III et son temps*, Paris, Vrin, 1992, 332 p.

Jean-François Solnon, *La cour de France*, Paris, Fayard, 1987, 650 p.

Frances A. Yates, *The French Academies of the Sixteenth Century*, Londres, 1947, 200 p.

36. Réforme catholique et naissance de la Sainte Ligue (1584-1587)

Aux yeux de Henri III, les mesures prises pour restaurer l'autorité royale et ramener la paix resteraient sans effet si elles ne bénéficiaient de la bienveillance divine; beaucoup de ses sujets pensent comme lui que le salut du royaume dépend du rétablissement de l'amitié perdue entre Dieu et eux. C'est cette conviction qui porte un nombre croissant de catholiques vers les chemins de la réformation intérieure; c'est elle aussi qui accentue l'angoisse et le sentiment de culpabilité qui colore si fortement la renaissance du mouvement ligueur.

La ferveur catholique

L'occasion immédiate de la naissance de la Sainte Ligue est la mort de François d'Anjou, le 10 juin 1584 (due, comme celle de son frère Charles IX, à la tuberculose). Henri III n'a pas d'enfants et son couple semble voué à la stérilité, malgré les cures et les pèlerinages accomplis dans l'espoir d'avoir une descendance. Il s'agit alors pour les Ligueurs d'empêcher l'arrivée sur le trône du plus proche héritier selon la loi salique, Henri de Bourbon, roi de Navarre, un hérétique doublé d'un « relaps » (retombé − *relapsus* en latin − dans l'hérésie après son abjuration forcée lors de la Saint-Barthélemy). Mais on se condamnerait à ne rien comprendre au phénomène si on ne le replaçait pas dans le contexte de la quête fiévreuse de purification morale et spirituelle qui caractérise les années 1580 et 1590.

Une piété pénitentielle et processionnaire

Les confréries de dévotion, dont on a vu le rôle militant contre les réformés en 1567-1568 (voir chap. 27 et 28), exaltent les aspects contestés du dogme catholique : celles du Saint-Sacrement adorent la présence réelle du Christ dans l'hostie consacrée, celles du Rosaire se vouent au culte de la Vierge. Les confréries des Pénitents reçoivent l'appui du roi, qui, lorsqu'il a séjourné en Avignon à son retour de Pologne en 1574, a été séduit par leur piété et s'est fait affilier à celle des Pénitents blancs. Son confesseur Edmond Auger en fonde une à Toulouse en 1575 et encourage celle qui est créée à Lyon en 1577. En 1583, Henri III institue la confrérie de l'Annonciation Notre-Dame ; le 25 mars, lors de sa première procession, le peuple parisien peut voir le spectacle insolite du roi et des plus grands seigneurs de la cour cheminant revêtus de sacs de toile blanche et de cagoules percées à l'endroit des yeux, un fouet à la ceinture, « sans garde ni différence aucune des autres confrères, soit d'habit, de place ou d'ordre », comme le note le chroniqueur Pierre de L'Estoile, qui a du mal à comprendre cette dévotion démonstrative venue d'Italie et de Provence.

Henri III ne s'en tient pas là : au cours d'une retraite chez les Hiéronymites de Vincennes, il crée en 1583 la confrérie de l'Oratoire de Notre-Dame-de-Vincennes (ce qui ne l'empêche pas, la même année, de participer au carnaval en courant masqué dans les rues de Paris avec les mignons), puis, en 1585, il fonde la confrérie de la mort et de la passion de Notre Seigneur Jésus-Christ et l'Oratoire et Compagnie du benoît Saint-François.

L'année 1583 est celle des grandes processions blanches, dont Denis Crouzet (1990) a donné une analyse éclairante. Il s'agit de marches de pèlerins vers des sanctuaires ; ils vont pieds nus, vêtus de blanc, un cierge à la main, en chantant ; ils sont précédés par des membres du clergé, auquel se joint souvent l'évêque, qui portent la croix et le saint sacrement. Les plus nombreuses de ces processions se déroulent en Champagne et en Picardie, en direction du sanctuaire de Notre-Dame de Liesse, des églises de Reims, Laon, Noyon, Senlis, Provins, Soissons, Beauvais, Amiens, du monastère de Corbény. A Reims, ce sont plus de 70 000 marcheurs de Dieu qui sont ainsi accueillis, de juillet à octobre 1583. On voit aussi ces processions en Dauphiné, dans la vallée du Rhône et en Langue-

doc, en Agenais et en Quercy. A Paris, le 10 septembre, Pierre de
L'Estoile note l'arrivée de 8 ou 900 pèlerins, vêtus de « toile
blanche » :

> et en leurs mains les uns des cierges et chandelles de cire ardant, les autres
> des croix de bois, et marchaient deux à deux, chantant en la forme des
> pénitents ou pèlerins allant en pèlerinage. Ils étaient habitants des villages
> de Saint-Jean des deux Gémeaux et d'Ussy, en Brie, près La Ferté-Gau-
> cher. Et étaient conduits par les deux gentilshommes des deux villages sus-
> dits, vêtus de même parure [...] Ils disaient avoir été mus à faire ces péni-
> tences et pèlerinages pour quelques feux apparents en l'air et autres signes,
> comme prodiges vus au ciel et en la terre (*Journal* publ. par L. R. Lefèvre,
> Gallimard, 1943, p. 336).

En 1584, il y a encore quelques processions blanches, moins
nombreuses. Il s'agit d'une démarche d'expiation, peut-être spontanée à l'origine et vite organisée par l'Église. Le vêtement blanc
rappelle à la fois la robe baptismale, le linceul enveloppant les
cadavres et la tunique portée par les élus après le Jugement dernier,
tels que les voit saint Jean dans l'Apocalypse. En des temps où
maint almanach annonce l'imminence de la fin du monde, certains
précisément pour l'année 1583, et où l'on croit voir se multiplier les
prodiges, il s'agit de retrouver l'innocence du baptême et d'antici-
per le dépouillement de la mort afin d'implorer le pardon de Dieu
et se préparer au jugement ultime.

La réforme du clergé

Devant les malheurs des temps et les progrès de l'hérésie, le clergé
se pénètre de sa responsabilité spirituelle. L'action pastorale de
Charles Borromée, archevêque de Milan, que l'Église a canonisé,
devient peu à peu, dans les années 1580, un modèle pour l'Église de
France. Les conciles provinciaux (assemblées des évêques d'une province ecclésiastique) sont organisés par l'assemblée du clergé réunie à
Melun en 1579-1580 à l'instar de ceux de Milan ; ils introduisent peu
à peu les canons doctrinaux et même les décrets disciplinaires du
concile de Trente (sans que, pour autant, ceux-ci fassent l'objet d'une
reconnaissance officielle en France, tant en raison des réticences gallicanes que pour ne pas compromettre la fragile tolérance civile). Dans
les diocèses, les évêques résident plus souvent ; les synodes diocésains
sont tenus plus régulièrement ; les visites pastorales des paroisses par

les évêques sont plus rigoureuses, telles celles du cardinal François de Joyeuse, archevêque de Toulouse nommé en 1583, qui s'inspirent de l'idéal borroméen. Les chapitres sont rappelés à l'obéissance des évêques et au service des fidèles ; à Cavaillon, le chanoine César de Bus, renommé pour sa piété, institue en 1592 la Congrégation de la doctrine chrétienne pour enseigner le catéchisme. Des séminaires sont fondés. Le premier l'a été à Reims en 1567 par le cardinal de Lorraine ; d'autres apparaissent, à Sarlat, à Toulouse, à Aix à l'initiative de l'archevêque Alexandre Canigiani. Mais ces premières expériences sont peu satisfaisantes parce que la situation des séminaires à l'égard des autres institutions éducatives, en particulier des collèges des Jésuites, est mal définie.

Bien des abus subsistent cependant, cumul des bénéfices, transmission des évêchés d'oncle à neveu, prélats mondains, rôle des clientèles et de la faveur dans les nominations. L'Église est en outre durement éprouvée par les mises en vente partielles de son temporel et par les confiscations faites par les réformés. Du moins a-t-elle acquis le droit d'avoir des assemblées régulières et, depuis 1580, deux agents généraux auprès du roi chargés de défendre les intérêts de l'ordre.

La lutte contre l'hérésie est menée surtout par les Jésuites, qui depuis 1582 fournissent le confesseur du roi (d'abord Claude Matthieu puis, en 1583, Edmond Auger). Ils ont une grande influence par la prédication, la confession et surtout l'éducation. Leurs collèges, où l'enseignement est gratuit, attirent les élites mais s'ouvrent aussi aux milieux plus humbles. La répartition en classes dont le niveau progresse de la grammaire à la rhétorique, codifiée dans le règlement de 1599, la *Ratio studiorum*, emprunte au « style parisien » *(modus parisiensis),* tel que Loyola l'a connu quand il a étudié à Paris (voir chap. 6).

Les collèges des Jésuites en France au XVIᵉ siècle

Billom (1556),	Toulouse (1567)	Le Puy (1588)
Mauriac (1560)	Verdun (1570)	Auch (1590)
Tournon (1561)	Nevers (1572)	Agen (1591)
Rodez (1562)	Bordeaux (1572)	Périgueux (1591)
Paris (coll. de Clermont,	Bourges (1575)	Rouen (1593)
1564)	Dijon (1581)	Limoges (1598)
Lyon (1565)	Eu (1582)	Béziers (1599)

A Pamiers (1559-1562) et à Embrun (1583-1585), l'installation des Jésuites a été éphémère.

Outre l'éducation religieuse, les élèves y reçoivent une formation dans les humanités, mais aussi en physique, mathématiques et philosophie. L'histoire et la géographie sont abordées à travers l'étude des auteurs antiques et à l'occasion des devoirs écrits, innovation de la pédagogie des jésuites. Ceux-ci fondent aussi une université vite réputée à Pont-à-Mousson, où l'enseignement commence en 1575.

Également actifs dans la reconquête des âmes sont les capucins, rameau de l'ordre franciscain fondé en Italie en 1528 et introduit en France au milieu des années 1570. Vêtus d'une robe brune au capuchon pointu, ils séduisent par leur austérité, leur prédication simple et leur courage en temps d'épidémie. En 1587, le frère du duc de Joyeuse, le comte Henri du Bouchage, y entre sous le nom de frère Ange. Deux autres rameaux du tronc franciscain, l'un ancien, les cordeliers de l'Observance, l'autre né en Touraine vers 1570, les récollets, contribuent à l'élan spirituel.

En 1587, les feuillants, cisterciens réformés en 1577 par Jean de La Barrière et qui se détacheront peu à peu de l'ordre de Cîteaux pour former une congrégation séparée, s'installent à Paris, où leur ascétisme édifie les fidèles.

La lutte contre la sorcellerie

Il existe sans doute un lien entre le souci de réformation catholique et la recrudescence de la sévérité contre les sorciers à partir de 1580, dont témoignent en particulier les archives du Parlement de Paris (A. Soman, 1992). En effet, les sorciers ne sont probablement pas plus nombreux qu'avant ; c'est l'obsession croissante du retour à Dieu et de la lutte contre les puissances sataniques qui fait reculer la tolérance à leur égard. En 1580 Jean Bodin publie son livre *De la Démonomanie des sorciers*. Les magistrats des Parlements restent cependant plus modérés que ceux des tribunaux inférieurs (R. Mandrou, 1980). Mais l'offensive contre les sorciers n'en est pas moins importante ; elle sévit surtout dans les régions périphériques (à l'exception de la Bretagne) : Nord, Ardennes, Normandie, Languedoc, Sud-Ouest. Elle traduit la volonté de contrôler plus étroitement la vieille culture paysanne, dont les croyances ancestrales sont vite suspectées de paganisme démoniaque par les clercs (R. Muchembled, 1993).

L'imaginaire de la croisade et sa cristallisation sur Henri de Guise

La volonté de restauration catholique conduit aussi à réactiver les rêves de croisade contre l'Infidèle. Sans doute, la lutte contre les Turcs a toujours hanté les consciences des gentilshommes : Brantôme, par exemple, se précipite en 1565 pour la défense de Malte. Mais l'aggravation des guerres civiles donne à la croisade une nouvelle actualité, car elle apparaît comme un noble combat par opposition aux luttes fratricides ; c'est ainsi que François de La Noue, dans ses *Discours politiques et militaires* (1587), exhorte ses compatriotes à se réconcilier pour aller se battre en Orient. On voit aussi la notion de croisade s'infléchir peu à peu et servir, le souvenir de l'expédition contre les Albigeois aidant, à justifier la lutte contre l'hérétique. Les confréries militantes utilisent l'emblème de la croix, portée sur les chapeaux ou brodée sur les vêtements. Des libelles, tel ce *Guidon des catholiques* qui paraît en 1587, invitent à penser d'abord à éliminer les « Turcs » de l'intérieur avant ceux de l'extérieur : « Or sus donc, François tres-chrestiens, croisons-nous avec une ferme dévotion de nettoyer ce Royaume [...] Il ne faut point voyager en Syrie pour assaillir nos ennemis : car eux mesmes nous assaillent en nostre propre païs »... (cité par D. Crouzet, 1990, p. 400). Un chef apparaît tout désigné pour conduire cette nouvelle croisade : c'est Henri de Guise, que des généalogies complaisantes font descendre d'un frère de Godefroy de Bouillon et qui est tout auréolé par son prestige guerrier. Sous sa direction, adhérer à la Ligue, ce sera se croiser pour l'honneur de Dieu.

Le réveil du mouvement ligueur en 1584

La Ligue nobiliaire et le traité de Joinville

La ligue créée à Péronne en 1576 n'a pas disparu après la tentative de récupération par le roi ; en 1580, elle est menée par le duc d'Aumale. Une autre naît en octobre 1579 en Bassigny ; ses articles sont présentés le 18 janvier 1580 à Henri III. Les confédérés font le serment « d'employer leurs vies et moyens à l'honneur et gloire de Dieu et à leur salut [...] et de maintenir la liberté et franchise publicque de la patrie, de leurs vies, et de leurs droictz et le légitime establissement de police ». La clause subversive d'une défense « envers et contre tous », sans mention de l'exception du service du roi, est ajoutée. Henri III est furieux : il écrit au lieutenant général de Champagne, Dinteville, que ce texte est « contraire directement à l'authorité qui m'est deue » (L. Bourquin, 1994).

L'Espagne continue à s'intéresser de très près à ce qui se passe en France. Philippe II cherche à favoriser tout ce qui peut affaiblir le royaume, sans être trop regardant sur la religion puisqu'à deux reprises, en 1577 et en 1578, il fait des offres à Henri de Navarre et que, selon Bellièvre, il distribue même de l'argent aux huguenots de Guyenne (J.-M. Constant, 1984). Mais son attention se porte surtout sur Henri de Guise, dont il connaît le mécontentement et dont la foi catholique fait un candidat plus convenable à l'aide espagnole. Depuis la fin de 1578 il lui verse des sommes régulièrement. Après la mort du duc d'Anjou, les liens se resserrent. En septembre 1584, à l'issue d'une réunion chez le duc de Lorraine à Nancy, les Guises fondent une Ligue ; le 31 décembre est signé entre l'Espagne et eux le traité secret de Joinville, par lequel les signataires se promettent un secours mutuel et déclarent héritier de la couronne le seul prince du sang qui soit catholique, le vieux cardinal Charles de Bourbon, oncle de Henri de Navarre ; ils s'engagent à faire accepter les décrets du Concile de Trente comme loi fondamentale du royaume. Ils reçoivent une approbation tacite du pape et sont soutenus par le duc de Savoie et l'empereur, gendre et neuveu de Philippe II, et par le roi d'Écosse Jacques VI. Le roi d'Espagne leur accorde 600 000 écus.

De nombreux nobles rejoignent le mouvement : le duc de Nevers, le comte de Brissac, le baron de Sennecey, ceux des mignons qui sont disgraciés, la plupart des anciens fidèles du duc d'Anjou. En mars 1585, les Guises lèvent des forces en Champagne et s'emparent de Chalon, Dijon, Mâcon et Auxonne. Le 30 du même mois, les Ligueurs promulguent à Péronne, lieu qui symbolise la continuité avec 1576, une Déclaration, sous le nom du cardinal de Bourbon. Elle propose un programme : remettre « la Sainte Église de Dieu » en la « vraye et seule Religion catholique », rendre à la noblesse sa liberté, abolir les impôts établis depuis Charles IX, redonner son indépendance au Parlement, réunir les États généraux tous les trois ans. L'accaparement de « l'État » par les mignons est dénoncé.

Quel est le sens de cette Ligue essentiellement nobiliaire ? Denis Crouzet a insisté sur son aspect religieux : il s'agirait, de la part des gentilshommes catholiques, d'une « mystique de participation à l'œuvre de salvation de la société terrestre régie par le roi » (1990, II, p. 290). On peut se demander cependant si les impératifs très concrets de la défense de la « maison » et de l'honneur n'ont pas été aussi importants que les préoccupations spirituelles ; la perte de la faveur royale, sensible sous le régime des mignons, mais qu'aurait accentuée l'avènement d'un roi réformé, signifie la fermeture de l'accès aux honneurs et par voie de conséquence la diminution des clientèles, qui sont le signe visible de la grandeur d'un lignage. En ce sens, le manifeste ligueur ressemble à un programme de « malcontents ». C'est l'avis d'Étienne Pasquier, qui ironise : les princes veulent avoir « tous part au gasteau, sans qu'il soit seulement distribué à deux ou trois » (*Lettres historiques*, publ. par D. Thickett, Droz, 1966, p. 253). En effet, les mignons lèsent les grands nobles en monopolisant les gouvernements et les charges ; ainsi, Joyeuse est nommé amiral au détriment de Mayenne et Épernon reçoit la charge de colonel général de l'infanterie à la place de Philippe Strozzi.

Les Guises ont, semble-t-il, hésité sur la tactique à suivre : en 1580, lors d'une réunion à Nancy, ils ont envisagé une ligue qui aurait compris des catholiques et des réformés (J.-M. Constant, p. 113) ; en 1585, des pourparlers sont encore ébauchés avec Montmorency. Ces orientations esquissées n'avaient guère, à vrai dire, d'avenir, car il eût été difficile de les justifier aux yeux des partisans des Guises. Elles ne mettent pas en cause la qualité de la foi des Lorrains, mais montrent qu'ils ont cherché le meilleur moyen d'assurer leur survie politique et qu'ils ont songé à tous les exclus de la faveur royale, comme l'avaient fait avant eux les catholiques modérés au cours de la guerre des Malcontents lorsqu'ils étaient dans la même situation. Les moyens envisagés sont analogues : recours aux États généraux et lutte contre un Conseil trop étroit, ces composantes du combat pour une monarchie mixte. Mais la grosse différence est que, à l'inverse de ceux de 1574, ces nouveaux Malcontents finissent par miser sur la ferveur catholique et par refuser toute idée de tolérance. Ce faisant, ils divisent la noblesse, qui devrait pourtant être leur meilleur appui dans l'entreprise.

En effet, certains gentilshommes sont restés perplexes devant ce programme. La Ligue provoque la renaissance, en 1585, de l'Union des réformés et des catholiques modérés ; les trois Henri, de Navarre, de Condé et de Montmorency, élaborent eux aussi une Déclaration (10 août) dans laquelle ils dénoncent également les mignons, invoquent les libertés nobiliaires et les lois anciennes du royaume et réclament la tenue des États généraux. Voilà donc, la même année, deux manifestes, venus de deux camps opposés ; mais le clivage passe au sein du catholicisme, entre catholiques zélés d'une part et catholiques modérés alliés aux réformés de l'autre. Ils se réclament tous les deux du bien public et de la défense de la noblesse : il y a de quoi s'interroger.

La Ligue parisienne

Indépendamment de la Ligue nobiliaire naît à Paris à la fin de l'année 1584 une ligue roturière, la Sainte Union, qui s'allie à la première mais se révèle beaucoup plus radicale. Les sources pour connaître ses débuts sont d'une part un libelle anonyme, le *Dialogue d'entre le Maheustre et le Manant*, paru en 1593 et écrit sans doute par l'un des acteurs du mouvement, François Morin, sieur de Cromé, et de l'autre le procès-verbal rédigé par le lieutenant de la prévôté de l'Ile-de-France Nicolas Poulain, recruté dès janvier 1585 mais qui passe bientôt du côté du roi et espionne les ligueurs pour lui. L'initiative est prise par Charles Hotman, sieur de La Rocheblond, receveur de l'évêque de Paris, frère du célèbre pamphlétaire huguenot François. Il s'adresse à trois ecclésiastiques, Jean Prévost, curé de Saint-Séverin, Jean Boucher, curé de Saint-Benoît, et Matthieu de Launoy, chanoine de Soissons. Le groupe initial s'étoffe par cooptation ; les plus connues des nouvelles recrues sont les avocats Louis Dorléans et Jean de Caumont, le procureur au Parlement Jean Bussy-Leclerc, le procureur au Châtelet Oudin Crucé, le commissaire dans cette même cour Jean Louchart, le marchand-drapier Jean de Compans, les membres de la Chambre des comptes Pierre Acarie et Michel La Chapelle-Marteau. Le premier noyau de la Ligue parisienne (51 noms) est formé à 66,5 % d'officiers de rang modeste, d'avocats et procureurs, de marchands ; il y a aussi des officiers de rang élevé et des manieurs des finances royales (19,5 %), mais qui sont plutôt des cadets (E. Barnavi, 1980). Un seul gentilhomme, qui ne reste pas longtemps : le sieur d'Effiat. Le clergé est représenté par des curés, des moines, des jésuites ; plus tard les rejoindra le provincial de la Compagnie de Jésus à Paris, Odon Pigenat.

Ces adhérents instituent un Conseil appelé le *Conseil des Seize*, nom qui se se réfère pas au nombre de ses membres (qui varie fortement en fonction des circonstances) mais à celui des 16 quartiers de Paris, dont les subdivisions (cinquantaineries et dixaineries) sont utilisées pour la constitution de cellules de propagande. Un comité plus restreint est à la tête des Seize pour coordonner l'action. Les réunions se tiennent soit à la Sorbonne, soit dans la maison des Jésuites derrière l'église Saint-Paul, soit chez les différents membres. Les liens avec le duc de Guise sont assurés par son émissaire, le sieur de Mayneville.

Des groupes ligueurs se forment au même moment dans d'autres villes du royaume : une partie des villes d'Ile-de-France, de Champagne et de Bourgogne, Lyon, sans doute Rouen. A Marseille, un coup de main ligueur en 1585 échoue.

Les historiens sont divisés sur l'interprétation de cette ligue roturière. Élie Barnavi, à la suite de Henri Drouot (*Mayenne et la Bourgogne*, 1937) et de Roland Mousnier (*Les hiérarchies sociales*, 1969), pense qu'il s'agit de la lutte des « notables urbains de seconde zone », avocats, procureurs, notaires, marchands, universitaires, petite noblesse de cloche, contre les familles aux mains desquelles l'hérédité a bloqué les grands offices, et donc d'une protestation contre la rigidité croissante de la mobilité sociale. Pour Robert Descimon (1983), il y a là surtout la volonté de revenir aux anciennes structures urbaines de pouvoir, ce qui rendrait à l'élite l'unité que les progrès de l'État ont fissurée en « surprivilégiant la robe ». Denis Crouzet insiste sur les mobiles religieux : les ligueurs veulent retrouver l'union mystique avec Dieu, en des temps qu'ils croient les derniers ; la contestation des hiérarchies terrestres s'explique non par la frustration sociale, mais par le mépris du monde corruptible. La noblesse ne doit pas être autre chose que le « zèle » ardent de la piété : Jean de Caumont l'affirme par exemple dans *De la vertu de noblesse* (1585). Dieu seul est roi. La pollution de l'hérésie doit être rejetée, de même que celle des Politiques, ces traîtres. Prédicateurs et libellistes diffusent ces thèmes : ainsi, Louis Dorléans, dans l'*Advertissement des catholiques anglois aux françois catholiques* (1586), utilise l'exemple anglais pour prédire ce qui attend les fidèles sous un souverain hérétique. L'exécution de Marie Stuart sur l'ordre d'Élisabeth, le 18 février 1587, semble lui donner raison ; en juin-juillet 1587, le curé de Saint-Séverin expose dans son cimetière un tableau suggestif représentant les malheurs des catholiques anglais : le peuple s'attroupe autour de lui, « criant qu'il falloit exterminer tous ces méchants politiques et huguenots » (L'Estoile), si bien que le roi doit le faire enlever.

Les débuts de la huitième guerre

La prise d'armes des Ligueurs et le traité de Nemours (7 juillet 1585)

Les Guises enrôlent en Champagne dès mars 1585 ; ils recrutent aussi des lansquenets et des reîtres et lèvent 6000 Suisses. Chacun mobilise ses clientèles dans son gouvernement : Henri de Guise en Champagne, Charles de Mayenne son frère en Bourgogne, Claude de La Châtre, un de leurs fidèles, en Berry, le comte de Brissac en Poitou. Deux cousins des Guises, Elbeuf et Aumale, sollicitent leurs fidèles en Normandie et Picardie ; un autre, le duc de Mercœur, gouverneur de Bretagne, reste encore attentiste. Le gouverneur du Lyonnais, François de Mandelot, et le duc de Nevers Louis de Gonzague sont favorables au mouvement.

Devant les dangers, l'irrésolution du roi s'est muée en une sorte de fatalisme, qu'il révèle dès le 14 août 1584 dans une lettre à Villeroy :

Vileroy, parleray-je librement ? Oui ; car c'est à un mien serviteur très-affectionné et obligé, et puis j'en seray soulagé pour le moings [...] Or je sçay bien, ce me semble, ce qu'il faudra, mays je suis comme ceulx qui se voyent noyer et par obéissance sont plustôt comptens [contents] de l'estre que de se sauver [...] voilà pourquoy je me lairray [laisserai] emporter au pis, comme j'estime qu'il nous peult arriver... (G. Van Prinsterer, *Archives ou Correspondance inédite d'Orange-Nassau*, 1ʳᵉ série, Leide, 1847, p. 229-235).

Pour sa protection, il s'entoure d'une nouvelle garde du corps, les *Quarante-cinq*, cadets de Gascogne ou de Languedoc. Mais il n'a pas d'argent pour répondre au défi ligueur ; par ailleurs, Catherine de Médicis ménage le duc de Guise, sans doute par haine d'Épernon. Le 7 juillet 1585, le roi capitule : il accède aux exigences des Ligueurs et conclut avec eux le traité de Nemours. La religion réformée est interdite, ses adhérents doivent choisir entre l'abjuration ou l'exil dans un délai de six mois. Henri de Navarre est déchu de ses droits à la succession. Des villes sont données en garantie aux chefs de la Ligue et le roi prend à sa charge les forces qu'elle a levées ; les places de sûreté des huguenots seront rendues. L'édit tiré du traité est enregistré le 18 juillet au Parlement.

Le coup est terrible pour les huguenots. Agrippa d'Aubigné, dans son *Histoire universelle*, écrit de l'édit qu'il « fit aller à la messe trois fois plus de réformez que n'avoit faict la Saint Barthelemi » (éd. A. Thierry, Droz, 1992, t. VI, p. 307). Les biens de ceux qui se refusent à abjurer et qui se trouvent dans des régions où ils sont minoritaires sont mis sous séquestre ou vendus.

Le 9 septembre 1585, l'impétueux pape Sixte-Quint, qui a succédé en avril à Grégoire XIII, fulmine une bulle qui déclare le roi de Navarre et le prince de Condé déchus de leurs droits à la couronne, comme hérétiques et relaps. François Hotman réplique par son *Brutum Fulmen Papae Sixti V (La foudre imbécile du pape Sixte-Quint)*. Les parlementaires parisiens eux-mêmes protestent contre cette ingérence inadmissible à leurs yeux de gallicans. Bien plus, leur colère les pousse à rédiger des remontrances contre la proscription sans jugement des hérétiques, dont le crime, osent-ils dire, n'est « que d'hérésie, hérésie encore incognuë ou pour le moins indécise [...] laquelle ils remettent au jugement d'un Concile universel général ou national » (J.-H. Mariéjol, *La Réforme, la Ligue, l'édit de Nantes*, éd. 1983, p. 279).

La riposte des réformés et la bataille de Coutras (20 octobre 1587)

Dans les années 1584-1588 s'affirme le charisme de Henri de Navarre comme chef de guerre et de parti, mais aussi comme héritier légitime qui prévoit qu'il lui faudra un jour rassembler. Après la Déclaration qu'il publie avec Condé et leur allié catholique Montmorency (voir plus haut), il adresse en janvier 1586 des lettres aux trois ordres et à la ville de Paris, rédigées sans doute par Duplessis-Mornay. Au clergé, il dit : « Nous croyons un Dieu, nous recognoissons un Jésus Christ, nous recevons un mesme évangile. » Et aux nobles : « Je vous aime tous ; je me sens périr et affoiblir en vostre sang... » (J.-H. Mariéjol, p. 280). Protecteur des églises réformées depuis 1575, il a montré son habileté à manœuvrer les assemblées politiques à celle de Montauban d'avril-mai 1581.

Cependant, à celle de La Rochelle (novembre-décembre 1588), il doit se laisser imposer un ensemble de règlements quasi constitutionnels qui limitent son autorité et celle de son Conseil élu, bien qu'il reçoive le pouvoir de nommer les officiers de justice et de finances sur présentation des candidats par les assemblées provinciales et que l'assemblée générale souveraine ne se réunisse plus que tous les deux ans. Comme protecteur, il n'est que salarié, renouvelable chaque année (J. Garrisson). Mais son prestige de successeur à la couronne de France lui donne une autorité bien supérieure à celle que prévoient les textes. Pour fortifier son droit, les anciens monarchomaques huguenots se muent en défenseurs zélés de la cause monarchique. En 1585, Navarre envoie un émissaire dire à François Hotman que les Ligueurs ont récupéré à leur compte les arguments de la *Francogallia* et qu'il faudrait faire cesser ce scandale ; aussi, dans l'édition de 1586 de son œuvre, Hotman édulcore sa théorie du caractère électif de la couronne de France et insiste au contraire sur l'hérédité de la succession royale. Philippe Du Plessis-Mornay, pour sa part, rédige en 1585 pour Henri de Navarre une apologie de la monarchie de droit divin.

Le traité de Nemours, interprété par les réformés comme une déclaration de guerre, a déclenché leur prise d'armes. Des opérations militaires se déroulent en Poitou, où Condé remporte un éphémère succès contre Mercœur à Fontenay. Pendant ce temps, en Languedoc, Guillaume de Joyeuse, lieutenant général de la province et père du mignon de Henri III, affronte pour la Ligue les forces du gouverneur Montmorency. Lesdiguières combat pour les huguenots dans le Dauphiné. Les réformés font appel aux puissances protestantes ; mais les Provinces-Unies sont affaiblies par l'assassinat de Guillaume d'Orange (10 juillet 1584) et par le siège d'Anvers par le duc de Parme, qui dure quatorze mois (la ville perd 38 000 habitants environ et capitule le 17 août 1585). Élizabeth, inquiète des progrès de la Ligue, contribue au financement de la levée par les huguenots de 10 000 reîtres allemands, sous la direction de Fabien de Dohna, et de 20 000 Suisses. Après l'échec des négociations de Saint-Brice, près de Cognac (décembre 1586 - mars 1587), une rencontre décisive a lieu à Coutras le 20 octobre 1587. L'armée royale est conduite par le duc de Joyeuse, l'un des deux archimignons : il va trouver la mort dans la bataille ainsi que son jeune frère Claude. Aux côtés du roi de Navarre figurent Condé et ses deux frères catholiques, Soissons et Conti. C'est la première bataille rangée gagnée par les réformés ; l'armée royale laisse près de 2 000 morts, dont plus de 300 gentilshommes. Une fois de plus, Henri de Navarre montre son sens politique et humain en déplorant bien haut la perte de tant de sang français.

Ce succès est compensé par la défaite des Suisses à Vimory (26 octobre 1587) et des reîtres à Auneau (24 novembre) par le duc de Guise. L'importance de ces faits d'armes est tout autant symbolique que militaire : Henri de Guise confirme sa réputation de nouveau croisé et sa popularité auprès des catholiques zélés va bientôt apparaître au roi comme une grave menace pour son autorité.

ORIENTATION BIBLIOGRAPHIQUE

Outre les ouvrages de L. Bourquin, J.-M. Constant, P. Chevallier, D. Crouzet, J. Delumeau, J. Garrisson, F. Lebrun, M. Venard déjà cités aux chapitres 2, 4, 29, 31, 36 :

Avènement d'Henri IV. Quatrième centenaire. Colloque I : Coutras 1987, Pau, Éd. J. et D., 1988, 246 p.

Jean-Pierre Babelon, *Henri IV*, Paris, Fayard, 1982, 1104 p.

Élie Barnavi, *Le parti de Dieu. Étude sociale et politique de la Ligue parisienne*, Louvain, 1980, 384 p.

Jean-Claude Dhôtel, *Les Jésuites de France*, Paris, Desclée de Brouwer, 1987, 382 p.

Robert Descimon, *Qui étaient les Seize ? Mythes et réalités de la Ligue parisienne (1585-1594)*, Paris, 1983.

François de Dainville, *L'éducation des Jésuites (XVIe-XVIIe siècles)*, Paris, Éd. de Minuit, 570 p.

Georgette de Groër, *Réforme et Contre-Réforme en France. Le collège de la Trinité au XVIe siècle à Lyon*, Paris, Publisud, 1995, 262 p.

Luce Giard (sous la dir. de), *Les jésuites à la Renaissance : système éducatif et production du savoir*, Paris, PUF, 1995, 416 p.

Les jésuites parmi les hommes aux XVIe et XVIIe siècles, Pr. de l'Univ. de Clermont-Ferrand, 1988, 556 p.

Robert Lemoine, *Le monde des religieux (1563-1789)*, Paris, Cujas, 1977, 438 p.

Robert Mandrou, *Magistrats et sorciers en France au XVIIe siècle*, 1966, rééd. 1980, Paris, Seuil, 584 p.

Robert Muchembled, *Le roi et la sorcière. L'Europe des bûchers, XVe-XVIIIe siècle*, Paris, Desclée, 1993.

M. Péronnet, Les assemblées du clergé et la révocation des édits de religion, *Bull. de la Soc. d'Hist. du Prot. fr.*, 1985.

Alfred Soman, *Sorcellerie et justice criminelle. Le Parlement de Paris*, Hampshire, Variorum, 1992.

Jean de Viguerie, *Une œuvre d'éducation sous l'Ancien Régime. Les Pères de la Doctrine chrétienne en France et en Italie (1592-1792)*, Paris, 1976.

37. Le « coup de majesté » de 1588
et le régicide de 1589

Les années 1588 et 1589 ouvrent la période la plus agitée de l'histoire des guerres civiles ; la monarchie manque d'être emportée dans la tourmente. Henri III croit rétablir son autorité par un « coup de majesté » en faisant assassiner le duc de Guise et son frère le cardinal ; mais il paie de sa vie le décalage qui sépare sa politique des aspirations des catholiques les plus ardents.

Les barricades parisiennes de mai 1588

Le rôle politique du duc d'Épernon

Après leurs défaites à Vimory et Auneau, les reîtres du baron de Dohna ont obtenu du duc d'Épernon des conditions honorables de retraite, tandis que les Suisses enrôlés avec eux sont pris sous la protection du roi. Les catholiques zélés en sont scandalisés : ils pensent que le roi démontre par là sa connivence avec l'hérésie et y voient volontiers le résultat de l'influence néfaste de l'archimignon. L'impopularité du duc atteint alors à son comble. Des estampes et des écrits le représentent comme l'incarnation du diable. Un libelle intitulé *Histoire tragique de Gaverston* est publié en juillet 1588 ; c'est la traduction, attribuée à Jean Boucher, curé de Saint-Benoît, d'une chronique anglaise évoquant le destin d'un favori du roi Édouard II d'Angleterre, massacré en 1312 par les barons révoltés ; le même sort est ouvertement prédit au duc.

Ce déchaînement d'invectives est à la mesure de la stature politique acquise par le duc d'Épernon, devenu une sorte de premier ministre. Entre Henri III et ce petit cadet de Gascogne élevé à une hauteur prodigieuse s'est noué une alliance où chacun des partenaires trouve son intérêt. Au début, le roi l'utilise parce que, sans appui familial, il est entièrement dépendant et donc non dangereux. Les charges et les gouvernements accumulés sur sa tête sont autant d'atouts soustraits à la convoitise des Guises et placés dans une main sûre. Par ailleurs, il a été avec Joyeuse l'un des éléments de la politique royale d'équilibre : Joyeuse étant chargé des relations avec les Guises (il a épousé une princesse lorraine) et lui de celles avec les huguenots. C'est Épernon qui est envoyé par Henri III à Pau pour supplier le roi de Navarre, au lendemain de la mort du duc d'Anjou, de se convertir. La démarche échoue, mais des liens sont créés. Désormais, la tendance « politique » d'Épernon s'affirme ; elle est bientôt confirmée par son mariage avec la nièce du duc de Montmorency, la comtesse de Candale.

Dans le couple qu'il forme avec Henri III, Épernon apporte son optimisme et son goût de l'action, heureux contrepoids à l'angoisse et à l'irrésolution du roi. Mais il n'oublie pas la fragilité de sa position ; il sait qu'il est à la merci d'une disgrâce et que le roi supporte parfois impatiemment sa morgue. Aussi, comme le feront après lui Richelieu et Mazarin, prend-il soin de se faire attribuer des gouvernements dans des endroits stratégiques : Provence, Metz, Boulogne, et, après Coutras, Normandie, Aunis, Saintonge, Angoumois. En outre, comme colonel général de l'infanterie et amiral (cette dernière charge est encore une dépouille de Joyeuse), il a la force armée en main. Ses atouts sont solides.

Les frustrations du duc de Guise

Le traité de Nemours s'est révélé une victoire de dupes pour Henri de Guise. Il a pu le mesurer à la manière dont Épernon a annihilé les effets militaires de Vimory et d'Auneau. En outre, c'est à l'archimignon que les charges de Joyeuse, qu'il convoitait, ont été données après la mort de ce dernier. Il trouve donc toujours ce parvenu sur sa route, lui barrant le chemin de la faveur royale.

Or le duc de Guise ne peut attendre. Son manque de crédit auprès du roi rend sa position mal assurée et contribue à l'amenuisement de ses clientèles. L'état de sa fortune n'est pas brillant ; en 1587, l'agent du duc de Toscane, Cavriana, écrit que le duc a un revenu de 100 000 écus, mais aussi 700 000 écus de dettes (J. Boucher, 1986, p. 91) ; à cet égard, l'argent espagnol est une nécessité pour lui. Il a besoin aussi de s'appuyer sur les Ligueurs parisiens : besoin que l'on peut mettre en parallèle avec celui qu'ont éprouvé les Malcontents de 1574 de s'allier avec les huguenots. Dans les deux cas, ces alliances répondent certes à un choix idéologique : celui de la tolérance civile pour les Malcontents, celui du catholicisme intransigeant pour les Guises ; mais elles sont également des moyens de faire pression sur le roi. Et, tout comme les associés huguenots des Malcontents, les alliés « zélés » des Lorrains se révèlent d'un maniement difficile : déjà se fait jour dans leurs libelles une inquiétante tendance antinobiliaire. Il n'empêche : la conjoncture pousse Henri de Guise à entretenir des liens avec la Ligue parisienne, dans laquelle il tâche de recruter et d'infiltrer des fidèles.

Le duc ne peut cependant pas borner ses ambitions à l'éviction d'Épernon ; au-delà, le problème de la succession se pose de manière urgente, compte tenu de la mauvaise santé de Henri III et de la stérilité du couple royal. Si le roi meurt, une solution d'attente existe : le cardinal Charles de Bourbon, oncle de Henri de Navarre, ferait un successeur d'autant plus commode qu'il est sexagénaire et que son règne nécessairement court permettrait de voir venir. Mais après ? Le duc de Guise a-t-il envisagé de placer son lignage sur le trône de France ? Un mémoire rédigé sans doute par le ligueur Pierre d'Épinac, archevêque de Lyon et conseiller du duc, permet de le penser : Guise pourrait s'imposer comme l'homme fort de la monarchie en devenant Connétable et fonder une dynastie royale, comme jadis le maire du palais Charles-Martel (J.-M. Constant, 1984). Mais le texte n'évoque que des moyens non violents, au besoin une élection par les États généraux.

Dans l'immédiat, l'objectif est le retour au pouvoir auprès de Henri III. En 1588, les circonstances sont favorables. Philippe II prépare l'invasion de l'Angleterre par « l'Invincible Armada » ; il a intérêt à déstabiliser la France pour être tranquille de ce côté ; les doublons espagnols pleuvent sur la Ligue et l'ambassadeur Mendoza encourage la préparation d'un coup de force (De Lamar Jensen, 1964). L'impopularité croissante du roi favorise ces desseins.

La conjonction des mécontentements

La Ligue parisienne, cependant, conserve ses distances avec la Ligue nobiliaire, malgré la popularité du duc de Guise dans ses rangs. En 1587, elle a envoyé des lettres aux villes ligueuses du royaume leur proposant de lever des forces armées pour lutter contre le roi de Navarre, de reconnaître le cardinal de Bourbon comme candidat légitime, de se doter d'un conseil élu comme à Paris et de se lier par un serment d'entraide. C'est l'ébauche d'une confédération de villes quasi autonomes. L'obéissance au roi n'y est prévue que conditionnellement, « tant qu'il se montrera catholique et qu'il n'apparoistra favorisant les hérétiques » : formule inquiétante, car c'est précisément ce dont les prédicateurs accusent Henri III du haut de leurs chaires. Le roi fait arrêter le 2 septembre 1587 trois des plus acharnés d'entre ces prêcheurs, parmi lesquels Jean Prévost, curé de Saint-Séverin et Jean Boucher, curé de Saint-Benoît ; mais le procureur Bussy-Leclerc appelle aux armes et empêche l'arrestation : c'est « l'heureuse journée Saint-Séverin ». Le 16 décembre 1587, la Faculté de théologie publie un arrêt déclarant qu'il est légitime de déposer les mauvais rois. Les Ligueurs parisiens se donnent en mars 1588 une organisation militaire structurée, avec le partage de Paris en cinq quartiers ayant chacun un colonel et des capitaines à sa tête.

Le mécontentement des Parisiens est aggravé par une terrible crise de cherté, qui sévit depuis 1586. Cette année-là, le setier de froment, qui valait de 7 à 8 livres en 1585, monte à 17 livres en août. Tout le royaume est touché ; une sédition éclate en juillet à Troyes ; en août, Pierre de L'Estoile note que « quasi par toute la France, les pauvres gens des champs mourant de faim, allaient par troupes couper sur les terres les épis de blé à demi mûrs et les manger à l'instant pour assouvir leur faim effrénée » (cité par P. Chevallier, 1985, p. 622). Le roi fait travailler les pauvres au nettoyage des fossés, dans Paris et les grandes villes, pour leur procurer un peu d'argent. En 1587, c'est pire encore, le setier est à 27 livres en mai et à 38 en juillet. Cette cherté provoque une émeute de la faim à Paris le 22 juillet : les plus démunis prennent de force le pain chez les boulangers et pillent des maisons. L'augmentation des impôts alourdit les difficultés : l'impôt direct est passé de 8 à 18 millions de livres entre 1576 à 1588, et la gabelle a augmenté de 240 %.

Le Parlement manifeste de son côté sa colère devant les édits financiers que le roi, arguant du principe de nécessité, l'oblige à enregistrer. Le 29 janvier 1580, le premier président Christophe de Thou a présenté à Henri III des remontrances hardies : selon lui, les édits enregistrés de force n'ont de validité que pendant la vie du roi, alors que ceux qui ont été délibérés et vérifiés selon les formes ordinaires par les Parlementaires, « bien informés de la vérité par la loi et par la raison », ont au contraire une validité permanente (E. Maugis, 1913-1916, I, p. 630). Les Séances royales de 1581 et 1583 sont encore l'occasion d'affrontements. La version parlementaire de la distinction entre les lois du roi, éphémères, et les immuables lois du Royaume reçoit une formulation particulièrement claire dans le discours que prononce le président Achille de Harlay, sans doute en juin 1586, le 15 ou le 16, au cours d'une Séance royale pour l'enregistrement de la création de nouveaux offices (et non, selon l'historienne Sarah Hanley, au cours d'un Lit de Justice, comme on le dit souvent) :

> « Nous avons (Sire), de deux sortes de lois ; les unes sont les loix et ordonnances des Roys, les autres sont les Ordonnances du Royaume, qui sont immuables et inviolables. » Harlay cite, parmi celles-ci, la loi de succession au trône et enchaîne : « Mais ceste loy publique n'est pas seulle ; il y en a d'autres aussi, dépendantes de ceste là, qui concernent le bien public et le repos du peuple à l'endroict de son Roy et souverain Seigneur. Celle la entre autres est l'une des plus sainctes et laquelle vos prédécesseurs ont le plus religieusement gardée, de ne publier loy ny ordonnance qui ne fut délibérée et consultée en ceste compagnie » (cité par W. Church, *Constitutional Thought in Sixteenth-Century France*, 1941, p. 154).

En 1586 on voit aussi la Chambre des comptes et la cour des aides refuser d'enregistrer des édits créant des offices ou des impôts nouveaux. Tous ces mécontentements fragilisent le roi.

L'invention des barricades (12-13 mai 1588)

En janvier-février 1588, les Lorrains, réunis à Nancy, s'engagent à exiger la réception officielle des décrets du Concile de Trente, l'établissement de l'Inquisition dans certaines villes et la destitution d'Épernon. La mise en route de l'Invincible Armada les encourage ; à la mort du prince Henri de Condé, en mars 1588, le duc d'Aumale, qui s'est emparé de la plupart des villes stratégiques de Picardie, refuse de reconnaître le nouveau gouverneur, le duc de Nevers, ligueur modéré rallié au roi. Des négociations s'engagent pourtant à Soissons.

C'est alors que le duc de Guise, poussé par l'ambassadeur Mendoza et appelé par les Parisiens, accomplit une démarche lourde de conséquences : bravant l'interdiction formelle du roi, il entre à Paris le 9 mai 1588 et y est accueilli par des délires d'enthousiasme. Le roi prend peur. Il décide de faire entrer dans la capitale, au mépris des privilèges parisiens, des régiments de gardes françaises et de Suisses installés depuis avril dans les faubourgs, au petit matin du 12 mai. Aussitôt, pour la première fois dans l'histoire de la ville, les rues se hérissent de barricades, à partir de la place Maubert, épicentre de l'insurrection ; la rive droite restera plus calme que la gauche, où se trouve l'Université. Le mot *barricade* existe déjà ; il désigne une barrique parfois remplie de terre et utilisée comme défense dans les sièges des villes. Cette fois, les barriques, bourrées de pavés, servent à consolider les chaînes tendues au travers des rues et renforcées par des éléments hétéroclites (D. Richet, 1991). Les troupes armées introduites par le roi se replient, mais une soixantaine de Suisses sont tués ; le roi doit s'humilier au point de faire demander à Guise d'apaiser la foule et de sauver ses soldats, ce que le duc consent à faire. Le lendemain, 13 mai, Henri III réussit à s'échapper par la Porte Neuve, qu'il contrôle encore, et se retire à Chartres ; avec lui partent les secrétaires Villeroy et Brûlart, le surintendant Bellièvre, le chancelier Cheverny, le duc de Montpensier, les maréchaux de Biron et d'Aumont (Épernon se trouve alors en Normandie). Le roi a évité l'enfermement, mais il est chassé de la capitale rebelle, devant laquelle il va bientôt mettre le siège.

L'édit d'Union (15 juillet 1588) et le triomphe du duc de Guise

Une fois de plus, le roi capitule devant la force : il signe le 15 juillet à Rouen l'édit d'Union (enregistré à Paris le 21), « et le vit-on pleurer en le signant, regrettant, ce bon prince, son malheur qui le contraignoit, pour assurer sa personne, de hazarder son Estat » (L'Estoile). C'est une confirmation du serment du sacre d'extirper l'hérésie ; le roi proclame en outre son union avec la Ligue, engage les catholiques à prêter comme lui un serment semblable sous peine d'être déclarés rebelles et leur enjoint de ne pas accepter un prince hérétique comme son successeur ; il amnistie les Ligueurs pour les faits survenus les 12 et 13 mai. Le duc de Guise obtient peu après le titre de lieutenant général des armées, qu'il convoitait depuis long-temps ; le duc d'Épernon est disgracié. La victoire de Henri de Guise semble totale : il contrôle les caisses de l'État et le nombre de ses clients augmente significativement (J.-M. Constant). Cependant, le renvoi d'Épernon ressemble plus à un gage donné à l'adversaire sous le poids des circonstances qu'à une défaite véritable ; l'ancien favori renonce de lui-même au gouvernement de Normandie (donné au duc de Montpensier) et à la charge d'amiral (remise à son frère La Valette), mais il refuse de se démettre du reste ; après la mort des Guises, le roi le rappellera auprès de lui en avril 1589. Pour le moment, Henri III prépare sa revanche.

Les seconds États de Blois et l'assassinat des Guises

La convocation des États généraux

Les États ont été réclamés par le manifeste de la Ligue nobi-liaire. Dans les jours qui suivent les barricades, le roi se décide, contre l'avis de ses conseillers et même du duc de Guise, qui n'y tient plus tellement depuis sa victoire de mai, à les convoquer. La situation financière est en effet désastreuse, malgré les aliénations des biens du clergé de 1586 et 1587-1588. Si les recettes nominales du roi, du moins sur le papier, car les refus d'impôts perturbent les rentrées, ont prodigieusement augmenté, du fait du tour de vis fis-cal (elles passent de 14 à près de 28 millions de livres entre 1576 et 1588), la dette est passée dans le même temps de 101 à 133,38 millions. « On arrive au moment où le service de la dette représente entre le quart et le tiers des ressources » (P. Chaunu, *Hist. éc. et soc. de la France*, 1977, I, 1, p. 175). Le roi sent bien que, sans le consentement des députés du royaume, l'effort fiscal sou-haité ne sera pas fourni.

Il espère aussi sans doute trouver dans l'assemblée l'assise consen-suelle qui lui manque pour assurer la légitimité de sa politique face à la Ligue. En effet, il ne ménage pas ses efforts pour favoriser l'élection des candidats de son choix. Depuis les barricades, il semble décidé à reprendre les choses en main. En avril 1588, il écrit à Villeroy : « Il faut désormais faire le roy, car nous avons trop faict le vallet. » Le désastre de l'Invincible Armada, détruite en juillet-août par le mauvais temps et les marins anglais et hollandais, ne peut que l'encourager. Le 8 septembre, il prend une décision qui révèle cet état d'esprit : il renvoie brusquement et sans explications toute l'équipe dirigeante, le chancelier Cheverny, le surintendant Bellièvre, les secrétaires d'État Villeroy, Brûlart et Pinart ; François d'O, qui secondait Bellièvre, reste cependant à la surintendance. Il appelle des hommes relativement neufs, l'avocat François de Montholon, chargé des sceaux, et, pour remplacer les secrétaires d'État, Martin Ruzé, seigneur de Beaulieu et Louis de Revol. Au nonce du pape qui s'étonne, le roi répond : « J'ai maintenant 37 ans. Je veux m'appliquer moi-même sans faiblir à l'administration de mon royaume et voir si en gouvernant à ma guise, je pourrais obtenir de meilleurs résultats que par les conseils de ceux dont je me suis séparé » (cité par P. Chevallier, 1985, p. 648).

La proclamation de l'édit d'Union comme loi fondamentale par les États

Mais, si le roi a fait pression pour faire élire des candidats qui lui soient favorables, les Ligueurs ont travaillé encore plus efficacement à influencer les élections. Les États s'ouvrent à Blois le 16 octobre 1588. Les députés du clergé et du tiers (respectivement 134 et 201 selon les calculs de J. Russell Major, 1960) sont majoritairement ligueurs ; ceux de la noblesse (102) sont au contraire partagés à peu près également entre la Ligue et le roi.

Le clergé est présidé par le cardinal de Bourbon et par le frère du duc de Guise, le cardinal Louis de Guise, archevêque de Reims. Les députés du tiers état choisissent comme président l'un des plus acharnés des Seize, La Chapelle-Marteau, qui vient d'être nommé prévôt des Marchands (c'est-à-dire maire de la capitale) par les Parisiens révoltés, et comme porte-parole un homme remarquable et militant, l'avocat Étienne Bernard, député de Dijon. Sous l'impulsion des deux ordres, les États exigent que Henri III vienne au milieu d'eux et que tous, le roi d'abord puis l'ensemble des députés, jurent solennellement d'observer l'édit d'Union. Le roi s'exécute le 18 octobre : il déclare que, « par le conseil de la reine notre trèshonorée dame et mère, des princes de nostre sang, cardinaux, et autres princes, seigneurs de notre conseil, et *de l'advis et consentement de nos trois États* [...] nous plaît [...] que notre édit d'union, cy-devant attaché sous le contre-scel de notre chancellerie, soit et demeure à jamais loi fondamentale et irrévocable de ce royaume » (texte publ. dans G. Griffiths, *Representative Government...*, 1968, p. 171). Les États mettent ainsi en application la théorie, déjà avancée lors des États généraux de 1576 (voir chap. 32), selon laquelle les décisions prises unanimement par les trois ordres doivent être des lois fondamentales. C'est une rupture « constitution-nelle » aux graves conséquences : non seulement les États assument en quelque sorte le rôle d'une assemblée constituante, mais, en excluant un hérétique de la succession, l'édit annule une autre loi fondamentale, la loi salique, qui assure la succession au plus proche héritier mâle (sauf dans l'hypothèse, encore peu probable, d'une conversion du roi de Navarre). Les pouvoirs du Parlement anglais et des diètes suédoise et polonaise sont invoqués pour justifier ceux des États (G. Picot, 1888, III, p. 394). Comme en 1576, le pro-blème de la nature de la monarchie est posé.

En octobre 1588 paraît la traduction française de l'ouvrage d'un Italien de l'entourage de Catherine de Médicis, ardent Ligueur, Mateo Zampini *(Des Estats de la France et de leur puissance)*. Sans dénier au monarque la possession d'une puissance absolue, Zampini reconnaît tout pouvoir aux États dans quatre cas : si le roi aliène son domaine, fait une guerre injuste, impose des taxes nou-velles non consenties et devient hérétique ou favorise l'hérésie.

Le meurtre des Guises (23-24 décembre 1588)

Le 6 octobre, le roi apprend que le duc de Savoie vient de s'em-parer du marquisat de Saluces, vestige des conquêtes des guerres d'Italie ; il en tient rigueur au duc de Guise, dont le Savoyard est l'allié. Il en vient peu à peu à considérer Guise comme l'ennemi à abattre. Mais c'est une mauvaise lecture de la situation : les États comme la Ligue parisienne échappent en fait de plus en plus à l'in-fluence de ce dernier.

Au sein de la noblesse, les députés commencent à prendre leurs distances à l'égard des États généraux, dont ils peuvent mesurer la vulnérabilité aux manipulations ; à la différence des cahiers rédigés par leur ordre en 1560-1561 et 1576-1577, celui qu'ils préparent en 1588 ne comporte aucune revendication sur le pouvoir de l'Assemblée. En revanche, leurs exigences au sujet du Conseil révèlent une conscience plus vive des spécificités de leurs intérêts, puisqu'ils le veulent composé uniquement de « gentilshommes de chaque province ». Ils n'ont juré l'édit d'Union qu'avec cet amendement : « sans préjudice de leurs privilèges, prérogatives, immunités et exemptions de la noblesse » (M. Orléa, 1980).

Se retranchant derrière leurs cahiers, les États refusent de voter des subsides substantiels au roi ; le tiers ne donne que 120 000 écus, somme bien inférieure aux besoins.

Le roi impute ses déboires au duc de Guise, ce qui surestime le crédit de ce dernier ; il se décide à le faire assassiner parce qu'il croit ainsi anéantir tout le mouvement ligueur. Les coups sont portés par les Quarante-Cinq, le 23 décembre, dans le château de Blois ; le lendemain, le cardinal de Guise, qui a été emprisonné avec Pierre d'Épinac, l'archevêque de Lyon, est exécuté. Ce « coup de majesté », exercice, selon Henri III, de sa justice souveraine extraordinaire, s'accompagne d'un attentat contre l'assemblée des États : le comte de Brissac, président de la noblesse, est arrêté, ainsi que, en pleine séance, sept députés du Tiers, parmi lesquels les Ligueurs militants La Chapelle-Marteau, Compans et Dorléans. Les États sont clos les 15 et 16 janvier 1589. Malgré l'intimidation royale, ils ont osé résister encore lorsque le roi a voulu s'appuyer sur la notion de lèse-majesté en leur demandant d'insérer dans leurs cahiers des articles incluant sous ce chef les activités séditieuses de la Ligue (sans qu'elle soit nommée).

La reine mère accueille ces nouvelles avec un désabusement douloureux ; elle est en train de se préparer à sa mort, qui survient le 5 janvier.

Le régicide

L'exaltation ligueuse à Paris

Le roi a porté un rude coup à la Ligue nobiliaire, mais il n'a fait que décupler l'ardeur des Ligueurs parisiens. Au lendemain des barricades, ceux-ci ont « épuré » le corps de ville : La Chapelle-

Marteau a été élu à la place de l'ancien prévôt des Marchands, jugé trop tiède, et trois échevins sur quatre ont été remplacés par des «zélés». Les capitaines et lieutenants de la milice soupçonnés d'être des Politiques ont été également renvoyés et Bussy-Leclerc a été mis à la tête de la Bastille. Après le meurtre des Guises, le duc d'Aumale est proclamé gouverneur de Paris. L'organisation devient alors plus structurée :

L'organisation de la Ligue parisienne

Le Conseil général de l'Union ou Conseil des Quarante. C'est une assemblée délibé-rative et exécutive, dont l'autorité s'étend non seulement à Paris mais aussi à l'ensemble des villes et provinces ligueuses. Parmi les 9 membres du clergé, on compte 1 évêque, Guillaume Rose, de Senlis ; il y a 7 gentilshommes et, pour le tiers état, 24 notables, dont 12 membres des cours souveraines. Le duc de Mayenne, méfiant à l'égard de ce Conseil, lui ajoute 14 hommes qui lui sont dévoués, pami lesquels Villeroy et son fils, passés à la Ligue, le bourguignon Pierre Jeannin et 2 membres de la famille parlementaire parisienne des Henne-quin.

Le Conseil des Seize, sorte de comité de surveillance des quartiers parisiens.

Les conseils de quartier : composés de 9 personnes élues «qui jouent le rôle de tri-bunaux populaires de première instance» (E. Barnavi, R. Descimon, 1985).

Le duc de Mayenne est nommé « lieutenant général de l'Estat royal et Couronne de France ». Il a le commandement des forces armées.

La composition sociale a évolué depuis le début, avec une par-ticipation plus forte des gentilshommes, des magistrats de la haute robe et des marchands.

Le 7 janvier, la Faculté de théologie déclare que le roi a attenté aux États et violé l'édit d'Union, et délie les sujets de leur serment d'obéissance : tous peuvent prendre les armes contre lui. Les prières pour Henri III sont bannies du canon de la messe, ses armoiries ôtées des portes des églises. Les parlementaires (ceux qui sont restés à Paris, car les plus fidèles au roi ont installé une cour loyaliste à Tours) enregistrent ce décret le 14. Encore sont-ils jugés trop tièdes par les plus militants : le 16 janvier, au scandale de L'Estoile, qui est grand audiencier à la Chancellerie et allié aux plus illustres familles de robe, Bussy-Leclerc arrête une partie des parlemen-taires, dont les présidents de Harlay, Potier et de Thou, et les mène à la Bastille, «tout au travers des rues pleines de peuple, qui, épandu par icelles, les armes au poing et les boutiques fermées pour les voir passer, les lardaient de mille brocards et vilainies».

Deuil et expiation

Au lendemain du meurtre des Guises, écrit Pierre de L'Estoile, « il faisait lors dangereux à Paris de rire, pour quelque occasion que ce fût : car ceux qui portaient seulement le visage un peu gai étaient tenus pour politiques et royaux ». L'Estoile n'a que raillerie pour la grande angoisse eschatologique qui saisit les Parisiens à l'annonce de la mort de leur héros. Selon l'*Histoire anonyme de la Ligue* (publiée en partie par C. Valois en 1914), « on ne peut dire combien il se fit de prières, combien de mortifications, combien de luxe fut réformé [...] On eût dit qu'ils exerçoient les actions de la religion comme si c'eût esté pour la dernière fois, et que le lendemain la religion eût dû estre perdue ». Le 9 janvier commencent des processions d'enfants, vêtus de blanc et portant des cierges allumés : le 10, ils sont 10 000 à aller du cimetière des Saints-Innocents à l'église Sainte-Geneviève-du-Mont. À partir du 24 janvier, des processions d'adultes se joignent à eux ; les plus nombreuses ont lieu les 30 et 31. En cet hiver glacial, les fidèles vont « teste et piedz nus, avec un flambeau à la main, et plusieurs n'estoient couverts que d'un simple linceul sur la chemise » ; ils marchent jusque tard dans la nuit. En avril, cette ferveur pénitentielle diminue ; les processions nocturnes sont interdites. Une certaine méfiance semble s'être développée chez les autorités ligueuses à l'égard de ce mouvement qui risque de leur échapper. Mais, comme le note Denis Richet (1991), l'imagination des enfants processionnaires de 1589 a dû être marquée par le souvenir des prières et des cierges illuminant les froides nuits parisiennes de janvier : « On peut émettre l'hypothèse qu'ils n'oublieront pas, parvenus à l'âge adulte, ces scènes extraordinaires où s'est formée leur sensibilité, et que la Réforme catholique du temps d'Henri IV et de Louis XIII leur doit beaucoup. » Le « siècle des saints » se prépare dans ces années ; Mme Acarie, femme du ligueur Pierre et âme du mouvement dévôt qui s'amorce, commence à avoir ses premières visions.

L'entrevue du Plessis-lès-Tours entre Henri III et Henri de Navarre

Le roi ne contrôle plus guère que Tours, Blois et Beaugency. Il lève 12 000 Suisses à crédit et convoque le ban et l'arrière-ban ; à sa surprise, les nobles répondent nombreux à son appel. «Les bons François ne sont encor' tous morts» : ainsi s'expriment des vers anonymes recueillis par L'Estoile. Mais il n'a pas assez de forces et doit se rapprocher du roi de Navarre, qui vient de s'engager à ne jamais ôter aux catholiques la liberté de culte ; il signe avec lui une alliance, le 3 avril, confirmée le 30 lors de l'entrevue du Plessis-lès-Tours. Ensemble, les deux rois vont mettre le siège devant Paris avec environ 30 000 hommes.

Le geste de Jacques Clément (1er août 1589)

Depuis l'assassinat des Guises, le roi est considéré comme un tyran à Paris et n'est plus appelé que Henri de Valois : c'est-à-dire qu'il est réduit à l'état de personne privée et exposé au couteau de n'importe quel meurtrier. Madame de Montpensier, la sœur des Guises, arbore dans la capitale de grands ciseaux pendus à la ceinture, destinés à tailler une tonsure à «frère Henri», qui recevrait ainsi sa «troisième couronne» : allusion à la devise du roi, *manet ultima caelo*, l'ultime (couronne) est au ciel (après celles de Pologne et de France). Plus pervers, des Ligueurs font faire des poupées de cire à l'effigie royale et, pendant des messes, y plantent des aiguilles à l'endroit du cœur, «pour essayer de faire mourir le roi» (L'Estoile). En mai 1589, le pape Sixte-Quint excommunie Henri III.

Les théoriciens ligueurs reprennent à leur compte les théories monarchomaques sur la souveraineté du peuple et le contrat, mais avec une énorme différence par rapport à celles des huguenots. Pour les catholiques zélés en effet, l'ordre temporel doit être étroitement subordonné à l'ordre spirituel. Le roi ne reçoit son pouvoir du peuple que pour préparer le règne de Dieu ; l'État est dépendant de l'Église et de la religion. Ce sont les idées défendues en particulier dans le *De justa Henrici tertii abdicatione*, du curé Jean Boucher, et dans le *De justa reipublicae christianae autoritate*, attribué à l'évêque Guillaume Rose (mais qui est peut-être d'un auteur anglais), parus en 1589 et 1590. Jean Boucher vient de finir son texte lorsqu'il apprend que le moine jacobin (dominicain) Jacques Clément, au cours d'une audience que lui a accordée Henri III à Saint-Cloud, a réussi, le 1er août, à frapper celui-ci d'un coup de poignard au ventre, dont le roi est mort dans la nuit. Il rajoute d'urgence une préface et des chapitres à la louange du meurtrier, ce martyr massacré aussitôt après son acte : un nouveau David a tué Goliath, une nouvelle Judith a tué Holopherne. A Paris, ce sont maintenant les visages tristes qui sont soupçonnés d'être des Politiques. Avant d'expirer, Henri III a demandé aux nobles de l'armée de reconnaître Henri de Navarre comme son successeur. La majorité accepte, mais fait signer au nouveau roi, le 4 août, un véritable contrat, baptisé *Déclaration*, par lequel il promet de maintenir le catholicisme, de se soumettre pour sa religion à un concile général ou national et de réunir les États généraux dans six mois (J.-P. Babelon, *Henri IV*, 1982). D'autres cependant, tels le duc d'Épernon et le marquis de Vitry, sans doute pour monnayer un ralliement ultérieur, ou encore le huguenot Claude de La Trémoïlle, refusent leur adhésion. L'armée désorganisée doit lever le siège.

ORIENTATION BIBLIOGRAPHIQUE

Outre les travaux de E. Barnavi, D. Crouzet, R. Descimon, S. Hanley, M. Orléa, G. Picot et J. Russell Major cités aux chapitres 8, 25, 32, 36 :

Frederic Baumgartner, *Radical Reactionaries : the Political Thought of the French Catholic League*, Genève, Droz, 1975, 318 p.

Yves-Marie Bercé, Les coups de majesté, *Complots et conjurations dans l'Europe moderne*, colloque 1993, École française de Rome, actes à paraître (Y.-M. Bercé et E. Fasano Guarini éd.).

Pierre Chevalier, *Henri III*, Paris, Fayard, 1985, 752 p. ; *Les régicides*, Paris, Fayard, 1989, 420 p.

De Lamar Jensen, *Diplomacy and Dogmatism. Bernardino de Mendoza and the French Catholic League*, Cambridge (Mass.), Harvard Univ. Press, 1964, 322 p.

Véronique Larcade, *Jean-Louis Nogaret de La Valette, duc d'Épernon*, thèse dactyl., Paris IV, 1994.

Arlette Lebigre, *La révolution des curés. Paris 1588-1594*, Paris, A. Michel, 1980, 296 p.

Édouard Maugis, *Histoire du Parlement de Paris*, Paris, 1913-1916, 3 vol., réed. Slatkine, 1974, 2 vol.

Denis Richet, *De la Réforme à la Révolution. Études sur la France moderne*, Paris, Aubier, 1991, 584 p.

38. « Zélés » contre Politiques (1589-1594)

Après la mort de Henri III, la guerre change de visage : l'affrontement oppose moins les catholiques et les huguenots que les catholiques entre eux, « Zélés » d'un côté et « Politiques » de l'autre. L'enjeu est désormais la nature du lien entre la religion et l'État : pour les Politiques, ils relèvent de deux domaines différents ; pour les ligueurs, au contraire, ils doivent être étroitement unis, et l'ordre temporel doit être soumis à l'ordre spirituel.

La Ligue parisienne après la mort de Henri III

« Charles X »

Le 5 août 1589, Mayenne et le Conseil de l'Union reconnaissent le cardinal de Bourbon (alors prisonnier) comme roi sous le nom de Charles X. Ils utilisent l'argument de la « proximité du sang » : le cardinal est séparé de Henri III par vingt degrés (nombre de générations en remontant du roi défunt jusqu'à Saint Louis et en redescendant jusqu'au candidat à la couronne), tandis que son neveu Henri de Navarre en est éloigné de vingt et un. Mais le cardinal est un frère *cadet* d'Antoine de Bourbon (voir tableau 3, p. 73) ; selon la loi salique, il est exclu. Les Ligueurs soutiennent donc la *proximité* contre la *primogéniture*. Pour eux, le vieux cardinal incarne la figure biblique de Melchisédech, à la fois roi et prêtre. Ils souhaitent pourtant la réunion des États généraux pour qu'une élection lui donne plus de légitimité ; mais le cardinal meurt le 9 mai 1590.

Arques et Ivry ; le siège de Paris

Roi contesté, Henri IV doit conquérir son royaume par la force des armes. Il rencontre à Arques, près de Dieppe, les troupes de Mayenne. Plusieurs combats ont lieu du 15 au 27 septembre 1589 ; le principal s'engage le 21 ; 35 000 hommes environ du côté des Ligueurs, moins de 10 000 du côté du Béarnais : c'est encore la victoire de David contre Goliath. Après une tentative infructueuse contre Paris, le roi s'installe à Tours, capitale provisoire où se sont établis les membres fidèles du Parlement, de la Chambre des comptes et du Conseil du roi et d'où partent, diffusés dans toute la France, des libelles et des estampes à la louange du souverain. Dès janvier, celui-ci reprend les armes et s'empare de places en Normandie : juteuses conquêtes, car cette province est celle qui fournit la plus grosse part des impôts du royaume. Ainsi conforté, il remporte avec 9 000 hommes environ à Ivry (près de Dreux), le 14 mars 1590, une deuxième grande victoire contre Mayenne (dont les troupes comptent un peu moins de 15 000 hommes, dont 2 000 Espagnols). C'est d'Aubigné qui prête au roi les paroles fameuses : « Ralliez-vous à mon panache blanc ! » Les Ligueurs laissent 6 000 morts sur le terrain. Henri IV s'affirme comme un roi guerrier et victorieux.

Il renouvelle alors sa tentative de blocus de Paris : la capitale est assiégée d'avril à août 1590. Elle est défendue par les 48 000 hommes de la milice bourgeoise, augmentés d'environ 8 000 soldats étrangers. Bientôt les prix du blé atteignent des sommets ; les Parisiens affamés meurent par milliers (les combats et la disette auraient fait 45 000 victimes) ; Mme de Montpensier aurait eu l'idée de faire broyer les os des cimetières pour en faire du pain... Des émeutes éclatent au cri de « la paix ou du pain ! ». Mais l'épreuve renforce aussi la ferveur. Les processions pénitentielles reprennent ; l'historien italien Davila, alors tout jeune, décrit plus tard, dans l'*Histoire des guerres civiles de France,* publiée à Venise en 1630 et traduite en 1644, la soif d'expiation des assiégés :

> En de si grandes extrémitez, où la mort estoit toujours présente, le menu peuple prenoit plaisir à souffrir pour s'estre de long temps persuadé que

cette persécution qu'il enduroit estoit une espèce de glorieux martyre, pour sauver les âmes et maintenir la religion (cité par Joël Cornette, *Chronique de la France moderne. De la Ligue à la Fronde*, 1995, p. 17).

Témoignage qui accrédite l'hypothèse de Denis Crouzet, selon laquelle les ligueurs retournent leur violence contre eux-mêmes. Mais d'autres sont plus belliqueux : le 14 mai 1590, on voit une procession d'un nouveau type, avec des moines (feuillants et capucins) et des curés cuirassés et armés, que Pierre de L'Estoile ne manque pas de railler.

Lorsque Alexandre Farnèse, duc de Parme et gouverneur des Pays-Bas espagnols, rejoint les forces de Mayenne à Meaux, Henri IV doit lever le siège dans la nuit du 29 au 30 août. Mais le blocus continue, plus lâche, en 1591-1592.

L'assassinat du président Brisson (15 novembre 1591)

Dans Paris enfiévré par la faim et l'attente des derniers temps, les Politiques, accusés de tiédeur, apparaissent comme l'incarnation du mal. Une multitude de pamphlets les couvre d'infamie ; pour les Ligueurs, ils servent de cibles de substitution, à défaut de huguenots devenus rares dans la capitale. Un nouveau conseil est créé le 6 novembre 1591, le conseil des Dix, composé des plus zélés des « Seize » ; les comités de quartier pourchassent les tièdes et les suspects. Le moindre soupçon de trahison devient vite certitude, l'habitude de la délation se répand ; la présence d'une garnison de 4 000 Espagnols et Napolitains dans les murs de Paris accroît l'audace des plus militants. Le 15 novembre, pour avoir montré trop de modération dans le jugement d'hommes accusés d'avoir communiqué avec l'ennemi, le premier président Barnabé Brisson, le conseiller au Parlement Claude Larcher et le conseiller au Châtelet Jean Tardif sont pendus, après une procédure sommaire, aux poutres d'une salle du petit Châtelet.

Cet acte, qui soulève une grande émotion, est bien dans la lignée de l'épuration brutale du Parlement menée le 16 janvier 1590 par le procureur Bussy-Leclerc. Les mobiles en sont-ils uniquement l'horreur du compromis supposé avec l'hérétique ? Selon E. Barnavi et R. Descimon (1985) il révèle aussi l'animosité accumulée contre les grands robins, les « longs vestus », chez les hommes de loi frustrés dans leur quête d'offices supérieurs. Les principaux responsables sont en effet les avocats Barthélemy Anroux et Nicolas Ameline, le procureur Jean Emmonot et le commissaire au Châtelet Jean Louchart.

Un climat de terreur sévit alors à Paris. Pierre de L'Estoile raconte comment, le 25 novembre 1591, il prend connaissance de la liste des Politiques de son quartier, « qu'on appelait le papier rouge ». Chaque nom y est suivi d'une des ces trois lettres : P., D. ou C., « qui était à dire *pendu, dagué, chassé*. Je m'y vis sous la lettre de D, qui était à dire que je devais être dagué ; M. Cotton, mon beau-père, sous celle de P, pendu » (éd. L.-R. Lefèvre, I, 1948, p. 141).

Peut-on pour autant parler de « terrorisme », faire de 1591 une sorte de préfiguration de 1793 et de la Ligue radicale un parti « totalitaire » avant la lettre ? Plusieurs raisons doivent mettre en garde contre cette tentation de l'anachronisme. D'abord, les victimes sont peu nombreuses à Paris. Selon E. Barnavi et R. Descimon, de 1588 à mars 1594, « les Seize firent condamner à mort et exécuter par voie de justice une dizaine de "traîtres" et assassinèrent sommairement une vingtaine de malheureux » (p. 191) ; d'autres périssent misérablement dans leurs geôles, tel Bernard Palissy en 1590. Surtout, le « salut public », sous la plume des Ligueurs, c'est le salut des âmes, et l'arme essentielle est ecclésiastique : c'est l'excommunication. Parce qu'ils soutiennent un roi excommunié, les Politiques encourent *ipso facto* la même sanction. Il faut cependant ajouter que cette arme a des conséquences non seulement spirituelles, mais aussi sociales : l'excommunication majeure prive le coupable de la communion de l'Église, des sacrements, de la sépulture en terre bénie, mais encore l'empêche d'être « promu à aucun office temporel et spirituel », selon un opuscule anonyme de 1589, *L'effroyable esclat de l'Anathème et les merveilleux effets d'iceluy*. Le chanoine Matthieu de Launoy, dans un remarquable traité intitulé *Remonstrance contenant une instruction chrestienne de quatre poincts à la Noblesse de France* (1590), laisse entrevoir une société où les prêtres auraient le pouvoir de juger du « zèle » de chacun et de priver les impies ou les tièdes de leurs charges et même de leur noblesse : l'excommunié est « banny, déchassé et excluz de la famille et bourgeoisie de Dieu, déchet [déchoit] de tout honneur et grade tandis qu'il est excommunié : voire, s'il est noble, il déchet de sa noblesse »... Cette déchéance est « un arrest de Dieu, lequel ratifie au Ciel les jugemens donnez par les Prestres de son Église » (p. 111-112). Ce régime presbytérocratique aurait donné un grand pouvoir au clergé, mais aurait aussi, si la Ligue radicale avait triomphé, permis aux ambitieux de manier l'accusation de tiédeur pour faire place nette devant eux.

La réaction mayenniste

Mayenne est scandalisé par ces théories et ces actes. Le 28 novembre 1591, il arrive à Paris et il fait arrêter, le 3 décembre, plusieurs « Seize » ; le lendemain, les quatre responsables des assassinats du 15 novembre sont pendus. C'est une rupture décisive entre les deux ligues. La composition sociale du groupe parisien se modifie : « La période de prépondérance des Seize (mai 1588 - novembre 1591) correspond à une domination des marchands et des hommes de loi sans office (plus de 38 % et presque 30 % des mandats respectivement). La période de la réaction mayenniste soutenue par les "politiques" (décembre 1591 - mars 1594) voit le retour en force des magistrats, qui triplent pratiquement leurs mandats au détriment essentiel de la "basoche", surtout des procureurs, tandis que s'effritent les positions marchandes » (R. Descimon, 1985).

La Ligue dans les provinces

Ferveur catholique

Au Nord, la Ligue tient la Bretagne, le Maine, le Berry, la Normandie, la Picardie, l'Ile-de-France, la Champagne, la Bourgogne ; dans le Sud, la Provence, le Languedoc occidental, le Comminges, une partie de la Guyenne. Des conseils sont créés à Agen, Amiens, Auxerre, Bourges, Dijon, Le Mans, Lyon, Mâcon, Morlaix, Nantes, Poitiers, Riom, Rouen, Toulouse, Troyes, sans doute ailleurs.

Un caractère commun réunit ces expériences ligueuses : partout on trouve la même ferveur pénitentielle et la même soif de réformation intérieure. Les confréries de dévotion se multiplient. Au Puy, le marchand tanneur Jean Burel raconte comment est fondée en mai 1589 la confrérie de la sainte Croix :

> Les habitants de la ville du Puy, comme vrayement crestiens et catholic-ques, [ont voulu] porter et avoir pour guydon et enseigne ceste saincte croix en laquelle gist nostre salut et rédemption pour avoir porté le fruict de vie, nostre sauveur et rédempteur Jésus-Crist (*Mémoires* publiés par A. Chassaing, nouv. éd. 1983, p. 125-127).

A Paris et Orléans sont fondées des confréries du Nom de Jésus, dont les membres pratiquent l'examen de conscience quotidien et la communion fréquente. De nombreuses confréries de Pénitents sont créées. Les Ligueurs se placent sous le regard de Dieu, dans la perspective des fins dernières de l'homme : leur contestation des hiérarchies, comme Denis Crouzet l'a souligné avec force, provient en grande partie de la volonté de les subordonner à l'ordre spirituel.

Cependant il serait faux de réduire la lutte entre Ligueurs et Poli-tiques à un conflit entre catholiques ardents et tièdes : à Limoges, un Politique notoire, le conseiller Martin, est l'un des douze fondateurs de la confrérie du *Corpus Christi* (M. Cassan, 1987) ; en Bretagne, l'es-prit tridentin anime également les deux camps (A. Croix, 1993) ; à Toulouse, l'une des victimes des Ligueurs, le premier président au Parlement Jean-Étienne Duranti, a fondé des Pénitents bleus et plu-sieurs confréries. D'autres critères les séparent, politiques et sociaux. La diversité des situations rendant impossible une interprétation unique, on peut se servir de la typologie suggérée par Philip Benedict dans son étude sur Rouen (1981, p. 245) et proposer trois « modèles », au moins pour les villes.

Le « modèle » bourguignon

Ce modèle peut être défini par l'addition au facteur religieux de deux autres éléments : d'une part une frustration sociale (à l'égard de la haute robe et de manière plus générale de toutes les élites, nobles ou même marchandes selon les cas) et de l'autre un contenu politique (volonté de retour à une certaine autonomie urbaine). C'est en Bourgogne que Henri Drouot, dans une étude pionnière (*Mayenne et la Bourgogne*, 1937), a mis en évidence ces caractères. A Dijon, par exemple, des avocats et des procureurs, sous la conduite de l'avocat Jacques La Verne, dominent le corps de ville au détri-ment de l'oligarchie des marchands et manifestent une vive animo-sité contre les parlementaires. L'idée d'une confédération de villes

circule : plusieurs textes parlent des « Villes unies ». L'expression se
retrouve à Lyon qui, en février 1589, jure l'union avec « Paris et les
autres villes unies » (H. Drouot, I, p. 268-271). Il est vrai que la
difficulté des communications et la méfiance à l'égard de Paris relâ-
chent les liens : des villes du val de Saône se comportent en petites
républiques indépendantes.

Paris incarne aussi ce « modèle » : la complémentarité entre
l'explication sociale, privilégiée par E. Barnavi, et la lecture à
dominante politique, proposée par R. Descimon, a fait l'objet de
leur étude commune du meurtre de B. Brisson (1585).

Le cas limougeaud, analysé par Michel Cassan, met en évidence également des antagonismes entre ville et État. A première
vue, pourtant, les chefs laïcs de la Ligue appartiennent à Limoges à
une bonne notabilité, apparemment semblable à celle des Politiques. S'agirait-il d'une simple lutte de factions ? En y regardant de
plus près, on s'aperçoit que les Ligueurs sont « moins riches, moins
puissants, moins bien pourvus d'offices prestigieux » que les Politiques. S'il n'y a pas de Parlement à Limoges, il y a un présidial,
dont les officiers sont hostiles à la Ligue. En combattant contre eux,
les Ligueurs luttent contre « les forces de recomposition sociale déjà
à l'œuvre au sein du groupe des notables. Au lieu d'une hiérarchie
secrétée et contrôlée par la société, prenant en compte de multiples
paramètres tels l'ancienneté de la famille, la sagesse des hommes, le
prestige de leur parentèle, s'instaurerait une hiérarchie induite par
la seule possession des offices royaux et relevant de l'intervention
étatique » (M. Cassan, 1987, p. 82).

A Toulouse, la haine contre les parlementaires politiques se
manifeste spectaculairement par l'assassinat, le 10 février 1589, du
premier président Jean-Étienne Duranti et de son beau-frère l'avocat général Jacques Daffis. Les membres loyalistes du Parlement se
replient à Carcassonne puis à Béziers. Le Languedoc est divisé
entre, à l'ouest, Guillaume de Joyeuse et son fils Antoine-Scipion
et, à l'est, Henri de Montmorency ; chacun réunit des États provinciaux, qui pour la Ligue, qui pour le roi. Antoine-Scipion connaît
une défaite écrasante et meurt noyé devant Villemur-sur-Tarn, le
20 octobre 1592 ; le dernier des Joyeuses, Henri du Bouchage
devenu le capucin frère Ange, sort alors du cloître pour continuer le
combat ; il y rentrera à nouveau en 1599.

Au Puy, selon Jean Burel, les Politiques, ce sont les nobles des
campagnes avoisinantes, ou encore ces notables urbains qui,
en 1594, conspirent pour remettre la ville dans l'obéissance du roi :

« ces gros richars », « ces gros traictres et richars que ont vollu pourchasser nostre enemy dedans pour nous pilhier et saccager et copper la gorge à nous et à nos enfans » (éd. citée, p. 400).

A Marseille, où la Ligue triomphe en 1588, Charles de Casaulx, fils d'un changeur aisé et l'un des capitaines de la milice, est porté au pouvoir par une émeute en février 1591. Sous sa direction et jusqu'à son assassinat, le 17 février 1596, par le Corse Pierre de Libertat, la ville se comporte comme une république indépendante, bien que Casaulx ait demandé en novembre 1595 la protection de Philippe II. Son « règne » est marqué par l'exode massif de l'aristocratie marchande et par la chute du nombre des gentilshommes au Conseil de ville : leurs ennemis les qualifient de *Bigarrats*, nom donné en Provence aux Politiques. En même temps apparaît au Conseil une forte proportion de marchands et de boutiquiers, d'artisans et de paysans (W. Kayser, 1991).

Dans l'ensemble de la Provence, la situation est plus complexe. Le mouvement ligueur se scinde en deux factions : celle du nouveau comte de Carcès, gendre de Mayenne, et celle d'Hubert de Vins, à l'origine prosavoyarde. A la mort de ce dernier, sa belle-sœur Chrétienne d'Aguerre, comtesse de Saulx, le remplace ; elle protège Cazaulx jusqu'à ce que celui-ci rompe avec elle. Le deuxième facteur de complication est l'ambition du duc de Savoie qui, suivant les conseils de son ambassadeur en France, le perspicace René de Lucinge, met à profit le « temps de la révolution » en France (expression employée par Lucinge dans sa lettre du 18 avril 1587 et par laquelle il désigne le sort qui attend, à son avis, le royaume : ou « le changement de son estre, ou [...] la ruine totale d'icelui », *Lettres de 1587. L'année des reîtres*, pub. par J. Supple, Droz, 1994, p. 135). Charles Emmanuel de Savoie s'est emparé en 1588, on l'a vu, du marquisat de Saluces ; il convoite sans doute la Provence tout entière. Il entre à Aix en 1590 puis à Marseille en 1591. Mais Casaulx et la comtesse de Sault finissent par se déclarer contre lui et le duc doit se replier en septembre 1592.

Le « modèle » rouennais

Dans le cas de figure illustré à Rouen par les analyses de Philip Benedict, la Ligue est menée par une fraction de l'élite dirigeante et n'a aucun caractère autonomiste ou antihiérarchique. Dans cette ville, le Parlement est divisé entre Ligueurs et Politiques, mais ce clivage oppose ici les « anciens » et les « nouveaux » conseillers, c'est-à-dire ceux qui possèdent leurs offices depuis longtemps et tolèrent mal l'arrivée de nouveaux venus dans la cour et ceux qui, ayant récemment acheté leurs charges, se sentent plus étroitement liés au roi. Après le triomphe de l'Union consécutif à la journée des barricades rouennaise, le 5 février 1589, 36 parlementaires loyalistes forment un Parlement à Caen, tandis que 26 restent à Rouen. Les tensions sont accrues lors du terrible siège de la ville par Henri IV et ses alliés anglais, de novembre 1591 à avril 1592 ; la population perd alors 20 000 habitants (sur 75 000 environ). Comme Paris, Rouen est sauvée par l'arrivée des fantassins d'Alexandre Farnèse, les terribles *tercios* ; mais ce redoutable ennemi de Henri IV est blessé peu après dans le pays de Caux et se retire aux Pays-Bas pour y mourir.

A Lyon, qui connaît aussi une journée des barricades, le 23 février 1589, c'est l'aristocratie des marchands et des officiers qui, associée au clergé, a le pouvoir pendant la Ligue, jusqu'à la reddition aux troupes royales les 7 et 8 février 1594. C'est d'abord le jeune duc de Nemours qui est gouverneur de la ville puis, après la révolte du Consulat, en septembre 1593, contre son autorité devenue trop pesante (le duc est emprisonné), l'archevêque Pierre d'Épinac.

En Bretagne, Alain Croix, résumant les conclusions d'une étude de Robert Harding, souligne la symétrie de la composition sociale des deux groupes (ligueur et politique) et indique que la Ligue « n'a pas de caractère antiaristocratique, n'exprime pas non plus d'hostilité marquée aux officiers royaux (1993, p. 61). Encore plus que la Provence, le cas de la Bretagne est compliqué par le foisonnement des convoitises. Le duc de Mercœur, gouverneur de la province, prince lorrain frère de la reine Louise, semble avoir rêvé de devenir duc de Bretagne ou, à défaut, gouverneur héréditaire. Pour cela il fait valoir les droits de sa femme, Marie de Luxembourg, sur le duché. Il s'aide de Philippe II, qui lui envoie des subsides et installe en 1590 une garnison espagnole à Blavet (futur Port-Louis), mais fait aussi valoir des droits rivaux (ceux de sa fille, Isabelle Claire Eugénie) ; le duc se lie à lui par deux traités, le 20 novembre 1594 et le 30 juin 1595. Le 23 mai 1592, les troupes bretonnes et espagnoles de Mercœur battent celles du roi et de ses alliés anglais à Craon : seule bataille d'envergure dans une guerre qui est plutôt faite de coups de main et marquée par les brigandages du gentilhomme ligueur Guy Eder de La Fontenelle. Mercœur met sur pied une administration autonome, avec un « Conseil d'État et de Finances » à Nantes de 18 membres dont les deux tiers sont choisis par les États provinciaux (4 par ordre). Mais la Bretagne n'est pas séparatiste : en 1592, les États déclarent vouloir « vivre et mourir inviolablement dévoués à la monarchie, dont ils demeureraient avec regret séparés, en attendant qu'il plût à Dieu de donner à la France un roi catholique » (cité par A. Croix, p. 60). La clientèle nobiliaire de Mercœur le suit ; encore les mémoires envoyés à Philippe II montrent-ils que beaucoup de nobles bretons prennent leurs distances à son égard. En fait, Mercœur se sert sans doute de l'Espagne comme d'un moyen de pression sur le roi, avec lequel il commence à négocier dès septembre 1592.

Le « modèle » Riom/Clermont

Dans ce troisième cas de figure, les prises de position sont largement influencées par des rivalités locales. Ainsi Riom, selon un mémoire du président à la Cour des Aides de Montferrand, serait passée dans le camp ligueur parce qu'un présidial a été installé à Clermont-Ferrand, sa grande rivale, laquelle reconnaît Henri IV. A Carcassonne, une vieille compétition, aggravée là aussi par la question de l'emplacement du présidial, sépare la ville en deux : la Cité prend parti pour la Ligue et le Bourg pour le roi.

Les atouts de Henri IV

La France fidèle au roi

A part le Béarn, bastion de la puissance de Henri IV, certaines provinces sont maintenues dans son obéissance : le Dauphiné, où Lesdiguières combat pour lui ; le Languedoc oriental de Montmorency ; le Nivernais du duc de Nevers, qui s'est rallié après quelques hésitations. Bordeaux, Angers, Blois restent fidèles grâce à leurs gouverneurs ; Rennes se rallie très vite. Dans des provinces ligueuses, des villes sont loyalistes : par exemple Langres, Châlons, Sainte-Ménehould en Champagne, Saint-Quentin en Picardie, Dieppe et Caen en Normandie.

Henri IV fait appel à l'aide d'Élisabeth : au printemps 1591, des troupes anglaises débarquent à Dieppe et d'autres à Paimpol ; les soldats du comte d'Essex participent au siège de Rouen. Des mercenaires allemands sont recrutés, sous la direction du neveu de Jean-Casimir, le prince Christian d'Anhalt, ainsi que 6 000 Suisses. La guerre est aussi idéologique : le roi bénéficie de publicistes de talent, parmi lesquels le plus brillant est Philippe Duplessis-Mornay.

L'évolution de la noblesse

L'attitude majoritaire parmi les nobles semble bien avoir été l'attentisme. En Bourgogne, on appelle *rieurs* ceux qui restent chez eux sans s'engager ; une liste de 1592 en démombre 118. En Champagne, le même terme les désigne : un rapport d'août 1592 en compte une centaine, qui « demeurent oysifs en leurs maisons » (L. Bourquin, 1994). Selon J.-M. Constant (1984), ces prudents représentent 88 % de la noblesse en Beauce, 85 % de celle du diocèse du Mans, des bailliages de Sens ou de Chaumont-en-Bassigny, les trois quarts de celui d'Étampes. En Auvergne, sur 1 200 chefs de familles nobles, il y aurait, selon le rapport du président à la Cour des Aides déjà cité, 800 neutres, 300 ligueurs et 100 royaux. Par ailleurs, les solidarités de parentèle et d'amitié restent toujours très fortes même chez ceux qui se sont enrôlés dans des camps opposés.

La proportion des nobles engagés dans la Ligue semble donc assez faible, sauf en Bretagne et en Picardie. En outre, elle connaît un lent effritement dès avant la conversion de Henri IV. Quelques-uns ont obéi à des raisons purement intéressées : ceux-là se sont ralliés dès qu'ils ont senti le vent tourner. D'autres sont entrés dans le combat en pensant restaurer les libertés nobiliaires : ainsi le bourguignon Jean de Saulx-Tavannes (dont le frère Guillaume est, lui, resté dans le camp royal) : lorsqu'il rédige, à partir de 1601, ses *Mémoires*, il évoque le rêve, dont il reconnaît qu'il est difficile à réaliser, d'un État ordonné de telle sorte « que la monarchie, aristocratie et démocratie y ayent mesme part » ; il croit encore que « des princes et seigneurs qui veulent se maintenir selon les règles d'Estat et sous la juste royauté » ont tout à gagner de la part d'États « généraux et libres » (*Mémoires*, coll. « Michaud-Poujoulat », 1838, p. 233). Mais beaucoup de nobles finissent par abandonner cette opinion : ils en viennent à penser que la puissance des États, si aisément manipulables, leur est néfaste et que leur autorité serait mieux assurée dans une monarchie forte ; les actes et les libelles des Ligueurs parisiens achèvent de les effrayer. De nombreux publicistes exploitent leurs peurs : ainsi, Michel Hurault, petit-fils du chancelier de l'Hôpital, leur démontre dans le second de ses *Discours sur l'estat de la France* (1591) que la noblesse a toujours excité « l'envie du peuple » et qu'il « luy a esté nécessaire, pour s'en défendre de tout temps, de se coller et de s'attacher aux Rois ».

Pour ceux que la sincère horreur d'un roi hérétique retient de rallier Henri IV, la mort de « Charles X » ouvre un dilemme difficile. Ils sont tentés alors de rejoindre le « Tiers Parti » qui se forme autour du cardinal de Vendôme, fils du prince Louis Ier de Condé et cousin de Henri IV, devenu le nouveau cardinal de Bourbon après la mort du roi de la Ligue. Ce Tiers Parti sera privé d'arguments avec l'annonce par le roi, en mai 1593, de son intention de se faire instruire au catholicisme : beaucoup vont s'accrocher à l'espérance d'une conversion, qui permettrait de concilier leur foi et leur peur des désordres populaires.

Le combat des Politiques favorables à Henri IV

Les catholiques de tendance politique sont divisés ; tous ne se sont pas ralliés immédiatement à Henri IV et certains ont adhéré un temps à la Ligue, tel Jean Bodin. Cependant le besoin de paix incite beaucoup d'entre eux à lutter dès 1585 pour faire reconnaître les droits du roi de Navarre. Des traits communs caractérisent leurs arguments, diffusés par de nombreux libelles et traités.

Le premier est le gallicanisme, qui les pousse à rejeter avec indignation l'ingérence pontificale dans les affaires de la France. Cette attitude est répandue chez les parlementaires ; lorsque Grégoire XIV, devenu pape en décembre 1590, réaffirme en 1591 la déchéance du roi, les Parlements loyalistes déclarent ses bulles abusives ; ils reçoivent l'appui de la quinzaine d'évêques qui, sous l'impulsion de Renaud de Beaune, archevêque de Bourges, se sont ralliés au roi.

Un autre trait est ce qu'on peut appeler, avec M. Yardeni (1971), le « patriotisme ». La patrie est sans cesse invoquée dans les écrits des Politiques ; ils se présentent comme les seuls « bons patriotes » ou « bons François », par opposition aux Ligueurs, qui vendent leur pays à l'Espagne. Ces thèmes animent par exemple le célèbre pamphlet *L'Anti-Espagnol* (1593) d'Antoine Arnauld, ennemi acharné des Jésuites et père du grand Arnauld du XVIIᵉ siècle. En même temps est exaltée la « nation » française, « de tout temps très héroïque et généreuse », la « race pure Françoise », qui ne se laissera pas dominer par « la race de ces méchants Visigoths » (les Espagnols), mêlée de sang juif et maure.

Les Politiques affirment aussi qu'il faut distinguer l'État de la religion et que la cohésion du royaume ne sera pas ruinée par la dualité des confessions ; ils contribuent ainsi au lent mouvement de sécularisation de l'État. Un libelle, la *Contre-lettre à la noblesse de Bourgogne* (1590), démontre par exemple que ce n'est pas la religion chrétienne qui est « le lien de l'Estat », mais l'obéissance aux rois, lesquels reçoivent leur couronne par succession et non par élection : « la qualité de Chrestien leur est accidentaire ». Pierre du Belloy, régent de l'Université de Toulouse, insiste sur le principe d'autorité dans un traité de 1587 intitulé *De l'authorité du roi et crimes de lèse-majesté*.

Pour compenser l'abandon du vieux principe *Une foi, une loi, un roi*, les libelles « politiques » insistent d'une part sur le fait que le roi a été spécialement choisi par Dieu pour sauver la France et de l'autre sur ses dons extraordinaires. La légende de Henri IV commence à se forger dès ces années de lutte :

> Dieu a choisi à la France un grand Roy, un digne vengeur de ses injures, et qui desja vous a bien fait sentir la force de son invincible bras. Sous les estandarts de cest Hercule toute la France se ralliera, soubs la conduite de ce grand Capitaine toute la Noblesse cheminera : et au bruit de ces armes toute l'Europe tremblera (Maillard, *La fulminante*, s.d., cité par M. Yardeni, p. 291).

Enfin, le réalisme, l'horreur du changement et du désordre, le respect des institutions traditionnelles, la conviction que l'obéissance des sujets est nécessaire, poussent les Politiques à prôner le ralliement à Henri IV. C'est ce refus de l'aventure qu'exprime Montaigne dès avant la mort de Henri III : « Rien ne presse un estat que l'innovation : le changement donne seul forme à l'injustice et à la tyrannie », écrit-il au chapitre 9 du livre III des *Essais*, ajouté aux deux autres livres dans l'édition de 1588. Sagesse qu'il a pu mettre en pratique en tant que maire de Bordeaux de 1581 à 1585, et comme participant probable aux conférences pacificatrices de Saint-Brice en 1587. Sa mort survient cependant trop tôt (en 1592) pour qu'il puisse assister à la défaite des Ligueurs.

Les États généraux de Paris (1593) et l'affirmation de la loi salique

Mayenne, qui sent son influence faiblir, doit donner un gage aux Seize et consent enfin à convoquer, comme lieutenant général de l'État et couronne de France, les États généraux. Leur principal but sera l'élection d'un nouveau roi.

Les candidats sont nombreux. Les enfants issus des mariages qui ont suivi le traité de Cateau-Cambrésis font valoir leurs droits : l'infante espagnole Isabelle Claire Eugénie et le duc de Savoie Charles Emmanuel. Charles de Lorraine, qui a épousé une fille de Henri II, soutient ceux de son fils, le marquis du Pont ; il a déjà conquis des gages en occupant Toul et Verdun. Les Guises proposent leurs candidats, soit le jeune duc de Guise, fils de la victime de Blois, soit le fils de Mayenne, et envisagent un mariage de l'un ou de l'autre avec l'infante. Tous ces projets souffrent du même défaut : ils sont contraires à la loi salique, qui interdit aux femmes de transmettre les droits à la couronne.

Les États généraux s'ouvrent à Paris le 26 janvier. L'insécurité des chemins et la division des partis expliquent le faible nombre des députés : selon les calculs de J. Russell Major (1960), ils sont 127, dont 48 pour le clergé, 24 pour la noblesse et 55 pour le tiers. Quelques-uns des cahiers des assemblées électorales ont survécu ; celui du tiers à Rouen se réfère à la « Charte aux Normands », ensemble des privilèges provinciaux codifiés lors de la réunion de la Normandie au royaume ; celui de Troyes demande des États provinciaux dans chaque province, chacun envoyant un député par ordre pour siéger au Conseil du roi. Les impôts seraient ramenés au niveau de ceux de Louis XII, et aucune taxe ne serait levée sans le consentement des États généraux (G. Picot, 1888, t. IV).

Les députés sont vite indisposés par la maladresse du représentant de Philippe II, le duc de Feria (malgré les sommes considérables qu'il leur distribue). L'Espagne les inquiète en repoussant le projet d'un mariage français de l'Infante et en envisageant pour elle une union avec l'archiduc Ernest d'Autriche, frère de l'empereur Rodolphe II. C'est alors que le Parlement de Paris porte un coup décisif aux ambitions espagnoles en adoptant, le 28 juin, « l'arrêt Le Maître » (du nom du président Jean Le Maître) qui réaffirme la validité de la loi salique : la cour déclare « tous traités faits ou à faire ci-après pour l'établissement de prince ou de princesse étrangers nuls et de nul effet et valeur, comme faits au préjudice de la loi salique et autres lois fondamentales du royaume ». Les États s'achèvent dans la confusion (la dernière séance générale date du 8 août).

L'assemblée a été ridiculisée dans une satire féroce, *La Satyre Ménippée de la vertu du catholicon d'Espagne*, publiée en 1594, œuvre collective émanant des Politiques, parmi lesquels l'avocat Pierre Pithou et le poète Nicolas Rapin. Le nom s'inspire des *Satires Ménippées* écrites au Ier siècle av. J.-C. par Varron sur le modèle de celles du grec Ménippe ; le *catholicon d'Espagne*, c'est la drogue magique que les Espagnols voudraient faire ingurgiter aux Français.

Les Ligueurs, eux, produisent en décembre 1593 une œuvre remarquable et énigmatique (attribuée à François Morin, sieur de Cromé) : le *Dialogue d'entre le Maheustre et le Manant*. Le Maheustre, c'est le Politique rallié au roi, et le Manant, le ligueur zélé. Au pragmatisme du premier s'opposent les angoisses du second : mais aucun n'est présenté comme ridicule. Le Manant est à la fois désespéré par la défection croissante des nobles et prêt à vitupérer l'hérédité nobiliaire : « L'espèce générale de la Noblesse est fondée sur le seul subject de la vertu que l'on acquiert, et non sur celle acquise d'autruy, et le tiltre de Noblesse doit être personnel et non héréditaire. » Il veut bien d'un roi étranger, pourvu qu'il soit catholique : « Nous n'affectons la nation, mais la religion. » La fin du *Dialogue* est émouvante : « Quel chef avez vous ? [...] Qui vous maintiendra ? », demande le Maheustre. Et le Manant de répondre à chaque fois : « Dieu. »

La conversion du roi et le sacre

En octobre 1592, une partie des Politiques « semond » Henri IV de se convertir : on les appelle les « semonneux ». Au début de mai 1593, des conférences s'ouvrent à Suresnes entre Ligueurs et Royaux, auxquelles participent pour la Ligue Pierre

616

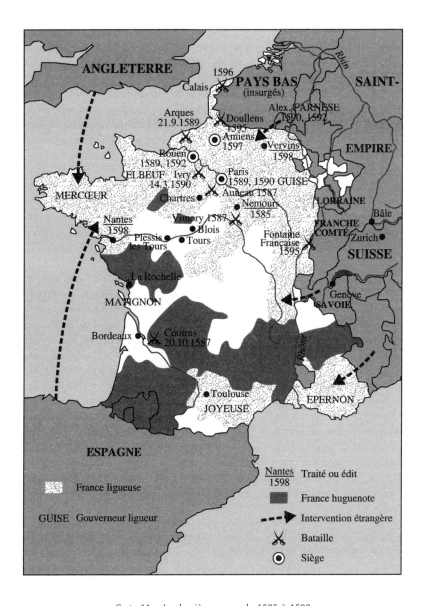

Carte 11 – La dernière guerre de 1585 à 1598

(D'après Michel Péronnet, *Le XVIᵉ siècle, 1492-1620*,
Hachette, éd. rev., 1995)

d'Épinac, archevêque de Lyon, et pour Henri IV Renaud de Beaune, archevêque de Bourges. Le 17 mai, ce dernier annonce solennellement que le roi s'est engagé à recevoir une instruction catholique.

Pourquoi le roi a-t-il tant tardé, au risque de désespérer les catholiques tentés par le Tiers Parti ? Question, d'abord, de conscience personnelle : pour n'être pas obsédé par l'angoisse spirituelle, il mesure néanmoins la gravité religieuse de cet acte. Les mobiles politiques ont, bien sûr, pesé : il craint de s'aliéner ses fidèles huguenots. Mais les circonstances le poussent à accélérer le processus. Indépendamment de la menace espagnole, il lui est difficile de résister très longtemps à la pression des catholiques, comme de laisser subsister la situation étrange qui fait d'un réformé le nominateur des évêques de France ; il est conscient en outre que c'est le seul moyen d'obtenir des ralliements durables.

A partir du 9 juillet 1593, des théologiens l'instruisent. La cérémonie de l'abjuration se fait le 25 juillet 1593, à Saint-Denis. Le sacre peut alors avoir lieu : il se déroule à Chartres, puisque Reims est encore aux mains des Ligueurs, le 27 février 1594 ; l'onction est faite avec du saint chrême d'une autre ampoule miraculeuse venant de l'abbaye de Marmoutiers. Le lendemain, Henri IV se fait remettre par l'évêque de Chartres le collier de l'ordre du Saint-Esprit, dont il est désormais le grand-maître.

La situation est mûre maintenant pour des ralliements massifs. Le curé Jean Boucher a beau se déchaîner à Paris, dans ses *Sermons de la simulée conversion*, contre ce qui n'est pour lui que scandaleuse parodie, l'utopie mystique des Ligueurs ne peut que céder devant le triomphe des Politiques.

ORIENTATION BIBLIOGRAPHIQUE

(outre les références données dans les chapitres 36 et 37)

Élie Barnavi et Robert Descimon, *La Sainte Ligue, le juge et la potence*, Paris, Hachette, 1985, 334 p.

Élie Barnavi, Centralisation ou fédéralisme ? Les relations entre Paris et les villes à l'époque de la Ligue (1585-1594), *Revue historique*, 1978, p. 335-344.

Michel Cassan, Mobilité sociale et conflits religieux : l'exemple limousin, in *La dynamique sociale dans l'Europe du Nord-Ouest (XVIe-XVIIe siècles)*, Ass. des Hist. mod., Bull. n° 12, Paris, PUPS, 1987, p. 71-92.

Alain Croix, *L'âge d'or de la Bretagne, 1532-1675,* Rennes, Éd. Ouest-France, 1993, 570 p.

Robert Descimon, Prises de parti, appartenance sociale et relations familiales dans la Ligue parisienne, *in* B. Chevalier et R. Sauzet (éd.), *Les réformes. Enracinement socioculturel,* Paris, La Maisnie, 1985, p. 123-136.

Henri Drouot, *Mayenne et la Bourgogne, 1587-1596,* Paris, Picard, 1937, 2 vol.

Yves Durand, Les Républiques urbaines en France à la fin du XVIᵉ siècle, *Annales de la Soc. d'Hist. et d'Archéol. de l'arrond. de Saint-Malo,* 1990, p. 205-244.

Mark Greengrass, The Sainte Union in the Provinces : the Case of Toulouse, *Sixteenth Century Journal,* 1983, p. 469-496.

Wolfgang Kaiser, *Marseille au temps des Troubles, 1559-1596,* Paris, EEHESS, 1992, 412 p.

Frank Lestringant et Daniel Ménager (sous la dir. de), *Études sur la Satyre Ménippée,* Genève, Droz, 1987, 288 p.

Pierre Richard, *La papauté et la Ligue française : Pierre d'Épinac, archevêque de Lyon,* Paris, Picard, 1901, 672 p.

Michael Wolfe, *The Conversion of Henri IV,* Cambridge (Mass.), Harvard Univ. Press, 1993, 254 p.

Myriam Yardeni, *La conscience nationale en France pendant les guerres de Religion (1559-1598),* Paris, B. Nauwelaertz, 1971, 392 p.

39. La dépression des années 1585-1595

Jusque vers 1585, on l'a vu (chap. 34), certaines villes ou provinces ont échappé aux effets néfastes des affrontements. Avec le déclenchement de la huitième guerre, démesurément longue et qui frappe à peu près tout le pays, les secteurs protégés se font rares ; c'est tout le royaume qui connaît une récession. Là encore, il est difficile de mesurer quelle est la part exacte des dégâts dus aux guerres et de ceux provoqués par la conjoncture économique européenne, particulièrement maussade dans ces années-là ; néanmoins, il semble bien que la responsabilité du conflit dans les difficultés que connaît la France soit alors beaucoup plus grande que lors des décennies précédentes.

Les cavaliers de l'Apocalypse

Les quatre cavaliers dont parle l'évangéliste Jean dans l'*Apocalypse*, montés chacun sur un cheval blanc, rouge, noir ou vert, symbolisent les quatre maux les plus redoutés : les bêtes sauvages, la guerre, la famine et la peste. Ces fléaux accablent la France dans les années 1580 et 1590. Isolés ici pour la commodité de l'exposé, leurs effets se combinent en fait le plus souvent pour contribuer à la gravité des crises.

La guerre

La huitième guerre civile touche aussi bien le Nord que le Midi de la France. Il n'est guère que La Rochelle et Saint-Malo, qui se comportent comme des petites républiques maritimes indépendantes, pour conserver une prospérité remarquable. Partout ailleurs, les effets du conflit se font durement sentir.

Il n'y a pas de grandes actions, mis à part quelques sièges meurtriers ; on a vu que ceux de Paris en 1590 et de Rouen en 1591-1592 ont causé sans doute respectivement 45 000 et 20 000 morts. La guerre est faite surtout d'embuscades et d'escarmouches, d'affrontements entre garnisons de places-fortes rivales, de razzias et de coups de main. On part à l'attaque de châteaux ou de villages voisins qui tiennent le parti opposé, et les représailles suivent aussitôt : « Le 3ᵉ et le 7ᵉ jour de juillet 1590, écrit par exemple dans son registre le recteur breton de Lanvellec, fut bruslée et ravagée la paroisse de Plestin par ceulx du party du roy. Et au réciproque le 21 dudit mesme mois... fust pareillement bruslée et ravagée la paroisse de Plouaret, Ploebezré et la ville de Lannyon par ceulx qui tenoient le parti du duc de Mercure [Mercœur] et de la saincte union » (cité par A. Croix, 1980, I, p. 276).

Le plat-pays est particulièrement exposé. Comme l'entretien des garnisons coûte cher et que l'argent manque (il faut, par exemple, 864 livres par an pour un caporal et sept soldats dans le château de Limeuil en Bas-Périgord tenu pour le vicomte de Turenne), les gouverneurs des places délivrent des commissions à leurs majors pour « parcourir la campagne, fourrager, lever des tailles, enrôler des pionniers afin de travailler aux fossés et aux brèches, ramener des bestiaux, des charges de blé et des tonneaux de vin » (Y.-M. Bercé, 1986). Si les paysans refusent, leur bétail est confisqué, ils sont jetés en prison et libérés contre rançon. Ils doivent donc payer deux fois : au roi et à la Ligue. Lorsqu'ils sont privés de leurs bêtes, ils doivent s'atteler eux-mêmes aux charrues. Malgré les « trèves de labourage » locales qui se multiplient à la fin du conflit, labourer est encore trop souvent un exploit : il est nécessaire de s'armer pour se défendre contre les soldats-brigands ; et lorsque la récolte est mûre, il faut s'estimer heureux lorsqu'elle n'est pas brûlée sur pied par eux. Le logement des gens de guerre est une autre calamité : les soldats pillent et violent, mais aussi apportent la contagion en temps d'épidémie. Dans les régions les plus éprouvées, la mort ou la fuite vident les maisons. Ainsi, dans le Val de Saône, en 1591, à Navilly, il ne reste que quatre habitants ; à Chaugey et Maison, 30 feux sur 120 ; Cléry, village neuf de 1570, est vide ; les censives abandonnées sont reprises par les seigneurs. Les petits tenanciers et les journaliers se réfugient dans les bois ou s'enrôlent dans des bandes de brigands (H. Drouot, 1937).

La disette

La fréquence des famines peut varier selon les localités ; mais certaines touchent pratiquement tout le pays : ainsi celles de 1585-1587, 1591-1593 et 1595-1597. A Annonay, Achille Gamon rapporte dans ses *Mémoires* qu'au printemps 1586 les paysans mangent du pain fait avec des glands, des racines sauvages, des fougères, du marc et des pépins de raisins séchés au four, « aussi bien que de l'écorce des pins et des autres arbres, de vieux tuilles et briques, mêlés avec quelque poignée de farine d'orge, d'avoine et du son » (éd. Michaud et Poujoulat, 1881, p. 621). En 1597, année où la disette semble avoir été européenne, le gouverneur de Vitré note que

> le peuple ne vivoit plus que d'herbes, parmy les champs, pour la grande stérilité des bleds ; et y a eu père chastié pour avoir tué son enfant, le voyant languissant de faim (cité par A. Croix, 1980-1981, I, p. 280).

Les prix s'envolent : le maximum est atteint au début de la décennie 1590 (voir tableau 10, p. 542). La cherté est aggravée par la spéculation : les accapareurs achètent à bas prix aux paysans endettés et revendent au moment où la pénurie qu'ils ont contribué à aggraver a enchéri les produits.

Les autorités essaient de remédier à la détresse. Les États provinciaux interdisent l'exportation des blés en dehors des provinces ; surtout, les corps de ville taxent les denrées, surveillent les boulangeries et les cabarets, font faire aux pauvres des travaux de nettoyage ou de réparation en échange d'un modeste salaire, organisent des distributions gratuites de nourriture (mais, en contre-partie, la mendicité est interdite). Les villes s'endettent pour faire face à la misère : ainsi, une cherté grave coûte à Nantes environ 40 000 livres (A. Croix).

La situation est envenimée par le désordre monétaire. Non seulement le royaume continue, malgré l'ordonnance de 1577, à être envahi par le billon étranger, en particulier espagnol, mais les ateliers monétaires du Midi frappent des *pinatelles*, petites pièces d'argent de 2 sous 6 deniers, en diminuant leur poids, ce qui permet des bénéfices substantiels : le duc de Montmorency se procure ainsi des ressources dans l'atelier de Montpellier, de même que les Ligueurs dans les villes qu'ils détiennent. Ces espèces se dévaluent rapidement, accentuant ainsi la hausse des prix. Les pinatelles sont alors décriées, mais plus vite en Languedoc (où Montmorency les interdit en décembre 1592) qu'en Provence et Dauphiné, qui en sont inondés au début de 1593 ; lorsqu'elles y sont décriées en juillet 1593, les plus humbles, qui n'ont qu'elles en poche, se trouvent dans l'incapacité d'acheter des denrées et de payer leurs tailles.

La peste

Les épidémies pesteuses ou apparentées sont, dans les deux dernières décennies du siècle, plus virulentes et plus durables qu'auparavant. De 1580 à 1587, elle reviennent pratiquement chaque année, avec une poussée particulièrement forte en 1585 ; elles sont de nouveau très meurtrières en 1596-1598. Celle de 1580 ravage Marseille ; celle de 1585 en Guyenne donne à Montaigne l'occasion d'admirer le courage des paysans qu'elle frappe :

> Or quel exemple de résolution ne vismes nous en la simplicité de tout ce peuple ? Généralement chacun renonçoit au soing de la vie. Les raisins demeurèrent suspendus aux vignes, le bien principal du pays, tous indifféremment se préparans et attendans la mort à ce soir, ou au lendemain, d'un visage et d'une voix si peu effroyée qu'il sembloit qu'ils eussent compromis à cette nécessité et que ce fut une condamnation universelle et inévitable. [...] Il leur faschoit de voir les corps espars emmy les champs, à la mercy des bestes, qui y peuplèrent incontinent [...] Tel, sain, faisoit desjà sa fosse ; d'autres s'y couchoient encore vivans. Et un manœuvre des miens à tout ses mains et ses pieds attira sur soy la terre en mourant (liv. III, chap. 12).

A Die, le mémorialiste Gaspard Gay donne aussi des exemples de gens qui s'enterrent eux-mêmes. Dans les villes, les mesures habituelles, isolement des malades dans leur maison ou enfermement dans des baraques à l'extérieur, nettoyage des rues, bûchers d'herbes aromatiques, révèlent une fois de plus leur faible efficacité.

Les bêtes sauvages

Les loups se mettent à pulluler dans le plat pays, lorsque les villages sont dépeuplés. Selon le mémorialiste Antoine Richart, les alentours de Laon, après le terrible siège de la ville en 1594, sont dévastés ; les loups, n'ayant plus de bétail à se mettre sous la dent, commencent à attaquer les hommes, leur appétit pour la chair humaine ayant été aiguisé par l'abondance des cadavres laissés sans sépulture (cité par M. Greengrass, in *The European Crisis of the 1590s*, 1985). Mêmes observations de la part de Jean Burel, au Puy :

> Icy veulx-je mètre la mémoire de la justice de Dieu, comme les loupz vont quérir les enfans dans les maisons au plus fort de l'esté, à la sainct Jehan. Chose espouvantable que les povres peysans n'ausent laiser les enfans, ny coucher aux champs, pour lever le bien de la terre ! (*Mémoires* publiés par A. Chassaing, nouv. éd. 1983, p. 430).

Les impôts

Les prélèvements fiscaux peuvent être assimilés à un cinquième cavalier. Pourtant, Henri IV accorde à son avènement des réductions massives d'impôts : selon J.-J. Clamageran (*Histoire de l'impôt en France*, 1868), la taille ordinaire est réduite d'un quart et, un peu plus tard, de près d'un tiers. Mais les impôts perçus dans beaucoup de provinces connaissent en réalité une augmentation spectaculaire. Un historien américain, L. Scott Van Doren, l'a montré pour le Dauphiné dans des travaux repris par D. Hickey (1986) : leur montant, une fois déflaté en équivalent-blé, est le triple de ce qu'il était dans la décennie précédente (et presque le double des sommets atteints dans les années 1530-1540). La différence provient du fait que s'ajoutent aux sommes imposées de façon régulière par les commissions royales des levées perçues d'urgence sans suivre la procédure légale ; à cette dernière catégorie appartiennent en particulier la plupart des assignations sur le produit des impôts accordées à des chefs de guerre. Par exemple, en 1591, le capitaine Bricquemault reçoit une assignation de 2 262 écus sur la taille de Saint-Antoine. En novembre 1591, il lui est encore dû 966 écus. Aussi, en décembre, selon les *Mémoires* du notaire Eustache Piémond, « pour nous ayder à payer et non obstant nostre misère, nous envoya toutte sa compagnie en nombre de

60 chevaux [...] avec délibération de prendre les hommes prisonniers et ne partir qu'ils fussent payés » (cité par M. Greengrass). A partir de 1594, le roi recommence à décréter des « crues » extraordinaires pour financer les dons faits aux Ligueurs en vue d'acheter leur soumission ; l'impôt direct « légal » atteint en 1596 le niveau de 21 millions (contre 11,85 en 1593). S'y ajoutent les impôts indirects. Il est vrai que les « non-valeurs », impôts non recouvrés, sont nombreuses tant le pays est épuisé.

En Dauphiné, les difficultés des contribuables relancent la controverse sur la taille. Cette province, bien que possédant des États, est un pays de taille personnelle (sauf dans le sud-est, autour d'Embrun, Gap et Briançon, où elle est réelle) : la condition des personnes (et non celle des terres) y détermine la position face à l'impôt. Les guerres ont pour effet d'accroître le nombre des nobles, exemptés de taille ; ces anoblissements, souvent frauduleux, sont autant d'évasions fiscales qui diminuent le nombre des assujettis (le montant global de l'impôt restant, lui, égal pour chaque communauté). Les contribuables demandent donc que la taille devienne partout réelle, pour que les terres roturières achetées par les nobles restent soumises au prélèvement. Leur longue lutte, qui commence dès les années 1540, devient plus âpre dans les décennies 1580 et 1590 ; elle ne sera finie qu'en 1634 et 1639, dates auxquelles la taille sera déclarée réelle dans toute la province et perçue au moyen de cadastres ; mais les États provinciaux seront suspendus dès 1628, et le Dauphiné deviendra pays d'élections (D. Hickey).

La baisse de la population

L'impact démographique de toutes ces calamités est certain mais difficile à mesurer. Il y a peu à attendre des chiffres d'une étourdissante précision donnés par Nicolas Froumenteau dans son fameux *Le secret des finances de France*, paru en 1581 : il décompte, par exemple, pour le diocèse de Paris, 45 056 personnes tuées, dont 22 moines, et 150 femmes et filles violées... La diminution globale de la population dans les deux décennies 1580-1600 pourrait être de l'ordre de 20 %, avec des variations considérables selon les régions. Ce déclin est sans doute dû tout autant à la conjoncture maussade qui frappe toute l'Europe (et dans laquelle le refroidissement du climat joue un rôle) et au contexte épidémiologique occidental qu'aux épisodes militaires proprement dits.

La chute de la production

La production agricole

Le déclin peut être mesuré par la baisse du produit de la dîme. Son effondrement à partir de 1580 n'est pas imputable aux grèves du versement, qui se produisent surtout dans les années 1560. Selon les études résumées par Emmanuel Le Roy Ladurie dans l'*Histoire économique et sociale de la France* (1977, t. I, 2), la baisse du produit décimal, entre 1580 et 1600, est de :

— un tiers pour « la zone allongée du nord au sud qui inclut Anvers, Cambrai, Namur, Paris, Dijon, Clermont-Ferrand, Montpellier, Arles » ;
— un cinquième ou un quart pour la région parisienne ;
— de 35 à 43 % pour la Bourgogne, l'Auvergne, le Midi méditerranéen, le Lyonnais.

Le déclin du pastel toulousain amorcé en 1560 se poursuit. La viticulture charentaise s'effondre après 1572, et celle de Bordeaux « ne vaudra guère mieux ». En Languedoc, les dîmes d'huile d'olive tombent d'un tiers ; quant à celles des productions animales, appelées *carnencs*, elles connaissent une diminution encore plus marquée (plus de la moitié), signe de la régression de l'élevage et de la raréfaction corrélative de la fumure. En revanche, c'est à la fin du XVIe siècle que se répand dans cette province la luzerne, apparue d'abord près de Die en 1507 puis à Orange et dans le Comtat. Elle est cultivée encore sur de petits espaces clos et fait l'admiration d'Olivier de Serres qui chante ses louanges dans son *Théâtre d'agriculture et mesnage des champs*, paru en 1600, au moment où la prospérité commence à revenir.

La production manufacturière

La raréfaction de la main-d'œuvre, la diminution des capacités d'achat des clients potentiels, la désorganisation des circuits de vente expliquent en grande partie le déclin. A Châtillon-sur-Seine, par exemple, la crainte de la peste fait fuir en 1587 les artisans et les compagnons, et l'industrie et le commerce de la draperie « dont se mesloient les trois quarts de lad. ville » sont entièrement arrêtés ; les boutiques restent fermées plusieurs mois (H. Drouot, 1937, I, p. 29). A Amiens, la crise de l'activité textile commence en 1585 et se poursuit jusqu'à la reprise de la ville sur les Espagnols en septembre 1597. L'anarchie due à la guerre n'est cependant pas la seule cause, comme le fait remarquer Pierre Deyon (*Amiens, capitale provinciale*, 1967) : « Bien des indices révèlent à cette époque un dérèglement de l'économie européenne tout entière. A Séville, le mouvement global du tonnage est en diminution accusée de 1587 à 1593. »

Tableau 15 – La crise de la production textile dans les années 1580 et 1590

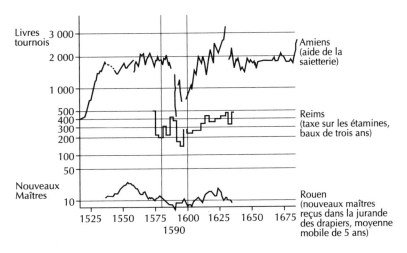

(D'après Philip Benedict, Civil War and Natural Disaster in Northern France, *in* Peter Clark (ed.), *The European Crisis of the 1590's*, Londres, George Allen & Unwin, 1985, p. 87.)

En revanche, dans certaines villes protégées par leur statut de place-forte protestante, l'activité manufacturière peut échapper à la crise : ainsi, à Montpellier, on constate un rétablissement de la draperie dès 1580.

Le commerce

Les foires sont atteintes par l'insécurité des routes. Celles de Lyon continuent pendant la Ligue, mais leurs recettes sont faibles. L'activité bancaire, maintenue de façon artificielle jusque vers 1585, connaît une « débâcle » : « Des 75 maisons italiennes constatées en 1568-1569 sur les rôles de la Grande Ferme, il n'en reste que 66 en 1582 et 21 en 1596-1597, encore chez ces dernières l'activité est-elle réduite : chez les Bonvisi la chute est de 3 à 1 entre 1586 et 1587 [...] La recette de la douane, excellent baromètre du commerce, est tombée des 70 à 90 000 livres des années normales aux environs de 20 à 25 000 en 1590-1593. Les 1 500 balles de poivre ne sont plus que 200 et la chute des principaux péages qui commandent les grandes routes des foires, ceux de Saint-Symphorien d'Ozon ou d'Arles par exemple, a la même ampleur catastrophique » (R. Gascon, in *Histoire de Lyon*, Privat, 1975). Ce déclin lyonnais est l'effet des guerres, mais aussi et surtout du repli de « l'Europe des Italiens » et de « l'immense basculement qui transporte le centre de gravité économique de l'Occident des pays méditerranéens (dont le recul est d'ailleurs tout à fait relatif) aux pays du Nord-Ouest - Pays-Bas, Provinces-Unies et Angleterre ». Sur les façades maritimes du Nord et de l'Ouest, la concurrence de ces pays se joint à la guerre pour freiner l'activité des ports : ainsi celle de Rouen chute de 20 à 33 % (P. Benedict, 1975).

Colères paysannes

A la fin des guerres civiles, les méfaits des gens de guerre ne sont plus subis passivement par les paysans. Ceux du plat-pays de Romans ont déjà donné l'exemple en 1579-1580 (voir chap. 35). Dix ou quinze ans plus tard, cette réaction de révolte et d'auto-défense se répand ; elle est parfois récupérée par l'un des partis en présence.

Les Gauthiers normands et percherons

Précédé par quelques années d'agitation larvée, un soulèvement paysan éclate en 1589 en Basse-Normandie et dans le
Perche. « Au son du tocsin, écrit de Thou, on voyait de concert
les gens de la campagne abandonner leur travail, courir aux
armes, et se rendre au lieu qui leur était marqué par les capitaines qu'on avait mis dans chaque village. Quelquefois ils se
trouvaient jusqu'au nombre de plus de seize mille » (cité par
J.-P. Babelon, *Henri IV*, 1982, p. 445). Des gentilshommes se mettent à leur tête, parmi lesquels le comte de Brissac. Ils sont écrasés en avril 1589 par l'armée royale du duc de Montpensier, entre
Argentan et Falaise. Leur succèdent, entre 1589 et 1593, les
« Francs-Museaux », les « Châteauverts », les « Lipans ». Les paysans normands sont assez déterminés pour envoyer aux États
de 1593 un des leurs comme député.

Les Bonnets-Rouges bourguignons

En Bourgogne, en janvier 1594, à l'expiration de la trêve avec
Mayenne, l'hostilité contre les Ligueurs commence à se manifester
ouvertement dans les villes. A cette effervescence urbaine répond
une agitation dans les campagnes. Dans le Val-de-Saône et le
Beaunois, des paysans s'assemblent en compagnies de 12 à
1 500 hommes, sous la direction de capitaines improvisés : on les
appelle les « Bonnets-Rouges ». Ils s'en prennent à tous les gens
de guerre, de quelque parti qu'ils soient, et parfois aux collecteurs
d'impôts ; mais leur action a le plus souvent une orientation
antiligueuse. C'est ainsi qu'ils aident Alphonse d'Ornano, colonel
général des Corses, à barrer la route au fils du chef de la Ligue ;
à Nolay et Meursault, les vignerons s'entendent avec le parti
des « écharpes blanches » (l'emblème des royaux) de Beaune. Les
paysans murmurent aussi contre les villes ligueuses, les accu-
sant de retarder la paix : ils les disent « coupables de leur
ruine, ne reconnaissant pas que le Roy estoit catholique »
(H. Drouot).

Les paysans bretons

De 1589 à 1595, dans la Cornouaille et le Léon, des troupes paysannes, encadrées par des petits nobles, des curés et des notables ruraux, marchent au son du tocsin à l'assaut des châteaux où sont retranchés des gentilshommes pillards des deux camps, mais aussi des villes (Tréguier, Vitré, Carhaix, 1589-1590). Leurs revendications font surgir le spectre de la subversion sociale aux yeux des observateurs affolés. Leurs revendications sont en fait très diverses : colère antiseigneuriale, autodéfense contre les brigandages des soldats, hostilité aux villes (A. Croix, 1993).

Les Croquants ou Tard-Avisés

En Limousin, Périgord et Agenais, les paysans commencent à bouger à l'automne 1593, puis se lancent dans l'action au printemps suivant, alors que beaucoup de villes ligueuses de ces provinces s'apprêtent à se rallier au roi : d'où le surnom de « Tard-Avisés », qu'ils reprennent parfois pour se désigner, bien qu'ils se dénomment le plus souvent : « Le tiers état qui est en armes. » Le mot « croquant » est un terme de dérision, qui signifie : « rustaud armé de son bâton ».

Yves-Marie Bercé (1974) distingue quatre épicentres : la Xaintrie, groupe de paroisses en Bas-Limousin ; le pays limousin entre Saint-Yrieix et Châlus ; la châtellenie d'Excideuil ; les paroisses du Périgord noir. Le mouvement s'étend à l'Agenais, aux confins de la Saintonge et de l'Augoumois et même au Velay.

Des assemblées de villages sont constituées. S'assembler et s'associer fait partie des traditions paysannes ; mais, cette fois, les assemblées se font sans autorisation. Les premières, dans la vicomté de Turenne à l'automne 1593 puis au printemps suivant dans le Périgord, envoient des députés au roi pour demander des décharges d'impôts. Mais le but essentiel est la défense contre les garnisons ligueuses, qui prélèvent des taxes sur les paysans et les emprisonnent s'ils refusent de payer. Des armées sont formées, avec des capitaines, des colonels et même un général. Les châteaux des pillards sont assiégés ; comme les paysans n'ont pas d'artillerie, ils font le « dégât » tout autour ; des notables s'entremettent et la garnison capitule. Parfois les Croquants mettent à rançon le capitaine du château, puis remettent la place à son seigneur légitime ou au sénéchal du pays.

Le mouvement prend aussi une orientation antivilles et anti-nobles. Les Croquants vont sommer des villes de se rallier à eux : ainsi Limoges (mai 1594), Périgueux (juin), Agen (juillet 1594 et janvier 1595). En mars 1594, ceux du Périgord se plaignent ainsi :

> Et maintenant que Dieu nous a faict la grâce d'avoir ce peu de temps de trêve, laquelle nous espérions jouyr, nous voyons que nous en sommes frustrés car les villes, au lieu de la faire entretenir et tenir la main à la justice, ne se soucient de la ruine du paouvre peuple, parce que nostre ruine est leur richesse. Ils ont leurs biens et marchandises dans leurs forts, poincts subjects aulx brigands quy tiennent la campainne, nous les vendent au prix que bon leur semble et font les belles mestairies à bon marché, nous font payer la rente au double et au tripple de ce que nous leur debvons et s'aident de la justice quand il leur plaist (cité par Y.-M. Bercé, 1974, t. II, p. 701).

L'aspect antinobiliaire n'apparaît pas au début ; mais, au fur et à mesure que le mouvement progresse, les nobles prennent peur. Des menaces sont proférées contre des châteaux. Un greffier de Périgueux écrit : « Aucuns parlaient tout hautement de détruire la noblesse. » Une ligue nobiliaire défensive se constitue, dont l'instigateur est Jean-Guy de Beynac, seigneur de Tayac. En fait, les Croquants ne veulent pas renverser l'ordre social ; ils demandent un rabais des tailles, la révocation des financiers prévaricateurs, la punition des faux nobles, la permission d'être armés pour se défendre et d'avoir des députés permanents. Leurs chefs sont des petits notables : un notaire, un médecin, un procureur fiscal et un avocat au Parlement de Bordeaux. Ils sont écrasés d'abord le 24 juin 1594 au lieu-dit Les Pousses, près de Saint-Priest-Ligoure, où 1 500 d'entre eux sont tués, puis lors de combats moins meurtriers, d'août à octobre 1595. Dans un but d'apaisement, le roi décrète une abolition dès août 1595 et confirme en 1596 et 1600 les remises d'impôts consenties aux députés envoyés en 1594.

La ligue campanère du Comminges

Dans les Pyrénées commingeoises les paysans s'associent en une ligue de défense qu'a étudiée René Souriac (1992). Il s'agit d'un *syndicat* : des syndics particuliers choisis par chaque village se réunissent dans une assemblée qui élit un Conseil et un syndic général. La constitution de syndicats, organisations temporaires formées pour un but précis, est un droit reconnu par la monarchie. Elle est traditionnelle dans les Pyrénées : les villes ou les villages en ont créé souvent au XVIᵉ siècle. La ligue campanère s'organise, sans doute dès 1591, dans les châtellenies d'Aurignac et de l'Isle-en-Dodon ; elle a son pendant dans le syndicat que forment, dans le haut pays, les villages des Frontignes et ceux de la châtellenie nébouzanaise de Sauveterre. Le nom de la ligue vient sans doute de *campanaire*, sonneur de cloches : le tocsin est en effet le moyen essentiel du ralliement. Le but est la défense contre, selon les mots des associés, « plusieurs gens voleurs et hommes de mauvaise vie en grand nombre et assemblés sous le nom de guerre, procédans toutefois sans aulcune commission, commettant plusieurs meurtres, sacrilèges, rapts, voleries et autres crismes exécrables ». Les ligués se dotent d'une organisation militaire et veillent au strict respect de la discipline. Ces troupes catholiques ne se veulent pas subversives ; elles proclament obéir au Parlement de Toulouse et au gouverneur ligueur, le marquis de Villars. Leur organisation perdure jusqu'à la fin des troubles.

Mais ces sursauts de colère paysanne sont trop limités et trop tardifs pour protéger efficacement le plat-pays des ravages de la guerre. La « cassure » des dernières décennies du siècle, dont les conflits portent une large part de responsabilité, a bien, selon l'expression d'Emmanuel Le Roy Ladurie, « quelque chose de définitif. Après 1600, malgré la paix revenue, on ne retrouvera plus la folle exubérance, la joyeuse fureur démographique du temps de Louis XII, de François Iᵉʳ et d'Henri II » (*Les paysans de Languedoc*, I, p. 194).

ORIENTATION BIBLIOGRAPHIQUE

(outre les travaux de Jacques Dupâquier et Jean-Noël Biraben cités au chapitre 1, et de Gabriel Audisio, Jean-Pierre Gutton, Jean Jacquart, Emmanuel Le Roy Ladurie, Louis Merle, Jean-Marc Moriceau, Michel Morineau, Paul Raveau, cités au chapitre 5)

Yves-Marie Bercé, *Histoire des Croquants*, Genève, Droz, 1974, 2 vol. ; éd. abrégée, Le Seuil, 1986, 416 p.

632   *La monarchie au péril de la Ligue*

Peter Clark (éd.), *The European Crisis of the 1590's*, London, George Allen & Unwin, 1985, 324 p. (art. de Philip Benedict et de Mark Greengrass).

Alain Croix, *La Bretagne aux XVIe et XVIIe siècles*, Paris, Maloine, 1980, 2 vol. ; *L'âge d'or de la Bretagne, 1532-1675*, Rennes, Éd. Ouest-France, 1993, 570 p.

Henri Drouot, *Mayenne et la Bourgogne, 1587-1596*, Paris, Picard, 1937, 2 vol.

Daniel Hickey, *The Coming of French Absolutism : The Struggle for Tax Reform in the Province of Dauphiné*, Univ. of Toronto Press, 1986 (trad. franç. : *Le Dauphiné devant la monarchie absolue*, PUG, Éd. d'Acadie, 1993, 320 p.

François Lebrun, *Les hommes et la mort en Anjou aux XVIIe et XVIIIe siècles*, Paris-La Haye, Mouton, 1971.

Emmanuel Le Roy Ladurie, *Histoire du climat depuis l'an mil*, 1967, rééd. Paris, Flammarion, Champs, 1900, 2 vol.

René Souriac, *Décentralisation administrative dans l'ancienne France. Autonomie commingeoise et pouvoir d'État, 1540-1630*, Toulouse, Ass. Les Amis des Archives de la Haute-Garonne, 1992, 2 vol.

40. La résignation à la tolérance (1594-1598)

La conversion et le sacre de Henri IV ont ôté leur principal argument aux chefs ligueurs ; la défection croissante de leurs partisans les pousse à se rallier, ce qu'ils font petit à petit, en monnayant leur soumission au prix fort. Reste cependant la question du culte des réformés : au terme de négociations serrées et parfois conflictuelles avec eux, l'édit de Nantes est promulgué. Il ressemble beaucoup à ceux qui l'ont précédé, mais il arrive à un moment où la lassitude des combats est telle que la paix devient l'objectif principal. Le charisme du roi, exalté par une propagande habilement faite, achève de convaincre les Français de déposer les armes et d'accepter la coexistence de deux confessions dans un même État. Mais l'espoir d'un retour ultérieur à l'unité demeure fermement enraciné chez la plupart des catholiques.

Le ralliement des Ligueurs

La soumission des villes

Chacune des villes ligueuses se range à l'obéissance du roi selon un processus particulier, mais où apparaît le plus souvent une surprenante absence de violence, ce qui en dit long sur l'appétit de paix qui les anime. Le ralliement est la plupart du temps précédé par l'apparition publique des emblèmes du roi, les écharpes blanches ou, comme à Dijon, les fleurs de lys fabriquées par les orfèvres, opposées aux « ligues », ces chapelets que les « zélés » portent au cou.

La ville de Meaux est la première dont le gouverneur, Louis de L'Hôpital, baron de Vitry, ouvre les portes au roi le 4 janvier 1594. Celui-ci lui accorde un « traité » de paix qui va devenir le modèle de ceux qui seront accordés aux villes ralliées : amnistie générale, maintien des avantages donnés par Mayenne, interdiction du culte réformé dans la ville et les environs.

La soumission de Lyon est un coup dur pour la Ligue. Le 8 février 1594, les Politiques parviennent à faire entrer les troupes royales. L'importance stratégique de la ville explique la relative sévérité du roi : le consulat lyonnais est remplacé par un prévôt des marchands et des échevins étroitement contrôlés.

Paris cède en mars. Le 6, Mayenne a quitté la ville, y laissant comme gouverneur un ligueur en qui il pense pouvoir avoir confiance, Charles de Cossé-Brissac. Mais celui-ci parlemente en secret avec les émissaires royaux ; il s'entend avec les Politiques et, le 22 mars, la porte Neuve (celle-là même par où s'est enfui Henri III, située sur le quai du Louvre) est ouverte à l'aube aux forces royales, qui quadrillent l'espace parisien. Lorsque, à 6 heures du matin, le roi se présente en personne, il est accueilli par le prévôt des marchands qui lui remet les clefs de la capitale. Une capitulation honorable est offerte à la garnison espagnole, qui s'éclipse. Des velléités de résistance se manifestent, en particulier au Quartier latin, mais cessent bien vite ; les Parisiens acclament Henri IV, qui va droit à Notre-Dame entendre la messe et faire chanter un *Te Deum*. Un tract très habilement rédigé est jeté à la foule et placardé :

> DE PAR LE ROY. SA MAJESTÉ désirant réünir tous ses subjectz, et les faire vivre en bonne amytié et concorde, notamment les Bourgeois et habitans de sa bonne ville de Paris. VEULT et entend que toutes choses passées et advenües depuis les troubles soient oubliées. Défend à tous ses Procureurs généraulx, leurs Substituz et autres Officiers, en faire aucune recherche alencontre de quelques personnes que ce soit, mesmes de ceux que l'on appelloit vulgairement les Seize, selon que plus aplain est contenu par les articles accordées à ladicte ville. Promettant sadicte Majesté en foy et parolle de Roy vivre et mourir en la religion Catholique Apostolicque et Romaine, et de conserver tous sesdicts subjectz et Bourgeois de ladite ville en leurs biens, Privilèges, Estatz, Dignitez, Offices, et Bénéfices. DONNÉ à Senlis le vingtiesme jour de Mars, mil cinq cens quatre vingts quatorze, et de nostre règne le cinqiesme. Signé HENRY (publ. par J.-P. Babelon, *Henri IV*, 1982, p. 588).

Cent-dix-huit personnes sont cependant bannies de la ville. Mais les Parlementaires ligueurs sont amnistiés ; la Faculté de théologie reconnaît Henri IV. Quant au gouverneur, il reçoit la confirmation de la charge de maréchal donnée par Mayenne, plus 1 695 400 livres. Ce triomphe du roi est abondamment diffusé dans toute la France, grâce à des « placards » sortis de l'entreprise de gravure Jean Leclerc, représentant la scène et la commentant dans un long récit laudatif.

Au cours du même mois de mars se rallient Rouen, Le Havre, Harfleur, Montivilliers, Verneuil; en avril et mai, Troyes, suivie par Sens, Abbeville et Montreuil, et, dans les provinces du Centre et du Sud-Ouest, Riom, Agen, Villeneuve d'Agen, Marmande, Périgueux, Rodez, Sarlat. Contre Laon, cependant, il faut employer la force : le siège dure du 25 mai au 22 juillet 1594. Une fois la ville soumise par le roi, « comme les perles d'un collier brisé, les villes voisines lui tombent dans les mains : Château-Thierry, Amiens qui vient de chasser le duc d'Aumale, gouverneur ligueur de la province, Beauvais, Noyon » (J.-P. Babelon). Cambrai se rallie. Puis ce sont les villes de l'Anjou et du Maine ; en Bretagne, Concarneau, Quimper, Morlaix se soumettent ; Saint-Malo, qui s'est tenue à l'écart des luttes, se range au parti du roi. Mais le duc de Mercœur résiste encore dans la province, comme le duc de Mayenne en Bourgogne, où se rendent pourtant Avallon et Auxerre à la fin de 1594. En Provence, où le Parlement d'Aix reconnaît le roi dès le 5 janvier 1594, Marseille attend jusqu'au 17 février 1596, date à laquelle l'un des capitaines de la milice, le Corse Pierre de Libertat, assassine Charles de Casaulx et ouvre les portes au nouveau gouverneur de la province, Charles de Guise ; les garnisons espagnoles se rembarquent précipitamment et la reprise de la ville se fait presque sans coup férir. En Languedoc, Toulouse négocie dès décembre 1594, puis se soumet définitivement en même temps que Henri de Joyeuse, en janvier 1596 : la ville recouvre son Parlement et se voit renouveler pour cent ans l'exemption des impôts directs.

Les tentatives de régicide et la quête de l'absolution pontificale

La quasi-totalité du clergé français s'est ralliée au roi après l'abjuration et le sacre. Le 10 avril 1594, à Pâques, Henri IV touche les écrouelles de 630 pauvres : signe, pour l'assistance, que Dieu est bien avec lui.

Pourtant, les catholiques les plus « zélés » ne désarment pas : ils font valoir que le « Béarnais » est encore sous le coup de l'excommunication du pape ; l'absolution qu'ont donnée les évêques français n'est pas suffisante à leurs yeux. De fortes pressions espagnoles s'exercent sur Clément VIII pour l'empêcher de lever la sentence, malgré les efforts de l'envoyé du roi de France, Louis de Gonzague, duc de Nevers, secondé par l'abbé d'Ossat. La situation est dangereuse, car n'importe quel illuminé peut se croire autorisé à assassiner le roi. C'est le cas de Pierre Barrière, un batelier orléanais, qui n'a pas eu le temps de passer à l'acte. Arrêté le 27 août 1593 en possession d'un grand couteau et écartelé le 31 août, il a avoué avoir voulu tuer le roi et avoir été encouragé par le recteur du collège des Jésuites, Varade. Les allégations de Barrière réveillent l'hostilité contre la Compagnie de Jésus ; l'*Histoire prodigieuse d'un détestable parricide en la personne du Roy, par Pierre Barrière*, parue en 1594, est un violent pamphlet, peut-être dû à Étienne Pasquier, où les Jésuites sont accusés de pousser leurs disciples au régicide. Les soupçons contre eux sont renforcés lors d'une seconde tentative d'assassinat du roi, plus grave celle-là, puisque Henri IV est blessé à la bouche, le 27 décembre 1594 : le coup vient de Jean Chastel, fils d'un drapier de la Cité, qui a été élève du collège de Clermont à Paris. En 1595, Jean Boucher fera paraître une *Apologie de Jehan Chastel* à la louange du régicide. En fait, c'est l'ensemble des prédicateurs ligueurs de Paris qui est à incriminer, tant ils ont répété qu'il est permis de tuer un roi excommunié. Mais, pour les gallicans, les criminels sont tout désignés : les Jésuites. Dans la nuit qui suit l'attentat, les pères du collège sont arrêtés ; on découvre dans la cellule du père Guignard, bibliothécaire, des écrits injurieux pour le roi. Le Parlement de Paris prononce alors un arrêt d'expulsion contre la Compagnie, le 29 décembre 1594, le jour même où Chastel périt écartelé en place de Grève ; tous les collèges jésuites situés dans son ressort doivent fermer. Arrêt qui plonge le roi dans l'embarras, bien qu'il soit obligé par la pression gallicane de le ratifier dans l'édit du 5 janvier 1595 : ce n'est pas une mesure très opportune en un temps où il cherche à obtenir l'absolution pontificale. Les catholiques zélés, quant à eux, sont indignés par cette expulsion, dont ils tirent de sombres pronostics sur la sincérité des intentions du roi. Les Parlements les plus engagés dans la réforme catholique, ceux de Toulouse et de Bordeaux, refusent d'appliquer la sentence dans leurs ressorts respectifs. Les Jésuites seront rétablis officiellement en France en 1603.

La vigueur du courant gallican dans le royaume ne facilite pas le rapprochement avec le pape. Il se traduit en particulier par la publication, en 1594, de deux ouvrages, intitulés chacun *Les libertez de l'Église gallicane,* le premier de Pierre Pithou, l'un des rédacteurs de la *Satyre Ménippée,* et le second de Jean du Tillet (ce dernier traité, écrit pendant la crise gallicane de 1551 mais resté manuscrit, est édité à cette occasion). La même année, le magistrat nivernais Guy Coquille écrit aussi un *Traité des libertez de l'Église de France.*

Malgré ces difficultés, les pourparlers pour la levée de l'excommunication finissent par aboutir : le 17 septembre 1595 a lieu la cérémonie d'expiation à Rome. L'évêque d'Évreux Jacques Davy du Perron et l'abbé Arnaud d'Ossat abjurent à genoux au nom du roi et reçoivent à sa place des coups de baguette sur les épaules. Les conditions fixées par le pape sont l'application des décrets du Concile de Trente et l'éducation catholique du fils posthume de Henri de Condé.

L'allégeance des gentilshommes ligueurs

La plupart des nobles ayant adhéré à la Ligue se rallient peu à peu après la conversion et le sacre, qui résolvent le dilemme qui se posait à leur conscience. C'est avec soulagement et joie qu'ils rendent leur allégeance au souverain légitime. Le *Manifeste à la noblesse de France* publié par Louis de L'Hospital, baron de Vitry et gouverneur de Meaux, rend bien compte de cet état d'esprit :

> J'ay esté nourry et eslevé dès l'aage de douze ans auprès de noz Princes et de noz Roys, et les ay tousjours très fidèlement servis depuis le temps que j'ay peu porter les armes jusques à la mort du feu Roy Henry dernier décédé. Et si j'ay discontinué à l'endroit de cestuy-ci, ça esté pour la seule cause de la Religion Catholique et Romaine, pour ce que lors il n'en faisoit profession. Et estimois que je serois contre ma religion et ma conscience, si je le servois et portois les armes pour luy contre le party Catholique. [Il se range désormais au parti du roi], lors et après qu'il s'est fait Catholique. N'estimant plus qu'il y aye cause légitime et vallable pour luy faire la guerre : et si nous y r'entrons elle ne se pourra plus qualifier guerre de Religion, mais d'Estat, d'ambition et d'usurpation (cité par Laurent Bourquin, *Noblesse seconde et pouvoir en Champagne aux XVIe et XVIIe siècles,* 1994, p. 129).

A ces raisons religieuses peut s'ajouter le bonheur de pouvoir se donner enfin à un roi digne d'être servi, ce que n'était pas à leurs yeux Henri III. L'exemple de Charles de Guise, le fils de la victime de Blois, en témoigne. Le roi lui a consenti, à l'automne 1594, des avantages considérables : le gouvernement de la Provence, les abbayes de Saint-Denis, Ourscamp et Corbie pour son frère Louis de Guise et la somme astronomique de 3 888 830 livres à se partager avec sa mère et son frère Joinville. Mais c'est sans enthousiasme qu'il s'apprête à venir trouver le roi, pour sceller la réconciliation. La rencontre, pourtant, change radicalement ses sentiments :

> Il s'en vint, raconte Maximilien de Béthune, baron de Rosny (futur duc de Sully), trouver Sa Majesté avec le plus de ses amis qu'il peut rassembler ; de laquelle il fut receu fort favorablement, et avecq les mesmes caresses, façon riante, familiarité, privauté et liberté en parolles que s'il eust esté nourry près de luy dès ses premiers ans et ne luy eust jamais rendu que fidelle service et entière obéissance (*Les Oeconomies royalles*, publ. par B. Barbiche, Klincksieck, t. 1, 1970, p. 551).

Cette habile stratégie de séduction conquiert le fils du Balafré, qui combat désormais pour le roi les derniers vestiges de la Ligue en Provence.

Plus profondément, l'expérience de l'alliance avec les catholiques « zélés » a convaincu les grands nobles que la solution de la monarchie mixte, où le pouvoir serait partagé entre le roi, le Conseil et les États, est finalement plus dangereuse pour eux que la monarchie absolue. Un de leurs principaux objectifs est l'accès équitable aux honneurs qui sont dans la main du roi ; il est probable que leur action politique au cours des guerres de Religion, que ce soit dans les rangs des Malcontents ou ceux des Ligueurs, a visé à instaurer, dans une période de faiblesse du pouvoir royal, une sorte de gestion collective du stock des « bienfaits du roi », par le biais du contrôle du Conseil. Le retour d'un roi fort leur permet d'espérer un arbitrage plus ferme de la distribution des faveurs et de voir restaurer ainsi le pacte monarchique entre eux et le souverain.

Les raisons religieuses, psychologiques et politiques du ralliement des grands nobles ont souvent été occultées dans l'historiographie traditionnelle par une vertueuse indignation au sujet des sommes énormes qu'ils réussissent à se faire payer. Il est vrai qu'ils profitent sans vergogne de la nécessité absolue où se trouve le roi de s'assurer leur bonne volonté. Mais il faut aussi songer qu'ils ont entraîné avec eux dans l'aventure de la Ligue un grand nombre de fidèles et de dépendants, dont ils se sentent responsables et qu'ils doivent récompenser ; par ailleurs, les clauses concernant leurs charges et dignités sont vitales pour eux, car leur abandon entraînerait le rabaissement de leur « maison », la perte de leur honneur et donc une véritable mort publique. La ténacité avec laquelle ils négocient leur ralliement n'est pas simple rapacité, mais lutte pour leur survie politique et sociale. Claude de La Châtre se voit confirmé dans la charge de maréchal que Mayenne lui avait donnée et dans son gouvernement de l'Orléanais, avec un don de près de 900 000 livres ; le gouvernement du Berry est remis à son fils. Villars-Brancas est également gratifié de la charge d'amiral. Villeroy redevient secrétaire d'État et reçoit près de 500 000 livres ; son fils obtient le gouvernement de Pontoise. Jean de Saulx-Tavannes se soumet le 14 juin 1595 contre le brevet de maréchal et 12 000 écus. Le cas du duc Charles de Lorraine est un peu différent, puisqu'il est prince souverain : il conclut la paix en novembre au prix de 3 766 825 livres. Mayenne résiste longtemps ; mais, après la victoire royale de Fontaine-Française (voir plus bas), il est obligé de s'incliner. C'est au château de Folembray, pendant le siège de La Fère, qu'est signé l'édit qui lui est concédé, le 31 janvier 1596 : il rend le gouvernement de Bourgogne, mais reçoit en guise de garantie trois places de sûreté pour six ans (Chalon, Seurre et Soissons) et 3 580 000 livres. Par un traité conclu aussi à Folembray, Henri de Joyeuse obtient le bâton de maréchal, la lieutenance générale du Haut-Languedoc et 1 470 000 livres (mais il va bientôt abandonner tout cela et redevenir frère Ange). La seule vengeance que Henri IV tire de Mayenne est racontée de manière pittoresque par Sully : le recevant dans le jardin du château de Montceaux, qui appartient à sa maîtresse Gabrielle d'Estrées, il l'oblige à marcher à ses côtés à un rythme si rapide que le duc, obèse, en perd le souffle. Toujours selon Sully, qui donne tous les chiffres mentionnés ci-dessus, l'ensemble des ralliements des chefs ligueurs a coûté au roi 32 millions de livres.

A Folembray, le redoutable Épernon traite aussi, en février 1596. Sa conduite jusque là a été hasardeuse : à la mort de son frère Bernard en février 1592, auquel il a dû abandonner en janvier 1590 le gouvernement de Provence, il récupère celui-ci sans l'assentiment du roi, pour lequel il déclare cependant combattre. Mais il est vite impopulaire dans la province ; à la fin de septembre 1594, Charles de Guise est nommé gouverneur à sa place. Poussé par le « désespouer », Épernon se rapproche de l'Espagne et signe un traité avec elle ; mais Bellièvre réussit à le ramener au roi. Le traité accordé à Folembray lui donne 85 000 écus (à prélever à titre d'impôt exceptionnel sur les Provençaux !) et le confirme dans sa charge de colonel général de l'infanterie et son gouvernement d'Angoumois-Aunis-Saintonge (V. Larcade, thèse de Paris IV, 1994).

Restent les alliés à récompenser. Henri de Montmorency est promu connétable en 1593 ; il se sent suffisamment rassuré pour quitter enfin le Languedoc, qui a longtemps été son refuge contre les aléas de la faveur royale, et pour revenir auprès du roi. Charles de Biron, qui a succédé à son père Armand mort glorieusement au siège d'Épernay en 1592, doit céder sa charge d'amiral à Villars-Brancas, mais reçoit en échange le brevet de maréchal.

Au début de 1596, il n'y a plus que Mercœur en Bretagne à résister encore.

La guerre contre l'Espagne

La déclaration de guerre

Ce n'est pas sans appréhensions que le roi se résout, le 17 janvier 1595, à déclarer la guerre à l'Espagne. « Superbe coup de bluff » (J. Garrisson, *Henry IV*, 1984), mais pari risqué. C'est le moyen d'unir tous les Français dans une lutte commune contre les ambitions de l'étranger.

Le premier choc sérieux est un triomphe pour Henri IV : le 5 juin 1595, à Fontaine-Française en Bourgogne, à l'issue d'une folle charge du roi et malgré la supériorité des forces espagnoles, auxquelles se sont joints des Ligueurs, est remportée une victoire peu onéreuse en vies humaines mais au retentissement immense : la Bourgogne est perdue pour Mayenne, qui doit songer au ralliement.

Mais un adversaire redoutable surgit alors devant le roi : le nouveau gouverneur des Pays-Bas, le comte de Fuentes. Sous sa conduite, l'armée espagnole remporte succès sur succès : victoires à Doullens (24 et 31 juillet 1595), chute de Cambrai au début d'octobre (dernier vestige des conquêtes de François d'Anjou), prise de Calais en avril 1596. En Dauphiné, le duc de Savoie donne bien du mal à Lesdiguières ; en Bretagne, les Espagnols soutiennent Mercœur. Seul gain royal : la prise de La Fère après un long siège (novembre 1595 - mai 1596).

Dans cette conjoncture difficile, Henri IV conclut en mai 1596 à Greenwich une alliance avec Élisabeth d'Angleterre, à laquelle se joignent peu après les Provinces-Unies (où Maurice de Nassau, le fils de Guillaume d'Orange, est en train d'introduire les nouveautés dans l'art de combattre que Geoffrey Parker – 1993 – a appelé «la révolution militaire»). Cette alliance se révèle fructueuse puisqu'en juin 1596, les flottes anglaise et hollandaise accomplissent le tour de force de détruire les navires espagnols devant Cadix et de s'emparer non seulement du port mais aussi de la cargaison des métaux précieux d'Amérique, acculant ainsi Philippe II à sa deuxième banqueroute.

Mais, le 11 mars 1597, c'est le coup de tonnerre de la surprise d'Amiens, cette ville clé pour la sécurité de Paris : les Espagnols s'y sont introduits déguisés en paysans venus vendre des noix. Le roi fait appel à toute la noblesse ; Rosny se démène pour trouver de l'argent et pour organiser le camp des assiégeants d'une manière nouvelle, avec un hôpital militaire (J.-P. Babelon). Amiens capitule le 19 septembre, mais subit le courroux royal pour s'être laissée trop facilement prendre : le nombre de ses échevins est réduit de 24 à 7 et la charge de mayeur (maire) est abolie.

La soumission de Mercœur et la paix de Vervins

Après la reprise d'Amiens, le roi se dirige vers la Bretagne. Dinan capitule en février 1598 ; le duc de Mercœur, avec lequel Philippe Duplessis-Mornay mène depuis longtemps des négociations, décide alors de se soumettre. Un accord est signé le 20 mars 1598 à Angers : Mercœur renonce au gouvernement de Bretagne contre 4 295 000 livres et donne sa fille unique Françoise au bâtard légitimé du roi (fils de Gabrielle d'Estrées), César de Vendôme.

Philippe II, financièrement épuisé, signe le 2 mai 1598 le traité de Vervins. L'Espagne cède ses conquêtes récentes, sauf Cambrai. Le duc de Savoie rend Berre en Provence. Mais l'Angleterre et les Provinces-Unies sont mécontentes de cette paix séparée, qui est pour elles une trahison.

Parallèlement à la guerre, des négociations serrées sont menées avec les réformés.

Les combats des réformés

Un avenir obscurci

L'euphorie provoquée chez les huguenots par l'avènement de Henri IV a été de courte durée. Le roi leur semble de plus en plus lointain ; une profonde inquiétude s'empare d'eux à l'annonce de sa conversion. « Doutez-vous que ces changements ne m'aient percé jusqu'à l'âme ? », écrit Philippe Duplessis-Mornay à un ami (cité par J.-P. Babelon, *Henri IV*, p. 568). Pour Agrippa d'Aubigné, l'attentat de Jean Chastel est un avertissement du ciel : « Sire, vous n'avez encore renoncé Dieu que des lèvres, et il s'est contenté de les percer, mais si vous le renoncez un jour du cœur, alors il percera le cœur. »

Les clauses de l'absolution du pape accroissent l'amertume des huguenots : l'éducation catholique que reçoit, à partir de janvier 1596, le jeune prince Henri II de Condé, premier prince du sang et héritier présomptif de la couronne en l'absence d'enfant de Henri IV, leur semble une insulte à la mémoire de son père et de son grand-père. L'espoir s'éloigne à jamais de voir régner un roi réformé.

La lutte contre les souillures du péché

Le règne de Dieu n'adviendra donc pas rapidement dans le royaume : qu'il soit au moins annoncé par les communautés réformées. Chasser le « vieil homme » et revêtir le Christ : cet idéal proposé par saint Paul et repris par Calvin devient l'objectif premier dans des églises qui se sentent assiégées par les forces du mal. Non que les réformés aient attendu le déclin de leurs grandes espérances pour tenter de « changer l'homme » (J. Garrisson, 1980) ; mais l'angoisse obsidionale qui s'aggrave après la Saint-Barthélemy contribue à durcir la lutte.

Deux moyens sont utilisés pour parvenir au but : l'éducation et la répression. L'instruction religieuse se donne durant le deuxième des prêches qui ont lieu chaque dimanche, celui de

l'après-midi, d'après le petit catéchisme de Calvin. Quant au
second moyen, il est destiné à la purification des mœurs. Les calvinistes se lancent dans la tâche impossible et héroïque d'élever
l'homme au dessus de lui-même pour le rendre digne de sa condition d'enfant de Dieu. Le but est admirable, la conception de la
dignité humaine est plus contestable. Plus de fêtes, de danses ni
de jeux, car ces divertissements sont la porte ouverte à toutes les
dissolutions. Interdiction de travailler le dimanche, qui doit être
tout entier consacré à Dieu : pas question par exemple d'aller rentrer les gerbes lorsque l'orage menace. Des habits trop luxueux,
des décolletés trop profonds, des vertugadins trop amples, des
cheveux relevés et maintenus par une armature métallique : voilà
qui dénote de la part des femmes une coquetterie irresponsable
propre à susciter chez les hommes des désirs répréhensibles. C'est
ainsi que Mme Duplessis-Mornay se voit écartée de la cène
en 1584 par le consistoire de Montauban parce que sa coiffure est
trop compliquée. Cet exemple montre combien ces mesures peuvent heurter la sensibilité des notables, dont le raffinement vestimentaire et la fréquentation des bals font partie du statut social.
Mais les paysans ne sont pas moins touchés, eux qui ne sauraient
concevoir les fêtes sans danses. Les anciens surveillent les membres
du troupeau d'un œil vigilant, et le moindre manquement, aussitôt signalé, donne lieu à comparution devant leur tribunal ; les
sentences vont du simple blâme à l'excommunication, en passant
par la réparation publique, humiliante pour les coupables. Seuls
ceux dont la conduite est irréprochable reçoivent le *méreau*, grâce
auquel ils pourront être admis à communier. Il y a quatre cènes
par an, à Noël, Pâques, Pentecôte et septembre ; chacune est précédée par un examen de catéchisme : l'insuffisance des connaissances peut aussi être une cause de refus du méreau. Prodigieux
effort pour discipliner les pulsions des hommes, réfréner l'ivrognerie, la paillardise, la violence, fermer la porte aux tentations du
diable : les fidèles ne le subissent pas toujours sans résistances ni
colère contre la « tyrannie » des anciens. « Quels empêcheurs de
danser en rond, au sens propre comme au figuré ! » (J. Garrisson). Mais c'est une entreprise de même nature qui caractérise la
Réforme catholique, avec un peu de retard sur les calvinistes ;
sauf que, chez ces derniers, on ne trouve pas au même degré d'intensité ni aussi tôt la lutte contre les sorciers.

    Le plus dur est peut-être la lutte contre la tentation de la
« révolte », c'est-à-dire du retour au catholicisme. Il faut empêcher

les mariages mixtes de se multiplier, mettre en garde contre l'envie de placer ses enfants dans des collèges jésuites, prohiber l'assistance aux cérémonies papistes, même si c'est pour assister à l'enterrement ou au mariage d'un proche. Il faut aussi combattre des tentatives subtiles de rapprochement doctrinal, telle celle du pasteur Jean de Serres. Celui-ci fait paraître en 1597 le programme d'un livre sous le titre d'*Harmonie* ou *Apparatus ad fidem catholicam*. Il y envisage une confession de foi de conciliation, qui ne comprendrait que les croyances communes aux calvinistes et aux catholiques. Il fait scandale ; le pasteur Chamier, modérateur au colloque de Montélimar, lui écrit : « Tous ont eu quasi-horreur d'ouïr qu'au principal de la religion nous soyons d'accord avec les papistes et ne soyons en débat que des accesssoires... » (cité par G. Livet, *Les guerres de Religion*, éd. de 1993, p. 46). Les écrits de Jean de Serres sont condamnés par le synode de Montpellier en 1598.

Il serait pourtant faux de croire à un déclin de la vitalité des églises, qui est le plus souvent renforcée par les épreuves et nourrie par la prière en famille que dirige le père. Olivier de Serres en fournit un exemple, lui qui raconte dans le *Théâtre d'agriculture et mesnage des champs* (1600) comment, dans son domaine du Pradel en Vivarais, il officie, matin et soir, devant toute la maisonnée assemblée, femme, enfants et domestiques. La poésie militante des huguenots entretient les ardeurs, celle d'Agrippa d'Aubigné, de Salluste du Bartas ou d'Auger Gaillard. Il n'en reste pas moins que la fuite vers le catholicisme de bien des réformés reste une menace sérieuse. Il y a des conversions retentissantes, dont certaines entraînées par l'exemple du roi : celle du magistrat-diplomate Harlay de Sancy, que d'Aubigné stigmatise dans *La confession catholique du Sieur de Sancy* (1600) ; celle du pasteur Palma-Cayet ; celle du poète Jean de Sponde. Il y a aussi les retours de ceux qui ont longtemps cru pouvoir rester entre les deux Réformes, mais qui sont obligés de choisir maintenant que les frontières doctrinales sont si irrémédiablement tracées : beaucoup optent pour l'Église catholique (T. Wanegffelen, 1994). Le nombre des réformés a décru (environ 1 million de fidèles en 1598).

La bataille de l'édit de Nantes

La position difficile des huguenots n'a pas été améliorée par l'avènement de Henri IV. Il leur faut attendre le 4 juillet 1591 pour voir rétablir, par l'édit de Mantes, les clauses de l'édit de Poitiers de 1577. Mais à quoi sert un édit si les Parlements refusent de l'enregistrer, comme c'est le cas pour la plupart, malgré le commandement du roi ? Il faut trouver un compromis qui paraisse acceptable à ces sourcilleux défenseurs du catholicisme. Les réformés s'inquiètent en outre des traités accordés aux Ligueurs, qui violent les clauses de 1577 : ainsi, la Provence a obtenu que le culte réformé soit interdit sur tout son territoire.

Face à cette situation, les huguenots sont tentés par une démonstration de force. Les membres de l'assemblée qui se tient à Mantes du 8 octobre 1593 au 23 janvier 1594 se séparent après avoir solennellement renouvelé leur serment d'Union. L'assemblée de Sainte-Foy (juin 1594) ressuscite la structure politique confédérale qui avait été mise en sommeil à l'avènement de Henri IV. A partir du 1ᵉʳ avril 1596, date de la réunion de l'assemblée de Loudun, les députés réformés restent réunis de manière presque ininterrompue, bien que le lieu de réunion soit déplacé à Vendôme, Saumur puis Châtellerault ; leur nombre croît jusqu'à plus de 200. La majorité est modérée, mais une forte minorité se range autour de grands seigneurs mécontents, en particulier Claude de La Trémoïlle, duc de Thouars et Henri de Turenne, devenu duc de Bouillon depuis 1591 et époux d'Élisabeth de Nassau, fille de Guillaume d'Orange, depuis 1595. Soutenus par leurs clientèles, ils font appel à l'aide de l'Europe protestante et menacent de chercher à l'étranger un nouveau protecteur ; lorsque survient la prise d'Amiens par les Espagnols, Bouillon et La Trémoïlle refusent de répondre à l'appel du roi. Malgré leurs divisions, les assemblées font peser une menace redoutable et finissent par imposer au roi la nécessité d'un nouvel édit, dont elles lui soumettent même une ébauche. Après des moments de véritable désespoir devant tant de difficultés, Henri IV, grâce à sa victoire à Amiens, parvient à peu près à respecter les échéances qu'il s'est fixées : pas d'édit sans la paix. Seule la paix, en effet, peut le rendre assez fort pour imposer aux réformés les amendements qu'il veut apporter à leurs propositions. C'est juste après avoir soumis Mercœur et peu avant la paix de Vervins qu'il signe à Nantes, sans doute le 30 avril 1598 (A. Croix, 1993), l'édit qui met fin à trente-six ans de guerre.

Les quatre textes de l'édit de Nantes

Édit général de 93 articles : le culte est autorisé dans tous les lieux où il existait en 1596 et jusqu'en août 1597, dans ceux où il était permis par les édits de Poitiers, de Nérac et de Fleix et, en outre, dans les faubourgs d'une ville supplémentaire par bailliage ou sénéchaussée (mais l'article secret n° 6 en octroie deux). Le culte est aussi accordé aux seigneurs haut-justiciers et, pour les autres seigneurs, devant leur famille seulement, sauf exceptions limitées à 30 personnes. Il n'est permis à Paris et à cinq lieues autour qu'à huis clos.

L'accès à toutes les charges est garanti aux réformés. Ils seront jugés par des chambres mi-parties dans les Parlements de Paris, Bordeaux, Grenoble, et à Castres pour celui de Toulouse. Ils sont astreints à payer la dîme et à chômer les jours de fêtes de l'Église romaine. Ils devront avoir des cimetières particuliers.

56 articles secrets ou « particuliers » (2 mai) : ils explicitent certains aspects de l'édit général et l'harmonisent avec les traités accordés aux Ligueurs. L'article 34 autorise la tenue des consistoires, colloques et synodes ; mais l'article 83 de l'édit général (82 dans la version enregistrée par le Parlement) interdit toute assemblée non autorisée, de même que la levée de taxes ou de troupes.

Premier brevet, daté du 3 avril : il promet le paiement de 45 000 écus par an pour « certains affaires secrets qui les concernent » (les réformés), c'est-à-dire essentiellement le salaire des pasteurs.

Deuxième brevet, daté du 30 avril : il donne pour huit ans aux réformés, en guise de places fortes, les villes qu'ils tenaient en août 1597, soit 150 environ ; un peu moins de la moitié sont des places de sûreté pourvues de garnisons dont le roi nommera le gouverneur et qu'il entretiendra en versant 180 000 écus par an.

Un édit particulier, signé à Fontainebleau, rétablit partiellement le culte catholique en Béarn ; mais le calvinisme reste la seule religion pratiquée à Pau.

Bien des catholiques intransigeants sont scandalisés par cet édit. Les Parlements ne se résignent que difficilement à l'enregistrer (les deux brevets ne sont pas soumis à cette formalité) : celui de Paris le fait le 25 février 1599 après une mémorable algarade du roi et avec des modifications (en particulier la suppression de l'article 37 qui prévoyait la création d'un substitut du procureur général dans la Chambre de l'édit de Paris). Les Parlements de province suivent en 1599 et 1600, mais celui de Rouen résiste jusqu'en 1609. L'édit ne satisfait pas plus les réformés que les catholiques. Du moins ce compromis fournit-il un cadre juridique assez précis pour permettre aux commissaires envoyés dans les provinces pour en surveiller l'application de trouver des solutions aux problèmes rencontrés. L'édit général est scellé avec le grand sceau de cire verte et déclaré perpétuel et irrévocable ; mais le préambule laisse entrevoir l'espoir d'une réunification future :

Mais maintenant qu'il plaît à Dieu commencer nous faire jouir de quelque meilleur repos, nous avons estimé ne le pouvoir mieux employer qu'à vaquer à ce qui peut concerner la gloire de son saint nom et service, et pourvoir qu'il puisse être adoré et prié par tous nos subjects; et s'il ne luy a plu permettre que ce soit pour encores en une mesme forme de religion, que ce soit au moins d'une même intention... (texte publ. par Roland Mousnier, *L'assassinat d'Henri IV*, Gallimard, 1964, p. 295).

Premiers jalons pour le redressement du royaume

L'assemblée des notables de Rouen et les réformes

Dès avant la conclusion de la paix intérieure et extérieure, le roi a convoqué à Rouen une assemblée (4 novembre 1596 - 26 janvier 1597) qui, selon Sully, inaugure l'appellation *assemblée des notables* : « Les Deputez d'icelle [...] ne voulurent nullement estre distinguez par les trois ordres accoustumez [...] ils prindrent un titre nouveau et se firent appeler Messieurs les Notables » (*Oeconomies Royalles*, éd. B. Barbiche, 1988, t. II, p.129). Pourtant, ses membres ont été élus et le roi lui a conféré des attributions identiques à celles des États généraux. Elle rédige des doléances, mais elle a surtout un but fiscal. Les députés votent la suspension pour un an des gages des officiers du roi et un nouvel impôt, la « pancarte » (1 sou pour livre, soit 5 %, sur les marchandises vendues), dont ils auraient voulu contrôler en partie la gestion.

Le roi fait entrer Rosny (futur duc de Sully) dans le groupe de neuf personnes qui a pris en charge collectivement la surintendance des finances après la mort de François d'O, en octobre 1594; il ne va pas tarder à y jouer un rôle directeur (mais il ne sera officiellement surintendant qu'en 1599). Il entreprend d'assainir les finances et amorce le mouvement de baisse des impôts directs; en janvier 1598, les arriérés de taille sont remis. Des mesures sont prises pour déclarer insaisissables le bétail et les instruments aratoires des paysans.

En 1594 est fondée à Paris par le sieur de Pluvinel, avec l'encouragement du roi, une Académie d'équitation destinée à apprendre aux nobles non seulement l'usage des chevaux et des armes, mais aussi les lettres et les mathématiques; c'est une étape dans la conversion des gentilshommes à la notion de compétence, que beaucoup perçoivent comme indispensable pour occuper de hautes charges et jouer un rôle dans l'État autrement que les armes à la main (E. Shalk, 1986).

L'essor des doctrines mercantilistes

L'un des députés de l'assemblée de Rouen, Barthélemy de Laffémas, un réformé enrichi par le commerce des étoffes, remet à ses collègues un *Règlement général pour dresser les manufactures en ce royaume,* déjà soumis au roi en 1596. Il y approfondit l'aspect doctrinal de ces « théories et pratiques d'intervention économique qui se sont développées dans l'Europe moderne depuis le milieu du XVe siècle » (P. Deyon, 1969), caractérisées par l'appel à augmenter la production nationale et à limiter les achats à l'extérieur pour éviter la sortie des espèces, que le XIXe siècle baptisera du nom de *mercantilisme.* Laffemas deviendra en 1602 Contrôleur général du commerce et des manufactures.

Le mardi 23 juin 1598, on fait à Paris de grands feux de joie pour la Saint-Jean et, raconte Pierre de L'Estoile, on y brûle « la guerre, les tambours, les trompettes, les lances, les épées et tous ses instruments » (éd. L.-R Lefèvre, 1948, p. 525). Les Français peuvent espérer que le cauchemar de la guerre civile est définitivement chassé et que la prospérité va revenir.

ORIENTATION BIBLIOGRAPHIQUE

(Outre les travaux de Léonce Anquez, Alain Croix, Henri Drouot, Janine Garrisson, Ellery Shalk, Nicola-Mary Sutherland, mentionnés respectivement à la fin des chapitres 3, 28, 29, 31 et 39)

Pierre Deyon, *Le mercantilisme,* Paris, Flammarion, coll. « Questions d'Histoire », 1969, 126 p.

Janine Garrisson, *L'édit de Nantes et sa révocation. Histoire d'une intolérance,* Paris, Seuil, 1985, 320 p.

Raymond Mentzer (éd.), *Sins and Calvinists. Morals Controls and the Consistory in the Reformed Tradition,* XVIth Century Essays and Studies, vol. 32, Kirksville, 1994, 208 p.

Henri Zuber, La noblesse protestante (1584-1598). Histoire politique des rapports entre Henri IV et les grands réformés, *Avènement d'Henri IV, Quatrième centenaire,* coll. III, Pau, J. et D. éd., 1990, p. 73-91.

Conclusion

La paix apportée par l'édit de Nantes n'est que provisoire. Les conflits religieux reprennent partiellement à partir de 1620 avec la campagne de Louis XIII pour le rétablissement en Béarn du culte catholique dans son intégralité et le soulèvement du Midi huguenot ; ils ne s'achèvent qu'avec la paix d'Alès (juin 1629), qui maintient les libertés de culte accordées en 1598 aux réformés mais anéantit leur puissance politique et met fin au régime des places de sûreté. Il n'en reste pas moins que 1598 marque une mutation importante dans la construction de l'État français. La violence des guerres civiles de la seconde moitié du XVIe siècle a accouché d'un paradoxe : la coexistence de la dualité confessionnelle et d'une monarchie de style autoritaire. Cette coexistence, les réformés comme les gentilshommes catholiques attachés aux libertés l'avaient crue impossible, d'où les aspects politiques de leur combat ; voilà qu'elle se met en place vaille que vaille, donnant au royaume une indiscutable originalité en Europe. Mais l'incongruité du paradoxe éclatera moins d'un siècle plus tard : la révocation de l'édit de Nantes de 1685 est inscrite dans la logique de l'État absolu.

Une tolérance fragile

Sous le règne de Henri IV, l'application de l'édit de Nantes rencontre mainte difficulté, que des commissaires envoyés dans les provinces règlent du mieux qu'ils peuvent. La dualité confessionnelle offre des visages différents selon qu'on se trouve au nord ou au sud d'une ligne qui irait de La Rochelle à Grenoble en passant par le sud du Massif central. Dans le Midi, où est située la majorité des églises protestantes, la tolérance s'établit assez bien dans les milieux que leurs obligations professionnelles obligent à avoir un large éventail de fréquentations : les marchands, les médecins, les avocats, les savants. Mais, dans les villes où le pouvoir économique est tenu par des notables réformés, elle rencontre vite ses limites : ainsi à Nîmes, où bien des ouvriers devront se convertir au calvinisme pour trouver un emploi. Dans le Nord au contraire, les difficultés qui pèsent sur la minorité réformée contraignent beaucoup de ses membres à la conversion au catholicisme, en particulier les grands nobles, pour qui l'accès aux honneurs, sans être impossible, est rendu plus délicat par une appartenance confessionnelle différente de celle du roi.

La vitalité théologique et spirituelle des deux confessions se traduit toujours par la volonté de convaincre l'autre de son erreur ; mais les affrontements prennent désormais essentiellement la forme de la controverse, c'est-à-dire d'une sorte de combat singulier entre un théologien catholique et un ministre protestant, à grand renfort de citations scripturaires, devant un public souvent passionné ; chacun des deux camps criant bien sûr à la victoire.

Les horreurs des guerres de Religion ont-elles favorisé le développement de l'incroyance ? L'indignation devant la violence des conflits a sans doute fait croître le nombre de ceux que Calvin a appelé les « libertins spirituels », c'est-à-dire ceux qui veulent se laisser inspirer par l'Esprit sans s'arrêter aux formulations dogmatiques. L'éloignement à l'égard des dogmes et des institutions ecclésiales se manifeste par exemple dans un livre qui connaît un grand succès : *De la sagesse,* de Pierre Charron (1601). Mais cette tendance, qui n'est nullement de l'irréligion, préexiste aux guerres civiles, et les conflits n'ont fait que la radicaliser ; elle peut être située dans la lignée de la critique érasmienne. Le mot « libertin » quittera bientôt le domaine spirituel pour évoquer plutôt celui de la légèreté des mœurs ; cette évolution commence à peine. L'athéisme pur et simple est encore très rare, et il est hasardeux de le lier aux guerres. Quant à l'indifférentisme en matière de religion qu'illustre le *Colloquium Heptaplomeres* de Jean Bodin (voir chap. 33), il reste marginal.

En revanche, bien des ligueurs déçus par le combat temporel se tourneront vers l'expérience mystique, si fréquente au XVIIe siècle, ce « siècle des saints », comme l'a appelé Henri Brémond dans son *Histoire littéraire du sentiment religieux en France depuis la fin des guerres de Religion* (1916-1933, rééd. A. Colin, 1967) ; on a vu comment s'est constitué autour de Barbe Avrillot, femme du ligueur Pierre Acarie, un cercle dévôt que fréquentent son cousin Pierre de Bérulle et le capucin Benoit de Canfeld.

Les nouveaux aspects de la société

La fin des guerres de Religion coïncide avec l'affirmation du monopole royal du contrôle de l'accès à la noblesse. Par l'édit sur les tailles de mars 1600,

> S. M. défend à toutes personnes de prendre le titre d'Écuyer, et de s'insérer au corps de la Noblesse, s'ils ne sont issus d'un ayeul et père qui ayent fait profession des armes ou servi au Public en quelques charges honorables, de celles qui par les loix et mœurs du Royaume peuvent donner commencement de Noblesse (publié par L. N. H. Chérin, *Abrégé chronologique d'édits... concernant le fait de la Noblesse*, 1788, p. 83).

C'est l'annonce (mais il faudra la grande Recherche de noblesse effectuée par les soins de Colbert pour la concrétiser vraiment) de la fin d'une société qui sécrète naturellement ses propres élites, remplacée peu à peu par une hiérarchie codifiée où le vouloir royal légitime les rangs. C'est aussi la reconnaissance officielle d'un nouveau type de noblesse, celle du service de l'État par l'office. Les officiers des Cours souveraines se verront bientôt confortés par la création de la Paulette en 1604, droit annuel à payer pour être dispensé du dernier obstacle qui entrave encore la transmission héréditaire des charges, la clause des quarante jours. La fierté de robe commence déjà à se nuancer d'une certaine agressivité à l'égard de la gentilhommerie d'épée, comme on peut le constater dans les *Remontrances* du procureur général au Parlement de Paris Jacques de La Guesle : dans celle du 27 janvier 1595, par exemple, il exalte l'autorité des officiers de justice, « qui va tousjours sans cesse plus ferme, et par conséquent plus grande, qui s'estend après le Roy sur tous les François », et qui fait trembler « ces braves guerriers conducteurs d'armée », « lesquels on a veu la teste baissée rendre raison de leurs actions, et ceux que la présence de mille et mille ennemis armez n'a estonnez, abbattus d'effroy au regard de dix ou douze simples hommes désarmez ». Et La Guesle de revendiquer « la principale puissance » pour « l'ordre de la justice » (éd. de Paris, 1611, p. 382-383). Le choc des deux conceptions de la noblesse se produira bientôt, aux États généraux de 1614.

Les guerres ont favorisé l'ascension de nouveaux riches et de parvenus, ce qui est un facteur de déstabilisation sociale. Les théoriciens de la société stigmatisent ces « champignons venus en une nuit » qui ont profité des troubles pour pousser : fournisseurs aux armées, fermiers des gabelles, traitants et partisans, spéculateurs en tout genre, roturiers transformés en gentilshommes par la seule grâce de leur épée. Mais, malgré leurs gémissements, la hiérarchie n'est pas vraiment bouleversée par ces atteintes à la règle de la nécessaire lenteur de l'ascension sociale. Les structures de la société restent globalement les mêmes après les troubles qu'au milieu du siècle ; mais le diagnostic qu'Emmanuel Le Roy Ladurie porte sur les paysans de Languedoc peut s'appliquer à toutes les catégories sociales : « Essor des petits et des gros, au détriment des moyens. » La possession de vastes domaines est bien souvent l'atout qui a permis aux lignages les mieux pourvus, nobles ou non, de traverser sans trop de dommages les turbulences du demi-siècle et même de consolider leur position, tandis que les détenteurs de terres aux dimensions plus restreintes ont eu du mal à ne pas rejoindre les rangs des dépossédés ; la richesse des marchands, lorsqu'elle est restée purement mobilière, s'est trouvée mal armée pour résister. Dans la paysannerie, la minorité des « coqs de village », tels les riches laboureurs-fermiers du Bassin parisien, s'est enrichie ; la catégorie moyenne s'est amenuisée et la masse des précaires est devenue plus nombreuse et plus vulnérable. L'expropriation paysanne s'est accélérée dans les sombres décennies 1580-1600, ou, comme en Bourgogne, juste après, comme un contre-coup des troubles. Le métayage « dur » (partage intégral des fruits) s'est étendu, comme dans la Gâtine poitevine étudiée par Louis Merle (1958), où la noblesse s'est constituée de vastes métairies. « La grande mutation économique de ce siècle, c'est de ne plus être "chez soi", c'est d'être maintenant rentier, grangier, métayer, mercenaire » (G. Livet, *Les guerres de Religion*, PUF, éd. 1993). Inversement, la propriété des notables urbains, marchands enrichis souvent reconvertis dans les offices, s'est étendue autour des grandes villes.

La victoire idéologique de la puissance absolue

Les troubles ont discrédité les théories de la monarchie mixte et de la souveraineté du peuple. Aux yeux de beaucoup, elles ont engendré des désordres pires que ceux auxquelles elles prétendaient remédier. Dans le *Dialogue d'entre le Maheustre et le Manant*, le Maheustre résume fort bien cette leçon de la Ligue :

> Le peuple [...] comme un animal farouche et sauvage a voulu secouer le joug de la domination Royale, pour acquérir je ne sçay quelle liberté imaginaire, qui a esté à leur grand malheur et confusion changée en une tyrannie la plus cruelle et barbare que jamais ayent enduré les pauvres esclaves des infidèles (édition par Peter Ascoli, Genève, Droz, 1977).

Les Français aspirent désormais à un pouvoir fort : « Un Roy qui donnera ordre à tout », selon les mots de la fameuse harangue que Pierre Pithou place dans la bouche du capitaine d'Aubray dans la *Satire Ménippée*. C'est là le résultat de l'immense lassitude du désordre ; c'est aussi celui du sursaut d'effroi provoqué par le spectacle de l'abaissement de la monarchie et des risques encourus par le royaume. Les Politiques, ces grands artisans du ralliement doctrinal à une monarchie autoritaire, se réfèrent encore à la *raison* ; mais ils sont de plus en plus nombreux à la croire incarnée dans la volonté d'un seul, qu'éclaire une lumière divine particulière, et non dans la sagesse collective de « plusieurs », assemblés au nom du royaume. Si le roi leur apparaît désormais comme un « roi de raison » (Denis Crouzet), il s'agit d'une raison supra-humaine, qui élève le monarque très haut au-dessus de l'horizon de ses sujets et l'arrache au contrôle de ces derniers. L'année même de la paix de Vervins et de l'édit de Nantes paraît un ouvrage intitulé *De l'excellence et dignité des rois*, de Pierre Constant. On y trouve l'apologie de la puissance absolue et l'exaltation du vouloir royal fondé en Dieu. La chance de Henri IV a été de se trouver porté par cette aspiration passionnée et mystique à un ordre échappant aux misérables manipulations des hommes : chance qu'il a su saisir avec une incomparable habileté, mais sans laquelle il n'aurait sans doute pas réussi à imposer son autorité.

La liberté est-elle tout de même conciliable avec cette obéissance absolue qui est maintenant exigée du sujet ? A cette question, des philosophes inspirés par le renouveau du stoïcisme vont s'évertuer à répondre par l'affirmative. Mais le champ d'action de cette liberté n'est plus, selon eux, l'espace public ; elle trouve son domaine d'élection dans la régulation de l'espace intérieur. Pour eux, la poigne de fer du souverain libère l'individu en lui assurant l'ordre nécessaire, en le délivrant du souci de la cité désormais confié à un prince nécessairement parfait et en lui permettant de se consacrer tout entier à la noble tâche de la maîtrise de ses désirs désordonnés. Les luttes pour l'autonomie ne sont plus publiques, mais intimes et privées ; la « servitude volontaire » n'est plus celle qui ploie les hommes devant un monarque mais celle qui courbe l'âme sous l'esclavage de ses passions.

Les œuvres de Juste Lipse, professeur de droit à l'Université de Leyde (*De Constantia*, 1584, et *Politicorum sive civile doctrinae libri sex*, 1589, traduits en français en 1590 par Charles Le Ber sous le titre *Les Six Livres des Politiques ou Doctrine civile de Justus Lipsius*) ont beaucoup fait pour diffuser ces idées. En France, le parlementaire Guillaume du Vair, ancien sympathisant de la Ligue rallié par choix raisonné à une monarchie forte, et qui deviendra garde des Sceaux en 1616, s'en inspire dans un traité publié en 1594, *De la Constance et consolation es calamités publiques*. Destiné à apprendre à l'individu à se pas se laisser atteindre par les malheurs du temps, l'ouvrage promeut l'idéal de la liberté intérieure.

Les thèmes de l'obéissance conditionnelle et de la liberté des sujets ne disparaissent pas totalement ; mais ils ne sont plus invoqués qu'avec nostalgie, sauf à resurgir pendant les troubles (lors de la Fronde en particulier). Quelle mélancolie que celle de Bernard Du Haillan, lorsque, dans la réédition de 1595 de son livre *De l'estat et succez des affaires de France* (1570), il insère cette remarque, après une phrase où il rappelait le rôle du Parlement dans l'approbation des ordonnances royales : « Nous parlons du temps passé, car cela est changé » (p. 183) ; et, un peu plus loin : « Tout cela a changé de forme, comme toutes autres bonnes constitutions de la France » (p. 188). Guillaume du Vair lui-même, tout néo-stoïcien qu'il soit, ne peut s'empêcher d'éprouver quelque regret lorsqu'il résume lucidement les avantages et les inconvénients de la conversion collective à la puissance absolue :

> Notre Estat françois a dès sa naissance esté gouverné par les Roys, la puissance souveraine desquels ayant tiré à soy l'authorité du gouvernement nous a à la vérité délivré des misères [...] qui sont ordinairement aux États populaires, mais aussi privé de l'exercice que pouvoient avoir les braves esprits au maniement des affaires (*De l'Éloquence françoise*, 1594, éd. René Radouant, 1908, p. 148, cité par Marc Fumaroli, *L'âge de l'éloquence*, 1980, rééd. 1994, A. Michel, p. 505).

Ces avantages allaient donner à la France deux siècles de grandeur monarchique ; mais ces inconvénients allaient aussi nourrir une tradition d'opposition qui se maintiendra jusqu'à l'explosion de la Révolution française.

ORIENTATION BIBLIOGRAPHIQUE

Seuls les ouvrages de portée générale figurent ici ; on trouvera les autres dans les bibliographies particulières placées à la fin de chaque chapitre.

Ouvrages de synthèse

Bély Lucien, *La France moderne*, Paris, PUF, 1994, 670 p.

Bennassar Bartolomé, Jacquart Jean, *Le XVIe siècle*, Paris, A. Colin, 2e éd. 1990, 360 p.

Bourquin Laurent, *La France au XVIe siècle, 1483-1594*, Paris, Belin, 1996, 254 p.

Braudel Fernand, *Civilisation matérielle. Economie et capitalisme, XVe-XVIIIe siècle*, Paris, A. Colin, 1979, 3 vol.

Burguière André et Revel Jacques (sous la dir. de), *Histoire de la France*, Paris, Le Seuil, t. I : *L'Espace français*, 1989 ; t. II : *L'État et les pouvoirs*, 1989 ; t. III : *L'État et les conflits*, 1990 ; t. IV : *Les formes de la culture*, 1993.

Cornette Joël, *L'affirmation de l'État absolu*, éd. rev., Paris, Hachette, 1994, 254 p. ; *Chronique de la France moderne. Le XVIe siècle*, Paris, SEDES, 1995, 326 p. ; *De la Ligue à la Fronde*, Paris, SEDES, 1995, 428 p.

Corvisier André, *Précis d'histoire moderne*, Paris, PUF, 3e éd. 1990, 518 p.

Delumeau Jean, *La civilisation de la Renaissance*, Paris, Arthaud, rééd. 1984, 540 p.

Garrisson Janine, *Royaume, Renaisssance et Réforme*, 1483-1559, Paris, Le Seuil, 1991, 304 p. ; *Guerre civile et compromis*, 1559-1598, Paris, Le Seuil, 1991, 262 p.

Goubert Pierre et Roche Daniel, *Les Français et l'Ancien Régime*, Paris, A. Colin, 1984, 2 vol.

Lapeyre Henri, *Les monarchies européennes du XVIe siècle*, Paris, PUF, coll. « Nouv. Clio », 1967, 384 p.

Le Roy Ladurie Emmanuel, *L'État royal, 1460-1610*, Paris, Hachette, 358 p. ; rééd. Hachette-Pluriel, 1990, 510 p.

Mandrou Robert, *Introduction à la France moderne. Essai de psychologie historique, 1500-1640*, Paris, A. Michel, coll. « Évolution de l'humanité », 400 p.

Margolin Jean-Claude (sous la dir. de), *L'avènement des Temps modernes*, Paris, PUF, coll. « Peuples et civilisations », 1977, 776 p.

Méthivier Hubert, *L'Ancien Régime en France, XVIe, XVIIe, XVIIIe siècles*, Paris, PUF, 1981, 506 p.

Meyer Jean, *La France moderne de 1515 à 1789*, Paris, Fayard, 1985, 536 p. ; rééd. Le Livre de poche, 1993, 608 p.

Muchembled Robert (dir.), *Les XVIe et XVIIe siècles*, Paris, Bréal, 1995, 336 p.

Péronnet Michel, *Le XVIe siècle, 1492-1620*, Paris, Hachette, éd. rev., 1995, 336 p.

Potter David, *A History of France, 1460-1560: The Emergence of a Nation State*, New York, St. Martin Press, 1995, 438 p.

Richet Denis, *De la Réforme à la Révolution. Études sur la France moderne*, Paris, Aubier, 1991, 584 p.

Salmon John H. M., *Society in Crisis. France in the Sixteenth Century*, 1975, Londres, Methuen, 1975, 384 p.

Venard Marc, *Le Monde et son histoire*, t. V : *Les débuts du monde moderne*, Paris, Bordas, 1967, rééd. 1985, 608 p.

Dictionnaires et manuels sur les institutions

Bély Lucien (sous la dir. de), *Dictionnaire de l'Ancien Régime*, Paris, PUF, 1996.

Bluche François (sous la dir. de), *Dictionnaire du Grand Siècle*, Paris, Fayard, 1 640 p.

Cabourdin Guy et Viard Georges, *Lexique de la France d'Ancien Régime*, Paris, A. Colin, rééd. 1992, 328 p.

Corvisier André (sous la dir. de), *Dictionnaire d'art et d'histoire militaires*, Paris, PUF, 1988, 884 p.

Doucet Roger, *Les institutions de la France au XVIe siècle*, Paris, Picard, 1948, 2 vol.

Mousnier Roland, *Les institutions de la France sous la monarchie absolue*, Paris, PUF, 1974-1980, 2 vol.

Sueur Philippe, *Histoire du droit public français, XVe-XVIIIe siècle*, Paris, PUF, 2 vol.

Zeller Gaston, *Les institutions de la France au XVIe siècle*, Paris, 1948 ; 2e éd., Paris, PUF, 1987, 416 p.

Histoire religieuse

Baubérot Jean, *Histoire du protestantisme*, Paris, PUF, « Que sais-je ? », rééd. 1993, 128 p.

Bédouelle Guy et Roussel Bernard, *Le temps des Réformes et la Bible*, Paris, Beauchesne, 1989, 812 p.

Berriot François, *Athéismes et athéistes au XVIe siècle en France*, Paris, Le Cerf, 1976, 2 vol.

Busson Henri, *Le rationalisme dans la littérature française de la Renaissance* (1533-1601), Paris, Vrin, 1957, 654 p.

Châtellier Louis, *Le catholicisme en France, 1500-1650*, t. 1, Paris, SEDES, 1995, 188 p.

Chaunu Pierre, *Église, culture et société. Essais sur Réforme et Contre-Réforme, 1517-1620*, Paris, SEDES, 1981, 544 p. ; *L'aventure de la Réforme. Le monde de Jean Calvin*, Paris, Hermès-Desclée de Brouwer, 1986, 296 p.

Christin Olivier, *Une révolution symbolique. L'iconoclasme huguenot et la reconstruction catholique*, Paris, Les Éd. de Minuit, 1991, 352 p.

Croix Alain, *La Bretagne aux XVIe et XVIIe siècles. La vie, la mort, la foi*, Paris, Maloine, 1981, 2 vol. ; rééd. partielle sous le titre *Cultures et religion en Bretagne aux XVIe et XVIIe siècles*, Rennes, Apogée, 1995, 336 p.

Crouzet Denis, *La genèse de la Réforme française (1520-1650)*, Paris, SEDES, 1996, 620 p.

Delumeau Jean, *Naissance et affirmation de la Réforme*, Paris, PUF, 1965, rééd. 1994, 432 p. ; *Le catholicisme de Luther à Voltaire*, Paris, PUF, 1979, rééd. 1992, 374 p. ; (sous la dir. de), *Histoire vécue du peuple chrétien*, Toulouse, Privat, 1979, 2 vol. Voir aussi la quadrilogie *La peur en Occident*, 1978, 486 p. ; *Le péché et la peur*, 1983, 742 p. ; *Rassurer et protéger*, 1989, 668 p. ; *L'aveu et le pardon*, Paris, Fayard, 1990, 194 p.

Deregnaucourt Gilles et Poton Didier, *La vie religieuse en France aux XVI*, *XVII*, *XVIII* siècles, Gap, Ophrys, 1994, 310 p.

Diefendorf Barbara, *Beneath the Cross. Catholics and Huguenots in Sixteenth-Century Paris*, Oxford Univ. Press, 1991, 272 p.

Farge James K., *Le parti conservateur au XVI* siècle, Paris, Collège de France, 1992, 198 p.

Febvre Lucien, *Le problème de l'incroyance au XVI* siècle. La religion de Rabelais, Paris, A. Michel, 1942, coll. « L'Évolution de l'humanité » ; rééd. 1962, 548 p.

Garrisson Janine, *Protestants du Midi, 1559-1598*, Toulouse, Privat, 1980, 368 p. ; *L'Homme protestant*, Paris, Hachette, 1980, rééd. Bruxelles, Complexe, 1986, 254 p. ; *Les Protestants au XVI* siècle, Paris, Fayard, 1988, 414 p.

Higman Francis, *La diffusion de la Réforme en France, 1520-1565*, Paris, Labor et Fides, 1992, 282 p.

Histoire des protestants de France, Toulouse, Privat, 1977, 490 p.

Kingdon Robert, *Geneva and the Coming of the Wars of Religion in France*, Genève, Droz, 1956, 164 p. ; *Geneva and the consolidation of the French protestant movement*, Genève, Droz, 1967, 242 p.

La liberté de conscience (XVI-*XVII* siècles), Actes du coll. de Mulhouse et de Bâle, Genève, Droz, 1991, 372 p.

Lauvergnat-Gagnière Christiane, *Lucien de Samosate et le lucianisme en France au XVI* siècle, Genève, Droz, 1988, 448 p.

Le Goff Jacques et Rémond René (sous la dir.), *Histoire de la France religieuse*, t. II (sous la dir. de François Lebrun) : *Du christianisme flamboyant à l'aube des Lumières, XIV*-*XVIII* siècle, Paris, Seuil, 1988, 574 p.

Lebrun François (sous la dir. de), *Histoire des catholiques en France*, Toulouse, Privat, 1980, 530 p.

Lecler Joseph, *Histoire de la tolérance au siècle de la Réforme*, 1955, rééd. 1994, Paris, A. Michel, 854 p.

Lemaître Nicole, *Le Rouergue flamboyant. Le clergé et les fidèles du diocèse de Rodez, 1417-1563*, Paris, Le Cerf, 1988, 652 p.

Léonard Émile-G., *Histoire générale du protestantisme*, Paris, PUF, 1961, 2ᵉ éd., 1980, 3 vol.

Les débuts de la Réforme catholique dans les pays de langue française, 1560-1620, et *Église et vie religieuse en France au début de la Renaissance (1450-1530)*, deux numéros spéciaux de la *Revue d'Histoire de l'Église de France*, LXXV, 1989, et LXXVII, 1991.

Mayeur Jean-Marie, Piétri Charles, Vauchez André et Venard Marc (sous la dir. de), *Histoire du christianisme des origines à nos jours*, Paris, Desclée, t. 7 et 8 (sous la dir. de M. Venard) : *De la réforme à la Réformation (1450-1530)*, 1994, 926 p. ; *Le temps des confessions (1530-1620/1630)*, 1992, 1 236 p.

Paravy Pierrette, *De la Chrétienté romaine à la Réforme en Dauphiné*, Rome, Éc. fr. de Rome, 1993, 2 vol.

Roelker Nancy L., *One King, one Faith : the Parlement of Paris and the Religious Reformation of the Sixteenth Century*, Berkeley, Univ. of California Press, à paraître en 1996.

Sauzet Robert (éd.), *Les Réformes. Enracinement socioculturel*, Paris, La Maisnie, 1985, 452 p.

Staufer Richard, *La Réforme*, Paris, PUF, coll. « Que sais-je ? », 5ᵉ éd., 1993, 128 p.

Tüchle H., Lebrun J. et Boumann C. A., *Réforme et Contre-Réforme. Nouvelle Histoire de l'Église*, t. III, Paris, Seuil, 1968, 622 p.

Turchetti M., *Concordia o tolleranza ? François Baudouin e i « moyenneurs »*, Genève, Droz, 1984, 650 p.

Venard Marc, *Réforme protestante, Réforme catholique dans la province d'Avignon, XVI* siècle, Paris, Le Cerf, 1993, 1 280 p.

Viguerie Jean de, *Le catholicisme des Français dans l'ancienne France*, Paris, Nouv. Éd. lat., 1988, 330 p.

Wanegffelen Thierry, *Des chrétiens entre Rome et Genève. Une histoire du choix religieux en France, vers 1520 - vers 1610*, thèse dactyl., Paris I, 1994, 914 p. (à paraître chez Champion en 1996 sous le titre : *Ni Rome ni Genève : des fidèles entre deux chaires en France au XVIe siècle*).

Histoire politique : faits et doctrines

Barbey Jean, *Être roi. Le roi et son gouvernement en France de Clovis à Louis XVI*, Paris, Fayard, 1992, 574 p.

Caprariis Vittorio de, *Propaganda e pensiero politico in Francia durante le guerre di Religione*, I : *1559-1572*, Naples, Éd. Scient. Italiane, 1959, 490 p.

Church William F., *Constitutional Thought in the Sixteenth-Century France*, Cambridge, Harvard Univ. Press, 1941, 360 p.

Cottret Monique, *La vie politique en France aux XVIe, XVIIe, XVIIIe siècles*, Paris, Ophrys, 1991, 156 p.

Coulet Noël et Genet Jean-Philippe (sous la dir. de), *L'État moderne : le droit, l'espace et les formes de l'État*, Paris, CNRS, 1990, 236 p.

Emmanuelli François-Xavier, *État et pouvoirs dans la France des XVIe-XVIIIe siècles. La métamorphose inachevée*, Paris, 1992, 328 p.

Fogel Michèle, *L'État dans la France moderne de la fin du XVe siècle au milieu du XVIIIe siècle*, Paris, Hachette, 1992, 192 p.

Genet Jean-Philippe (sous la dir. de), *L'État moderne : genèse, bilan et perspectives*, Paris, CNRS, 1990, 352 p. ; et Vincent Bernard (sous la dir. de), *État et Église dans la genèse de l'État moderne*, Madrid, Casa Velasquez, 1984, 312 p.

Giesey Ralph, *Le roi ne meurt jamais. Les obsèques royales dans la France de la Renaissance*, Paris, Flammarion, 1987, 350 p. (trad. de l'éd. de 1960).

Hamon Philippe, *L'argent du roi. Les finances sous François Ier*, Paris, Com. pour l'Hist. écon. et financ. de la France, 1994, 610 p.

Hanley Sarah, *Le lit de justice des rois de France* (1983), trad. franç., 1991, Paris, Aubier, 468 p.

Hickey Daniel, *Le Dauphiné devant la monarchie absolue*, PUG, Éd. d'Acadie, 1993, 320 p.

Lecoq Anne-Marie, *François Ier imaginaire. Symbolique et politique à l'aube de la Renaissance française*, Paris, Macula, 1987, 566 p.

Mesnard Pierre, *L'essor de la philosophie politique au XVIe siècle*, éd. rev., Paris, Vrin, 1952, 712 p.

Richet Denis, *La France moderne : l'esprit des institutions*, Paris, Flammarion, 1973, 188 p.

Skinner Quentin, *The Foundations of Modern Political Thought*, Cambridge Univ. Press, 1978, rééd. 1992-1995, 2 vol.

Souriac René, *Décentralisation administrative dans l'ancienne France. Autonomie commingeoise et pouvoir d'État, 1540-1630*, Toulouse, Ass. Les Amis des Archives de la Haute-Garonne, 1992, 2 vol.

Zarka Yves-Charles (éd.), *Jean Bodin. Nature, histoire, droit et politique*, Paris, PUF, 1995, 264 p.

Les guerres de Religion

Actes du colloque L'Amiral de Coligny et son temps (Paris, octobre 1972), Paris, Soc. de l'Hist. du Prot. fr., 1974, 796 p.

Barnavi Élie, *Le parti de Dieu. Étude sociale et politique de la Ligue parisienne*, Louvain, B. Nauwelaerts, 1980, 384 p.

Baumgartner Frederic, *Radical Reactionaries: The Political Thought of the French Catholic League*, Genève, Droz, 1975, 318 p.

Benedict Philip, *Rouen during the Wars of Religion*, Cambridge Univ. Press, 1981, 298 p.

Bourgeon Jean-Louis, *L'assassinat de Coligny*, Genève, Droz, 1992, 136 p. ; *Charles IX et la Saint-Barthélemy*, Genève, Droz, 1995, 208 p.

Cassan Michel, *Le temps des guerres de Religion. L'exemple du Limousin (vers 1530 - vers 1630*, Paris, Publisud, 1996, 464 p.

Constant Jean-Marie, *La Ligue*, Paris, Fayard, à paraître en 1996.

Crouzet Denis, *Les guerriers de Dieu. La violence au temps des troubles de religion*, Paris, 1990, 2 vol. ; *La nuit de la Saint-Barthélemy. Un rêve perdu de la Renaissance*, Paris, Fayard, 1994, 658 p.

Descimon Robert et Élie Barnavi, *La Sainte Ligue, le juge et la potence. L'assassinat du président Brisson (15 novembre 1591)* , Paris, Hachette, 1985, 334 p.

Drouot Henri, *Mayenne et la Bourgogne, 1587-1596*, Paris, Picard, 1937, 2 vol.

Holt Mack P., *The French Wars of Religion, 1562-1629*, Cambridge Univ. Press, 1995, 240 p.

Le pamphlet en France au XVIe siècle (Cahiers V. L. Saulnier, 1), Paris, Pr. de l'ENS, 1983, 144 p.

Lebigre Arlette, *La révolution des curés. Paris 1588-1594*, Paris, A. Michel, 1980, 296 p.

Lestringant Frank, *Le Huguenot et le Sauvage. L'Amérique et la controverse coloniale en France au temps des guerres de Religion*, Paris, Klincksieck, 1990, 374 p.

Livet Georges, *Les guerres de Religion*, PUF, coll. « Que sais-je ? », 7e éd. 1993, 128 p.

Mariéjol, Jean-H., *La Réforme, la Ligue, l'Édit de Nantes, 1559-1598*, 1904, rééd. Paris, Tallandier, 1983, 468 p.

Pernot Michel, *Les guerres de Religion en France, 1559-1598*, Paris, SEDES, 1987, 420 p.

Stegmann André, *Édits des guerres de Religion*, Paris, Vrin, 1979, 268 p.

Sutherland N. M., *The Massacre of St. Bartholomew and the European Conflict, 1559- 1572*, Londres, 1973 ; *The Huguenot Struggle for Recognition*, Yale Univ. Press, 1980, 394 p. ; *Princes, Politics and Religion, 1547-1589*, Londres, Hambledon Press, 1984, 258 p.

Yardeni Myriam, *La conscience nationale en France pendant les guerres de Religion (1559-1598)* , Paris, Publ. de la Sorbonne, B. Nauwelaertz, 1971, 392 p.

Histoire militaire et diplomatique

Bois Jean-Pierre, *Les guerres en Europe, 1494-1792*, Paris, Belin, 1993, 320 p.

Contamine Philippe, Naissance de l'infanterie française (milieu XVe - milieu XVIe siècle), *Avènement d'Henri IV. Quatrième centenaire. Colloque I : Coutras 1987*, Pau, J. et D. éd., 1988, p. 63-88.

Corvisier André (sous la dir. de), *Histoire militaire de la France*, t. 1 : Contamine Philippe (sous la dir. de), *Des origines à 1715*, Paris, PUF, 1991, 648 p.

Lot Ferdinand, *Recherches sur les effectifs des armées françaises des guerres d'Italie*, Paris, SEVPEN, 1962, 288 p.

Pablo Juan de, Contribution à l'étude de l'histoire des institutions militaires huguenotes. II : L'armée huguenote entre 1562 et 1573, *Archiv für Reformationgeschischte*, 1957, n° 2, p. 192-216.

Pariset Jean-Daniel, *Les relations entre la France et l'Allemagne au milieu du XVIe siècle*, Strasbourg, Istra, 1981, 236 p.

Parker Geoffrey, *La révolution militaire*, 1988, trad. franç., Paris, Gallimard, 1993, 276 p.

Potter David, *War and government in the French provinces. Picardy, 1470-1560*, Cambridge Univ. Press, 1993, 394 p.

Wood James B., The Royal Army during the Early Wars of Religion, 1559-1576, *Society and Institutions in Early Modern France* (M. Holt éd.), Univ. of Georgia Press, 1991, p. 1-35 ; *The Army of the King : Warfare, Soldiers and Society during the Wars of Religion in France, 1562-1576,* Cambridge, à paraître en 1996.

Zeller Gaston, *Histoire des relations internationales. Les Temps modernes,* t. II : *De Christophe Colomb à Cromwell,* Paris, PUF, 1953, 326 p.

Histoire sociale

Ariès Philippe et Chartier Roger (sous la dir. de), *Histoire de la vie privée,* t. 3 : *De la Renaissance aux Lumières,* Paris, 1986, 634 p.

Audisio Gabriel, *Des paysans, XVe-XIXe siècle,* Paris, A. Colin, 1994, 368 p.

Bercé Yves-Marie, *Histoire des Croquants,* Genève, Droz, 1974, 2 vol.

Berriot-Salvadore Évelyne, *Les femmes dans la société française de la Renaissance,* Genève, Droz, 1990, 592 p.

Billacois François, *Le duel dans la société française des XVIe-XVIIe siècles,* Paris, EHESS, 1986, 540 p.

Boucher Jacqueline, *Société et mentalités autour de Henri III,* Lille III, 1981, 4 vol. ; *La cour de Henri III,* Éd. Ouest-France, 1986, 218 p.

Bourquin Laurent, *Noblesse seconde et pouvoir en Champagne,* Paris, Publ. de la Sorb., 1994, 334 p.

Bulst Neithard et Genet (sous la dir. de), *La ville, la bourgeoisie et la genèse de l'État moderne (XIIe-XVIIIe siècle),* Paris, CNRS, 1988, 354 p.

Burguière André (sous la dir. de), *Histoire de la famille,* t. 3 : *Le choc des modernités,* Paris, A. Colin, 1986, 560 p. ; rééd. Le Livre de poche, 1994.

Chaussinand-Nogaret Guy (sous la dir. de), *Histoire des élites en France,* Paris, Tallandier, 1991, 478 p. ; rééd. coll. « Pluriel », 1991 (Arlette Jouanna, *Des « gros et gras » aux « gens d'honneur »,* p. 17-141).

Constant Jean-Marie, *Les Guise,* Paris, Hachette, 1984, 266 p. ; *La vie quotidienne de la noblesse française aux XVIe-XVIIe siècles,* Paris, Hachette, 1985, 318 p. ; *La société française aux XVIe-XVIIe-XVIIIe siècles,* Paris, Ophrys, 1994, 164 p.

Descimon Robert, La haute noblesse parlementaire parisienne : la production d'une aristocratie d'État aux XVIe et XVIIe siècles, *in* Ph. Contamine (éd.), *L'État et les aristocraties, XIIe-XVIIe siècle,* Paris, Pr. de l'ENS, 1989, p. 357-384.

Dewald Jonathan, *The Formation of a Provincial Nobility,* Princeton Univ. Press, 1980, XV-402 p.

Foisil Madeleine, *Le sire de Gouberville,* Paris, Aubier, 1981, 288 p.

Garnot Benoît, *Les villes en France aux XVIe, XVIIe, XVIIIe siècles,* Gap, Ophrys, 1989, 134 p.

Gutton Jean-Pierre, *La sociabilité villageoise dans l'ancienne France,* Paris, Hachette, 294 p. ; *La société et les pauvres en Europe (XVIe-XVIIIe siècle),* Paris, PUF, 1974, 208 p.

Harding Robert R., *Anatomy of a Power Elite. The Provincial Governors of Early Modern France,* New-Haven, Yale Univ. Press, 1978, 310 p.

Jacquart Jean, *La crise rurale en Ile-de-France,* Paris, A. Colin, 1974, 796 p.

Jouanna Arlette, *L'idée de race en France au XVIe siècle et au début du XVIIe,* Paris, Lille III, 1976, rééd. Montpellier, Univ. Paul-Valéry, 1981, 2 vol. ; *Ordre social. Mythes et hiérarchies dans la France du XVIe siècle,* Paris, Hachette, 1977, 252 p. ; *Le devoir de révolte. La noblesse française et la gestation de l'État moderne, 1559-1661,* Paris, Fayard, 1989, 504 p.

Kettering Sharon, *Patrons, Brokers and Clients in Seventeenth-Century France,* Oxford Univ. Press, 1986, 322 p.

Le Roy Ladurie Emmanuel, *Les paysans de Languedoc,* Paris, SEVPEN, 1966, 2 vol., rééd. Flammarion, 1988 ; *Le carnaval de Romans,* Paris, Gallimard, 1979, 432 p. Sous sa direction : *L'âge classique des paysans, 1340-1789,* t. 2 de l'*Histoire de la France rurale* sous la dir. de G. Duby, Paris, Seuil, 1975, 624 p. ; *La ville classique*, t. 3 de l'*Histoire de la France urbaine* sous la dir. de G. Duby, Paris, Seuil, 1981, 654 p.

Major James Russell, *From Renaissance Monarchy to Absolute Monarchy : French Kings, Nobles and Estates*, The Johns Hopkins Univ. Press, 1994, 444 p.

Merle Louis, *La métairie et l'évolution agraire de la Gâtine poitevine de la fin du Moyen Age à la Révolution*, Paris, EHESS, 1959, 252 p.

Michaud Claude, *L'Église et l'argent sous l'Ancien Régime*, Paris, Fayard, 1991, 804 p.

Moriceau Jean-Marc, *Les fermiers de l'Ile-de-France, XV*-*XVII*^e *siècle*, Paris, Fayard, 1994, 1 070 p.

Mousnier Roland, *La vénalité des offices sous Henri IV et Louis XIII*, éd. rev., Paris, PUF, 1971, 724 p.

Nassiet Michel, *Noblesse et pauvreté. La petite noblesse en Bretagne, XV*-*XVIII*^e *siècle*, Rennes, 526 p.

Neuschel Kristen B., *Word of Honor. Interpreting Noble Culture in Sixteenth-Century France*, Ithaca et Londres, Cornell Univ. Press, 1986, 224 p.

Péronnet Michel, *Les évêques de l'ancienne France*, Lille III, 1977, 2 vol.

Perrot Michèle (sous la dir. de), *Histoire des femmes en Occident*, t. 3 : *XVI*-*XVIII*^e *siècle*, sous la dir. de Natalie Zemon Davis et Arlette Farge, Paris, Plon, 1991.

Poitrineau Abel, *Ils travaillaient la France*, Paris, A. Colin, 1992, 280 p.

Sauzet Robert (éd.), *Henri III et son temps*, Paris, Vrin, 1992, 332 p.

Schalk Ellery, *From Valor to Pedigree. Ideas of Nobility in France in the Sixteenth and Seventeenth Century*, Princeton Univ. Press, 1986, 242 p. (trad. franç. : *L'épée et le sang. Une histoire du concept de noblesse (vers 1500 - vers 1650)*, Paris, Champ Vallon, 1996, 192 p.

Solnon Jean-François, *La Cour de France*, Paris, Fayard, 1987, 650 p.

Wood James, *The nobility of the Election of Bayeux, 1463-1666*, Princeton Univ. Press, 1980, 220 p.

Histoire démographique

Baratier Édouard, *La démographie provençale du XIII*^e *au XVI*^e *siècle*, Paris, SEVPEN, 1961, 256 p.

Biraben Jean-Noël, *Les hommes et la peste en France et dans les pays européens et méditerranéens*, Paris, La Haye, Mouton, 1975-1976, 2 vol.

Croix Alain, *Nantes et le pays nantais au XVI*^e *siècle, étude démographique*, Paris, SEVPEN, 1974, 356 p.

Delumeau Jean et Lequin Yves (sous la dir. de), *Les malheurs des temps. Histoire des fléaux et des calamités en France*, Paris, Larousse, 1987.

Dupâquier Jacques (sous la dir. de), *Histoire de la population française*, 2 : *De la Renaissance à 1789*, Paris, PUF, 602 p.

Garnot Benoît, *La population française aux XVI*^e, *XVII*^e, *XVIII*^e *siècles*, Gap, Ophrys, 1988, 126 p.

Hildesheimer Françoise, *Fléaux et société : de la Grande Peste au choléra, XIV*-*XIX*^e *siècle*, Paris, Hachette, 1993, 176 p.

Histoire économique

Bayard Françoise et Guignet Philippe, *L'économie française aux XVI*-*XVIII*^e *siècles*, Gap, Ophrys, 1991, 264 p.

Chaunu Pierre et Labrousse Ernest (sous la dir. de), *Histoire économique et sociale de la France*, Paris, PUF, 1977 ; t. 1, vol. 1 : *L'État et la ville* (Pierre Chaunu, *L'État* ;

Richard Gascon, *La France du mouvement : les commerces et les villes*) ; t. 1, vol. 2 : *Paysanneries et croissance* (Emmanuel Le Roy Ladurie, *Les masses profondes : la paysannerie* ; Michel Morineau, *La conjoncture ou les cernes de la croissance*).

Daumas Maurice (sous la dir. de), *Histoire générale des techniques*, Paris, PUF, 1965, t. II : *Les premières étapes du machinisme.*

Gascon Richard, *Grand commerce et vie urbaine au XVIe siècle. Lyon et ses marchands*, Paris, Mouton, 1971, 2 vol.

Goy J. et Le Roy Ladurie E. (éd.), *Les fluctuations du produit de la dîme*, Paris, Mouton, 1972, 398 p. ; *Prestations paysannes, dîmes, rente foncière et mouvement de la production agricole à l'époque préindustrielle*, Paris, EHESS, 1982, 2 vol.

Masson Philippe et Vergé-Franceschi Michel (sous la dir. de), *La France et la mer au siècle des grandes découvertes*, Paris, Tallandier, 1993, 392 p.

Schnapper Bernard, *Les rentes au XVIe siècle. Histoire d'un instrument de crédit*, Paris, SEVPEN, 1957, 310 p.

Spooner F. C., *L'économie mondiale et les frappes monétaires en France, 1493-1680*, Paris, SEVPEN, 1956, 546 p.

Histoire des cultures, des mentalités et des sensibilités

Bercé Yves-Marie, *Fête et révolte*, Paris, Hachette, 1976, 254 p.

Chartier Roger et Martin Henri-Jean, *Le livre conquérant*, Paris, Fayard, 1989, 796 p.

Chartier Roger, Compère Marie-Madeleine, Julia Dominique, *L'éducation en France du XVIe au XVIIIe siècle*, Paris, SEDES, 1976, 306 p.

Compère Marie-Madeleine, *Du collège au lycée (1500-1850)*, Paris, Gallimard-Julliard, coll. « Archives », 1985, 286 p.

Davis Natalie Zemon, *Les cultures du peuple. Rituels, savoirs et résistances au XVIe siècle*, Paris, Aubier, 1979, 444 p.

Dubois Claude-Gilbert, *La conception de l'Histoire en France au XVIe siècle (1560- 1610)*, Paris, A. G. Nizet, 1977, 644 p.

Élias Norbert, *La civilisation des mœurs*, Paris, Calmann-Lévy, rééd. 1991, 328 p.

Garin Eugenio, *L'éducation de l'homme moderne. La pédagogie de la Renaissance (1400-1600)*, Paris, Fayard, 1968, rééd. Hachette-Pluriel, 1995, 262 p.

Garnot Benoît, *Société, culture et genre de vie dans la France moderne, XVIe-XVIIIe siècle*, Paris, 1991, 192 p.

Jacquot Jean (sous la dir. de), *Les fêtes de la Renaissance*, Paris, CNRS, 1956-1960, 3 vol.

Lebrun François, Quéniart Jean et Venard Marc, *De Gutenberg aux Lumières*, t. 3 de l'*Histoire générale de l'enseignement et de l'éducation en France*, Paris, Nouv. Lib. de France, 1981, 670 p.

Longeon Claude, *Une province française à la Renaissance. La vie intellectuelle en Forez au XVIe siècle*, Saint-Étienne, 1975, Centre d'Ét. Foréziennes, 620 p.

Margolin Jean-Claude, *L'Humanisme en Europe au temps de la Renaissance*, Paris, PUF, « Que sais-je ? », 1981, 128 p.

Muchembled Robert, *L'invention de l'homme moderne. Sensibilités, mœurs et comportements collectifs sous l'Ancien Régime*, Paris, Fayard, 1988, 514 p. ; *Cultures et sociétés en France du début du XVIe siècle au milieu du XVIIe siècle*, Paris, SEDES, 1995, 518 p. ; *Le Roi et la sorcière. L'Europe des bûchers, XVe-XVIIIe siècle*, Paris, Desclée, 1993, 264 p.

Pellegrin Nicole, *Les bachelleries. Organisation et fêtes de la jeunesse dans le Centre Ouest, XVe-XVIIIe siècle*, Poitiers, Soc. des Antiqu. de l'Ouest, 1984, 400 p.

Renaudet Augustin, *Préréforme et humanisme*, Paris, 1953, rééd. Genève, Slatkine reprints, 1981, 740 p.

Strong Roy, *Les fêtes de la Renaissance, 1450-1650*, Arles, Solin, 1991, 382 p.

Védrine Hélène, *Les philosophies de la Renaissance*, Paris, PUF, « Que sais-je ? », 1971, 128 p.

Yates Frances, *The French Academies of the Sixteenth Century*, Londres, 1947, 200 p.

Histoire de la littérature et des arts

Aulotte Robert (sous la dir. de), *Précis de littérature française du XVIe siècle*, Paris, PUF, 1991, 458 p.

Babelon Jean-Pierre, *Châteaux de France au siècle de la Renaissance*, Paris, Picard, 840 p.

Balsamo Jean, *Les rencontres des Muses. Italianisme et anti-italianisme dans les lettres françaises de la fin du XVIe siècle*, Genève, Slatkine, 1992, 360 p.

Blunt Anthony, *Art et architecture en France*, 1500-1700, Paris, Macula, 1983, 416 p.

Borriaud Jean-Yves, *La littérature française du XVIe siècle*, Paris, A. Colin, 1995, 192 p.

Candé Roland de, *Histoire universelle de la musique*, Paris, Seuil, 1978, 2 vol.

Chastel André, *L'art français. Temps modernes, 1430-1620*, Paris, Flammarion, 336 p.

Fragonard Marie-Madeleine, *Les dialogues du Prince et du Poète. La littérature française de la Renaissance*, Paris, Gallimard, 1990, 144 p. ; *La plume et l'épée : la littérature des guerres de Religion à la Fronde*, Gallimard, 1989, 144 p.

Hautecœur Louis, *L'architecture classique en France*, Paris, Picard, t. 1, 2 vol.

Jestaz Bertrand, *L'art de la Renaissance*, Paris, Citadelles et Mazenod, 1987, 606 p.

Joukovsky Françoise, *La gloire dans la poésie française et néo-latine du XVIe siècle*, Genève, Droz, 1969, 640 p.

Lazard Madeleine, *Le théâtre au XVIe siècle*, Paris, PUF, 1980, 256 p.

Mathieu-Castellani Gisèle, *Les thèmes amoureux dans la poésie française, 1570-1600*, Paris, Klincksieck, 1975.

Ménager Daniel, *Introduction à la vie littéraire du XVIe siècle*, Bordas, 1968, rééd. 1984, 202 p. ; *Ronsard. Le Roi, le Poète et les Hommes*, Genève, Droz, 1979, 384 p.

Pérouse Gabriel, *Nouvelles françaises du XVIe siècle*, Genève, Droz, 1977, 546 p.

Pérouse de Montclos Jean-Marie, *Histoire de l'architecture française. De la Renaissance à la Révolution*, Paris, Mengès, 1989, 516 p.

Pineaux Jacques, *La poésie des protestants de langue française, du premier synode national jusqu'à la proclamation de l'édit de Nantes (1559-1598)*, Paris, Klincksieck, 1971, 524 p.

Schmidt Albert-Marie, *La poésie scientifique en France au XVIe siècle*, Paris, A. Michel, 1938, 378 p., rééd. Lausanne, Rencontre, 1970.

Simonin Michel, *Vivre de sa plume au XVIe siècle, ou la carrière de François de Belleforest*, Genève, Droz, 1992, 336 p.

Weber Édith, *La musique protestante en langue française*, Paris, Champion, 1979 ; *Histoire de la musique française de 1500 à 1650*, Paris, SEDES, 1995, 244 p.

Weber Henri, *La création poétique en France, de Maurice Scève à Agrippa d'Aubigné*, Paris, Nizet, 1981, 774 p.

Biographies

Babelon Jean-Pierre, *Henri IV*, Paris, Fayard, 1982, 1 104 p.

Barbiche Bernard, *Sully*, Paris, Albin Michel, 1978, 256 p.

Chevallier Pierre, *Henri III, roi shakespearien*, Paris, Fayard, 1985, 752 p.

Cloulas Ivan, *Catherine de Médicis*, Paris, Fayard, 1979, 714 p. ; *Henri II*, Paris, Fayard, 1985, 692 p.

Cocula Anne-Marie, *Brantôme. Amour et gloire au temps des Valois*, Paris, A. Michel, 478 p. ; *Étienne de La Boétie*, Éd. Sud-Ouest, 1995, 188 p.

Cottret Bernard, *Calvin*, Paris, J.-C. Lattès, 1995, 456 p.

Crété Liliane, *Coligny*, Paris, Fayard, 1985, 516 p.

Demerson Guy, *Rabelais*, Paris, Fayard, 1991, 350 p.

Garrisson Janine, *Henry IV*, Paris, Seuil, 1984, 350 p. ; *Marguerite de Valois*, Paris, Fayard, 1994, 374 p.

Holt Mack P., *The Duke of Anjou and the Politique Struggle during the Wars of Religion*, Cambridge Univ. Press, 1986, XIII-242 p.

Jacquart Jean, *François Ier*, Paris, Fayard, 1981, rééd. *ibid.*, 1994, 458 p. ; *Bayard*, Paris, Fayard, 1987, 396 p.

Knecht Robert J., *Renaissance Warrior and Patron. The Reign of Francis I*, Cambridge Univ. Press, 1994, 612 p.

Labande-Mailfert Yvonne, *Charles VIII et son milieu*, Paris, Klincksieck, 1975, 616 p.

Lazard Madeleine, *Michel de Montaigne*, Paris, Fayard, 1992, 430 p.

Nakam Géralde, *Montaigne et son temps*, rééd. Paris, Gallimard, 1993, 480 p.

Quilliet Bernard, *Louis XII*, Paris, Fayard, 1986, 518 p.

Roelker Nancy, *Jeanne d'Albret, reine de Navarre, 1528-1572*, Paris, Imp. nat., 1979, 468 p.

Simonin Michel, *Pierre de Ronsard*, Paris, Fayard, 1990, 424 p. ; *Charles IX*, Paris, Fayard, 1995, 510 p.

Viennot Éliane, *Marguerite de Valois. Histoire d'une femme, histoire d'un mythe*, Paris, Payot, 1993, 478 p.

Index des personnages,
des principales notions et institutions
et des historiens contemporains cités

*Les noms des notions et institutions sont en gras ;
ceux des historiens contemporains sont en italique.*

Tables

Cartes

Tableaux

Illustrations

Imprimé en France
Imprimerie des Presses Universitaires de France
73, avenue Ronsard, 41100 Vendôme
Juillet 1996 — N° 42 739

**Collection
Premier
Cycle**